CONSTANTES PHYSIQUES

Nom	Symbole	Valeur approchée	Valeur précise*
Charge élémentaire	e	$1{,}602 \times 10^{-19}$ C	$1{,}602\ 177\ 33(49) \times 10^{-19}$ C
Constante de Boltzmann	$k = R/N_A$	$1{,}381 \times 10^{-23}$ J/K	$1{,}380\ 658(12) \times 10^{-23}$ J/K
Constante de gravitation	G	$6{,}672 \times 10^{-11}$ N·m²/kg²	$6{,}672\ 59(85) \times 10^{-11}$ N·m²/kg²
Constante de la loi de Coulomb	$k\ (= 1/4\pi\varepsilon_0)$	$9{,}00 \times 10^9$ N·m²/C²	$8{,}987\ 551\ 8 \times 10^9$ N·m²/C²
Constante de Planck	h	$6{,}626 \times 10^{-34}$ J·s	$6{,}626\ 075\ 5(40) \times 10^{-34}$ J·s
Constante des gaz parfaits	R	$8{,}314$ J/(K·mol)	$8{,}314\ 510(70)$ J/(K·mol)
Masse de l'électron	m_e	$9{,}109 \times 10^{-31}$ kg	$9{,}109\ 389\ 7(54) \times 10^{-31}$ kg
Masse du proton	m_p	$1{,}672 \times 10^{-27}$ kg	$1{,}672\ 623\ 1(10) \times 10^{-27}$ kg
Nombre d'Avogadro	N_A	$6{,}022 \times 10^{23}$ mol⁻¹	$6{,}022\ 136\ 7(36) \times 10^{23}$ mol⁻¹
Perméabilité du vide	μ_0	–	$4\pi \times 10^{-7}$ N/A² (exacte)
Permittivité du vide	$\varepsilon_0 = 1/(\mu_0 c^2)$	$8{,}854 \times 10^{-12}$ C²/(N·m²)	$8{,}854\ 187\ 818 \times 10^{-12}$ C²/(N·m²)
Unité de masse atomique	u	$1{,}661 \times 10^{-27}$ kg	$1{,}660\ 540\ 2(10) \times 10^{-27}$ kg
Vitesse de la lumière dans le vide	c	$3{,}00 \times 10^8$ m/s	$2{,}997\ 924\ 58 \times 10^8$ m/s (exacte)

* E. Richard Cohen et B. N. Taylor, *Reviews of Modern Physics*, vol. 59, n° 4, octobre 1987, p. 1121. Les nombres entre parenthèses indiquent l'incertitude sur les deux derniers chiffres.

ABRÉVIATIONS DES UNITÉS COURANTES

Ampère	A	Kilocalorie	kcal (Cal)
Ångström	Å	Kilogramme	kg
Atmosphère	atm	Livre	lb
British thermal unit	Btu	Mètre	m
Coulomb	C	Minute	min
Degré Celsius	°C	Mole	mol
Degré Fahrenheit	°F	Newton	N
Électronvolt	eV	Ohm	Ω
Farad	F	Pascal	Pa
Gauss	G	Pied	pi
Gramme	g	Pouce	po
Henry	H	Seconde	s
Heure	h	Tesla	T
Horse-power	hp	Unité de masse atomique	u
Hertz	Hz	Volt	V
Joule	J	Watt	W
Kelvin	K	Weber	Wb

DONNÉES D'USAGE FRÉQUENT

Terre	
Rayon moyen	$6{,}37 \times 10^6$ m
Masse	$5{,}98 \times 10^{24}$ kg
Distance moyenne au Soleil	$1{,}50 \times 10^{11}$ m
Lune	
Rayon moyen	$1{,}74 \times 10^6$ m
Masse	$7{,}36 \times 10^{22}$ kg
Distance moyenne à la Terre	$3{,}84 \times 10^8$ m
Soleil	
Rayon moyen	$6{,}96 \times 10^8$ m
Masse	$1{,}99 \times 10^{30}$ kg
Accélération gravitationnelle standard	$9{,}806\ 65$ m/s^2
Pression atmosphérique normale	$1{,}013 \times 10^5$ Pa
Masse volumique de l'air (à 0°C et 1 atm)	$1{,}293$ kg/m^3
Masse volumique de l'eau (entre 0°C et 20°C)	1000 kg/m^3
Chaleur spécifique de l'eau	4186 J/(kg·K)
Vitesse du son dans l'air (0°C)	$331{,}5$ m/s
à la pression atmosphérique normale (20°C)	$343{,}4$ m/s

PRÉFIXES DES PUISSANCES DE DIX

Puissance	Préfixe	Abréviation	Puissance	Préfixe	Abréviation
10^{-18}	atto	a	10^1	déca	da
10^{-15}	femto	f	10^2	hecto	h
10^{-12}	pico	p	10^3	kilo	k
10^{-9}	nano	n	10^6	méga	M
10^{-6}	micro	μ	10^9	giga	G
10^{-3}	milli	m	10^{12}	téra	T
10^{-2}	centi	c	10^{15}	péta	P
10^{-1}	déci	d	10^{18}	exa	E

SYMBOLES MATHÉMATIQUES

$\propto$	est proportionnel à
$>$ $(<)$	est plus grand (plus petit) que
$\geq$ $(\leq)$	est plus grand (plus petit) ou égal à
$\gg$ $(\ll)$	est beaucoup plus grand (plus petit) que
$\approx$	est approximativement égal à
Δx	la variation de x
$\displaystyle\sum_{i=1}^{N} x_i$	$x_1 + x_2 + x_3 + \ldots + x_N$
$|x|$	le module ou la valeur absolue de x
$\Delta x \to 0$	Δx tend vers zéro
$n!$	factorielle n : $n(n-1)(n-2) \ldots 2 \times 1$

PHYSIQUE 3

Ondes, optique et physique moderne

2e édition

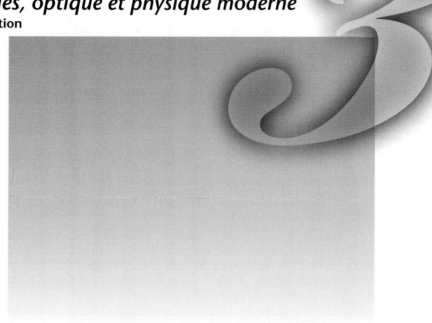

PHYSIQUE

Ondes, optique et physique moderne

2e édition

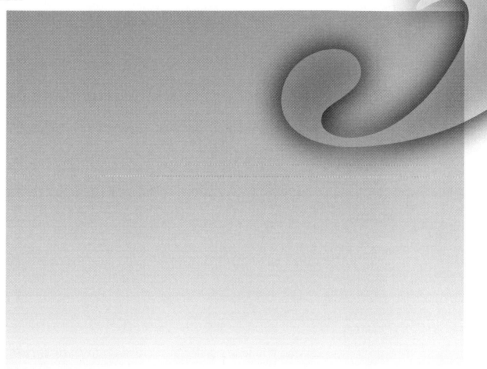

Harris Benson

Marc Séguin
Benoît Villeneuve
Bernard Marcheterre
Nicole Lefebvre

ÉDITIONS DU RENOUVEAU
PÉDAGOGIQUE INC.

5757, RUE CYPIHOT
SAINT-LAURENT (QUÉBEC) H4S 1R3
TÉL.: (514) 334-2690
TÉLÉC.: (514) 334-4720
COURRIEL: erpidlm@erpi.com

Traduction :	Dominique Amrouni
Supervision éditoriale :	Sylvain Bournival
Révision linguistique :	Jean Roy et Sylvain Bournival
Correction des épreuves :	Anne Rivière
Recherche photo (2e édition) :	Bianca Lam
Conception graphique et maquette de la couverture :	Matteau Parent graphisme et communication inc.
Illustrations techniques :	Caractéra inc. Bertrand Lachance
Infographie et réalisation graphique :	Caractéra inc.

Couverture : Arc-en-ciel : David Olsen/Tony Stone Images
Albert Einstein : J.-L. Charmet/Science Photo Library/
Photo Researchers, Inc.
Bulles de savon : Michael Freeman

Cet ouvrage est une traduction de l'édition révisée de *University Physics*, de Harris Benson, publiée et vendue à travers le monde avec l'autorisation de John Wiley & Sons, Inc.

Dépôt légal : 1er trimestre 1999
Bibliothèque nationale du Québec
Bibliothèque nationale du Canada
Imprimé au Canada

ISBN 2-7613-1042-X

23456789 II 0543210
20064 ABCD LHM-9

Préface des adaptateurs de la deuxième édition française

La première édition en langue française de l'ouvrage de Harris Benson a connu un grand succès dans le réseau collégial québécois et à travers le monde francophone en général. Ainsi, nous avons conçu cette deuxième édition avec le souci de préserver les caractéristiques qui ont fait la force de la collection, tout en améliorant certains aspects qui s'étaient avérés lacunaires à l'usage.

Au premier coup d'œil, les habitués de la collection seront frappés par la nouvelle mise en page plus aérée, qui facilite grandement la lecture. Ils noteront aussi que toutes les figures ont été refaites. De façon générale, ces nouvelles illustrations traduisent plus clairement les phénomènes étudiés grâce au réalisme de leur facture. De plus, les grandeurs physiques principales sont systématiquement associées à une couleur qui leur est propre tout au long de l'ouvrage.

Un effort particulier a été fait pour que les utilisateurs de la première édition puissent passer le plus facilement possible à la deuxième. Par exemple, nous avons gardé intacte la numérotation des questions, des exercices et des problèmes de la plupart des chapitres.

La première édition de la collection avait innové en offrant pour la première fois la couleur dans un ouvrage de physique de niveau collégial. La deuxième édition innove à son tour en ajoutant le *mouvement…* par l'entremise du complément *Physique animée*, une série de logiciels qui fonctionne avec le système Windows (versions 3.1, 95 et 98) et qui se trouve sur le CD-ROM inséré dans chacun des exemplaires. On a prévu, pour chaque tome, quatre simulations interactives qui viennent compléter certaines sections du livre. Elles peuvent être utilisées par le professeur à titre de démonstrations animées pendant son cours, mais elles sont aussi conçues pour servir de « laboratoire virtuel » aux étudiants, sur une base individuelle. Plusieurs des problèmes énoncés dans le livre peuvent être résolus à l'aide des logiciels de *Physique animée*. Le guide d'utilisation de *Physique animée* ainsi que plusieurs exercices conçus spécialement pour cet outil sont accessibles directement à partir du CD-ROM.

 Des renvois aux logiciels de *Physique animée* (désignés par le sigle ci-contre) sont placés aux endroits appropriés en marge du texte dans chacun des tomes.

La deuxième édition se distingue aussi par une utilisation plus souple des sections facultatives : on distingue désormais deux pistes de lecture, le *texte de base* en caractères noirs et le *texte facultatif* en caractères bleus. Au lieu de n'occuper que la fin des chapitres, les passages facultatifs peuvent maintenant se trouver n'importe où dans le texte. Par le fait même, il nous a été possible de réintroduire dans le texte de base des sujets comme celui de la polarisation qui, autrefois, se trouvaient dans le texte facultatif. En revanche, certains passages courts de niveau plus avancé se trouvent maintenant dans le texte facultatif. Lorsque le contenu de ces passages était nécessaire à la compréhension de la suite de l'exposé, on a intercalé une explication simplifiée au sein du texte de base. *Ainsi, la matière exposée dans les passages facultatifs peut être omise sans qu'il y ait rupture dans la continuité du texte de base ; de plus, elle n'est pas un préalable à la compréhension du texte de base des chapitres suivants.* La matière couverte dans le texte facultatif n'est pas nécessairement moins importante ou plus difficile que celle qui se trouve dans le texte de base. Le découpage que nous avons fait devrait permettre à des professeurs qui veulent couvrir l'essentiel d'un chapitre d'indiquer clairement à leurs étudiants ce qui est ou non à l'étude. Les passages facultatifs n'étant pas essentiels à la compréhension de la suite de l'ouvrage, un professeur pourra décider de les sauter, sans crainte d'avoir besoin d'y revenir pour couvrir la matière dans le texte de base des chapitres suivants.

Voici, dans l'ordre où ils se présentent dans chaque chapitre, les éléments principaux qui ont été ajoutés ou modifiés dans la deuxième édition.

- Les *points essentiels* sont désormais toujours formulés sous la forme de phrases complètes.

- Certaines sections ont été remaniées, d'autres ont été enrichies de nouvelles sous-sections. Dans de rares cas, l'ordre des sections a été modifié.

- De nouveaux *exemples* de divers niveaux de difficulté ont été ajoutés.

- Les *exercices* qui se présentaient dans le corps même du chapitre (avec réponses après le résumé) ont été abolis. Certains ont été convertis en exemples tandis que d'autres ont été intégrés au texte.

- Quelques *sujets connexes* et *aperçus historiques* ont été ajoutés.

- Tous les termes en gras se retrouvent désormais dans une liste de *termes importants* placée à la fin du chapitre, immédiatement après le résumé. Un professeur peut utiliser cette liste pour choisir des termes dont la définition pourrait être demandée à l'étudiant au cours d'un contrôle.

- Une nouvelle série de points de *révision* précède la liste de questions qui existait déjà dans la première édition. L'étudiant trouvera les réponses directement dans le chapitre, sans avoir à faire de calculs ou à chercher de l'information complémentaire dans d'autres sources.

- Dans la plupart des chapitres, une série d'*exercices supplémentaires* s'ajoute à la suite des exercices. Les exercices supplémentaires, tout comme les exercices, sont regroupés sous les différents titres des sous-sections auxquelles ils se rapportent, et ils sont numérotés à la suite des exercices. De même, une série de *problèmes supplémentaires* s'ajoute à la suite des problèmes dans certains chapitres.

- Afin de faciliter le repérage des points de révision, des questions, des exercices et des problèmes, une lettre représentative (R, Q, E et P) a été ajoutée à la numérotation. Par exemple, les points de révision sont numérotés R1, R2, R3, etc. Cela devrait permettre d'éviter des méprises fréquentes, comme lorsqu'un élève remet la solution de l'*exercice 3* alors que le professeur lui avait demandé de répondre à la *question 3*.

La collection Physique de Harris Benson n'a pas fini d'évoluer. Comme toujours, nous vous invitons à nous transmettre vos commentaires, suggestions et trouvailles par l'entremise de notre éditeur. Vous pouvez nous rejoindre notamment par courrier électronique à l'adresse **benson@erpi.com**. Il nous fera plaisir de poursuivre ainsi avec votre collaboration ce travail d'amélioration continue qui nous tient tous à cœur.

Nous tenons à remercier toutes les personnes qui ont contribué, par leurs commentaires et leurs suggestions, à améliorer cet ouvrage. En particulier, nous tenons à remercier les professeurs qui ont participé au sondage et aux groupes-discussion, ainsi que les professeurs qui nous ont fait parvenir leurs commentaires, notamment Mme Solange Boulanger et MM. Stéphane Durand, Éric Fournier et Bernard Yelle du collège Édouard-Montpetit, de même que M. Jean-Marie Desroches du collège de Drummondville. Nous voudrions aussi souligner le remarquable soutien de l'équipe des Éditions du Renouveau Pédagogique, en particulier notre éditeur, Normand Cléroux, le directeur de la division collégiale et universitaire, Jean-Pierre Albert, et notre irremplaçable superviseur de projet, Sylvain Bournival.

L'équipe des adaptateurs de la deuxième édition :
Marc Séguin, collège de Maisonneuve
Benoît Villeneuve, collège Édouard-Montpetit
Bernard Marcheterre, cégep régional de Lanaudière à L'Assomption
Nicole Lefebvre, collège de Maisonneuve

L'équipe des concepteurs de Physique animée *:*
Martin Riopel, collège Jean-de-Brébeuf
Marc Séguin, collège de Maisonneuve
Benoît Villeneuve, collège Édouard-Montpetit

Préface de l'auteur

Ce manuel est le troisième tome d'un ouvrage d'introduction à la physique destiné aux étudiants de sciences de la nature. Le contenu de chaque tome correspond à un cours d'un trimestre. À l'annexe B figurent les notions d'algèbre et de trigonométrie qui sont supposées connues de l'étudiant. En principe, celui-ci devrait aussi avoir fait un trimestre de calcul différentiel et intégral, mais il peut suivre ce cours parallèlement à celui de physique. Le système international (SI) est employé tout au long des trois tomes, le système britannique n'étant mentionné qu'à de rares occasions.

La suite de cette préface expose les moyens mis en œuvre pour faciliter la progression de l'étudiant et lui permettre d'assimiler le contenu du cours.

Rigueur de la présentation

Notre premier objectif a été de donner une présentation claire et correcte des notions et des principes fondamentaux de la physique. Nous espérons ainsi avoir su éviter de donner prise aux conceptions erronées. Dans plusieurs sections facultatives, nous nous sommes efforcé de couvrir convenablement des sujets souvent négligés dans les manuels courants, par exemple le théorème de l'énergie cinétique. Une attention particulière a été accordée à des questions délicates, comme l'usage subtil des signes dans l'application de la loi de Coulomb, de la loi de Faraday ou de la loi des mailles de Kirchhoff dans les circuits c.a. Une distinction très nette a été tracée entre la f.é.m. et la différence de potentiel. Sans trop insister sur la distinction entre l'accélération gravitationnelle et le champ gravitationnel, nous leur avons attribué des symboles différents.

Concision du style

Nous nous sommes efforcé de rédiger cet ouvrage dans un style simple, clair et concis, aussi bien sur le plan du texte que sur celui des calculs et de la notation mathématique. Les exemples proposés mettent l'accent sur des étapes importantes ou des notions plus difficiles à saisir. Tout en étant assez complet, ce manuel est nettement moins volumineux que la plupart des manuels du même type publiés ces dernières années.

Aspect pédagogique

Cet ouvrage est axé sur des points essentiels et comporte le moins d'équations possible. Certains cas particuliers, comme la formule de la portée d'un projectile, sont étudiés dans le cadre d'un exemple et ne figurent pas dans le résumé du chapitre. Nous avons également choisi de ne pas présenter de multiples versions d'une même équation. Ainsi, au chapitre 6, la variation de l'intensité dans la figure d'interférence créée par deux fentes parallèles est uniquement donnée en fonction du déphasage ϕ et non en fonction de la position angulaire (θ) ni de la coordonnée verticale sur l'écran (y).

Questions, exercices et problèmes

Les questions, exercices et problèmes sont nombreux et variés. Les questions traitent des aspects *conceptuels* de la matière du chapitre : l'étudiant doit en général pouvoir y répondre sans faire de calculs. Chaque exercice porte sur une section donnée du chapitre, alors que les problèmes ont une portée plus générale. Pour aider les étudiants et les professeurs dans le choix des exercices et des problèmes, nous leur avons attribué un degré de difficulté (I ou II). Les réponses aux exercices et problèmes de numéros impairs figurent à la fin de chaque tome.

Répartition de la matière

Les trois tomes de *Physique* couvrent la plupart des sujets traditionnels de la physique classique. Les six derniers chapitres du présent tome traitent de sujets choisis de la physique moderne. La partie principale de l'exposé est présentée en caractères noirs, alors que les sections facultatives sont en caractères bleus. Dans l'ensemble, l'agencement de la matière est assez conventionnel. Le produit scalaire et le produit vectoriel sont présentés au chapitre 2 du 1er tome, mais on peut aisément reporter leur étude au moment de leur utilisation. Le chapitre 15 du 1er tome, qui porte sur les oscillations, a été reproduit au début du présent tome, où il introduit logiquement l'étude des ondes menée à bien dans les deux chapitres suivants. Les aspects dynamiques et énergétiques du mouvement des satellites sont présentés aux chapitres 6 et 8 du 1er tome. Leur étude peut être différée au chapitre 13 afin de traiter uniformément la gravitation, mais on peut tout aussi bien sauter l'ensemble du chapitre 13.

Aides pédagogiques

Points essentiels

Placés en tête de chapitre, ils donnent un bref aperçu des notions importantes, lois, principes et phénomènes à l'étude.

Méthodes de résolution

On peut considérer l'acquisition de méthodes applicables à la résolution de certains types de problèmes comme l'aspect le plus important d'un cours de physique. Nous avons donné tout au long du manuel, mais surtout dans les premiers chapitres, des méthodes de résolution de problèmes suivant une approche par étapes.

Le *résumé* du chapitre reprend les équations les plus importantes et rappelle brièvement les notions et principes essentiels. Par ailleurs, des *notes marginales* mettent en évidence les points importants du texte principal.

Exemples traités

Les étudiants reprochent souvent aux manuels de physique de ne pas donner assez d'exemples ou de présenter des exemples qui ne les préparent pas convenablement aux problèmes posés à la fin des chapitres. Pour remédier à cette lacune, ce manuel comporte de nombreux exemples dont le degré de difficulté correspond autant à celui des problèmes les plus difficiles qu'à celui des exercices. À l'occasion, l'étudiant est averti des pièges ou des difficultés qu'il risque de rencontrer (mauvais départ, racines non physiques, données sans intérêt, difficultés liées à la notation, etc.).

Dimension historique

Cet ouvrage se distingue aussi par son contenu historique. Présente dans chacun des chapitres, l'information historique remplit un but à la fois pédagogique et culturel. Selon le contexte, elle joue les rôles suivants :

1. Montrer comment une idée, comme la conservation de l'énergie, ou une théorie, comme la relativité ou la mécanique quantique, a vu le jour et s'est développée.

2. Présenter la physique sous un jour plus réaliste en tant qu'activité humaine.

3. Faire connaître des circonstances qui présentent un intérêt particulier (dans le cadre d'anecdotes, par exemple).

Pour rendre un sujet plus vivant et aider l'étudiant à mieux comprendre certaines notions, nous avons intégré au texte de brèves indications historiques. Des exposés plus approfondis sont donnés séparément dans des *Aperçus historiques* présentés en deux colonnes dans un caractère d'imprimerie différent. Certains de ces exposés rendent compte de l'émergence de notions importantes, telles la notion d'inertie. D'autres soulignent l'élégance d'un raisonnement, par exemple celui de Huygens dans son étude des chocs, ou celui qui a permis à Einstein d'établir la formule $E = mc^2$. Aucun problème ou exercice ne porte sur ces aperçus historiques.

Il arrive souvent que les étudiants se fassent une fausse idée des réalités physiques. Dans le cas de certaines notions ou théories, même un exposé lucide ne suffit pas à effacer des idées bien ancrées dans leur perception du monde. Cependant, il est possible de rectifier certaines des idées fausses couramment répandues, par exemple sur l'inertie ou la chaleur, en analysant le cheminement historique qui a abouti à la notion en question.

Un cours d'introduction à la physique peut facilement apparaître comme une litanie de conclusions issues des travaux d'esprits savants. En plus d'être intimidante, cette approche a le tort de présenter la physique comme une science établie plutôt que comme un ensemble de connaissances en constante évolution. Les aperçus historiques peuvent remédier à ce problème et montrer aux étudiants que les choses peuvent demeurer longtemps embrouillées, même pour les plus grands esprits, avant qu'une notion claire ne se dégage. En fait, des penseurs profonds comme Aristote et Galilée ont nourri eux aussi certains préjugés erronés.

Afin de simplifier la description de contextes historiques, les contributions de nombreux chercheurs ont dû malheureusement être passées sous silence. De même, l'exposé ne fait pas mention des nombreuses tentatives infructueuses. Les exposés historiques se veulent exacts, instructifs, intéressants, mais ne sauraient être exhaustifs. Ce que nous proposons ici, c'est une *Physique* avec une touche d'histoire, et non une histoire de la physique.

Sujets connexes

Les sections intitulées *Sujets connexes* portent sur des phénomènes remarquables qui ont un rapport immédiat avec le contenu du chapitre. Parfois, il s'agit de phénomènes familiers, comme les marées, les arcs-en-ciel, les pirouettes du chat, l'électricité atmosphérique ou le magnétisme. Ailleurs, il est fait état de sujets qui font actuellement l'objet de recherches en physique, comme l'holographie, la supraconductivité, la lévitation magnétique, le microscope à effet tunnel ou la fusion nucléaire. Le chapitre 13, qui traite des particules élémentaires, est proposé à titre de sujet connexe ; il ne comporte pas d'exemples, ni d'exercices ou de problèmes de fin de chapitre.

Fonction de la couleur

La couleur a été utilisée avec discernement pour améliorer la clarté et la qualité des graphiques et des illustrations. Elle a aussi permis de rehausser l'apparence générale de l'ouvrage par l'insertion de photographies attrayantes.

Personnes consultées

De nombreux professeurs nous ont fait part de leurs remarques et suggestions. Leur contribution a énormément ajouté à la qualité du manuscrit. Ils ont tous fait preuve d'une grande compréhension des besoins des étudiants, et nous leur sommes infiniment reconnaissant de leur aide et de leurs conseils.

Nous avons eu la chance de pouvoir consulter Stephen G. Brush, historien des sciences de renom, et Kenneth W. Ford, physicien et lui-même auteur. Stephen G. Brush nous a fait de nombreuses suggestions concernant les questions d'histoire des sciences ; seules quelques-unes ont pu être abordées. Quant à Kenneth W. Ford, il nous a fourni des conseils précieux sur des questions de pédagogie et de physique. Nous lui sommes reconnaissant de l'intérêt qu'il a manifesté envers ce projet et de ses encouragements.

Remerciements

Nous voulons exprimer notre gratitude envers nos collègues pour le soutien qu'ils nous ont apporté. Nous tenons à remercier Luong Nguyen, qui nous a encouragé dès le début. Avec David Stephen et Paul Antaki, il nous a fourni une abondante documentation de référence. Nous avons aussi tiré profit de nos discussions avec Michael Cowan et Jack Burnett.

Enfin, nous devons beaucoup à notre femme, Frances, et à nos enfants, Coleman et Emily. Nous n'aurions jamais pu terminer ce livre sans la patience, l'amour et la tolérance dont ils ont fait preuve pendant de nombreuses années. À l'avenir, le temps passé avec eux ne sera plus aussi mesuré.

Nous espérons que, grâce à cet ouvrage, les étudiants feront de la physique avec intérêt et plaisir. Les remarques et corrections que voudront bien nous envoyer les étudiants ou les professeurs seront les bienvenues.

HARRIS BENSON
Collège Vanier
821, boul. Sainte-Croix
Montréal, H4L 3X9

Table des matières

CHAPITRE 1

Les oscillations

Un pendule de torsion conçu pour déceler l'existence possible d'une « cinquième force ». (*Physics Today*, juillet 1988, p. 21.)

Le terme **périodique** qualifie tout mouvement ou événement qui se répète à intervalles réguliers. Certains mouvements périodiques sont des mouvements de va-et-vient entre deux positions extrêmes sur une trajectoire donnée. La vibration d'une corde de guitare ou d'un cône de haut-parleur, l'oscillation d'un pendule, le mouvement du piston d'un moteur et les vibrations des atomes dans un solide sont des exemples d'un tel mouvement périodique, que l'on appelle **oscillation**. En général, une oscillation est une fluctuation périodique de la valeur d'une grandeur physique au-dessus et au-dessous d'une certaine valeur d'équilibre, ou valeur centrale.

Dans les oscillations mécaniques, comme celles que nous venons de citer, le corps subit un déplacement linéaire ou angulaire. Les oscillations non mécaniques font intervenir la variation de grandeurs telles qu'une différence de potentiel ou une charge dans les circuits électroniques, un champ électrique ou magnétique dans les signaux de radio et de télévision. Dans ce chapitre, nous allons limiter notre étude aux oscillations mécaniques, mais les techniques exposées sont valables pour d'autres types de comportement oscillatoire.

Les premières observations quantitatives portant sur les oscillations ont probablement été faites par Galilée. Pour allumer les chandeliers de la cathédrale de Pise, on devait les tirer vers une galerie. Lorsqu'on les lâchait, ils oscillaient pendant un certain temps. Un jour, Galilée mesura la durée des oscillations en utilisant les battements de son pouls et constata avec surprise que la durée des oscillations ne variait pas, même si leur amplitude diminuait. Cette propriété d'**isochronisme** (*iso* = identique, *chronos* = temps) fut à la base des premières horloges à pendule.

Nous allons tout d'abord étudier des exemples d'**oscillation harmonique simple**, une oscillation qui a lieu sans perte d'énergie. Si un frottement ou un autre mécanisme entraîne une diminution d'énergie, on dit que les oscillations sont amorties. Enfin, nous étudierons la réponse d'un système à une force d'entraînement extérieure qui varie sinusoïdalement dans le temps. De telles oscillations forcées donnent lieu au phénomène de **résonance** lorsque la fréquence de la force d'entraînement est proche de la fréquence naturelle d'oscillation du système.

1.1 L'oscillation harmonique simple

On peut étudier les oscillations à l'aide d'un **système bloc-ressort**, un montage simple constitué d'un bloc attaché à un ressort. Pour voir comment la position x évolue dans le temps par rapport à sa valeur d'équilibre, on peut enregistrer le mouvement sur une bande de papier qui se déplace à vitesse constante (figure 1.1). On obtient une courbe de forme sinusoïdale. En l'absence de frottement, le bloc oscille entre les valeurs extrêmes $x = +A$ et $x = -A$, où A est l'**amplitude** de l'oscillation. (On suppose que la position d'équilibre correspond à $x = 0$.) Comme on le voit à la figure 1.1, la position à partir de l'équilibre est donnée par

$$x(t) = A \sin \omega t$$

où ω, mesurée en radians par seconde, est appelée **fréquence angulaire**, ou **pulsation**, mais pas vitesse angulaire, puisqu'elle ne correspond pas au mouvement de rotation d'un corps physique. Un cycle correspond à 2π radians et il s'effectue en une **période**, T. Par conséquent, $2\pi = \omega T$ ou

Fréquence angulaire

$$\omega = \frac{2\pi}{T} = 2\pi f \qquad (1.1)$$

La *figure animée III-1*, **Mouvement harmonique simple**, permet d'afficher les graphiques de position, de vitesse, d'accélération, d'énergie cinétique et d'énergie potentielle d'une oscillation harmonique simple.

Figure 1.1

Un bloc oscillant trace une courbe sinusoïdale sur une bande de papier se déplaçant à vitesse constante.

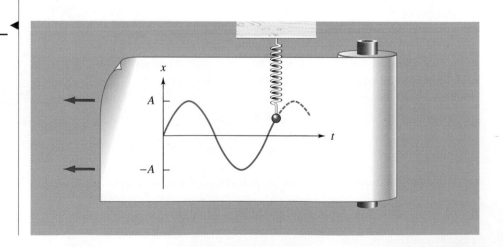

où $f = 1/T$, que l'on appelle **fréquence**, est mesurée en secondes à la puissance moins un, ou hertz (Hz). À la figure 1.1, le bloc est en $x = 0$ à $t = 0$. En général, ce n'est pas le cas, et l'on écrit

$$x(t) = A \sin(\omega t + \phi) \qquad (1.2)$$

L'argument $\omega t + \phi$ est la **phase**, alors que ϕ est la **constante de phase** (ou **déphasage**). La phase et la constante de phase sont toutes deux mesurées en radians. Les valeurs particulières de A et de ϕ dans un problème donné sont déterminées par les valeurs de x et de la vitesse $v_x = dx/dt$ à un moment particulier, par exemple $t = 0$.

D'après l'équation 1.2, on voit que $x = A \sin \phi$ pour $t = 0$ et que $x = 0$ quand $\sin(\omega t + \phi) = 0$. Autrement dit, $x = 0$ lorsque $\omega t = -\phi$ ou $t = -\phi/\omega$. Comme le montre la figure 1.2, cela signifie que, lorsque ϕ est positif, la courbe est décalée vers la gauche par rapport à $x = A \sin \omega t$.

Un système quelconque dans lequel la variation d'une grandeur physique en fonction du temps est donnée par l'équation 1.2 est appelé *oscillateur harmonique simple*. Dans le cas des oscillations dans les circuits électriques, la position x peut être remplacée par la valeur d'une charge ou d'une différence de potentiel. Dans le cas des ondes lumineuses ou radio, x est remplacé par les champs électrique et magnétique. Un oscillateur harmonique simple a les caractéristiques suivantes :

1. L'amplitude A est constante (l'oscillation est *simple*).
2. La fréquence et la période sont indépendantes de l'amplitude : les grandes oscillations ont la même période que les oscillations plus petites (propriétés d'*isochronisme*).
3. La dépendance en fonction du temps de la grandeur qui fluctue peut s'exprimer par une fonction sinusoïdale de fréquence unique (l'oscillation est *harmonique*).

Les dérivées première et seconde de l'équation 1.2, qui correspondent ici par définition à la vitesse et à l'accélération du bloc, s'écrivent

$$v_x = \frac{dx}{dt} = \omega A \cos(\omega t + \phi) \qquad (1.3)$$

$$a_x = \frac{dv_x}{dt} = \frac{d^2 x}{dt^2} = -\omega^2 A \sin(\omega t + \phi) \qquad (1.4)$$

Comme le montre la figure 1.3, les valeurs extrêmes de la vitesse, $v_x = \pm \omega A$, ont lieu pour $x = 0$, alors que les valeurs extrêmes de l'accélération, $a_x = \pm \omega^2 A$, ont lieu pour $x = \pm A$.

Si l'on compare l'équation 1.4 avec l'équation 1.2, on constate que

$$\frac{d^2 x}{dt^2} + \omega^2 x = 0 \qquad (1.5a)$$

Cette forme d'*équation différentielle* caractérise tous les types d'oscillations harmoniques simples, qu'elles soient mécaniques ou non. Les techniques utilisées pour résoudre cette équation sont valables pour tous les exemples d'oscillation harmonique simple. L'équation 1.2 est une *solution* de cette équation différentielle.

Oscillation harmonique simple

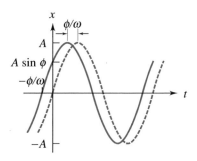

Figure 1.2

La fonction $x = A \sin(\omega t + \phi)$, représentée par la courbe continue, est décalée de ϕ/ω vers la gauche par rapport à $x = A \sin \omega t$ (en pointillé). La position à $t = 0$ est $x = A \sin \phi$.

Propriétés d'un oscillateur harmonique simple

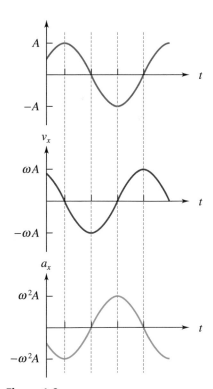

Figure 1.3

Les variations dans le temps de la position, de la vitesse et de l'accélération pour un mouvement harmonique simple. On note que $a_x = -\omega^2 x$.

Le terme **mouvement harmonique simple** s'applique aux exemples mécaniques de l'oscillation harmonique simple. Pour qu'il y ait mouvement harmonique simple, trois conditions doivent être satisfaites. Premièrement, il doit y avoir une position d'équilibre stable. Deuxièmement, il ne doit pas y avoir de perte d'énergie, notamment par frottement. Troisièmement, comme on peut le constater en écrivant l'équation 1.5*a* sous la forme

$$a_x = -\omega^2 x \qquad (1.5b)$$

l'accélération est proportionnelle et de sens opposé à la position.

Exemple 1.1

La position d'une particule en mouvement sur l'axe des x est donnée par

$$x = 0{,}08 \sin(12t + 0{,}3) \text{ m}$$

où t est en secondes. (a) Tracer la courbe $x(t)$ représentant cette fonction. (b) Déterminer la position, la vitesse et l'accélération à $t = 0{,}6$ s. (c) Quelle est l'accélération lorsque la position est $x = -0{,}05$ m ?

Solution :

(a) En comparant l'équation donnée avec l'équation 1.2, on voit que l'amplitude est $A = 0{,}08$ m et la fréquence angulaire est $\omega = 12$ rad/s. La période est donc $T = 2\pi/\omega = 0{,}524$ s. La constante de phase est de $\phi = +0{,}3$ rad, et donc la courbe sera décalée de $\phi/\omega = 0{,}3/12 = 0{,}025$ s vers la gauche par rapport à un sinus non décalé.

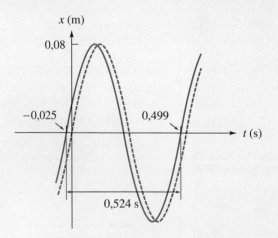

(b) La vitesse et l'accélération à un instant quelconque sont données par

$$v_x = \frac{dx}{dt} = 0{,}96 \cos(12t + 0{,}3) \text{ m/s}$$

$$a_x = \frac{dv_x}{dt} = -11{,}5 \sin(12t + 0{,}3) \text{ m/s}^2$$

À $t = 0{,}6$ s, la phase du mouvement est $(12 \times 0{,}6 + 0{,}3) = 7{,}5$ rad. Lorsqu'on utilise cette valeur dans les expressions données, on trouve $x = 0{,}075$ m, $v_x = 0{,}333$ m/s et $a_x = -10{,}8$ m/s^2.

(c) D'après l'équation 1.5, on sait que $a_x = -\omega^2 x = -(12 \text{ rad/s})^2(-0{,}05 \text{ m}) = 7{,}2$ m/s^2.

Exemple 1.2

Établir l'expression décrivant cette courbe sinusoïdale.

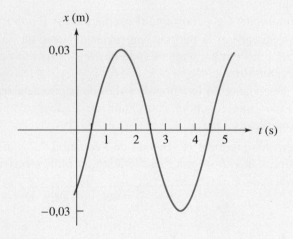

Solution :

Nous avons besoin de déterminer A, ω et ϕ dans l'équation 1.2. L'examen de la courbe donne directement l'amplitude $A = 0{,}03$ m, la période $T = 4$ s et le décalage $\phi/\omega = 0{,}5$ s *vers la droite* par rapport à un sinus non décalé. Ainsi, la fréquence angulaire est $\omega = 2\pi/T = \pi/2$ rad/s et la constante de phase est $\phi = -0{,}5\omega = -\pi/4$ rad (on a mis le signe moins car le décalage est vers la droite). L'équation de cette courbe s'écrit

$$x = 0{,}03 \sin\left(\frac{\pi}{2}t - \frac{\pi}{4}\right) \text{ m}$$

où t est en secondes.

Nous allons tout d'abord faire l'étude dynamique de l'oscillation d'un bloc à l'extrémité d'un ressort de masse négligeable (figure 1.4). On suppose que la force résultante agissant sur le bloc est la force exercée par le ressort, qui est donnée par la loi de Hooke :

$$F_{\mathrm{res}_x} = -kx \tag{1.6}$$

où x est la position à partir de l'équilibre. Si x est positif, la force est dans le sens négatif ; si x est négatif, la force est dans le sens positif. Ainsi, la force a toujours tendance à ramener le bloc vers sa position d'équilibre, $x = 0$. La deuxième loi de Newton ($\Sigma F_x = ma_x$) appliquée au bloc donne $-kx = ma_x$, ce qui revient à écrire

$$a_x = -\frac{k}{m}x \tag{1.7}$$

L'accélération est directement proportionnelle et de sens opposé à la position, condition caractérisant le mouvement harmonique simple. Comme $a_x = d^2x/dt^2$, on a

$$\frac{d^2x}{dt^2} + \frac{k}{m}x = 0 \tag{1.8}$$

Cette équation différentielle n'est qu'une variante de la deuxième loi de Newton. Si l'on compare l'équation 1.8 à l'équation 1.5, on constate que le système bloc-ressort effectue un mouvement harmonique simple de pulsation

$$\omega = \sqrt{\frac{k}{m}} \tag{1.9}$$

et de période

$$T = \frac{2\pi}{\omega} = 2\pi\sqrt{\frac{m}{k}} \tag{1.10}$$

Comme le veut le mouvement harmonique simple, la période est indépendante de l'amplitude. Pour une constante de ressort donnée, la période augmente avec la masse du bloc : un bloc de masse plus grande va osciller plus lentement. Pour un bloc donné, la période diminue au fur et à mesure que k augmente : un ressort plus rigide va produire des oscillations plus rapides.

Rappel mathématique : les solutions multiples des fonctions trigonométriques inverses

Lorsqu'on étudie un mouvement harmonique simple à l'aide des équations 1.2, 1.3 et 1.4, il arrive parfois que l'on doive utiliser les fonctions trigonométriques inverses (arcsin, arccos et arctan) pour isoler une variable. Dans ce cas, la calculatrice nous donne seulement une solution parmi un nombre infini de solutions possibles. Par exemple, si on cherche arcsin(0,5), c'est-à-dire l'angle dont le sinus égale 0,5, la calculatrice donne $\pi/6$ rad (= 0,524 rad). Mais un

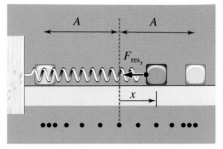

Figure 1.4

Un bloc oscillant à l'extrémité d'un ressort sur une surface horizontale sans frottement. La force de rappel est proportionnelle à la position par rapport à l'équilibre. Les points noirs représentent la position du bloc à intervalles de temps réguliers ; on remarque que la vitesse maximale est atteinte quand $x = 0$.

Période d'un système bloc-ressort

examen du cercle trigonométrique sur lequel les fonctions trigonométriques sont définies révèle que $5\pi/6$ rad (= 2,62 rad) est aussi une solution.

Pour la fonction arcsin, si θ est la solution donnée par la calculatrice, $\pi - \theta$ est aussi une solution ; pour la fonction arccos, $2\pi - \theta$ est aussi une solution ; pour la fonction arctan, $\pi + \theta$ est aussi une solution. (On peut le démontrer à partir des définitions des fonctions sinus, cosinus et tangente sur le cercle trigonométrique.) À cela, il faut rajouter que, pour toute solution d'une fonction trigonométrique inverse, l'addition ou la soustraction d'un multiple de 2π est aussi une solution.

Exemple 1.3*

Un bloc de 2 kg est attaché à un ressort pour lequel $k = 200$ N/m. On l'allonge de 5 cm et on le lâche à $t = 0$. Trouver : (a) la position en fonction du temps ; (b) la vitesse lorsque $x = +A/2$; (c) l'accélération lorsque $x = +A/2$. (d) Quelle est la force sur le bloc pour $t = \pi/15$ s ?

Solution :

(a) Nous avons besoin de déterminer A, ω et ϕ dans l'équation 1.2. L'amplitude est l'allongement maximal, c'est-à-dire $A = 0,05$ m. D'après l'équation 1.9, la fréquence angulaire est

$$\omega = \sqrt{\frac{k}{m}} = 10 \text{ rad/s}$$

Pour trouver ϕ, on remarque que pour $t = 0$, on nous donne $x = +A$ et $v_x = 0$. On a donc, d'après l'équation 1.2 et l'équation 1.3,

$$A = A \sin(0 + \phi)$$
$$0 = 10A \cos(0 + \phi)$$

Puisque $\sin \phi = 1$ et $\cos \phi = 0$, on déduit que $\phi = \pi/2$ rad. Donc

$$x = 0,05 \sin\left(10t + \frac{\pi}{2}\right) \text{ m} \qquad (i)$$

(b) Pour trouver la vitesse, nous devons déterminer à quel instant $x = A/2$. L'équation (i) donne $\frac{1}{2} = \sin(10t + \pi/2)$, d'où l'on déduit que $(10t + \pi/2) = 0,52$ rad ou 2,62 rad. (Il nous suffit de déterminer la phase, nous n'avons pas besoin du temps.) La vitesse est donnée par

$$v_x = \frac{dx}{dt} = 0,5 \cos\left(10t + \frac{\pi}{2}\right)$$

$$= 0,5 \cos 0,52 \quad \text{ou} \quad 0,5 \cos 2,62$$

$$= +0,434 \text{ m/s} \quad \text{ou} \quad -0,434 \text{ m/s}$$

---

* Dans les exemples et les exercices de ce chapitre, on supposera (à moins d'indications contraires) que x est positif lorsque le ressort est allongé et que x est négatif lorsque le ressort est comprimé.

Pour une position donnée, on trouve deux vitesses de même module et de sens opposés.

(c) L'accélération en $x = A/2$ peut être déterminée à partir de l'équation 1.5b :

$$a_x = -\omega^2 x = -\frac{k}{m}x$$

$$= -(10 \text{ rad/s})^2 (0,05 \text{ m}/2) = -2,5 \text{ m/s}^2$$

(d) D'après la loi de Hooke (équation 1.6), $F_{\text{res}_x} = -kx = -(200)(0,05) \sin(10\pi/15 + \pi/2) = +5$ N.

La figure 1.5 représente les valeurs de a_x et v_x à intervalles de $T/4$.

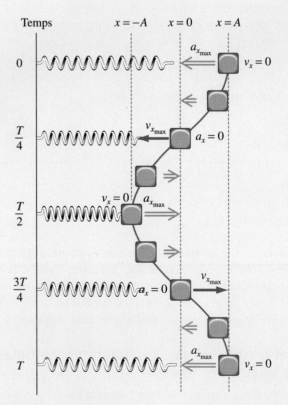

Figure 1.5

L'accélération et la vitesse d'un bloc oscillant à l'extrémité d'un ressort à intervalles de $T/4$.

Exemple 1.4

Dans un système bloc-ressort, $m = 0,2$ kg et $k = 5$ N/m. À $t = \pi/10$ s, le ressort est comprimé de 6 cm ($x = -6$ cm) et la vitesse du bloc est $v_x = -40$ cm/s. (a) Trouver l'équation de la position en fonction du temps et tracer la courbe la représentant. (b) Quel est le premier instant (> 0) auquel la composante horizontale de la vitesse est positive et égale à 60 % de sa valeur maximale ?

Solution :

(a) Nous avons besoin de déterminer ω, A et ϕ dans l'équation 1.2. D'après l'équation 1.9, la pulsation est

$$\omega = \sqrt{\frac{k}{m}} = \sqrt{\frac{5 \text{ N/m}}{0,2 \text{ kg}}} = 5 \text{ rad/s}$$

Si l'on utilise les renseignements donnés dans l'équation 1.2 et l'équation 1.3, on trouve

$$-0,06 = A \sin\left(\frac{5\pi}{10} + \phi\right) \tag{i}$$

$$-0,08 = A \cos\left(\frac{5\pi}{10} + \phi\right) \tag{ii}$$

En élevant au carré les deux équations puis en les additionnant, on trouve $A = 0,10$ m (rappelons que $\cos^2\theta + \sin^2\theta = 1$). Le rapport des équations nous permet de trouver ϕ :

$$\tan\left(\frac{\pi}{2} + \phi\right) = \frac{3}{4} \tag{iii}$$

Cela donne $(\pi/2 + \phi) = \arctan\frac{3}{4}$. (On pourrait aussi remplacer $A = 0,1$ m soit dans (i), soit dans (ii).) On obtient deux solutions possibles : $(\pi/2 + \phi) = 0,64$ rad ou 3,78 rad. Comme le sinus et le cosinus dans (i) et (ii) sont tous deux négatifs, l'angle est dans le troisième quadrant, et l'on choisit donc $(\pi/2 + \phi) = 3,78$ rad. On en déduit $\phi = 2,21$ rad. La position en fonction du temps est donnée par

$$x = 0,1 \sin(5t + 2,21) \text{ m} \tag{iv}$$

Cette fonction est représentée graphiquement à la figure 1.6. La période est $T = 2\pi/\omega = 2\pi/5 = 1,26$ s et le décalage par rapport à un sinus non décalé (en pointillé) est de $\phi/\omega = 0,44$ s vers la gauche.

(b) La dérivée de (iv) est

$$v_x = 0,5 \cos(5t + 2,21) \text{ m/s}$$

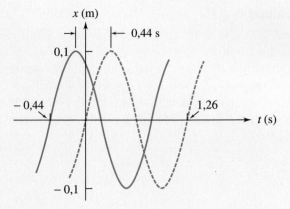

Figure 1.6

La fonction $x = 0,1 \sin(5t + 2,21)$ (en trait plein) comparée à la fonction $x = 0,1 \sin(5t)$ (en pointillé).

On nous indique que v_x est égal à 60 % de sa valeur maximale ; donc

$$0,6 = \cos(5t + 2,21)$$

Autrement dit, $5t + 2,21 = \arccos 0,6$. Donc, $5t + 2,21 = 0,93$ rad ou 5,35 rad. La première solution entraîne $t < 0$, et doit être ainsi rejetée. L'autre solution donne $5t = (5,35 - 2,21)$ rad, d'où l'on tire $t = 0,63$ s.

Exemple 1.5

Montrer qu'un bloc suspendu à un ressort vertical (figure 1.7) effectue un mouvement harmonique simple.

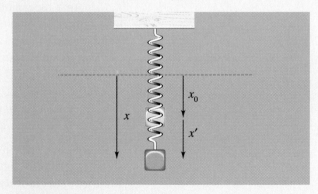

Figure 1.7

Un bloc oscillant à l'extrémité d'un ressort vertical effectue un mouvement harmonique simple.

Solution:

Analysons la situation à l'aide d'un axe x positif vers le bas dont l'origine correspond à la position de l'extrémité du ressort lorsque le bloc n'est pas attaché (figure 1.7). Soit x_0, la position d'équilibre du bloc lorsqu'il est attaché au ressort : le poids du bloc y est égal à la force exercée par le ressort, et on peut écrire

$$mg = kx_0$$

Pour une position x quelconque du bloc, la force résultante sur le bloc est

$$\sum F_x = mg - kx = kx_0 - kx = -k(x - x_0) = -kx'$$

où $x' = x - x_0$ est la position par rapport à l'équilibre. La deuxième loi de Newton nous donne $\Sigma F_x = ma_x = -kx'$: l'accélération est directement proportionnelle et de sens opposé à la position par rapport à l'équilibre, et on a donc bien un mouvement harmonique simple (voir l'équation 1.7).

1.3 L'énergie dans un mouvement harmonique simple

La force exercée par un ressort idéal est conservative, ce qui signifie qu'en l'absence de frottement l'énergie mécanique du système bloc-ressort est constante. On peut donc examiner le mouvement du bloc du point de vue de la conservation de l'énergie. On peut utiliser l'équation 1.2 pour exprimer l'énergie potentielle comme étant

$$U = \tfrac{1}{2}kx^2 = \tfrac{1}{2}kA^2 \sin^2(\omega t + \phi) \tag{1.11}$$

D'après l'équation 1.3, l'énergie cinétique est

$$K = \tfrac{1}{2}mv^2 = \tfrac{1}{2}m\omega^2 A^2 \cos^2(\omega t + \phi) \tag{1.12}$$

(Ici, v et v_x coïncident car la vitesse est entièrement selon l'axe x.) Comme $\omega^2 = k/m$ et $\cos^2\theta + \sin^2\theta = 1$, l'énergie mécanique, $E = K + U$, s'écrit

Énergie d'un système bloc-ressort

$$E = \tfrac{1}{2}mv^2 + \tfrac{1}{2}kx^2 = \tfrac{1}{2}kA^2 \tag{1.13}$$

L'énergie mécanique d'un oscillateur harmonique simple est constante et proportionnelle au carré de l'amplitude. La variation de K et de U en fonction de x est représentée à la figure 1.8. Quand $x = \pm A$, l'énergie cinétique est nulle et l'énergie mécanique est égale à l'énergie potentielle maximale, $E = U_{\max} = \tfrac{1}{2}kA^2$. Ce sont les points extrêmes du mouvement harmonique simple. En $x = 0$, $U = 0$, et l'énergie est purement cinétique, c'est-à-dire $E = K_{\max} = \tfrac{1}{2}m(\omega A)^2$. La figure 1.9 représente les variations de K et de U avec le temps, en supposant que $\phi = 0$.

À la figure 1.8, on voit que le bloc est dans un « puits de potentiel » créé par le ressort (*cf.* chapitre 8, tome 1). *Tout mouvement harmonique simple est caractérisé par un puits de potentiel parabolique.* Autrement dit, l'énergie potentielle est proportionnelle au carré de la position. Si le puits n'est pas parabolique, on utilise souvent l'approximation harmonique simple comme première étape d'une solution complète. Cela est particulièrement important lorsqu'on étudie les potentiels interatomiques dans les molécules et les cristaux.

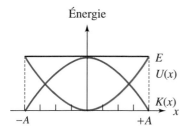

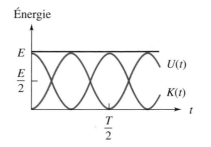

Figure 1.8

Les variations de l'énergie cinétique, de l'énergie potentielle et de l'énergie mécanique en fonction de la position.

Figure 1.9

Les variations de l'énergie cinétique, de l'énergie potentielle et de l'énergie mécanique en fonction du temps.

Exemple 1.6

Dans l'exemple 1.3, la position d'un bloc de 2 kg attaché à un ressort, pour lequel $k = 200$ N/m, était donnée par

$$x = 0,05 \sin\left(10t + \frac{\pi}{2}\right) \text{ m}$$

(a) Déterminer K, U et E pour $t = \pi/15$ s. (b) Quel est le module de la vitesse en $x = A/2$? (c) Pour quelle(s) valeur(s) de x a-t-on $K = U$? Exprimer la réponse en fonction de A et la comparer avec la figure 1.8.

Solution :

(a) L'énergie mécanique est simplement égale à l'énergie potentielle maximale. Puisque $A = 0,05$ m, on a

$$E = \tfrac{1}{2}kA^2 = \tfrac{1}{2}(200 \text{ N/m})(0,05 \text{ m})^2 = 0,25 \text{ J}$$

Les énergies potentielle et cinétique sont

$$U = \tfrac{1}{2}kx^2 = \tfrac{1}{2}(200 \text{ N/m})\left[0,05 \sin\left(\frac{2\pi}{3} + \frac{\pi}{2}\right) \text{ m}\right]^2$$

$$= 0,0625 \text{ J}$$

$$K = \tfrac{1}{2}mv^2 = \tfrac{1}{2}(2 \text{ kg})\left[0,5 \cos\left(\frac{2\pi}{3} + \frac{\pi}{2}\right) \text{ m/s}\right]^2$$

$$= 0,188 \text{ J}$$

Comme il se doit, $E = K + U$.

(b) En remplaçant x par $A/2$ dans l'équation 1.13, on obtient

$$\tfrac{1}{2}mv^2 + \tfrac{1}{2}k\left(\frac{A}{2}\right)^2 = \tfrac{1}{2}kA^2$$

Par conséquent,

$$v^2 = \frac{3kA^2}{4m} = \frac{3(200 \text{ N/m})(0,05 \text{ m})^2}{4 \times 2 \text{ kg}} = 0,188 \text{ m}^2/\text{s}^2$$

d'où l'on tire $v = 0,43$ m/s.

(c) Puisque $E = K + U$ et $K = U$, on a $U = E/2$. Donc, $\tfrac{1}{2}kx^2 = \tfrac{1}{4}kA^2$, ce qui donne $x = \pm A/\sqrt{2} \approx \pm 0,7A$.

Exemple 1.7

En ayant recours à des considérations énergétiques, déterminer A à la question (a) de l'exemple 1.4.

Solution :

D'après $E = \tfrac{1}{2}mv^2 + \tfrac{1}{2}kx^2 = \tfrac{1}{2}kA^2$, on a

$$(0,2 \text{ kg})(0,4 \text{ m/s})^2 + (5 \text{ N/m})(0,06 \text{ m})^2$$
$$= (5 \text{ N/m})A^2$$

qui donne $A = 0,10$ m.

Exemple 1.8

(a) Montrer que l'équation différentielle du mouvement harmonique simple peut être obtenue à partir de l'expression donnant l'énergie du système. (b) Montrer que l'on peut aussi obtenir cette équation à partir de la condition $dE/dx = 0$.

Solution :

(a) L'énergie mécanique d'un oscillateur harmonique simple est constante dans le temps et dans l'espace. On a donc, d'après l'équation 1.13 :

$$\frac{dE}{dt} = mv_x\frac{dv_x}{dt} + kx\frac{dx}{dt} = 0$$

(Dans l'équation 1.13, on peut remplacer v par v_x car $v^2 = v_x^2$.)

En éliminant le facteur commun $v_x = dx/dt$, on obtient

$$m\frac{dv_x}{dt} + kx = 0$$

Puisque $dv_x/dt = d^2x/dt^2$, cette équation est équivalente à l'équation 1.5.

(b) On peut aussi obtenir l'équation 1.5 à partir de la condition $dE/dx = 0$. Il s'agit de poser $dE = mv_x$ $dv_x/dx + kx = 0$ et d'utiliser la règle de dérivation des fonctions composées $dv_x/dx = (dv_x/dt)(dt/dx)$.

Le pendule simple

Un **pendule simple** est un système idéalisé constitué d'une masse ponctuelle suspendue à l'extrémité d'un fil de masse négligeable. La figure 1.10 représente un pendule simple de longueur L et de masse m. La distance parcourue sur l'arc à partir du point le plus bas est $s = L\theta$, θ étant l'angle (en radians) par rapport à la verticale. La composante tangentielle de la force résultante sur la masse est la composante tangentielle du poids. La deuxième loi de Newton selon cette direction s'écrit

$$-mg \sin \theta = m\frac{d^2s}{dt^2}$$

Le signe négatif dépend de la façon dont s a été défini. Physiquement, il signifie que la composante du poids agit comme une force de rappel. Il est clair que cette équation ne correspond pas à un mouvement harmonique simple. Toutefois, pour de petites valeurs de θ, $\sin \theta \approx \theta$, où θ est en radians. Comme $s = L\theta$, on a $d^2s/dt^2 = Ld^2\theta/dt^2$ et $\sin \theta \approx \theta$ dans l'équation précédente, ce qui donne

$$\frac{d^2\theta}{dt^2} + \frac{g}{L}\theta = 0 \qquad (1.14)$$

En comparant cette équation avec l'équation 1.5a du mouvement harmonique simple, on voit que, dans l'approximation des petits angles, un pendule simple effectue un mouvement harmonique simple de fréquence angulaire

$$\omega = \sqrt{\frac{g}{L}} \qquad (1.15a)$$

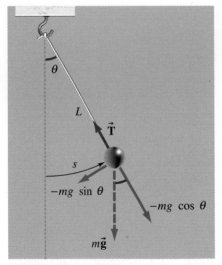

Figure 1.10

Un pendule simple. La seule force tangentielle est la composante du poids : $-mg \sin \theta$. Pour de petits angles, la force de rappel est proportionnelle au déplacement et le mouvement est donc un mouvement harmonique simple.

Pulsation d'un pendule simple

et de période

$$T = 2\pi \sqrt{\frac{L}{g}} \qquad (1.15b)$$

Période d'un pendule simple

La période ne dépend ni de la masse ni de l'amplitude (ce qui fut observé par Galilée). La solution de l'équation 1.14 a la même forme que l'équation 1.2 :

$$\theta = \theta_0 \sin(\omega t + \phi) \qquad (1.16)$$

θ_0 étant l'amplitude angulaire. Notons que θ est la position angulaire, un paramètre physique, alors que ϕ est une constante de phase mathématique qui dépend des conditions initiales. De plus, il ne faut pas confondre la fréquence angulaire (physique) ω avec la vitesse angulaire instantanée $d\theta/dt$.

Le pendule composé

La figure 1.11 représente un corps rigide pivotant librement autour d'un axe qui ne passe pas par son centre de masse. Un tel système constitue un **pendule composé** qui effectue un mouvement harmonique simple pour de petits déplacements angulaires. Le bras ou la jambe sont des exemples de pendules composés. Si d est la distance du pivot au centre de masse (CM), le moment de force de rappel qu'engendre le poids est $-mgd \sin \theta$ (vers les valeurs décroissantes de θ). La deuxième loi de Newton en rotation, $\Sigma \tau = I\alpha$, s'écrit

$$-mgd \sin \theta = I \frac{d^2\theta}{dt^2}$$

où I est le moment d'inertie par rapport à l'axe donné. Si l'on fait l'approximation des petits angles, $\sin \theta \approx \theta$, alors

$$\frac{d^2\theta}{dt^2} + \frac{mgd}{I}\theta = 0 \qquad (1.17)$$

qui est l'équation du mouvement harmonique simple. En comparant avec l'équation 1.5a, on obtient

$$\omega = \sqrt{\frac{mgd}{I}} \qquad (1.18)$$

Pulsation d'un pendule composé

et

$$T = 2\pi \sqrt{\frac{I}{mgd}} \qquad (1.19)$$

Si l'on connaît la position du centre de masse et la valeur de d, une mesure de la période nous permet alors de déterminer le moment d'inertie du corps.

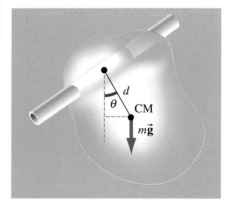

Figure 1.11

Un pendule composé pivotant autour d'un point autre que son centre de masse.

Exemple 1.9

La position angulaire d'un pendule simple est donnée par

$$\theta = 0,1\pi \sin\left(2\pi t + \frac{\pi}{6}\right) \text{ rad}$$

où t est en secondes. La masse du pendule vaut 0,4 kg. Déterminer : (a) la longueur du pendule simple ; (b) la vitesse tangentielle de la masse à $t = 0,125$ s.

Solution :

(a) On nous donne $\theta_0 = 0,1\pi$ rad, $\phi = \pi/6$ rad et $\omega = 2\pi$ rad/s. Comme $\omega^2 = g/L$, on a

$$L = \frac{g}{\omega^2} = \frac{9,8 \text{ m/s}^2}{(2 \times 3,14 \text{ rad/s})^2} = 0,25 \text{ m}$$

(b) Puisque $s = L\theta$, la vitesse tangentielle de la masse, $v_t = ds/dt$, est

$$v_t = L\frac{d\theta}{dt}$$

$$= (0,25 \text{ m})(0,1\pi)(2\pi)\cos\left(\frac{\pi}{4} + \frac{\pi}{6}\right)$$

$$= 0,128 \text{ m/s}$$

Exemple 1.10

Une tige homogène de masse m et de longueur L pivote librement autour d'une extrémité. (a) Quelle est la période de ses oscillations ? (b) Quelle est la longueur d'un pendule simple ayant la même période ?

Solution :

(a) Le moment d'inertie d'une tige par rapport à une de ses extrémités est $I = \frac{1}{3}mL^2$ (voir le chapitre 11, tome 1). Le centre de masse d'une tige homogène est situé en son milieu, de sorte que $d = L/2$ dans l'équation 1.19. La période est

$$T = 2\pi\sqrt{\frac{mL^2/3}{mgL/2}} = 2\pi\sqrt{\frac{2L}{3g}}$$

(b) En comparant l'équation 1.19 avec $T = 2\pi\sqrt{L/g}$ pour un pendule simple, on voit que la période d'un pendule composé est la même que celle d'un pendule simple « équivalent » de longueur

$$L_{\text{éq}} = \frac{I}{md}$$

Pour la tige homogène,

$$L_{\text{éq}} = \frac{mL^2/3}{mL/2} = \frac{2L}{3}$$

Figure 1.12

Un pendule de torsion. Le moment de force de rappel d'une fibre ou d'un fil tordu est proportionnel à l'angle de torsion. Il s'agit donc d'un mouvement harmonique simple.

Si l'amplitude angulaire d'un pendule est grande, il n'est plus possible de faire l'approximation des petits angles, $\sin\theta \approx \theta$. Dans ce cas, les oscillations ne sont plus des oscillations harmoniques simples et la période augmente au fur et à mesure que l'amplitude angulaire augmente (*cf.* problème 11). Dans la pratique, l'amplitude d'un pendule, et donc sa période, diminuent avec le temps à cause des pertes liées au frottement. Dans une horloge sur pied, un contre-poids entraîne un mécanisme qui compense ces pertes d'énergie. En maintenant l'amplitude constante, il permet également de donner l'heure avec une plus grande précision.

Le pendule de torsion

Considérons un corps, comme un disque ou une tige, suspendu à l'extrémité d'un fil (figure 1.12). Lorsqu'on tord d'un angle θ l'extrémité du fil, entre autres par la rotation du corps, le moment de force de rappel τ obéit à la loi de Hooke : $\tau = -\kappa\theta$, où κ est appelée *constante de torsion*. Si on lâche le fil après l'avoir tordu, le système oscillant est appelé **pendule de torsion**. La deuxième loi de Newton en rotation, $\Sigma\tau = I\alpha$, s'écrit

$$-\kappa\theta = I\frac{d^2\theta}{dt^2}$$

qui peut s'écrire aussi sous la forme

$$\frac{d^2\theta}{dt^2} + \frac{\kappa}{I}\theta = 0$$

Cette équation est celle d'un mouvement harmonique simple de pulsation

$$\omega = \sqrt{\frac{\kappa}{I}} \qquad (1.20)$$

Pulsation d'un pendule de torsion

et de période

$$T = 2\pi\sqrt{\frac{I}{\kappa}} \qquad (1.21)$$

Soulignons que nous n'avons pas utilisé l'approximation des petits angles. Tant que l'on ne dépasse pas la limite d'élasticité du fil, le pendule va effectuer un mouvement harmonique simple. Le balancier relié au ressort spiral d'une montre est également un pendule de torsion.

1.5 La résonance

Dans les sections précédentes, nous avons vu qu'un système oscillant selon un mouvement harmonique simple se caractérise par une pulsation ω indépendante de l'amplitude de l'oscillation (équations 1.9, 1.15a, 1.18 et 1.20). Cette valeur de ω est la **pulsation propre** du système, que l'on dénotera dans ce qui suit par ω_0.

Qu'arrive-t-il lorsqu'un système oscillant est excité par une force externe qui varie de manière périodique ? Considérons par exemple une personne assise sur une balançoire qui, sans toucher le sol, donne des poussées périodiques sur les cordes qui la soutiennent. Le résultat de ses efforts dépendra de la différence entre la pulsation propre de la balançoire et la pulsation de la force externe qu'elle exerce, ω_e. Si ω_e est très différent de ω_0, il ne se passera pas grand-chose : une personne qui secoue les cordes beaucoup plus rapidement ou beaucoup plus lentement que le rythme naturel d'oscillation de la balançoire ne réussira pas à se balancer avec une amplitude appréciable. En revanche, si ω_e est très proche de ω_0, la force externe est « synchronisée » avec la pulsation propre du système et l'amplitude devient très grande. Lorsqu'on se balance, on ajuste instinctivement la pulsation de la force que l'on exerce avec la pulsation propre de la balançoire.

On dit d'un système oscillant excité par une force externe dont la pulsation est voisine de sa pulsation propre qu'il est en **résonance**. Même des structures de grandes dimensions, comme les tours, les ponts et les avions, peuvent osciller. Si la pulsation du mécanisme d'entraînement est proche de la pulsation propre, l'édifice peut même tomber en morceaux. L'écroulement du pont de Tacoma dans l'État de Washington est un cas mémorable de résonance. (Voir le Sujet connexe qui suit.)

Nous avons étudié dans le tome 2 la résonance dans les circuits électriques, qui est un phénomène vital pour l'émission et la réception des signaux de radio et de télévision. La résonance joue également un rôle dans les processus atomiques et nucléaires.

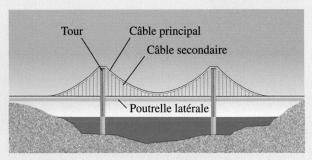

Sujet connexe

Autant en emporte le vent : l'effondrement du pont de Tacoma Narrows

À la fin des années 30, on construisit aux États-Unis un pont au-dessus du détroit de Tacoma, afin notamment de relier les villes de Seattle et de Tacoma à la base navale de Bremerton. La circulation dans la région n'étant pas très dense, on opta pour un projet peu coûteux (6,5 millions de dollars : une aubaine, même pour l'époque) : un pont suspendu dont la travée principale mesurait 854 m de longueur (figure 1.13). Cela faisait du pont de Tacoma Narrows le 3ᵉ pont suspendu au monde pour la longueur, et de loin le plus étroit comparativement à sa longueur, car il ne comportait que deux voies de circulation (une dans chaque sens). Par souci d'économie, les poutrelles latérales (qui servent de lien entre les câbles de suspension et le tablier du pont) furent réduites au minimum : 2,5 m de hauteur. Avant même que la construction ne débute, T. L. Condron, un des ingénieurs chargés de la supervision du projet, se rendit compte que l'étroitesse du tablier du pont et des poutrelles latérales se traduisait par une flexibilité extrême,

qui pouvait compromettre la stabilité de l'ensemble. Mais il ne réussit pas à convaincre ses supérieurs de faire élargir ou renforcer le tablier du pont ; après tout, les plans avaient été dessinés par Leon Moisseiff, un ingénieur qui avait déjà conçu de nombreux ponts et dont la réputation n'était plus à faire.

Tableau 1.1

Caractéristiques du pont de Tacoma Narrows (1940)

Hauteur des tours	126 m
Longueur de la travée principale	854 m
Hauteur des poutrelles latérales	2,5 m
Largeur du tablier	12 m

Pendant la construction, on se rendit compte que le pont était effectivement très flexible : le moindre vent faisait osciller verticalement la travée principale avec une amplitude facilement perceptible sur une période de 8 secondes environ. On décida néanmoins que la situation était sans danger, et on ouvrit le pont à la circulation comme prévu en juillet 1940. Les usagers se rendirent rapidement compte des oscillations et donnèrent au pont le surnom de « Galloping Gertie ». Plusieurs disaient en plaisantant que les sensations fortes éprouvées lors de la traversée valaient amplement le prix du péage à l'entrée du pont.

Les concepteurs du pont trouvaient cela moins drôle. Ils essayèrent de stabiliser l'ouvrage par tous les moyens. On rajouta des câbles secondaires supplémentaires en diagonale entre le câble principal et les poutrelles latérales qui soutenaient le tablier – sans grand résultat. Trois mois après l'ouverture du pont, on fixa sur chaque rive des blocs d'ancrage de 50 tonnes, reliés au tablier par des câbles de 4 cm de diamètre. À la première tempête, les câbles cassèrent, mais on les réinstalla quand même trois jours plus tard.

Figure 1.13

Schéma d'un pont suspendu. Deux tours massives supportent les câbles principaux. Les câbles secondaires sont accrochés aux câbles principaux et soutiennent les poutrelles latérales. Le tablier du pont (l'endroit où circulent les véhicules) est soutenu de part et d'autre par les poutrelles latérales (la figure 1.15 montre une coupe latérale du tablier). La travée principale est la portion du tablier située entre les deux tours.

Le 7 novembre 1940, quatre mois après l'inauguration du pont, un vent particulièrement intense (environ 65 km/h) s'engouffra dans le détroit de Tacoma. La travée centrale se mit à osciller avec une amplitude qui dépassait 1 m. On arrêta la circulation. Deux voitures restèrent immobilisées au milieu du pont, incapables de continuer en raison des oscillations. Toutefois, leurs occupants réussirent à rejoindre tant bien que mal les rives (un malheureux chien abandonné dans une des voitures n'eut pas cette chance). Après quelques heures d'oscillations verticales intenses, l'ancrage d'un des câbles principaux se brisa, ce qui entraîna un déséquilibre entre les deux côtés du pont. C'est alors que la catastrophe se produisit : l'oscillation verticale se transforma en une oscillation de torsion, clairement visible sur la figure 1.14a. Le mode d'oscillation de torsion, qui n'avait jamais été observé, était beaucoup plus dommageable pour la structure du pont que l'oscillation verticale habituelle. L'amplitude de l'oscillation atteignit rapidement 8 m, et la travée centrale finit par s'écrouler (figure 1.14b).

C'est une coïncidence malheureuse qui a causé le passage du mode d'oscillation vertical au mode de torsion : la période naturelle de torsion du tablier du pont était d'environ 6 secondes, ce qui était très proche de la période de 8 secondes du mode fondamental des oscillations verticales. Si les deux périodes avaient été plus éloignées, comme c'est le cas pour les ponts qui sont proportionnellement plus larges, le pont aurait vraisemblablement continué d'osciller verticalement ; il aurait été endommagé, certes, mais il aurait tenu le coup.

Le pont de Tacoma Narrows n'était pas le premier pont suspendu à s'effondrer. Dans la première moitié du XIXe siècle, plusieurs ponts suspendus dont la travée centrale ne dépassait pas 200 m s'étaient écroulés en Europe. En 1854 et 1864, aux États-Unis, deux ponts suspendus de 300 m avaient subi le même sort. Toutefois, la dernière catastrophe du genre remontait à plus de 50 ans : en 1889, un pont suspendu de 384 m s'était effondré dans la rivière Niagara. Depuis, les techniques de construction s'étaient grandement améliorées, et personne ne pensait qu'un pont pouvait encore s'effondrer. La rupture du pont de Tacoma Narrows révéla le danger de construire des ponts suspendus trop flexibles et entraîna l'établissement de normes plus sévères : désormais, il faudrait obligatoirement tester une maquette du pont et du relief avoisinant en soufflerie avant la construction. Après la Deuxième Guerre mondiale, l'avènement des ordinateurs permit de faire des simulations détaillées du comportement d'un objet complexe (comme un pont) dans des conditions extrêmes. En 1950, on construisit un nouveau pont sur le même site, à quatre voies cette fois, avec des

(a)

(b)

Figure 1.14

(a) Le 7 novembre 1940, le pont de Tacoma se mit à osciller sous l'action du vent. (b) Au bout de quelques heures, la travée centrale s'écroula.

poutrelles latérales trois fois plus grosses et une armature croisée rigide sous le tablier. Le nouveau pont de Tacoma Narrows n'a jamais eu de défaillances.

L'effondrement du premier pont de Tacoma Narrows demeure encore aujourd'hui une des catastrophes d'ingénierie les plus célèbres. Cela est certainement dû en partie au fait qu'une équipe d'ingénieurs chargés de régler les problèmes du pont était en train de filmer le jour de l'effondrement. Dans le film, quelques minutes avant la rupture, on voit le professeur F.B. Farquharson en train de courir sur la ligne médiane du pont, qui correspondait à un nœud de l'oscillation en torsion ! Pourtant, malgré le film et les mesures précises qui furent prises pendant l'effondrement, les causes exactes de l'accident font encore l'objet d'un débat. Il semble clair qu'un phénomène quelconque de résonance soit en cause. Mais, pour qu'un objet entre en résonance, il doit y avoir une force variable qui agit sur lui selon la bonne période d'oscillation. Le jour fatidique du 7 novembre 1940, d'où venait cette force ?

La commission d'enquête chargée d'étudier la question proposa trois explications possibles : un vent soufflant par rafales à la période de résonance, la création de vortex alternés de part et d'autre du tablier du pont à la période de résonance, ou encore le transfert d'énergie du vent vers le mode fondamental d'oscillation par un processus d'autoexcitation.

L'hypothèse d'un vent soufflant par rafales à la période de résonance a l'avantage d'être la plus simple et la plus facile à comprendre... un rêve de pédagogue ! Depuis 1940, plusieurs livres d'introduction à la physique ont présenté cette hypothèse. Si on suppose que le vent soufflait de manière périodique à la période précise de résonance, la catastrophe de Tacoma Narrows devient une application directe et spectaculaire de la théorie de base de la résonance. Malheureusement, cette explication ne tient pas compte de la réalité. Le vent peut certes souffler par rafales, mais comment croire que des rafales puissent non seulement parvenir précisément à la période de résonance, mais de plus se maintenir à ce rythme exact pendant plusieurs heures ?

L'hypothèse des vortex est davantage plausible, bien qu'elle ne soit pas sans faiblesses. Elle est basée sur l'observation de l'écoulement de l'air autour d'un obstacle. Lorsqu'un objet s'oppose à l'écoulement du vent, il se crée souvent *alternativement* de part et d'autre de l'objet des tourbillons d'air – des vortex (figure 1.15). En raison de ces vortex, la pression de l'air diminue et augmente alternativement de chaque côté de l'objet. L'objet subit alors une force oscillante perpendiculaire à la vitesse du vent – ce qui peut expliquer précisément les oscillations verticales du tablier du pont de Tacoma Narrows. On peut observer l'effet de cette force lorsqu'on place une mince feuille de papier dans le jet d'air d'un séchoir à cheveux. Dans certaines conditions, la feuille se met à vibrer perpendiculairement au déplacement de l'air.

Si l'alternance des vortex constitue un mécanisme susceptible de produire une force oscillante, la résonance ne semble malheureusement pas au rendez-vous. En effet, d'après la loi empirique de Strouhal, la période de l'alternance des vortex est donnée par la formule $T \approx 5\ h/v$, où h est la hauteur de l'obstacle et v, la vitesse du vent. Pour le pont de Tacoma Narrows, $h = 2,5$ m, la hauteur des poutrelles latérales qui soutiennent le tablier. Le jour

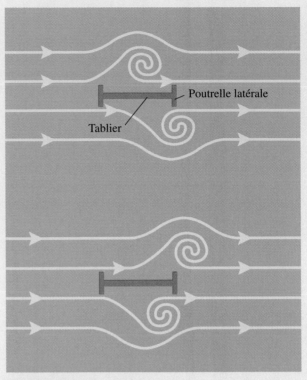

Figure 1.15

Lorsque le vent frappe le tablier d'un pont, des vortex se forment alternativement de part et d'autre du tablier, ce qui produit une force verticale variable qui oscille à la période d'alternance des vortex.

de l'effondrement, on avait $v = 65$ km/h $= 18$ m/s. Ainsi, on obtient la période de Strouhal $T = 5\ (2,5$ m$)/(18$ m/s$) = 0,7$ s, soit environ 10 fois moins que la période naturelle d'oscillation du tablier, qui est de 8 s.

La différence entre la période de l'alternance des vortex et la période naturelle d'oscillation du pont est si grande que certains physiciens sont d'avis que les oscillations du pont de Tacoma Narrows n'ont pas pu être engendrées par un phénomène de résonance. Une autre explication peut être avancée : un objet peut utiliser l'énergie qu'on lui donne pour osciller à sa période naturelle sans être en résonance. Prenons l'exemple d'un instrument à archet, comme le violon. En glissant sur une corde de violon, l'archet accroche la corde pendant une fraction de seconde, ce qui la déplace de sa position d'équilibre et lui donne de l'énergie. La corde glisse, se met à osciller pendant quelques cycles à sa période naturelle (plusieurs centaines d'oscillations par seconde), produisant un son de même période. Une fraction de seconde plus tard, elle est de nouveau accrochée par l'archet, qui lui redonne de l'énergie, et ainsi de suite. Dans l'ensemble, il s'agit d'un processus de type «accroche-glisse» (*stick-slip*, en anglais) qui n'a rien à voir avec la résonance. C'est le même phénomène qui est responsable du son produit par des ongles qui glissent sur un tableau noir, ou encore de l'excitation du mode d'oscillation naturel d'une coupe en cristal sur le rebord de laquelle on fait glisser un doigt mouillé. Il est à noter que, dans un processus de type «accroche-glisse», la force extérieure qui donne de l'énergie à l'objet n'oscille pas dans le temps, mais que l'objet vibre néanmoins à sa période naturelle d'oscillation.

Selon cette troisième hypothèse, l'effondrement du pont de Tacoma Narrows s'explique par l'autoexcitation :

l'amorce de l'oscillation à la période naturelle se fait tout simplement par transfert d'énergie du vent (qu'il y ait vortex ou non) au tablier du pont. Une fois l'oscillation amorcée, la suite de l'explication reprend l'hypothèse des vortex alternés, mais avec une différence cruciale : lorsqu'un objet qui oscille déjà de manière appréciable bloque le vent, les vortex alternés se forment non pas à la période de Strouhal, mais bien à la période d'oscillation de l'objet. Et si l'objet oscille déjà à sa période naturelle, les vortex alternés viendront alimenter cette oscillation et créeront une véritable résonance.

1.6 Oscillations amorties et oscillations forcées

Oscillations amorties

Nous avons jusqu'à présent négligé les pertes d'énergie qui sont inévitables dans les cas réels. Ces pertes peuvent être dues à la résistance d'un fluide externe ou aux «frottements internes» dans un système. L'énergie et, par conséquent, l'amplitude d'un tel oscillateur *amorti* diminuent avec le temps. Pour établir l'équation des oscillations amorties, considérons le cas décrit à la figure 1.16, qui représente un bloc immergé dans un liquide. Lorsque la vitesse est faible, l'amortissement est dû à une force de résistance $\vec{f}$ qui est proportionnelle à la vitesse (voir le chapitre 6 du tome 1) :

$$\vec{f} = -\gamma\vec{v} \tag{1.22}$$

où γ, mesurée en kilogrammes par seconde, est la *constante d'amortissement*. Si l'on néglige la poussée du fluide (voir le chapitre 14 du tome 1), la deuxième loi de Newton appliquée au bloc s'écrit

$$\sum F_x = -kx - \gamma\frac{dx}{dt} = m\frac{d^2x}{dt^2}$$

où x est la position par rapport à l'équilibre (voir l'exemple 1.5 ; on a omis le symbole prime par souci de simplicité). Ainsi, le poids du bloc n'apparaît pas dans la somme des forces. Cette équation peut s'écrire sous la forme

$$m\frac{d^2x}{dt^2} + \gamma\frac{dx}{dt} + kx = 0 \tag{1.23}$$

Cette forme d'équation différentielle apparaît dans d'autres oscillations amorties mécaniques ou non mécaniques. On sait, par expérience, que la masse va osciller avec une amplitude diminuant progressivement. On peut vérifier qu'une des solutions de l'équation 1.23 est

$$x = A_0 e^{-\gamma t/2m}\sin(\omega' t + \phi) \tag{1.24}$$

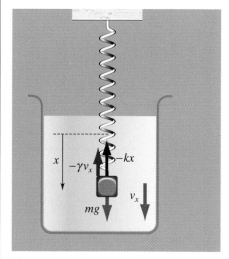

Figure 1.16

Les oscillations d'un bloc sont amorties lorsqu'on le plonge dans un fluide. Dans un système réel, les pertes d'énergie dans le ressort lui-même donnent également lieu à un amortissement.

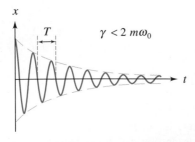

Figure 1.17

Dans une oscillation sous-amortie, le système oscille avec une amplitude qui décroît exponentiellement.

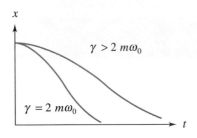

Figure 1.18

En amortissement critique ($\gamma = 2m\omega_0$), le système s'approche plus rapidement de la position d'équilibre. En amortissement surcritique ($\gamma > 2m\omega_0$) le système s'approche lentement de l'équilibre.

La *pulsation amortie*, ω', est donnée par

$$\omega' = \sqrt{\omega_0^2 - \left(\frac{\gamma}{2m}\right)^2} \qquad (1.25)$$

La pulsation amortie ω' est inférieure à la pulsation propre $\omega_0 = \sqrt{k/m}$.

Pour que ω' soit un nombre réel, la condition $\gamma/2m < \omega_0$, équivalente à $\gamma < 2m\omega_0$, doit être satisfaite. Lorsque ω' est un nombre réel, les *oscillations* sont *sous-amorties* (figure 1.17). En prenant le cas d'une constante de phase ϕ nulle, l'amplitude diminue selon

(oscillateur sous-amorti) $\qquad A(t) = A_0 e^{-\gamma t/2m} \qquad (1.26)$

et correspond à l'enveloppe en pointillé de la courbe représentée à la figure 1.17. La période des oscillations amorties est $T' = 2\pi/\omega'$.

Si l'amortissement est suffisant pour que $\gamma > 2m\omega_0$, ω' est un nombre imaginaire. Dans ce cas, il n'y a pas d'oscillation et le système revient lentement à sa position d'équilibre (figure 1.18). Les portes montées sur des charnières à fermeture automatique et le dispositif de rappel du bras d'un tourne-disque sont des exemples d'*amortissement surcritique*. Le traitement mathématique d'une situation surcritique exige le recours aux fonctions hyperboliques pour transformer l'équation 1.24 et son terme imaginaire.

Si $\gamma = 2m\omega_0$, on a $\omega' = 0$ et, là non plus, il n'y a pas d'oscillation. Cette condition d'*amortissement critique* correspond au temps le plus court pour que le système revienne à l'équilibre (figure 1.18). L'amortissement critique est utilisé dans les mouvements des appareils de mesure électriques pour amortir les oscillations de l'aiguille. Le système de suspension d'une automobile est réglé de manière à avoir un amortissement un peu moins que critique. Lorsqu'on appuie sur un pare-chocs et qu'on le lâche, l'automobile effectue peut-être une oscillation et demie avant de s'immobiliser.

Exemple 1.11

Un bloc de 0,5 kg est attaché à un ressort ($k = 12,5$ N/m). La pulsation amortie est de 0,2 % inférieure à la pulsation propre. (a) Quelle est la constante d'amortissement ? (b) Comment varie l'amplitude dans le temps ? (c) Quelle est la constante d'amortissement critique ?

Solution :

(a) La pulsation propre est $\omega_0 = \sqrt{k/m} = 5$ rad/s. La pulsation amortie est $\omega' = 0,998\omega_0 = 4,99$ rad/s. D'après l'équation 1.23,

$$\gamma^2 = 4m^2(\omega_0^2 - \omega'^2)$$

Cela nous donne $\gamma = 0,316$ kg/s.

(b) D'après l'équation 1.24,

$$A(t) = A_0 e^{-0,316t}$$

(c) La constante d'amortissement critique est

$$\gamma = 2m\omega_0 = 5 \text{ kg/s}$$

Cette valeur est nettement plus élevée que la valeur trouvée à la question (a).

Oscillations forcées

La perte d'énergie dans un oscillateur amorti peut être compensée par le travail effectué par un agent extérieur. Par exemple, on peut entretenir le mouvement d'un enfant sur une balançoire en le poussant à des moments appropriés (figure 1.19). Dans bien des cas, la force d'entraînement extérieure varie de façon sinusoïdale avec une pulsation ω_e. Ainsi, à la figure 1.16, la composante selon x d'une telle force s'exprime comme $F_e \cos \omega_e t$, de sorte que la deuxième loi de Newton appliquée à un tel oscillateur forcé ou entretenu donne

$$\sum F_x = -kx - \gamma \frac{dx}{dt} + F_e \cos(\omega_e t) = m \frac{d^2 x}{dt^2}$$

que l'on peut remanier pour obtenir

$$m \frac{d^2 x}{dt^2} + \gamma \frac{dx}{dt} + kx = F_e \cos \omega_e t \qquad (1.27)$$

Lorsqu'on applique la force, le mouvement est tout d'abord complexe : la solution de l'équation différentielle comporte des termes qualifiés de transitoires. Toutefois, le système finit par osciller en régime permanent. À ce stade, l'énergie dissipée par l'amortissement est compensée exactement par l'apport extérieur associé à la force d'entraînement. La solution en régime permanent de l'équation 1.27 est

$$x = A \cos(\omega_e t - \delta) \qquad (1.28)$$

où δ est l'angle de phase entre la position x et la force d'entraînement. En général, les valeurs maximales de position ne coïncident pas avec les valeurs maximales de la composante de cette force. Soulignons que l'amplitude est constante dans le temps et que ω_e est la pulsation de la *force d'entraînement extérieure*. En remplaçant l'équation 1.28 dans l'équation 1.27, on obtient finalement (les détails du calcul ne sont pas présentés ici) :

$$A = \frac{F_e/m}{\sqrt{(\omega_0^2 - \omega_e^2)^2 + (\gamma \omega_e/m)^2}} \qquad (1.29)$$

Chaque valeur de la pulsation de la force d'entraînement est caractérisée par sa propre amplitude (figure 1.20). À $\omega_e = 0$, l'amplitude est simplement l'allongement statique $F_e/m\omega_0 = F_e/k$. Au fur et à mesure que la pulsation extérieure ω_e augmente, l'amplitude s'accroît jusqu'à atteindre un maximum à ω_{max}, légèrement au-dessous de ω_0. À des valeurs plus élevées de la pulsation, l'amplitude décroît à nouveau. Une telle réponse est appelée résonance et ω_{max} est la *pulsation de résonance*. Si γ est petit, la courbe de résonance est étroite et le pic est situé près de la pulsation propre ω_0. Si γ est grand, la résonance est large et le pic est décalé vers les pulsations plus faibles. La valeur de γ peut devenir si grande qu'il n'y a pas de résonance. À la pulsation de résonance, la force extérieure et la vitesse de la particule sont pratiquement en phase. Le transfert de puissance ($P = \vec{F} \cdot \vec{v}$) à l'oscillateur est alors maximal. Aux pulsations inférieures ou supérieures à la valeur de résonance, la force et la vitesse ne sont pas en phase, et le transfert de puissance est plus faible.

Figure 1.19

L'enfant peut continuer à se balancer si on le pousse aux moments appropriés.

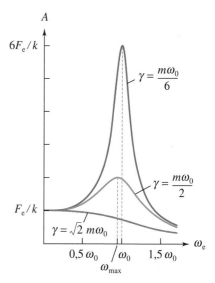

Figure 1.20

L'amplitude d'un oscillateur entretenu donne lieu à un phénomène de résonance lorsque la pulsation de l'agent extérieur varie. Pour un amortissement élevé, le pic correspond à une pulsation inférieure à la pulsation propre ω_0 et la courbe de résonance est large.

Dans une oscillation harmonique simple, l'amplitude A est constante et la période T est indépendante de l'amplitude. La variation de la grandeur physique x est donnée par

$$x = A \sin(\omega t + \phi)$$

où ω est la pulsation, ou fréquence angulaire. La constante de phase ϕ est déterminée par les valeurs de x et de dx/dt à un instant donné, par exemple $t = 0$. Pour qu'un système mécanique effectue un mouvement harmonique simple, la force ou le moment de force de rappel qui fait revenir le système à l'équilibre doit obéir à la loi de Hooke. L'énergie mécanique dans un mouvement harmonique simple est constante dans le temps.

Tous les oscillateurs harmoniques simples obéissent à une équation différentielle de la forme

$$\frac{d^2x}{dt^2} + \omega^2 x = 0$$

Dans les exemples mécaniques, cette équation est une variante de la deuxième loi de Newton. La pulsation et la période de l'oscillation d'un bloc de masse m attaché à un ressort dont la constante est k sont données par

$$\omega = \sqrt{\frac{k}{m}}$$

$$T = \frac{2\pi}{\omega} = 2\pi\sqrt{\frac{m}{k}}$$

L'énergie mécanique du système bloc-ressort est

$$E = \tfrac{1}{2}mv^2 + \tfrac{1}{2}kx^2 = \tfrac{1}{2}mv_{\max}^2 = \tfrac{1}{2}kA^2$$

L'énergie d'un oscillateur harmonique simple est proportionnelle au carré de l'amplitude.

Dans l'approximation des petits angles, la pulsation et la période d'un pendule simple de longueur L sont

$$\omega = \sqrt{\frac{g}{L}}\,; \quad T = 2\pi\sqrt{\frac{L}{g}}$$

La pulsation d'un pendule composé de masse m et de moment d'inertie I est

$$\omega = \sqrt{\frac{mgd}{I}}$$

où d est la distance entre l'axe de rotation et le centre de masse. La pulsation d'un pendule de torsion de moment d'inertie I est

$$\omega = \sqrt{\frac{\kappa}{I}}$$

où κ est la constante de torsion.

Il y a résonance lorsqu'un système oscillant est entraîné par une force périodique dont la fréquence est proche de la fréquence propre d'oscillation du système.

Termes importants

amplitude
constante de phase
déphasage
fréquence
fréquence angulaire
isochronisme
mouvement harmonique simple
oscillation
oscillation harmonique simple
pendule composé

pendule de torsion
pendule simple
période
périodique (adj.)
phase
pulsation
pulsation propre
résonance
système bloc-ressort

Révision

R1. Relatez la découverte de l'isochronisme par Galilée.

R2. Soit le tracé de la fonction $x = A \sin(\omega t + \phi)$. Décrivez l'effet d'une augmentation de (a) A; (b) ω; (c) ϕ.

R3. Vrai ou faux? Lorsque le déphasage ϕ est positif, la fonction $x = A \sin(\omega t + \phi)$ est décalée vers la gauche par rapport à la fonction $x = A \sin(\omega t)$.

R4. Soit une oscillation harmonique simple d'amplitude A. Dites pour quelle(s) valeur(s) de x (a) le module de la vitesse est maximal; (b) le module de l'accélération est maximal.

R5. Qu'arrive-t-il à la période d'oscillation d'un système bloc-ressort si (a) on double la masse du bloc? (b) on double la constante de rappel du ressort?

R6. Tracez un au-dessus de l'autre les graphiques $x(t)$, $v_x(t)$, $a_x(t)$, $U(t)$ et $K(t)$ pour le mouvement harmonique simple $x = A \sin(\omega t)$.

R7. Qu'arrive-t-il à l'énergie mécanique d'un système oscillant si on double l'amplitude?

R8. Sous réserve de quelle approximation peut-on dire qu'un pendule simple oscille selon un mouvement harmonique simple?

R9. Identifiez deux systèmes oscillants mentionnés dans le chapitre qui possèdent un véritable mouvement harmonique simple.

Q1. Dites si l'un ou l'autre des systèmes suivants effectue un mouvement harmonique simple : (a) un bras ou une jambe se balançant librement ; (b) le bras d'un tourne-disque suivant le sillon d'un disque rayé ?

Q2. Si l'amplitude d'un oscillateur harmonique simple est doublée, quel effet cela a-t-il sur les grandeurs suivantes : (a) la pulsation ; (b) la constante de phase ; (c) la vitesse maximale ; (d) l'accélération maximale ; (e) l'énergie mécanique ?

Q3. Un système bloc-ressort effectue un mouvement harmonique simple à la fréquence f. Combien de fois par cycle les conditions suivantes se produisent-elles : (a) la vitesse est maximale ; (b) l'accélération est nulle ; (c) l'énergie cinétique est égale à 50 % de l'énergie potentielle ; (d) l'énergie potentielle est égale à l'énergie mécanique ?

Q4. Un pendule simple est suspendu au plafond d'un ascenseur. Quel est l'effet sur sa période lorsque l'accélération de l'ascenseur est (a) dirigée vers le haut, (b) dirigée vers le bas ?

Q5. Un bloc oscille à l'extrémité d'un ressort vertical suspendu au plafond d'un ascenseur. Quel est l'effet sur sa période si l'ascenseur accélère (a) vers le haut, (b) vers le bas ?

Q6. Une particule effectue un mouvement harmonique simple de période T. Elle met un temps $T/4$ pour aller de $x = -A$ à $x = 0$. Le temps mis pour aller de $x = -A/2$ à $x = A/2$ lui est-il (a) inférieur, (b) identique, ou (c) supérieur ?

Q7. Un wagonnet non couvert oscille sur une surface horizontale sans frottement à l'extrémité d'un ressort. Quels sont les effets sur l'énergie mécanique et sur la période si on lâche verticalement un bloc de même masse qui tombe dans le wagonnet (a) lorsque $x = A$; (b) lorsque $x = 0$?

Q8. Deux balles suspendues subissent des collisions élastiques répétées au point le plus bas de leurs oscillations (figure 1.21). Leur mouvement est-il harmonique simple ?

Q9. Si l'on vous donne un chronomètre et une règle, comment pouvez-vous évaluer approximativement la masse d'un bras ou d'une jambe ?

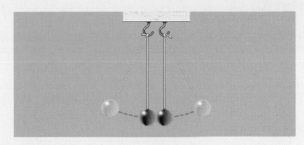

Figure 1.21

Question 8.

Q10. Une particule effectue un mouvement harmonique simple à une dimension d'amplitude A et de période T. Quelle est la valeur moyenne du module de la vitesse (a) sur un quart de cycle entre $x = 0$ et $x = \pm A$; (b) sur une oscillation complète ?

Q11. Même en l'absence de résistance de l'air, une masse oscillant à l'extrémité d'un ressort finit par s'arrêter. Pourquoi en est-il ainsi ?

Q12. Utilisez un raisonnement qualitatif pour montrer qu'un pendule simple ne peut pas effectuer un vrai mouvement harmonique simple. (*Indice* : Considérez la force de rappel correspondant à un grand déplacement angulaire par rapport à la verticale.)

Q13. Pourquoi donne-t-on l'ordre à des soldats qui marchent au pas de rompre leur cadence lorsqu'ils traversent un petit pont ?

Q14. La position d'une particule est donnée par $x = A \cos \omega t$. Quelle est la constante de phase permettant de décrire son mouvement à partir de l'expression générale $x = A \sin(\omega t + \phi)$ utilisée dans ce chapitre ?

Q15. Un bloc oscille à l'extrémité d'un ressort. On coupe le ressort en deux et on attache le bloc à l'un des ressorts obtenus. La nouvelle période est-elle plus longue ou plus courte ? Expliquez qualitativement votre réponse.

Q16. Il y a mouvement harmonique simple lorsque l'énergie potentielle est proportionnelle au carré de la variable décrivant la position. Une particule qui glisse sans frottement à l'intérieur d'un bol de forme parabolique est-elle en mouvement harmonique simple ?

Q17. Un pendule simple est suspendu au plafond d'un camion. Quel est l'effet sur la période lorsque le camion accélère horizontalement ?

Q18. Discutez qualitativement l'effet de la masse d'un ressort réel sur la période d'un système bloc-ressort.

Q19. La figure 1.22 représente une méthode servant à déterminer la masse d'un astronaute en orbite stationnaire. Quelle est la procédure utilisée ?

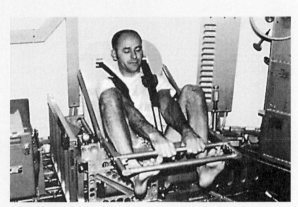

Figure 1.22

Question 19.

Q20. Une bille roule vers le bas d'un plan incliné puis remonte sur un autre plan (figure 1.23). On néglige les pertes par frottement. (a) Le mouvement est-il périodique ? (b) Y a-t-il un point d'équilibre stable ? (c) S'agit-il d'un mouvement harmonique simple ?

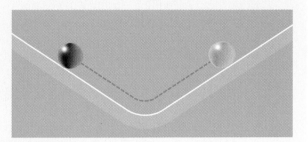

Figure 1.23

Question 20.

xercices

À moins d'avis contraire, on supposera dans les exercices suivants que l'équation décrivant une oscillation harmonique simple est de la forme x = A *sin(ωt + φ), et que* x *est positif lorsque le ressort est allongé.*

1.1 et **1.2** **Oscillation harmonique simple, système bloc-ressort**

E1. (I) La position d'une particule est donnée par $x = A \cos(\omega t - \pi/3)$. Parmi les expressions suivantes, lesquelles y sont équivalentes :
(a) $x = A \cos(\omega t + \pi/3)$;
(b) $x = A \cos(\omega t + 5\pi/3)$;
(c) $x = A \sin(\omega t + \pi/6)$;
(d) $x = A \sin(\omega t - 5\pi/6)$?

E2. (I) La position d'une particule est donnée par $x = 0,03 \sin(20\pi t + \pi/4)$, où x est en mètres et t en secondes. À quel instant ($t > 0$), (a) la position, (b) la vitesse et (c) l'accélération atteignent-elles pour la première fois une valeur maximale (positive ou négative) ?

E3. (II) Lorsque deux adultes de masse totale 150 kg entrent dans une automobile de masse 1450 kg, l'automobile s'affaisse de 1 cm. (a) Quelle est la constante de rappel d'un des 4 ressorts de la suspension ? (b) Quelle est la période des oscillations lorsque l'automobile chargée passe sur une bosse ?

E4. (I) La position d'un bloc attaché à un ressort est donnée par $x = 0,2 \sin(12t + 0,2)$, où x est en mètres et t en secondes. Trouvez : (a) l'accélération quand $x = 0,08$ m ; (b) le premier instant (>0) auquel $x = +0,1$ m avec $v_x < 0$.

E5. (I) La condition $|v_x| = 0,5v_{max}$, où v_{max} est le module de la vitesse maximale, se produit quatre fois durant chaque cycle d'une oscillation d'un système bloc-ressort. Déterminez les quatre premiers instants (>0) sachant que la position à partir du point d'équilibre est $x = 0,35 \cos(3,6t - 0,5)$, où x est en mètres et t en secondes.

E6. (I) Soit un bloc attaché à un ressort. On l'écarte de sa position d'équilibre jusqu'à la position $x = +A$ et on le lâche. La période est T. En quels points et à quels instants au cours du premier cycle complet les événements suivants ont-ils lieu : (a) $|v_x| = 0,5v_{max}$, où v_{max} est le module de la vitesse maximale ; (b) $|a_x| = 0,5a_{max}$, où a_{max} est le module de l'accélération maximale ? Donnez vos réponses en fonction de A et T.

E7. (II) Un bloc de masse $m = 0,5$ kg est attaché à un ressort horizontal dont la constante de rappel est $k = 50$ N/m. À $t = 0,1$ s, la position est $x = -0,2$ m et la vitesse est $v_x = +0,5$ m/s. On suppose que $x(t) = A \sin(\omega t + \phi)$. (a) Déterminez l'amplitude et la constante de phase. (b) Écrivez l'équation de $x(t)$. (c) À quel instant la condition $x = 0,2$ m et $v_x = -0,5$ m/s se produit-elle pour la première fois ?

E8. (II) Dans un système bloc-ressort, $m = 0,25$ kg et $k = 4$ N/m. À $t = 0,15$ s, la vitesse est $v_x = -0,174$ m/s et l'accélération, $a_x = +0,877$ m/s². Écrivez l'expression de la position en fonction du temps, $x(t)$.

E9. (II) Un ressort vertical s'allonge de 0,16 m lorsqu'on y attache un bloc de masse $m = 0,5$ kg. On tire dessus pour lui donner un allongement supplémentaire de 0,08 m et on le lâche. (a) Écrivez l'équation de la position $x(t)$ à partir de l'équilibre. (b) Trouvez le module de la vitesse et l'accélération lorsque l'allongement du ressort est égal à 0,1 m.

E10. (II) Avec un bloc de masse m, la fréquence d'un système bloc-ressort est égale à 1,2 Hz. Lorsqu'on y ajoute 50 g, la fréquence tombe à 0,9 Hz. Trouvez m et la constante de rappel du ressort.

E11. (I) Un bloc de masse $m = 30$ g oscille avec une amplitude de 12 cm à l'extrémité d'un ressort horizontal dont la constante de rappel est égale à 1,4 N/m. Quelles sont la vitesse et l'accélération lorsque la position à partir du point d'équilibre est égale à (a) -4 cm ; (b) 8 cm ?

E12. (II) Déterminez la période pour chacune des combinaisons représentées à la figure 1.24. On suppose que chaque bloc glisse sur une surface horizontale sans frottement.

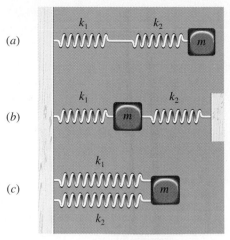

Figure 1.24

Exercice 12.

E13. (II) Une particule se déplace à une vitesse de module constant sur un cercle. Le vecteur position de la particule a pour origine le centre du cercle. Montrez que les composantes de ce vecteur position ont les caractéristiques d'une oscillation harmonique simple.

1.3 Énergie dans un mouvement harmonique simple

E14. (II) La position d'un bloc de 50 g attaché à un ressort horizontal ($k = 32$ N/m) est donnée par $x = A \cos \omega t$, avec $A = 20$ cm. Trouvez : (a) l'énergie cinétique et l'énergie potentielle à $t = 0,2T$, T étant la période ; (b) l'énergie cinétique et l'énergie potentielle à $x = A/2$; (c) les instants auxquels l'énergie cinétique et l'énergie potentielle sont égales.

E15. (II) La position d'un bloc de masse $m = 80$ g attaché à un ressort dont la constante de rappel est égale à 60 N/m est donnée par $x = A \sin \omega t$, avec $A = 12$ cm. Au cours du premier cycle complet, trouvez les valeurs de x et de t auxquelles l'énergie cinétique est égale à la moitié de l'énergie potentielle.

E16. (I) Un atome de masse 10^{-26} kg effectue une oscillation harmonique simple autour de sa position d'équilibre dans un cristal. La fréquence est égale à 10^{12} Hz et l'amplitude à 0,05 nm. Trouvez : (a) le module de la vitesse maximale ; (b) son énergie mécanique ; (c) le module de son accélération maximale ; (d) la constante de rappel correspondante.

E17. (II) La position d'un bloc attaché à un ressort horizontal dont la constante de rappel est égale à 12 N/m est donnée par $x = 0,2 \cos(4t - 0,8)$, où x est en mètres et t en secondes. Trouvez : (a) la masse du bloc ; (b) l'énergie mécanique ; (c) le premier instant ($t > 0$) auquel l'énergie cinétique est égale à la moitié de l'énergie potentielle ; (d) l'accélération à $t = 0,1$ s.

E18. (I) Un chariot de masse m est attaché à un ressort horizontal et oscille avec une amplitude A. Au moment précis où $x = A$, on place un bloc de masse $m/2$ sur le chariot. Quel effet cela a-t-il sur les grandeurs suivantes : (a) l'amplitude ; (b) l'énergie mécanique ; (c) la période ; (d) la constante de phase ?

E19. (II) Un bloc de 50 g est attaché à un ressort vertical dont la constante de rappel est égale à 4 N/m. Le bloc est lâché à la position où l'allongement du ressort est nul. (a) Quel est l'allongement maximal du ressort ? (b) Quel temps faut-il au bloc pour atteindre son point le plus bas ?

E20. (I) Soit un bloc de 60 g attaché à un ressort horizontal. On étire le ressort de 8 cm de sa position d'équilibre et on le lâche à $t = 0$. Sa période est égale à 0,9 s. Déterminez : (a) la position x à 1,2 s ; (b) la vitesse lorsque $x = -5$ cm ; (c) l'accélération lorsque $x = -5$ cm ; (d) l'énergie mécanique.

E21. (I) Montrez que, pour toute valeur donnée de la position x d'un bloc attaché à un ressort, la vitesse est donnée par

$$v_x = \pm \omega \sqrt{A^2 - x^2}$$

où ω est la fréquence angulaire et A, l'amplitude.

1.4 Pendules

E22. (II) Un pendule simple est constitué d'une masse de 40 g et d'un fil d'une longueur de 80 cm. À $t = 0$, la position angulaire est $\theta = 0,15$ rad et la vitesse tangentielle est de 60 cm/s, s'éloignant du centre. Trouvez : (a) l'amplitude angulaire et la constante de phase ; (b) l'énergie mécanique ; (c) la hauteur maximale au-dessus de la position d'équilibre.

E23. (II) Déterminez la période d'oscillation d'une règle de 1 m lorsqu'elle pivote autour d'un axe horizontal passant (a) par une extrémité ; (b) par la marque du 60 cm. Le moment d'inertie d'une tige uniforme de masse M et de longueur L par rapport à un axe passant par le centre et perpendiculaire à la tige est $I_{CM} = ML^2/12$. (Vous aurez besoin d'utiliser le théorème des axes parallèles : chapitre 11, tome 1.)

E24. (II) Déterminez la période d'oscillation d'un disque homogène de masse M et de rayon R pivotant autour d'un axe horizontal passant par un point de la circonférence. Le moment d'inertie est $I = 3MR^2/2$.

E25. (I) Soit un fil de constante de torsion $\kappa = 2$ (N·m)/rad. Il retient un disque de rayon $R = 5$ cm et de masse $M = 100$ g en son centre (figure 1.25). Quelle est la fréquence des oscillations de torsion ? Le moment d'inertie du disque est $I = \frac{1}{2}MR^2$.

Figure 1.25

Exercice 25.

E26. (I) Une tige de longueur $L = 50$ cm et de masse $M = 100$ g est suspendue en son milieu par un fil dont la constante de torsion est égale à 2,5 (N·m)/rad (figure 1.26). Quelle est la période des oscillations de torsion ? Le moment d'inertie de la tige est $I = ML^2/12$.

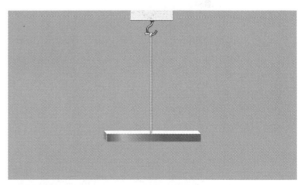

Figure 1.26

Exercice 26.

E27. (I) Un pendule simple de longueur 0,4 m est lâché lorsqu'il fait un angle de 20° avec la verticale. Trouvez : (a) sa période ; (b) le module de la vitesse au point le plus bas. (c) Si la masse a une valeur de 50 g, quelle est l'énergie mécanique ?

E28. (II) Une tige suspendue en son centre oscille comme un pendule de torsion avec une période de 0,3 s. Le moment d'inertie est $I = 0,5$ kg·m². La période devient égale à 0,4 s lorsqu'on attache un objet à la tige. Quel est le moment d'inertie de l'objet ?

E29. (I) Une tige suspendue en son milieu oscille comme un pendule de torsion avec une période de 0,9 s. Si l'on utilisait une autre tige ayant le double de sa masse mais la moitié de sa longueur, quelle serait la période ? On donne $I = ML^2/12$.

E30. (I) (a) Quelle est la longueur du fil d'un pendule simple dont la période est égale à 2,0 s ? (b) Si l'on emportait le pendule sur la Lune, où le poids d'un corps est égal au sixième de son poids sur la Terre, quelle serait sa période ?

E31. (I) La masse de 20 g d'un pendule simple de longueur 0,8 m est lâchée lorsque le fil fait un angle de 30° avec la verticale. Trouvez : (a) la période ; (b) la position angulaire $\theta(t)$; (c) l'énergie mécanique ; (d) le module de la vitesse de la masse pour $\theta = 15°$.

E32. (I) Un pendule simple oscille avec une amplitude de 20° et une période de 2 s. Quel temps met-il pour passer d'une position angulaire de $-10°$ à $+10°$?

Exercices supplémentaires

1.1 et 1.2 Oscillation harmonique simple, système bloc-ressort

E33. (I) Une particule de 150 g décrit un mouvement harmonique simple. La distance entre les deux extrémités de son mouvement est de 24 cm et la vitesse moyenne sur cet intervalle est de 60 cm/s. Trouvez : (a) sa fréquence angulaire ; (b) le module de la force maximale subie par cette particule ; (c) le module de sa vitesse maximale.

E34. (I) La position d'une particule est donnée par $x = 0,25 \sin(5\pi t + \pi/4)$, où x est en mètres et t en secondes. Trouvez : (a) la période ; (b) l'amplitude ; (c) la constante de phase ; (d) le module de la vitesse maximale ; (e) le module de l'accélération maximale.

E35. (I) La position d'une particule est donnée par $x = 0,25 \sin(5\pi t + \pi/4)$, où x est en mètres et t en secondes. À $t = 0,2$ s, trouvez : (a) la position ; (b) la vitesse ; (c) l'accélération.

E36. (I) La position d'une particule est donnée par $x = 0,16 \sin(8t - 0,3)$, où x est en mètres et t en secondes. À $t = 0,1$ s, déterminez : (a) la position ; (b) la vitesse ; (c) l'accélération.

E37. (I) La fréquence du mouvement harmonique simple d'une particule est de 1,2 Hz et le module de son accélération maximale est de 4 m/s². Trouvez : (a) la distance parcourue par la particule pendant un cycle complet ; (b) le module de la vitesse maximale.

E38. (I) La vitesse maximale et l'accélération maximale d'une particule de 0,2 kg ayant un mouvement harmonique simple sont respectivement de 1,25 m/s et 9 m/s². Trouvez : (a) l'amplitude et la fréquence angulaire ; (b) sa vitesse lorsque $x = 0,12$ m.

E39. (I) Une particule prend 0,6 s pour parcourir les 24 cm qu'il y a entre les deux extrémités de son mouvement harmonique simple. Trouvez : (a) l'amplitude et la fréquence angulaire ; (b) le module de la vitesse maximale ; (c) le module de l'accélération maximale.

E40. (I) La vitesse maximale et l'accélération maximale d'une particule ayant un mouvement harmonique simple sont respectivement de 15 cm/s et 90 cm/s². Trouvez : (a) la période et (b) l'amplitude de ce mouvement.

E41. (I) Un point de la membrane d'une enceinte acoustique oscille selon un mouvement harmonique simple avec une fréquence de 50 Hz et une amplitude de 1 mm. Déterminez : (a) le module de la vitesse maximale et (b) le module de l'accélération maximale de ce mouvement.

E42. (I) Le point central d'une corde de guitare oscille avec une fréquence de 440 Hz et une amplitude de 0,8 mm. Déterminez : (a) le module de la vitesse maximale et (b) le module de l'accélération maximale de ce mouvement.

E43. (I) Une particule a un mouvement harmonique simple autour de $x = 0$, et sa période est de 0,4 s. À $t = 0$ s, son accélération est maximale et égale $+28$ m/s². (a) Trouvez l'amplitude et la constante de phase. (b) Donnez l'expression de sa position en fonction du temps.

E44. (I) La position d'une particule en fonction du temps est donnée par $x = 0,08 \sin(5,15t)$, où x est en mètres et t en secondes. Déterminez le premier instant ($t > 0$) pour lequel les valeurs suivantes sont maximales et positives : (a) la position ; (b) la vitesse ; (c) l'accélération.

E45. (I) Un système bloc-ressort oscille avec une amplitude de 10 cm et une période de 2,5 s. Quelle serait sa nouvelle période si : (a) on doublait l'amplitude ; (b) on doublait la masse du bloc ; (c) on doublait la constante de rappel du ressort ?

E46. (I) Lorsqu'on attache un objet de 25 g à un ressort vertical, il s'étire de 16 cm. Quelle serait la période d'oscillation d'un objet de 40 g attaché à ce ressort ?

E47. (I) Un système bloc-ressort a un ressort dont la constante de rappel est 2,45 N/m. Il oscille avec une amplitude de 16 cm et le module de sa vitesse maximale est de 56 cm/s. Quelle est la masse du bloc ?

E48. (I) Un bloc de 0,19 kg est attaché à un ressort horizontal ; on comprime le ressort de 22,5 cm puis on le relâche à $t = 0$ s. Le bloc atteint une vitesse nulle pour la première fois à $t = 0,35$ s. Trouvez : (a) la constante de rappel du ressort ; (b) le module de sa vitesse maximale ; (c) le module de son accélération maximale.

E49. (I) Un plateau de 0,5 kg étire de 14 cm le ressort vertical d'une balance. Lorsqu'on place un poisson sur ce plateau, le système oscille à une fréquence de 1,048 Hz. Quelle est la masse du poisson ?

E50. (I) Lorsqu'un bloc de 20 g est attaché à un ressort horizontal, le système oscille à 1,4 Hz et la vitesse maximale atteinte par le bloc est de 29 cm/s. Trouvez : (a) l'amplitude ; (b) la constante de rappel du ressort ; (c) la vitesse moyenne du bloc sur un cycle complet.

E51. (II) Une particule ayant un mouvement harmonique simple parcourt une distance totale de 40 cm à chaque cycle complet. L'accélération maximale est de 3,6 m/s². À $t = 0$, la particule est à sa position maximale positive. (a) Quelle est l'équation de la position en fonction du temps de cette particule ? (b) À quel instant ($t > 0$) la particule passe-t-elle par $x = 0$ pour la première fois ?

E52. (II) Une particule en mouvement harmonique simple passe à $x = 0$ une fois par seconde. À $t = 0$, $x = 0$ et sa vitesse est négative. La distance totale parcourue en un cycle complet est de 60 cm. Quelle est la position en fonction du temps de cette particule ?

E53. (II) À $t = 0$, la position et la vitesse d'une particule ayant un mouvement harmonique simple de fréquence angulaire 6 rad/s sont $x = 0,15$ m et $v_x = +1,3$ m/s. Déterminez : (a) l'amplitude et (b) la constante de phase de ce mouvement.

E54. (II) Une particule décrit un mouvement harmonique simple. À $t = 0$, cette particule au repos est relâchée à $x = 0,34$ m avec une accélération initiale de $-8,5$ m/s². (a) Quelle est l'équation de la position en fonction du temps de cette particule ? (b) Quelle est sa vitesse maximale ? (c) Quel est le premier instant pour lequel la vitesse est maximale et positive ($t > 0$) ?

E55. (II) Un bloc attaché à un ressort étiré est relâché à $t = 0$. La période d'oscillation est de 0,61 s. À $t = 0,05$ s, $v_x = -96,4$ cm/s. Quelle est l'amplitude du mouvement ?

E56. (II) Une particule effectue un mouvement harmonique simple autour de $x = 0$. À un moment donné, $x = 2$ cm, $v_x = -8$ cm/s et $a_x = -40,5$ cm/s². Trouvez : (a) la fréquence angulaire et (b) l'amplitude de ce mouvement.

E57. (II) Déterminez la constante de phase dans l'équation 1.2 pour chacune des situations où les conditions initiales à $t = 0$ sont les suivantes : (a) $x = A$; (b) $x = -A$; (c) $x = 0$, $v_x < 0$; (d) $x = A/2$, $v_x > 0$; (e) $x = A/2$, $v_x < 0$.

E58. (II) Un bloc de 50 g en mouvement à 60 cm/s sur une surface horizontale sans frottement entre en collision avec une plaque de masse négligeable à l'extrémité d'un ressort horizontal de constante de rappel $k = 7,5$ N/m (voir la figure 1.27). (a) Quelle sera la compression maximale du ressort ? (b) Combien de temps le bloc reste-t-il en contact avec la plaque ?

E59. (II) Un bloc de masse inconnue est attaché à l'extrémité d'un ressort vertical. Lorsqu'on y suspend un second bloc de 50 g, le ressort s'allonge de 38 cm supplémentaires. La période d'oscillation sans le second bloc de 50 g est de 0,8 s. Trouvez : (a) la constante de rappel du ressort ; (b) la masse du premier bloc.

E60. (II) Un objet de 10 g attaché à l'extrémité d'un ressort horizontal ($k = 1,25$ N/m) comprimé de 5 cm est relâché à $t = 0$. Écrivez l'équation de la position en fonction du temps.

E61. (II) La position en fonction du temps d'un système bloc-ressort est donnée par $x = 0,08 \sin(2\pi t)$, où x est en mètres et t en secondes. Lorsque $x = 0,05$ m, déterminez : (a) l'accélération et (b) la vitesse du bloc.

E62. (II) Un bloc initialement au repos est attaché à un ressort horizontal comprimé de 15 cm. À $t = 0$, le bloc est relâché. La vitesse du bloc à $x = 0$ est de 90 cm/s. Quelle est la position du bloc en fonction du temps ?

E63. (II) Un bloc de 0,32 kg attaché à un ressort (k = 6 N/m) oscille avec une amplitude de 15 cm. À $t = 0$, $x = 0$ et $v_x > 0$. (a) Écrivez l'équation de la position en fonction du temps du bloc. (b) Combien de temps prend le bloc pour passer de $x = 2$ cm à $x = 12$ cm ?

1.3 Énergie dans un mouvement harmonique simple

E64. (I) Un système bloc-ressort a une amplitude de 20 cm et une période de 0,8 s. À un instant donné, l'énergie cinétique est de 0,1 J et l'énergie potentielle, de 0,3 J. Trouvez (a) la constante de rappel du ressort et (b) la masse du bloc.

E65. (I) Un bloc de 20 g, attaché à un ressort, oscille avec une période de 0,5 s. À un instant donné, $x = 4$ cm et $v_x = -33$ cm/s. Utilisez le concept d'énergie pour trouver l'amplitude.

E66. (I) L'énergie mécanique d'un système bloc-ressort est de 0,2 J. La masse du bloc est de 120 g et la constante de rappel du ressort, de 40 N/m. Trouvez : (a) l'amplitude ; (b) le module de la vitesse maximale ; (c) la position lorsque la vitesse est de 1,3 m/s ; (d) le module de l'accélération maximale.

E67. (I) Un bloc de 80 g, attaché à un ressort, oscille avec une amplitude de 12 cm et une période de 1,2 s. Trouvez : (a) l'énergie mécanique ; (b) le module de la vitesse maximale ; (c) le module de la vitesse lorsque $x = 6$ cm.

E68. (I) La position d'un bloc de 60 g attaché à un ressort horizontal est $x = 0,24 \sin(12t)$, où x est en mètres et t en secondes. (a) Quelle est la vitesse lorsque $x = 0,082$ m ? (b) Quelle est la position lorsque $v_x = +1,5$ m/s ? (c) Quelle est l'énergie mécanique du système ?

E69. (I) Un bloc de 80 g oscille avec une période de 0,45 s. L'énergie mécanique du système est de 0,344 J. Trouvez : (a) l'amplitude ; (b) le module de la vitesse maximale ; (c) le module de la vitesse lorsque $x = 10$ cm.

E70. (I) L'énergie mécanique d'un système bloc-ressort est de 0,18 J, son amplitude de 14 cm et le module de la vitesse maximale de 1,25 m/s. Trouvez : (a) la masse du bloc ; (b) la constante de rappel du ressort ; (c) la fréquence ; (d) la vitesse lorsque $x = 7$ cm.

E71. (I) L'énergie mécanique d'un système bloc-ressort est de 0,22 J. Le bloc oscille avec une fréquence angulaire de 14,5 rad/s et une amplitude de 15 cm. Trouvez : (a) la masse du bloc ; (b) le module de la vitesse maximale ; (c) l'énergie cinétique lorsque $x = 6$ cm ; (d) l'énergie potentielle lorsque $v_x = 1,2$ m/s.

E72. (I) Un bloc de 60 g est attaché à un ressort dont la constante de rappel est de 5 N/m. À un moment donné, $x = 6$ cm et $v_x = -32$ cm/s. Trouvez : (a) l'énergie mécanique ; (b) l'amplitude ; (c) le module de la vitesse maximale.

E73. (I) À un instant donné du mouvement d'un système bloc-ressort, $x = 4,8$ cm, $v_x = 22$ cm/s et $a_x = -9$ m/s^2. La constante de rappel du ressort est de 36 N/m. Trouvez : (a) la fréquence angulaire ; (b) la masse du bloc ; (c) l'énergie mécanique du système.

E74. (I) Un bloc de 75 g, attaché à un ressort, oscille avec une amplitude de 8 cm. Le module de l'accélération maximale est de 7,7 m/s^2. Trouvez : (a) la période ; (b) l'énergie mécanique.

E75. (II) La position en fonction du temps d'un bloc attaché à un ressort est donnée par $x = 0,13 \sin(4,7t - 0,23)$, où x est en mètres et t en secondes. Quel est le premier instant ($t > 0$) pour lequel (a) la vitesse et (b) l'accélération ont une valeur maximale et positive ?

E76. (II) Un bloc de 60 g est attaché à un ressort (k = 24 N/m). Le ressort est allongé et le bloc est relâché à $t = 0$. Après 0,05 s, $v_x = -0,69$ m/s. Trouvez : (a) l'amplitude ; (b) l'énergie mécanique du système.

E77. (II) L'amplitude d'oscillation d'un système bloc-ressort est de 20 cm. Quelle est la position du bloc (a) lorsque la vitesse est à la moitié de sa valeur maximale positive et (b) lorsque l'énergie cinétique et l'énergie potentielle sont égales ?

1.4 Pendules

E78. (I) Un pendule simple de 1,4 m de longueur effectue 8 oscillations complètes en 19 s. Que vaut le module de l'accélération gravitationnelle à l'endroit où se trouve le pendule ?

E79. (I) Quelle est la longueur d'un pendule simple qui passe à sa position d'équilibre une fois par seconde ?

E80. (I) Une feuille métallique de forme irrégulière ayant une masse de 0,32 kg pivote autour d'un axe situé à 15 cm de son centre de masse. La période est de 0,45 s. Quel est le moment d'inertie de la feuille par rapport à cet axe ?

E81. (I) Une tige uniforme de masse M et de longueur $L = 1,2$ m oscille autour d'un axe horizontal passant par une extrémité. Quelle est la longueur d'un pendule simple ayant la même période ? Le moment d'inertie de la tige est $I = ML^2/3$.

E82. (II) Un haltère a une tige de longueur $L = 82$ cm de masse négligeable et une petite sphère de masse m à chacune de ses extrémités. Quelle est la période d'oscillation de cet haltère pivotant autour d'un axe horizontal passant par un point situé à $L/4$ du centre ?

E83. (II) L'amplitude angulaire d'un pendule simple est de 0,35 rad et sa vitesse tangentielle au point le plus bas est de 0,68 m/s. Déterminez la période d'oscillation de ce pendule.

E84. (II) Un pendule simple a une longueur de 0,7 m et sa vitesse tangentielle au point le plus bas est de 0,92 m/s. Trouvez : (a) l'amplitude angulaire ; (b) le temps pris pour passer de la position verticale à une position angulaire de 0,2 rad.

E85. (II) Deux pendules simples ont respectivement des longueurs de 81 cm et 64 cm. Ils sont relâchés à la même position angulaire au même instant. Quel temps s'écoule avant que les deux pendules reviennent à leur position initiale en même temps ?

E86. (II) Une règle d'un mètre pivote autour d'un point situé à une distance d du centre avec une fréquence de 0,44 Hz. Quelle est la valeur de d ? Le moment d'inertie de la règle par rapport à son centre est $I = ML^2/12$. (Vous aurez besoin d'utiliser le théorème des axes parallèles – voir le chapitre 11 du tome 1 – et vous devrez résoudre une équation du second degré.)

E87. (II) Un disque uniforme de masse $M = 1,2$ kg et de rayon $R = 20$ cm oscille autour d'un axe horizontal situé à 8 cm du centre. Quelle est la période d'oscillation ? Le moment d'inertie du disque par rapport à son centre est $I = MR^2/2$. (Vous aurez besoin d'utiliser le théorème des axes parallèles – voir le chapitre 11 du tome 1.)

Problèmes

P1. (I) Un bloc de masse $m = 0,5$ kg en mouvement à la vitesse de 2,0 m/s sur une surface horizontale sans frottement entre en collision avec une plaque de masse négligeable à l'extrémité d'un ressort horizontal et reste collé à la plaque ; la constante de rappel du ressort est égale à 32 N/m (figure 1.27). Trouvez l'expression de $x(t)$, c'est-à-dire la position à partir du point de contact initial entre le bloc et le ressort.

Figure 1.27

Problème 1.

P2. (I) Une pièce de monnaie est posée sur le dessus d'un piston qui effectue un mouvement harmonique simple vertical d'amplitude 10 cm. À quelle fréquence minimale la pièce cesse-t-elle d'être en contact avec le piston ?

P3. (II) Un bloc de masse m est attaché à un ressort vertical par l'intermédiaire d'un fil qui passe sur une poulie ($I = \frac{1}{2}MR^2$) de masse M et de rayon R (figure 1.28). Le fil ne glisse pas. Montrez que la pulsation des oscillations est donnée par $\omega^2 = 2k/(M + 2m)$. (*Indice* : Utilisez le fait que l'énergie mécanique est constante dans le temps. Voir l'exemple 1.8.)

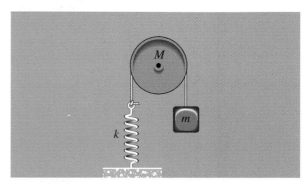

Figure 1.28

Problème 3.

P4. (II) Un bloc de masse $m = 1$ kg est posé sur un autre bloc de masse $M = 5$ kg qui est attaché à un ressort horizontal ($k = 20$ N/m), tel que représenté à la figure 1.29. Le coefficient de frottement statique entre les blocs est μ, et le bloc inférieur glisse sur une surface horizontale sans frottement. L'amplitude des oscillations est $A = 0,4$ m. Quelle est la valeur minimale de μ pour que le bloc supérieur ne glisse pas par rapport au bloc inférieur ?

Figure 1.29

Problème 4.

P5. (I) Une petite particule glisse sur une surface sphérique sans frottement de rayon R (figure 1.30). (a) Montrez que le mouvement est un mouvement harmonique simple pour de petits déplacements à partir du point le plus bas. (b) Quelle est la période ?

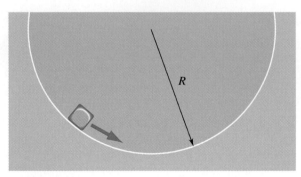

Figure 1.30

Problème 5.

P6. (II) Un tube en U est rempli d'eau sur une longueur ℓ (figure 1.31). On fait subir à l'eau un léger déplacement puis on la laisse bouger librement. (a) Montrez que le liquide effectue un mouvement harmonique simple. (b) Quelle en est la période ?

P7. (II) Montrez que la pulsation de résonance ω_{max} est donnée par

$$\omega_{\text{max}} = \sqrt{\omega_0^2 - \frac{\gamma^2}{2m^2}}$$

(*Indice* : Prenez la dérivée de l'équation 1.29).

P8. (II) Un bloc de masse volumique ρ_{B} a une section transversale horizontale d'aire A et une hauteur

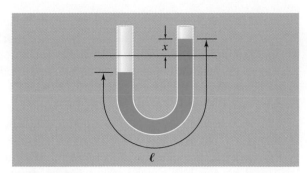

Figure 1.31

Problème 6.

verticale h. Il flotte sur un fluide de masse volumique ρ_{f}. On pousse le bloc vers le bas et on le lâche. Montrez qu'il effectue un mouvement harmonique simple de fréquence angulaire

$$\omega = \sqrt{\frac{\rho_{\text{f}} g}{\rho_{\text{B}} h}}$$

P9. (II) La figure 1.32 représente un bloc de masse M sur une surface sans frottement, attaché à un ressort horizontal de masse m. (a) Montrez que, lorsque la vitesse du bloc a pour module v, l'énergie cinétique du ressort est égale à $\frac{1}{6}mv^2$. (b) Quelle est la période des oscillations ? (*Indice* : Considérez d'abord l'énergie cinétique d'un élément de longueur dx du ressort. Supposez que la vitesse de cet élément est proportionnelle à la distance à partir de l'extrémité fixe. Toutes les parties du ressort sont en phase. Pour la question (b), utilisez le fait que l'énergie mécanique est constante.)

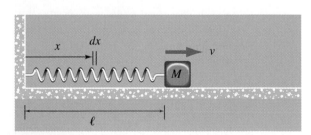

Figure 1.32

Problème 9.

P10. (I) (a) Quelles sont les dimensions de la constante de torsion κ dans l'équation $\tau = -\kappa\theta$? (b) Partant de l'hypothèse que la période d'un pendule de torsion est fonction uniquement du moment d'inertie I et de κ, exprimez la période sous la forme $T = I^x \kappa^y$ et utilisez l'analyse dimensionnelle pour déterminer x et y (voir l'exemple 1.3).

P11. (I) Lorsque l'amplitude angulaire θ_0 (en radians) d'un pendule simple ou d'un pendule composé n'est pas petite, les premiers termes de la formule donnant la période sont

$$T = T_0\left(1 + \frac{1}{4}\sin^2\frac{\theta_0}{2} + \frac{9}{64}\sin^4\frac{\theta_0}{2} + \ldots\right)$$

où T_0 est la période du mouvement harmonique simple. On suppose que $T_0 = 1$ s. Utilisez cette équation pour calculer la période aux valeurs suivantes de θ_0 : (a) 15° ; (b) 30° ; (c) 45° ; (d) 60°.

P12. (I) (a) Écrivez l'expression donnant l'énergie mécanique E d'un système constitué d'un bloc attaché à un ressort vertical (figure 1.7). Choisissez la position à laquelle l'allongement est nul comme origine de l'énergie potentielle gravitationnelle et de l'énergie du ressort U_g et U_{res}. (b) Utilisez la condition $dE/dt = 0$ pour montrer que les oscillations du système sont des oscillations harmoniques simples.

P13. (II) La figure 1.33 représente un tunnel creusé dans une planète uniforme de masse M et de rayon R. À la distance r du centre, l'attraction gravitationnelle est due uniquement à la sphère de rayon r (voir le chapitre 13, tome 1). Par conséquent,

$$F = \frac{GmM(r)}{r^2} = \frac{mgr}{R}$$

où $M(r) = Mr^3/R^3$ et $g = GM/R^2$. (a) Montrez que la deuxième loi de Newton relative au mouvement dans le tunnel mène à l'équation différentielle d'un mouvement harmonique simple :

$$\frac{d^2x}{dt^2} + \frac{g}{R}x = 0$$

(b) Évaluez la période des oscillations pour la Terre.

P14. (I) Une tige homogène de masse M et de longueur L pivote autour d'un axe vertical situé à une extré-

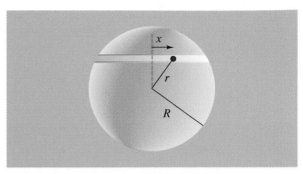

Figure 1.33

Problème 13.

mité et elle est fixée à un ressort horizontal dont la constante de rappel est k (figure 1.34). Montrez que, pour de petits déplacements angulaires à partir de la position d'équilibre (indiquée par la ligne pointillée), les oscillations sont harmoniques simples. Quelle est la période ? Le moment d'inertie de la tige est $I = ML^2/3$.

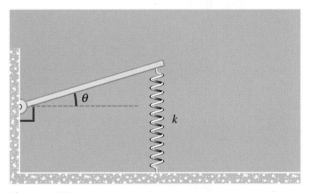

Figure 1.34

Problème 14.

Problèmes supplémentaires

P15. (I) Un bloc de 600 g oscille à l'extrémité d'un ressort vertical de constante $k = 42,0$ N/m. Le fluide dans lequel est plongé le bloc est responsable d'un frottement dont la constante d'amortissement est 0,133 kg/s. (a) Déterminez la période de ce mouvement. (b) De quelle fraction, exprimée en pourcentage, l'amplitude du mouvement diminue-t-elle à chaque oscillation complète ? (c) Pour quelle valeur de la masse ce mouvement passe-t-il en mode critique ?

P16. (I) Un bloc de 500 g oscille à l'extrémité d'un ressort vertical. À chaque oscillation complète, l'amplitude du mouvement diminue de 10 %. (a) Déterminez la constante d'amortissement et (b) la pulsation amortie de ce mouvement ($k = 10$ N/m).

P17. (II) Montrez que, dans un mouvement harmonique amorti, l'énergie mécanique s'exprime comme :

$$E = E_0 e^{-(\gamma/m)t}$$

où $E_0 = kA_0^2/2$ correspond à l'énergie mécanique initiale. (On pose $\omega' \approx \omega_0$.)

P18. (II) Montrez (a) que l'équation 1.24 est bien une solution de l'équation différentielle décrivant l'oscillateur amorti

$$m\frac{d^2x}{dt^2} + \gamma\frac{dx}{dt} + kx = 0$$

(b) La solution générale au problème du mouvement harmonique amorti s'exprime comme :

$$x = e^{-\gamma t/2m}[a\cos(\omega't) + b\sin(\omega't)]$$

Montrez que cette équation est bien une solution de l'équation différentielle et que les paramètres a et b ont une relation avec l'amplitude initiale $x_0(t=0)$, la vitesse initiale v_{x0} et la pulsation amortie qui s'exprime de la manière suivante :

$$a = x_0 \qquad b = \frac{v_{x0} + \dfrac{\gamma x_0}{2m}}{\omega'}$$

P19. (II) Montrez que l'équation 1.28 est bien une solution de l'équation différentielle suivante décrivant l'oscillateur forcé :

$$m\frac{d^2x}{dt^2} + \gamma\frac{dx}{dt} + kx = F_e\cos\omega_e t$$

P20. (II) Dans un système à oscillations forcées, la résonance observée se mesure par la valeur du facteur de qualité Q. Ce paramètre est défini par le rapport

$$Q = \frac{m\omega_0}{\gamma}$$

Le pic de résonance observé à la figure 1.20 dépend directement de la valeur du facteur de qualité ; il sera d'autant plus haut et mince que le facteur de qualité est grand. En supposant que la constante d'amortissement est faible et à partir de ω_1 et ω_2 (les valeurs de pulsation situées de part et d'autre du maximum pour lesquelles le carré de l'amplitude atteint la moitié de sa valeur maximale) montrez que

$$\frac{\omega_2 - \omega_1}{\omega_0} = \frac{\Delta\omega}{\omega_0} = \frac{1}{Q}$$

Les ondes mécaniques

La championne du monde de patinage artistique Katarina Witt fait onduler sa jupe.

1. Lors du passage d'une **onde transversale**, les particules du milieu dans lequel l'onde se propage se déplacent perpendiculairement à la direction de propagation de l'onde. Dans le cas d'une **onde longitudinale**, le déplacement des particules est parallèle à la direction de propagation de l'onde.

2. Selon le **principe de superposition linéaire**, le déplacement résultant de la présence de deux ondes au même endroit correspond à la somme des déplacements que chaque onde produirait.

3. La vitesse d'une impulsion sur une corde dépend seulement des caractéristiques de la corde : tension et densité de masse linéique.

4. Une impulsion qui rencontre l'extrémité fixe d'une corde est réfléchie en s'inversant ; à une extrémité libre, il y a réflexion sans inversion.

5. Une **onde progressive** se déplaçant à la vitesse v le long d'un axe x peut être décrite par une fonction du type $f(x \pm vt)$.

6. On doit bien faire la distinction entre la vitesse d'une particule du milieu dans lequel l'onde voyage et la vitesse de propagation de l'onde elle-même.

7. Les **ondes stationnaires** sont produites par la superposition de deux ondes sinusoïdales de même amplitude et de même fréquence qui voyagent dans des sens opposés.

8. Sur une corde fixe aux deux extrémités, il ne peut se produire que certaines **ondes stationnaires résonantes**.

9. La **puissance moyenne** véhiculée par une onde est proportionnelle au carré de l'amplitude.

Après avoir étudié le mouvement des particules, des corps solides et des fluides au tome 1, nous entamons maintenant l'étude des mouvements ondulatoires. Une *onde* est une perturbation qui voyage ou *se propage* sans déplacement de matière. Par exemple, lorsqu'une rafale de vent produit une ondulation dans un champ de maïs, les épis ne sont pas emportés par l'onde ;

Figure 2.1

Ondulations produites par de petites gouttes tombant dans l'eau.

ils se courbent momentanément puis reviennent à leur position initiale. Les rides circulaires à la surface de l'eau (figure 2.1), les sons que nous entendons, la lumière visible et les signaux de radio sont autant d'exemples d'ondes. Grâce aux ondes sonores et lumineuses, nous pouvons émettre et recevoir de l'énergie et des informations. La lumière émise ou absorbée par les molécules nous renseigne sur leur structure ; les ondes sismiques nous renseignent sur la structure du noyau de la Terre ; l'analyse de la lumière provenant des étoiles nous permet de connaître leur mouvement et leur composition chimique. On utilise entre autres les rayons X pour poser des diagnostics et traiter les malades, les ondes sonores haute fréquence (ultrasoniques) pour surveiller le développement du fœtus avant la naissance ou pour déclencher les systèmes de sécurité antivol, et les micro-ondes pour établir des télécommunications et cuire des aliments.

Les **ondes mécaniques**, comme les vagues à la surface de l'eau ou les ondes sonores, se propagent à l'intérieur ou à la surface d'un matériau ayant des propriétés élastiques : il doit y avoir un mécanisme qui tend à faire revenir le milieu à son état normal ou d'équilibre. Par contre, les **ondes électromagnétiques**, comme la lumière et les signaux de télévision, sont des ondes *non mécaniques* qui peuvent se propager dans le vide. Les ondes électromagnétiques ont été traitées au chapitre 13 du tome 2. On a découvert dans le courant du XXᵉ siècle que les particules élémentaires comme l'électron et le proton peuvent également avoir un comportement ondulatoire. Nous étudierons ces *ondes de matière* au chapitre 10. Pour l'instant, nous allons surtout nous intéresser à la propagation des ondes sur une corde et nous étudierons les ondes sonores au chapitre suivant.

2.1 Les caractéristiques des ondes

La figure 2.2a représente une corde fixée à l'une de ses extrémités. Si l'on déplace momentanément l'extrémité libre, une perturbation se propage le long de la corde. Cette perturbation momentanée par rapport à l'état d'équilibre est appelée *impulsion*. Après le passage de l'impulsion, chaque segment de la corde revient à sa position d'équilibre. Lorsqu'on pousse subitement vers la droite un piston dans un tube (figure 2.2b), on comprime l'air situé en avant du piston, ce qui provoque un accroissement local de densité et de pression au-dessus de la valeur normale. Les collisions entre les molécules d'air transmettent cette *compression* le long du tube. Si l'on tire subitement le piston vers la gauche, on crée une *raréfaction*, c'est-à-dire une région où la densité et la pression sont inférieures à la normale ; cette raréfaction se propage le long du tube.

Dans une **onde transversale** (figure 2.2a), le déplacement des particules est perpendiculaire à la direction de propagation de l'onde. Dans une **onde longitudinale** (figure 2.2b), le déplacement des particules a la même direction que la vitesse de l'onde. Un corps solide peut supporter les deux types d'ondes, ce qu'on peut facilement démontrer à l'aide d'un *Slinky*, qui n'est rien d'autre qu'un ressort très souple (figure 2.3). Un fluide n'a pas de forme ni de structure bien définie et offre une résistance beaucoup plus grande à une force de compression qu'à une force de cisaillement (*cf.* figure 14.3, tome 1). Par conséquent, seules les ondes longitudinales peuvent se propager dans un gaz ou dans un liquide parfait (non visqueux). Toutefois, les ondes transversales peuvent exister à la surface d'un liquide. Dans le cas des rides concentriques à la surface d'un étang, c'est la tension superficielle de l'eau qui fait revenir le système à l'équilibre,

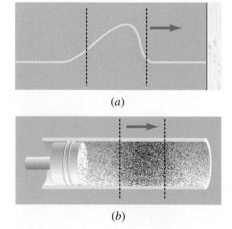

(a)

(b)

Figure 2.2

(a) Une impulsion transversale sur une corde. (b) Une impulsion longitudinale dans une colonne d'air.

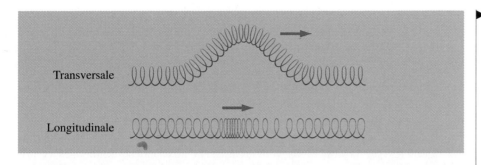

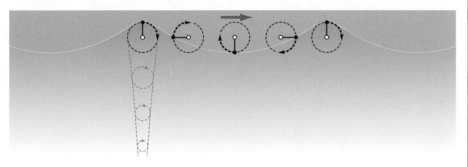

▶ *Figure 2.3*

Propagation d'impulsions transversale et longitudinale sur un *Slinky*.

▶ *Figure 2.4*

Dans une grande vague océanique, les particules d'eau décrivent des trajectoires circulaires (ou elliptiques) par rapport à un point fixe tandis que la vague se propage.

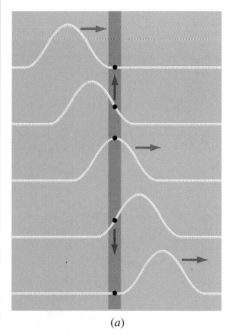

(a)

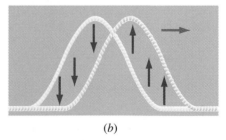

(b)

Figure 2.5

(a) Au passage d'une impulsion transversale, un élément donné de la corde est soumis uniquement à des déplacements transversaux. Le milieu (la corde) ne se propage pas avec l'onde. (b) Sur le bord avant d'une impulsion, les particules se déplacent vers le haut, alors que sur le bord arrière elles se déplacent vers le bas.

alors que sur un grand plan d'eau, comme l'océan, c'est la force gravitationnelle. Dans une vague océanique, les molécules d'eau suivent en réalité des trajectoires circulaires ou elliptiques (figure 2.4) faisant intervenir à la fois des déplacements transversaux et longitudinaux.

Déplacement du milieu

Lorsqu'on observe une brindille ou une feuille à la surface d'un étang au passage d'une vague, on remarque quelque chose d'étonnant : l'objet ne se déplace pas avec l'onde, mais il bouge de haut en bas en restant approximativement sur la même verticale. La figure 2.5a représente le déplacement d'un petit segment de corde au passage d'une impulsion transversale. Lorsque le bord avant de l'impulsion atteint le segment, celui-ci se déplace perpendiculairement à la position d'équilibre de la corde. Son déplacement atteint un maximum au passage du pic de l'impulsion, puis revient à sa position d'équilibre une fois que l'impulsion est passée. Comme le montre la figure 2.5b, les particules du bord avant de l'impulsion se déplacent vers le haut, tandis que celles du bord arrière se déplacent vers le bas.

On constate que les particules du milieu ne se déplacent pas avec l'onde ; elles subissent de petits déplacements autour d'une position d'équilibre, alors que l'onde elle-même peut parcourir une grande distance. Nous verrons plus loin que les ondes sonores font intervenir de minuscules oscillations longitudinales des molécules d'air. *(Lorsque les molécules d'air d'une région donnée parcourent une grande distance, elles produisent un vent, et non une onde sonore.)* On peut donc définir une **onde** de la manière suivante :

> Une onde est une perturbation par rapport à un état normal ou d'équilibre qui se propage sans transport de matière.

La perturbation créée par une onde est représentée par une **fonction d'onde**. Pour une corde, la fonction d'onde est un déplacement (vectoriel), alors que,

Un surfeur à Hawaï.

pour les ondes sonores, c'est une fluctuation de pression ou de densité (scalaire). Dans le cas des ondes lumineuses ou des ondes radio, la fonction d'onde est un vecteur champ électrique ou champ magnétique.

Si les particules du milieu ne se déplacent pas avec l'onde, qu'est-ce donc qui se déplace ? Revenons à la feuille à la surface d'un étang au passage d'une onde. Pendant ses déplacements de haut en bas, son énergie cinétique et son énergie potentielle gravitationnelle varient toutes les deux. À plus grande échelle, une onde océanique peut soulever un gros bateau ou faire des dégâts considérables sur la côte. Nos yeux réagissent aux ondes lumineuses et nos oreilles aux ondes sonores à cause de l'énergie qu'elles transportent. Ainsi, en général, *une onde transporte de l'énergie et de la quantité de mouvement*. Le transport de la quantité de mouvement est étudié uniquement dans le cas des ondes électromagnétiques au chapitre 13 du tome 2.

2.2 La superposition d'ondes

Lorsque deux ondes ou plus se chevauchent dans une région donnée, on dit qu'elles sont *superposées*. La fonction d'onde résultante est donnée par le **principe de superposition linéaire** : la fonction d'onde totale y_T en tout point est la somme linéaire des fonctions d'onde individuelles y_i, c'est-à-dire :

$$y_T = y_1 + y_2 + y_3 + \dots + y_N$$

Selon la nature de l'onde, il peut s'agir d'une somme algébrique ou d'une somme vectorielle. La figure 2.6 montre ce qui se passe lorsqu'on envoie deux impulsions l'une vers l'autre le long d'une corde.

La superposition de deux ondes ou plus dans une région donnée peut donner lieu à un phénomène d'**interférence**. Si les fonctions d'onde sont de même signe (figure 2.6*a*), l'interférence est *constructive* et le déplacement résultant est plus grand que celui de chacune des ondes. Si les fonctions d'onde sont de signes opposés (figure 2.6*b*), l'interférence est *destructive* et le déplacement résultant est plus petit que celui de chacune des ondes. On pourrait s'attendre à ce qu'une crête (déplacement positif) et un creux (déplacement négatif) de

Figure 2.6

Lorsque deux impulsions se superposent, le déplacement résultant est la somme des déplacements individuels.

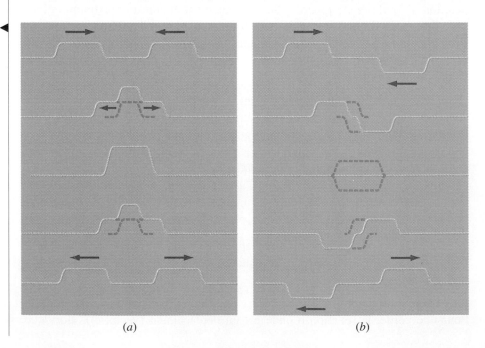

(*a*)   (*b*)

forme identique s'annulent et disparaissent tout simplement lorsqu'ils se chevauchent. Pourtant, comme le montre la figure 2.6b, après s'être superposés, ils continuent sans changer de forme. Les ondes peuvent donner lieu à des interférences, mais elles ne peuvent pas *interagir* comme le font des particules. Chaque impulsion possède une certaine quantité d'énergie qui ne peut pas disparaître.

Les ondes ayant une fonction d'onde scalaire (les ondes sonores par exemple) donnent toujours lieu à une interférence lorsqu'elles sont superposées. Dans le cas des ondes ayant une fonction d'onde vectorielle, comme les ondes se propageant sur une corde, seule la composante d'une fonction d'onde dirigée selon la direction de l'autre fonction peut donner lieu à une interférence. Par exemple, si une corde est orientée selon l'axe des x, une impulsion provoquant des déplacements sur l'axe des y ne produira pas d'interférence avec une impulsion provoquant des déplacements sur l'axe des z.

Le principe de superposition linéaire est valable pour les ondes mécaniques, seulement si l'amplitude de l'oscillation ne dépasse pas la limite élastique du milieu. À l'intérieur de cette limite, les forces de rappel respectent la loi de Hooke. Le principe de superposition linéaire ne s'applique pas aux énormes vagues déferlantes qu'utilisent les amateurs de surf ni aux ondes de choc produites par les avions supersoniques. Dans tous nos exemples, nous supposerons que la superposition linéaire s'applique.

2.3 La vitesse d'une impulsion sur une corde

La vitesse de propagation d'une impulsion dépend des propriétés du milieu. La formule donnant la vitesse d'une impulsion sur une corde fut établie en 1883 par P. G. Tait. Considérons une corde idéale, uniforme et parfaitement flexible. Supposons également que la hauteur de l'impulsion est si petite qu'elle n'a pas d'effet sur la tension de la corde. Dans notre référentiel immobile lié au *laboratoire* (figure 2.7a), l'impulsion se déplace vers la droite à la vitesse v. Le calcul de la vitesse dans ce référentiel est donné à la section 2.11. Pour l'instant, il est plus facile d'utiliser le référentiel qui se déplace avec l'onde. Dans ce référentiel lié à l'*impulsion* (figure 2.7b), l'impulsion est immobile alors que la corde se déplace vers la gauche à la vitesse v.

Un petit segment de la corde, comme AB, peut être assimilé à un arc de cercle de rayon R. Si θ est l'angle en radians entre la verticale et le rayon passant par B, la longueur de AB est $R(2\theta)$. Si μ est la densité de masse linéique (en kg/m), alors la masse du segment AB est $m = 2\mu R\theta$. La tension F de la corde doit fournir la force centripète (mv^2/R) nécessaire au mouvement circulaire. On notera que les angles entre les tangentes en A et B et l'horizontale sont aussi égaux à θ. Les composantes horizontales des forces s'annulent mutuellement et la force nette agissant sur le segment est donc $2F \sin \theta$, orientée verticalement vers le bas. D'après la deuxième loi de Newton, on a

$$2F \sin \theta = \frac{mv^2}{R}$$

La hauteur de l'impulsion étant petite, on peut utiliser l'approximation des petits angles, $\sin \theta \approx \theta$, et $m = 2\mu R\theta$ pour trouver

$$2F\theta = 2\mu R\theta \frac{v^2}{R}$$

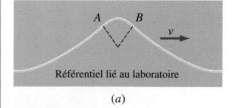

Référentiel lié au laboratoire

(a)

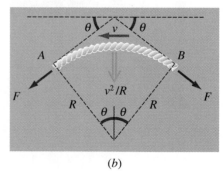

(b)

Figure 2.7

(a) Dans le référentiel lié au laboratoire, une impulsion se déplace vers la droite le long de la corde. (b) Dans un référentiel lié à l'impulsion, la corde se déplace vers la gauche. La force centripète est fournie par la tension de la corde.

qui nous donne

$$v = \sqrt{\frac{F}{\mu}} \qquad (2.1)$$

Soulignons que la vitesse est mesurée par rapport au milieu de propagation.

L'équation 2.1 est valable pour une impulsion de forme quelconque, à condition que son amplitude soit faible. Nous aurons à nouveau l'occasion de rencontrer cette formule donnant la vitesse d'une onde mécanique. La tension F nous indique dans quelle mesure la corde tend à revenir à sa position d'équilibre. La densité de masse est une mesure de l'inertie de la corde. On remarque que l'équation 2.1 a la même forme que l'équation 1.9, $\omega = \sqrt{k/m}$, qui donne la pulsation d'un système masse-ressort. En général, la vitesse de propagation d'une onde mécanique dans un milieu est de la forme

$$v = \sqrt{\frac{\text{facteur de force de rétablissement}}{\text{facteur d'inertie}}} \qquad (2.2)$$

Nous verrons plus loin que, dans le cas des ondes sonores, le facteur de force de rétablissement est une constante élastique et que le facteur d'inertie est la masse volumique.

Exemple 2.1

Soit une corde dont une extrémité est fixe. Elle passe sur une poulie et à son autre extrémité est attaché un bloc de masse 2,00 kg (figure 2.8). La partie horizontale de la corde a une longueur de 1,60 m et une masse de 20,0 g. Quelle est la vitesse d'une impulsion transversale sur la corde ?

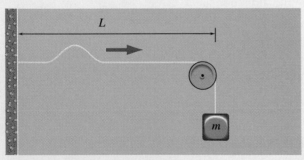

Figure 2.8

La tension d'une corde est produite par un poids suspendu.

Solution :

La tension est simplement le poids du bloc, c'est-à-dire $F = 19{,}6$ N. La densité de masse linéique est $(2{,}00 \times 10^{-2}$ kg$)/(1{,}60$ m$) = 1{,}25 \times 10^{-2}$ kg/m (pour que la vitesse s'exprime en mètres par seconde, il faut absolument exprimer la densité en kilogrammes par mètre). D'après l'équation 2.1, la vitesse de l'onde est

$$v = \sqrt{\frac{F}{\mu}} = \sqrt{\frac{19{,}6 \text{ N}}{1{,}25 \times 10^{-2} \text{ kg/m}}} = 39{,}6 \text{ m/s}$$

Exemple 2.2

On suppose que la vitesse d'une impulsion sur une corde est fonction uniquement de la tension et de la densité de masse linéique. On donne $v = F^x \mu^y$. Utilisez l'analyse dimensionnelle pour déterminer x et y (voir l'exemple 1.2 du tome 1).

Solution :

Les unités de la vitesse, de la force et de la masse linéique sont respectivement LT^{-1}, MLT^{-2} et ML^{-1}. Les unités de la relation $v = F^x \mu^y$ sont donc

$$LT^{-1} = (M^x L^x T^{-2x})(M^y L^{-y})$$

En égalant respectivement les puissances de M, L et T, on obtient trois équations :

$$0 = x + y$$
$$1 = x - y$$
$$-1 = -2x$$

qui ont pour solution $x = \frac{1}{2}$ et $y = -\frac{1}{2}$. L'analyse dimensionnelle nous permet de conclure que $v = kF^{1/2}\mu^{-1/2}$, où k est une constante qui ne peut être déterminée par cette méthode. L'analyse physique complète qui a mené à l'équation 2.1 nous apprend que $k = 1$.

Exemple 2.3

Deux cordes sont faites du même matériau. La corde 1 a un diamètre deux fois plus grand que la corde 2, mais elle est soumise à la moitié de sa tension. Trouvez v_2/v_1.

Solution :

Si les cordes sont faites du même matériau, leur densité de masse linéique μ est proportionnelle à leur section, donc au carré de leur diamètre d : puisque $d_1 = 2d_2$, on a $\mu_1 = 4\mu_2$. On a aussi $F_1 = 0,5\ F_2$, d'où

$$\frac{v_2}{v_1} = \sqrt{\frac{F_2/\mu_2}{F_1/\mu_1}} = \sqrt{\frac{F_2/\mu_2}{0,5F_2/4\mu_2}} = \sqrt{8}$$

2.4 La réflexion et la transmission

Lorsqu'une impulsion se propageant sur une corde en atteint l'extrémité, elle est réfléchie. Si l'extrémité est *fixe* (figure 2.9a), l'impulsion est inversée. En effet, lorsque l'avant de l'impulsion atteint le mur, la corde tire sur le point où elle est fixée. Selon la troisième loi de Newton, le mur réagit en exerçant une force égale mais de sens contraire. La corde se déplace alors verticalement pour former l'impulsion inversée. Si l'extrémité est *libre*, on peut en étudier le mouvement au moyen d'un anneau fixé à l'extrémité de la corde et pouvant glisser sur une tige verticale (figure 2.9b). Dans ce cas, la corde n'est soumise à aucune contrainte verticale et l'impulsion réfléchie n'est donc pas inversée.

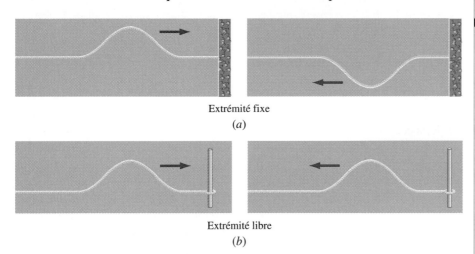

Extrémité fixe
(a)

Extrémité libre
(b)

▶ *Figure 2.9*

(*a*) Lorsqu'une impulsion se propageant le long d'une corde est réfléchie à une extrémité fixe, elle est inversée.
(*b*) À l'extrémité libre, l'impulsion réfléchie n'est pas inversée.

On peut reconstituer les détails du processus de réflexion en superposant l'impulsion réelle et une impulsion imaginaire venant en sens inverse (figure 2.10). Le déplacement net en un point quelconque est donné par le principe de superposition. On remarque qu'à un instant particulier le déplacement de l'extrémité libre est égal au double de la hauteur de l'impulsion.

Outre les cas de réflexion à une extrémité fixe et à une extrémité libre, on peut aussi étudier le cas intermédiaire où une impulsion rencontre la jonction entre une corde légère et une corde lourde. On observe alors une réflexion partielle et une transmission partielle. Les tensions étant les mêmes, le rapport entre la vitesse des ondes de par et d'autre de la jonction est déterminé uniquement par les densités de masse linéique. À la figure 2.11*a*, l'impulsion provient de la corde

Figure 2.10

On peut représenter le processus de réflexion en superposant une impulsion imaginaire venant en sens inverse de l'impulsion réelle.

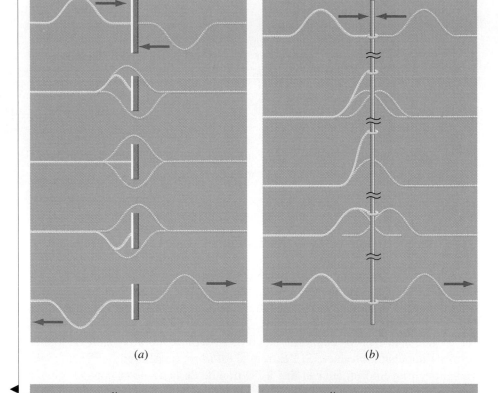

(a)　　　　　　　(b)

Figure 2.11

Lorsqu'une impulsion rencontre la jonction entre deux cordes différentes, elle est partiellement réfléchie et partiellement transmise. (*a*) Si la deuxième corde est plus lourde, l'impulsion réfléchie est inversée. (*b*) Si la deuxième corde est plus légère, l'impulsion réfléchie n'est pas inversée. Dans tous les cas, l'impulsion transmise n'est pas inversée.

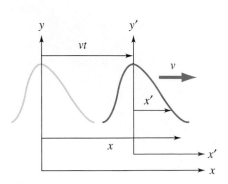

Figure 2.12

Une impulsion se propageant à la vitesse v par rapport au référentiel xy. Dans le référentiel $x'y'$ lié à l'impulsion, elle est au repos et sa forme est décrite par $f(x')$. Dans le référentiel xy, l'impulsion est décrite par $f(x - vt)$.

légère. La corde lourde se comporte à peu près comme un mur mais elle peut se déplacer, de sorte qu'une partie de l'impulsion initiale lui est transmise. À la figure 2.11*b*, l'impulsion provient de la corde lourde. La corde légère offre peu de résistance et peut être assimilée à une extrémité libre. Par conséquent, l'impulsion réfléchie n'est pas inversée. Si les densités des cordes illustrées à la figure 2.11 valent respectivement μ_1 et μ_2, l'équation 2.1 permet de déterminer que le rapport des vitesses des impulsions v_1/v_2 est égal à $\sqrt{\mu_2/\mu_1}$ (les cordes sont nécessairement soumises à la même tension). Les impulsions se déplacent ainsi plus rapidement sur la corde la plus légère.

2.5 Les ondes progressives

Comment peut-on exprimer mathématiquement le déplacement d'une impulsion ? Examinons l'impulsion dans deux référentiels différents. À la figure 2.12, (x, y) sont les coordonnées d'un point de notre référentiel fixe, alors que (x', y') sont les coordonnées du même point dans un référentiel lié à l'impulsion. On suppose que les origines coïncident à $t = 0$. Dans le référentiel en mouvement, l'impulsion est au repos, de sorte qu'à tout instant le déplacement vertical y' à la position x' est donné par une fonction $f(x')$ qui décrit la forme de l'impulsion :

$$y'(x') = f(x')$$

Dans le référentiel immobile, l'impulsion a la même forme mais elle se déplace à la vitesse constante v, ce qui signifie que le déplacement y est fonction à la fois de x et de t, et s'écrit $y(x, t)$. Les coordonnées d'une caractéristique quelconque de l'impulsion mesurée dans les deux référentiels sont liées par la transformation de Galilée (cf. chapitre 4 du tome 1) : $x' = x - vt$ et $y' = y$. Avec $f(x') = f(x - vt)$ et $y' = y$, l'équation précédente devient

$$y(x, t) = f(x - vt) \qquad (2.3)$$

L'équation 2.3 décrit le mouvement d'une impulsion dans la direction des x positifs. Un point donné de l'impulsion, par exemple sa crête, correspond à une valeur fixe de x', c'est-à-dire :

$$x - vt = \text{constante}$$

La quantité $x - vt$ est appelée **phase** de la fonction d'onde. En la dérivant par rapport au temps et en notant que v est constante, on trouve

$$\frac{dx}{dt} = v$$

où v est la **vitesse de propagation de l'onde** (que l'on appelle aussi *célérité*). C'est la vitesse de propagation d'une phase donnée dans l'espace. Une impulsion qui se propage dans la direction des x négatifs est représentée par

$$y(x, t) = f(x + vt) \qquad (2.4)$$

Pour que la fonction représente une **onde progressive** se propageant à la vitesse v, les trois grandeurs x, v et t *doivent* apparaître dans les combinaisons $(x + vt)$ ou $(x - vt)$. Ainsi, $(x - vt)^2$ est acceptable mais $(x^2 - v^2t^2)$ ne l'est pas.

Exemple 2.4

À $t = 0$, une impulsion est représentée par

$$y(x) = \frac{2,5}{(0,5 + x^2)}$$

Quelle est la fonction qui la décrit à un instant quelconque sachant qu'elle se déplace dans la direction des x positifs à 3 m/s ? Dessiner l'impulsion à $t = 0$, 1 s et 2 s.

Solution :

D'après l'équation 2.3, on a

$$y(x, t) = \frac{2,5}{0,5 + (x - 3t)^2}$$

À $t = 0$, le déplacement est $y(x, 0) = 2,5/(0,5 + x^2)$.
À $t = 1$ s, on a $y(x, 1) = 2,5/[0,5 + (x - 3)^2]$;

à $t = 2$ s, le déplacement est $y(x, 2) = 2,5 / [0,5 + (x - 6)^2]$. La figure 2.13 représente l'impulsion à ces trois instants.

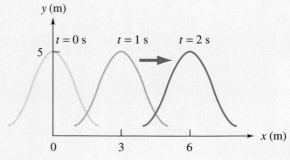

Figure 2.13

Les positions d'une impulsion à trois instants différents.

2.6 Les ondes sinusoïdales progressives

Après avoir examiné diverses propriétés des impulsions isolées, nous allons maintenant voir quel est le comportement des ondes continues. Pour produire une onde continue, il suffit d'attacher une corde à une tige vibrante (figure 2.14*a*). Si la vibration de la tige est périodique, l'onde produite est elle aussi périodique. De plus, si la source des ondes (la tige) est un oscillateur harmonique simple, la fonction $f(x \pm vt)$ est sinusoïdale et représente une **onde sinusoïdale progressive**. Lorsqu'une telle onde traverse une région donnée, les particules du milieu (la corde) sont soumises à un mouvement harmonique simple. On conçoit l'importance d'étudier les ondes sinusoïdales lorsqu'on sait qu'une perturbation de forme quelconque peut être engendrée par l'addition de composantes sinusoïdales appropriées de fréquences et d'amplitudes différentes (*cf.* section 3.7).

Figure 2.14

(*a*) Une tige vibrante produit une onde sur une corde. La courbe représente le déplacement transversal de la corde à un instant donné. (*b*) L'extrémité d'une corde est fixée à une tige soumise à un mouvement harmonique simple. La courbe représente le déplacement transversal en un point en fonction du temps.

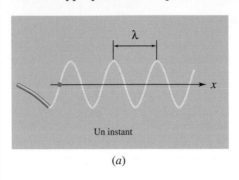

Un instant

(*a*)

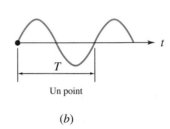

Un point

(*b*)

La figure 2.14*b* représente la position verticale $y(t)$ d'une particule en fonction du temps au passage d'une onde. La période T correspond à une variation de phase de 2π radians (voir la section 1.1). Ainsi, un temps quelconque t correspond à un déphasage de $2\pi(t/T)$. Si $y = 0$ et $dy/dt > 0$ à $t = 0$, la constante de phase ϕ est nulle et l'on peut écrire (équation 1.2) :

(*x* fixe)
$$y(t) = A \sin \omega t$$

où

$$\omega = \frac{2\pi}{T} \qquad (2.5a)$$

est la **pulsation** mesurée en rad/s.

La configuration d'une onde sinusoïdale à un instant donné (figure 2.14*a*) montre que la position y en fonction de la position x est également sinusoïdale. La distance entre deux points successifs de même phase (par exemple deux crêtes) est appelée **longueur d'onde**, λ (voir figure 2.15). Puisque λ correspond à une variation de phase égale à 2π, la phase à une position quelconque x est $(2\pi)(x/\lambda)$. Si $y = 0$ et $dy/dx > 0$ à $x = 0$, on peut écrire

(*t* fixe)
$$y(x) = A \sin kx$$

où

$$k = \frac{2\pi}{\lambda} \qquad (2.5b)$$

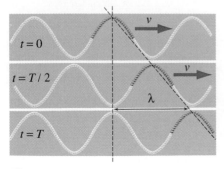

Figure 2.15

Pendant une période, l'onde parcourt la distance d'une longueur d'onde ; sa vitesse est donc $v = \lambda/T = f\lambda$.

est le **nombre d'onde**, dont l'unité SI est le rad/m (à ne pas confondre avec la constante de rappel k d'un ressort). Le raisonnement qui précède montre qu'une onde sinusoïdale a deux périodicités : une dans le temps et une autre dans l'espace.

Examinons maintenant une des caractéristiques, une crête par exemple, d'une onde sinusoïdale progressive (figure 2.15). En une période T, l'onde avance d'une longueur d'onde λ. Sa vitesse de propagation est donc $v = \lambda/T$. Comme la fréquence est $f = 1/T = \omega/2\pi$, la vitesse d'une onde sinusoïdale s'écrit

$$v = f\lambda = \frac{\omega}{k} \qquad (2.5c)$$

Soulignons que la fréquence d'une onde est déterminée par la *source*, alors que la vitesse de l'onde est déterminée par les propriétés du *milieu*. Dans le cas des ondes mécaniques, la vitesse est mesurée par rapport au milieu. La vitesse de l'onde dépend également du mode de propagation. Par exemple, les ondes acoustiques transversales et longitudinales dans un solide n'ont pas la même vitesse de propagation.

On obtient la fonction d'onde qui représente une onde sinusoïdale progressive en combinant l'équation d'une onde sinusoïdale $y(x) = A \sin kx$ et l'équation 2.3, $y(x, t) = f(x - vt)$, pour une onde progressive :

$$\begin{aligned} y(x, t) &= A \sin[k(x - vt)] \\ &= A \sin(kx - \omega t) \end{aligned} \qquad (2.6)$$

Cette équation représente une onde sinusoïdale se déplaçant dans la direction des x positifs. Une onde qui se propage dans la direction des x négatifs est représentée par

$$y(x, t) = A \sin(kx + \omega t) \qquad (2.7)$$

Dans ces deux équations, $y = 0$ en $x = 0$ et à $t = 0$. Comme ce n'est pas le cas en général, nous devons faire intervenir une constante de phase ϕ :

$$y(x, t) = A \sin(kx - \omega t + \phi) \qquad (2.8)$$

Il est important de faire la distinction entre la vitesse de propagation de l'onde v et la vitesse d'une particule du milieu, $\partial y/\partial t$. La figure 2.16 illustre cette différence pour une onde transversale. D'après l'équation 2.8, la vitesse et l'accélération d'une particule à une position donnée sont données par

$$v_y = \frac{\partial y}{\partial t} = -\omega A \cos(kx - \omega t + \phi) \qquad (2.9)$$

$$a_y = \frac{\partial v_y}{\partial t} = \frac{\partial^2 y}{\partial t^2} = -\omega^2 A \sin(kx - \omega t + \phi) \qquad (2.10)$$

On utilise ici la dérivée partielle $(\partial/\partial t)$ parce que $y(x, t)$ est fonction de deux variables et que x est maintenue constante. La vitesse maximale de la particule est ωA et son accélération maximale, $\omega^2 A$.

 La figure animée III-2, Superposition d'ondes, illustre l'onde sinusoïdale progressive décrite par l'équation 2.8. Dans le menu **Simulation**, sélectionnez **une onde en mouvement**.

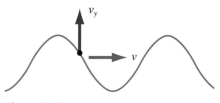

Figure 2.16

La vitesse d'une particule sur une corde, donnée par $\partial y/\partial t$, est perpendiculaire à la vitesse de propagation de l'onde v.

Exemple 2.5

Soit une onde d'équation

$$y(x, t) = 0,05 \sin\left[\frac{\pi}{2}(10x - 40t) - \frac{\pi}{4}\right] \text{ m}$$

Trouver : (a) la longueur d'onde, la fréquence et la vitesse de propagation de l'onde ; (b) la vitesse et l'accélération d'une particule située sur le chemin de l'onde à $x = 0,5$ m et $t = 0,05$ s.

Solution :

(a) L'équation peut aussi s'écrire sous la forme

$$y(x, t) = 0,05 \sin\left(5\pi x - 20\pi t - \frac{\pi}{4}\right) \text{ m}$$

En comparant cette équation avec l'équation 2.8, on constate que le nombre d'onde est $k = 2\pi/\lambda = 5\pi$ rad/m, donc $\lambda = 0,4$ m. La fréquence angulaire est $\omega = 2\pi f = 20\pi$ rad/s ; donc $f = 10$ Hz. La vitesse de propagation de l'onde est $v = f\lambda = \omega/k = 4$ m/s dans la direction des x positifs.

(b) La vitesse et l'accélération de la particule sont

$$v_y = \frac{\partial y}{\partial t} = -(20\pi)(0,05) \cos\left(\frac{5\pi}{2} - \pi - \frac{\pi}{4}\right)$$

$$= 2,22 \text{ m/s}$$

$$a_y = \frac{\partial^2 y}{\partial t^2} = -(20\pi)^2(0,05) \sin\left(\frac{5\pi}{2} - \pi - \frac{\pi}{4}\right)$$

$$= 140 \text{ m/s}^2$$

2.7 Les ondes stationnaires

Nous allons maintenant examiner ce qui se produit lorsque deux ondes sinusoïdales de même fréquence et de même amplitude se propagent dans un milieu dans des directions opposées. Les deux ondes, $y_1 = A \sin(kx - \omega t)$ et $y_2 = A \sin(kx + \omega t)$, sont tracées en orange et en bleu sur la figure 2.17. Leur somme est

$$y(x, t) = A \sin(kx - \omega t) + A \sin(kx + \omega t)$$

En utilisant l'identité $\sin A + \sin B = 2 \sin[(A + B)/2] \cos[(A - B)/2]$, on obtient

$$y(x, t) = 2A \cos(\omega t) \sin(kx) \qquad (2.11)$$

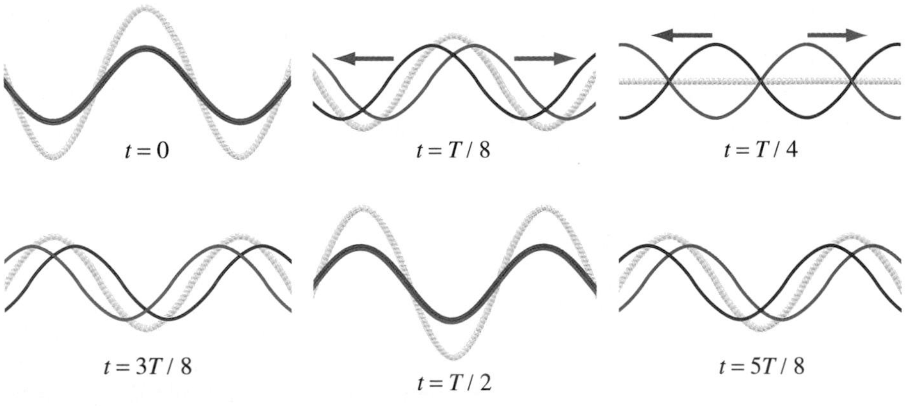

Figure 2.17

(a) Deux ondes (courbes orange et bleue) de même amplitude et de même fréquence se propageant dans des directions opposées produisent une onde stationnaire (corde jaune). (b) L'onde stationnaire représentée à divers temps. Les points où le déplacement est constamment nul sont appelés des *nœuds* (N) ; les points de déplacement maximal sont appelés des *ventres* (V).

 La figure animée III-2, Superposition d'ondes, illustre la situation de la figure 2.17. Dans le menu **Simulation**, sélectionnez **onde stationnaire**.

$t = 0$

$t = T/8$

$t = T/4$

$t = 3T/8$

$t = T/2$

$t = 5T/8$

(a)

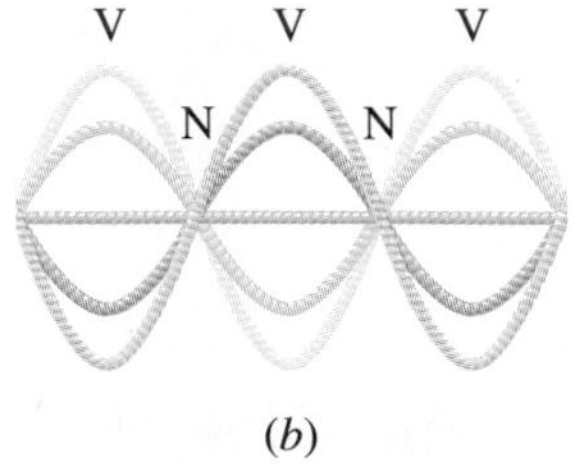

V   V   V

N   N

(b)

L'équation 2.11 représente une onde sinusoïdale stationnaire $y_T = A(t) \sin kx$, dont l'amplitude $A(t) = 2A \cos \omega t$ varie en fonction du temps. Une telle **onde stationnaire**, représentée par la courbe jaune à la figure 2.17, ne se propage pas. Aux **nœuds**, le milieu de propagation de l'onde est constamment au repos, alors qu'aux **ventres** l'amplitude est le double de celle de chacune des ondes. À l'exception des nœuds, chaque point de la corde effectue un mouvement harmonique simple dont l'amplitude varie le long de la corde. Les nœuds correspondent aux points où $\sin kx = 0$, c'est-à-dire où $kx = 0$, π, 2π, etc. Les ventres correspondent aux points où $\sin kx = \pm 1$, c'est-à-dire où $kx = \pi/2$, $3\pi/2$, $5\pi/2$, etc. La distance entre deux nœuds ou entre deux ventres est toujours égale à $\lambda/2$.

2.8 Les ondes stationnaires résonantes sur une corde

Dans un milieu continu illimité, il n'existe pas de limite de fréquence ou de longueur d'onde des ondes stationnaires. Cependant, si les ondes sont confinées dans l'espace, par exemple si la corde est fixée aux deux extrémités, des ondes stationnaires ne peuvent être créées que pour certaines valeurs discrètes de la fréquence ou de la longueur d'onde.

La figure 2.18 représente une corde fixée à un mur par une de ses extrémités, l'autre extrémité étant tenue par la main. Supposons que la main produise une crête (figure 2.18a). À l'extrémité fixe, la crête s'inverse et revient sous la forme d'un creux (figure 2.18b). Le creux, réfléchi par la main, revient à nouveau sous forme de crête. Si la main commence à produire une deuxième crête à l'instant même où le bord avant du creux l'atteint, la deuxième crête va renforcer l'impulsion réfléchie. Supposons maintenant que la main vibre. Si le temps que met une impulsion pour effectuer un aller-retour est un multiple entier de la période de vibration de la main, les impulsions se superposent et le système va entrer en résonance. Si les impulsions forment une onde sinusoïdale, l'aller-retour des impulsions est équivalent à deux ondes sinusoïdales se propageant dans des directions opposées, et on obtient une onde stationnaire. La différence entre cette onde stationnaire et celle dont il est question à la section précédente est liée au fait que la corde a une longueur finie et que ses extrémités sont fixes. (L'amplitude de vibration de la main étant très inférieure à celle des ondes stationnaires, on l'assimile à un point fixe.) Ces conditions aux limites imposent des contraintes sur les fréquences ou les longueurs d'onde. Les ondes de ce type sont appelées **ondes stationnaires résonantes**.

Si la corde est parfaitement flexible et si l'impulsion est de forme sinusoïdale, le premier phénomène de résonance se produit lorsque la distance entre les extrémités fixes est égale à une demi-longueur d'onde (figure 2.19). En utilisant $L = \lambda/2$ et $v = f\lambda$, on en déduit la **fréquence fondamentale** ou fréquence du **premier harmonique**, $f_1 = v/2L$. C'est la plus basse fréquence à laquelle la corde peut vibrer. Le deuxième harmonique, de longueur d'onde $\lambda = L$ et de fréquence $f_2 = v/L = 2f_1$, correspond à une longueur d'onde égale à la distance entre les extrémités (figure 2.20). La figure 2.20 montre également comment varient les positions et les vitesses de différents segments pendant une demi-période. Une onde stationnaire résonante ne peut exister que si la longueur de la corde est un multiple entier de la demi-longueur d'onde. La longueur d'onde et la fréquence du $n^{\text{ième}}$ harmonique sont données par

$$\lambda_n = \frac{2L}{n} \qquad (2.12)$$

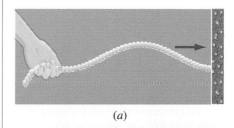

(a)

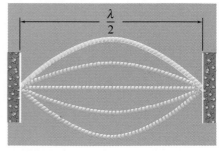

(b)

Figure 2.18

(a) La main produit une crête sur une corde fixée à un mur. (b) L'impulsion inversée donne un creux qui revient et qui sera réfléchi pour devenir une crête. Si la main commence à produire une deuxième crête au moment même où le creux l'atteint, la crête réfléchie et la deuxième crête se renforcent.

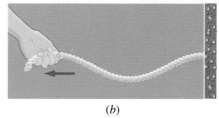

Figure 2.19

Le mode fondamental d'une corde fixée aux deux extrémités. La distance entre les extrémités est égale à une demi-longueur d'onde.

$$f_n = \frac{nv}{2L} \qquad (2.13)$$

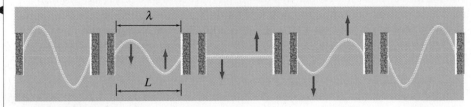

Figure 2.20

Le deuxième harmonique d'une corde fixée aux deux extrémités. La distance entre les extrémités est égale à une longueur d'onde. Ce mode possède une fréquence qui est le double de la fréquence fondamentale.

La figure 2.21 représente les trois premiers modes d'un tube de caoutchouc fixé aux deux extrémités. Chaque configuration d'onde stationnaire résonante est un **mode d'oscillation propre**. Lorsqu'on pince une corde pour la faire vibrer, elle produit le son fondamental et un certain nombre d'harmoniques plus élevés (une série harmonique). Le nombre et les intensités relatives des harmoniques déterminent la qualité sonore d'une note musicale. La structure des divers harmoniques nous permet de faire une distinction de timbre entre deux instruments qui jouent la même note fondamentale. Curieusement, ce sont les « impuretés » d'une note qui rendent le son agréable à l'oreille.

Figure 2.21

Les trois premiers modes d'un tuyau en caoutchouc fixé aux deux extrémités.

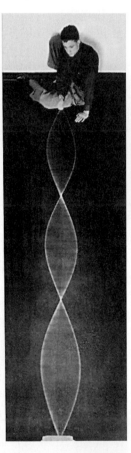

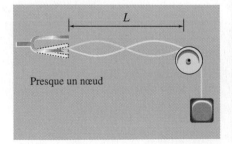

Presque un nœud

Figure 2.22

Une corde fixée à l'une des branches d'un diapason peut entrer en résonance lorsque la tension et la longueur sont choisies convenablement (de manière à vérifier l'équation 2.14).

La figure 2.22 représente un moyen simple de créer des ondes stationnaires résonantes. L'une des branches d'un diapason est fixée à l'extrémité d'une corde. La corde passe sur une poulie et sa tension est déterminée par un poids. D'après l'équation 2.1, $v = \sqrt{F/\mu}$; l'équation 2.13 donnant les fréquences résonantes (mode d'oscillation propre) devient

$$f_n = \frac{n}{2L}\sqrt{\frac{F}{\mu}} \qquad (2.14)$$

▶ Quelques modes d'oscillation propres des vibrations d'une peau de timbale. La poudre noire s'accumule sur les lignes de déplacement nul.

Soulignons que la fréquence dépend de la tension, caractéristique dont on se sert pour accorder les instruments à cordes.

L'équation 2.11 permet d'obtenir les longueurs d'onde discrètes de l'équation 2.12 lorsqu'on applique les *conditions aux limites*. Dans l'exemple de la corde fixée aux deux extrémités, le déplacement est nul aux extrémités pour tous les modes, c'est-à-dire $y = 0$ en $x = 0$ et $x = L$ à tout instant. On doit donc avoir

$$\sin kL = 0$$

Cela ne peut être vrai que si $kL = n\pi$, ce qui équivaut à $\lambda = 2L/n$, qui est simplement l'équation 2.12. Exprimée sous la forme $L = n\lambda/2$, la longueur est un nombre entier de demi-longueurs d'onde. Les conditions aux limites donnent un ensemble discret de modes d'oscillation possibles dans un système (la corde) qui est par ailleurs continu.

Exemple 2.6

Dans la gamme tempérée, le rapport des fréquences des notes *la* et *ré* est $f_{la}/f_{ré} = \frac{3}{2}$. Déterminer le rapport des tensions de deux cordes de piano, $F_{la}/F_{ré}$, sachant que le rapport de leurs longueurs est $L_{la}/L_{ré} = \frac{4}{5}$. Les cordes sont faites du même fil et vibrent dans leurs modes fondamentaux.

Solution :

D'après l'équation 2.14, on obtient une expression de la tension

$$F = \left(\frac{2Lf}{n}\right)^2 \mu$$

On nous donne $n = 1$ pour les deux cordes et $\mu_{la} = \mu_{ré}$. Par conséquent,

$$\frac{F_{la}}{F_{ré}} = \left(\frac{L_{la}}{L_{ré}}\right)^2 \left(\frac{f_{la}}{f_{ré}}\right)^2$$

$$= \left(\frac{4}{5}\right)^2 \left(\frac{3}{2}\right)^2 = 1,44$$

Exemple 2.7

Une corde fixée aux deux extrémités a une longueur de 60 cm et une densité de masse linéique de 1,8 g/m. Deux harmoniques consécutifs ont des fréquences respectives de 336 Hz et 448 Hz. Trouver : (a) la fréquence fondamentale ; (b) la tension dans la corde.

Solution :

(a) La fréquence de chaque harmonique est un multiple entier de la fréquence fondamentale (équation 2.13). Le rapport des deux fréquences est de $448/336 = 1,33 = 4/3$. Ainsi, les fréquences correspondent respectivement aux 3e et 4e harmoniques parce qu'ils sont consécutifs. La fréquence fondamentale est

$$f_1 = \frac{1}{3}(336 \text{ Hz}) = \frac{1}{4}(448 \text{ Hz}) = 112 \text{ Hz}$$

(b) Trouvons d'abord la vitesse de l'onde. La longueur d'onde fondamentale est de $\lambda_1 = 2L = 1,2$ m ; par l'équation 2.5, $v = f\lambda = (112 \text{ Hz})(1,2 \text{ m}) = 134$ m/s. Par l'équation 2.1, $F = \mu v^2 = (1,8 \times 10^{-3} \text{ kg/m})(134 \text{ m/s})^2 = 32,3$ N.

Les ondes progressives vérifient une équation différentielle appelée *équation d'onde linéaire*. Dans le cas des ondes mécaniques, on obtient l'équation d'onde en appliquant la deuxième loi de Newton au mouvement d'un élément du milieu dans lequel se propage l'onde. On peut obtenir la forme de cette équation en prenant les dérivées partielles secondes de la fonction d'onde d'amplitude y_0 pour une onde sinusoïdale progressive (équation 2.8),

$$y = y_0 \sin(kx - \omega t + \phi)$$

par rapport à t et x (vérifiez) :

$$\frac{\partial^2 y}{\partial x^2} = -k^2 y_0 \sin(kx - \omega t + \phi)$$

$$\frac{\partial^2 y}{\partial t^2} = -\omega^2 y_0 \sin(kx - \omega t + \phi)$$

En comparant ces dérivées, on constate que

L'équation d'onde

$$\frac{\partial^2 y}{\partial x^2} = \frac{1}{v^2} \frac{\partial^2 y}{\partial t^2} \qquad (2.15)$$

où $v = \omega/k$ est la vitesse de propagation de l'onde. Nous n'allons pas le démontrer ici, mais cette équation d'onde linéaire est satisfaite par toute onde progressive de forme $y = f(x \pm vt)$. L'équation 2.15 est une équation différentielle *linéaire*, puisque les dérivées sont élevées à la puissance 1 seulement et qu'il n'y a pas, entre autres, de terme en $(dy/dx)^2$. Cela signifie que si y_1 et y_2 sont des solutions distinctes, toute combinaison linéaire de type $ay_1 + by_2$, où a et b sont des constantes, est également une solution. Lorsque l'équation 2.15 est satisfaite, le principe de superposition linéaire est valable.

2.10 La propagation de l'énergie sur une corde

Une onde qui se propage le long d'une corde transporte de l'énergie. Soit une corde que l'on excite à une de ses extrémités afin d'y produire une onde sinusoïdale de type

$$y = y_0 \sin(kx - \omega t + \phi)$$

À chaque seconde, on doit fournir une certaine quantité d'énergie pour entretenir l'onde. Autrement dit, on donne une certaine puissance à la corde, puissance qui est transmise par l'onde et pourra éventuellement être utilisée à l'autre extrémité de la corde. Au cours d'un cycle d'oscillation, la puissance que l'on doit fournir pour entretenir l'onde varie ; ainsi, il est plus pratique de calculer la **puissance moyenne** (P_{moy}) de l'onde. Pour une onde d'amplitude y_0 et de pulsation ω se propageant à la vitesse v sur une corde de densité de masse linéique μ, cette puissance est donnée par

$$P_{\text{moy}} = \frac{1}{2}\mu(\omega y_0)^2 v \qquad (2.16)$$

On remarque que la puissance est proportionnelle au carré de l'amplitude y_0, un résultat qui sera important lors de notre étude des ondes lumineuses au chapitre 6.

Exemple 2.8

Une tige vibrant à 12 Hz produit des ondes sinusoïdales d'amplitude 1,5 mm sur une corde de densité de masse linéique 2 g/m. Si la tension de la corde est égale à 15 N, quelle est la puissance moyenne fournie par la source ?

Solution :

La vitesse de propagation de l'onde est

$$v = \sqrt{\frac{F}{\mu}} = \sqrt{\frac{15 \text{ N}}{(2 \times 10^{-3} \text{ kg/m})}} = 86,6 \text{ m/s}$$

La pulsation est $\omega = 2\pi f = 75,4$ rad/s. D'après l'équation 2.16, la puissance moyenne est donc

$$P_{\text{moy}} = \tfrac{1}{2}\mu(\omega y_0)^2 v$$
$$= \tfrac{1}{2}(2 \times 10^{-3} \text{ kg/m})(75,4 \text{ rad/s})^2$$
$$(1,5 \times 10^{-3} \text{ m})^2(86,6 \text{ m/s})$$
$$= 1,1 \text{ mW}$$

Démontrons l'équation 2.16. La figure 2.23 représente un élément de corde soumis à l'influence d'une onde. L'énergie cinétique d'un élément de masse $\mu \, dx$ est

$$dK = \tfrac{1}{2}(\mu \, dx)\left(\frac{\partial y}{\partial t}\right)^2 \tag{2.17}$$

L'énergie potentielle de l'élément est égale au travail effectué pour l'allonger de dx à $d\ell$. En admettant que la tension reste constante, on a $dU = F(d\ell - dx)$. On suppose que la perturbation est petite, c'est-à-dire que la pente dy/dx est faible. D'après le théorème de Pythagore,

$$d\ell = \sqrt{dx^2 + dy^2} = dx\sqrt{1 + \left(\frac{\partial y}{\partial x}\right)^2}$$
$$\approx dx\left[1 + \frac{1}{2}\left(\frac{\partial y}{\partial x}\right)^2 + \ldots\right]$$

où l'on a utilisé, à la deuxième ligne, le développement binomial $(1 + z)^n \approx 1 + nz$ pour $z \ll 1$ (*cf.* Annexe B). On a donc

$$dU \approx \tfrac{1}{2}F \, dx \left(\frac{\partial y}{\partial x}\right)^2$$

L'énergie potentielle de l'élément de corde tendue est lié à sa *pente* et non pas directement à son déplacement.

L'énergie mécanique de l'élément, $dE = dK + dU$, devient alors

$$dE = \frac{1}{2}\left[\mu\left(\frac{\partial y}{\partial t}\right)^2 + F\left(\frac{\partial y}{\partial x}\right)^2\right] dx$$

Pour une onde sinusoïdale, $y(x, t) = y_0 \sin(kx - \omega t)$, de sorte que

$$dE = \tfrac{1}{2}[\mu(\omega y_0)^2 + F(ky_0)^2] \cos^2(kx - \omega t) \, dx$$

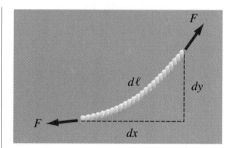

Figure 2.23

Un élément de corde soumis à l'action d'une onde.

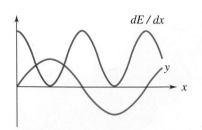

Figure 2.24

La densité d'énergie linéique dE/dx (J/m) (courbe rouge) correspondant à une onde (courbe bleue) qui se propage sur une corde. On remarque que la densité d'énergie est maximale lorsque le déplacement est nul.

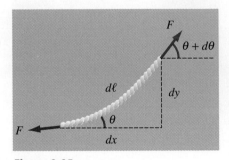

Figure 2.25

Un segment de corde soumis à l'influence d'une onde. La force transversale nette produit l'accélération de l'élément.

Puisque $\omega = vk$ et que, pour une corde, $v = \sqrt{F/\mu}$, les deux termes à l'intérieur des crochets sont égaux. Autrement dit, les valeurs *instantanées* de l'énergie cinétique et de l'énergie potentielle d'un élément quelconque sont égales. On a donc

$$dE = \mu(\omega y_0)^2 \cos^2(kx - \omega t)\ dx$$

La quantité dE/dx est appelée *densité d'énergie linéique* (mesurée en J/m). On voit à la figure 2.24 qu'elle est maximale pour $y = 0$ et minimale pour $y = y_0$. En tout point, par exemple $x = 0$, la valeur moyenne de $\cos^2 \omega t$ sur une période est égale à $\frac{1}{2}$, ainsi,

$$dE_{\text{moy}} = \tfrac{1}{2}\mu(\omega y_0)^2\ dx$$

La puissance moyenne transmise par l'onde est $P_{\text{moy}} = (dE/dt)_{\text{moy}}$; par conséquent, on retrouve l'équation 2.16 :

$$P_{\text{moy}} = \tfrac{1}{2}\mu(\omega y_0)^2 v$$

où $v = dx/dt$ est la vitesse de propagation de l'onde. La puissance est proportionnelle au carré de la fréquence et au carré de l'amplitude. Cette puissance est fournie par la source de l'onde.

2.11 La vitesse de propagation des ondes le long d'une corde

La figure 2.25 représente un élément de corde soumis à l'influence d'une onde. On considère que la corde est parfaitement flexible et que le déplacement est purement transversal. On suppose également que le déplacement est si petit qu'il n'a pas d'effet sur la tension. Si μ est la densité de masse linéique, la masse de l'élément de longueur infinitésimale dx est égale à μdx. La deuxième loi de Newton appliquée au mouvement dans la direction y s'écrit

$$F[\sin(\theta + d\theta) - \sin\theta] = \mu dx \frac{\partial^2 y}{\partial t^2} \qquad (2.18)$$

Comme θ est petit, on peut faire l'approximation

$$\sin\theta \approx \tan\theta = \frac{\partial y}{\partial x}$$

On utilise la dérivée partielle, puisque y est fonction à la fois de x et de t et que l'on se place à un instant particulier. Si l'on divise les deux membres de l'équation 2.18 par dx et F, le membre de gauche prend la forme

$$\frac{f(x + dx) - f(x)}{dx}$$

où $f(x) = \partial y/\partial x$. Par suite de la nature infinitésimale de dx, cette expression correspond à une dérivée partielle de f, quand $dx \to 0$,

$$\frac{f(x + dx) - f(x)}{dx} = \frac{\partial f}{\partial x} = \frac{\partial^2 y}{\partial x^2}$$

L'équation 2.18 devient

$$\frac{\partial^2 y}{\partial x^2} = \frac{\mu}{F}\frac{\partial^2 y}{\partial t^2} \qquad (2.19)$$

Avec les approximations qui sont faites, cette équation différentielle exprime essentiellement la deuxième loi de Newton. En la comparant avec l'équation d'onde (équation 2.15), on constate que la vitesse de propagation de l'onde est

$$v = \sqrt{\frac{F}{\mu}}$$

Si la pente de la corde ($\partial y / \partial x$) n'est pas faible, les déplacements ne sont pas purement transversaux et v n'est plus indépendante de la forme de l'impulsion. De plus, puisque $\sin \theta$ ne peut pas être remplacé par $\tan \theta$, l'équation différentielle n'est plus linéaire et la superposition linéaire n'est plus valable.

Résumé

Une onde est une perturbation qui transporte de l'énergie et de la quantité de mouvement sans déplacement de matière. Lorsque deux ondes ou plus se chevauchent dans la même région, la fonction d'onde résultante est donnée par le principe de superposition linéaire :

$$y = y_1 + y_2 + \ldots + y_N$$

où la somme peut être une grandeur scalaire ou vectorielle. Les ondes pour lesquelles ce principe est valable sont dites linéaires.

La vitesse de propagation d'une onde sur une corde tendue, dont la tension est F et dont la densité de masse linéique est μ, est donnée par

$$v = \sqrt{\frac{F}{\mu}}$$

La fonction d'onde d'une onde sinusoïdale progressive se propageant dans la direction des x positifs à la vitesse v est

$$y = A \sin(kx - \omega t + \phi)$$

où le nombre d'onde est $k = 2\pi/\lambda$ et la pulsation (fréquence angulaire) est $\omega = 2\pi/T$. La vitesse de propagation de l'onde est donnée par

$$v = f\lambda = \frac{\omega}{k}$$

Deux ondes sinusoïdales de même fréquence et de même amplitude se propageant dans des directions opposées peuvent produire des ondes stationnaires. Dans un système de dimensions finies, comme une corde fixée à ses deux extrémités, les conditions aux limites imposent des limitations sur les fréquences possibles des ondes stationnaires résonantes :

$$f_n = \frac{nv}{2L} \qquad (n = 1, 2, 3, \ldots)$$

La puissance moyenne transmise par une onde sinusoïdale d'amplitude y_0 le long d'une corde de densité de masse linéique μ s'écrit

$$P_{\text{moy}} = \frac{1}{2}\mu(\omega y_0)^2 v$$

Une onde qui se propage à la vitesse v dans la direction des x positifs sans changer de forme est décrite par une fonction d'onde de la forme

$$y = f(x - vt)$$

Termes importants

fonction d'onde	onde sinusoïdale progressive
fréquence fondamentale	onde stationnaire
interférence	onde stationnaire résonante
longueur d'onde	onde transversale
mode d'oscillation propre	phase
nœud	premier harmonique
nombre d'onde	principe de superposition linéaire
onde	puissance moyenne
onde électromagnétique	pulsation
onde longitudinale	ventre
onde mécanique	vitesse de propagation de l'onde
onde progressive	

Révision

R1. (a) Donnez un exemple d'onde transversale. (b) Donnez un exemple d'onde longitudinale. (c) Une onde à la surface de l'eau est-elle longitudinale ou transversale ?

R2. Expliquez la similitude entre l'équation 2.1 ($v = \sqrt{F/\mu}$) et l'équation 1.9 ($\omega = \sqrt{k/m}$).

R3. (a) Une impulsion orientée vers le haut arrive à l'extrémité fixe d'une corde. Dessinez l'onde réfléchie. (b) Même question, mais considérez cette fois que l'extrémité de la corde est libre.

R4. (a) Une impulsion orientée vers le haut arrive à la jonction avec une corde de densité de masse linéique μ plus grande que celle de la corde dans laquelle elle voyage. Dessinez l'onde réfléchie et l'onde transmise. (b) Même question, mais considérez cette fois que la densité de masse linéique de l'autre corde est plus petite.

R5. En un seul dessin, représentez une onde stationnaire à plusieurs instants successifs (utilisez une couleur différente pour chaque instant). Indiquez les nœuds et les ventres.

R6. Dessinez les trois premiers modes d'oscillation propre d'une corde fixe aux deux extrémités.

Questions

Q1. Deux impulsions de forme identique se chevauchent de telle sorte que le déplacement de la corde est momentanément nul en tout point (figure 2.26). Que devient l'énergie à cet instant ?

Q2. Pour que la superposition linéaire soit valable, il est nécessaire que l'amplitude de l'onde soit très inférieure à la longueur d'onde, c'est-à-dire $A \ll \lambda$. Montrez que cela implique $v \gg \partial y/\partial t$, c'est-à-dire que la vitesse de l'onde doit être très supérieure à la vitesse d'une particule du milieu.

Q3. Certaines cordes de guitare ou de piano portent de petits anneaux de métal. À quoi servent-ils ?

Q4. Existe-t-il une relation entre la vitesse de l'onde et la vitesse maximale d'une particule du milieu dans le cas d'une onde se propageant sur une corde ? Si oui, quelle est-elle ?

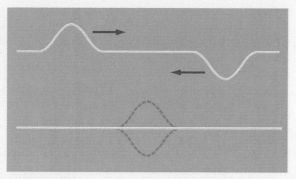

Figure 2.26

Question 1.

Q5. Est-il possible d'avoir une onde stationnaire si les amplitudes des deux ondes qui se superposent ne sont pas égales ?

Q6. Dans une onde stationnaire sur une corde, la densité d'énergie est-elle nulle aux nœuds ?

Q7. S'il n'y avait pas de perte d'énergie, comment l'amplitude des ondes circulaires sur un étang pourrait-elle décroître selon la distance à partir de la source ?

Q8. Lorsqu'une onde est transmise d'un milieu à un autre, la fréquence ne varie pas. Pourquoi ?

Q9. Une impulsion se propageant sur une corde est réfléchie à la jonction avec une autre corde. Si l'onde réfléchie n'est pas inversée, l'impulsion transmise est-elle plus courte ou plus longue que l'impulsion initiale ?

Q10. (a) L'interférence des ondes fait-elle toujours intervenir une superposition des ondes ? (b) La superposition des ondes fait-elle toujours intervenir l'interférence ? (c) Les ondes doivent-elles être périodiques pour produire une interférence ?

Q11. Pourquoi les touches d'une guitare ne sont-elles pas espacées régulièrement ?

Q12. Pourquoi les instruments à cordes sont-ils creux ? Quel rôle joue la forme de l'instrument ?

Q13. Pourquoi la qualité musicale d'une note jouée sur une guitare dépend-elle de l'endroit où l'on pince la corde ?

xercices

2.1 à 2.6 Vitesse de propagation des ondes le long d'une corde ; ondes progressives

E1. (I) Calculez la gamme de longueurs d'onde correspondant à chacune des bandes suivantes de fréquences radio: (a) la bande AM, comprise entre 550 kHz et 1600 kHz ; (b) la bande FM, comprise entre 88 MHz et 108 MHz. La vitesse de propagation est égale à 3×10^8 m/s.

E2. (II) Un microsillon de 30 cm tourne à la vitesse de $33\frac{1}{3}$ tr/min. À la circonférence, la périodicité des ondulations du sillon est de 1,2 mm. Quelle est la fréquence du signal enregistré ?

E3. (II) Soit l'onde transversale décrite à la figure 2.27. Sa vitesse de propagation est de 40 cm/s vers la droite. Déterminez: (a) la fréquence ; (b) la différence de phase entre des points distants de 2,5 cm ; (c) le temps nécessaire pour que la phase en un point donné varie de 60° ; (d) la vitesse d'une particule au point P à l'instant représenté.

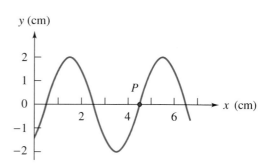

Figure 2.27

Exercice 3.

E4. (I) Un microsillon de 30 cm tourne à la vitesse de $33\frac{1}{3}$ tr/min. La fréquence d'un signal enregistré vaut 10^4 Hz. (a) Quelle est la distance entre les pics des ondulations du vinyle si l'aiguille se trouve à 14,5 cm du centre ? (b) Quelle est la longueur d'onde du son enregistré ? La vitesse du son est de 340 m/s.

E5. (I) Un séisme engendre deux types d'ondes sismiques qui se propagent à travers le globe. Les ondes P ont une vitesse caractéristique de 8 km/s et les ondes S se propagent à 5 km/s. Ces ondes sont détectées par une station d'observation, l'une après l'autre, avec un intervalle de 1,8 min. En supposant que les ondes se sont propagées en ligne droite, à quelle distance se trouve l'épicentre du séisme ?

E6. (I) Une corde de longueur 3 m a une masse de 25 g. Si la vitesse des ondes transversales est de 40 m/s, quelle est la tension de la corde ?

E7. (I) Une corde de longueur 7,5 m est soumise à une tension de 30 N. Si la vitesse de l'onde est de 20 m/s, quelle est la masse de la corde ?

E8. (I) Lorsque la tension d'une corde vaut 15 N, la vitesse des ondes est de 28 m/s. Quelle est la tension nécessaire pour produire une onde de vitesse 45 m/s ?

E9. (I) Des ondes transversales se propagent sur une corde. Si l'on double la tension de la corde, (a) de quel facteur doit varier la fréquence pour que la longueur d'onde ne change pas ; (b) de combien varie la vitesse de l'onde ?

E10. (I) La figure 2.28 représente une impulsion triangulaire sur une corde. Elle s'approche d'une extrémité à 2 cm/s. (a) Dessinez l'impulsion à intervalles de $\frac{1}{2}$ s jusqu'à ce qu'elle soit complètement réfléchie. (b) Quelle est la vitesse d'une particule sur le bord avant de l'impulsion à l'instant décrit dans la figure ?

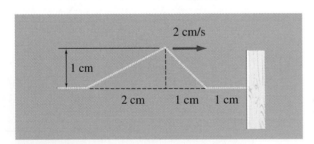

Figure 2.28

Exercice 10.

E11. (I) Une impulsion triangulaire (figure 2.29) se propageant à 2 cm/s sur une corde s'approche d'une extrémité pouvant glisser sur une tige verticale. (a) Dessinez l'impulsion à intervalles de $\frac{1}{2}$ s jusqu'à ce qu'elle soit complètement réfléchie. (b) Quelle est la vitesse d'une particule sur le bord arrière à l'instant décrit dans la figure ?

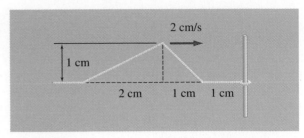

Figure 2.29

Exercice 11.

E12. (I) La fonction d'onde d'une impulsion est donnée par

$$y(x, t) = \frac{5}{2 + (x - 2t)^2}$$

où x et y sont tous deux en centimètres et t est en secondes. Tracez cette fonction de $x = 0$ à 10 cm pour (a) $t = 2$ s ; (b) $t = 3$ s.

E13. (I) À $t = 0$, la forme d'une impulsion est donnée par

$$y(x, 0) = \frac{2 \times 10^{-3}}{4 - x^2}$$

où x et y sont en mètres. Quelle est la fonction d'onde de l'impulsion si la vitesse de propagation est de 12 m/s dans la direction des x négatifs ?

E14. (I) La figure 2.30 représente une onde sinusoïdale progressive à l'instant $t = 0,3$ s. La longueur d'onde est de 7,5 cm et l'amplitude est de 2 cm. Si la crête P se trouve en $x = 0$ à $t = 0$, écrivez la fonction d'onde sous la forme de l'équation 2.8.

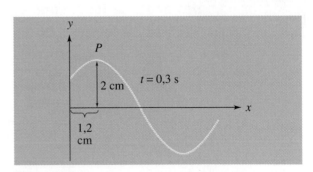

Figure 2.30

Exercice 14.

E15. (II) La fonction d'onde d'une onde sinusoïdale progressive sur une corde est donnée par $y(x, t) = A \sin(kx - \omega t)$. (a) Quelle est la pente de la corde en un point quelconque x et au temps t ? (b) Quelle relation peut-on établir entre le module de la pente maximale, la vitesse de propagation de l'onde et le module de la vitesse maximale d'une particule ?

E16. (II) La fonction d'onde d'une onde sinusoïdale progressive est donnée par

$$y(x, t) = 3,2 \cos(0,2x - 50t)$$

où x et y sont en centimètres et t, en secondes. Tracez $y(x, t)$ à $t = 0$ et $t = 0,1$ s. À l'aide des tracés, trouvez : (a) la vitesse de propagation de l'onde ; (b) la distance entre des points dont les phases diffèrent de $2\pi/3$ rad.

E17. (II) Une onde sinusoïdale progressive sur une corde est donnée par

$$y(x, t) = 2,4 \cos\left[\frac{\pi}{20}(0,5x - 40t)\right]$$

où x et y sont tous deux en centimètres et t, en secondes. Déterminez : (a) la vitesse maximale d'une particule du milieu ; (b) le module de la vitesse d'une particule pour $x = 1,5$ cm et $t = 0,25$ s ; (c) le module de l'accélération maximale d'une particule ; (d) l'accélération pour $x = 1,5$ cm et $t = 0,25$ s.

E18. (II) La fonction d'onde d'une onde sinusoïdale progressive sur une corde est

$$y(x, t) = 0,03 \cos(2,4x - 12t + 0,1)$$

où x et y sont tous deux en centimètres et t, en secondes. Déterminez : (a) la fréquence ; (b) la vitesse de propagation de l'onde ; (c) l'amplitude ; (d) la vitesse des particules pour $x = 15$ cm et $t = 0,2$ s ; (e) le module de l'accélération maximale d'une particule du milieu.

E19. (I) Parmi les fonctions suivantes, lesquelles représentent des ondes progressives ?

(a) $A \sin^2\left[\pi\left(t - \dfrac{x}{v}\right)\right]$ (b) $A \cos[(kx - \omega t)^2]$

(c) $A \sin[(kx)^2 - (\omega t)^2]$ (d) $A e^{[-\sigma(x - vt)^2]}$

(e) $A(x + vt)^3$ (f) $A e^{-\alpha t} \cos(kx - \omega t)$

E20. (I) Une onde sinusoïdale progressive a une longueur d'onde de 20 cm et une période de 0,02 s. Déterminez la différence de phase (a) entre deux points distants de 8 cm ; (b) en un point donné mais entre deux instants séparés par 0,035 s.

E21. (I) La fonction d'onde d'une onde sinusoïdale progressive est

$$y(x, t) = 0,02 \sin(0,4x + 50t + 0,8)$$

où x et y sont en centimètres et t, en secondes. Déterminez : (a) la longueur d'onde ; (b) la constante de phase ; (c) la période ; (d) l'amplitude ;

(e) la vitesse de propagation de l'onde ; (f) la vitesse d'une particule pour $x = 1$ cm et $t = 0,5$ s.

E22. (I) La fonction d'onde d'une onde sinusoïdale progressive est

$$y = 0,04 \sin\left(\frac{x}{5} - 2t\right)$$

où x et y sont en mètres et t, en secondes. Déterminez : (a) la longueur d'onde ; (b) la période ; (c) la vitesse de propagation de l'onde.

E23. (II) Une onde sinusoïdale progressive se propageant dans la direction des x négatifs a une longueur d'onde de 2,5 cm, une période de 0,01 s et une amplitude de 0,03 m. À $t = 0$, le déplacement en $x = 0$ est $y = -0,02$ m et la vitesse de la particule est positive. Écrivez la fonction d'onde $y(x, t)$ sous la forme de l'équation 2.8.

E24. (II) Une onde sinusoïdale progressive a une amplitude de 0,05 m, un nombre d'onde de 0,1 rad/m et une vitesse de propagation de 50 m/s dans la direction des x négatifs. Pour $x = 0$ et $t = 2$ s, le déplacement transversal est $y = 1,25 \times 10^{-2}$ m et $\partial y/\partial t < 0$. Écrivez l'expression de la fonction d'onde $y(x, t)$ sous la forme de l'équation 2.8.

E25. (I) Exprimée en fonction du nombre d'onde et de la pulsation, la fonction d'onde d'une onde sinusoïdale progressive est

$$y(x, t) = A \sin(kx - \omega t)$$

Exprimez cette fonction selon : (a) la longueur d'onde et la vitesse de l'onde ; (b) la fréquence et la vitesse de l'onde ; (c) le nombre d'onde et la vitesse de l'onde ; (d) la longueur d'onde et la fréquence.

2.7 et 2.8 Ondes stationnaires

E26. (II) La fonction d'onde d'une onde stationnaire sur une corde est donnée par

$$y(x, t) = 4,0 \sin(0,5x) \cos(30t)$$

où x et y sont en centimètres et t, en secondes. (a) Déterminez la fréquence, l'amplitude et la vitesse des ondes qui se superposent. (b) Quelle est la vitesse d'une particule du milieu en $x = 2,4$ cm à $t = 0,8$ s ?

E27. (II) Deux ondes sinusoïdales progressives superposées se propagent dans des directions opposées, chacune à la vitesse de 40 cm/s. Elles ont la même amplitude de 2 cm et une fréquence de 8 Hz. (a) Écrivez la fonction d'onde de l'onde stationnaire résultante. Supposez qu'il y a un nœud à $x = 0$. (b) Quelle est la distance entre deux nœuds adjacents ? (c) Quelle est l'amplitude de l'onde stationnaire à $x = 0,5$ cm ?

E28. (II) Une corde de guitare de 60 cm de long a une densité de masse linéique de 1,5 g/m. Quelle est la tension nécessaire pour que la fréquence du deuxième harmonique soit égale à 450 Hz ?

E29. (II) Une corde fixée aux deux extrémités a des modes d'onde stationnaire consécutifs pour lesquels les distances entre deux nœuds adjacents sont respectivement de 18 cm et 16 cm. (a) Quelle est la longueur de la corde ? (b) Si la tension vaut 10 N et la densité de masse linéique 4 g/m, quelle est la fréquence fondamentale ?

E30. (II) Une corde de densité de masse linéique égale à 2,6 g/m est fixée aux deux extrémités. Elle a des modes d'onde stationnaire consécutifs de fréquence 480 Hz et 600 Hz. La tension vaut 12 N. Déterminez : (a) la fréquence fondamentale ; (b) la longueur de la corde.

E31. (I) Une branche de diapason qui vibre à 440 Hz est attachée à une corde ($\mu = 1,2$ g/m). Un bloc de masse 50 g est suspendu à l'autre extrémité (figure 2.22). Pour quelle longueur la corde va-t-elle résoner (a) à sa fréquence fondamentale ; (b) au troisième harmonique ?

E32. (II) L'amplitude d'une onde stationnaire sur une corde est de 2 mm et la distance entre deux nœuds adjacents est de 12 cm. Sachant que la densité de masse linéique est de 3 g/m et que la tension vaut 15 N, écrivez la fonction d'onde $y(x, t)$ de l'onde stationnaire. On suppose qu'il y a un nœud à $x = 0$.

E33. (II) On donne deux fils de même longueur et soumis à la même tension. Leurs rayons vérifient la relation $r_1 = 2r_2$ et leurs masses volumiques (kg/m^3), la relation $\rho_1 = 0,5\rho_2$. Comparez leurs fréquences fondamentales.

E34. (II) On coupe deux cordes à partir du même rouleau. La tension de la première est le double de celle de la seconde ($F_1 = 2F_2$) mais sa longueur en vaut seulement le tiers ($L_1 = L_2/3$). Comparez leurs fréquences fondamentales.

E35. (II) La fonction d'onde d'une onde stationnaire sur une corde est donnée par

$$y(x, t) = 0,02 \sin(0,3x) \cos(25t)$$

où x et y sont en centimètres et t est en secondes. (a) Déterminez la longueur d'onde et la vitesse des ondes qui se superposent. (b) Quelle est la longueur de la corde si cette fonction représente le troisième harmonique ? (c) En quels points la vitesse d'une particule de la corde est-elle constamment nulle ?

E36. (II) Une corde de guitare a une fréquence fondamentale de 320 Hz. Quelle est la fréquence fondamentale lorsqu'on la pince de manière à réduire sa longueur d'un tiers ?

2.9 Équation d'onde

E37. (I) Les fonctions d'onde suivantes vérifient-elles l'équation d'onde ?
(a) $Ae^{[-\sigma(x - vt)^2]}$
(b) $A \ln[B(x - vt)]$

E38. (I) Démontrez explicitement que la fonction d'onde d'une onde stationnaire,

$$y(x, t) = A \sin(kx) \cos(\omega t)$$

vérifie l'équation d'onde.

2.10 La propagation de l'énergie sur une corde

E39. (I) Une onde sinusoïdale progressive se propageant sur une corde a une amplitude de 1,5 cm, une longueur d'onde de 40 cm et une vitesse de propagation de 30 m/s. Si la densité de masse linéique de la corde vaut 20 g/m, quelle doit être la puissance fournie par l'oscillateur qui la génère ?

E40. (I) Un oscillateur mécanique fournit 3 W sous une fréquence de 30 Hz à un fil de longueur 15 m et de masse 45 g. Si la tension vaut 40 N, quelle est l'amplitude des ondes produites ?

E41. (II) Des ondes sinusoïdales progressives d'amplitude 0,8 mm se propagent à 60 m/s le long d'une corde de densité de masse linéique 3,5 g/m. Un oscillateur de 50 Hz est relié à une extrémité de la corde. (a) Quelle est la puissance moyenne fournie par l'oscillateur ? (b) Quelle est la tension nécessaire pour doubler la puissance à la même fréquence ?

2.1 à 2.6   Vitesse de propagation des ondes le long d'une corde ; ondes progressives

E42. (I) Lorsque la tension d'une corde est de 2,75 N, la vitesse d'une impulsion est de 3 m/s. Quelle doit être la tension pour que la vitesse soit de 3,6 m/s ?

E43. (I) La figure 2.31a montre, à $t = 0$, deux impulsions s'approchant l'une de l'autre. Leur vitesse de propagation est de 1,5 m/s. Dessinez l'impulsion résultante à $t = 1,0$ s.

E44. (I) Reprenez l'exercice 43, cette fois-ci à partir de la figure 2.31b.

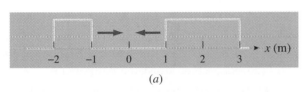

(a)

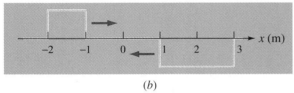

(b)

Figure 2.31

Exercices 43 et 44.

E45. (I) La figure 2.32 montre, à $t = 0$, une impulsion rectangulaire et une impulsion triangulaire s'approchant l'une de l'autre. Leur vitesse de propagation est de 0,5 m/s. Dessinez l'impulsion résultante à $t = 2$ s.

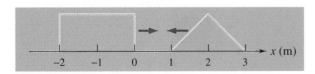

Figure 2.32

Exercice 45.

E46. (I) Chaque particule d'une corde où se propage une onde sinusoïdale progressive fait 24 oscillations complètes en 1,2 s. L'onde avance de 270 cm en 2,25 s. Quelle est sa longueur d'onde ?

E47. (I) La fonction d'onde d'une onde sur une corde est $y = 0,2 \times 10^{-4} \sin[2\pi(x/0,04 + t/0,05)]$, où x

et y sont en mètres et t en secondes. Trouvez : (a) la longueur d'onde et la période, (b) la vitesse de propagation de l'onde, (c) le module de la vitesse maximale d'une particule sur cette corde.

E48. (I) Une onde voyageant dans la direction des x négatifs a une fréquence de 40 Hz, une longueur d'onde de 3 cm et une amplitude de 0,6 cm. Écrivez la fonction d'onde $y(x, t)$, si $y = 0,6$ cm à $x = 0$ et à $t = 0$.

E49. (I) Une corde soumise à une tension de 0,18 N porte une onde décrite par $y(x, t) = 2,4 \times 10^{-3} \sin(36x - 270t)$, où x et y sont en mètres et t en secondes. (a) Quelle est la densité de masse linéique de cette corde ? (b) Quelle est le module de la vitesse maximale d'une particule sur cette corde ?

E50. (I) La fonction d'onde d'une onde sur une corde est $y(x, t) = 0,3 \sin(\pi x/2 + \pi t/4)$, où x et y sont en mètres et t en secondes. (a) Quelle est la longueur d'onde et la vitesse de propagation de cette onde ? (b) Dessinez $y(x)$ à $t = 0$ et à $t = 3$ s.

E51. (II) Les deux ondes suivantes voyagent sur une corde :
$$y = 2,5 \times 10^{-3} \sin(30x - 420t)$$
$$y = 2,5 \times 10^{-3} \sin(30x + 420t)$$
où x et y sont en mètres et t en secondes. (a) Écrivez la fonction d'onde de l'onde stationnaire résultante. (b) Quelle est l'amplitude à $x = 0,17$ m ? (c) Trouvez la position du ventre le plus près de $x = 0,25$ m.

E52. (II) (a) Montrez que la vitesse d'une impulsion transversale le long d'un fil peut s'écrire $v = (S/\rho)^{1/2}$, où S est la contrainte de traction en newtons par mètre carré (voir le chapitre 14 du tome 1). (b) Si la contrainte de traction maximale de l'acier est 4×10^9 N/m^2, quelle est la vitesse maximale possible d'une impulsion le long d'un fil d'acier ? La masse volumique de l'acier est de 7860 kg/m^3.

E53. (II) Quelle est la tension dans un fil d'acier de 0,6 mm de diamètre transportant une onde dont la vitesse est 230 m/s ? La masse volumique de l'acier est de 7860 kg/m^3.

E54. (II) La vitesse d'une impulsion transversale le long d'un fil métallique est de 120 m/s. Quelle est la vitesse le long d'un fil fait avec le même métal, subissant la même tension mais dont le rayon est le double ?

E55. (II) Une onde sinusoïdale progressive de 400 Hz voyage à une vitesse de 320 m/s le long d'un fil métallique. (a) À un moment donné, quelle est la distance entre deux points dont la phase diffère de 1,5 rad ? (b) À une position donnée, quel est le changement de phase sur un intervalle de 1,5 ms ?

2.7 et 2.8 Ondes stationnaires

E56. (II) Deux fils ont la même longueur, sont faits du même métal et sont fixés à leurs extrémités. Les rayons sont $r_1 = 0,7$ mm et $r_2 = 0,5$ mm. (a) Quel est le rapport des fréquences fondamentales f_2/f_1 si les fils sont soumis à la même tension ? (b) Quel est le rapport des tensions F_2/F_1, s'ils ont la même fréquence fondamentale ?

E57. (I) Une corde de guitare de 60 cm résonne dans son deuxième harmonique avec une fréquence de 800 Hz. (a) Quelle est la vitesse de propagation des ondes sinusoïdales progressives le long de la corde ? (b) Si la tension est de 350 N, quelle est la masse de la corde ?

E58. (I) Une corde de guitare de 60 cm et pesant 1,2 g est fixée aux deux extrémités. Cette corde résonne dans son troisième harmonique avec une amplitude maximale de 2 mm. La vitesse de propagation des ondes sinusoïdales progressives le long de la corde est de 420 m/s. (a) Quelle est la longueur d'onde et la fréquence de l'onde stationnaire ? (b) Écrivez la fonction d'onde de l'onde stationnaire. (c) Décrivez les deux ondes sinusoïdales progressives qui ont servi à produire cette onde stationnaire.

E59. (I) Une corde de piano a une fréquence fondamentale de 180 Hz. Lorsqu'elle est enveloppée avec du ruban, sa densité de masse linéique double. Quelle nouvelle fréquence fondamentale en résultera si la tension et la longueur demeurent inchangées ?

E60. (I) La fréquence fondamentale de la corde d'une guitare est de 110 Hz. Sa longueur est de 60 cm. (a) Quelle est la vitesse de propagation d'une onde sinusoïdale progressive sur cette corde ? (b) Si la densité de masse linéique de cette corde est de 3 g/m, quelle en est la tension ?

E61. (I) La corde d'une guitare produisant le *sol* a une longueur de 60 cm et une fréquence fondamentale de 196 Hz. De quelle longueur doit-on raccourcir cette corde, en appuyant dessus, pour entendre un *do* de fréquence fondamentale 262 Hz ?

E62. (I) Une corde de 20 g mesurant 2,5 m de longueur est fixée aux deux extrémités. Quelle est la fréquence des trois premiers modes d'oscillation propre de l'onde stationnaire, si la tension dans la corde est de 51,2 N ?

E63. (I) La fréquence du troisième harmonique d'une corde de 60 cm de long, fixée aux deux extrémités, est de 750 Hz. Quelle est la densité de masse linéique de cette corde, si la tension est de 145 N ?

E64. (I) Une corde de guitare est accordée de telle sorte que la fréquence fondamentale est de 238 Hz lorsque la tension est de 280 N. Quelle doit être la tension, si la note juste a une fréquence fondamentale de 241 Hz ?

E65. (I) Un bloc de 0,5 kg est attaché à une corde passant par une poulie située à 1,4 m de son autre extrémité fixe (figure 2.8). Si la densité de masse linéique de la corde est de 1,6 g/m, quelle est la fréquence du troisième harmonique ?

E66. (I) La fonction d'onde d'une onde stationnaire est
$$y = 4 \times 10^{-3} \sin(2,09x) \cos(60t)$$
où x et y sont en mètres et t en secondes. Trouvez : (a) la distance entre les nœuds ; (b) la vitesse d'une particule à $x = 0,8$ m et $t = 0,12$ s.

E67. (II) Les fonctions d'onde de deux ondes voyageant sur une corde sont
$$y_1 = 0,03 \sin[\pi(2x + 10t)] \text{ m}$$
$$y_2 = 0,03 \sin[\pi(2x - 10t)] \text{ m}$$
(a) Écrivez la fonction d'onde de l'onde stationnaire. (b) Trouvez la position des deux nœuds les plus près de $x = 0$ (pour $x > 0$). (c) Trouvez la position des deux ventres les plus près de $x = 0$ (pour $x > 0$). (d) Trouvez l'amplitude à $x = \lambda/8$.

E68. (II) Une corde transporte une onde stationnaire dont l'amplitude maximale est de 6 mm. La vitesse de propagation de l'onde le long de la corde est de 15,4 m/s. La corde redevient droite toutes les 12 ms. Écrivez la fonction d'onde des deux ondes sinusoïdales progressives qui composent cette onde stationnaire.

E69. (II) Deux cordes, fixées aux deux extrémités, ont la même longueur et sont faites du même métal. La corde 1 a une fréquence fondamentale de 320 Hz, alors que la corde 2, dont l'aire de la section est le double de celle de la corde 1, a une fréquence fondamentale de 400 Hz. Quel est le rapport des tensions F_2/F_1 des cordes ?

E70. (II) Un fil d'acier de 0,5 mm de diamètre et de 60 cm de longueur est fixé aux deux extrémités. Le troisième harmonique a une fréquence de 600 Hz. Quelle est la tension dans le fil? La masse volumique de l'acier est 7860 kg/m^3.

E71. (II) Trouvez la position des deux premiers nœuds ($x > 0$) de l'onde stationnaire résultant de la superposition des deux ondes suivantes:

$$y_1 = A \sin(8,4x - 50t) \text{ m}$$

$$y_2 = A \sin(8,4x + 50t + \pi/3) \text{ m}$$

E72. (II) Une corde de longueur L, de densité de masse linéique μ et soumise à une tension F a une fréquence fondamentale f_1. Quelle est sa nouvelle fréquence fondamentale si on apporte les changements suivants? (a) L augmente de 25 %; (b) μ diminue de 20 %; (c) la tension augmente de 19 %; (d) les trois changements précédents se produisent simultanément.

2.10 La propagation de l'énergie sur une corde

E73. (I) Une des extrémités d'une corde est attachée à une branche de diapason. L'onde sinusoïdale progressive générée sur la corde a une longueur d'onde de 80 cm et une amplitude de 3 mm. La tension dans la corde est de 1,28 N et la vitesse de propagation de l'onde est de 16 m/s. Quelle est la puissance moyenne transmise?

E74. (I) Une corde ($\mu = 4$ g/m) transporte une onde sinusoïdale progressive dont la longueur d'onde est de 40 cm et la période de 25 ms. Si l'amplitude est de 2 mm, quelle la puissance moyenne transmise le long de la corde?

E75. (I) La puissance moyenne transmise par une onde sinusoïdale progressive sur une corde ($\mu = 3$ g/m) est de 20 mW. La tension dans la corde est de 15 N et la période de 40 ms. Quelle est l'amplitude de l'onde?

E76. (I) La fonction d'onde d'une onde voyageant sur une corde est $y = 3 \times 10^{-3} \sin(0,64x - 80t)$, où x et y sont en mètres et t en secondes. Si la densité de masse linéique est de 4 g/m, quelle est la puissance moyenne transmise?

Problèmes

P1. (II) La contrainte de traction sur un fil d'acier est égale à 2×10^8 N/m^2. Quelle est la vitesse des ondes sinusoïdales progressives sur le fil? La masse volumique de l'acier est de 7,8 g/cm^3.

P2. (I) (a) Montrez que si la tension F sur une corde varie d'une *petite* quantité ΔF, la variation relative de fréquence d'une onde stationnaire $\Delta f/f$ est donnée par

$$\frac{\Delta f}{f} = 0,5 \frac{\Delta F}{F}$$

(b) Une corde vibre dans son mode fondamental à 400 Hz. Si l'on diminue la tension de 3 %, quelle est la nouvelle fréquence fondamentale? (c) Quelle est, en pourcentage, la variation de tension requise pour faire varier la fréquence fondamentale d'une corde de 260 Hz à 262 Hz?

P3. (II) Au milieu d'une corde fixée à ses deux extrémités, on place un morceau de fil léger, courbé en forme de V inversé. En supposant que la corde vibre à sa fréquence fondamentale f_1, pour quelle amplitude A de l'onde stationnaire le fil va-t-il cesser d'être en contact avec la corde?

P4. (I) La corde *sol* (196 Hz) d'une guitare est longue de 64 cm. Trouvez les positions des touches correspondant aux notes suivantes: *la* (220 Hz); *si* (247 Hz); *do* (262 Hz); *ré* (294 Hz).

P5. (II) Soit une onde sinusoïdale progressive de faible amplitude sur une corde. Sous l'action de l'onde, la corde se déplace vers le haut (figure 2.33). (a) Montrez que la puissance fournie par le côté gauche au côté droit est

$$P = -F \frac{\partial y}{\partial x} \frac{\partial y}{\partial t}$$

(b) Utilisez l'expression $y(x, t) = A \sin(kx - \omega t)$ pour trouver la puissance moyenne transmise le long de la corde. Comparez votre résultat avec l'équation 2.16.

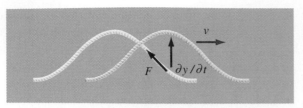

Figure 2.33

Problème 5.

P6. (II) Une corde de masse M et de longueur L pend verticalement. Montrez que le temps nécessaire pour qu'une impulsion se propage de l'extrémité inférieure à l'extrémité supérieure est $T = 2\sqrt{L/g}$.

P7. (I) Montrez que la puissance instantanée transmise le long d'une corde par une onde sinusoïdale progressive d'amplitude A est maximale lorsque le déplacement $y = 0$ et minimale lorsque $y = \pm A$.

P8. (II) Une corde de longueur L et de densité de masse linéique μ est soumise à une tension F. La corde est fixée à une extrémité et peut glisser sur une tige sans frottement à l'autre extrémité. Quelles sont les fréquences de mode d'oscillation propre (onde stationnaire)? (*Indice*: L'extrémité libre est un ventre.)

P9. (I) Un fil subit un étirement de L à $L + \Delta L$. Montrez que la vitesse des ondes sinusoïdales progressives est

$$v = \sqrt{\frac{E}{\rho}\frac{\Delta L}{L}}$$

où E est le module de Young (voir le chapitre 14 du tome 1) et ρ est la masse volumique du fil.

P10. (II) Montrez que, pour une onde stationnaire le long d'une corde (équation 2.11), l'énergie cinétique moyenne par unité de longueur et l'énergie potentielle par unité de longueur sont données par

$$\left(\frac{dK}{dx}\right)_{\text{moy}} = \mu(\omega A)^2 \sin^2 kx$$

$$\left(\frac{dU}{dx}\right)_{\text{moy}} = F(kA)^2 \cos^2 kx$$

P11. (II) (a) Considérons une onde stationnaire sur une corde de longueur L fixée aux deux extrémités, dont la forme est donnée à l'équation 2.11. Montrez que l'énergie mécanique moyenne sur toute la corde s'écrit

$$E = \mu(\omega A)^2 L$$

où μ est la densité de masse linéique et ω est la pulsation. (b) Montrez que l'énergie mécanique entre deux nœuds a pour valeur

$$E = 2\pi^2\mu A^2 f v$$

(Faites d'abord le problème 10.)

P12. (II) Une corde de guitare de longueur 60 cm et de masse 2 g est soumise à une tension de 200 N. Elle vibre dans son mode fondamental. L'amplitude initiale de 1 mm chute de 10 % en 0,1 s et 50 % de la diminution d'énergie correspondante est dissipée sous forme d'énergie sonore. Déterminez la puissance moyenne rayonnée. Que deviennent les 50 % restants? (Faites d'abord le problème 11.)

P13. (I) Montrez que la puissance moyenne transmise le long d'une corde peut s'écrire sous la forme

$$P = \eta v$$

où η est la densité d'énergie linéique (énergie par unité de longueur) et v est la vitesse de propagation de l'onde.

P14. (II) Un réseau linéaire de particules est constitué par des particules de masse identique m reliées entre elles par des ressorts identiques de constante k (figure 2.34). La position d'équilibre de la $n^{\text{ième}}$ particule est $x_n = na$. (a) s_n étant le déplacement, supposé horizontal, à partir de l'équilibre de la $n^{\text{ième}}$ masse, montrez que

$$m\frac{d^2 s_n}{dt^2} = k(s_{n+1} + s_{n-1} - 2s_n)$$

(b) Montrez que $s_n = A \sin(kx_n - \omega t)$ est une solution de cette équation différentielle à condition que

$$\omega^2 = \frac{4k}{m} \sin^2\left(\frac{ka}{2}\right)$$

(*Indice*: Il vous faut utiliser les identités trigonométriques de l'annexe B.)

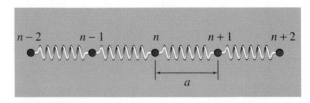

Figure 2.34

Problème 14.

P15. (II) (a) Montrez que la vitesse des ondes transversales sur un *Slinky* de masse m et de constante de rappel k est $L\sqrt{k/m}$, où L, la longueur du ressort tendu, est très supérieure à la longueur du ressort non tendu. (b) Montrez que le temps mis par une impulsion pour se propager sur toute la longueur du *Slinky* est indépendant de la longueur.

P16. (II) Deux fonctions d'onde dans un milieu sont données par

$$y_1 = \frac{1}{2 + (2x - 3t)^2}$$

$$y_2 = \frac{-1}{2 + (2x + 3t - 6)^2}$$

où x est en mètres et t en secondes. (a) Pour quelle valeur de la position x le déplacement résultant des deux ondes est-il toujours nul ? (b) Quel est l'instant t pour lequel le déplacement résultant des deux ondes équivaut partout à zéro ? (*Indice* : choisissez adéquatement x et t.)

P17. (I) Une onde sinusoïdale progressive voyage à 25 m/s dans la direction x négative le long d'une corde. La période est de 20 ms. À $x = 0$ et $t = 0$, la vitesse d'une particule est de -2 m/s et son déplacement vertical est de 3 mm. Écrivez la fonction d'onde $y(x, t)$.

CHAPITRE 3

Le son

POINTS ESSENTIELS

1. Les ondes sonores sont des ondes longitudinales caractérisées par des fluctuations de densité et de pression.

2. On peut créer des ondes stationnaires résonantes dans des tuyaux ouverts ou fermés.

3. L'**effet Doppler** correspond à la variation de la fréquence observée d'une onde lorsqu'il y a un mouvement relatif entre la source et l'observateur.

4. La superposition de deux ondes de fréquences presque identiques donne lieu à des **battements**.

5. L'**intensité** d'une onde est l'énergie incidente par seconde et par unité d'aire normale à la direction de propagation.

6. L'intensité du son peut être mesurée selon l'échelle logarithmique des **décibels**.

Il y a formation d'une onde de choc acoustique lorsque la vitesse d'un corps est supérieure à la vitesse du son dans le milieu.

Nous allons étudier dans ce chapitre quelques propriétés des ondes sonores dans les fluides, comme l'air ou l'eau. Les *sons audibles* pour l'oreille humaine ont des fréquences comprises entre 20 Hz et 20 000 Hz. Les ondes sonores de fréquence inférieure à 20 Hz, que l'on appelle *infrasoniques*, sont produites notamment par les tremblements de terre, par le tonnerre et par les vibrations de machines lourdes ou des pneus d'une automobile. Les fréquences *ultrasoniques*, supérieures à 20 000 Hz, sont perçues par les chiens, les chats et les marsouins. Les chauves-souris et les marsouins, de même que les sonars, dépendent des ondes ultrasoniques pour situer les objets. En médecine, on utilise les ultrasons pour surveiller le développement du fœtus avant la naissance (figure 3.1*a*) et l'on se sert des ondes de choc acoustiques pour briser les calculs rénaux (figure 3.1*b*). Les ultrasons de très haute fréquence (10^9 Hz), produits par l'excitation électrique d'un cristal de quartz, sont utilisés en microscopie acoustique pour obtenir des images nettes (figure 3.1*c*).

Figure 3.1

(*a*) Observation du développement d'un fœtus aux ultrasons. (*b*) On se sert d'ondes de choc acoustiques pour briser les calculs rénaux. (*c*) La microscopie acoustique fournit des images détaillées d'un segment de micropuce électronique.

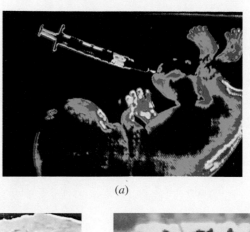

(*a*)

(*b*)

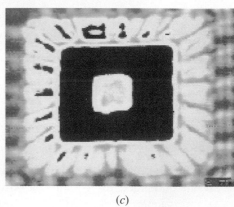

(*c*)

3.1 La nature des ondes sonores

À l'état d'équilibre, la pression et la densité d'un fluide sont uniformes. Pourtant, les molécules du fluide ne sont pas au repos ; elles sont animées de mouvements aléatoires et subissent de fréquentes collisions. En présence d'une onde sonore, chaque petit élément de volume d'un gaz est soumis à des vibrations *longitudinales* périodiques. Ce mouvement ordonné des éléments se superpose au mouvement aléatoire des molécules. Les déplacements des éléments de volume donnent naissance à des fluctuations périodiques de la densité du fluide et donc de la pression. Dans le cas des ondes sonores se propageant dans l'air, les fluctuations de pression sont de l'ordre de 1 Pa (1 N/m^2), alors que la pression atmosphérique est voisine de 10^5 Pa. On peut comparer ces fluctuations aux petites ondulations à la surface d'un lac profond.

La figure 3.2 représente le cône d'un haut-parleur à l'extrémité d'un tuyau ouvert. En se déplaçant vers l'avant, le cône produit une *compression*, c'est-à-dire une augmentation de pression ΔP au-dessus de la valeur d'équilibre P_0. Lorsqu'il se déplace vers l'arrière, le cône produit une *raréfaction*, c'est-à-dire une diminution de pression $-\Delta P$ par rapport à P_0. À cause des collisions entre molécules, ces compressions et raréfactions se propagent sous forme d'ondes sonores le long du tuyau. N'oublions pas que c'est l'onde (c'est-à-dire la perturbation par rapport à l'équilibre), et non les molécules elles-mêmes, qui se déplace le long du tuyau.

À un instant donné, il existe des points, comme *b* et *d*, vers lesquels les molécules convergent, entraînant ainsi une élévation de la pression locale jusqu'à

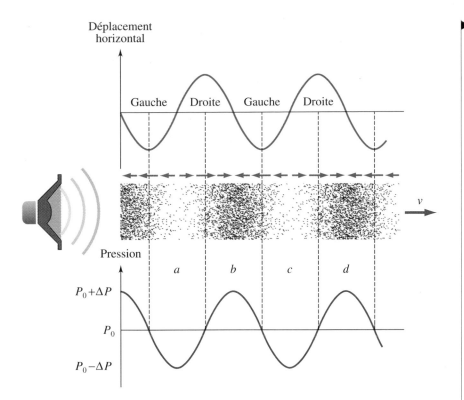

Déplacement horizontal

Gauche | Droite | Gauche | Droite

v

Pression

a b c d

$P_0 + \Delta P$

P_0

$P_0 - \Delta P$

▶ **Figure 3.2**

Un haut-parleur produit des compressions et des raréfactions dans l'air d'un tube. Les déplacements longitudinaux (à un instant particulier) sont représentés par les flèches et sont tracés sur le graphe du haut. Les fluctuations de pression au-dessus et en dessous de la pression atmosphérique sont tracées sur le graphe du bas. On remarque qu'un point de déplacement nul correspond à une variation maximale de la pression et vice versa.

une valeur $P_0 + \Delta P$. Comme les déplacements de chaque côté de b et d sont de sens opposés, le déplacement est nul à cet instant en ces deux points. De chaque côté des points a et c, les molécules s'éloignent et le déplacement est donc également nul en ces points. La pression locale en ces points chute jusqu'à une valeur minimale $P_0 - \Delta P$. En général, les points où la variation de pression est maximale ($\pm\Delta P$) correspondent à un déplacement nul. Autrement dit, les fluctuations de pression sont déphasées d'un quart de cycle (90° ou $\pi/2$ rad) par rapport aux déplacements. L'inverse est également vrai : les points où la fluctuation de pression est nulle correspondent à des maxima ou des minima du déplacement.

À une température donnée, la vitesse du son dans l'air ne dépend pas de la pression. La variation de la vitesse du son dans l'air en fonction de la température *absolue* T (mesurée en degrés Kelvin, K) est donnée de façon approximative par (voir l'exemple 17.8 du tome 1)

$$v \approx 20\sqrt{T} \qquad (3.1)$$

Pour trouver T, on ajoute 273°* à la valeur de la température exprimée en degrés Celsius. Par exemple, à 20°C = 293 K, on trouve $v = 20\sqrt{293} = 342$ m/s.

Nous montrerons plus loin (section 3.6) que la vitesse des ondes longitudinales dans un fluide est donnée par

(fluide) $$v = \sqrt{\frac{K}{\rho}} \qquad (3.2a)$$

Vitesse des ondes longitudinales dans un fluide

---

* Pour être précis, il faudrait écrire 273,15°.

où ρ est la masse volumique du fluide et K est le module de compressibilité, défini au chapitre 14 du tome 1 par

$$K = -\frac{\Delta P}{\Delta V/V} \qquad (3.2b)$$

où $\Delta V/V$ est la variation relative de volume produite par la variation de pression ΔP. L'unité SI de K est le N/m^2. Le signe négatif sert à rendre K positif, puisqu'une variation positive de pression entraîne une variation négative du volume V. Le module de compressibilité caractérise l'« élasticité » d'un milieu compressible, tout comme le fait la constante de rappel ($k = -dF/dx$) pour un ressort. On remarque que l'équation 3.2a a la même forme que celle qui donne la vitesse des ondes transversales sur une corde, $v = \sqrt{F/\mu}$.

Exemple 3.1

Calculer la vitesse de propagation des ondes longitudinales (a) dans l'eau, sachant que le module de compressibilité de l'eau est de $2,1 \times 10^9$ N/m^2 et que sa masse volumique est de 10^3 kg/m^3 ; (b) dans l'air à 1 atm, sachant que le module de compressibilité de l'air est $K = 1,41 \times 10^5$ N/m^2 et que sa masse volumique est de $1,29$ kg/m^3.

Solution :

(a) D'après l'équation 3.2a, on a

$$v = \sqrt{\frac{K}{\rho}} = \sqrt{\frac{2,1 \times 10^9 \text{ N/m}^2}{10^3 \text{ kg/m}^3}} = 1,45 \times 10^3 \text{ m/s}$$

(b) Dans l'air

$$v = \sqrt{\frac{K}{\rho}} = \sqrt{\frac{1,41 \times 10^5 \text{ N/m}^2}{1,29 \text{ kg/m}^3}} = 331 \text{ m/s}$$

Pour étudier la propagation des ondes à deux ou à trois dimensions, il convient d'introduire la notion de front d'onde. Par exemple, lorsqu'on jette un caillou dans une mare, les ondes qui se propagent à partir du point d'impact sont circulaires (figure 3.3a). À un instant donné, la ligne continue qui joint tous les points de même déplacement, par exemple ceux d'une crête, forme un **front d'onde**. En général, un *front d'onde est un ensemble de points pour lesquels la fonction d'onde a la même phase*. Les fronts des ondes émises par une source *ponctuelle*, qui émet des ondes dans toutes les directions, présentent un intérêt particulier. Dans ce cas, les fronts d'onde sont des surfaces sphériques ayant la source pour centre. La figure 3.3b représente une partie seulement de tels fronts d'onde. En un point très éloigné de la source ponctuelle, la courbure des fronts est faible et on peut les considérer comme des surfaces *planes* (figure 3.3c).

Figure 3.3

(*a*) Les fronts d'onde qui se propagent à la surface de l'eau sont des cercles. (*b*) De petites sections de fronts d'onde sphériques se propageant à partir d'une source ponctuelle. (*c*) En un point éloigné de la source ponctuelle, les fronts d'onde deviennent des ondes planes.

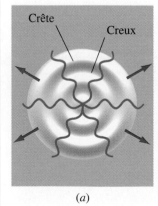
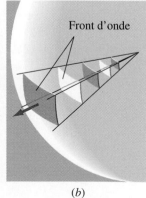
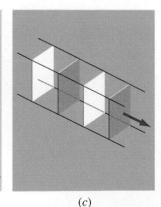

(*a*)   (*b*)   (*c*)

Nous avons vu au chapitre 2 que certains instruments de musique, comme la guitare et le violon, produisent des ondes stationnaires résonantes sur des cordes. On peut également produire des ondes stationnaires résonantes dans une colonne d'air, comme dans un tuyau d'orgue, dans une flûte et dans d'autres instruments à vent, parce que les ondes sonores se réfléchissent à l'extrémité fermée et à l'extrémité ouverte d'un tuyau. Dans un **tuyau ouvert**, les deux extrémités sont ouvertes, alors que dans un **tuyau fermé** une extrémité est fermée. Lorsqu'une impulsion de compression se propageant le long d'un tuyau rencontre une extrémité fermée, elle se réfléchit sous forme d'une compression ; une raréfaction se réfléchit sous forme d'une raréfaction. Une onde sonore est partiellement réfléchie et partiellement transmise lorsque l'aire de la section transversale d'un tuyau varie brusquement. (Rappelons qu'on a une situation analogue avec deux cordes de densités de masse différentes : voir la figure 2.11.) Par exemple, lorsqu'une raréfaction atteint une extrémité ouverte, l'air environnant se précipite vers cette région et crée une compression qui est réfléchie le long du tuyau. De même, lorsqu'une compression atteint une extrémité ouverte, l'air se dilate pour former une raréfaction : une compression est donc réfléchie sous forme de raréfaction si l'extrémité est ouverte. Supposons qu'une source périodique, comme un haut-parleur, se trouve à une extrémité ouverte. Si le temps mis par chaque impulsion réfléchie pour aller et revenir est un multiple convenable de la période de la source, on obtient une onde stationnaire résonante.

Il existe plusieurs moyens de créer des ondes stationnaires résonantes dans un tuyau. La plus simple consiste à relier un diapason ou un haut-parleur à un générateur de signaux. Dans certains instruments à vent, une anche vibrante ou la lèvre du musicien sert de source. De l'air soufflé *transversalement* par rapport à l'extrémité ouverte d'un tuyau fait aussi vibrer la colonne d'air dans un mode d'oscillation propre. Cette propriété est utilisée dans la flûte et dans les tuyaux d'orgue. Bien que le mouvement réel de l'air dans un instrument soit assez complexe, l'analyse qui suit est, en première approximation, assez proche de la réalité.

Tuyaux fermés

À la figure 3.4, le déplacement des molécules est représenté par les flèches continues à $t = 0$ et par les flèches en pointillés à $t = T/2$, T étant la période. À l'extrémité fermée, le déplacement est toujours nul ; il s'agit donc d'un nœud de déplacement. Nous avons vu à la section précédente que cela correspond à un ventre de pression. (À l'instant représenté, la pression est maximale à l'extrémité fermée. Une demi-période plus tard, la densité et la pression seront minimales.) L'extrémité ouverte étant à la pression atmosphérique, c'est donc un nœud de pression et un ventre de déplacement. Le mode fondamental est obtenu pour $L = \lambda/4$ (figure 3.5*a*), ce qui correspond à $f_1 = v/(4L)$ (où L est la longueur du tuyau). On peut facilement construire les harmoniques supérieurs en se rappelant que l'extrémité fermée est un nœud de déplacement, alors que l'extrémité ouverte est un ventre de déplacement. (On se réfère en général au déplacement plutôt qu'à la pression.) La figure 3.5 montre que, pour un tuyau fermé, seuls les harmoniques *impairs* sont possibles :

(tuyau fermé)	$$f_n = \frac{nv}{4L}$$	$(n = 1, 3, 5...)$ (3.3)

De nombreux instruments de musique utilisent le phénomène de résonance d'une colonne d'air.

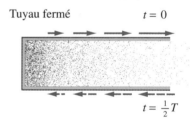
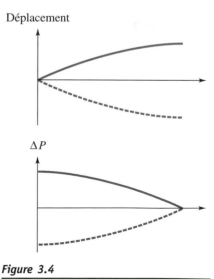

Figure 3.4

Le mode fondamental dans un tuyau fermé. L'extrémité fermée est un nœud de déplacement et un ventre de pression. Les courbes continues décrivent la situation à $t = 0$ et les courbes en pointillés, la situation à $t = T/2$.

Figure 3.5

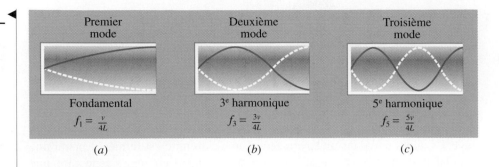

Tuyaux ouverts

Le fait de savoir que chaque extrémité ouverte est un ventre de déplacement nous permet de tracer d'emblée les différents modes d'un tuyau ouvert (figure 3.6). On remarque que la fréquence fondamentale d'un tuyau ouvert est le double de celle d'un tuyau fermé de même longueur. Dans un tuyau ouvert, *tous* les harmoniques sont possibles :

$$\text{(tuyau ouvert)} \qquad f_n = \frac{nv}{2L} \qquad (n = 1, 2, 3\ldots) \quad (3.4)$$

Figure 3.6

Les trois premiers modes de résonance dans un tuyau ouvert de longueur L. Les courbes continues et en pointillés représentent les déplacements longitudinaux à une demi-période d'intervalle.

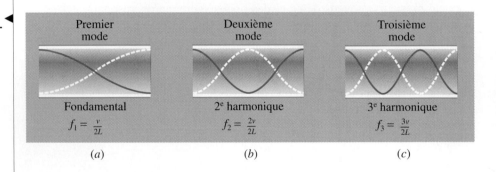

Lorsqu'on étudie les tuyaux ouverts et fermés, il est important de bien faire la distinction entre « harmonique » et « mode ». Le numéro d'un harmonique correspond au rapport entre la fréquence de l'harmonique et la fréquence fondamentale, tandis que les modes sont numérotés successivement à partir de 1. Ainsi, la figure 3.5*c* illustre le *troisième* mode du tuyau fermé, qui correspond au *cinquième* harmonique. On remarque que le cas est plus simple pour le tuyau ouvert (figure 3.6), car le numéro du mode correspond alors au numéro de l'harmonique.

Les ondes stationnaires dans les tuyaux s'atténuent très facilement si l'on supprime la source d'excitation. De plus, en raison de l'interaction entre l'air à l'intérieur du tuyau et l'air environnant, les équations précédentes ne sont pas absolument correctes. Des tuyaux de même longueur mais de diamètres différents ont des fréquences de résonance légèrement différentes. La longueur effective est à peu près égale à la longueur réelle plus une fraction (0,61) du rayon r de chaque extrémité ouverte.

Exemple 3.2

On fait varier la longueur d'une colonne d'air en modifiant le niveau d'eau dans un tuyau (figure 3.7). On place un diapason vibrant directement au-dessus de l'extrémité ouverte. Pendant que le niveau d'eau baisse, on entend une première résonance lorsque la hauteur de la colonne est égale à 18,9 cm et une deuxième à 57,5 cm. Quelle est la fréquence du diapason? On suppose la vitesse du son égale à 340 m/s.

Solution :

On nous donne le mode fondamental et le deuxième mode ou troisième harmonique d'un tuyau fermé (figure 3.7). On pourrait calculer la fréquence *approchée* du diapason en utilisant l'équation 3.3.

En effet, dans la première situation (figure de gauche), on a

$$f = \frac{nv}{4L} = \frac{1 \times 340 \text{ m/s}}{4 \times 0,189 \text{ m}} = 450 \text{ Hz}$$

On peut aussi trouver la réponse en considérant la deuxième situation (figure de droite) :

$$f = \frac{nv}{4L} = \frac{3 \times 340 \text{ m/s}}{4 \times 0,575 \text{ m}} = 443 \text{ Hz}$$

Si les deux réponses ne concordent pas parfaitement, c'est que les données du problème font référence à une situation réaliste où l'extrémité ouverte du tuyau ne correspond pas exactement à un ventre de déplacement. Une solution plus précise consisterait à uti-

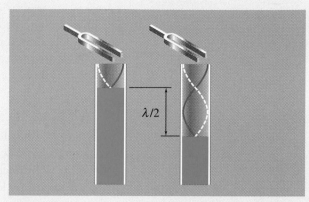

Figure 3.7

Un diapason en face de l'extrémité ouverte d'un tuyau. On fait varier la longueur de la colonne d'air en modifiant le niveau d'eau. Le mode fondamental pour une longueur donnée d'une colonne d'air a la même fréquence que le deuxième mode d'une longueur différente (supérieure d'une demi-longueur d'onde).

liser le fait que la différence des longueurs mesurées correspond exactement à une demi-longueur d'onde du son. Ainsi,

$$\lambda = 2(57,5 \text{ cm} - 18,9 \text{ cm}) = 77,2 \text{ cm}$$

et la fréquence vaut

$$f = \frac{v}{\lambda} = \frac{340 \text{ m/s}}{0,772 \text{ m}} = 440 \text{ Hz}$$

(Vous ne devrez pas vous préoccuper des corrections d'extrémités dans les exercices ni dans les problèmes, à moins que la question ne soit expressément posée.)

3.3 L'effet Doppler

En 1842, J. C. Doppler publia un article dans lequel il essayait d'établir un lien entre les couleurs des étoiles et leur mouvement. Cette corrélation était incorrecte, car elle ne tenait pas compte des effets de la relativité (voir la section 8.9). Cependant, il proposa d'appliquer son analyse à un phénomène similaire dans le cas des ondes sonores. En 1845, C. Buys Ballot mit cette hypothèse à l'épreuve en disposant un groupe de musiciens à intervalles réguliers le long d'une voie de chemin de fer alors qu'un autre groupe se déplaçait à bord d'un wagon découvert. Il demanda à chacun des groupes d'estimer la hauteur (fréquence) des notes jouées à la trompette par l'autre groupe et mit ainsi en évidence un phénomène qui nous est maintenant familier. En effet, lorsqu'une automobile passe rapidement devant nous en klaxonnant, la fréquence observée varie : elle semble plus élevée que la normale lorsque l'automobile approche et devient brusquement inférieure à la normale lorsque l'automobile s'éloigne. La variation de la fréquence observée lorsqu'il y a mouvement relatif entre la source et l'observateur est appelée **effet Doppler**.

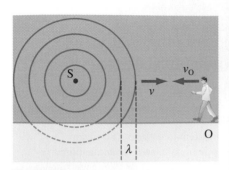

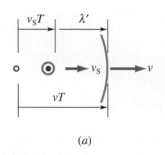

(a)

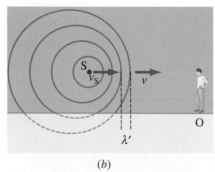

(b)

Figure 3.8

Une source immobile produit des ondes sphériques. La vitesse des ondes par rapport à l'observateur O, qui s'approche de la source, est $(v + v_O)$.

Figure 3.9

(a) En une période, la source parcourt $v_S T$, alors qu'une crête parcourt vT, T étant la période propre de la source. La distance entre deux crêtes, c'est-à-dire la longueur d'onde, est modifiée. (b) La longueur d'onde en avant de la source mobile est inférieure à la normale, alors qu'en arrière elle est supérieure à la normale.

Nous allons utiliser les symboles suivants pour désigner les modules des différentes vitesses : v = vitesse du son, v_S = vitesse de la source et v_O = vitesse de l'observateur. Toutes ces vitesses sont mesurées par rapport au sol. On suppose que l'air est au repos par rapport au sol. Si la source et l'observateur sont au repos, la fréquence et la longueur d'onde ont leurs valeurs normales, f et λ, et la vitesse du son est alors

$$v = f\lambda$$

Si la source ou l'observateur est en mouvement, la fréquence observée varie et devient f'. La valeur de f' dépend du mouvement de la source ou de l'observateur. En effet, le milieu (l'air) sert de référentiel « absolu » qui nous permet de faire la distinction entre le mouvement de la source et le mouvement de l'observateur. La longueur d'onde ne dépend que du mouvement de la source. Sa valeur est la même dans le référentiel lié à la source et dans le référentiel lié à l'observateur. Les raisonnements qui suivent se limitent aux effets entendus sur la droite qui joint la source et l'observateur.

(a) Source au repos, observateur en mouvement

Supposons que l'observateur O se déplace vers la source S à la vitesse v_O (figure 3.8). La vitesse des ondes sonores par rapport à O est $v' = v + v_O$, mais la longueur d'onde a sa valeur normale $\lambda = v/f$. La fréquence entendue par O est donc

$$f' = \frac{v'}{\lambda} = \frac{v + v_O}{v} f$$

Si O s'éloignait de S, la fréquence entendue par O serait $f' = [(v - v_O)/v]f$. En combinant ces deux expressions, on trouve

$$f' = \left(\frac{v \pm v_O}{v}\right) f \qquad (3.5)$$

(b) Source en mouvement, observateur au repos

Supposons que la source S se déplace vers O (figure 3.9a). Si S était au repos, la distance entre les crêtes serait $\lambda = v/f = vT$. Mais, en une période, S parcourt une distance $v_S T$ avant d'émettre la crête suivante. La longueur d'onde est donc modifiée (figure 3.9b). Juste en avant de S, la longueur d'onde effective (à la fois pour S et O) s'écrit

$$\lambda' = vT - v_S T = \frac{v - v_S}{f}$$

La vitesse des ondes sonores par rapport à O est simplement v ; la fréquence entendue par O est donc

$$f' = \frac{v}{\lambda'} = \frac{vf}{v - v_S}$$

Si S s'éloignait de O, la longueur d'onde effective serait $\lambda' = (v + v_S)/f$ et la fréquence apparente serait $f' = vf/(v + v_S)$. En combinant ces deux résultats, on obtient

$$f' = \left(\frac{v}{v \pm v_S}\right) f \qquad (3.6)$$

Les quatre fréquences possibles prévues par les équations 3.5 et 3.6 peuvent être obtenues au moyen d'une seule équation. En remplaçant f dans une équation par f' tiré de l'autre équation, on obtient

$$f' = \left(\frac{v \pm v_O}{v \pm v_S}\right) f \qquad (3.7)$$

Dans une situation donnée, les signes qui conviennent sont tels que tout mouvement relatif de la source ou de l'observateur qui rapproche la source de l'observateur a tendance à augmenter f' ; tout mouvement relatif de la source ou de l'observateur qui les éloigne l'un de l'autre a tendance à diminuer f'.

Exemple 3.3

Une voiture de police roule à 50 m/s dans la même direction qu'un camion dont la vitesse est de 25 m/s. La sirène de la voiture de police a une fréquence de 1200 Hz. Quelle est la fréquence entendue par le chauffeur du camion lorsque la voiture de police se trouve (a) derrière le camion ; (b) devant le camion ? On suppose la vitesse du son égale à 340 m/s.

Solution :

(a) À la figure 3.10a, le mouvement de l'observateur (camion) tend à l'éloigner de la source, ce qui fait diminuer la fréquence apparente. Dans l'équation 3.7, le signe figurant au numérateur est négatif. La source se déplace vers l'observateur, ce qui a tendance à augmenter la fréquence apparente. Le signe figurant au dénominateur est aussi négatif. On a donc

$$f' = \left(\frac{v - v_O}{v - v_S}\right) f$$

$$= \left(\frac{315 \text{ m/s}}{290 \text{ m/s}}\right) 1200 \text{ Hz} = 1303 \text{ Hz}$$

(b) À la figure 3.10b, le mouvement de l'observateur a tendance à augmenter la fréquence apparente, alors que celui de la source a tendance à la diminuer. Par conséquent,

$$f' = \left(\frac{v + v_O}{v + v_S}\right) f$$

$$= \left(\frac{365 \text{ m/s}}{390 \text{ m/s}}\right) 1200 \text{ Hz} = 1123 \text{ Hz}$$

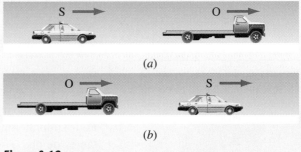

(a)

(b)

Figure 3.10

(a) Le mouvement de la source a tendance à augmenter la fréquence observée ; le mouvement de l'observateur a tendance à la diminuer. (b) Le mouvement de la source a tendance à diminuer la fréquence observée ; le mouvement de l'observateur a tendance à l'augmenter.

Exemple 3.4

Supposons que l'automobile et le camion de l'exemple 3.3 se déplacent l'un vers l'autre. Quelle est la fréquence entendue par le chauffeur du camion (a) lorsque l'automobile s'approche ; (b) une fois qu'elle a dépassé le camion ?

Solution :

(a) Les mouvements de la source et de l'observateur ont tendance à augmenter la fréquence observée

$$f' = \left(\frac{v + v_O}{v - v_S}\right) f = \left(\frac{365}{290}\right)(1200) = 1510 \text{ Hz}$$

(b) Les mouvements de la source et de l'observateur ont tendance à diminuer la fréquence observée

$$f' = \left(\frac{v - v_O}{v + v_S}\right) f = \left(\frac{315}{390}\right)(1200) = 969 \text{ Hz}$$

Ondes de choc supersoniques

Les équations 3.6 et 3.7 ne sont valables que lorsque la vitesse de la source v_S est inférieure à la vitesse du son v ; autrement, les équations donnent une valeur de f' négative, ce qui n'a pas de sens physique. Une source sonore se déplaçant plus rapidement que la vitesse du son est néanmoins possible. Si on essaie de représenter les fronts d'onde comme à la figure 3.9, on s'aperçoit que le centre d'un front d'onde donné est à l'extérieur du front d'onde précédent ; l'ensemble des fronts d'onde forme un cône vers l'arrière de la source, tel qu'illustré à la figure 3.11 (voir aussi la photographie vis-à-vis du titre du chapitre 3).

On voit clairement à la figure 3.11 que l'énergie sonore se concentre sur les parois du cône. Il y a formation d'une **onde de choc**, qui peut causer des dommages importants si l'intensité de la source sonore est assez élevée (comme c'est le cas pour les avions supersoniques). On peut montrer que l'angle θ entre la surface du cône de l'onde de choc et la trajectoire de la source est donné par $\sin \theta = v/v_S$ (voir l'exercice supplémentaire E54).

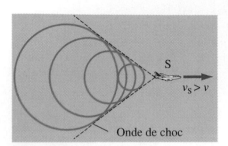

Figure 3.11

Les fronts d'onde émis par une source sonore S se déplaçant plus rapidement que la vitesse du son forment un cône en arrière de la source.

3.4 L'interférence dans le temps ; les battements

Lorsque deux ondes de fréquences légèrement différentes sont superposées, la perturbation résultante varie périodiquement en amplitude : on entend alors des battements. Nous allons considérer une position particulière, par exemple $x = 0$. Pour simplifier, nous supposons que les amplitudes sont égales et que les constantes de phase sont nulles. La fonction d'onde résultante s'écrit*

$$y_T = y_1 + y_2 = A \sin \omega_1 t + A \sin \omega_2 t$$
$$= 2A \cos\left[2\pi\left(\frac{f_1 - f_2}{2}\right)t\right] \sin\left[2\pi\left(\frac{f_1 + f_2}{2}\right)t\right]$$

où l'on a utilisé $\omega = 2\pi f$. Cela représente une fonction d'onde de fréquence $f_{moy} = (f_1 + f_2)/2$, dont l'amplitude est *modulée* à la fréquence $(f_1 - f_2)/2$. La figure 3.12 représente les fonctions composantes et leur résultante. Ainsi, lorsque deux tonalités de fréquences voisines f_1 et f_2 sont émises simultanément,

Figure 3.12

(*a*) La superposition de deux signaux sinusoïdaux de fréquences légèrement différentes. (*b*) Le signal résultant est sinusoïdal mais son amplitude fluctue. La variation d'intensité est perçue sous forme de battements de fréquence $|f_1 - f_2|$.

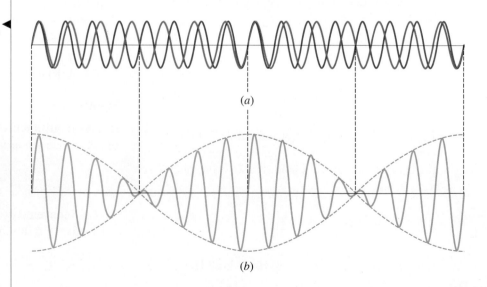

(*a*)

(*b*)

* $\sin A + \sin B = 2 \sin[(A + B)/2] \cos[(A - B)/2]$.

on entend la fréquence moyenne, f_{moy}, mais son intensité varie à la *fréquence de battements* :

$$f_{bat} = |f_1 - f_2| \qquad (3.8)$$

Notre oreille perçoit chaque pic de l'enveloppe (en pointillés), de sorte que la fréquence de battements n'est pas égale à $|f_1 - f_2|/2$, comme pourrait nous le faire croire le terme $\cos[2\pi(f_1 - f_2)t/2]$.

Les battements peuvent servir à accorder les instruments de musique. Par exemple, un accordeur de piano commence habituellement par la note *la* (440 Hz) en faisant vibrer simultanément la corde *la* du piano et un diapason précis émettant un son à 440 Hz. Si la corde n'émet pas exactement 440 Hz, l'accordeur entendra des battements. Plus l'ajustement est précis, plus la fréquence des battements est faible (plus les battements sont espacés dans le temps). Lorsque l'accordeur ne perçoit plus de battements, il peut considérer que la corde est correctement ajustée. Une fois cette première corde ajustée, il ajuste les autres cordes « par oreille ».

Le phénomène des battements ne se limite pas aux ondes mécaniques. Lorsque des signaux radar sont réfléchis par une cible mobile, la fréquence de l'onde réfléchie subit une variation conformément à l'effet Doppler. Lorsque l'onde réfléchie se combine à l'onde incidente, la fréquence de battements permet de déterminer la vitesse de la cible mobile (l'effet Doppler pour les ondes électromagnétiques, comme la lumière et les signaux radar, est étudié à la section 8.9).

La figure animée III-2, **Superposition d'ondes**, illustre le phénomène des battements. Dans le menu **Simulation**, sélectionnez **battements**.

3.5 L'intensité du son

Par définition, l'**intensité** I d'une onde est l'énergie incidente par seconde et par unité d'aire normale à la direction de propagation.

$$I = \frac{\text{puissance}}{\text{aire}} = \frac{P}{A} \qquad (3.9)$$

L'unité SI d'intensité est le W/m^2.

Dans le cas particulier des ondes émises par une source ponctuelle, l'énergie rayonnée se propage uniformément sur des fronts d'onde qui sont des surfaces sphériques (figure 3.13). L'aire de la surface d'une sphère de rayon r étant égale à $4\pi r^2$, l'intensité à la distance r d'une source ponctuelle de puissance P est

$$(\text{source ponctuelle}) \qquad I = \frac{P}{4\pi r^2} \qquad (3.10)$$

Autrement dit, $I \propto 1/r^2$; l'intensité décroît selon l'inverse du carré de la distance à la source ponctuelle.

Figure 3.13

L'énergie émise par une source ponctuelle se propage sur des fronts d'onde sphériques d'aire $4\pi r^2$. L'intensité des ondes décroît selon $I \propto 1/r^2$.

Échelle des décibels

L'oreille humaine est capable d'entendre des intensités sonores comprises entre 10^{-12} W/m^2 et 1 W/m^2. (Notons que 10^{12} est un facteur énorme.) L'intensité d'un son est perçue par l'oreille comme une sensation subjective de puissance. Ainsi, si l'on double l'intensité, ce que nous percevons n'augmente pas d'un facteur 2. Des expériences, qui furent réalisées pour la première fois par A. G. Bell, ont montré que, pour doubler la puissance perçue, il faut accroître l'intensité du son d'un facteur voisin de 10. Il est par conséquent commode de mesurer l'intensité d'un son à l'aide de l'échelle logarithmique des **décibels** (dB), qui est définie par la relation

$$\beta = 10 \log \frac{I}{I_0} \qquad (3.11)$$

où I est l'intensité mesurée et I_0 est une valeur de référence. Si l'on prend I_0 égal à 10^{-12} W/m^2, le seuil d'audibilité correspond à $\beta = 10 \log 1 = 0$ dB. Au seuil de sensation douloureuse, qui correspond à 1 W/m^2, on a

$$\beta = 10 \log \left(\frac{1 \text{ W/m}^2}{10^{-12} \text{ W/m}^2} \right) = 120 \text{ dB}$$

Une liste des intensités sonores en décibels de sources diverses est donnée au tableau 3.1.

Tableau 3.1

Intensités sonores en décibels

Seuil d'audibilité	0
Bruissement de feuilles	10
Corridor calme	25
Bureau	60
Conversation	60
Circulation intense (à 3 m)	80
Musique classique forte	95
Musique rock forte	120
Réacteur d'avion (à 20 m)	130

Exemple 3.5

Le son émis par une source atteint un point donné avec une intensité I_1. Quelle est l'augmentation du nombre de décibels perçus au même point si on ajoute une deuxième source identique à côté de la première ?

Solution :

Si les intensités initiale et finale sont I_1 et I_2, on a

$$\beta_1 = 10 \log \frac{I_1}{I_0} ; \quad \beta_2 = 10 \log \frac{I_2}{I_0}$$

La différence de ces valeurs est (on rappelle que $\log(A/B) = \log A - \log B$) :

$$\beta_2 - \beta_1 = 10 \log \frac{I_2}{I_1}$$

Puisque I_2 est causé par les deux sources ensemble, $I_2 = 2I_1$, d'où

$$\beta_2 - \beta_1 = 10 \log 2 = 3 \text{ dB}$$

Par conséquent, doubler l'intensité correspond à une augmentation de 3 dB. La réaction de l'oreille correspond à peu près à cette échelle logarithmique. La plus petite variation de niveau qui peut être détectée par l'oreille humaine est voisine de 1 dB.

Exemple 3.6

Un haut-parleur a une puissance de 0,8 W. On suppose qu'il se comporte comme une source ponctuelle émettant uniformément dans toutes les directions. À quelle distance l'intensité du son correspond-elle à 85 dB ?

Solution :

D'après l'équation 3.10, on sait que l'intensité des ondes provenant d'une source ponctuelle décroît selon l'inverse du carré de la distance r, c'est-à-dire :

$$I = \frac{P}{4\pi r^2} \qquad (i)$$

On doit d'abord déterminer l'intensité correspondant à 85 dB :

$$85 = 10 \log \frac{I}{I_0}$$

On a donc $\log I/I_0 = 8,5$, ou

$$I = 10^{-12} \times 10^{8,5} = 10^{-3,5} \qquad (ii)$$
$$= 3,16 \times 10^{-4} \text{ W/m}^2$$

À l'aide des équations (ii) et (i), on trouve

$$r^2 = \frac{P}{4\pi I}$$

$$= \frac{(0,8 \text{ W})}{4(3,14)(3,17 \times 10^{-4} \text{ W/m}^2)} = 201 \text{ m}^2$$

Ainsi, $r = 14,2$ m.

Exemple 3.7

La puissance de sortie d'un amplificateur vaut 50 W à 1 kHz et décroît de 1,5 dB à basse fréquence. Quelle est sa puissance de sortie à basse fréquence ?

Solution :

Puisque l'intensité et la puissance sont proportionnelles, on peut écrire l'équation 3.11 en terme de puissance : $\beta = 10 \log(P/P_0)$. On aura donc :

$$\beta_1 = 10 \log(P_1/P_0) ; \quad \beta_2 = 10 \log(P_2/P_0)$$

d'où

$$\beta_2 - \beta_1 = 10 \log(P_2/P_1)$$

(voir exemple 3.5). Ici, $P_1 = 50$ W et $\beta_2 - \beta_1 = -1,5$ dB, d'où

$$-1,5 = 10 \log(P_2/50 \text{ W})$$

On trouve $P_2 = (10^{-0,15}) \, 50 \text{ W} = 35,4$ W.

La vitesse des ondes longitudinales dans un fluide

Nous allons maintenant calculer la vitesse de propagation d'une onde longitudinale dans un fluide en appliquant la deuxième loi de Newton au mouvement d'un petit élément de fluide afin d'établir l'équation d'onde. Pour des raisons pratiques, nous supposons que le fluide est enfermé dans un tube dont la section transversale a une aire A (figure 3.14). Sous l'action d'une onde, un élément d'épaisseur Δx situé au point x se déplace jusqu'à la nouvelle position $x + s$ et son épaisseur devient $\Delta x + \Delta s$. On suppose que la pression d'équilibre du fluide est P_0. À cause de la perturbation, la pression devient $(P_0 + p_1)$ du côté gauche de l'élément et $(P_0 + p_2)$ du côté droit. Soulignons que p_1 et p_2 sont les *variations* de pression causées par l'impulsion. Si ρ est la masse volumique à l'équilibre, la masse de l'élément est $\rho A \Delta x$. (La masse de l'élément ne varie pas lorsqu'il se déplace, bien que son volume et sa masse volumique varient.) La force nette agissant sur l'élément est $F = (p_1 - p_2)A$ et son accélération est $a = \partial^2 s/\partial t^2$. La deuxième loi de Newton appliquée au mouvement de l'élément donne donc

$$(p_1 - p_2)A = \rho A \Delta x \frac{\partial^2 s}{\partial t^2} \qquad (3.12)$$

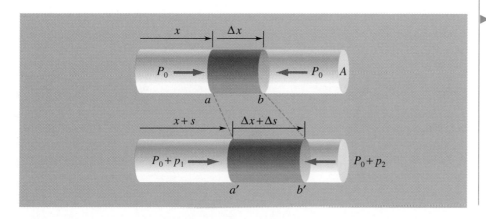

▶ *Figure 3.14*

Sous l'influence d'une impulsion longitudinale, un élément de longueur Δx au point x subit un déplacement jusqu'à une nouvelle position $x + s$ et sa longueur devient $\Delta x + \Delta s$. On remarque que ρ est la *variation* de la pression par rapport à la valeur d'équilibre P_0.

On divise ensuite les deux membres par Δx et on remarque que, à la limite, quand $\Delta x \to 0$, on a $(p_2 - p_1)/\Delta x \to \partial p/\partial x$. L'équation 3.12 devient alors

$$-\frac{\partial p}{\partial x} = \rho\frac{\partial^2 s}{\partial t^2} \tag{3.13}$$

On peut établir la relation entre la variation de pression p et le déplacement s à l'aide du module de compressibilité K défini à l'équation 3.2, $K = -\Delta P/(\Delta V/V)$, la variation de pression p correspondant au terme ΔP dans la définition de K. Pour l'élément de la figure 3.14, $V = A\Delta x$ et $\Delta V = A\Delta s$; par conséquent, $\Delta V/V = \Delta s/\Delta x$. À la limite, quand $\Delta x \to 0$, on peut écrire

$$p = -K\frac{\partial s}{\partial x} \tag{3.14}$$

En utilisant cette valeur dans l'équation 3.13, on obtient l'équation d'onde :

$$\frac{\partial^2 s}{\partial x^2} = \frac{\rho}{K}\frac{\partial^2 s}{\partial t^2} \tag{3.15}$$

En comparant avec l'équation d'onde établie au chapitre précédent (équation 2.15), on voit que la vitesse de propagation de l'onde est

(fluide) $$v = \sqrt{\frac{K}{\rho}} \tag{3.16}$$

Cette valeur correspond à la vitesse de propagation des ondes longitudinales dans un gaz ou dans un liquide.

Amplitude de déplacement et amplitude de pression

Il est bon de relier l'amplitude des variations de déplacement à l'amplitude des variations de pression. Pour une onde sinusoïdale, le déplacement est donné par

$$s = s_0 \sin(kx - \omega t) \tag{3.17}$$

D'après l'équation 3.14, on a donc

$$\begin{aligned} p &= -KksMP_0 \cos(kx - \omega t) \\ &= -p_0 \cos(kx - \omega t) \end{aligned} \tag{3.18}$$

Puisque $k = \omega/v$ et $K = \rho v^2$, on obtient une expression pour p_0, la valeur maximale de la variation de pression,

$$p_0 = \rho\omega v s_0 \tag{3.19}$$

En comparant l'équation 3.17 avec l'équation 3.18, on constate que s et p sont déphasés de $\pi/2$. Cette caractéristique a été établie qualitativement pour les ondes sonores à la section 3.1.

Puissance et intensité

Considérons une onde sonore sinusoïdale se propageant le long d'un tube dont la section transversale a une aire A (figure 3.15). La grandeur p est la variation de pression causée par l'onde et $v_{\text{él}} = \partial s/\partial t$ est la vitesse d'un élément du fluide. La puissance instantanée fournie par l'onde à l'élément est

$$P = Fv_{\text{él}} = pA\frac{\partial s}{\partial t}$$

Relation entre les amplitudes de pression et de déplacement

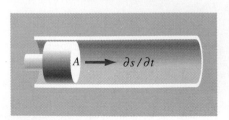

Figure 3.15

Le mouvement d'un piston, ou une impulsion longitudinale, produit une variation de la pression p d'un côté d'un élément d'air. La vitesse de l'élément est $\partial s/\partial t$.

En utilisant l'équation 3.17 et l'équation 3.18, on obtient

$$P = p_0 A \omega s_0 \cos^2(kx - \omega t)$$

En un point quelconque, par exemple $x = 0$, la moyenne de $\cos^2 \omega t$ sur une période est égale à $\frac{1}{2}$; la puissance moyenne transmise par l'onde est donc

$$P_{\text{moy}} = \tfrac{1}{2} \rho A (\omega s_0)^2 v \qquad (3.20)$$

où l'on a utilisé l'équation 3.19. On remarque que cette expression a la même forme que l'équation 2.16 donnant la puissance transmise par une onde sur une corde. Puisque $I = P/A$, on trouve

$$I_{\text{moy}} = \tfrac{1}{2} \rho (\omega s_0)^2 v \qquad (3.21)$$

En remplaçant s_0 dans l'équation 3.20 par l'expression $s_0 = p_0/\rho\omega v$ tirée de l'équation 3.19, on obtient l'intensité moyenne d'une onde sonore :

$$I_{\text{moy}} - \frac{p_0^2}{2\rho v} \qquad (3.22)$$

Exprimée en fonction de p_0, l'intensité est proportionnelle au carré de l'amplitude de la variation de la pression et elle est indépendante de la fréquence.

Puissance moyenne transmise par une onde sonore

Intensité moyenne d'une onde sonore

Exemple 3.8

À 1 kHz, l'intensité audible minimale, ou seuil d'audibilité, est de 10^{-12} W/m², alors que l'intensité maximale tolérable sans douleur, ou seuil de sensation douloureuse, est de 1 W/m². Calculer les amplitudes de la variation de pression et du déplacement pour (a) le seuil d'audibilité ; (b) le seuil de sensation douloureuse. La masse volumique de l'air est de 1,29 kg/m³ et la vitesse du son, de 340 m/s.

Solution :

D'après l'équation 3.22, l'amplitude de la variation de la pression est

$$p_0^2 = 2\rho v I_{\text{moy}} \qquad \text{(i)}$$

On peut déterminer l'amplitude du déplacement à partir de l'équation 3.19, $p_0 = \rho\omega v s_0$, où $\omega = 2\pi f$ = 6280 rad/s.

(a) D'après (i), on a

$$p_0^2 = 2(1,29 \text{ kg/m}^3)(340 \text{ m/s})(10^{-12} \text{ W/m}^2)$$
$$= 877 \times 10^{-12} \text{ Pa}^2$$

Donc, $p_0 = 2,96 \times 10^{-5}$ Pa. On peut comparer ce résultat avec la pression atmosphérique à l'équilibre, voisine de 10^5 Pa. L'amplitude de déplacement est égale à

$$s_0 = \frac{p_0}{\rho\omega v} = \frac{2,96 \times 10^{-5} \text{ Pa}}{(1,29 \text{ kg/m}^3)(6280 \text{ rad/s})(340 \text{ m/s})}$$
$$= 1,07 \times 10^{-11} \text{ m}$$

Ce résultat est surprenant si on le compare à la taille d'un atome, voisine de 10^{-10} m ! Si l'oreille humaine était un peu plus sensible, on entendrait le sang couler dans nos veines.

(b) $p_0^2 = 2(1,29 \text{ kg/m}^3)(340 \text{ m/s})(1 \text{ W/m}^2)$, d'où l'on tire $p_0 = 29,6$ Pa. Ce n'est encore qu'une petite fraction de la pression à l'équilibre. De cette valeur de p_0, on déduit $s_0 = 1,07 \times 10^{-5}$ m.

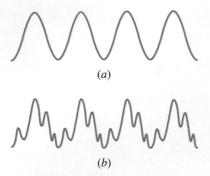

Figure 3.16

(*a*) Un diapason produit une variation sinusoïdale de pression. (*b*) Une variation de la pression hypothétique produite par un instrument de musique.

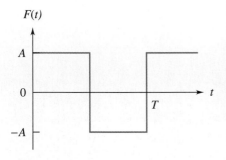

Figure 3.17

Le signal d'une « onde carrée » de période *T*.

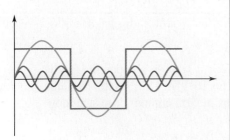

Figure 3.18

Trois des signaux servant à synthétiser une onde carrée.

3.7 Les séries de Fourier

Les fonctions d'onde sinusoïdale que nous avons employées jusqu'à présent sont rarement rencontrées dans la pratique. Les variations de pression dues à la vibration d'un diapason (figure 3.16*a*) créent une onde presque purement sinusoïdale, mais en général les fonctions d'onde périodiques ont des formes complexes. La figure 3.16*b* représente les variations de pression correspondant à un instrument de musique qui joue une note de même fréquence fondamentale que le diapason. Les deux sons ont la même hauteur apparente, mais l'instrument donne un son plus « riche » et peut-être plus agréable. Cela est dû au fait que la fonction d'onde résulte de la superposition d'un grand nombre d'ondes sinusoïdales d'amplitudes et de fréquences diverses. En 1807, Joseph Fourier montra que toute fonction périodique de comportement à peu près normal peut être engendrée par la superposition d'un nombre suffisant de fonctions sinus ou cosinus. Selon le *théorème de Fourier*, la fonction est représentée par la somme infinie

$$F(t) = \Sigma(a_n \sin n\omega t + b_n \cos n\omega t) \qquad (3.23)$$

où $\omega = 2\pi/T = 2\pi f$. Nous avons décomposé la fonction en ses diverses composantes harmoniques dont les fréquences sont des multiples entiers de sa fréquence *f*. Les coefficients de Fourier a_n et b_n indiquent l'amplitude du $n^{\text{ième}}$ harmonique. La méthode par laquelle on détermine ces coefficients est appelée *analyse de Fourier*.

Considérons la fonction périodique représentée à la figure 3.17. C'est une fonction carrée, telle que $F(t) = +A$ entre $t = 0$ et $t = T/2$, et $F(t) = -A$ entre $t = T/2$ et $t = T$. Cette fonction a pour période *T*. (Si la fonction était périodique dans l'espace, la période aurait pour symbole *L* ou λ.) On peut démontrer que

$$F(t) = \frac{4A}{\pi}\left(\sin \omega t + \frac{1}{3} \sin 3\omega t + \frac{1}{5} \sin 5\omega t + \ldots\right)$$

Ce cas particulier ne fait intervenir que des fonctions sinus ; de plus, seuls les harmoniques impairs sont présents. Les trois premiers termes harmoniques sont dessinés à la figure 3.18, chacun avec l'amplitude appropriée. Lorsqu'on les superpose (figure 3.19*a*), on constate qu'il suffit de trois termes pour obtenir une assez bonne représentation de $F(t)$. La figure 3.19*b* illustre la représentation obtenue avec dix termes.

Il est utile de présenter les résultats de l'analyse de Fourier d'une fonction au moyen de son *spectre harmonique*, dans lequel les amplitudes relatives des composantes harmoniques sont représentées. Par exemple, la figure 3.20*a* représente le signal produit par un diapason, qui a une seule composante harmonique, le fondamental. L'onde carrée mentionnée plus haut a seulement des harmoniques impairs dont l'amplitude décroît de façon monotone au fur et à mesure que la fréquence augmente (figure 3.20). Une note jouée par un instrument de musique a en général une structure harmonique complexe (figure 3.20*c*). On peut facilement faire la distinction entre deux instruments qui jouent la même note, par exemple une guitare et un piano, grâce à leurs structures harmoniques différentes.

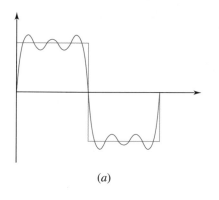 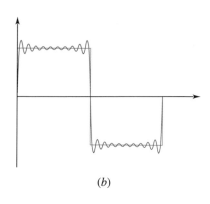

▶ *Figure 3.19*

(*a*) La résultante des trois signaux de la figure 3.18. (*b*) Lorsqu'on superpose dix signaux, la résultante obtenue ressemble davantage à une onde carrée.

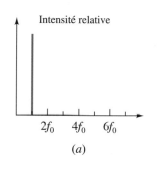 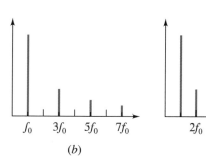

▶ *Figure 3.20*

Spectre sonore représenté par les composantes harmoniques du signal initial. (*a*) Un diapason a une seule composante harmonique. (*b*) Les composantes de Fourier d'une onde carrée. (*c*) Les composantes harmoniques d'un instrument de musique hypothétique.

Résumé

Les ondes sonores dans l'air correspondent à des oscillations longitudinales des molécules. Ces ondes sont caractérisées par des variations de pression ou de densité.

Les fréquences de résonance d'une colonne d'air dans un tuyau de longueur L sont

(tuyau ouvert) $$f_n = \frac{nv}{2L} \qquad (n = 1, 2, 3, \ldots)$$

(tuyau fermé) $$f_n = \frac{nv}{4L} \qquad (n = 1, 3, 5, \ldots)$$

La variation apparente de fréquence en cas de mouvement relatif entre la source sonore et l'observateur est appelée effet Doppler. La fréquence observée f' est reliée à la fréquence propre f par

$$f' = \left(\frac{v \pm v_O}{v \pm v_S}\right) f$$

où v est le module de la vitesse du son, v_O est le module de la vitesse de l'observateur et v_S est le module de la vitesse de la source. On détermine les signes en sachant que tout mouvement relatif de la source et de l'observateur qui les rapproche tend à augmenter f' et que tout mouvement relatif qui les éloigne l'un de l'autre a tendance à diminuer f'.

L'intensité I d'une onde est par définition la puissance incidente par unité d'aire,

$$I = \frac{P}{A}$$

Dans le cas d'une source ponctuelle rayonnant uniformément dans toutes les directions, l'intensité à la distance r est

$$I = \frac{P}{4\pi r^2}$$

Le nombre de décibels (dB) correspondant à une onde sonore d'indensité I est donné par

$$\beta = 10 \log\frac{I}{I_0}$$

R1. Quelles sont les limites des fréquences audibles pour l'oreille humaine ?

R2. Dans une onde sonore, que vaut la différence de phase entre les fluctuations de pression et les fluctuations de position (déplacement) ?

R3. Vrai ou faux ? Dans une onde sonore, les endroits où la pression est maximale correspondent aux endroits où les molécules d'air se déplacent le plus rapidement.

R4. Par quel facteur doit-on multiplier la température (en kelvins) pour doubler la vitesse du son ?

R5. Complétez. L'extrémité ouverte d'un tuyau est un _____ de déplacement et un _____ de pression ; l'extrémité fermée d'un tuyau est un _____ de déplacement et un _____ de pression.

R6. Représentez par des dessins les variations de déplacement pour les trois premiers modes de résonance : (a) d'un tuyau ouvert ; (b) d'un tuyau fermé (indiquez quelle est l'extrémité ouverte et quelle est l'extrémité fermée).

R7. Quelle est la différence entre « harmonique » et « mode » ? Illustrez cette différence à l'aide d'un exemple.

R8. Vrai ou faux ? La fréquence d'une onde sonore est la même pour un observateur en mouvement par rapport à l'air que pour un observateur au repos.

R9. Vrai ou faux ? La vitesse d'une onde sonore est la même pour un observateur en mouvement par rapport à l'air que pour un observateur au repos.

R10. Vrai ou faux ? La longueur d'onde d'un son est la même pour un observateur en mouvement par rapport à l'air que pour un observateur au repos.

R11. Vrai ou faux ? La vitesse d'une source sonore affecte la vitesse du son qu'elle émet.

R12. Vrai ou faux ? Dans l'équation 3.7, si le signe est positif au numérateur, alors le signe doit nécessairement être négatif au dénominateur.

R13. Comment peut-on s'y prendre pour accorder une touche de piano à l'aide d'un diapason ?

R14. Quelle est l'intensité (en watts par mètre carré et en décibels) correspondant au seuil d'audibilité ? au seuil de la douleur ?

R15. Comment se traduit, en termes de décibels, la multiplication de l'intensité d'une source sonore par 10 ? par 100 ?

Q1. La vitesse du son dans la gamme des fréquences audibles dépend-elle de la longueur d'onde ? Sur quoi s'appuie votre réponse ?

Q2. Si la température varie pendant un concert en plein air, peut-on s'attendre à ce que les instruments se désaccordent ?

Q3. Est-il possible de mesurer la température à l'aide des vibrations d'un diapason ?

Q4. Supposons que l'intervalle entre un éclair et le coup de tonnerre correspondant soit de T secondes. L'éloignement (en km) de l'éclair est approximativement égal à $T/3$. Expliquez pourquoi.

Q5. L'intensité des ondes sonores émises par une source ponctuelle diminue avec la distance un peu plus rapidement que ne le prédit la loi de l'inverse du carré. Quelle en est la raison ?

Q6. Deux ondes sonores ont des amplitudes de pression égale, mais la fréquence de la première est le double de celle de la seconde, c'est-à-dire f_1 $= 2f_2$. Comparez (a) les amplitudes des déplacements ; (b) les intensités.

Q7. À quoi sert la partie évasée au bout d'une trompette ou d'un cor ?

Q8. Pourquoi votre voix produit-elle plus d'effet lorsque vous chantez dans la douche ? L'effet produit dépend-il de la position de votre bouche par rapport aux murs ou au plafond ?

Q9. On peut faire « chanter » un verre en cristal assez fin en frottant un doigt humide sur le pourtour. Pourquoi cela se produit-il ?

Q10. Dans un sous-marin, les plongeurs travaillent dans une atmosphère où l'hélium remplace l'azote de l'air ordinaire. Pourquoi la fréquence de leur voix est-elle anormalement élevée ?

Q11. On donne une première onde sonore de fréquence f et d'amplitude de déplacement s_0 et une deuxième onde, ayant la moitié de la fréquence et le double de l'amplitude de la première. Comparez leurs intensités.

Sauf indication contraire, on considérera la vitesse du son dans l'air égale à 340 m/s et la masse volumique de l'air, à 1,29 kg/m³.

3.1 La nature des ondes sonores

E1. (I) Les chauves-souris émettent des sons de haute fréquence pour situer les objets qui les entourent. La fréquence la plus élevée émise par une chauve-souris est égale à 10^5 Hz. Quelle est la longueur d'onde de ce signal ?

E2. (I) Les chiens peuvent entendre des sons de fréquence aussi élevée que 35 000 Hz. Quelle est la longueur d'onde d'une telle onde ?

E3. (I) Pour un examen médical aux ultrasons, on utilise des ondes de 4 MHz. Si la vitesse du son dans les tissus vaut 1500 m/s, quelle en est la longueur d'onde ?

E4. (I) Une explosion a lieu sur un bateau. Le détecteur sonar d'un navire capte le signal 3,2 s avant que le son ne soit perçu par les marins qui sont sur le pont de ce navire. À quelle distance du navire se trouve le bateau ? La vitesse du son dans l'eau est de 1500 m/s.

E5. (I) (a) Calculez la vitesse des ondes sonores dans le mercure liquide, dont le module de compressibilité vaut $2,8 \times 10^{10}$ N/m² et la masse volumique, 13,6 g/cm³. (b) Quelle serait la longueur d'onde d'une onde sonore de 1000 Hz dans le mercure ?

E6. (I) Calculez la vitesse du son dans les gaz suivants à 0 °C et sous une pression de 1 atm : (a) l'oxygène, dont le module de compressibilité vaut 1,41 $\times 10^5$ N/m² et la masse volumique, 1,43 kg/m³ ; (b) l'hélium, dont le module de compressibilité vaut $1,70 \times 10^5$ N/m² et la masse volumique 0,18 kg/m³.

E7. (I) La vitesse des ondes longitudinales le long d'une tige est donnée par

$$v = \sqrt{\frac{E}{\rho}}$$

où E est le module de Young. Calculez la vitesse du son dans une tige d'acier pour laquelle $E = 2 \times 10^{11}$ N/m^2 et $\rho = 7,8$ g/cm^3.

E8. (I) La vitesse des ondes longitudinales dans un tuyau de plomb est égale à 1320 m/s. On considère une série de tuyaux de plomb raccordés de longueur totale 100 m. Si l'on frappe un coup de marteau à une extrémité, pourquoi entend-on deux coups à l'autre extrémité ? Estimez l'intervalle de temps entre la réception de chacun des deux signaux sonores.

E9. (I) La vitesse des ondes transversales dans un solide infini est donnée par

$$v = \sqrt{\frac{G}{\rho}}$$

où G est le module de rigidité. Calculez la vitesse de ces ondes dans l'aluminium, pour lequel $G = 2,5 \times 10^{10}$ N/m^2 et $\rho = 2,7$ g/cm^3.

E10. (I) La vitesse des ondes longitudinales dans un solide infini est donnée par

$$v = \sqrt{\frac{K + G/3}{\rho}}$$

où K est le module de compressibilité et G est le module de rigidité. Calculez la vitesse de ces ondes dans le cuivre, pour lequel, $K = 1,4 \times 10^{11}$ N/m^2 et $G = 4,2 \times 10^{10}$ N/m^2. La masse volumique du cuivre est de 8,92 g/cm^3.

E11. (II) Montrez que pour une onde longitudinale dans un fluide la variation de pression p est liée au déplacement s par la relation $p = (K/v)(ds/dt)$, où K est le module de compressibilité et v est la vitesse de l'onde.

3.2 Ondes sonores stationnaires résonantes

E12. (I) La variation de pression dans une onde sonore stationnaire est de la forme

$$p(x, t) = 4 \sin(5{,}3x) \cos(1800t) \text{ N/m}^2$$

où x est en mètres et t en secondes.
Écrivez les fonctions d'onde pour les deux ondes produisant cette onde stationnaire.

E13. (I) On place un diapason de fréquence 440 Hz à l'extrémité ouverte d'un tube (figure 3.7). Si l'on fait baisser le niveau d'eau, quelles sont la première et la deuxième longueur auxquelles la colonne d'air résonne (on néglige les corrections d'extrémités) ?

E14. (II) Les fréquences fondamentales pour divers tuyaux ouverts sont données dans le tableau suivant :

L (cm) :	18	35	52	76
f (Hz) :	944	472	321	221

où L est la longueur mesurée. Tracez un graphique pour déterminer la vitesse du son.

E15. (II) Le deuxième harmonique d'une corde de longueur 60 cm et de densité de masse linéique 1,2 g/m a la même fréquence que le troisième harmonique d'un tuyau fermé de longueur 1 m. Trouvez la tension de la corde.

E16. (II) Une sirène à air est constituée d'un disque percé de 40 trous régulièrement espacés sur la circonférence. L'air sortant d'un petit bec est soufflé dans les trous, le disque tournant à 1200 tr/min. (a) Quelle est la fréquence entendue ? (b) S'agit-il d'un son aussi « pur » que le son produit par un diapason ? Expliquez.

E17. (I) Un tuyau ouvert, étroit et rectiligne, a une longueur de 20 m. Estimez les fréquences des trois premiers modes d'oscillation.

E18. (I) Un tuyau a une fréquence fondamentale de 1 kHz à 20°C. Que vaut cette fréquence à 10°C ? (*Remarque* : La vitesse du son dans l'air varie selon $v \approx 20\sqrt{T}$ m/s, T étant exprimée en kelvins.) On suppose que la longueur ne varie pas.

E19. (I) Une flûte (que l'on assimile à un tuyau ouvert aux deux extrémités) a une longueur de 60 cm. (a) Quelle est la fréquence fondamentale lorsque tous les trous (autres que les extrémités) sont fermés ? À quelle distance de l'embouchure doit-on ouvrir un trou pour que la fréquence fondamentale soit de 330 Hz ?

E20. (I) (a) Quelle est la longueur d'un tuyau d'orgue fermé de fréquence fondamentale 25 Hz ? (b) Quelle est la longueur d'un tuyau d'orgue ouvert de fréquence fondamentale 500 Hz ?

E21. (I) La vitesse du son varie avec la température : à 20°C, elle vaut 344 m/s, alors qu'à 5°C elle vaut 335 m/s. On donne un tuyau ouvert de longueur 30 cm. De combien varie sa fréquence fondamentale lorsque la température passe de 20°C à 5°C ? On suppose que la longueur ne varie pas.

Effet Doppler ; battements

E22. (I) La sirène d'une voiture de police a une fréquence de 1200 Hz. Quelle est la fréquence entendue par un observateur immobile si la voiture roule à 108 km/h (a) vers l'observateur ; (b) en s'éloignant de l'observateur ?

E23. (I) Un camion roulant à 25 m/s émet à une fréquence de 400 Hz. Déterminez la longueur d'onde mesurée par la source et un observateur immobile, sachant que le camion (a) s'approche de l'observateur ; (b) s'en éloigne.

E24. (I) Refaites l'exercice précédent en supposant que la source est immobile et que l'observateur se déplace à 40 m/s.

E25. (I) Une source émet un son de fréquence 200 Hz. Calculez la fréquence observée et la longueur d'onde mesurée par la source et l'observateur dans chacun des cas suivants : (a) la source s'approche à 40 m/s d'un observateur immobile ; (b) l'observateur s'approche à 40 m/s de la source immobile ; (c) la source et l'observateur se déplacent l'un vers l'autre à 20 m/s par rapport au sol.

E26. (II) Un jouet alimenté par pile émet un son à une fréquence de 1800 Hz. Il décrit un cercle de rayon 1,2 m à raison de 2,4 tr/s. Quelles sont les fréquences minimale et maximale entendues par un observateur immobile situé à une certaine distance dans le plan du cercle ?

E27. (II) Une automobile roulant à 40 m/s et un camion roulant à 15 m/s sont sur la même route rectiligne. Le klaxon de l'automobile a une fréquence de 400 Hz. Quelle est la variation de fréquence observée par le chauffeur du camion une fois que l'automobile l'a dépassé ? On suppose que l'automobile et le camion roulent (a) dans la même direction ; (b) dans des directions opposées.

E28. (II) La sirène d'une voiture de police roulant à 40 m/s a une fréquence de 600 Hz. Un camion roule devant la voiture à 20 m/s dans la même direction. Quelle est la fréquence du son réfléchi entendu par le policier ?

E29. (I) Une voiture de police dont la sirène a une fréquence de 500 Hz s'approche d'un grand mur à 30 km/h. Un observateur immobile détecte les ondes directes et réfléchies. Quelle est la fréquence de battements ? On suppose que l'observateur est situé sur l'axe du mouvement de la voiture. (Il y a deux réponses possibles).

E30. (I) Refaites l'exercice précédent en supposant que la voiture s'éloigne du mur.

E31. (II) Une source sonore émet à une fréquence de 600 Hz. Ce signal est perçu par un observateur immobile avec une fréquence observée de 640 Hz lorsque la source s'approche de l'observateur. Quelle est la fréquence observée si la source s'éloigne à la même vitesse ?

3.5 **Intensité du son**

E32. (I) Si une seule personne crie dans les gradins d'un stade, l'intensité au centre du terrain vaut 50 dB. Quelle est l'intensité en décibels lorsque 2×10^4 spectateurs crient à peu près à la même distance ?

E33. (I) Quelle est la puissance incidente sur le tympan, d'aire 0,4 cm^2, correspondant à : (a) 120 dB (seuil de sensation douloureuse) ; (b) 0 dB (seuil d'audibilité) ?

E34. (II) L'explosion d'un pétard dans l'air à une hauteur de 40 m produit une intensité de 100 dB à la hauteur du sol. Quelle est la puissance sonore en supposant que le pétard rayonne comme une source ponctuelle ?

E35. (II) Deux sources sonores indépendantes produisent individuellement des intensités de 80 dB et 85 dB en un certain point. Quelle est l'intensité totale (en décibels) en ce point ?

E36. (I) (a) Quel est le nombre de décibels correspondant à une intensité de 5×10^{-7} W/m^2 ? (b) Quelle est l'intensité, exprimée en watts par mètre carré, d'une onde sonore de 75 dB ?

3.6 **Ondes sonores : notions avancées**

E37. (I) Déterminez l'intensité de chacune des ondes sonores suivantes dans l'air : (a) un signal de 600 Hz qui a une amplitude de déplacement de 8 nm ; (b) un signal de 2 kHz pour lequel l'amplitude de la variation de pression vaut 3,5 Pa.

E38. (I) Un amplificateur a un rapport signal/bruit de 80 dB. Quel est le rapport de la puissance du signal à celle du bruit ?

E39. (I) Deux ondes sonores de 5 kHz ont des intensités qui diffèrent de 3 dB. Quel est le rapport de leurs amplitudes de déplacement ?

E40. (II) Les intensités de deux sons de même fréquence diffèrent d'un facteur 1000. Déterminez : (a) la différence des intensités en décibels ; (b) le rapport des amplitudes de pression.

E41. (II) Un haut-parleur est alimenté par une puissance électrique de 40 W à 1 kHz. Il convertit la puissance électrique en puissance acoustique avec un rendement de 0,5 % Déterminez la distance à laquelle le son (a) est douloureux (120 dB); (b) équivaut à une conversation (60 dB). On suppose que le haut-parleur rayonne uniformément comme une source ponctuelle.

E42. (II) La figure 3.21 représente le graphique d'une impulsion sonore pour laquelle le déplacement longitudinal maximal $s_0 = 10^{-6}$ m et $d = 5$ cm. Déterminez la vitesse d'une particule (élément de volume d'air) sur le bord avant et sur le bord arrière de l'impulsion.

E43. (II) La variation de pression dans une onde sonore est donnée par

$$p = 12 \sin\left(8,18x - 2700t + \frac{\pi}{4}\right) \text{ N/m}^2$$

où x est en mètres et t en secondes.

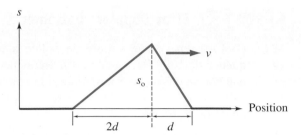

Figure 3.21

Exercice 42.

Déterminez : (a) l'amplitude de déplacement; (b) l'intensité moyenne.

E44. (I) L'amplitude des variations de pression dans une onde sonore de 600 Hz dans l'air est de 0,3 N/m². Quelle est l'amplitude de déplacement ?

E45. (I) Si l'amplitude de déplacement d'une onde sonore sinusoïdale vaut $2,4 \times 10^{-9}$ m et l'amplitude de variation de pression vaut $4,2 \times 10^{-2}$ N/m², quelle est la fréquence du son ?

Exercices supplémentaires

3.2 Ondes sonores stationnaires résonantes

E46. (I) Un haut-parleur produisant des sons dont les fréquences sont comprises entre 50 Hz et 500 Hz est placé devant l'extrémité ouverte d'un tuyau fermé de 1,4 m de longueur. Trouvez (a) la plus basse et (b) la plus haute fréquence des modes d'oscillation propre du tuyau.

E47. (II) Les fréquences de deux modes consécutifs d'un tuyau, de 0,45 m de long, sont de 929 Hz et 1300 Hz. (a) Le tuyau est-il ouvert ou fermé ? (b) Quelle est la vitesse de l'onde ?

3.3 Effet Doppler

E48. (II) La sirène d'une voiture de police roulant à 30 m/s a une fréquence de 600 Hz. La voiture s'approche d'un grand mur. Quelle est la fréquence du son réfléchi entendu par le policier dans sa voiture ?

E49. (II) Le klaxon d'un camion a une fréquence de 800 Hz. Il est perçu par le conducteur d'une automobile comme ayant une fréquence de 960 Hz lorsqu'il s'approche du camion avec une vitesse relative de 61 m/s. Déterminez la vitesse de chacun des véhicules.

E50. (II) En 1845, Buys Ballot demanda à des musiciens dans un train en mouvement de jouer certaines notes. Si la fréquence perçue par un observateur immobile est f_A lorsque le train s'approche et f_E lorsqu'il s'éloigne, à quelle vitesse roule le train si le rapport f_A / f_E est égal à $2^{1/12}$, ce qui correspond à un demi-ton ?

E51. (II) Un sifflet de train est perçu comme ayant une fréquence de 475 Hz lorsqu'il s'approche d'un observateur immobile et de 410 Hz lorsqu'il s'en éloigne. Trouvez : (a) la vitesse du train ; (b) la fréquence du son émis par le sifflet.

E52. (II) Une voiture de police roulant à 40 m/s est initialement derrière un camion roulant dans la même direction à 25 m/s. La fréquence de la sirène est de 800 Hz. Quelle est la variation de fréquence perçue par le chauffeur du camion lorsque la voiture de police le dépasse ?

E53. (II) Une voiture de police roulant à 40 m/s s'approche d'un camion roulant à 25 m/s dans la direction inverse. La fréquence de la sirène est de 800 Hz. Quelle est la variation de fréquence perçue par le chauffeur du camion lorsque la voiture croise le camion ?

E54. (I) Une source sonore se déplace en ligne droite à une vitesse v_S supérieure à la vitesse du son v. Montrez que l'angle θ entre la surface du cône de l'onde de choc et la trajectoire de la source est donné par $\sin \theta = v/v_S$.

3.4 Battements

E55. (I) Un accordeur utilise un diapason pour accorder la corde d'un piano à 220 Hz. Lorsque la tension est 600 N, il entend un battement de 2 Hz. La fréquence du battement augmente lorsque la tension augmente. Quelle est la bonne tension?

3.5 Intensité du son

E56. (I) Exprimée en décibels, l'intensité d'une source à 3,5 m de distance est de 100 dB. À quelle distance l'intensité sera-t-elle de 94 dB?

3.6 Ondes sonores : notions avancées

E57. (I) Soit une onde sonore de 5000 Hz de fréquence. (a) Si l'amplitude de déplacement est de $2,5 \times 10^{-9}$ m, quelle est l'amplitude de pression? (b) Si l'amplitude de pression est de 3×10^{-3} N/m², quelle est l'amplitude de déplacement?

E58. (I) Quelle est la longueur d'onde d'une onde sonore dont l'amplitude de pression est de $4,1 \times 10^{-4}$ N/m² et l'amplitude de déplacement de 6×10^{-10} m?

E59. (I) En décibels, l'intensité d'un son dans l'air est de 85 dB. Quelle est l'amplitude de pression?

E60. (II) Le déplacement d'une onde sonore est donné par $s = 7 \times 10^{-8} \sin(5,3x - 1800t)$ m, où x est en mètres et t en secondes. Trouvez : (a) la vitesse de l'onde ; (b) l'amplitude de pression ; (c) le module de la vitesse maximale des molécules.

Problèmes

P1. (I) Une source sonore ponctuelle rayonne avec une puissance de 10^{-3} W à 240 Hz. Trouvez, à une distance de 4 m : (a) l'intensité en watts par mètre carré ; (b) l'intensité en décibels ; (c) l'amplitude de pression ; (d) l'amplitude de déplacement du son.

P2. (I) Un haut-parleur vibre à la fréquence de 80 Hz et produit une amplitude de variation de pression de 10 Pa à une distance de 1 m. Déterminez : (a) l'amplitude de déplacement à 5 m du haut-parleur ; (b) l'intensité (en dB) à 5 m. On suppose que le haut-parleur rayonne comme une source ponctuelle.

P3. (I) La vitesse du son dans l'air est donnée approximativement par $v \approx 20\sqrt{T}$, T étant la température en kelvins (K). (a) Montrez que la variation relative de la vitesse du son ($\Delta v/v$) causée par une variation relative de température ($\Delta T/T$) est

$$\frac{\Delta v}{v} = 0,5\frac{\Delta T}{T}$$

(b) Un tuyau d'orgue a une fréquence fondamentale de 400 Hz à 285 K. Quelle est la fréquence fondamentale à 305 K? On suppose que la longueur du tuyau ne varie pas. (c) Comparez la variation de fréquence en pourcentage à celle d'un demi-ton, qui est de 6 % environ.

P4. (I) Un tuyau a deux fréquences de résonance consécutives à 607 Hz et 850 Hz. (a) Le tuyau est-il ouvert ou fermé? (b) Quelle est la fréquence fondamentale? La vitesse du son n'est pas connue.

P5. (II) On jette une pierre dans un puits et, 2,2 s plus tard, on entend le bruit qu'elle fait au contact de l'eau. Quelle est la profondeur du puits?

P6. (II) La figure 3.22 illustre un dispositif permettant de faire varier de façon continue la longueur d'une colonne d'air (à droite) en modifiant le niveau d'eau d'un réservoir (à gauche). Lorsqu'on place un diapason au-dessus de l'extrémité ouverte, la colonne d'air résonne une première fois alors que la hauteur mesurée est 18,2 cm, puis de nouveau à 55,7 cm. La longueur de résonance effective est la longueur mesurée plus $0,6r$, où r est le rayon du tube. (a) Trouvez le rayon du tube. (b) Si la vitesse du son vaut 340 m/s, quelle est la fréquence du diapason?

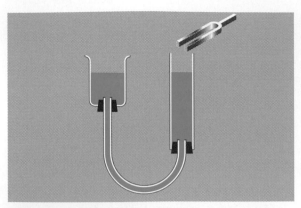

Figure 3.22

Problème 6.

P7. (I) Montrez que la fonction d'onde d'une onde émise par une source ponctuelle est de la forme $y = (A/r) \sin(kr - \omega t)$. (*Indice*: Considérez la variation de l'intensité avec la distance radiale.)

P8. (I) La note de musique *sol* est à sept demi-tons au-dessus du *do*, dont on donne la fréquence égale à 261,63 Hz. Dans la gamme *diatonique*, le rapport des fréquences est $f_{sol}/f_{do} = \frac{3}{2}$. Dans la gamme *tempérée*, la fréquence varie d'un facteur $2^{1/12}$ entre un demi-ton et le suivant. Quelle serait la fréquence de battements entendue si les notes *sol* des deux gammes étaient jouées simultanément?

P9. (II) Une corde de guitare de longueur 52 cm et de densité de masse linéaire 2 g/m vibre à sa fréquence fondamentale de 400 Hz. Lorsqu'un tuyau ouvert résonne dans son mode fondamental, on entend une fréquence de battements de 4 Hz. (a) Quelles sont les fréquences possibles du tuyau? Lorsqu'on tend la corde, la fréquence de battements diminue. Déterminez: (b) la tension initiale de la corde; (c) la longueur du tuyau.

P10. (I) On peut déterminer l'impédance acoustique Z d'un milieu en écrivant l'intensité d'une onde sonore, de pulsation ω et d'amplitude de déplacement A, sous la forme

$$I = \tfrac{1}{2}(\omega A)^2 Z$$

Montrez que, pour un fluide, $Z = \sqrt{K\rho}$. (C'est la variation de Z à la surface de séparation entre deux fluides qui détermine la phase d'une impulsion réfléchie.)

CHAPITRE 4

Réflexion et réfraction de la lumière

POINTS ESSENTIELS

1. La lumière visible ne constitue qu'une petite partie du **spectre électromagnétique**.

2. Bien que la lumière soit une onde électromagnétique, on peut supposer, dans les situations étudiées en **optique géométrique**, que la lumière se propage sous forme de **rayons** lumineux perpendiculaires aux fronts d'onde.

3. La **loi de la réflexion** stipule que l'angle entre le rayon incident et la normale à la surface réfléchissante est égal à l'angle entre le rayon réfléchi et la normale.

4. La **loi de Snell-Descartes** se rapportant à la réfraction relie l'angle d'incidence, l'angle de réfraction et l'**indice de réfraction** des matériaux en présence.

5. Dans certaines situations où le rayon réfracté ne peut exister, on assiste à une **réflexion totale interne**.

6. Le **principe de Huygens** permet de décrire l'évolution des fronts d'ondes et de démontrer les lois de la réflexion et de la réfraction.

7. La **dispersion** de la lumière qui se produit lors d'une réfraction est à l'origine des couleurs produites par un prisme.

8. Les objets et les images peuvent être réels ou virtuels.

9. La position de l'image formée par un miroir (**concave**, **convexe** ou **plan**) peut être obtenue par le tracé des **rayons principaux** ou la **formule des miroirs**.

Arc-en-ciel surplombant des montagnes, à Hawaï.

La lumière est le principal moyen de découvrir le monde qui nous entoure ; c'est peut-être pourquoi la nature de la lumière a fait l'objet d'un débat qui figure parmi les plus longs de l'histoire des sciences. Au XVIIᵉ siècle, Descartes et Newton envisageaient la lumière comme un flux de particules, tandis que Huygens soutenait qu'il s'agissait d'une perturbation dans un milieu que l'on nommait « éther ». Huygens savait que deux faisceaux lumineux pouvaient se croiser sans avoir d'effet mutuel et il ne pouvait imaginer qu'un flux de particules puisse en faire autant sans provoquer de collisions. Ce n'est que vers 1820 que des travaux expérimentaux et théoriques ont permis d'établir que la lumière est une onde transversale*. Mais la nature précise des ondes ainsi que la manière dont elles sont produites et dont elles interagissent avec la matière, demeuraient des problèmes non résolus. En 1845, Faraday mit en évidence l'effet mesurable produit par un champ magnétique sur un rayon lumineux qui traverse un morceau de verre. Cette observation lui fit supposer que la lumière fait intervenir des oscillations des champs électrique et magnétique ; malheureusement, ses connaissances en mathématiques n'étaient pas suffisantes pour lui permettre de poursuivre dans cette voie. C'est une expérience apparemment sans rapport qui vint apporter un indice supplémentaire du lien existant entre l'électromagnétisme et la lumière.

Au XIXe siècle, on utilisait deux systèmes d'unités en électromagnétisme : les unités électrostatiques, définies à partir de la loi de Coulomb donnant la force entre des charges, et les unités électromagnétiques, définies à partir d'une expression analogue donnant la force entre des pôles magnétiques. Le rapport entre les unités de charge dans ces deux systèmes est égal à $1/(\varepsilon_0 \mu_0)^{1/2}$ et il a les dimensions d'une vitesse. En 1856, W. Weber et R. Kohlrausch réussirent à déterminer expérimentalement que ce rapport a pour valeur $3{,}11 \times 10^8$ m/s. Cette valeur était presque exactement égale à la vitesse de la lumière, $3{,}15 \times 10^8$ m/s, mesurée par A. Fizeau en 1849.

Un jeune admirateur de Faraday nommé James Clerk Maxwell (figure 4.1), qui était convaincu que la proximité de ces deux nombres n'était pas une simple coïncidence, décida d'exploiter l'hypothèse audacieuse de Faraday. Il apporta au théorème d'Ampère (voir le chapitre 9, tome 2) une modification subtile et pourtant capitale qui lui permit, en 1865, de prédire l'existence d'ondes électromagnétiques se propageant à la vitesse de la lumière. La conclusion inévitable était que la lumière elle-même est une onde électromagnétique. La théorie de Maxwell permit de faire la synthèse entre les disciplines jusqu'alors distinctes de l'optique et de l'électromagnétisme. Ce fut, deux siècles plus tard, une découverte aussi importante que celle de Newton. La vérification expérimentale de cette théorie par H. Hertz en 1887 et son exploitation commerciale, entre autres par M. G. Marconi, sont à l'origine de la radio, de la télévision et des communications par satellite.

Figure 4.1

James Clerk Maxwell (1831-1879).

4.1 Le spectre électromagnétique

Les ondes électromagnétiques couvrent une très large gamme de fréquences, depuis les ondes radio de très grande longueur d'onde, dont la fréquence est voisine de 100 Hz, jusqu'aux rayons γ de très haute énergie qui proviennent de l'espace, dont les fréquences sont voisines de 10^{23} Hz. L'ensemble de la gamme de fréquences se nomme **spectre électromagnétique** (figure 4.2). En musique, un octave représente un changement de fréquence d'un facteur 2 ; par analogie, on peut dire que le spectre électromagnétique couvre près de 100 octaves (le spectre sonore audible couvre neuf octaves environ). Il n'y a pas de limite théorique à l'extrémité supérieure du spectre. À l'exception de la partie visible du spectre, les frontières entre les régions indiquées ci-dessous ne sont pas aussi nettes que le laisse entendre la figure 4.2. Les diverses régions sont plus ou moins définies par la manière dont les ondes sont produites ou détectées.

---

* Nous verrons dans quelles circonstances au chapitre 6.

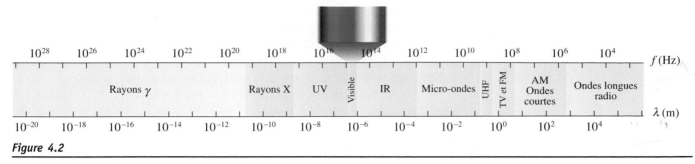

Figure 4.2

Le spectre électromagnétique. Les limites entre les diverses régions du spectre sont moins nettes que le diagramme ne le laisse supposer.

La lumière visible

La partie visible du spectre électromagnétique couvre à peu près un octave, de 400 à 700 nm. Une plage de longueurs d'onde correspond approximativement à chaque couleur : 400 à 450 nm pour le violet, 450 à 520 nm pour le bleu, 520 à 560 nm pour le vert, 560 à 600 nm pour le jaune, 600 à 625 nm pour l'orange et 625 à 700 nm pour le rouge. La lumière est produite à des longueurs d'onde bien définies par les électrons qui subissent des transitions entre les niveaux d'énergie d'un atome. Les accélérations aléatoires des électrons dans les corps chauds produisent une lumière couvrant une gamme continue de longueurs d'onde. Notre sens de la vue et le processus de photosynthèse des végétaux ont évolué dans la gamme de longueurs d'onde du rayonnement solaire que notre atmosphère n'absorbe que très peu, c'est-à-dire entre 300 nm et 1100 nm.

Le rayonnement ultraviolet

En 1801, J. W. Ritter, qui étudiait le virage au noir du chlorure d'argent dans diverses régions du spectre, s'aperçut que l'effet était maximum au-delà du violet. La région de l'ultraviolet (UV) s'étend de 400 nm à 10 nm environ. Les rayons ultraviolets interviennent dans la production de vitamine D dans la peau et provoquent le bronzage. À doses fortes ou prolongées, le rayonnement ultraviolet tue les bactéries et peut provoquer le cancer chez l'être humain. Le verre absorbe les rayonnements ultraviolets et offre donc une certaine protection contre les rayons du Soleil. Si l'ozone de notre atmosphère n'absorbait pas les UV en-dessous de 300 nm, on observerait de nombreuses mutations cellulaires, notamment cancéreuses. C'est pourquoi l'appauvrissement de la couche d'ozone de notre atmosphère par les chlorofluorocarbones (CFC) est à l'heure actuelle un sujet de préoccupation internationale. Dans certains atomes, l'absorption des UV est suivie par l'émission d'une lumière visible de plus grande longueur d'onde. Ce phénomène, qui porte le nom de fluorescence, est à la base de la « lumière noire » que l'on utilise pour produire des effets de scène.

Le rayonnement infrarouge

La région infrarouge (IR) débute à 700 nm et s'étend jusqu'à près de 1 mm. Elle fut découverte en 1800 par M. Herschel qui plaça un thermomètre juste à côté de l'extrémité rouge du spectre visible et observa une élévation de température. Le rayonnement IR est associé à un intervalle de fréquences proche de la rotation et de la vibration des molécules. L'absorption et la réémission de ce type de rayonnement par la matière est perçu comme de la chaleur. On utilise des pellicules sensibles aux IR dans les satellites pour effectuer des relevés géophysiques et pour la détection des gaz d'échappement chauds lors du lancement des fusées. Puisqu'il permet de détecter des variations minimes de température dans le corps humain, on utilise le rayonnement infrarouge pour la détection précoce des tumeurs, qui sont plus chaudes que les tissus environnants. Les serpents et les instruments « de vision nocturne » (*cf.* chapitre 17, tome 1) peuvent détecter les rayons infrarouges émis par les corps chauds des animaux.

Les micro-ondes

Les micro-ondes correspondent aux longueurs d'onde de 1 mm à 15 cm environ. On peut produire des micro-ondes allant jusqu'à 30 GHz ($\simeq 1$ cm) en faisant osciller des électrons dans un dispositif appelé klystron. Dans les fours à micro-ondes que nous utilisons dans nos cuisines, le rayonnement a une fréquence voisine de 2450 MHz. Les communications interurbaines modernes, comme la transmission de données numériques, les conversations téléphoniques et les émissions de télévision, se font souvent par l'intermédiaire d'un réseau d'antennes haute fréquence sur l'ensemble d'un territoire. En focalisant des micro-ondes sur un tissu cancéreux, on arrive à en élever la température jusqu'à 46°C environ. Alors que les cellules normales sont capables de dissiper l'énergie thermique rapidement, les cellules cancéreuses ont une circulation relativement mauvaise et sont par conséquent détruites.

Les signaux de radio et de télévision

Ces signaux couvrent la gamme de longueurs d'onde comprises entre 15 cm et 2000 m. On utilise, pour leur émission et leur réception, des dipôles comme les fameux dispositifs en « oreille de lapin ». Pour les ondes radio AM, on utilise en général une bobine de réception parce que la longueur d'onde est trop grande pour un dipôle électrique. Pour les signaux de télévision UHF, on se sert d'une bobine parce que les longueurs d'onde sont très petites. Les radiotélescopes servent à communiquer avec les satellites et à capter les ondes radio émises par divers objets célestes.

Les rayons X

Découverts en 1895 par W. C. Röntgen, les rayons X sont voisins des UV et s'étendent de 1 nm à 0,01 nm. Ils sont produits dans des machines par la décélération rapide des électrons qui bombardent une cible métallique massive. Ce type de rayonnement, qui correspond à une gamme de fréquences, est appelé *Bremsstrahlung* ou « rayonnement de freinage ». Les rayons X sont également produits par des transitions électroniques entre les divers niveaux d'énergie d'un atome. Puisque les dimensions des atomes et leur distance dans les cristaux correspondent à ce domaine, on utilise les rayons X pour étudier la structure atomique des cristaux ou des molécules comme l'ADN (*cf.* « La diffraction des rayons X », section 7.8). Outre leur utilisation à des fins diagnostiques et thérapeutiques en médecine, on utilise des rayons X pour déceler les défauts microscopiques dans les machines. Avec l'apparition des satellites scientifiques, l'astronomie aux rayons X est devenue un outil important dans l'étude de l'univers.

Les rayons γ

Les rayons gamma, qui produisent des effets similaires à ceux des rayons X, ont été identifiés pour la première fois par P. Villard en 1900 dans le rayonnement radioactif émis par certains matériaux. Alors que les rayons X sont produits par des électrons, les rayons gamma sont en général produits à l'intérieur du noyau d'un atome et sont extrêmement énergétiques à l'échelle atomique. Leurs longueurs d'onde sont égales ou inférieures à 0,01 nm, c'est-à-dire que leurs fréquences sont égales ou supérieures à 10^{20} Hz.

4.2 L'optique géométrique

Les quatre chapitres d'optique qui suivent s'appuient sur la théorie ondulatoire de la lumière. Si tous les problèmes portant sur la propagation de la lumière peuvent se résoudre à l'aide de la théorie électromagnétique de Maxwell, il arrive souvent que cette approche ne soit pas nécessaire. Nous allons nous intéresser pour l'instant à ce qui se passe lorsque la lumière rencontre la surface de séparation entre deux milieux, comme le verre et l'air. Pour étudier les effets des miroirs et des lentilles, on suppose que la lumière se propage sous forme de rayons et on fait appel aux lois fondamentales de la géométrie. Cette approche porte le nom d'**optique géométrique**.

La lumière d'un projecteur dans une salle de cinéma enfumée, ou bien les rayons du soleil filtrant à travers les feuilles des arbres par temps brumeux, semblent se propager en ligne droite. De même, par temps clair et ensoleillé, les ombres des objets sont très nettes. Il est donc naturel de considérer que la lumière se propage sous forme de **rayons**. Un rayon est équivalent à un faisceau de lumière très étroit, perpendiculaire au front d'onde, qui nous indique le trajet suivi par l'énergie de l'onde. Dans un milieu homogène, les rayons sont des lignes droites. C'est cette constatation qui permit au mathématicien Euclide et à l'astronome Ptolémée d'utiliser la géométrie pour analyser les problèmes d'optique. L'optique géométrique est l'étude du comportement des rayons rectilignes à la surface de séparation entre deux milieux au moyen de constructions géométriques simples.

On sait pourtant que la lumière est une onde électromagnétique et qu'en général les ondes ne se propagent pas en ligne droite. Par exemple, après avoir traversé une petite ouverture dans un obstacle (figure 4.3a), les vagues à la surface de l'eau se propagent dans toutes les directions dans la région située derrière l'obstacle. Ce phénomène, appelé **diffraction** (voir le chapitre 6), est important lorsque la dimension a de l'ouverture est comparable à la longueur d'onde, c'est-à-dire lorsque $a \approx \lambda$. Si l'ouverture est très supérieure à la longueur d'onde ($a \gg \lambda$), une partie de chaque front d'onde disparaît, mais les ondes qui restent continuent de se propager dans la direction initiale (figure 4.3b). Dans ce cas, la région d'ombre ainsi formée a un bord relativement net. En optique géométrique, on néglige la courbure des rayons au bord des ouvertures et des obstacles; cette approximation est raisonnable si les dimensions d'un appareil sont très supérieures à la longueur d'onde de la lumière visible, qui est inférieure à 1 μm.

4.3 La réflexion

Considérons des rayons lumineux parallèles tombant selon un certain angle d'incidence sur la surface de séparation entre deux milieux, le verre et l'air par exemple. En général, une partie de la lumière est réfléchie et le reste est soit transmis, soit absorbé. Si la surface est irrégulière (figure 4.4a), les rayons réfléchis se propagent dans des directions aléatoires, et elle peut donc être vue

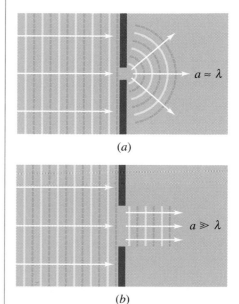

(a)

(b)

Figure 4.3

Passage d'une onde de longueur d'onde λ par une ouverture de dimension a. Les fronts d'onde sont représentés en bleu et les rayons lumineux, en rouge. (a) Si $a \approx \lambda$, l'onde se propage dans toutes les directions vers la droite. Le changement de direction des rayons est appelé diffraction. (b) Si $a \gg \lambda$, l'onde continue de se propager dans la même direction.

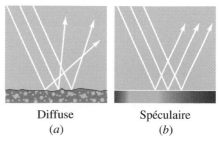

Diffuse   Spéculaire
(a)   (b)

Figure 4.4

(a) Dans la réflexion diffuse sur une surface irrégulière, la lumière réfléchie se propage dans toutes les directions. (b) Dans la réflexion spéculaire sur une surface lisse, les rayons réfléchis se propagent tous dans la même direction.

à partir de n'importe quel point : on parle alors de **réflexion diffuse**. Si la surface est parfaitement polie (figure 4.4*b*), il existe une relation simple entre la direction des rayons réfléchis et celle des rayons incidents. Ce type de **réflexion spéculaire** a lieu lorsque les aspérités de la surface sont nettement plus petites que la longueur d'onde de la lumière incidente. Dans la réflexion spéculaire, le faisceau réfléchi ne peut être observé que dans une direction*. Même dans le cas de la réflexion diffuse, chaque rayon subit une réflexion spéculaire sur la toute petite portion de la surface où il tombe. Mais comme toutes ces petites portions ont des orientations aléatoires, les rayons réfléchis n'ont pas de direction commune.

La loi de la réflexion

Considérons un rayon tombant sur un surface plane (figure 4.5). La direction du rayon réfléchi est donnée par la **loi de la réflexion**, déjà connue à l'époque de Héron d'Alexandrie au Ier siècle ap. J.-C., et dont voici l'énoncé : *l'angle d'incidence θ est égal à l'angle de réflexion θ′* :

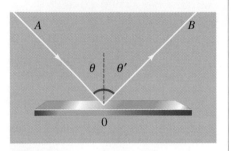

Figure 4.5

Selon la loi de la réflexion, l'angle d'incidence θ est égal à l'angle de réflexion θ′.

$$\theta = \theta' \qquad (4.1)$$

Ces angles sont mesurés par rapport à la normale au plan. Vers l'an 1000 ap. J.-C., un savant arabe nommé Alhazen fit remarquer que le rayon incident, la normale au plan et le rayon réfléchi sont tous les trois dans un même plan, que l'on appelle *plan d'incidence*.

Exemple 4.1

Deux miroirs, M_1 et M_2, se touchent de manière à former un angle de 120° (figure 4.6). Soit un rayon incident faisant un angle de 50° avec la normale à M_1. (a) Dans quelle direction la lumière repart-elle de M_2 ? (b) De quel angle total est dévié le rayon incident par rapport à sa direction initiale ?

Solution :

(a) D'après la loi de la réflexion, l'angle de réflexion sur M_1 vaut également 50°, et l'angle entre le rayon réfléchi et le plan de M_1 vaut donc 40°. Dans le triangle ABC, l'angle en C est égal à 180° − 40° − 120° = 20°. L'angle d'incidence sur M_2 vaut 70°, de même que l'angle de réflexion. (b) Au point A, le rayon est dévié d'un angle $\alpha = 180° - 2(50°)$ = 80°. Au point C, le rayon est dévié d'un angle β = 180° − 2(70°) = 40°. L'angle total de déviation est de $\alpha + \beta = 120°$.

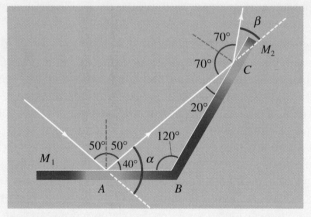

Figure 4.6

Un rayon réfléchi par deux miroirs formant un certain angle.

---

* En pleine nuit, posez sur le trottoir un miroir plan dont vous avez recouvert toute la surface sauf une petite région. Essayez ensuite de localiser la réflexion d'un lampadaire.

Lorsqu'un rayon lumineux circulant dans un plan horizontal est réfléchi par deux miroirs verticaux formant un angle droit (figure 4.7a), le rayon réfléchi est parallèle et de sens opposé au rayon incident. Un dispositif composé de trois miroirs perpendiculaires deux à deux permet d'exploiter cet effet en réfléchissant tout rayon incident dans la direction opposée. Cette propriété est utilisée dans les cataphotes (plaquettes réfléchissantes) disposés sur les automobiles et les bicyclettes. Pour faire un relevé géologique de la planète, on a utilisé les signaux réfléchis par des réflecteurs de ce type placés sur le satellite LAGEOS (figure 4.7b). Un de ces réflecteurs, placé sur la Lune (figure 4.7c), a permis de déterminer sa distance avec une précision de 15 cm.

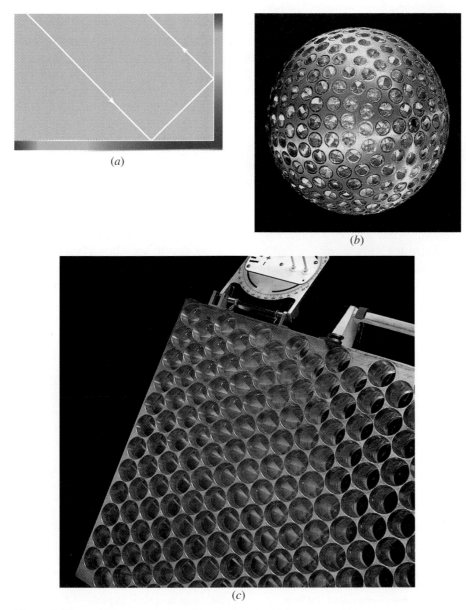

(a)

(b)

(c)

Figure 4.7

(a) Un rayon tombant sur deux miroirs perpendiculaires entre eux donne un rayon réfléchi de même direction et de sens opposé. (b) Le satellite LAGEOS était recouvert de réflecteurs utilisant cet effet. En chronométrant le retour d'impulsion laser émises à partir de divers points, on a pu détecter de faibles mouvements des continents.
(c) À l'aide d'un réflecteur de même type placé sur la Lune, on a pu mesurer sa distance à la Terre avec une incertitude de 15 cm seulement.

Le principe de Huygens

En 1678, C. Huygens, qui croyait que la lumière est de nature ondulatoire, énonça un « principe » servant à prédire la propagation des fronts d'onde. Ce principe s'appuyait sur certaines considérations théoriques, valables à l'époque, particulièrement l'idée que la lumière se propage dans un milieu ténu et transparent, appelé « éther », remplissant tout l'Univers. Ainsi, comme on le prévoit pour la propagation des ondes mécaniques, une impulsion lumineuse émise par une source fait entrer en mouvement les particules avoisinantes de l'éther. La lumière se propage parce que ce mouvement est communiqué aux particules avoisinantes. Chaque particule agit donc comme une source de *petites ondes* secondaires. Par exemple, les particules du front d'onde *AB* de la figure 4.8 produisent de petites ondes secondaires qui, par la suite, forment le nouveau front d'onde *CD*. Pour expliquer la propagation rectiligne des rayons, Huygens supposa que seules les petites ondes se propageant vers l'avant avaient de l'importance et négligea celles des côtés comme étant « trop faibles pour être visibles »*. Dans sa forme actuelle, le **principe de Huygens** relatif à la construction des fronts d'onde s'énonce la manière suivante :

> Chacun des points d'un front d'onde agit comme une source de petites ondes secondaires. À un instant ultérieur, l'enveloppe des bords avant des petites ondes forme le nouveau front d'onde.

Selon l'énoncé moderne du principe, les « particules » dont parlait Huygens ont été remplacées par des « points » au sens mathématique. On peut en effet parler de particules dans le cas des ondes sonores ou des ondes à la surface de l'eau, mais pas dans le cas des ondes lumineuses, qui peuvent se propager dans le vide. Huygens utilisa ce principe pour établir la loi de la réflexion décrite ci-après.

On peut utiliser le principe d'Huygens pour obtenir la loi de la réflexion. La figure 4.9 représente des fronts d'onde qui atteignent une surface suivant un

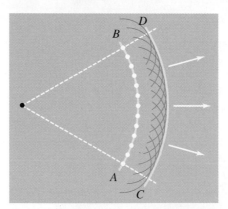

Figure 4.8

Selon le principe de Huygens, chaque point d'un front d'onde agit comme une source de petites ondes secondaires. Le front d'onde à un instant ultérieur est constitué par l'enveloppe de ces petites ondes. Si on se trouve assez loin d'une source ponctuelle, les fronts d'ondes apparaissent localement comme des portions de droites, comme c'est le cas à la figure 4.9.

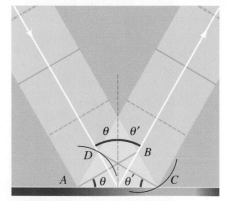

Figure 4.9

Dans l'intervalle de temps qu'il faut au point *B* du front d'onde *AB* pour atteindre la surface, la petite onde issue de *A* est parvenue en *D*. Les propriétés géométriques des triangles *ABC* et *ADC* nous permettent de conclure que $\theta = \theta'$.

---

* Des arguments justifiant cette méthode furent présentés pour la première fois au XIXᵉ siècle.

angle θ et qui sont réfléchis suivant un angle θ' par rapport à la surface. Puisque les rayons sont perpendiculaires aux fronts d'onde, les angles θ et θ' sont aussi les angles entre les rayons et la *normale* à la surface. Lorsque le bord A du front d'onde AB atteint la surface, il commence à produire son onde secondaire. La même chose se produit pour chaque point consécutif de AB qui atteint la surface. À l'instant où la petite onde secondaire issue de B atteint le point C, la petite onde issue de A est déjà parvenue au point D. La droite DC constitue le front d'onde réfléchi. Comme les vitesses des ondes incidente et réfléchie sont identiques, $AD = BC$. Les triangles ACD et ACB sont deux triangles rectangles ayant une hypoténuse en commun. On en déduit que $\theta = \theta'$, qui constitue la loi de la réflexion.

4.4 La réfraction

Une paille plongée dans un verre nous paraît pliée (figure 4.10); une loupe permet de focaliser les rayons du Soleil ou de faire paraître les objets plus grands qu'ils ne sont; la lumière solaire tombant sur un prisme produit un spectre multicolore. Tous ces effets et bien d'autres encore sont dus à la **réfraction**, c'est-à-dire à la déviation des rayons traversant la surface de séparation entre deux milieux. À la figure 4.11, les directions du rayon incident et du rayon réfracté sont repérées par l'*angle d'incidence* θ_1 et l'*angle de réfraction* θ_2, tous deux mesurés par rapport à la normale à la surface de séparation. Vers 130 av. J.-C., Ptolémée mesura ces angles pour la surface de séparation entre l'air et l'eau et suggéra que le rapport θ_1/θ_2 est constant, ce qui n'est pas vrai. La relation correcte entre l'angle d'incidence et l'angle de réfraction fut trouvée de façon expérimentale vers 1621 par un mathématicien hollandais nommé Willebrord Snell, qui ne la diffusa pas. Plus tard, René Descartes retrouva indépendamment cette relation et la rendit publique dans le cadre d'un exposé, publié vers 1635, portant sur l'arc-en-ciel (*cf.* Sujet connexe). Elle énonce que le rapport du sinus de l'angle d'incidence au sinus de l'angle de réfraction est constant, c'est-à-dire

$$\sin \theta_1/\sin \theta_2 = \text{constante}$$

En 1678, Huygens retrouva le résultat obtenu par Snell et Descartes en faisant le raisonnement qui suit. Supposons que les vitesses de la lumière dans les deux milieux soient v_1 et v_2, avec $v_1 > v_2$. À la figure 4.12, les angles entre la surface de séparation et les fronts d'onde incidents et réfractés sont respectivement

Figure 4.10

Une paille partiellement plongée dans un liquide nous apparaît pliée à cause de la réfraction de la lumière à la surface du liquide.

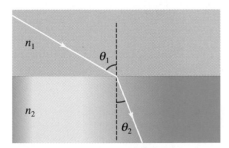

Figure 4.11

L'angle d'incidence θ_1 et l'angle de réfraction θ_2 sont liés par la loi de Snell-Descartes. La relation reste vraie si l'on inverse le sens du rayon.

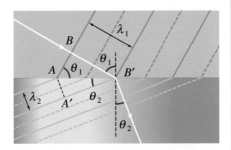

Figure 4.12

Le principe de Huygens permet d'expliquer la réfraction. La vitesse des ondes est plus faible dans le milieu plus réfringent (d'indice plus élevé). En une période, l'onde issue de A parcourt une longueur d'onde λ_2 et l'onde issue de B parcourt une longueur d'onde λ_1, avec $\lambda_2 < \lambda_1$.

θ_1 et θ_2. Dans un petit intervalle de temps Δt, la petite onde issue du point B du front d'onde AB parcourt une distance $v_1\Delta t$ jusqu'au point B', de telle sorte que $BB' = v_1\Delta t = AB' \sin \theta_1$. Durant ce laps de temps, la petite onde issue de A parcourt une distance $v_2\Delta t$ jusqu'au point A' du second milieu, de telle sorte que $AA' = v_2\Delta t = AB' \sin \theta_2$. Le nouveau front d'onde $A'B'$ est tangent aux petites ondes du front d'onde AB. Le rapport BB'/AA' donne

$$\frac{\sin \theta_1}{\sin \theta_2} = \frac{v_1}{v_2}$$

Selon cette équation, $\theta_1 > \theta_2$ si $v_1 > v_2$. Les rayons se *rapprochent* donc de la normale lorsqu'ils pénètrent dans un milieu où la *vitesse de l'onde est moins grande*. Notons que le rayon réfracté est dans le plan d'incidence défini par le rayon incident et la normale.

L'équation précédente s'exprime généralement en fonction de l'indice de réfraction de chaque milieu. L'**indice de réfraction** n d'un milieu est par définition le rapport de la vitesse c de la lumière dans le vide à la vitesse v dans le milieu :

$$n = \frac{c}{v} \tag{4.2}$$

On observe que la lumière a une vitesse maximale dans le vide. Ainsi, l'indice de réfraction est toujours égal ou supérieur à 1 (voir le tableau 4.1).

En fonction des indices de réfraction, on peut écrire

$$n_1 \sin \theta_1 = n_2 \sin \theta_2 \tag{4.3}$$

Cette relation est connue sous le nom de **loi de Snell-Descartes**. Si $n_2 > n_1$, alors $\theta_2 < \theta_1$; autrement dit, en pénétrant dans un milieu d'*indice de réfraction plus élevé* (milieu plus réfringent), les rayons se *rapprochent* de la normale. L'équation 4.3 est également valable si l'on inverse le sens de propagation des rayons. On peut donc intervertir les positions de la source ponctuelle et de l'œil.

La fréquence de l'onde, qui est déterminée par la source, est la même des deux côtés de la surface de séparation. En effet, le nombre de crêtes qui s'approchent de la surface en une seconde doit être égal au nombre de crêtes qui s'en éloignent en une seconde. Sinon, il y aurait accumulation de crêtes sur la surface, ce qui n'a jamais été observé. Si la longueur d'onde est λ_0 dans le vide et λ_n dans le milieu, alors $v = f\lambda_n$ et $c = f\lambda_0$. En remplaçant dans l'équation 4.2, on obtient

$$\lambda_n = \frac{\lambda_0}{n} \tag{4.4}$$

Comme le montre la figure 4.13, la longueur d'onde dans le milieu est plus courte que la longueur d'onde dans le vide.

Indice de réfraction

Tableau 4.1

Indices de réfraction de diverses substances à 20°C pour la lumière jaune (longueur d'onde de 598 nm dans le vide)

Substance	n
Air	1,0003
Eau	1,333
Verre crown*	1,5
Verre flint*	1,66
Zircon (ZrO_2SiO_2)	1,923
Diamant	2,409

* Le verre a une composition chimique et une densité qui peut varier, ce qui affecte l'indice de réfraction ; les indices qui sont donnés ici sont les valeurs usuelles qu'on utilisera dans les exercices, sauf avis contraire.

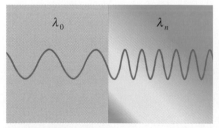

Figure 4.13

La longueur d'onde de la lumière dans un milieu est inférieure à sa longueur d'onde dans le vide : $\lambda_n = \lambda_0/n$. La fréquence de la lumière ne change pas au passage d'un milieu à un autre, car elle est déterminée par la source.

Exemple 4.2

Un rayon lumineux incident de longueur d'onde 600 nm dans l'air fait un angle de 35° avec la normale d'une plaque en verre de plomb (verre flint) dont l'indice de réfraction est de 1,6. On suppose que l'indice de réfraction de l'air est égal à 1. Déterminer : (a) l'angle de réfraction ; (b) la longueur d'onde de la lumière dans le verre ; (c) la vitesse de la lumière dans le verre.

Solution :

(a) D'après l'équation 4.3,

$$1 \sin 35° = 1,6 \sin \theta_2$$

ce qui donne $\sin \theta_2 = \sin 35°/1,6 = 0,358$ et donc $\theta_2 = 21°$. (b) La longueur d'onde dans le verre est donnée par l'équation 4.4 :

$$\lambda_n = \frac{\lambda_0}{n} = \frac{600 \text{ nm}}{1,6} = 375 \text{ nm}$$

(c) La vitesse de la lumière dans le verre est

$$v = \frac{c}{n} = \frac{3,00 \times 10^8 \text{ m/s}}{1,6} = 1,88 \times 10^8 \text{ m/s}$$

Exemple 4.3

Un rayon se propageant dans un milieu d'indice de réfraction n_1 pénètre dans une plaque de verre d'indice de réfraction n_2 suivant un angle α avec la normale à la plaque. Il émerge dans le milieu initial (figure 4.14). Montrer qu'il ressort de la plaque parallèlement à sa direction incidente.

Solution :

À la surface supérieure de la plaque, le rayon réfracté fait un angle β avec la normale. Selon la loi de Snell-Descartes,

$$n_1 \sin \alpha = n_2 \sin \beta \qquad \text{(i)}$$

Ce rayon réfracté tombe sur la surface inférieure suivant le même angle β par rapport à la normale et ressort de la plaque en faisant un angle γ avec la normale. Ainsi,

$$n_2 \sin \beta = n_1 \sin \gamma \qquad \text{(ii)}$$

En comparant (i) et (ii), on constate que $\alpha = \gamma$. Le rayon émergent est donc parallèle au rayon incident, mais il a subi un déplacement latéral (figure 4.14).

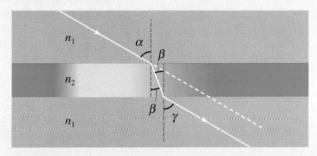

Figure 4.14

Lorsqu'un rayon traverse une lame d'épaisseur uniforme, il émerge parallèlement à sa direction initiale.

Exemple 4.4

De la lumière verte se propageant dans le verre ($n = 1,5$) émerge dans l'air suivant un angle de 40° avec la normale à la surface de séparation verre-air. La longueur d'onde dans l'air est de 546 nm. (a) Quel est l'angle d'incidence dans le verre ? (b) Quelle est la fréquence de la lumière dans le verre ?

Solution :

(a) D'après la loi de Snell-Descartes, $1,5 \sin \theta_1 = 1,0 \sin 40°$; on trouve $\theta_1 = 25,4°$. (b) La fréquence est la même que dans l'air, c'est-à-dire $f = c/\lambda_0 = 5,49 \times 10^{14}$ Hz.

Lorsqu'un rayon traverse une série de lames d'indices de réfraction croissants (figure 4.15), sa trajectoire se rapproche progressivement de la normale. Dans le cas d'une variation continue de l'indice, la trajectoire est une courbe lisse. Par conséquent, la trajectoire d'un rayon dans un milieu non homogène n'est pas rectiligne. Comme la densité de notre atmosphère décroît avec l'altitude, l'indice de réfraction décroît également. C'est pourquoi on peut encore voir le Soleil après qu'il soit passé sous l'horizon : sur la figure 4.16a, il apparaît comme s'il était situé en S'. La variation de l'indice de réfraction donne également lieu au phénomène de *mirage* : par temps chaud, l'air au niveau du sol est moins dense que l'air situé juste au-dessus, ce qui signifie que l'indice de réfraction augmente avec l'altitude jusqu'à un certain niveau. Les rayons proches du sol suivent donc une

Figure 4.15

Un rayon traversant plusieurs lames successives d'indices de réfraction croissants. Sa trajectoire a tendance à se rapprocher de la normale.

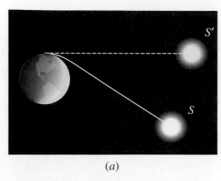
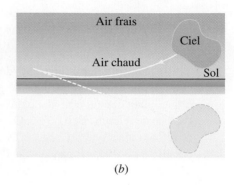

(a)   (b)

Figure 4.16

(a) Puisque l'indice de réfraction diminue avec l'altitude, les rayons du Soleil couchant sont réfractés comme le montre la figure. Le Soleil se trouve en S, alors qu'on a l'impression qu'il est en S'. (b) Par temps chaud, l'indice de réfraction de l'air au niveau du sol est parfois inférieur à celui des couches supérieures. Le mirage observé est en réalité une image du ciel.

trajectoire incurvée vers le haut (figure 4.16b). L'« eau » que l'on croit voir sur la route lorsqu'il fait très chaud n'est en fait que l'image du ciel et l'effet de miroitement est dû aux fluctuations aléatoires de la densité de l'air.

4.5 La réflexion totale interne

La figure 4.17 représente la surface de séparation entre deux milieux d'indices de réfraction n_a et n_i (i représentant le milieu incident et a, l'autre milieu), tels que $n_i > n_a$. Lorsqu'un rayon passe du milieu plus réfringent (d'indice le plus élevé) vers le milieu moins réfringent (d'indice le moins élevé), le rayon réfracté s'éloigne de la normale. Pour de petits angles d'incidence, à chaque rayon incident correspondent un rayon réfléchi et un rayon réfracté. Mais pour un certain angle d'incidence critique, θ_c, le rayon réfracté est parallèle à la surface de séparation. Si l'angle d'incidence est supérieur à θ_c, la lumière est totalement réfléchie vers le milieu plus réfringent. Ce phénomène, qui porte le nom de **réflexion totale interne**, a été découvert par Kepler en 1604. On détermine la valeur de θ_c à partir de la loi de Snell-Descartes en posant $\theta_i = \theta_c$ et $\theta_a = 90°$:

$$n_i \sin \theta_c = n_a \qquad (4.5)$$

Si le milieu moins réfringent est l'air, on peut poser $n_a = 1$. On trouve alors la valeur de l'angle d'incidence critique pour l'eau ($n = 1,33$), $\theta_c = 48,8°$, et pour le verre ($n \approx 1,5$), $\theta_c \approx 42°$.

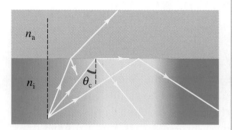

Figure 4.17

La lumière issue d'une source ponctuelle dans un milieu d'indice n_i tombe sur la surface de séparation avec un milieu d'indice n_a. Lorsque l'angle d'incidence atteint une valeur critique, il n'y a plus de rayon réfracté. La lumière subit alors une réflexion totale interne.

Exemple 4.5

Kepler utilisa la réflexion totale interne dans un bloc de verre pour dévier un faisceau lumineux (figure 4.18). (a) Si le bloc a un indice de réfraction de 1,35 et qu'il est entouré d'air ($n = 1$), pour quelles valeurs de l'angle d'incidence i sur la face supérieure a-t-on réflexion totale interne sur la face verticale ? (b) Pour un angle d'incidence i sur la face supérieure, quelle doit être la valeur minimale de l'indice de réfraction pour qu'il y ait réflexion totale interne sur la face verticale ? (c) On suppose que le bloc est immergé dans l'eau ($n = 1,33$) et que seule sa face supérieure est au-dessus de l'eau. On donne $i = 45°$. Quelle serait la valeur minimale de l'indice de réfraction du verre dans ce cas ?

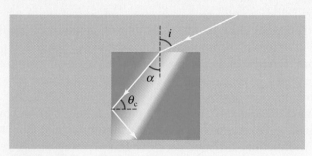

Figure 4.18

Un rayon pénètre dans un bloc de verre et subit une réflexion totale interne sur la face verticale.

Solution :

(a) Il y a réflexion totale interne sur la face verticale si l'angle d'incidence est supérieur à l'angle critique, qui est déterminé par l'équation 4.5 : $1{,}35 \sin \theta_c = 1$, d'où $\theta_c = 47{,}8°$. On voit sur la figure que $\alpha = 90°$ $- \theta_c = 42{,}2°$. En appliquant la loi de Snell-Descartes pour la face supérieure, on obtient $1 \sin i = 1{,}35 \sin 42{,}2°$, d'où $i = 65{,}1°$. Si on diminue i, on diminue α mais on augmente l'angle d'incidence sur la face verticale : on demeure ainsi en situation de réflexion totale interne. L'angle d'incidence i peut donc prendre n'importe quelle valeur entre 0 et 65,1°.

(b) L'angle de réfraction à la traversée de la surface supérieure est donné par la loi de Snell-Descartes :

$$n \sin \alpha = \sin i \qquad (i)$$

Il y a réflexion totale interne sur la face verticale si l'angle d'incidence est supérieur à l'angle critique, qui est déterminé par

$$n \sin \theta_c = 1 \qquad (ii)$$

On voit sur la figure que $\theta_c = 90° - \alpha$, donc $\sin \theta_c = \cos \alpha$. On en déduit que

$$n \cos \alpha = 1 \qquad (iii)$$

En élevant au carré les deux membres des équations (i) et (iii) et en les additionnant, on obtient

$$n^2 \cos^2 \alpha + n^2 \sin^2 \alpha = 1 + \sin^2 i \qquad (iv)$$

Par conséquent,

$$n = (1 + \sin^2 i)^{1/2} \qquad (v)$$

(c) Dans la solution de la partie (b), l'équation (iii) devient

$$n \cos \alpha = 1{,}33$$

l'équation (iv) devient

$$n^2 \cos^2 \alpha + n^2 \sin^2 \alpha$$
$$= 1{,}33^2 + \sin^2 i = 1{,}77 + \sin^2 i$$

et l'équation (v) devient

$$n = (1{,}77 + \sin^2 i)^{1/2}$$

Pour $i = 45°$, on trouve $n = 1{,}51$.

La réflexion totale interne a plusieurs applications. La figure 4.19 représente un prisme de 45° et un rayon incident normal à l'une des deux faces perpendiculaires. Puisque l'angle d'incidence sur la troisième face (hypoténuse) est supérieur à θ_c (= 42°), la lumière subit une réflexion totale interne, avec un rendement voisin de 100 %. Même les meilleurs miroirs métalliques ne réfléchissent que 95 % environ de l'énergie incidente. La figure 4.20 représente le système optique d'une paire de jumelles, constitué de deux prismes servant à inverser l'image (de bas en haut) et à la rectifier (de gauche à droite).

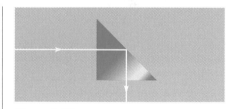

Figure 4.19

Réflexion totale interne de la lumière dans un prisme de 45°.

▶ **Figure 4.20**

Le système optique d'une paire de jumelles fait intervenir la réflexion totale interne dans deux prismes pour renverser l'image et intervertir la gauche et la droite de sorte que le champ de vision observé par l'œil soit normal.

Figure 4.21

La réflexion totale interne permet à la lumière de se propager dans une fibre optique.

Figure 4.22

Un faisceau «cohérent» de fibres optiques permet d'examiner les organes internes sans faire appel à la chirurgie.

Figure 4.23

Une seule fibre optique peut transmettre autant d'information qu'un gros faisceau de fils de cuivre.

Les **fibres optiques** sont de minces fibres de verre ou de plastique, de 10 µm à 50 µm d'épaisseur. Un rayon qui pénètre avec un angle approprié par une extrémité de la fibre subit une série de réflexions totales internes et il est donc acheminé le long de la fibre sans perte notable sur les parois (figure 4.21). Un faisceau de fibres très serrées, dont les positions relatives sont maintenues constantes, constitue ainsi un outil d'observation particulièrement utile en médecine. Un tel faisceau «cohérent» peut en effet servir à examiner des organes internes, comme l'estomac, sans avoir à pratiquer d'opération chirurgicale importante (figure 4.22). Il est important de recouvrir chaque fibre d'un matériau d'indice de réfraction différent pour éviter les pertes créées par la mise en contact de deux fibres. Les fibres optiques sont également de plus en plus utilisées pour remplacer les câbles des réseaux téléphoniques terrestres (figure 4.23). Le mécanisme de transmission de la lumière dans une fibre optique est plus complexe qu'une simple réflexion totale interne, mais il s'y apparente néanmoins.

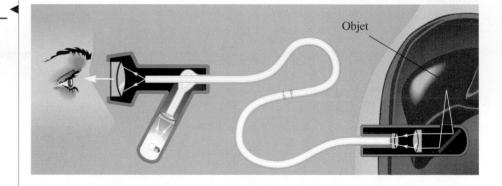

Objet

4.6 Le prisme et la dispersion

En général, l'indice de réfraction d'un milieu est fonction de la longueur d'onde. La figure 4.24 représente la variation caractéristique de l'indice de réfraction d'un verre dans la région visible (400 à 700 nm). Chaque couleur que nous percevons correspond à une plage très étroite de longueurs d'onde. Le rouge, qui a la plus grande longueur d'onde, correspond à un indice de réfraction plus faible que le violet, qui a la plus courte longueur d'onde. Lorsqu'un faisceau de lumière blanche, qui comprend toutes les longueurs d'onde visibles, tombe selon un certain angle sur une surface en verre, il est dispersé en un spectre multicolore. Si le verre a deux faces parallèles, les rayons qui émergent de la deuxième face sont parallèles aux rayons incidents (figure 4.25). Les faces non parallèles d'un prisme triangulaire servent à augmenter la séparation angulaire entre les couleurs et à rendre les rayons émergents non parallèles (figure 4.26). Chaque longueur d'onde a son propre angle de déviation δ par rapport au rayon initial.

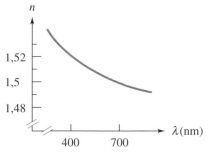

Figure 4.24

Une courbe de dispersion caractéristique. L'indice de réfraction diminue au fur et à mesure que la longueur d'onde augmente.

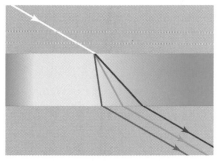

Figure 4.25

Si des rayons superposés de couleurs différentes traversent une lame d'épaisseur uniforme, les rayons sortants sont dispersés mais parallèles.

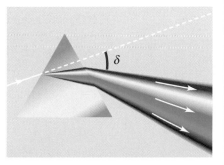

Figure 4.26

Un prisme triangulaire disperse la lumière blanche, qui est un mélange de toutes les couleurs, et fait diverger le faisceau sortant. L'angle δ, appelé angle de déviation, dépend de la couleur.

Le spectroscope à prisme (figure 4.27) est un dispositif servant à analyser la lumière émise par diverses sources. La lumière émise par la source passe par une mince fente puis par un collimateur, qui en fait un faisceau parallèle. Au passage du faisceau à travers le prisme, les diverses longueurs d'onde sont réfractées différemment. On observe la lumière sortant du prisme à l'aide d'un télescope. La source est parfois constituée par un sel placé dans une flamme ou, plus fréquemment, par un gaz de faible densité soumis à une décharge électrique. Le spectre émis par un élément est composé d'une série de longueurs d'onde, visibles sous forme de raies multicolores dans le télescope (*cf.* chapitre 9). Ce spectre de raies est caractéristique de chaque élément et peut donc servir à l'identifier.

▶ **Figure 4.27**

Un spectroscope à prisme. La lumière issue d'une source passe dans un collimateur qui en donne un faisceau parallèle. On examine la lumière dispersée à l'aide d'un télescope.

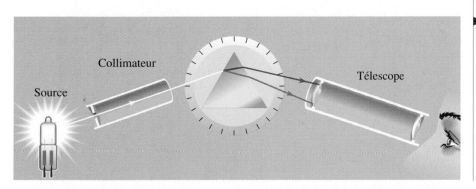

Exemple 4.6

Un rayon incident frappe à un angle de 45° une face d'un prisme équilatéral d'indice de réfraction égal à 1,55. Quel est l'angle de sortie du rayon par rapport à la normale de la deuxième face ? Le milieu environnant est l'air ($n = 1$).

Solution :

On cherche l'angle β (voir figure 4.28). L'angle de réfraction r à la première face est donné par la loi de Snell-Descartes :

$$1 \sin 45° = 1,55 \sin r$$

d'où $r = 27,1°$. Soit α, l'angle d'incidence sur la deuxième face. Considérons le triangle délimité par le sommet du prisme, le point d'entrée du rayon et le point de sortie du rayon. Puisque la somme des angles internes d'un triangle vaut 180°,

$$(90° - r) + (90° - \alpha) + 60° = 180°$$

d'où $\alpha = 60° - r = 32,9°$. En appliquant la loi de Snell-Descartes à la deuxième face,

$$1,55 \sin 32,9° = 1 \sin \beta$$

On trouve $\beta = 57,3°$.

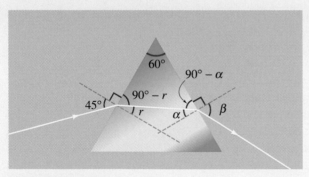

Figure 4.28

Trajectoire d'un rayon lumineux traversant un prisme.

Exemple 4.7

Lors du passage d'un rayon de lumière à travers un prisme, on peut montrer que l'angle de déviation a une valeur *minimale* lorsque le rayon traverse le prisme de façon symétrique, c'est-à-dire lorsqu'il ressort suivant un angle égal à l'angle d'incidence.

Sachant cela, trouver l'expression donnant l'indice de réfraction d'un prisme en fonction de l'angle au sommet du prisme et de l'angle de déviation minimal.

Solution :

La figure 4.29 représente un rayon de lumière monochromatique (une seule longueur d'onde) tombant sur un prisme. L'angle de déviation δ du faisceau dépend de l'angle i suivant lequel le faisceau tombe sur la face du prisme.

L'angle au sommet du prisme est ϕ. Pour chaque face que le rayon traverse, sa direction change de $(i - r)$ et la déviation totale est donc

$$\delta_{\min} = 2(i - r)$$

Puisque l'angle entre les normales PR et QR aux faces est égal à l'angle entre les faces, on voit dans le triangle PQR que $\phi = 2r$.

La loi de Snell-Descartes s'écrit $\sin i = n \sin r$, avec $i = \frac{1}{2}\delta_{\min} + r$. Par conséquent, $n = \sin i / \sin r$ devient

$$n = \frac{\sin\left(\dfrac{\phi + \delta_{\min}}{2}\right)}{\sin\left(\dfrac{\phi}{2}\right)}$$

On peut utiliser cette expression pour trouver n en mesurant $\delta_{\min}$. En mesurant les déviations minimales correspondant à des valeurs connues de la longueur d'onde, on peut tracer une *courbe de dispersion* comme celle de la figure 4.24.

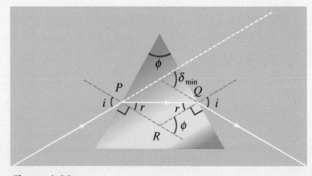

Figure 4.29

À l'angle de déviation minimal, le rayon ressort du prisme symétriquement par rapport à lui-même.

4.7 Les images formées par un miroir plan

Les premières références aux miroirs se trouvent dans l'*Exode*, 38,8 (vers 1200 av. J.-C.) et dans *Job*, 37,18 (vers 600 av. J.-C.). Les miroirs étaient alors en bronze poli, un alliage de cuivre et d'étain. Les Romains parvinrent à en améliorer la qualité en augmentant la proportion d'étain pour produire un alliage qu'ils appelaient *speculum* (d'où vient l'expression « réflexion spéculaire »). Les Chinois pourraient avoir fait de même aussi vers 400 av. J.-C. Selon la légende, Archimède se servit de miroirs pour mettre le feu à la flotte romaine de Marcellus à Syracuse (vers 212 av. J.-C.). Même s'il ne s'agit que d'une légende, sa vraisemblance fut démontrée en 1973 (figure 4.30). De nos jours, on fabrique les miroirs en vaporisant de l'aluminium sur une surface polie.

▶ **Figure 4.30**

En 1973, l'historien grec I. Sakkas fit aligner 70 soldats munis de boucliers plats en cuivre et leur demanda de réfléchir la lumière solaire vers une barque située à 50 m de la berge. La barque prit bientôt feu. On raconte qu'Archimède avait utilisé cette méthode pour mettre le feu à la flotte romaine.

La formation de l'image d'un corps solide dans un miroir plan est représentée à la figure 4.31. De chaque point de l'objet partent des rayons qui divergent dans toutes les directions, mais nous n'étudions que le comportement d'un petit cône de lumière. À chaque point de l'objet correspond un point image. Considérons un point donné sur l'objet, comme l'extrémité inférieure de la flèche. Cet objet est situé à une distance p du miroir et son image est à une distance q. *OMA* et *IMA* sont des triangles rectangles. D'après la loi de la réflexion, les angles *OAM* et *IAM* sont égaux. Les triangles *OMA* et *IMA* sont donc congruents et

$$p = q \qquad (4.6)$$

c'est-à-dire *la distance objet est égale à la distance image**. L'image d'un objet dans un miroir plan est de même dimension que l'objet. (Si l'œil est plus proche de l'un ou de l'autre, il ne va pas les percevoir comme étant de même dimension.) On remarque que, pour une position donnée de l'œil, une partie seulement du miroir suffit pour former une image complète.

Une réflexion dans un miroir plan semble intervertir la gauche et la droite. La figure 4.32*a* représente une personne face à un miroir, alors qu'à la figure 4.32*b* la personne se tient de profil. Dans les deux cas, si la personne lève le bras droit, son image lève le bras « gauche ». Nous employons les termes « droite » et « gauche » en parlant de l'image conformément à notre façon habituelle de voir les gens qui nous entourent. Pour bien illustrer le rôle du miroir, il est préférable de considérer un système de coordonnées. On voit à la figure 4.33 que les axes x et y, parallèles au plan du miroir, ne changent pas de sens, alors que le sens de l'axe z, perpendiculaire au plan du miroir, est inversé.

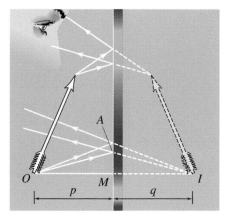

Figure 4.31

Les rayons servant à construire l'image d'une flèche dans un miroir. La distance objet p est égale à la distance image q. Les rayons véritables sont en trait plein et les prolongements de rayons sont en pointillés.

---

* D'après la convention de signes que l'on verra à la section suivante, l'équation 4.6 s'écrit plutôt $p = -q$.

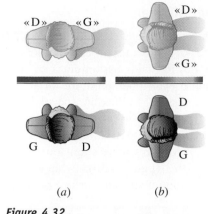

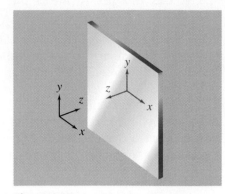

Figure 4.32

Lorsqu'une personne se tient debout en face d'un miroir plan, la droite et la gauche paraissent interverties.

Figure 4.33

Un miroir plan ne modifie pas les axes x et y qui sont dans son plan, mais inverse le sens de l'axe z qui lui est perpendiculaire.

Exemple 4.8

On place un objet entre deux miroirs plans perpendiculaires. Combien d'images voit-on ?

Solution :

À la figure 4.34, l'objet est constitué par l'extrémité inférieure d'une flèche. Ses images dans les miroirs M_1 et M_2 sont I_1 et I_2 sur la figure si la lumière pénètre dans l'œil après une seule réflexion. Mais la lumière peut aussi pénétrer dans l'œil après avoir été réfléchie par les deux miroirs. Les rayons correspondant à la formation de l'image I_3 sont représentés sur la figure. On remarque que I_3 serait une image de I_1 si l'on prolongeait M_2 vers le bas. De même, I_3 est une image de I_2 dans le « miroir virtuel » obtenu en prolongeant M_1 vers la gauche.

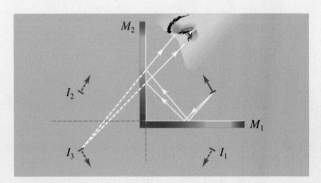

Figure 4.34

Un objet placé entre deux miroirs perpendiculaires va produire trois images. On voit que l'image I_3 est obtenue après deux réflexions. On peut facilement trouver les positions des images en imaginant que les miroirs se prolongent dans la région « virtuelle » (pointillés).

Exemple 4.9

Quelle doit être la longueur minimale d'un miroir pour qu'une personne puisse se voir de la tête aux pieds ? On suppose que les yeux sont à une distance a du sommet de la tête et à une distance b au-dessus des pieds.

Solution :

Les rayons provenant des pieds et du sommet de la tête pénètrent dans l'œil après avoir été réfléchis sur le miroir (figure 4.35). On sait que l'angle d'incidence est égal à l'angle de réflexion. La lumière provenant

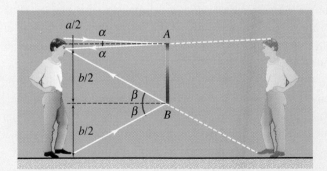

Figure 4.35

Un miroir de hauteur égale à la moitié de la taille d'une personne est suffisant pour qu'elle puisse se voir de la tête aux pieds.

des pieds pénètre dans l'œil après avoir été réfléchie au point *B*, qui se trouve à *b*/2 au-dessus du sol. La lumière du sommet de la tête pénètre dans l'œil après avoir été réfléchie au point *A*, situé à une distance *a*/2 sous le sommet de la tête. La hauteur totale de la personne est *a* + *b* et la longueur requise pour le miroir est *a*/2 + *b*/2, c'est-à-dire la moitié de la taille de la personne. Remarquez que la distance horizontale à laquelle se tient la personne n'a pas d'importance. Toutefois, la position verticale du miroir a de l'importance : le bas du miroir doit se trouver à une distance *b*/2 du sol (figure 4.35).

4.8 Les miroirs sphériques

Nous allons maintenant étudier la formation des images données par des miroirs à surfaces sphériques. Un miroir **concave** (figure 4.36*a*) est un miroir dont la partie centrale de la surface réfléchissante est creuse, alors qu'elle est bombée dans le cas d'un miroir **convexe** (figure 4.36*b*).

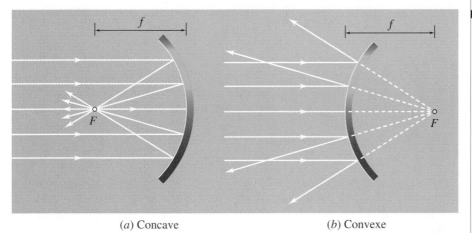

(*a*) Concave   (*b*) Convexe

► *Figure 4.36*

(*a*) Après réflexion sur un miroir concave, les rayons parallèles à l'axe optique convergent vers un foyer réel. (*b*) Après réflexion sur un miroir convexe, les rayons parallèles à l'axe optique divergent à partir d'un foyer virtuel.

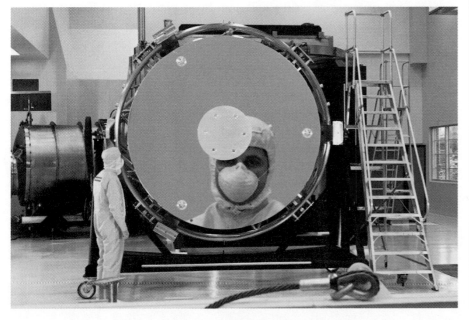

► Une image agrandie donnée par le miroir du télescope spatial Hubble.

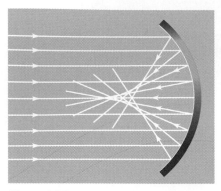

Figure 4.37

Si les rayons incidents parallèles tombent sur le miroir à différentes distances de l'axe d'un miroir sphérique, les rayons réfléchis ne convergent pas en un même point.

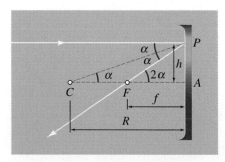

Figure 4.38

La distance focale *f* d'un miroir sphérique est égale à la moitié du rayon de courbure *R*.

En général, les rayons parallèles réfléchis par un miroir concave coupent l'axe principal en des points distincts (figure 4.37). L'image d'une source située à l'infini est donc brouillée. Ce phénomène, connu sous le nom d'**aberration de sphéricité**, est une conséquence de la géométrie sphérique du miroir. Les Grecs savaient qu'un miroir *parabolique* permet de focaliser en un seul point des rayons parallèles incidents. Les rayons issus d'une source ponctuelle placée au foyer d'un tel miroir donnent un faisceau de rayons parallèles après réflexion. Cette propriété est utilisée notamment dans les projecteurs. Les miroirs sphériques étant faciles à réaliser, ils sont encore très largement utilisés ; c'est donc le type de miroir que nous allons étudier de plus près.

On peut négliger l'aberration de sphéricité des miroirs sphériques à condition de se limiter à l'**approximation paraxiale**, qui consiste à ne considérer que les rayons proches de l'axe central, ou **axe optique**, et qui font donc un petit angle avec lui. Dans la pratique, cette condition est vérifiée si l'on utilise un miroir de très petite dimension par rapport au rayon de courbure de la surface.

Lorsqu'on fait un dessin à l'échelle des rayons émis par un objet et réfléchis par un miroir sphérique et qu'on désire tenir compte de l'approximation paraxiale, *il est préférable de représenter les miroirs sphériques, qu'ils soient concaves ou convexes, par des surfaces réfléchissantes planes* (figure 4.38 et suivantes). En effet, dans l'approximation paraxiale, on ne doit considérer que la portion du miroir sphérique qui est très rapprochée de l'axe optique. Représenter le trajet des rayons devient alors très difficile, car tous les rayons sont pratiquement confondus avec l'axe optique… à moins de tricher un peu et d'exagérer l'échelle perpendiculaire à l'axe optique ; par le fait même, la courbure du miroir devient imperceptible, et on peut carrément ne pas la représenter. Toutefois, afin de distinguer les miroirs concaves des miroirs convexes, on peut, si on le désire, recourber le haut et le bas de chaque miroir, au-delà de la portion utilisée pour le tracé des rayons.

Lorsqu'un faisceau de rayons parallèles tombe sur un miroir sphérique, chaque rayon est réfléchi conformément à la loi de la réflexion. Dans l'approximation paraxiale, les rayons parallèles réfléchis par un miroir concave convergent en un **foyer réel** *F* par lequel ils passent (figure 4.36*a*). Les rayons parallèles réfléchis par un miroir convexe semblent diverger à partir d'un foyer *F* situé derrière le miroir (figure 4.36*b*). Puisque les rayons ne passent pas réellement par ce point, nous dirons qu'il s'agit d'un **foyer virtuel**. Dans les deux cas, la distance entre le miroir et le foyer est la **distance focale** *f*.

Il existe une relation simple entre la distance focale et le rayon de courbure d'un miroir sphérique. À la figure 4.38, *C* est le centre de courbure et *R* est le rayon de courbure d'un miroir concave. Considérons un rayon incident au point *P*, à une distance *h* au-dessus de l'axe principal ; il fait un angle α avec le segment *CP*. Sur la figure, les angles ont été exagérés. Puisque *CP* est normal à la surface, le rayon réfléchi doit également faire un angle α avec *CP*. L'angle extérieur *PFA* est égal à la somme des deux angles intérieurs *FCP* et *CPF* et est donc égal à 2α. Comme on suppose que tous les angles sont petits, on peut utiliser l'approximation $\tan \alpha \approx \alpha$; on a donc $\alpha \approx h/R$ et $2\alpha \approx h/f$, ce qui donne

$$f = \frac{R}{2} \tag{4.7}$$

La distance focale *f* est égale à la moitié du rayon de courbure *R* du miroir, résultat qui fut obtenu pour la première fois en 1591 par G. Della Porta.

Tracé des rayons principaux

Si un objet est situé à l'infini, son image est au foyer. En 1735, Robert Smith imagina un moyen simple pour trouver la position de l'image d'un objet de position quelconque ; il s'agit du *tracé des rayons principaux*. Par souci de clarté, on dessine en général les rayons qui sont assez éloignés de l'axe principal ou qui font un grand angle avec lui. Toutefois, les résultats obtenus à l'aide de ces tracés ne sont valables que dans l'approximation paraxiale. Pour déterminer la position d'une image, il suffit de tracer deux des **rayons principaux** suivants.

1. Un rayon *passant par le centre de courbure du miroir* donne un rayon réfléchi qui passe lui aussi par le centre de courbure.

2. Un rayon *parallèle à l'axe optique* donne un rayon réfléchi qui passe par le foyer.

3. Un rayon *passant par le foyer* donne un rayon réfléchi parallèle à l'axe optique.

4. Un rayon *tombant au centre du miroir* donne un rayon réfléchi qui fait le même angle avec l'axe optique.

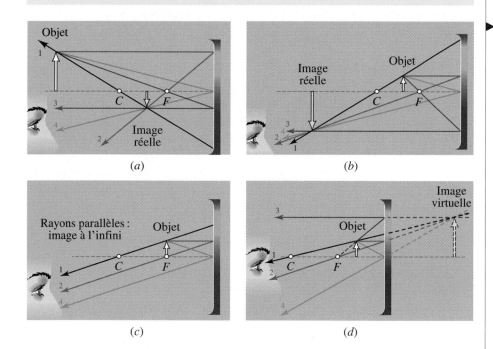

(a) (b) (c) (d)

Ces divers rayons sont tracés à la figure 4.39 dans le cas d'un miroir concave. Lorsque l'objet est plus rapproché que le centre de courbure, on doit parfois interpréter les règles que nous venons d'énoncer relativement au *prolongement* des rayons. Par exemple, à la figure 4.39d, c'est le prolongement du troisième rayon principal qui passe par le foyer. Du point de vue du miroir, cela importe peu que le rayon ne passe pas réellement par le foyer : il vient de la direction du foyer, et c'est cela qui est important. La figure 4.40 illustre la situation générale dans le cas d'un miroir convexe.

Images et objets réels et virtuels

Dans les situations illustrées aux figures 4.31, 4.39d et 4.40, les rayons réfléchis donnent à l'observateur (« l'œil » sur les figures) l'impression de provenir d'une image située derrière le miroir. Toutefois, les rayons lumineux ne passent pas

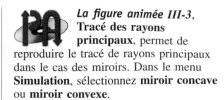

La figure animée III-3, **Tracé des rayons principaux**, permet de reproduire le tracé de rayons principaux dans le cas des miroirs. Dans le menu **Simulation**, sélectionnez **miroir concave** ou **miroir convexe**.

Rayons principaux dans le cas des miroirs sphériques

▶ *Figure 4.39*

Rayons servant à construire une image pour un miroir concave. Les numéros à côté des rayons se réfèrent aux quatre règles énoncées dans le texte. Les rayons véritables sont en trait plein et les prolongements de rayons sont en pointillés. (*a*) L'objet est plus éloigné que le centre de courbure. (*b*) L'objet est situé entre le centre de courbure et le foyer. (*c*) L'objet est au foyer ; le troisième rayon principal ne peut être tracé. (*d*) L'objet est plus rapproché que le foyer. On remarque que deux rayons suffisent pour déterminer la position de l'image.

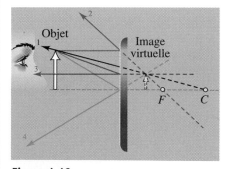

Figure 4.40

Rayons servant à construire une image pour un miroir convexe.

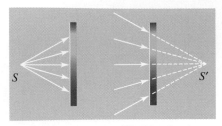

(a) Objet réel   (b) Objet virtuel

Figure 4.41

(a) Les rayons associés à un objet réel S divergent à partir de S vers un miroir, ou tout autre dispositif optique. (b) Les rayons associés à un objet virtuel S' convergent vers S' qui est situé au-delà du miroir ou de tout autre dispositif optique.

Tableau 4.2

Comportement des rayons lumineux

Les rayons divergent à partir d'un objet réel.
Les rayons convergent vers une image réelle.
Les rayons semblent converger vers un objet virtuel.
Les rayons semblent diverger à partir d'une image virtuelle.

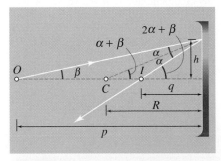

Figure 4.42

Un rayon issu d'un point objet O sur l'axe optique coupe l'axe au point image I. La distance objet p et la distance image q sont liées par la formule des miroirs.

vraiment par l'image ; on dit alors qu'il s'agit d'une **image virtuelle**. Si on place un écran à la position d'une image virtuelle, aucune image ne s'y forme, car il n'y a pas réellement de lumière à cet endroit. En revanche, dans les situations illustrées aux figures 4.39a et b, les rayons qui forment l'image se croisent réellement à la position de l'image ; on dit alors qu'il s'agit d'une **image réelle**. Si on place un écran à la position de l'image réelle, une véritable image y sera recueillie. Sur les dessins, les images réelles sont représentées en lignes pleines, alors que les images virtuelles sont dessinées en pointillés. Lorsque les rayons réfléchis sont parallèles entre eux, comme à la figure 4.39c, on considère que l'image est située à l'infini. On ne peut alors dire si elle est réelle ou virtuelle.

Comme les images, les objets aussi peuvent être réels ou virtuels. Dans les situations que nous avons étudiées jusqu'à présent, les rayons incidents divergent en provenance de l'objet S, comme à la figure 4.41a. On dit alors que S est un **objet réel**. Mais il arrive que des rayons arrivent en convergeant sur un miroir (ou tout autre dispositif optique), comme à la figure 4.41b : nous verrons plus loin que l'on peut produire de tels rayons à l'aide d'un miroir courbe ou d'une lentille. Le point S' au-delà du miroir où les rayons se couperaient *s'il n'y avait pas de miroir* est alors considéré comme un **objet virtuel**. Nous ne rencontrerons pas d'objet virtuel dans les exercices et les problèmes avant le chapitre suivant.

La formule des miroirs

Au lieu d'utiliser les rayons principaux pour déterminer la position de l'image, on peut établir une équation mettant en relation la **distance objet** p et la **distance image** q avec la distance focale. Nous n'allons étudier en détail que le cas du miroir concave. Dans l'approximation paraxiale, tous les rayons issus du point objet O (figure 4.42) vont atteindre le point image I. Les images des points voisins de O qui ne sont pas sur l'axe sont également situées en des points uniques voisins de I. À la figure 4.42, on considère un rayon arbitraire qui, une fois réfléchi, coupe l'axe principal en I. Pour les petits angles, $\tan \theta \approx \theta$, donc

$$\beta \approx \frac{h}{p} ; \quad \alpha + \beta \approx \frac{h}{R} ; \quad 2\alpha + \beta \approx \frac{h}{q}$$

Puisque $(2\alpha + \beta) = 2(\alpha + \beta) - \beta$, on obtient

$$\frac{h}{q} = \frac{2h}{R} - \frac{h}{p}$$

Sachant que $f = R/2$, cette équation équivaut à

$$\frac{1}{p} + \frac{1}{q} = \frac{1}{f}$$

Le raisonnement est très semblable pour un miroir convexe et il est laissé en guise d'exercice. Le résultat qu'on obtient dans ce cas est $1/p - 1/q = -1/f$. Les signes négatifs signifient que l'image et le foyer sont tous deux virtuels. Pour ne pas avoir à mémoriser deux équations, nous utilisons une seule **formule des miroirs**.

Formule des miroirs

$$\frac{1}{p} + \frac{1}{q} = \frac{1}{f} \tag{4.8}$$

accompagnée de la convention de signe suivante :

> Pour les distances focales f, les distances objet p et les distances image q, les grandeurs réelles sont positives, et les grandeurs virtuelles sont négatives.

Grandissement transversal

En général, la dimension de l'image n'est pas égale à celle de l'objet. Le **grandissement transversal** (ou **linéaire**) m est défini comme étant le rapport de la hauteur de l'image y_I à la hauteur de l'objet y_O, c'est-à-dire $m = y_I/y_O$. D'après la figure 4.43, on voit que $\tan \alpha = y_O/p = -y_I/q$. Par conséquent,

$$m = \frac{y_I}{y_O} = -\frac{q}{p} \qquad (4.9)$$

Si m est positif, l'image est *droite* ; si m est négatif, l'image est *renversée*. Si $|m| > 1$, l'image est *agrandie* ; si $|m| < 1$, l'image est *réduite*. L'image produite par un miroir concave peut être soit droite, soit renversée. Un miroir convexe donne toujours une image virtuelle, droite et réduite d'un objet réel (figure 4.40 et figure 4.44*b*).

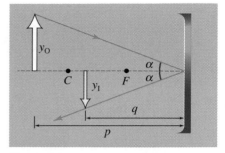

Figure 4.43

Le grandissement transversal (linéaire) m est égal, par définition, au rapport de la hauteur de l'image y_I à la hauteur de l'objet y_O : $m = y_I/y_O$.

Grandissement transversal (linéaire)

Exemple 4.10

Un objet de hauteur 2 cm se trouve à 2 cm d'un miroir sphérique dont le rayon de courbure est de 8 cm. Déterminer la position et la dimension de l'image sachant que le miroir est (a) concave ; (b) convexe. Dans chaque cas, répondre par la formule des miroirs et par le tracé des rayons principaux sur un dessin à l'échelle.

Solution :

(a) On nous donne la distance focale $f = R/2 = 4$ cm et la distance objet $p = 2$ cm. Nous déterminons la position de l'image en utilisant la formule des miroirs, $1/p + 1/q = 1/f$. En remplaçant les variables par leurs valeurs, on obtient

$$\frac{1}{2 \text{ cm}} + \frac{1}{q} = \frac{1}{4 \text{ cm}}$$

Donc, $q = -4$ cm. Le signe négatif signifie que l'image est virtuelle et située à droite du miroir. D'après l'équation 4.9, le grandissement transversal est égal à

$$m = -\frac{q}{p} = +2$$

Comme m est positif, l'image est droite. Le module de m étant supérieur à 1, l'image est agrandie. Sa dimension est $y_I = 2(2 \text{ cm}) = 4$ cm. Ces résultats peuvent aussi être obtenus graphiquement à l'aide de la figure 4.44*a*, où on a représenté les rayons principaux 1 et 3. Remarquez que le miroir a été dessiné droit, en raison de l'exagération de l'échelle verticale nécessaire pour bien voir les rayons paraxiaux. Remarquez aussi qu'on n'a pas tenu compte de cette exagération d'échelle pour la taille de l'objet : cela est inutile, puisque ce qui nous intéresse ici, c'est de comparer la taille de l'objet et la taille de l'image. (b) Pour le miroir convexe, on utilise la même méthode mais avec $f = -4$ cm. La formule du miroir donne

$$\frac{1}{2 \text{ cm}} + \frac{1}{q} = -\frac{1}{4 \text{ cm}}$$

d'où l'on tire $q = -4/3$ cm. L'image est encore virtuelle. Le grandissement transversal est

$$m = -\frac{q}{p} = +\frac{2}{3}$$

L'image est droite et réduite. Sa dimension est $y_I = 2/3(2 \text{ cm}) = 1,33$ cm. Ces résultats peuvent aussi être obtenus graphiquement à l'aide de la figure 4.44*b*, où on a représenté les rayons principaux 2 et 4.

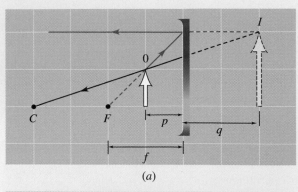

(a)

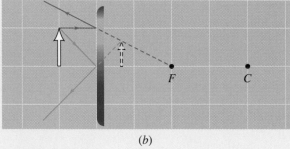

(b)

Figure 4.44

(a) Un objet réel situé à une distance d'un miroir concave inférieure à sa distance focale donne une image virtuelle, droite et agrandie. (b) Un miroir convexe donne d'un objet réel une image virtuelle, droite et réduite.

Exemple 4.11

Un objet de hauteur 2 cm est situé à 12 cm d'un miroir sphérique. L'image est droite et sa hauteur est de 3,2 cm. De quel type de miroir s'agit-il?

Solution:

On nous donne $p = 12$ cm. L'image étant droite, m est positif et a pour valeur $m = +3,2/2 = 1,6$. Comme $m = -q/p$, on obtient $q = -1,6p = -19,2$ cm; l'image est virtuelle, droite et agrandie; il s'agit donc d'un miroir concave. Cela nous est confirmé par la formule des miroirs, car on a

$$\frac{1}{12 \text{ cm}} - \frac{1}{19,2 \text{ cm}} = \frac{1}{f}$$

d'où l'on tire $f = +32$ cm. Le signe positif signifie que le miroir est concave.

4.9 **La vitesse de la lumière**

Les premières tentatives pour mesurer la vitesse de la lumière sont attribuables à Galilée, en 1635. En pleine nuit, lui et un assistant, munis d'une lanterne, se placèrent à une distance de 1 km l'un de l'autre. Galilée dévoila brièvement sa lanterne; lorsqu'il vit la lumière, l'assistant renvoya un signal identique. Galilée avait l'intention de calculer la vitesse de la lumière en mesurant l'intervalle de temps écoulé pour l'aller et retour du signal lumineux, la distance parcourue étant connue. Malheureusement, ses résultats ne furent pas concluants, car ils étaient inexorablement entachés des incertitudes liées aux temps de réaction.

La méthode de Römer

Astronome danois travaillant à Paris, Ole Römer présenta en 1676 les mesures qu'il avait faites de la période de Io, l'un des satellites de Jupiter. Io a une période moyenne à peine inférieure à 42,5 h. Cette période fut mesurée en relevant l'heure à laquelle Io pénètre dans l'ombre de Jupiter ou en sort, c'est-à-dire au début ou à la fin de son éclipse. Römer mit en évidence une variation systématique de cette période au cours de chaque année. La figure 4.45 représente la Terre et Jupiter en orbite autour du Soleil et le satellite de Jupiter en orbite autour de cette planète. Römer découvrit que la période avait sa valeur moyenne lorsque la Terre se trouvait au point de sa trajectoire le plus proche ou le plus éloigné de Jupiter, c'est-à-dire en *A* ou en *B*. Quand la Terre s'éloignait de Jupiter, de *C* à *D*, la période était plus longue que la moyenne, alors qu'elle était plus courte quand la Terre se rapprochait de Jupiter, de *E* à *F*.

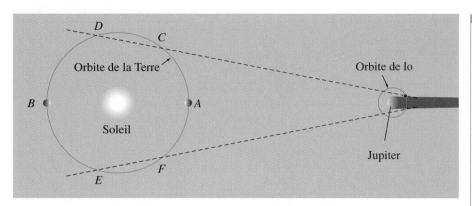

En chronométrant la durée des éclipses d'un satellite de Jupiter, Römer démontra que la vitesse de la lumière a une valeur finie. (Le schéma n'est pas à l'échelle.)

Römer attribua cette variation à la distance que doit parcourir la lumière de la lune Io jusqu'à la Terre. Supposons par exemple que Io sorte de l'ombre lorsque la Terre est en *C*. Pendant les 42,5 h suivantes, la Terre va se déplacer jusqu'en *D*. Par conséquent, lorsque Io réapparaît après une période, la lumière doit parcourir la distance supplémentaire *CD*. (Pour des raisons de simplicité, on néglige le mouvement de Jupiter, dont la période orbitale est voisine de douze ans.) Pour une seule orbite de Io, le temps supplémentaire mis en jeu est de l'ordre de quelques secondes ; mais sur un intervalle de plusieurs mois, l'écart entre l'heure prévue d'une éclipse, déduite de la période moyenne, et l'heure réelle à laquelle elle se produit atteint quelques minutes.

En septembre 1676, Römer annonça à ses collègues astronomes que l'éclipse du 9 novembre aurait lieu à 5 h 34 min 45 s, c'est-à-dire dix bonnes minutes après l'heure déduite des observations faites en août. Sa prévision s'étant révélée correcte, Römer expliqua que la vitesse de la lumière avait en réalité une valeur finie, et non pas infinie comme on le croyait en général. Il estima qu'il fallait 22 min à la lumière pour parcourir le diamètre de l'orbite terrestre (en fait, il faut plutôt 16,5 min). Quelques années plus tard, utilisant la meilleure valeur du rayon de l'orbite terrestre connue à l'époque, Huygens calcula la vitesse de la lumière et trouva $2{,}1 \times 10^8$ m/s. Des calculs ultérieurs faits à partir d'autres types d'observations astronomiques donnèrent des valeurs plus proches de 3×10^8 m/s.

La méthode de Fizeau

La première mesure terrestre de la vitesse de la lumière fut réalisée à Paris en 1849 par A. Fizeau. Elle faisait intervenir une méthode de « mesure du temps de parcours » analogue à celle de Galilée. La lumière émise par une source *S* (figure 4.46) et réfléchie sur une plaque partiellement argentée *P* passe à travers une des fentes d'une roue dentée portant *n* dents sur sa circonférence. La lumière est ensuite réfléchie sur un miroir *M* situé à une distance *d* et passe à

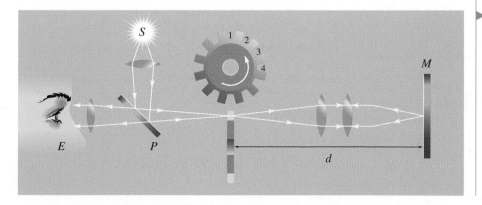

L'expérience de Fizeau ayant servi à déterminer la vitesse de la lumière. Un faisceau de lumière passant sur une roue dentée en rotation rapide était réfléchi sur un miroir éloigné *M*. Connaissant la vitesse de rotation de la roue et la distance du miroir, on pouvait calculer la vitesse de la lumière.

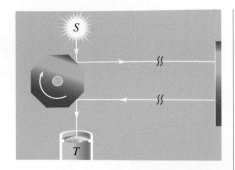

Figure 4.47

Dans l'expérience de A. A. Michelson, la lumière était réfléchie sur un miroir à huit faces animé d'un mouvement de rotation rapide avant d'être réfléchie sur un miroir éloigné. La lumière émise par la source S ne pouvait pénétrer dans le télescope T que si une face du miroir avait l'orientation adéquate.

travers la roue dentée et à travers P avant d'atteindre l'observateur E. La roue étant mise en mouvement, la lumière passe par la fente 1. Pour les vitesses angulaires faibles, la lumière réfléchie par M est bloquée par la dent entre la fente 1 et la fente 2 et l'observateur ne voit rien. On augmente alors la vitesse angulaire jusqu'à ce que la lumière réapparaisse. À cette vitesse angulaire, le temps qu'il faut à la lumière pour faire un aller et retour jusqu'à M, $\Delta t = 2d/c$, est exactement égal au temps qu'il faut pour que la dent entre les fentes 1 et 2 laisse le chemin libre. Si la période de rotation est T, cet intervalle de temps est $\Delta t = T/2n$. (D'où vient le facteur 2?) Fizeau utilisa une roue portant 720 dents et plaça le miroir M sur une colline de Montmartre, à une distance de 8,633 km. La lumière réapparut pour la première fois avec une vitesse de rotation de 12,6 tr/s, ce qui correspond à une période de 1/12,6 s. En égalant les deux expressions obtenues pour Δt, on obtient $c = 4nd/T = 3,13 \times 10^8$ m/s.

Au début des années 1920, A. A. Michelson adopta une approche analogue, mais remplaça la roue par un miroir tournant à huit faces (figure 4.47). La source de lumière était située sur le mont Wilson et le miroir se trouvait sur le mont Baldy, à une distance de 35 km environ. Grâce aux techniques de relevés topographiques, la distance entre les miroirs fut déterminée à 0,3 cm près ! La lumière réfléchie sur le miroir situé au loin ne pouvait pénétrer dans le télescope que si une face du miroir avait l'orientation adéquate. Plusieurs centaines de mesures aboutirent à une valeur de $2,99796 \times 10^8$ m/s. En ce qui nous concerne, nous nous contenterons de la valeur approchée $c = 3 \times 10^8$ m/s.

Aperçu historique

L'expérience du prisme de Newton

Les Grecs connaissaient déjà le phénomène multicolore semblable à un arc-en-ciel que produit la lumière du Soleil en traversant un prisme ou une sphère transparente remplie d'eau. Mais pour les anciens philosophes et les penseurs du Moyen-Âge, il n'y avait pas de lien entre la lumière et la couleur ; on pensait que la lumière était une substance blanche à l'état le plus pur et que les couleurs étaient obtenues en additionnant diverses quantités d'obscurité à la lumière. Jusqu'au XVIIᵉ siècle, l'idée selon laquelle le blanc était de la lumière à l'état « naturel » ou « primitif » était acceptée de tous, y compris de Descartes. On considérait alors que les couleurs résultaient des modifications subies par la lumière en passant dans un milieu. Pour Descartes la lumière était constituée d'un flux de particules (corpuscules), aux-

quelles il attribuait un mouvement de rotation à l'entrée dans le milieu ; la couleur rouge était produite par la rotation dans un sens, le bleu étant produit par la rotation dans l'autre sens. Les couleurs intermédiaires correspondaient à un mélange des deux.

C'est un ouvrage de Descartes intitulé *Dioptrique* qui éveilla l'intérêt de Newton pour l'optique. Il commença ses propres travaux de recherche en 1662 à l'âge de vingt ans, alors qu'il était encore en premier cycle d'études universitaires à Cambridge. En février 1672, il présenta un article qui débutait ainsi :

> *Durant l'année 1666, je me procurai un prisme triangulaire en verre afin d'observer le célèbre phénomène des couleurs. À cette fin, je fis l'obscurité dans ma chambre et perçai un petit trou rond dans le volet d'une*

*fenêtre pour laisser entrer une quantité appropriée de
lumière solaire ; puis, je plaçai un prisme à l'entrée
pour projeter sur le mur opposé la lumière réfractée.
J'eus d'abord beaucoup de plaisir à contempler les
couleurs vives et intenses de l'image formée ; mais en
regardant plus attentivement, je remarquai avec éton-
nement qu'elles avaient une forme ovale, et non pas
circulaire, comme je m'y attendais conformément aux
lois connues de la réfraction.*

D'autres scientifiques ne furent pas du tout surpris par la
forme ovale du spectre (figure 4.48), puisque c'était ce
qu'ils avaient l'habitude d'observer. Descartes et Hooke,
entre autres, avaient jusqu'alors plutôt porté leur attention sur les couleurs obtenues. Mais Newton, pour qui les
couleurs n'étaient qu'un « agréable spectacle », fut frappé
par un phonomène qui avait échappé à tous : comment
expliquer cette forme ovale avec une seule et même
valeur de l'indice de réfraction, hypothèse implicite dans
les « lois connues de la réfraction » ?

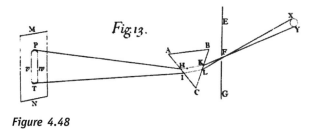

Figure 4.48

Un schéma tiré de *L'optique* de Newton. Newton avait été
frappé par la forme ovale du spectre.

Il fit passer le faisceau de lumière dans diverses parties
du prisme, près du sommet, puis près de la base, et
s'aperçut que la quantité de matériau traversée par la
lumière ne modifiait pas les couleurs. Il plaça ensuite un
deuxième prisme pour inverser la réfraction du premier.
En se recombinant, les couleurs donnaient à nouveau du
blanc. Il fit alors une expérience simple, mais qui eut une
importance primordiale.

Se servant d'un trou pour sélectionner chaque couleur
formée par le premier prisme, Newton les fit passer l'une
après l'autre par un second prisme (figure 4.49). Il réalisa
son montage expérimental de sorte que l'angle d'incidence sur le second prisme fût le même pour chacune
des couleurs. Il s'aperçut d'abord que le second prisme
ne modifiait pas les couleurs « pures » : le rouge restait
rouge, le vert restait vert, et ainsi de suite. Puis, ayant
sélectionné des couleurs différentes, il découvrit qu'elles
étaient projetées à des emplacements différents sur
l'écran, ce qui voulait dire que *chaque couleur a son
propre indice de réfraction*, le rouge ayant l'indice le plus

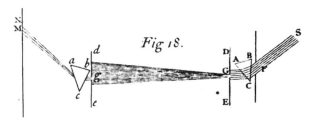

Figure 4.49

Une expérience cruciale figurant dans *L'optique* de Newton.
Les rayons monochromatiques issus du premier prisme ne
changeaient pas de couleur en traversant le deuxième
prisme. Pour un angle d'incidence fixe, chaque couleur était
projetée en un point différent sur l'écran, ce qui signifie
que chaque couleur correspond à un indice de réfraction
différent.

faible et le bleu le plus élevé. La couleur était donc une
propriété intrinsèque d'un rayon donné.

Newton en conclut que la lumière blanche, loin d'être
pure, est faite d'une superposition de toutes les couleurs
« mêlées ensemble dans certaines proportions ». Le
prisme ne fait que séparer les différentes couleurs parce
que chacune a son propre indice de réfraction. (Les
valeurs antérieures de *n* étaient seulement des valeurs
approchées, correspondant probablement au milieu du
spectre.) Les contemporains de Newton ne saisirent pas
l'importance de cette découverte.

Hooke et quelques autres acceptèrent les résultats expérimentaux mais refusèrent d'admettre qu'ils étaient la
preuve, comme le prétendait Newton, que la lumière
blanche était un mélange de toutes les couleurs. Selon
eux, Newton interprétait ses résultats dans le cadre de
la théorie corpusculaire et ils considérèrent sa conclusion
comme une hypothèse non démontrée. Hooke ayant suggéré que l'expérience pouvait aussi être interprétée dans
le cadre de la théorie ondulatoire, Newton répondit
qu'il était d'accord mais que la question n'était pas
là : les résultats ne dépendaient pas de la nature ondulatoire ou particulaire de la lumière. Dans une lettre
adressée à Hooke, il améliora même la théorie ondulatoire
en suggérant que la « grandeur » (longueur d'onde) d'une
onde était liée à sa couleur. Huygens prétendait quant
à lui que les couleurs étaient « propres aux objets, et
non à la lumière », ce à quoi Newton répondit que des
objets non lumineux éclairés par une lumière de couleur
donnée semblaient être de cette couleur. Il fit également
remarquer que des objets éclairés par la lumière blanche
réfléchissent certaines couleurs plus que d'autres et
semblent donc avoir une couleur apparente qui dépend
des intensités relatives des couleurs « pures ».

Cette expérience du prisme de Newton n'a pas été le fruit d'un après-midi miraculeux. Newton a en effet développé ses idées sur une période de quatre ans (de 1661 à 1665) et il lui fallut dix-huit mois pour mettre au point l'expérience du prisme à elle seule. Ses résultats ne furent certes pas accueillis comme des preuves concluantes et les critiques véhémentes soulevées par ses travaux poussèrent Newton à s'éloigner des milieux scientifiques. Ses idées furent également à l'origine d'une tension avec Hooke à tel point vivace, que Newton s'abstint de publier *L'Optique* avant le décès de Hooke en 1703.

Le spectre de la lumière solaire.

La maison de Newton, à Woolsthrope, avec les descendants du célèbre pommier.

L'arc-en-ciel

L'arc-en-ciel est un phénomène qui a intrigué les penseurs pendant des siècles. La recherche d'une explication de ce phénomène est un exemple intéressant d'évolution de la science. L'arc-en-ciel principal, rouge en haut et violet en bas, est un phénomène courant. Parfois, un deuxième arc-en-ciel, dont l'ordre des couleurs est inversé, est visible au-dessus du premier. Aristote avait dénombré quatre couleurs seulement, rouge, jaune, vert et bleu, et avait remarqué que le rouge était la plus pure. Il avait suggéré que les couleurs étaient produites par la réflexion de la lumière sur les gouttes d'un nuage. Selon Robert Grosseteste (vers 1235), les couleurs étaient produites par une réfraction dans un nuage entier, suivie par une réflexion sur un autre nuage jouant le rôle d'écran. Bien qu'un peu forcée, cette explication fait néanmoins intervenir l'action combinée de la réflexion et de la réfraction. En 1267, Roger Bacon fit remarquer que l'« écran » se déplace avec l'observateur et que chacun voit donc un arc-en-ciel différent. Puisqu'on peut observer des arcs-en-ciel près du sol, par exemple lorsque des avirons produisent des éclaboussures en plongeant dans l'eau, Bacon insista sur le rôle de chaque goutte d'eau plutôt que du nuage entier. Il découvrit également que le Soleil, l'observateur et le centre de l'arc sont situés sur une même droite. Il réalisa la première mesure quantitative du rayon angulaire de l'arc principal, soit 42°. En 1275, Witelo montra qu'on peut produire un spectre en faisant passer de la lumière solaire dans un récipient sphérique rempli d'eau ou dans un prisme hexagonal. Il devint alors évident que le phénomène était dû à une réflexion et une réfraction dans les gouttelettes d'eau.

Théodore de Fribourg élabora en 1304 une explication de l'arc-en-ciel qui est remarquablement proche de la théorie admise aujourd'hui. Il utilisa un récipient sphérique plein d'eau, qui devait représenter une goutte, pour montrer que la réflexion importante se produisait sur la surface interne de la goutte. En élevant et en abaissant le récipient, il observa les couleurs de l'arc principal et de l'arc secondaire. À l'arc principal, il fit correspondre une réfraction du rayon qui pénètre dans la goutte, une réflexion sur la surface arrière et enfin une réfraction du rayon à sa sortie de la goutte (figure 4.50). La clarté de sa théorie et les efforts qu'il a déployés pour la vérifier par l'expérience sont dignes d'admiration. Avec les mêmes connaissances que celles dont disposaient les Grecs, il a en effet obtenu des résultats remarquables.

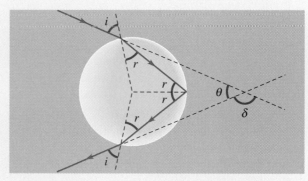

Figure 4.50

Pour former l'arc-en-ciel principal, chaque rayon lumineux subit deux réfractions et une réflexion interne dans les gouttes d'eau.

Tout en ayant trouvé l'idée fondamentale, Théodore de Fribourg ne parvenait pas à expliquer pourquoi l'arc-en-ciel est limité à une petite plage angulaire ni pourquoi l'ordre des couleurs est inversé dans l'arc-en-ciel secondaire. C'est Descartes qui en donna une explication presque complète en 1635. S'appuyant sur la loi de la réfraction dont Théodore n'avait pas connaissance, Descartes traça les trajectoires de nombreux rayons incidents selon des angles différents. Il s'aperçut que l'angle θ entre la lumière incidente et la lumière sortant d'une goutte (figure 4.50) atteint un maximum de 42° pour l'arc principal. (L'angle de déviation $\delta = 180° - 42° = 138°$ est donc *minimum*.) Par conséquent, aucun rayon ne peut pénétrer dans l'œil selon un angle plus grand. Il découvrit également que les rayons émergents ont tendance à se regrouper dans l'intervalle compris entre $\theta = 40°$ et 42° (figure 4.51). Cet effet de regroupement permet d'expliquer pourquoi la lumière est plus intense dans cet intervalle. Descartes avait ainsi résolu le problème géométrique

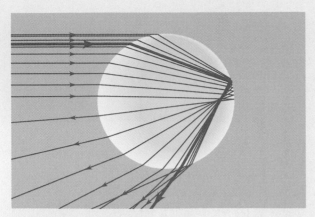

Figure 4.51

Un faisceau parallèle de rayons monochromatiques tombant en différents points sur une goutte. On voit que les rayons sortants ont tendance à se regrouper. Le rayon en gras est celui qui correspond à une déviation minimale ; la lumière est la plus intense dans cette direction.

de l'arc-en-ciel, mais il fallut attendre l'expérience du prisme de Newton et sa découverte de la nature de la lumière blanche pour expliquer les couleurs.

De nos jours, on dit que l'arc-en-ciel est causé par la dispersion de la lumière dans l'eau. La lumière blanche provenant du Soleil pénètre dans une goutte d'eau où elle est dispersée en forme de spectre (figure 4.52). Après avoir subi une réflexion, la lumière est à nouveau dispersée lorsqu'elle sort de la goutte. À la figure 4.50, on voit que chaque réfraction correspond à un changement de direction de $(i - r)$ et que la réflexion correspond à un changement de direction de $(\pi - 2r)$. La déviation angulaire totale δ est donc

$$\delta = 2(i - r) + (180° - 2r)$$

Comme l'a découvert Descartes, la lumière provenant de chaque goutte est la plus intense pour l'angle de dévia-

tion minimal correspondant à chaque longueur d'onde. L'angle de déviation minimal varie de $(180° - 40,6°)$, pour le violet, à $(180° - 42,4°)$, pour le rouge (figure 4.53). Pour trouver cet angle, on calcule $d\delta/di$, que l'on pose égal à zéro. Cette condition étant vérifiée, δ est relativement constant pour de petites variations de i. C'est pourquoi les rayons ont tendance à se regrouper près de l'angle de déviation minimal. Utilisant l'expression donnée plus haut, on trouve

$$\frac{d\delta}{di} = 2 - \frac{4dr}{di} = 0$$

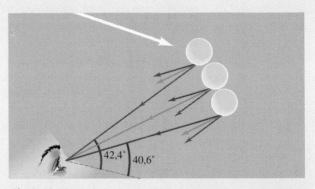

Figure 4.53

Les angles (par rapport à la lumière solaire incidente) pour lesquels chaque couleur est la plus intense varient de 40,6° pour le violet à 42,4° pour le rouge. À partir d'une goutte donnée, une seule longueur d'onde atteint l'œil de l'observateur.

En prenant la dérivée de la loi de Snell-Descartes, $\sin i = n \sin r$, on obtient

$$\cos i = n \cos r \frac{dr}{di} = \frac{1}{2} n \cos r$$

On utilise ensuite $\cos^2 r = 1 - \sin^2 r$ et la loi de Snell-Descartes pour trouver (*cf.* problème 11)

$$\cos i = \sqrt{\frac{n^2 - 1}{3}}$$

Cette équation donne l'angle d'incidence permettant d'obtenir l'angle de déviation minimal δ_m*. Voici quelques valeurs caractéristiques :

	n	i	r	δ_m
Violet	1,3435	58,80°	39,55°	180° − 40,60°
Jaune	1,3333	58,80°	40,21°	180° − 42,06°
Rouge	1,3311	59,52°	40,35°	180° − 42,36°

---

* En calculant la dérivée seconde $d^2\delta/di^2$, on trouve une valeur positive ; δ est donc un minimum au lieu d'un maximum.

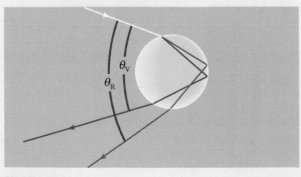

Figure 4.52

Newton a démontré que les couleurs de l'arc-en-ciel sont dues à la dispersion.

Rappelons qu'Aristote avait mentionné que le rouge de l'arc principal était la couleur la plus « pure ». C'est effectivement le cas. Chaque couleur du spectre est étalée sur une plage d'angles. En principe, à partir d'une goutte donnée, une seule couleur atteint l'œil de l'observateur, la couleur qui correspond à la déviation minimale et qui est donc la plus intense. Mais il se produit un chevauchement important des couleurs entre elles. À l'exception du rouge, les autres couleurs observées ne sont pas les couleurs primaires d'un spectre donné par un prisme.

On observe parfois un arc-en-ciel secondaire, correspondant à une double réflexion interne (*cf.* problème 12). Dans cet arc secondaire, l'ordre des couleurs est inversé. Plus rarement, on peut observer des arcs multiples composés de bandes rougeâtres et verdâtres en dessous de l'arc principal. Leur origine, qui est liée aux interférences lumineuses, fut découverte par Young en 1803 à partir de la théorie ondulatoire.

Résumé

La lumière visible ne constitue qu'une petite partie du spectre électromagnétique, qui comprend, par ordre croissant de longueur d'onde, les rayons gamma, les rayons X, le rayonnement ultraviolet, la lumière visible, le rayonnement infrarouge, les micro-ondes et les ondes radio.

Selon le principe de Huygens, chaque point d'un front d'onde agit comme une source de petites ondes secondaires. On détermine le front d'onde à un instant ultérieur en traçant l'enveloppe de ces petites ondes.

Selon la loi de la réfraction, l'angle d'incidence est égal à l'angle de réflexion.

L'indice de réfraction n d'un milieu dans lequel la vitesse de la lumière est v s'écrit

$$n = \frac{c}{v}$$

Au passage d'un milieu d'indice de réfraction n_1 à un milieu d'indice de réfraction n_2, la direction de propagation de la lumière change. Selon la loi de la réfraction de Snell-Descartes,

$$n_1 \sin \theta_1 = n_2 \sin \theta_2$$

les angles étant mesurés par rapport à la normale à la surface séparant les deux milieux. La longueur d'onde λ_n de la lumière dans un milieu d'indice de réfraction n est donnée par

$$\lambda_n = \lambda_0 / n$$

où λ_0 est la longueur d'onde de la lumière dans le vide.

En passant d'un milieu plus réfringent à un milieu moins réfringent, les rayons lumineux s'éloignent de la normale. Lorsque l'angle d'incidence est égal à l'angle critique, défini par

$$n_\mathrm{i} \sin \theta_\mathrm{c} = n_\mathrm{a}$$

l'angle de réfraction vaut 90°. Pour des valeurs supérieures de l'angle d'incidence, les rayons lumineux sont complètement réfléchis dans le premier milieu. C'est ce que l'on appelle la réflexion totale interne.

Dans l'approximation paraxiale, la distance objet p et la distance image q sont liées à la distance focale f d'un miroir sphérique par la formule des miroirs :

$$\frac{1}{p} + \frac{1}{q} = \frac{1}{f}$$

D'après la convention de signes pour les distances focales f, les distances objet p et les distances image q, les grandeurs réelles sont positives et les grandeurs virtuelles sont négatives. La distance focale est égale à la moitié du rayon de courbure du miroir :

$$f = \frac{R}{2}$$

Le rayon R est positif dans le cas d'un miroir concave et négatif dans le cas d'un miroir convexe. Le tracé des rayons principaux permet de déterminer géométriquement la position de l'image.

Le grandissement transversal (linéaire) d'une image est donné par

$$m = \frac{y_I}{y_O} = -\frac{q}{p}$$

où y_I et y_O sont respectivement la hauteur de l'image et la hauteur de l'objet.

Termes importants

aberration de sphéricité	image virtuelle
approximation paraxiale	indice de réfraction
axe optique	loi de la réflexion
concave	loi de Snell-Descartes
convexe	objet réel
diffraction	objet virtuel
distance focale	optique géométrique
distance image	principe de Huygens
distance objet	rayon
fibre optique	rayons principaux
formule des miroirs	réflexion diffuse
foyer réel	réflexion spéculaire
foyer virtuel	réflexion totale interne
grandissement transversal (linéaire)	réfraction
image réelle	spectre électromagnétique

R1. Quelle expression peut-on élaborer à l'aide de grandeurs électriques et magnétiques pour montrer qu'il existe un lien entre ces derniers domaines et la lumière ?

R2. Quel est le nom du physicien qui est associé à la synthèse de l'électromagnétisme et de l'optique ?

R3. Énumérez, par ordre croissant de longueur d'onde, les différents domaines du spectre électromagnétique.

R4. Selon quelle approximation est-il raisonnable d'utiliser les résultats de l'optique géométrique ?

R5. Expliquez à l'aide d'un dessin le principe du réflecteur qui a été placé sur la Lune afin de mesurer la distance de celle-ci à la Terre. Pourquoi n'a-t-on pas utilisé tout simplement un seul miroir plan ?

R6. Dessinez un rayon lumineux quelconque passant de l'air à l'eau. Représentez également les fronts d'ondes associés au rayon avant et après sa traversée de l'interface air-eau.

R7. Vrai ou faux ? L'indice de réfraction est toujours plus grand ou égal à 1.

R8. Expliquez le phénomène des mirages.

R9. Quelle est la valeur de l'angle critique de réflexion totale interne lorsqu'un rayon de lumière passe de l'air à l'eau ? De l'eau à l'air ?

R10. Décrivez quelques applications du phénomène de la réflexion totale interne.

R11. Dans un prisme en verre, quelle est la couleur du spectre qui est la plus déviée ?

R12. Quel exploit réalisé à l'aide de miroirs attribue-t-on à Archimède ?

R13. Caractérisez la position et l'orientation de l'image d'un objet dans un miroir plan.

R14. Pourquoi, lorsqu'on se regarde dans un miroir, la gauche et la droite sont-elles inversées, mais pas le haut et le bas ?

R15. Énoncez les règles du tracé des rayons principaux dans le cas des miroirs sphériques.

R16. Comment peut-on vérifier à l'aide d'un écran si une image est réelle ou virtuelle ?

R17. Quelle convention de signes s'applique pour la distance focale f, la distance objet p et la distance image q ?

R18. Donnez la valeur de m dans le cas où, par rapport à l'objet, l'image est (a) à l'endroit et deux fois plus petite ; (b) à l'envers et deux fois plus grande.

Q1. Quel type de miroir (concave ou convexe) utilise-t-on pour se maquiller ? Où est situé le visage par rapport au foyer ?

Q2. Vrai ou faux ? (a) Un miroir concave produit toujours une image réelle. (b) Un miroir convexe produit toujours une image virtuelle.

Q3. Dessinez un grand miroir à surface sphérique. En traçant soigneusement les rayons incidents parallèles à l'axe optique, montrez que les rayons réfléchis près de l'axe et les rayons réfléchis loin de l'axe ne convergent pas en un même point.

Q4. On remplit d'eau un bol hémisphérique décoré de motifs. Le motif au fond du bol apparaît-il alors plus grand ou plus petit que lorsque le bol est vide ? Justifiez votre réponse.

Q5. Une plaque de verre plane donne-t-elle lieu au phénomène de dispersion ?

Q6. Pourquoi la présence de poussières sur une fibre optique entraîne-t-elle une perte de lumière ?

Q7. Dans les centres d'amusement, les miroirs nous renvoient une image très grossie ou très amincie de nous-même. Pourquoi ?

Q8. Supposons qu'on approche d'un miroir concave avec l'œil le long de l'axe optique. Que voit-on lorsque (a) $2f > p > f$; (b) $p < f$?

Q9. Pourquoi utilise-t-on des miroirs convexes pour les rétroviseurs de camions et dans les systèmes de sécurité des magasins ? Quel est leur avantage sur les miroirs plans ?

Q10. Peut-on utiliser deux miroirs plans pour voir l'arrière de sa tête ? Si oui, dessinez un tracé des rayons principaux. (Les miroirs peuvent-ils être parallèles ?)

Q11. Plus que toute autre pierre précieuse, un diamant brille de mille « feux » (couleurs vives). Cela peut-il s'expliquer par l'indice de réfraction élevé du diamant ? Sinon, comment ?

Q12. Lorsque la lumière passe d'un milieu à un autre, sa longueur d'onde varie. La couleur varie-t-elle aussi ? Justifiez votre réponse.

Q13. Les rayons lumineux se propagent-ils toujours en ligne droite ?

Q14. La variation de densité de l'air avec l'altitude a-t-elle un effet sur la propagation d'une onde sonore ? Si oui, comment l'expliquer ?

Q15. Lorsqu'un large faisceau de lumière traverse une surface de séparation selon un certain angle, l'intensité de l'onde varie. Montrez à l'aide d'un schéma comment cela se produit.

Q16. Pourquoi les fronts d'ondes des vagues océaniques ont-ils tendance à s'approcher des plages parallèlement à la côte ?

Q17. Écrivez le mot AMBULANCE de sorte qu'il apparaisse écrit à l'endroit dans le rétroviseur d'une automobile. Vérifiez votre réponse.

Q18. Si cela est possible, à quelle condition l'image donnée par un miroir concave est-elle (a) réelle ; (b) virtuelle ; (c) droite ; (d) renversée ; (e) agrandie ; (f) réduite ?

Q19. Reprenez la question 18 pour un miroir convexe.

Q20. Que devient la distance focale d'un miroir sphérique lorsqu'on le plonge dans l'eau ?

Q21. Vrai ou faux ? Lorsqu'un objet est à une distance inférieure à la distance focale d'un miroir sphérique, l'image est toujours : (a) virtuelle ; (b) droite ; (c) agrandie.

Q22. Pourquoi un bâton apparaît-il plié lorsqu'il est partiellement plongé dans l'eau ? Justifiez votre réponse par le tracé de rayons.

Q23. La chandelle figurant à la figure 4.54 est placée entre deux miroirs. Comment ces miroirs doivent-ils être orientés pour produire l'effet observé ?

Figure 4.54

Question 23.

Q24. Considérez la structure en couches de la figure 4.16*b*. Une fois qu'elle est devenue horizontale, pourquoi la trajectoire d'un rayon commence-t-elle à s'incurver vers le haut ? Établissez un lien avec la réflexion totale interne.

Exercices

4.3 Réflexion

E1. (I) Montrez que, lorsqu'un miroir plan tourne de θ, la direction du rayon réfléchi est modifiée de 2θ.

E2. (I) Deux miroirs plans forment un angle de 90° (figure 4.7*a*). Montrez qu'un rayon quelconque mais parallèle au plan de la figure donne, après deux réflexions, un rayon parallèle et de sens opposé au rayon incident.

E3. (II) Deux miroirs plans forment un angle de 60° (figure 4.55). Un rayon lumineux issu de la pointe de la flèche doit atteindre le point P en se réfléchissant sur l'un, l'autre ou les deux miroirs. Tracez les 5 chemins possibles.

E4. (I) Deux rayons parallèles frappent le coin d'un prisme (figure 4.56). Montrez que l'angle θ entre les deux rayons réfléchis est égal au double de l'angle au sommet du prisme, ϕ.

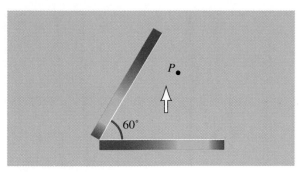

Figure 4.55

Exercices 3 et 50.

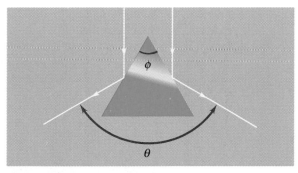

Figure 4.56

Exercice 4.

E5. (II) Soit trois miroirs perpendiculaires deux à deux. Montrez qu'après trois réflexions un rayon quelconque est réfléchi sur lui-même. (*Indice*: Exprimez la direction du rayon en vous servant des vecteurs unitaires $\vec{i}$, $\vec{j}$ et $\vec{k}$.)

4.4 Réfraction

E6. (I) Un rayon lumineux dont la longueur d'onde est de 450 nm dans l'eau ($n = 1,33$) a une longueur d'onde de 400 nm dans un autre milieu. (a) Quel est l'indice de réfraction du milieu ? (b) Quelle est la vitesse de la lumière dans le milieu ?

E7. (I) Un rayon lumineux dans l'air tombant sur un matériau d'indice de réfraction 1,4 est réfracté selon un angle de 32°. Quel est l'angle entre le faisceau réfléchi et le faisceau réfracté ?

E8. (II) Des rayons lumineux se propageant dans l'air ($n = 1$) tombent sur une surface plane dont l'indice de réfraction est $n = 1,52$. Pour quel angle d'incidence les rayons réfractés et réfléchis sont-ils perpendiculaires ?

E9. (II) Un plongeur situé à 3 m sous la surface de l'eau ($n = 1,33$) dirige un faisceau lumineux selon un angle de 30° avec la perpendiculaire à la surface entre l'air et l'eau. Dans une barque se trouve une autre personne dont les yeux sont à 1 m au-dessus de la surface. À quelle distance horizontale du plongeur doit-elle se trouver pour voir la lumière du faisceau ?

E10. (II) Vers l'an 150 de notre ère, Claudius Ptolémée publia une table des angles d'incidence et de réfraction pour la surface air-eau.

i:	10	20	30	40	50	60	70	80
r:	8	15,5	22,5	29	35	40,5	45,5	50

Ptolémée suggéra que i/r est constant, ce qui n'est évidemment pas le cas. Tracez $\sin i$ en fonction de $\sin r$ pour obtenir une estimation de l'indice de réfraction.

E11. (II) Un faisceau de lumière tombe sur une plaque de verre plane d'épaisseur e selon un angle d'incidence θ (figure 4.57). Montrez que le déplacement latéral d que subit le faisceau en traversant la plaque de verre est donné par

$$d = \frac{e \sin(\theta - \alpha)}{\cos \alpha}$$

où α est l'angle de réfraction.

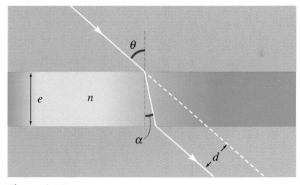

Figure 4.57

Exercice 11.

4.5 Réflexion totale interne

E12. (I) Un rayon se propageant dans un milieu transparent subit une réflexion totale interne sur la surface de séparation entre ce milieu et l'eau ($n = 1,33$). L'angle critique est de 68°. Quelle est la vitesse de la lumière dans ce milieu ?

E13. (I) Une source lumineuse ponctuelle est à 2 m sous la surface d'un lac. Calculez le rayon du cercle sur la surface à travers lequel la lumière peut sortir dans l'air.

E14. (II) Un liquide d'indice inconnu n_2 est placé sur un hémisphère d'indice n_1 connu (figure 4.58). Un rayon lumineux pénètre dans l'hémisphère suivant une direction radiale. (a) Comment peut-on déterminer n_2 avec ce montage en mesurant l'angle θ? Existe-t-il des limites pour les valeurs de n_2? (b) Trouvez la relation entre θ et n_2.

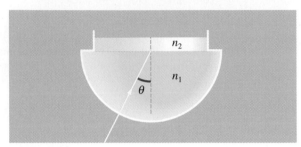

Figure 4.58

Exercice 14.

E15. (II) Un rayon lumineux se propageant dans le vide pénètre dans une longue fibre d'indice de réfraction 1,5 (figure 4.59). Montrez que le rayon subit une réflexion totale interne, quel que soit l'orientation du rayon incident.

Figure 4.59

Exercice 15.

4.6 Prisme et dispersion

E16. (I) Un rayon lumineux incident est normal à une face d'un prisme rectangulaire dont l'angle au sommet est de 30° et dont l'indice de réfraction est de 1,5 (figure 4.60). Dans quelle direction la lumière sort-elle de la face inférieure du prisme?

E17. (I) L'angle de déviation minimal pour un prisme dont l'angle au sommet est de 60° est de 41°. Quelle est la vitesse de la lumière dans le prisme?

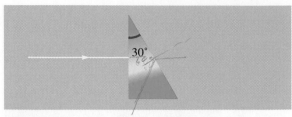

Figure 4.60

Exercice 16.

E18. (II) Un prisme ($n = 1,6$) a un angle au sommet de 60°. Trouvez l'angle de déviation minimal lorsqu'on le plonge dans l'eau ($n = 1,33$).

E19. (I) Soit deux rayons tombant sur un prisme isocèle (figure 4.61). En supposant que les deux rayons réfractés subissent une réflexion totale interne sur la face inférieure, tracez les rayons émergeant de l'autre face. À quoi peut servir ce montage?

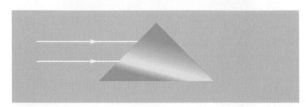

Figure 4.61

Exercice 19.

E20. (I) Le *pouvoir dispersif* d'un milieu est défini par $(n_B - n_R)/(n_J - 1)$, n_B, n_R et n_J étant respectivement les indices de réfraction pour les lumières bleue, rouge et jaune. Calculez cette grandeur sachant que $n_R = 1,611$, $n_J = 1,620$ et $n_B = 1,633$ dans un milieu donné.

E21. (I) (a) Quel est l'indice de réfraction minimal que doit avoir un prisme de 45° comme celui de la figure 4.62 pour produire une réflexion totale interne? (b) Quelle serait la valeur minimale si le prisme était plongé dans l'eau?

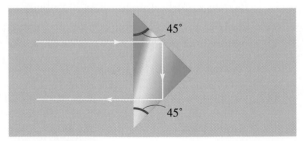

Figure 4.62

Exercice 21.

E22. (I) Un prisme équilatéral a un indice de réfraction de 1,6. Pour quel angle d'incidence un rayon subit-il une déviation minimale ?

E23. (II) Un rayon tombe selon un angle de 45° avec la normale au milieu d'une face d'un prisme de 60° ayant un indice de réfraction de 1,5. Tracez le trajet du rayon et déterminez l'angle de déviation entre le rayon incident et le rayon sortant de l'autre face.

E24. (II) Montrez que, pour un prisme mince (figure 4.63), l'angle de déviation est $\delta = (n - 1)\phi$. (Utilisez $\sin \theta \approx \theta$.)

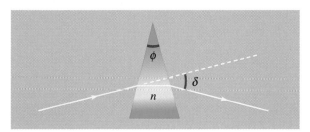

Figure 4.63

Exercice 24.

E25. (II) Un rayon tombe sur un prisme dont l'indice de réfraction est n (figure 4.64). Montrez que la valeur maximale de α (l'angle du rayon incident mesuré par rapport à la surface du prisme) pour laquelle on observe un rayon sortant le long de la face AC est donnée par $\cos \alpha = n \sin(\phi - \theta_c)$, θ_c étant l'angle critique pour la réflexion totale interne.

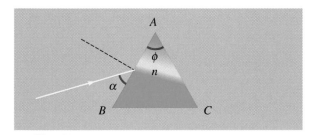

Figure 4.64

Exercice 25.

4.8   Miroirs sphériques

E26. (I) Un miroir concave a un rayon de courbure de 40 cm. Déterminez la position de l'image et le grandissement linéaire pour les positions suivantes de l'objet : (a) 15 cm ; (b) 60 cm. Faites un tracé des rayons principaux dans chaque cas.

E27. (I) Un miroir convexe a un rayon de courbure de 40 cm. Déterminez la position de l'image et le grandissement linéaire pour les positions suivantes de l'objet : (a) 15 cm ; (b) 40 cm. Faites un tracé des rayons principaux dans chaque cas.

E28. (I) Un objet de 2 cm de hauteur est à 40 cm d'un miroir sphérique. L'image virtuelle droite a une hauteur de 3,6 cm. (a) De quel type de miroir s'agit-il ? (b) Trouvez la position de l'image. (c) Quelle est la distance focale du miroir ?

E29. (I) Un objet réel se trouve à 60 cm d'un miroir concave. La dimension de l'image réelle correspond à 40 % de la dimension de l'objet. Quel est le rayon de courbure du miroir ?

E30. (I) L'image donnée par un miroir concave dont la distance focale est de 30 cm est agrandie 2,5 fois. Où se trouve l'objet, sachant que l'image est (a) droite ; (b) renversée ? Tracez les rayons principaux dans chaque cas.

E31. (I) Un miroir convexe pour lequel $f = -30$ cm donne une image avec un grandissement linéaire de 0,4. Où se trouve l'objet ?

E32. (I) Un objet situé à 22 cm d'un miroir concave donne une image réelle avec un grandissement linéaire de $-3,2$. Quelle est la distance focale ? Tracez les rayons principaux.

E33. (I) Un miroir convexe ayant un rayon de courbure de 16 cm donne une image dont la dimension est le tiers de la dimension de l'objet réel. Trouvez la position (a) de l'objet ; (b) de l'image.

E34. (I) L'image d'un objet réel placé à 3,2 cm d'un miroir convexe a un grandissement transversal de $+0,4$. Déterminez : (a) la position de l'image ; (b) la distance focale.

E35. (II) Un miroir concave donne une image agrandie de 40 % lorsqu'un objet réel est à 20 cm du miroir. Déterminez les distances focales possibles du miroir.

E36. (II) Un objet réel est à 60 cm d'un miroir concave. Trouvez le rayon de courbure du miroir, sachant que : (a) l'image est réelle et réduite de 40 % ; (b) l'image est réelle et agrandie de 25 % ; (c) l'image est virtuelle et agrandie de 80 %.

E37. (II) Un objet sphérique de rayon r se trouve à une très grande distance d d'un miroir concave dont la distance focale est f. (a) Montrez que le diamètre de l'image est pratiquement égal à $2rf/d$. (*Cf.* figure 4.42. Où se trouve l'image?) (b) Le miroir concave du télescope à miroirs du mont Palomar a une distance focale de 16,8 m. Quel est le diamètre de l'image de la Lune? On donne $r = 1,74 \times 10^6$ m.

4.9 Vitesse de la lumière

E38. (I) Combien de temps faut-il à la lumière pour arriver jusqu'à nous à partir (a) de la Lune; (b) du Soleil?

E39. (I) Une année-lumière est la distance parcourue par la lumière en une année. (a) À combien de mètres correspond une année-lumière? (b) Exprimez en années-lumière la distance entre la Terre et le Soleil.

E40. (I) Römer a découvert que l'intervalle de temps entre des éclipses successives d'un satellite de Jupiter variait de 22 min au maximum sur une période de six mois. Sachant que le rayon de l'orbite de la Terre est égal à $1,5 \times 10^8$ km, quelle valeur aurait-il obtenu pour la vitesse de la lumière?

E41. (I) Dans l'expérience de Michelson, la distance entre les miroirs était de 35 km. Quelle devait être la vitesse de rotation minimale exprimée en tours/s du miroir à huit faces pour que la lumière pénètre dans le télescope?

E42. (II) Dans l'expérience de Fizeau, la lumière parcourait 4 km dans chaque sens. Si la roue avait 360 dents, quelle était sa vitesse de rotation minimale exprimée en tours/s?

Exercices supplémentaires

4.4 et 4.5 Réfraction et réflexion totale interne

E43. (I) Une pellicule d'eau ($n = 1,33$) repose sur une plaque de verre ($n = 1,5$). Un rayon frappe la pellicule avec un angle d'incidence de 30°. Quel est l'angle entre le rayon incident et le rayon voyageant dans le verre? (On suppose que les deux surfaces de séparation sont parallèles.)

E44. (I) On étend une couche de gel transparent sur une plaque de verre ($n = 1,5$). Lorsqu'un rayon incident traverse le gel et frappe la surface de verre avec un angle d'incidence de 45°, il est réfracté dans le verre avec un angle de 38°. Quelle est la vitesse de la lumière dans le gel? (On suppose que les deux surfaces de séparation sont parallèles.)

E45. (II) Un vase en verre ($n = 1,5$) de forme cylindrique est rempli d'eau ($n = 1,33$). Un rayon lumineux ayant un angle d'incidence de 75° par rapport à la verticale frappe l'eau sur le dessus et ressort sur le côté du vase (figure 4.65). Quel angle θ fait le rayon sortant du vase avec l'horizontale?

4.6 Prisme et dispersion

E46. (II) Un rayon incident frappe perpendiculairement une face d'un prisme équilatéral (figure 4.66). Quelle est la valeur minimale de l'indice de réfraction du prisme s'il y a réflexion totale interne sur la deuxième face?

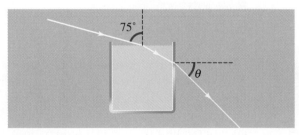

Figure 4.65

Exercice 45.

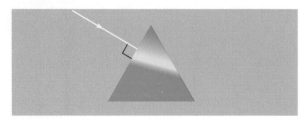

Figure 4.66

Exercice 46.

E47. (II) Un étroit faisceau de lumière formé des longueurs d'onde 700 nm et 400 nm frappe une lame de verre, de 2,4 cm d'épaisseur, avec un angle d'incidence de 40° par rapport à la normale. L'indice de réfraction de ce verre est 1,66 pour 400 nm et 1,61 pour 700 nm. Quelle est la largeur du faisceau à sa sortie de la lame de verre? (Voir la figure 4.25.)

E48. (I) Le prisme de la figure 4.67 a un indice de réfraction de 1,55. Le rayon incident voyage parallèlement à la base du prisme. Quel est l'angle entre ce rayon incident et le rayon qui sort de la face verticale du prisme ?

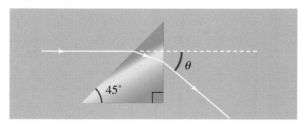

Figure 4.67

Exercice 48.

E49. (I) Un prisme isocèle en verre ($n = 1,61$) a un angle au sommet de 30°. Quel est l'angle de déviation minimal pour ce prisme ?

4.7 Miroirs plans

E50. (II) On place un objet quelque part entre deux miroirs plans formant un angle de 60° (figure 4.55). Combien d'images sont formées ? Dessinez les positions et les orientations des images.

E51. (I) Deux miroirs plans verticaux sont parallèles. On place entre ces deux miroirs, en un point quelconque, une flèche perpendiculairement au plan des miroirs. Dessinez les quatre premières images formées par les miroirs.

4.8 Miroirs sphériques

E52. (I) Un miroir concave a une distance focale de 36 cm. Où se trouve l'objet, sachant que son image est droite et agrandie d'un facteur trois ?

E53. (I) Un miroir convexe a un rayon de courbure de 48 cm. Où se trouve l'objet, sachant que la taille de l'image correspond au tiers de la taille de l'objet ?

E54. (I) Un objet de 0,5 cm est placé à 18 cm d'un miroir sphérique. L'image de 2 cm est droite. Quelle est la distance focale du miroir ?

E55. (I) Un objet réel placé à 10 cm d'un miroir concave forme une image virtuelle à 14 cm du miroir. Quelle serait la position et le grandissement transversal de l'image si l'objet était placé à 20 cm du miroir ? L'image serait-elle réelle ou virtuelle ?

E56. (I) Un objet réel placé à 27 cm d'un miroir concave produit une image réelle à 15,9 cm du miroir. Quelle est la position de l'image lorsque l'objet est placé à 15 cm de ce miroir ?

E57. (I) La lune sous-tend un angle de 0,52° lorsqu'on la regarde de la terre. Quelle est la taille de son image dans un miroir concave de 8 cm de distance focale ?

E58. (I) Un miroir concave a un rayon de courbure de 1,2 m. (a) Où doit se trouver le visage d'une personne s'y regardant pour que l'image de cette personne se forme à 60 cm du miroir ? (b) Quel est le grandissement transversal du visage ?

Problèmes

P1. (I) Une source ponctuelle se trouve à 10 cm sous la surface d'un étang. À quelle profondeur se trouve l'image si on l'observe dans l'air selon un angle $\theta = 5°$ avec la normale ? On suppose que l'image est à l'intersection de la normale à la surface passant par la source et du rayon réfracté prolongé vers l'arrière (figure 4.68).

P2. (II) Une personne dont les yeux sont à 2 m du sol se tient debout à 4 m du bord d'une piscine profonde de 2,5 m et large de 4 m. Une pièce de monnaie se trouve au fond de la piscine du côté

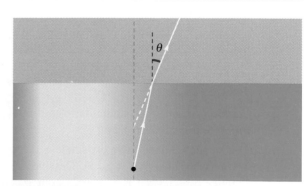

Figure 4.68

Problème 1.

opposé (figure 4.69). Jusqu'à quelle hauteur la piscine doit-elle être remplie pour que la personne puisse voir la pièce ? Un rayon lumineux issu de la pièce et réfracté à la surface de l'eau doit atteindre l'œil de cet observateur.

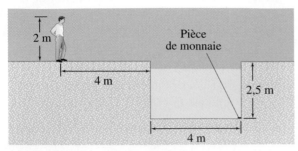

Figure 4.69

Problème 2.

P3. (II) Montrez que, si un rayon tombe sur une plaque de verre plane d'épaisseur e et d'indice de réfraction n selon un angle d'incidence θ, le déplacement latéral du rayon (figure 4.70) s'exprime approximativement par $d \approx e\theta(n-1)/n$, où θ est en radians. (*Indice* : voir l'exercice 11).

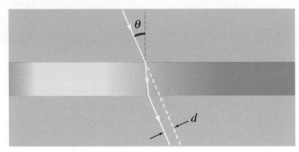

Figure 4.70

Problèmes 3 et 7.

P4. (I) Des rayons superposés de lumière rouge et bleue tombent selon un angle de 30° par rapport à la normale sur une plaque de verre plane ayant une épaisseur de 2,4 cm. Les indices de réfraction du verre sont pour ces deux couleurs $n_R = 1,58$ et $n_B = 1,62$. (a) Quel est l'angle entre les rayons réfractés dans la plaque ? (b) Quelle est la séparation latérale (distance perpendiculaire) entre les rayons qui sortent de l'autre face ?

P5. (I) Une source ponctuelle est située à 10 cm sous la surface d'un étang ($n = 1,33$). Dessinez les rayons d'angles d'incidence θ et $\theta + 2°$ pour $\theta = 0°$, 10°, 20°, 30°, 40° et 45°. Calculez les directions des rayons réfractés et dessinez-les. Prolongez vers

l'arrière chaque paire de rayons réfractés pour déterminer la position de l'image. (La courbe reliant les points images est appelée *caustique*. Elle est produite lorsque des ondes sphériques rencontrent une surface de séparation plane ou lorsque des ondes planes rencontrent une surface de séparation sphérique.)

P6. (I) Le grandissement *longitudinal* d'un miroir est, par définition, $m_L = dp/dq$, dp et dq étant respectivement des variations infinitésimales des distances objet et image. Montrez que

$$m_L = -\frac{q^2}{p^2}$$

P7. (II) La figure 4.70 représente un rayon lumineux tombant suivant l'angle d'incidence θ sur une plaque de verre d'épaisseur e et d'incide de réfraction n. Montrez que le déplacement latéral d est donné par

$$d = e \sin \theta \left(1 - \frac{\cos \theta}{\sqrt{n^2 - \sin^2 \theta}} \right)$$

P8. (II) Un cylindre en verre d'indice n est entouré d'une gaine d'indice n'. Le milieu environnant a un indice $n_0 < n$ (figure 4.71). (a) Montrez que l'angle d'incidence maximal θ pour lequel la lumière subit une réflexion totale interne est donné par

$$n_0 \sin \theta = \sqrt{n^2 - n'^2}$$

(b) Que devient cette expression dans le cas de la fibre optique (indice n), non gainée et entourée d'air ($n_0 = 1$) ?

Figure 4.71

Problème 8.

P9. (II) À la figure 4.72, le rayon lumineux subit une réflexion sur le miroir entre le point A et le point B. Selon le *principe de Fermat*, le chemin optique d'un rayon lumineux entre deux points correspond au trajet qui prend le minimum de temps. (a) Montrez que le temps mis entre A et B est

$$t = \frac{(x^2 + a^2)^{1/2}}{c} + \frac{[(L-x)^2 + b^2]^{1/2}}{c}$$

(b) En posant $dt/dx = 0$, montrez que l'angle d'incidence est égal à l'angle de réflexion.

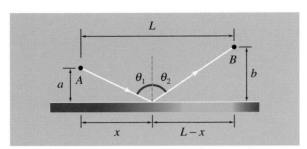

Figure 4.72

Problème 9.

P10. (II) À la figure 4.73, un rayon lumineux issu du point A se propage dans un milieu d'indice de réfraction n_1 puis jusqu'au point B dans un milieu d'indice de réfraction n_2. Le rayon frappe la surface de séparation à une distance horizontale x de Λ. (a) Montrez que le temps mis entre A et B est

$$t = \frac{(a^2 + x^2)^{1/2}}{v_1} + \frac{[b^2 + (L - x)^2]^{1/2}}{v_2}$$

v_1 et v_2 étant les vitesses de la lumière dans les deux milieux. (b) Utilisez le *principe de Fermat* (énoncé au problème 9) pour trouver la valeur de x pour laquelle t est minimal. En posant $dt/dx = 0$ et en exprimant $\sin \theta_1$ et $\sin \theta_2$ en fonction des données, retrouvez la loi de Snell-Descartes :

$$\frac{\sin \theta_1}{v_1} = \frac{\sin \theta_2}{v_2}$$

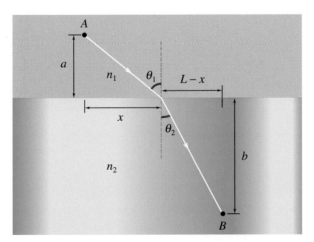

Figure 4.73

Problème 10.

P11. (II) (a) Montrez que, pour l'arc-en-ciel principal, la déviation angulaire est $\delta = \pi + 2i - 4r$, avec $\sin i = n \sin r$ (figure 4.74). (b) Montrez que δ a une valeur minimale de $180° - 42°$ (*cf.* Sujet connexe sur l'arc-en-ciel). On suppose que l'indice de réfraction de l'eau est $n = 4/3$.

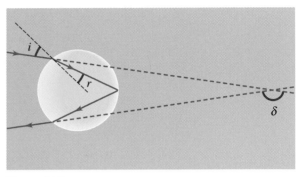

Figure 4.74

Problème 11.

P12. (II) Il y a formation d'un arc-en-ciel secondaire lorsque la lumière incidente subit deux réflexions internes (figure 4.75). Quel est l'angle de déviation δ dans ce cas ? (b) Montrez que la condition de déviation minimale s'écrit

$$\cos^2 i = \frac{n^2 - 1}{8}$$

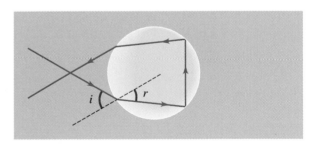

Figure 4.75

Problème 12.

CHAPITRE 5

Les lentilles et les instruments d'optique

POINTS ESSENTIELS

1. On peut déterminer la position de l'image formée par une **lentille** (**convergente** ou **divergente**) par le tracé des rayons principaux ou la **formule des lentilles minces**.

2. Dans un système de deux lentilles, on considère l'image formée par la première lentille comme l'objet de la deuxième lentille.

3. Le **grossissement (angulaire)** est le rapport entre les angles soustendus par l'image d'un objet à travers un dispositif optique et par l'objet lui-même observé à l'œil nu.

4. À partir du grossissement d'une lentille simple (loupe), on peut évaluer le grossissement d'un **microscope composé** ou d'une **lunette astronomique**.

5. La **myopie**, l'**hypermétropie** et la **presbytie** peuvent être corrigées à l'aide d'une lentille de distance focale appropriée.

Un télescope à miroirs.

$\bigcup$ ne lentille optique est un morceau de matériau transparent, comme du verre, dont les surfaces sont en général sphériques ou cylindriques. Le terme lentille vient du mot latin désignant la légumineuse du même nom. On ne sait pas exactement à quelle époque furent produites les premières lentilles, mais les Grecs savaient déjà qu'un bol sphérique transparent rempli d'eau permet de concentrer la lumière solaire. Dans la comédie d'Aristophane *Les Nuées* (423 av. J.-C.), un des personnages se propose d'utiliser une « pierre diaphane » pour mettre le feu à un document. Vers 1285, des lentilles étaient utilisées comme lunettes dans le nord de l'Italie. En 1611, Kepler établit les fondements qui allaient permettre la mise au point d'instruments d'optique. Il fut le premier à étudier la relation entre des objets et leurs images données par des systèmes optiques et il fut capable de concevoir des télescopes en s'appuyant uniquement sur la loi approchée de la réfraction de Ptolémée, $n_1\theta_1 = n_2\theta_2$. Nous allons dans ce chapitre étudier la formation des images données par les lentilles. Nous analyserons les propriétés optiques des microscopes et des télescopes et verrons comment corriger certains défauts optiques de l'œil.

Comme nous l'avons fait pour les miroirs sphériques, nous allons utiliser le concept de *foyer* pour décrire l'effet d'une lentille sur les rayons lumineux. Dans le cas d'un miroir, la position du foyer ne dépend que du rayon de courbure : $f = R/2$. En ce qui concerne une lentille, la question est plus complexe. Premièrement, la lumière dévie deux fois : une première réfraction lorsqu'elle pénètre dans la lentille, et une autre lorsqu'elle en ressort. La distance focale dépend donc du rayon de courbure de chacune des faces de la lentille. Deuxièmement, la valeur de l'indice de réfraction du matériau dont est faite la lentille affecte la déviation des rayons, et donc la distance focale. Il faut de plus tenir compte de l'indice de réfraction du milieu dans lequel est plongé la lentille.

Afin de déterminer la distance focale d'une lentille à partir des paramètres que nous venons d'énumérer, on doit d'abord étudier la déviation des rayons lumineux à travers un *dioptre sphérique*, c'est-à-dire une surface sphérique séparant deux milieux d'indices de réfraction différents (section 5.1). Une lentille étant constituée de deux dioptres, on pourra alors déterminer sa distance focale (section 5.2). Si on préfère étudier les propriétés d'une lentille de distance focale f donnée, sans se préoccuper de la façon dont on obtient cette distance focale, on pourra passer directement à la section 5.3 sans perte de continuité.

5.1   Les dioptres sphériques

Nous allons étudier le comportement des rayons paraxiaux (voir la section 4.8) lorsqu'ils traversent un dioptre, c'est-à-dire une surface sphérique séparant deux milieux. Nous allons d'abord étudier la situation où les rayons incidents frappent une surface convexe, vue du milieu d'où viennent les rayons (figure 5.1). Pour les fins de la démonstration, nous allons aussi supposer que l'indice de réfraction n_1 du côté d'où viennent les rayons est inférieur à l'indice de réfraction n_2 de l'autre côté du dioptre. (Par exemple, le milieu 1 pourrait être de l'air et le milieu 2, du verre).

Figure 5.1

Un rayon issu d'un objet ponctuel en O dans un milieu d'indice de réfraction n_1 donne un point image I dans un milieu d'indice de réfraction n_2.

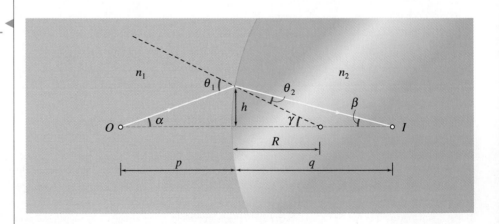

Considérons un rayon arbitraire issu de l'objet ponctuel O. Il tombe sur le dioptre à une distance h de l'axe et selon un angle θ_1 par rapport à la normale, qui correspond au rayon de courbure du dioptre. Après avoir subi une réfraction, il fait un angle θ_2 avec la normale dans le milieu 2. Dans l'approximation paraxiale, tous les rayons issus de O passent par le point image I. Pour les petits angles, $\sin \theta \approx \theta$ et la loi de Snell-Descartes devient

$$n_1 \theta_1 = n_2 \theta_2 \qquad (5.1)$$

D'après la figure 5.1, on voit que $\theta_1 = (\alpha + \gamma)$ et que $\theta_2 = (\gamma - \beta)$ avec $\alpha \approx h/p$, $\beta \approx h/q$ et $\gamma \approx h/R$. En remplaçant θ_1 et θ_2 par ces valeurs dans la loi de Snell-Descartes, on obtient

$$n_1 \left(\frac{h}{p} + \frac{h}{R} \right) = n_2 \left(\frac{h}{R} - \frac{h}{q} \right)$$

ce qui donne, après quelques calculs,

$$\frac{n_1}{p} + \frac{n_2}{q} = \frac{n_2 - n_1}{R} \qquad (5.2)$$

Cette *formule du dioptre sphérique* (valable dans l'approximation paraxiale) établit une relation entre la distance p entre l'objet et le dioptre et la distance q entre l'image et le dioptre, lorsque les rayons lumineux passent du milieu d'indice n_1 vers le milieu d'indice n_2. En faisant des calculs similaires dans d'autres cas, on s'aperçoit que tous les cas possibles peuvent être traités, à condition d'adopter la convention de signes suivante pour le rayon de courbure R du dioptre.

R est positif lorsque la surface est convexe *vue du côté d'où proviennent les rayons incidents*; R est négatif si la surface est concave.

La convention de signes pour p et q demeure la même : les grandeurs réelles sont positives, les grandeurs virtuelles sont négatives. On remarque que la convention concernant R est contraire à la convention adoptée par les miroirs sphériques. On a inversé la convention pour maintenir l'association entre les grandeurs réelles et les quantités positives. Pour un miroir *concave*, le centre de courbure du miroir est du côté où se forment les images réelles (q positif), et son rayon R est considéré comme positif. Mais il faut qu'un dioptre soit *convexe* (du point de vue des rayons incidents) pour que son centre de courbure soit du côté des images réelles, puisque les images réelles se formeront là où il y a de la lumière réfractée, donc *de l'autre côté* du dioptre. C'est pour cela que le rayon d'un dioptre convexe (du point de vue des rayons incidents) est considéré comme positif.

Exemple 5.1

Une source ponctuelle O est située à l'intérieur d'un bloc en verre d'indice de réfraction $n = 1,5$ (figure 5.2). Elle est à 3 cm d'un dioptre convexe (vu du côté d'où proviennent les rayons incidents) dont le rayon de courbure vaut 2 cm. Trouver la position de l'image.

Solution :

Pour le premier milieu (verre), $n_1 = n$, et pour le deuxième milieu (air), $n_2 = 1$. L'objet est situé dans le verre. Le rayon de courbure du dioptre est $R = +2$ cm, puisque le dioptre est convexe du point de vue des rayons incidents. D'après l'équation 5.2, on a

$$\frac{n_1}{p} + \frac{n_2}{q} = \frac{n_2 - n_1}{R}$$

d'où

$$\frac{1,5}{3 \text{ cm}} + \frac{1}{q} = \frac{1-1,5}{2 \text{ cm}}$$

Par conséquent, $q = -1,33$ cm. L'image est virtuelle et située à gauche du dioptre.

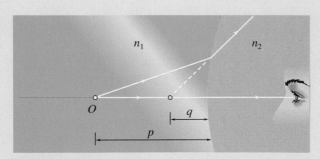

Figure 5.2

Puisque $n_2 < n_1$, les rayons divergent davantage après la traversée du dioptre. L'image formée par le prolongement des rayons est virtuelle.

Dans les situations étudiées jusqu'à présent, les objets étaient ponctuels et placés sur l'axe. Mais si l'objet a une certaine hauteur y_O, on peut calculer un grandissement transversal linéaire m (voir la section 4.8) en comparant cette hauteur avec la hauteur y_I de l'image. On obtient alors (toujours dans l'approximation paraxiale) :

$$m = \frac{y_I}{y_O} = -\frac{n_1}{n_2}\frac{q}{p} \tag{5.3}$$

La démonstration de cette formule est laissée en exercice (voir le problème 14). La valeur de m s'interprète de la même façon que pour le miroir sphérique.

Exemple 5.2

Un chat a l'impression qu'un poisson se trouve à 5 cm de la paroi d'un aquarium de forme sphérique rempli d'eau (indice de réfraction : 1,33). Le rayon de l'aquarium est de 15 cm. On néglige tous les effets liés à la paroi de verre de l'aquarium. (a) À quel endroit se trouve réellement le poisson ? (b) Quel est le grandissement transversal de l'image du poisson ? (c) Reprendre les questions (a) et (b), en supposant cette fois que l'aquarium est de forme rectangulaire (ses parois de verre sont planes).

Solution :

(a) Le chat voit une image virtuelle du poisson (puisqu'elle est du même côté du dioptre que le poisson lui-même) ; ainsi, $q = -5$ cm. Vu du côté des rayons incidents (du côté du poisson), le dioptre est concave, donc $R = -15$ cm. Les indices de réfraction

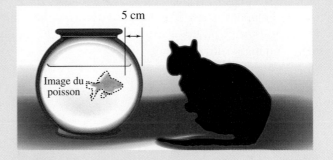

sont $n_1 = 1,33$ pour l'eau et $n_2 = 1$ pour l'air. D'après l'équation 5.2, on a

$$\frac{1,33}{p} + \frac{1}{-5 \text{ cm}} = \frac{1-1,33}{-15 \text{ cm}}$$

Par conséquent, $p = 6$ cm. Le poisson est à 6 cm de la paroi de l'aquarium (1 cm plus loin que son image).

(b) D'après l'équation 5.3, le grandissement transversal correspond à

$$m = -\frac{n_1}{n_2}\frac{q}{p} = -\frac{1{,}33}{1}\frac{-5\text{ cm}}{6\text{ cm}} = 1{,}11$$

L'image est à l'endroit, et 11 % plus grosse que l'objet.

(c) Si les parois de l'aquarium sont planes, le rayon de courbure R du dioptre est *infini*. D'après l'équation 5.2, on a

$$\frac{1{,}33}{p} + \frac{1}{-5\text{ cm}} = 0$$

d'où $p = 6{,}65$ cm. D'après l'équation 5.3

$$m = -\frac{n_1}{n_2}\frac{q}{p} = -\frac{1{,}33}{1}\frac{-5\text{ cm}}{6{,}65\text{ cm}} = 1$$

L'image est de la même grosseur que l'objet.

5.2 La formule des opticiens

Nous allons maintenant étudier la déviation de la lumière par une lentille formée de deux dioptres sphériques. Nous allons nous limiter au cas d'une *lentille mince*, c'est-à-dire une lentille dont la distance entre les deux dioptres est négligeable par rapport aux rayons de courbure des dioptres eux-mêmes.

La figure 5.3 représente une lentille d'indice de réfraction n_2 placée dans un milieu d'indice de réfraction n_1. Les surfaces ont pour rayon de courbure R_1 et R_2. Un rayon qui traverse la lentille passe à travers deux dioptres. Selon l'endroit où l'objet O est situé, l'image produite après la première réfraction est soit réelle, soit virtuelle. Supposons que l'image O' soit virtuelle et située à une distance q' du premier dioptre. D'après l'équation 5.2 (dans l'approximation paraxiale), on a

$$\frac{n_1}{p} + \frac{n_2}{-q'} = \frac{n_2 - n_1}{R_1}$$

On a mis un signe négatif devant q' car l'image est virtuelle (la variable q' représente une distance positive sur la figure 5.3).

Nous allons maintenant utiliser une technique qui s'applique à n'importe quelle situation dans laquelle deux dispositifs optiques (miroirs, dioptres ou lentilles) sont placés en succession : *l'image formée par le premier dispositif devient l'objet du deuxième dispositif.* Ainsi, nous allons considérer le point O' comme étant l'objet du deuxième dioptre. On peut justifier cette approche en remarquant sur la figure 5.3 que, du point de vue du deuxième dioptre, la situation est exactement la même que s'il n'y avait pas de premier dioptre et qu'un objet était placé en O'.

Pour le deuxième dioptre, O' constitue un objet réel (les rayons issus de cet objet sont divergents). Si on néglige l'épaisseur de la lentille par rapport à R_1 et R_2, q' est la nouvelle distance objet. Les rayons traversent le dioptre du milieu d'indice n_2 vers le milieu d'indice n_1, et l'équation 5.2 donne

$$\frac{n_2}{q'} + \frac{n_1}{q} = \frac{n_1 - n_2}{R_2}$$

En additionnant les deux équations précédentes, on trouve :

$$\frac{1}{p} + \frac{1}{q} = \frac{n_2 - n_1}{n_1}\left(\frac{1}{R_1} - \frac{1}{R_2}\right) \tag{5.4}$$

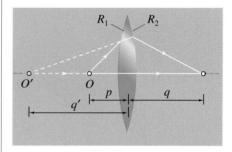

Figure 5.3

La première surface donne de l'objet réel en O une image virtuelle en O' ; cette image sert ensuite d'objet réel pour la deuxième surface. Dans ce cas, R_1 est positif et R_2 est négatif.

Par définition, la distance focale f est la distance de l'image q lorsque les rayons incidents sont parallèles à l'axe optique, ce qui correspond à un objet placé à l'infini ($p = \infty$). On trouve ainsi :

Formule des opticiens

$$\frac{1}{f} = \frac{n_2 - n_1}{n_1}\left(\frac{1}{R_1} - \frac{1}{R_2}\right) \tag{5.5}$$

Cette équation est connue sous le nom de *formule des opticiens*, car elle est utilisée par les fabricants de verres correcteurs pour calculer les rayons de courbures nécessaires à la fabrication d'une lentille de distance focale donnée. La formule des opticiens utilise la même convention de signes pour les rayons de courbure R_1 et R_2 que celle utilisée pour les dioptres. Lorsque la distance focale f est positive, la lentille est *convergente* ; lorsque la distance focale f est négative, la lentille est *divergente*. Nous verrons ce que cela signifie en pratique à la section suivante.

La distance focale d'une lentille dépend des indices de réfraction en présence et des rayons de courbure des faces de la lentille. En revanche, elle ne dépend pas de l'ordre dans lequel les rayons rencontrent les faces de la lentille : autrement dit, si on retourne une lentille, peu importe sa forme, sa distance focale demeure inchangée (voir l'exemple 5.3b).

En combinant les équations 5.4 et 5.5, on peut écrire

$$\frac{1}{p} + \frac{1}{q} = \frac{1}{f} \tag{5.6}$$

On retrouve donc la même relation entre la distance focale, la distance objet et la distance image que dans le cas des miroirs sphériques.

Exemple 5.3

Une lentille convergente en verre ($n = 1,5$) placée dans l'air ($n = 1$) a des surfaces de rayons 2 cm et 3 cm, tel qu'illustré à la figure 5.4. (a) Quelle est sa distance focale ? (b) Reprendre la question, mais cette fois en considérant que la lentille est tournée de l'autre côté.

Solution :

(a) Si on suppose comme d'habitude que les rayons viennent de la gauche, les deux surfaces sont concaves du point de vue des rayons incidents, et leurs rayons sont donc négatifs : $R_1 = -3$ cm et $R_2 = -2$ cm. D'après l'équation 5.5,

$$\frac{1}{f} = (1,5 - 1)\left(-\frac{1}{3\text{ cm}} + \frac{1}{2\text{ cm}}\right)$$

$$= \frac{0,5}{6\text{ cm}}$$

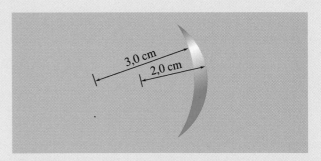

Figure 5.4

Une lentille convergente dont les surfaces ont des courbures différentes.

Ainsi, $f = +12$ cm.

(b) Dans ce cas, $R_1 = +2$ cm et $R_2 = +3$ cm, de sorte que

$$\frac{1}{f} = (1,5 - 1)\left(\frac{1}{2\text{ cm}} - \frac{1}{3\text{ cm}}\right)$$

ce qui donne $f = +12$ cm, comme auparavant.

Exemple 5.4

Quelle est la distance focale des lentilles suivantes ? On donne $n_{verre} = 1,5$, $n_{glace} = 1,309$ et $n_{air} = 1$, et on suppose que les rayons lumineux viennent de la gauche.

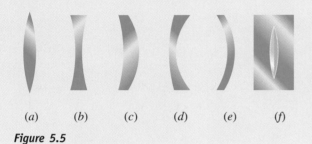

Figure 5.5

Lentilles diverses.

(a) Lentille de verre dans l'air, $R_1 = +10$ cm, $R_2 = -10$ cm

(b) Lentille de verre dans l'air, $R_1 = -10$ cm, $R_2 = +10$ cm

(c) Lentille de verre dans l'air, $R_1 = -20$ cm, $R_2 = -10$ cm

(d) Lentille de verre dans l'air, $R_1 = +20$ cm, $R_2 = +10$ cm

(e) Lentille de verre dans l'air, $R_1 = -10$ cm, $R_2 = -10$ cm

(f) Lentille de glace dans du verre, $R_1 = +10$ cm, $R_2 = -10$ cm

Solution :

(a) Par l'équation 5.5, $1/f = (1,5 - 1)(1/+10 \text{ cm} - 1/-10 \text{ cm}) = +0,1$ cm^{-1}, d'où $f = +10$ cm.

(b) $1/f = (1,5 - 1)(1/-10 \text{ cm} - 1/+10 \text{ cm}) = -0,1$ cm^{-1}, d'où $f = -10$ cm.

(c) $1/f = (1,5 - 1)(1/-20 \text{ cm} - 1/-10 \text{ cm}) = 0,025$ cm^{-1}, d'où $f = +40$ cm.

(d) $1/f = (1,5 - 1)(1/+20 \text{ cm} - 1/+10 \text{ cm}) = -0,025$ cm^{-1}, d'où $f = -40$ cm. Pour les lentilles dont le matériau est plus réfringent que le milieu environnant (ce qui est presque toujours le cas), on remarque que lorsque le centre de la lentille est plus épais que les bords (cas a et c), la lentille est convergente ; lorsque les bords sont plus épais que le centre (cas b et d), la lentille est divergente.

(e) $1/f = (1,5 - 1)(1/-10 \text{ cm} - 1/-10 \text{ cm}) = 0$, d'où $f = \infty$. Lorsque les deux rayons de courbures sont égaux, la distance focale est infinie, ce qui revient à dire qu'il n'y a pas de déviation nette des rayons lumineux. Les verres fumés qui ne corrigent pas la vue constituent de telles « lentilles ».

(f) $1/f = [(1,309 - 1,5)/1,5] (1/+10 \text{ cm} - 1/-10 \text{ cm}) = -0,0255$ cm^{-1}, d'où $f = -39,3$ cm. La lentille a la même forme que la lentille convergente de la question (a), mais le matériau dont est fait la lentille est moins réfringent que le milieu environnant, et la lentille est divergente.

5.3   Les propriétés des lentilles

Dans le cas des miroirs sphériques, c'est le sens de la courbure de la surface réfléchissante qui permet de distinguer un miroir concave d'un miroir convexe. Dans le cas des lentilles, c'est l'épaisseur de la partie centrale en comparaison de celle des bords qui est importante. Supposons, comme c'est presque toujours le cas, que la lentille est faite d'un matériau dont l'indice de réfraction est plus élevé que celui du milieu dans lequel la lentille est plongée. Dans une **lentille convergente** (figure 5.6a), la partie centrale est plus épaisse que la circonférence. Lorsqu'ils traversent une telle lentille, les rayons parallèles à l'axe optique principal convergent vers un foyer réel. Dans une **lentille divergente** (figure 5.6b), la partie centrale est plus mince que la circonférence. En traversant une telle lentille, un faisceau de rayons parallèles semble diverger à partir d'un foyer virtuel. Une lentille convergente étant habituellement plus épaisse au centre que sur les bords, on utilisera le symbole ↕ pour la représenter ; une lentille divergente étant habituellement plus épaisse sur les bords qu'au centre, on la représentera par le symbole ⊺.

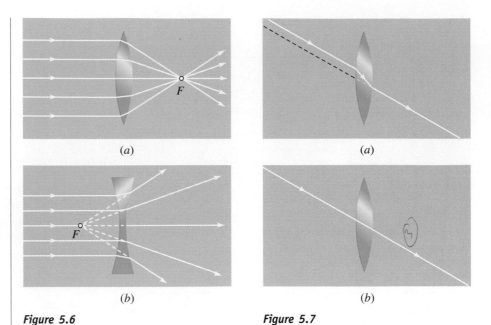

(a)

(b)

Figure 5.6

(*a*) Dans une lentille convergente, les rayons parallèles à l'axe optique convergent en un foyer réel. (*b*) Dans une lentille divergente, le foyer est virtuel.

(a)

(b)

Figure 5.7

Dans l'approximation des lentilles minces, on néglige la déviation latérale d'un rayon (*a*) et on suppose qu'un rayon passant par le centre n'est pas dévié (*b*).

La présente description se limite aux **lentilles minces** dont l'épaisseur est très inférieure au diamètre. Dans ce cas, on peut négliger le déplacement latéral d'un rayon incident faisant un certain angle avec l'axe (figure 5.7*a*). On suppose simplement qu'un rayon qui passe par le centre n'est pas dévié (figure 5.7*b*). Un autre problème, lié à la relation entre l'indice de réfraction et la longueur d'onde, est à l'origine d'une dispersion de la lumière dans le verre. Comme le montre la figure 5.8, des couleurs différentes convergent vers des foyers différents. Ce problème, que l'on appelle **aberration chromatique**, peut être corrigé à l'aide d'une deuxième lentille (divergente) faite d'un verre qui a des propriétés dispersives différentes. Tout comme les miroirs sphériques, une lentille peut faire l'objet d'une **aberration de sphéricité**. Dans ce cas, même un faisceau parallèle monochromatique ne converge pas en un foyer unique (figure 5.9). On simplifie ce problème en ne considérant que les rayons paraxiaux. Nous allons négliger les aberrations et supposer que nos lentilles minces font converger des rayons parallèles en un foyer unique.

Aberration de sphéricité et aberration chromatique

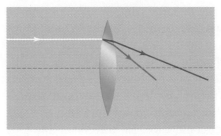

Figure 5.8

À cause de la variation de l'indice de réfraction avec la longueur d'onde, les rayons de couleurs différentes convergent en des points différents. Ce problème est appelé aberration chromatique.

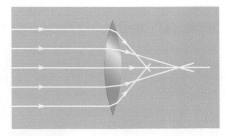

Figure 5.9

À cause de l'aberration de sphéricité, les rayons incidents à des distances différentes de l'axe central convergent en des points différents.

Les tracés des rayons principaux

Une lentille mince possède deux foyers, situés à égale distance de chaque côté de la lentille. Considérons d'abord le cas d'une lentille convergente, et supposons, comme d'habitude, que les rayons viennent de la gauche. Les rayons parallèles à l'axe convergent et forment une image au foyer situé à droite de la lentille : il s'agit du **foyer image**, que l'on dénotera par F' (figure 5.10a).

En revanche, les rayons qui passent par le foyer de gauche seront parallèles à l'axe après le passage de la lentille. Le foyer de gauche est le **foyer objet**, que l'on dénotera par F (figure 5.10b).

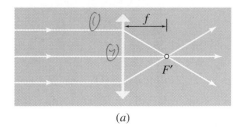

(a)

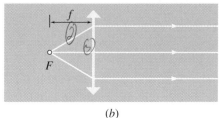

(b)

▶ *Figure 5.10*

(a) Les rayons parallèles à l'axe optique sont déviés vers le foyer image F'.
(b) Les rayons qui passent par le foyer objet F ressortent parallèles à l'axe optique.

Comme c'était le cas pour les miroirs, les tracés des rayons principaux permettent de situer les images données par les lentilles. On distingue trois rayons principaux, mais deux suffisent pour obtenir l'image produite par la lentille :

1. Un rayon qui passe par le centre de la lentille n'est pas dévié (figure 5.7).
2. Un rayon parallèle à l'axe ressort de la lentille en passant par le foyer image F' (figure 5.10a).
3. Un rayon qui passe par le foyer objet F ressort de la lentille parallèlement à l'axe (figure 5.10b).

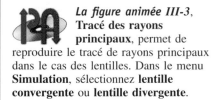

La figure animée III-3, **Tracé des rayons principaux**, permet de reproduire le tracé de rayons principaux dans le cas des lentilles. Dans le menu **Simulation**, sélectionnez **lentille convergente** ou **lentille divergente**.

Pour une lentille divergente, les positions de F et F' sont inversées (figure 5.11) et les règles 2 et 3 doivent être interprétées en termes des prolongements des rayons :

2'. Un rayon parallèle à l'axe ressort de la lentille *en donnant l'impression de venir du foyer image F'* (figure 5.11a).
3'. Un rayon *qui serait passé par le foyer F* s'il n'avait pas été dévié ressort de la lentille parallèlement à l'axe (figure 5.11b).

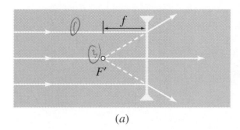

(a)

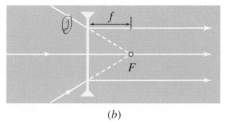

(b)

▶ *Figure 5.11*

(a) Les rayons initialement parallèles à l'axe optique semblent provenir du foyer objet F'. (b) Les rayons qui se dirigeaient vers le foyer image F ressortent parallèles à l'axe optique.

Pour résumer, si on suit le sens de propagation des rayons, on rencontre les foyers dans l'ordre FF' dans le cas d'une lentille convergente et dans l'ordre $F'F$ dans le cas d'une lentille divergente. Les tracés des rayons principaux pour diverses positions d'un objet sont illustrés à la figure 5.12.

Figure 5.12

(*a*) La lentille est convergente et l'objet plus éloigné que le foyer objet *F* : l'image est réelle et inversée. Un projecteur de diapositives fonctionne selon ce principe. (*b*) La lentille est convergente et l'objet est au foyer objet : les rayons ressortent parallèles entre eux, et l'image est à l'infini. (*c*) La lentille est convergente et l'objet est plus rapproché que le foyer objet : l'image est virtuelle, agrandie et à l'endroit. C'est le principe de la loupe. (*d*) La lentille est divergente. L'image est virtuelle, plus petite que l'objet et à l'endroit.

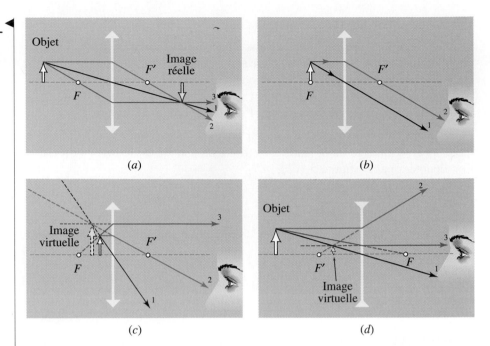

(*a*)   (*b*)

(*c*)   (*d*)

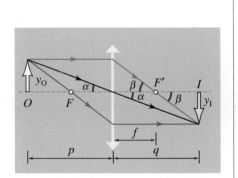

Figure 5.13

Les rayons principaux servent à trouver la position de l'image donnée par une lentille convergente.

Figure 5.14

Les rayons principaux servent à trouver la position de l'image donnée par une lentille divergente.

La formule des lentilles minces

On obtient la formule qui relie la distance focale *f*, la distance objet *p* et la distance image *q* pour une lentille mince en analysant successivement l'effet de chacune des faces de la lentille (section 5.2, équation 5.6). On peut aussi partir du simple fait qu'une lentille possède des foyers et utiliser les règles de tracé des rayons principaux pour obtenir une situation géométrique simple à analyser. Pour une lentille convergente, on obtient le tracé de la figure 5.13. On suppose que tous les rayons sont paraxiaux et on fait l'approximation $\tan \theta \approx \theta$. On obtient :

$$\alpha = \frac{y_O}{p} = \frac{-y_I}{q} \ ; \quad \beta = \frac{y_O}{f} = \frac{-y_I}{q - f}$$

Ainsi, $y_I/y_O = -q/p = -(q - f)/f$. On en tire $1/p + 1/q = 1/f$ (trouvez vous-même les étapes intermédiaires). D'après la figure 5.14, on voit que pour une lentille divergente

$$\alpha = \frac{y_O}{p} = \frac{y_I}{q} \ ; \quad \beta = \frac{y_O}{f} = \frac{y_I}{f - q}$$

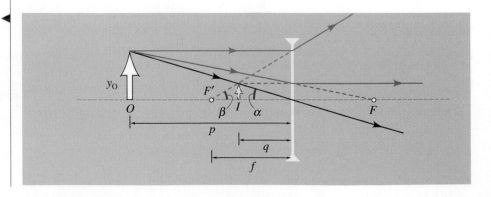

En égalant les expressions obtenues pour y_I/y_O, on trouve $1/p - 1/q = -1/f$ (vérifiez). Comme pour les miroirs, nous utiliserons une seule **formule des lentilles minces** en lui ajoutant une convention de signes :

$$\frac{1}{p} + \frac{1}{q} = \frac{1}{f} \qquad (5.6)$$

Formule des lentilles minces

La distance focale f est positive pour une lentille convergente, négative pour une lentille divergente.

La convention de signes pour p et q demeure inchangée : les grandeurs réelles sont positives et les grandeurs virtuelles sont négatives. Le grandissement latéral s'obtient par la même formule que celle des miroirs (voir l'équation 4.9 à la page 109).

Méthode de résolution : Système de deux lentilles

Nous indiquons ici la marche à suivre pour résoudre des problèmes faisant intervenir deux lentilles. On suppose connues la distance objet à la première lentille et la distance entre les lentilles. Ce *n'est pas* toujours le cas. Par exemple, on peut vous donner la position de l'image finale et vous demander de raisonner « en sens inverse » pour trouver la position de l'objet. L'ordre des étapes peut alors être différent.

Formule des lentilles minces

1. Calculer la position de l'image I_1 donnée par la première lentille L_1. Cette première image sert d'*objet* pour la deuxième lentille L_2.
2. Déterminer la distance objet de la deuxième lentille pour calculer la position de la deuxième image I_2.
3. Ne pas oublier la convention de signes pour les lentilles. En particulier, si I_1 est située à droite de L_2, elle agit comme un objet *virtuel* et p_2 est alors négatif. (Comme d'habitude, on suppose que la lumière se propage de gauche à droite.)

Tracé des rayons principaux

1. Les valeurs obtenues ci-dessus doivent vous permettre de choisir une échelle convenable pour le tracé des rayons principaux. Vous pouvez utiliser une feuille de papier ligné ordinaire en la tournant dans le sens de la largeur.
2. Représenter chaque lentille par une droite munie de triangles aux extrémités pour indiquer si elle est convergente ou divergente (figure 5.15). Vous pourrez effacer les triangles pour prolonger la lentille si besoin est.
3. N'utiliser que les rayons principaux pour construire les images. Si une image se trouve à droite de la deuxième lentille, tracer des *pointillés* au-delà de L_2 (figure 5.16). Les rayons allant d'une lentille jusqu'à une image virtuelle sont également représentés en pointillés (figure 5.20).
4. Pour dessiner les rayons servant à construire la deuxième image I_2, vous pouvez choisir deux rayons *quelconques* sortant de I_1 et qui soient à la fois commodes et utiles. Ils *n'ont pas* besoin d'être liés à ceux qui ont été utilisés pour construire I_1.
5. Puisque la lumière se propage de gauche à droite, ne dessiner aucune flèche pointant vers la gauche !

Exemple 5.5

(a) Un petit objet est situé à 16 cm d'une lentille convergente de distance focale 12 cm. Trouver la position de l'image et déterminer le grandissement transversal. (b) Un objet de hauteur 0,8 cm se trouve à 25 cm d'une lentille divergente de distance focale −16 cm. Trouver la position de l'image et sa hauteur.

Solution :

(a) On nous donne $p = 16$ cm et $f = 12$ cm. D'après la formule des lentilles, on obtient

$$\frac{1}{16\ \text{cm}} + \frac{1}{q} = \frac{1}{12\ \text{cm}}$$

ce qui nous donne $q = 48$ cm. Le grandissement transversal est

$$m = -\frac{q}{p} = -\frac{48\ \text{cm}}{16\ \text{cm}} = -3$$

L'image est réelle (q est positif), inversée (m est négatif) et agrandie ($|m| > 1$). La figure 5.12a représente un tracé convenable des rayons principaux (il n'est pas à l'échelle).

(b) La formule des lentilles minces donne

$$\frac{1}{25\ \text{cm}} + \frac{1}{q} = \frac{-1}{16\ \text{cm}}$$

d'où l'on tire $q = -9,76$ cm. Le grandissement est

$$m = -\frac{q}{p} = -\frac{-9,76\ \text{cm}}{25\ \text{cm}} = +0,39$$

La hauteur de l'image est égale à $(0,8$ cm$)(0,39)$ $= 0,31$ cm. L'image est virtuelle, droite et réduite, comme à la figure 5.12d.

Exemple 5.6

Un petit objet est situé à 6 cm d'une lentille convergente de distance focale 12 cm. Trouver la position de l'image et déterminer son grandissement transversal.

Solution :

Avec $p = 6$ cm et $f = 12$ cm, la formule des lentilles donne

$$\frac{1}{6\ \text{cm}} + \frac{1}{q} = \frac{1}{12\ \text{cm}}$$

Ainsi, $q = -12$ cm. Le grandissement transversal est $m = -q/p = +2$. L'image est virtuelle, droite et agrandie.

Exemple 5.7

Une lentille convergente de distance focale 4 cm est située à 12 cm en avant d'une lentille divergente de distance focale −2 cm. Un petit objet se trouve à 8 cm devant la lentille convergente. Déterminer : (a) la position de l'image finale ; (b) le grandissement transversal de l'image finale.

Solution :

(a) Nous devons d'abord déterminer la distance image q_1 pour la lentille convergente (figure 5.15). En utilisant $p_1 = 8$ cm et $f_1 = 4$ cm dans la formule des lentilles, on obtient

$$\frac{1}{8\ \text{cm}} + \frac{1}{q_1} = \frac{1}{4\ \text{cm}}$$

d'où l'on tire $q_1 = 8$ cm. Puisque q_1 est positif, l'image I_1 donnée par la première lentille est réelle et située à droite de L_1. Deux rayons seulement ont été utilisés pour faire le tracé des rayons principaux afin de déterminer la position de I_1. (Ajoutez le troisième rayon.)

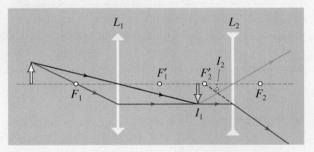

Figure 5.15

L'image I_1 formée par la première lentille L_1 est un objet réel (puisqu'elle est à gauche) pour la deuxième lentille L_2. Pour compléter le tracé de rayons et trouver I_2, on a dessiné en vert un nouveau rayon issu de I_1.

Puisque I_1 est *à gauche* de L_2, l'image donnée par la première lentille joue le rôle d'objet *réel* pour la deuxième lentille. Avec $p_2 = +4$ cm et $f_2 = -2$ cm dans la formule des lentilles minces,

$$\frac{1}{4\ \text{cm}} + \frac{1}{q_2} = \frac{-1}{2\ \text{cm}}$$

et on trouve la distance image $q_2 = -1,33$ cm. Le signe négatif signifie que cette image est virtuelle, située à gauche de L_2.

(b) Le grandissement transversal total est le produit des grandissements individuels :

$$m = m_1 m_2$$

$$= \left(-\frac{8}{8}\right)\left(\frac{1,33}{4}\right) = -\frac{1}{3}$$

L'image finale est virtuelle, renversée et réduite.

Exemple 5.8

(a) Une lentille convergente L_1 de distance focale 4 cm est située à 12 cm en avant d'une deuxième lentille convergente L_2 de distance focale 7 cm. Un petit objet se trouve à 5 cm devant L_1. Trouver la position de l'image finale.

(b) Quel est le grandissement transversal total de l'ensemble des deux lentilles ? Décrire la nature de l'image finale.

Solution :

(a) Ce problème est semblable à l'exemple précédent mais le tracé des rayons principaux est moins évident. On détermine la position de l'image I_1 donnée par la première lentille à partir de la formule des lentilles avec $p_1 = 5$ cm et $f_1 = 4$ cm. Ainsi,

$$\frac{1}{5 \text{ cm}} + \frac{1}{q_1} = \frac{1}{4 \text{ cm}}$$

d'où l'on tire $q_1 = 20$ cm. La première image est réelle.

Dans le tracé des rayons principaux de la figure 5.16, les rayons 1 et 2 suffisent pour déterminer la position de I_1. Au-delà de L_2, ils ont été prolongés par des pointillés. Cette image ne pourra pas se former parce que les rayons seront réfractés par la deuxième lentille. Comme l'image I_1 est à droite de L_2, elle joue le rôle d'*objet virtuel* pour cette lentille, de sorte que $p_2 = -8$ cm. La formule des lentilles appliquée à la deuxième lentille donne

$$-\frac{1}{8 \text{ cm}} + \frac{1}{q_2} = \frac{1}{7 \text{ cm}}$$

d'où l'on tire $q_2 = +3,7$ cm. Comme q_2 est positif, l'image est réelle.

Dans le tracé des rayons principaux, le rayon 1, qui sort de la lentille L_1 parallèlement à l'axe, va converger au foyer F_2' de la deuxième lentille. Notre problème consiste à trouver un deuxième rayon pour déterminer la position de la deuxième image I_2.

Pour ce faire, on remarque que, parmi les nombreux rayons qui forment l'image I_1, un rayon doit passer par le centre de L_2 sans être dévié. Ayant déjà trouvé la position de I_1, on peut tracer un rayon (continu) allant du centre de L_2 à l'extrémité de I_1. L'intersection du rayon 3 avec le rayon passant par F_2' donne la position de l'image finale I_2. On peut ensuite prolonger le rayon 3 vers l'arrière jusqu'à ce qu'il coupe L_1 pour compléter le tracé.

(b) Le grandissement total est

$$m = m_1 m_2 = \left(-\frac{20}{5}\right)\left(\frac{3,7}{8}\right) = -1,85$$

L'image finale est réelle, renversée et agrandie.

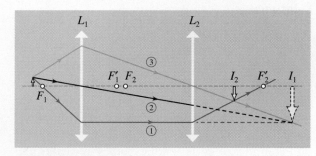

Figure 5.16

L'image I_1 donnée par la première lentille L_1 est un objet virtuel (parce que les rayons convergent vers la lentille) pour la deuxième lentille L_2.

5.4 Le grossissement

À la section 4.8, on a défini le grandissement transversal (linéaire) m comme le rapport entre la taille de l'image et la taille de l'objet. Toutefois, en pratique, la taille de l'image (ou la valeur de m) ne nous renseigne pas directement sur la perception de l'image qu'a l'observateur. Par exemple, imaginons que l'on projette une image de la Lune à l'aide d'une grosse lentille sur un écran : l'image ne mesure que quelques centimètres de hauteur. Comparativement à l'objet, la Lune, qui a un diamètre de 3480 km, l'image est très petite, et le grandissement *m* tend vers 0. Toutefois, pour un observateur qui se trouve assez près de l'écran, l'image peut paraître plus grosse (et révéler plus de détails) que l'objet, tout simplement parce que l'observateur est beaucoup plus près de l'image que de l'objet.

Si on veut comparer les tailles apparentes de l'objet et de l'image, on doit définir le **grossissement (angulaire)** *G* comme le rapport des *angles* sous-tendus par l'objet et l'image d'après un observateur. Si α est l'angle que sous-tend un objet à l'œil nu pour l'observateur, et si β est l'angle que sous-tend l'image de l'objet produite par un dispositif optique (miroir, lentille, microscope, télescope, etc.), alors

$$G = \frac{\beta}{\alpha} \tag{5.7}$$

Exemple 5.9

La Lune a un diamètre de 3480 km et se trouve à une distance de 384 000 km de la Terre. (a) Quel angle α sous-tend la Lune pour un observateur terrestre ? (b) On projette une image de la Lune avec une lentille convergente de distance focale 2 m. Quelle sera la taille de l'image ? (c) Si l'observateur est situé à 30 cm de l'écran, quel angle β sous-tendra l'image ? (d) Que vaut le grossissement *G* dans cette situation ?

Solution :

(a) D'après la figure 5.17,

$$\alpha = \arctan\left(\frac{3480 \text{ km}}{384\,000 \text{ km}}\right) = 0,519°$$

(b) La distance de l'objet est de $p = 384\,000$ km $= 3,84 \times 10^8$ m. Puisque $p \approx \infty$, on trouve, par la formule des lentilles, $q \approx f = 2$ m. Il faut donc placer un écran à 2 m de la lentille pour y recueillir une

image nette de la Lune. Par l'équation 4.9, le grandissement correspond à

$$m = -\frac{q}{p} = \frac{-2}{3,84 \times 10^8} = -5,21 \times 10^{-9}$$

Le signe négatif du grandissement indique que l'image est renversée. Puisque la taille de l'objet est de $y_O = 3480$ km $= 3,48 \times 10^6$ m, la taille de l'image équivaut à

$$y_I = my_O = -0,0181 \text{ m} = -1,81 \text{ cm}$$

(c) D'après la figure 5.18,

$$\beta = \arctan\left(\frac{1,81 \text{ cm}}{30 \text{ cm}}\right) = 3,45°$$

(d) D'après les calculs précédents, on trouve

$$G = \frac{\beta}{\alpha} = \frac{3,45°}{0,519°} = 6,64$$

L'image de la Lune apparaît donc 6,64 fois plus grosse que la Lune dans le ciel.

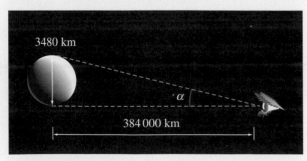

Figure 5.17

L'angle α sous-tendu par la Lune pour un observateur terrestre.

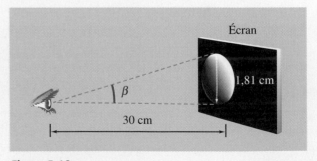

Figure 5.18

L'angle β sous-tendu par l'image de la Lune pour un observateur placé à 30 cm de l'écran.

5.5 La loupe

Une lentille convergente projette une image réelle lorsque l'objet est plus éloigné que la distance focale (figure 5.12*a*). En revanche, lorsque l'objet est plus rapproché que la distance focale (figure 5.12*c* et figure 5.20), l'image est virtuelle et agrandie, et il faut regarder à travers la lentille pour la voir : la lentille agit comme une **loupe**.

Si on veut évaluer le grossissement d'une loupe de distance focale *f*, on doit commencer par évaluer l'angle α que sous-tend *à l'œil nu* l'objet que l'on veut observer. Lorsqu'on observe un objet lointain, comme dans l'exemple 5.9, la valeur de l'angle α peut être calculée sans problème. Mais quand on considère un objet rapproché, comme c'est le cas lorsqu'on se sert d'une loupe, l'angle α dépend de la distance entre l'observateur et l'objet. Plus on rapproche l'objet de l'œil, plus l'angle α augmente. Toutefois, lorsque l'objet est plus rapproché que la distance minimale de vision distincte, l'œil n'est plus capable de former une image nette*. Nous allons définir l'angle α dans cette situation comme *l'angle sous-tendu par l'objet à la distance minimale de vision distincte* (figure 5.19). Cette distance est voisine de 25 cm pour un œil normal, elle est plus grande pour les personnes âgées et elle est d'environ 10 cm pour les enfants. On choisit donc 25 cm comme valeur de référence. D'après la figure 5.19, en utilisant l'approximation des petits angles $\tan \theta \approx \theta$, on trouve

$$\alpha_{25} = \frac{y_O}{0{,}25} \qquad (5.8)$$

où y_O est en mètres. Puisqu'on a utilisé l'approximation des petits angles, l'angle α est en radians.

Pour évaluer β, on considère un observateur qui colle son œil contre la loupe et qui observe l'objet de taille y_O (figure 5.20). On suppose que l'image de l'objet est à une distance *q* supérieure à la distance minimale de vision distincte. L'angle qui intercepte l'image pour l'observateur est

$$\beta = \frac{y_I}{q} = \frac{y_O}{p} \qquad (5.9)$$

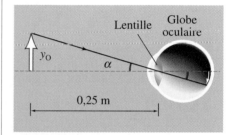

Figure 5.19

La taille apparente d'un objet est déterminée par l'angle sous lequel il est intercepté à partir de l'œil. L'angle est maximal lorsque l'objet est situé à la distance minimale de vision distincte, supposée égale à 25 cm.

▶ **Figure 5.20**

Un objet réel situé à une distance d'une lentille convergente qui est inférieure à sa distance focale donne une image virtuelle agrandie.

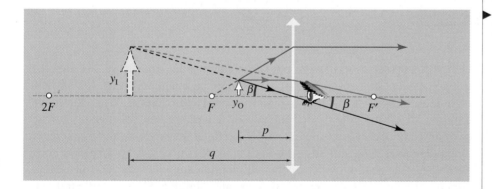

---

* Nous verrons pourquoi il existe une distance minimale de vision distincte à la section 5.8.

(On a utilisé encore une fois l'approximation des petits angles ; β est donc en radians.)

En remplaçant dans la définition du grossissement les expressions que l'on vient de trouver pour α et β, on obtient

$$G = \frac{0{,}25}{p} \qquad (5.10)$$

où p est en mètres. Cette équation n'est valable que lorsque la distance entre l'œil et la lentille est négligeable. Pour que la lentille agisse comme une loupe, la distance objet p doit être plus petite ou égale à la distance focale. Mais elle ne doit pas être trop petite, sinon l'image se forme à une distance q inférieure à la distance minimale de vision distincte, et l'observateur voit une image floue.

Dans le cas particulier où $p = f$, l'image est à l'infini (figure 5.21), et l'équation 5.10 devient

$$G_{\infty} = \frac{0{,}25}{f} \qquad (5.11)$$

Cela montre que plus la distance focale de la lentille est petite, plus le grossissement est important.

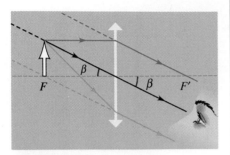

Figure 5.21

Lorsqu'on place un objet au foyer d'une lentille convergente, l'image est à l'infini.

Exemple 5.10

On observe un objet avec une loupe de distance focale 5 cm. Calculer les valeurs de grossissement qui correspondent aux positions extrêmes de l'objet qui donnent une image nette pour l'observateur, dont l'œil est directement collé sur la lentille. On considère que la distance minimale de vision distincte pour l'observateur est de 0,25 cm.

Solution :

Pour $p = f = 0{,}05$ m, l'image est à l'infini et le grossissement est égal à $G_{\infty} = 0{,}25/0{,}05 = 5$.

Remarquez qu'une image à l'infini forme néanmoins un angle bien défini pour l'observateur (voir l'angle β sur la figure 5.21).

L'autre position extrême qui donne une image nette, $p_{\min}$, se produit lorsque $q = -0{,}25$ m (le signe est négatif car l'image est virtuelle). Par la formule des lentilles, $1/p + 1/q = 1/f$, on trouve $p_{\min} = 0{,}0417$ m, d'où $G = 0{,}25/0{,}0417 = 6$. Remarquez que le grossissement maximal correspond au cas où l'image se forme à la distance minimale de vision distincte.

C'est Roger Bacon qui décrivit pour la première fois, au XIIIe siècle, comment utiliser une lentille convergente pour produire une image agrandie. Il la présenta comme un moyen de faciliter la lecture. Vers 1670, Antonie Van Leewenhoek employa de petites lentilles *simples* de distances focales voisines de 1,5 mm pour faire des observations détaillées d'insectes et même de bactéries*. Il réussit à confectionner des lentilles de surfaces non sphériques qui amélioraient considérablement la résolution des images. Il fabriqua ainsi près de 500 microscopes simples, dont neuf existent encore de nos jours (figure 5.22). Le meilleur d'entre eux a un grossissement de 275 environ, un chiffre étonnant lorsqu'on sait que le grossissement d'un microscope moderne ne peut atteindre que 1000 ! Avec

---

* Voir B. J. Ford, *The Single Lens*, Londres, Heinemann, 1985. Cet ouvrage raconte comment Van Leewenhoek établit à lui seul les fondements de la microbiologie.

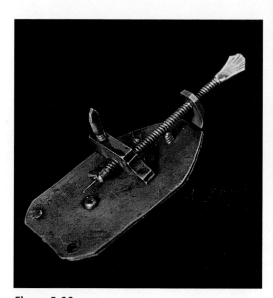

Figure 5.22

Un des petits microscopes à lentille simple utilisé par Van Leewenhoek.

Ce microscope, semblable à celui de Hooke, fut fabriqué par C. Cock vers 1680 et a appartenu à George III.

la meilleure de ses lentilles, il aurait pu distinguer des détails de 1 μm. Toutefois, ces petits microscopes sont très fatigants pour l'œil. Pour remédier à ce problème, on fait appel au microscope composé.

5.6 Le microscope composé

Un microscope comprenant une lentille convergente et une lentille divergente apparut en Hollande vers 1590 et fut utilisé pour la première fois à des fins scientifiques par Galilée en 1610. L'utilisation de deux lentilles convergentes, suggérée par Kepler en 1611, constitue le fondement du **microscope composé**. La publication du *Micrographia* par Robert Hooke en 1665 fut un événement important dans l'histoire du microscope. Dans cet ouvrage, Hooke donnait des illustrations détaillées des observations qu'il avait faites à l'aide du microscope composé représenté à la figure 5.23. C'est d'ailleurs les illustrations de fibres

▶ **Figure 5.23**

Le microscope composé utilisé par Robert Hooke était constitué de deux lentilles plan-convexes distantes de 6 po environ.

Figure 5.24

Dans un microscope composé, l'objectif donne une image réelle à une distance de l'oculaire inférieure à sa distance focale ; l'oculaire agit comme une simple loupe. (Le schéma n'est pas à l'échelle.)

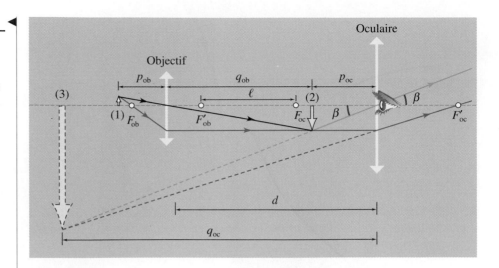

végétales données par Hooke qui encouragèrent Van Leewenhoek, drapier de son métier, à faire ses propres observations.

Dans un microscope composé, la première lentille est l'**objectif** (ob) et la deuxième est l'**oculaire** (oc) (figure 5.24). L'objectif sert à placer une image agrandie de l'objet en un point situé à une distance de l'oculaire qui est inférieure à sa distance focale f_{oc}. L'oculaire joue alors le rôle d'une loupe simple. La distance focale de l'objectif, f_{ob}, est assez faible, de l'ordre de 5 mm, ce qui nous permet de placer l'instrument près de l'objet à observer. Nous verrons également que cela entraîne un grossissement plus important. La distance focale de l'oculaire est voisine de 15 mm. La distance entre les foyers de l'objectif et de l'oculaire est appelée *longueur optique*, ℓ, et elle est en général égale à 16 cm. La distance d entre les lentilles est $d = \ell + f_{ob} + f_{oc}$. Les flèches numérotées de la figure 5.24 (qui n'est pas dessinée à l'échelle) représentent :

1. l'objet, situé juste au-delà du foyer de l'objectif ($p_{ob} > f_{ob}$) ;
2. l'image réelle agrandie produite par l'objectif ($q_{ob} > \ell + f_{ob}$). Cette image constitue un objet réel pour l'oculaire ;
3. l'image finale virtuelle produite par l'oculaire.

Le microscope composé grossit l'image en deux étapes : d'abord, l'objectif produit un grandissement transversal (linéaire) $m = -q_{ob}/p_{ob}$ (équation 4.9). L'image ainsi agrandie est alors observée à la loupe (lentille oculaire), ce qui produit un grossissement (angulaire) $G = 0{,}25/p_{oc}$ (équation 5.12). Ainsi, le grossissement global du microscope composé équivaut à

$$G = -\frac{q_{ob}}{p_{ob}} \cdot \frac{0{,}25}{p_{oc}} \qquad (5.12)$$

Si l'image donnée par l'objectif coïncide avec le foyer de l'oculaire, alors $p_{oc} = f_{oc}$. Dans ce cas, l'image virtuelle finale est à l'infini. Comme $1/q_{ob} + 1/p_{ob} = 1/f_{ob}$ et $q_{ob} = \ell + f_{ob}$, le rapport q_{ob}/p_{ob} est égal à ℓ/f_{ob} (vérifiez). L'équation 5.12 prend alors la forme

$$G_\infty = -\frac{\ell}{f_{ob}} \cdot \frac{0{,}25}{f_{oc}} \qquad (5.13)$$

On voit donc que le grossissement est d'autant plus grand que les distances focales sont petites. La figure 5.25 représente un microscope moderne.

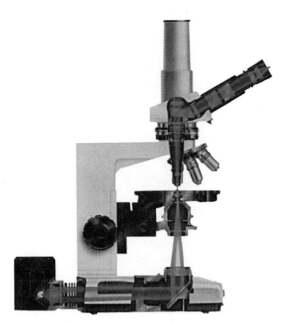

▶ *Figure 5.25*

Le système optique d'un microscope moderne.

Exemple 5.11

Un microscope a un objectif de distance focale 5 mm et un oculaire de distance focale 20 mm. La longueur optique est égale à 15 cm et l'image finale est située à 40 cm de l'oculaire. Déterminer : (a) la position de l'objet ; (b) le grossissement du microscope. (c) Que vaut le grossissement si l'image est à l'infini ?

Solution :

(a) La distance entre les lentilles est $d = \ell + f_{ob} + f_{oc}$ = 17,5 cm.

Puisque nous connaissons la distance image de l'oculaire, nous pouvons déduire la distance objet à partir de $1/p_{oc} + 1/q_{oc} = 1/f_{oc}$, avec $f_{oc} = 2$ cm et $q_{oc} = -40$ cm, ce qui nous donne $p_{oc} = 40/21 = 1,90$ cm.

La distance image de l'objectif est $q_{ob} = d - p_{oc}$ = 15,6 cm. Enfin, $1/p_{ob} + 1/q_{ob} = 1/f_{ob}$ donne p_{ob} = 0,517 cm. On remarque que cette distance est légèrement supérieure à f_{ob}.

(b) D'après l'équation 5.12, le grossissement est

$$G = -\left(\frac{15,6 \text{ cm}}{0,517 \text{ cm}}\right)\left(\frac{25 \text{ cm}}{1,90 \text{ cm}}\right) = -397$$

(c) D'après l'équation 5.13, on trouve

$$G_\infty = -\left(\frac{15 \text{ cm}}{0,5 \text{ cm}}\right)\left(\frac{25 \text{ cm}}{2 \text{ cm}}\right) = -375$$

qui est légèrement inférieur à la valeur trouvée à la question (b).

5.7 Le télescope

Un **télescope** est un instrument d'optique servant à observer des objets éloignés. C'est Roger Bacon qui suggéra d'utiliser un miroir concave et une loupe pour « rapprocher de l'œil des objets lointains », mais on ne sait pas avec certitude s'il a réellement construit un télescope. L'utilisation d'une lentille divergente fut suggérée par la suite par Della Porta vers 1590. De nos jours, on réserve l'appellation *lunette* aux télescopes n'utilisant que des lentilles dans leur construction. Le lunctier hollandais Hanz Lippershey construisit en 1608 la première lunette astronomique avec une lentille convergente et une lentille divergente.

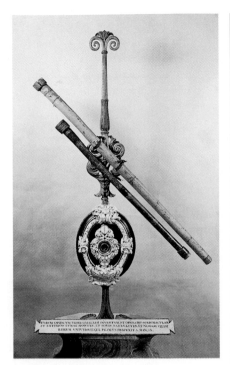

Lunettes astronomiques utilisées par Galilée.

Dès qu'il entendit parler de cet instrument en juin 1609, Galilée en fabriqua un aussitôt et l'orienta vers le ciel. Le paysage accidenté qu'il découvrit alors en observant la surface de la Lune venait contredire l'idée admise depuis longtemps que les corps célestes étaient « parfaits ». Sa découverte des satellites de Jupiter en 1610 vint également mettre en doute la théorie d'Aristote selon laquelle la Terre était au centre de l'univers. Kepler s'étant montré incrédule face à cette découverte, Galilée lui envoya une lunette pour qu'il puisse juger par lui-même. Ainsi encouragé à poursuivre ses propres travaux d'optique, Kepler suggéra la même année que deux lentilles convergentes pouvaient constituer une lunette astronomique. La première **lunette astronomique** fut construite près de cinquante ans plus tard par Huygens. C'est ce type de télescope que nous allons examiner en premier lieu.

Les objets observés au microscope sont proches de l'objectif. Par contre, les objets observés à la lunette astronomique, comme la Lune, sont en général situés à l'infini. Comme le montre la figure 5.26, l'objectif donne une image réelle située à une distance de l'oculaire qui est inférieure à sa distance focale ; l'oculaire agit donc comme une simple loupe. L'angle sous lequel l'objet est vu par l'œil est α, ce qui signifie que les extrémités de l'objet émettent vers le télescope deux « familles » de rayons parallèles qui forment entre elles un angle α (figure 5.27). Les rayons illustrés à la figure 5.26 proviennent du « haut » de l'objet.

L'image formée dans le télescope sous-tend un angle β, de sorte que le grossissement du télescope est

$$G = \frac{\beta}{\alpha} \tag{5.14}$$

Les angles étant petits, $\alpha \approx h/f_{ob}$ et $\beta \approx h/p_{oc}$, et l'équation 5.14 devient

$$G = -\frac{f_{ob}}{p_{oc}} \tag{5.15}$$

Figure 5.26

L'objectif d'une lunette astronomique donne une image réelle à une distance de l'oculaire inférieure à sa distance focale ; l'oculaire joue le rôle d'une simple loupe.

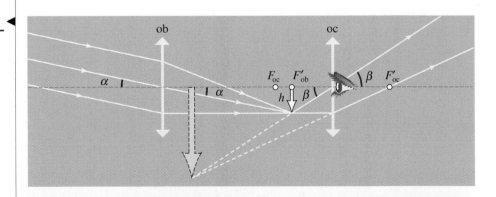

Figure 5.27

Les rayons provenant du haut et du bas d'un objet de taille angulaire α constituent deux familles de rayons quasi parallèles formant le même angle α.

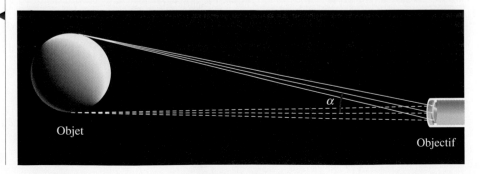

Si l'image finale est également à l'infini, les foyers de l'objectif et de l'oculaire sont confondus et l'on a alors $p_{oc} = f_{oc}$. Dans ce cas, le grossissement s'écrit

$$G_\infty = -\frac{f_{ob}}{f_{oc}} \qquad (5.16)$$

Le grossissement est grand si $f_{ob} \gg f_{oc}$. Pour que cette condition soit vérifiée, il faut que la lunette astronomique soit assez longue. De plus, comme elle donne une image renversée, elle ne convient pas à l'observation terrestre. (On peut utiliser une troisième lentille pour obtenir une image finale droite.)

Dans la **lunette de Galilée**, représentée à la figure 5.28, l'oculaire est une lentille divergente. Si les foyers des deux lentilles sont confondus, l'image finale est à l'infini, comme on le voit sur la figure. Les expressions donnant le grossissement total sont les mêmes que pour la lunette astronomique. Ce montage est utilisé dans les jumelles de théâtre, pour lesquelles l'image est droite et la distance séparant les lentilles est petite.

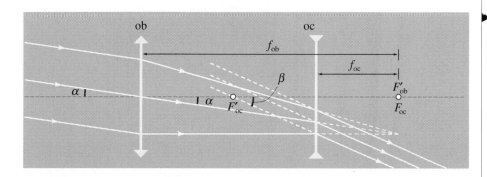

▶ **Figure 5.28**

Dans une lunette de Galilée, l'oculaire est une lentille divergente.

Newton pensait (à tort) qu'il n'était pas possible d'éliminer l'aberration chromatique dans les lentilles. Il construisit un **télescope à miroirs** (figure 5.29), comprenant un miroir concave et un petit miroir plan qui réfléchit la lumière vers l'oculaire (figure 5.30). Le miroir concave donne une image réelle située à une distance de l'oculaire inférieure à sa distance focale; l'oculaire agit ensuite comme une simple loupe. Comme il est difficile de réaliser des

Figure 5.29

Une réplique du télescope à miroirs de Newton.

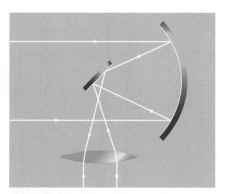

Figure 5.30

Dans un télescope à miroirs, un miroir remplace l'objectif de la lunette astronomique (à réfraction). L'oculaire joue le rôle d'une simple loupe.

lentilles de grand diamètre (qui sont nécessaires pour capter le plus de lumière possible) et qu'elles ont tendance à se déformer sous leur propre poids, on emploie en général un miroir parabolique dans les télescopes modernes. Le télescope du mont Palomar a un miroir de 5 m de diamètre (figure 5.31). Le grossissement est donné par l'équation 5.16, où f_{ob} représente la distance focale du miroir.

Figure 5.31

Le miroir du télescope du mont Palomar, en Californie, est constitué de quatorze tonnes et demie de verre Pyrex et a un diamètre de 5 m.

L'évolution des télescopes

Si le télescope peut sembler, parmi les instruments optiques présentés dans ce chapitre, être peu *utile* dans notre vie quotidienne, on lui doit en revanche de grands bouleversements de nature philosophique et scientifique. Dès le départ, les premières observations au télescope réalisées par Galilée furent tellement importantes qu'elles contribuèrent à vider une antique querelle à propos de la place de la Terre dans l'Univers (voir le tome 1, chapitre 1, Aperçu historique). Quatre cents ans plus tard, ce sont les télescopes géants de Hawaï et ceux en orbite qui ont pris le relais. Les nombreuses découvertes qu'on leur doit continuent d'alimenter l'éternel questionnement concernant la place que nous occupons au sein de l'Univers.

Des débuts modestes

C'est avec un télescope de 1,2 m de long et grossissant 33 fois que Galilée obtint ses meilleures observations. En ce début du XVIIe siècle, personne ne comprenait très bien le comportement des rayons lumineux dans ce genre d'instrument. Si Galilée est parvenu à fabriquer de bons télescopes, c'est d'abord et avant tout parce qu'il avait appris rapidement à fabriquer d'excellentes lentilles. Malgré tous ses efforts, cependant, il n'arriva jamais à obtenir des images aussi nettes qu'il le souhaitait. C'est que Galilée, comme tous ceux qui allaient le suivre pendant plus de cent ans, ne connaissait pas le phénomène des aberrations sphérique et chromatique (voir la section 5.3).

En l'absence d'un modèle théorique assez complet qui aurait permis de corriger les aberrations, les astronomes inventèrent des solutions pratiques, empiriques. L'une d'elles consistait à augmenter autant que possible la distance focale de l'objectif. Poussée à sa limite, cette technique a donné naissance à des télescopes presque impossibles à manœuvrer. Il est difficile d'imaginer l'exploit consistant à maintenir l'alignement entre deux petites lentilles situées aux extrémités de gigantesques tubes filiformes mesurant jusqu'à 60 m de long. C'est pourtant avec des instruments de ce genre que les pionniers de l'observation télescopique découvrirent entre autres les détails de la structure des spectaculaires anneaux de Saturne !

La lutte contre les aberrations se déroula sur deux fronts distincts. D'un côté, on apprit comment la lumière blanche pouvait être décomposée à l'aide d'un prisme. La séparation des couleurs vient du fait que chaque constituant de la lumière blanche est réfracté par le prisme en verre selon un indice différent. Or, les télescopes de l'époque utilisaient justement des lentilles en verre qui réfractaient la lumière pour composer des images. La découverte de Newton montrait que l'aberration chromatique est en quelque sorte inévitable dans tous les dispositifs qui utilisent la réfraction pour dévier la lumière. Fort de cette explication, Newton suggéra d'utiliser un miroir à la place d'une lentille, puisque ainsi les différentes couleurs allaient toutes être réfléchies de la même façon. Mais, à sa grande surprise, il dut admettre que les images obtenues à l'aide de miroirs n'étaient pas parfaites !

Au-delà de l'aberration chromatique qu'un miroir permet d'éliminer, il restait l'aberration sphérique. Ce problème est lié à la forme même des miroirs et des lentilles qu'on construisait à cette époque. C'est en 1721 que John Hadley apporta le correctif ultime aux problèmes d'aberration en utilisant des miroirs de forme parabolique. À peine dix plus tard, Chester Moore Hall réussit à construire les premières lentilles achromatiques en combinant des matériaux d'indices de réfraction différents.

La course aux télescopes géants

Un bon télescope n'est pas uniquement un instrument optique qui donne des images agrandies des objets observés, il doit aussi fournir des images brillantes. Généralement, plus les objets célestes qu'on désire observer sont situés loin de nous, plus leur intensité lumineuse est faible. Pour pouvoir observer toujours plus loin, les astronomes se sont employés à améliorer le pouvoir de captation de la lumière de leurs instruments. Ce pouvoir est directement proportionnel à la surface de l'objectif. Plus le miroir ou la lentille est de grande taille, plus il

permet l'observation d'objets peu lumineux. La course aux télescopes géants a ainsi succédé à la lutte contre l'aberration. Du milieu du XVIIIe siècle jusqu'à la fin du XIXe, on s'affaira donc à construire des télescopes de plus en plus grands. Bien que tous les grands télescopes modernes utilisent des miroirs comme objectifs, à cette époque on n'avait pas de préférence marquée pour les miroirs ou les lentilles achromatiques.

La dernière et la plus grande des lunettes astronomiques fut mise en service en 1897, au Wisconsin. Avec un diamètre de 1 m et ses 250 kg, la lentille du télescope Yerkes, nommé ainsi en l'honneur du généreux bailleur de fonds qui en assura la construction, est un véritable chef-d'œuvre. Georges Ellery Hale, qui supervisa la réalisation de l'instrument, poussa jusqu'à ses derniers retranchements la technologie des télescopes à lentilles. S'il pouvait envisager sans peine la construction d'une lentille plus grande, il se rendit compte qu'il deviendrait impossible de l'utiliser dans un télescope parce qu'elle se déformerait sous l'effet de son propre poids. La seule façon de continuer la course consistait désormais à se tourner vers les télescopes utilisant des miroirs.

La technique de fabrication des miroirs géants est sensiblement la même que celle des lentilles. Il s'agit de tailler un bloc de verre et de lui donner une forme bien précise. À la différence d'une lentille, le bloc de verre destiné à devenir un miroir se voit recouvrir d'une couche d'aluminium. Fort de son expérience acquise au Wisconsin, Hale construisit coup sur coup un télescope de 1,6 m et un autre de 2,5 m. Ce dernier a été inauguré en 1917 au mont Wilson, en Californie. Il s'agissait du plus grand télescope jamais construit. Il garda ce titre pendant plus de trente ans. C'est sur cet instrument qu'Edwin Hubble découvrit, entre autres, que la majorité des nébuleuses observées jusque-là avec de plus petits télescopes étaient en réalité ce qu'on nomme aujourd'hui des galaxies. Ces îlots d'étoiles se comptent aujourd'hui par milliards et chacun peut contenir plusieurs milliards d'étoiles comme le Soleil. C'est aussi sur ce même télescope qu'il découvrit l'expansion de l'espace, que la théorie du Big Bang allait plus tard expliquer à l'appui de la théorie de la relativité d'Einstein.

On réalise à quel point le dernier télescope construit par Hale représentait une avancée technologique spectaculaire lorsqu'on apprend que le télescope spatial nommé en l'honneur d'Ewin Hubble possède un diamètre du même ordre. Ce dernier doit la très grande qualité de ses images au fait qu'il est situé au-dessus de l'atmosphère. Ce faisant, il dispose d'un pouvoir de résolution (voir le chapitre 7) impossible à égaler par les télescopes terrestres.

Le télescope du mont Wilson ne fut surpassé en taille que par le télescope de 5 m du mont Palomar, inauguré en 1948. Il n'est pas surprenant qu'on l'ait nommé le télescope Hale ! Tout comme le Yerkes représentait le summum des télescopes à lentille unique, le Hale s'approchait des limites techniques inhérentes aux télescopes à miroir unique. Il n'a été détrôné du titre de plus grand télescope au monde qu'en 1976 par un télescope soviétique utilisant un miroir de 6 m de diamètre. Pendant qu'en Union Soviétique on s'esquintait à mettre en service un instrument trop gros, les ingénieurs américains préparaient l'avenir.

Les télescopes de l'avenir

En 1979 on inaugurait au mont Hopkins, en Arizona, un télescope à miroirs multiples. Ce prototype est constitué de six miroirs conventionnels de 1,6 m de diamètre chacun, agencés de façon à obtenir le pouvoir de captation d'un miroir de 4,5 m. Faciles à construire et à manipuler, ces miroirs fonctionnent grâce à un système d'alignement par laser commandé en temps réel par des ordinateurs. La technologie des télescopes à miroirs multiples a aujourd'hui atteint sa maturité. À Hawaï, au sommet du Mauna Kea, trônent actuellement les deux télescopes jumeaux Keck 1 et 2, qui ont chacun un diamètre effectif de 10 m. Ils sont constitués de 36 miroirs hexagonaux de 0,9 m de côté. Le pouvoir de captation de la lumière de ces instruments est quatre fois plus grand que celui du Hale.

Le début du prochain millénaire marquera le retour des télescopes géants à miroir unique. Contrairement à la technique soviétique utilisant un miroir conventionnel trop lourd pour être manipulé efficacement, ces nouveaux géants seront minces et souples. Ils ne seront utilisables qu'avec l'aide d'un système de support très complexe permettant de maintenir en permanence une forme parfaite au miroir malgré les mouvements du télescope. Les premiers miroirs de ce type ont déjà été fabriqués et font un diamètre de 8,2 m. Ils seront supportés par un ensemble de 150 vérins munis chacun de trois pattes, le tout finement contrôlé par ordinateur.

La course aux télescopes géants ne s'arrêtera probablement jamais. Dès qu'une technologie semble sur le point d'atteindre sa limite, ingénieurs et astronomes se dépêchent d'en créer une nouvelle pour prendre le relais.

5.8 L'œil

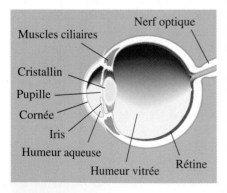

Figure 5.32

L'œil humain. La plus grande partie de la lumière pénétrant dans l'œil est réfractée par la cornée. La distance focale du cristallin varie lorsque les muscles ciliaires se contractent ou se relâchent.

L'œil humain (figure 5.32) est un instrument optique merveilleusement précis. Lorsque des rayons lumineux pénètrent dans l'œil, la plus grande partie de la réfraction se produit au niveau de la membrane externe, appelée **cornée**. Le reste de la réfraction est due au **cristallin**, qui baigne dans deux liquides (appelés humeurs). Le diamètre de la *pupille*, par laquelle le faisceau lumineux pénètre dans la lentille, est commandé par l'*iris* (partie colorée). Le faisceau lumineux est ensuite focalisé sur la **rétine**, qui contient des *bâtonnets* et des *cônes* sensibles à la lumière, et les informations sont acheminées par le *nerf optique* jusqu'au cerveau.

L'œil est capable de former sur la rétine des images d'objets placés à diverses distances en faisant varier la distance focale du cristallin. Ce processus, que l'on appelle **accommodation** s'effectue par contraction ou relâchement des *muscles ciliaires*, qui modifient les rayons de courbure des deux surfaces de la lentille. Dans le raisonnement qui suit, nous allons considérer un œil « réduit », constitué d'une lentille simple remplaçant la cornée et le cristallin. Cette « lentille équivalente » est une lentille convergente dont la distance focale est variable. Lorsque les muscles ciliaires sont relâchés, la courbure du cristallin est minimale, et la distance focale de la lentille équivalente est *maximale* : c'est la distance focale « normale » de l'œil, c'est-à-dire la distance focale lorsqu'il n'y a pas d'accommodation. En revanche, lorsque les muscles ciliaires sont contractés au maximum, la courbure du cristallin est maximale, et la distance focale de la lentille équivalente est *minimale*.

Pour que la vision soit nette, il faut que l'image formée par la lentille équivalente soit sur la rétine. Le point le plus éloigné où on peut placer un objet pour que l'image se forme sur la rétine est le **punctum remotum** de l'œil ; le point le plus rapproché est le **punctum proximum**. Pour un œil normal, le punctum remotum est à l'infini, et le punctum proximum est assez rapproché, pouvant correspondre à environ 10 cm chez les enfants. Comme nous l'avons mentionné à la section 5.4, on considère que le punctum proximum moyen pour les yeux normaux se situe à une distance de 25 cm, ce qui permet de lire sans problème.

Si une personne est hypermétrope, son globe oculaire est trop court par rapport à la distance focale de l'œil au repos. L'image donnée des objets à l'infini est située dans ce cas derrière la rétine. Ce défaut, appelé **hypermétropie**, est représenté à la figure 5.33a. La figure 5.33b représente un deuxième type de défaut appelé **presbytie**. Avec l'âge, les muscles oculaires s'affaiblissent ou la lentille durcit. La distance du punctum proximum devient supérieure à 25 cm et l'œil a des difficultés à accommoder sur des objets proches. La personne doit alors tenir son journal à bout de bras pour le lire. Ces deux défauts sont corrigés au moyen d'une lentille convergente.

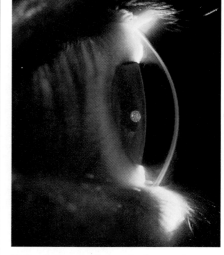

Cette photographie montre la cornée et le cristallin.

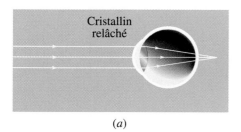

(a)

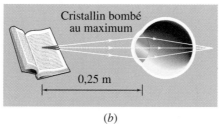

0,25 m

(b)

▶ *Figure 5.33*

(*a*) Hypermétropie : les rayons parallèles convergent en un point situé derrière la rétine. (*b*) Presbytie : les rayons lumineux provenant d'objets proches de l'œil convergent derrière la rétine.

Chez une personne myope, le globe oculaire est trop long par rapport à la distance focale de l'œil au repos. L'image donnée des objets à l'infini est dans ce cas située devant la rétine (figure 5.34). Ce défaut, appelé **myopie**, se corrige à l'aide d'une lentille divergente.

Les lunettes correctrices se caractérisent par la **puissance** des lentilles utilisées. Cette puissance est définie par l'inverse de la distance focale en mètres :

$$P = \frac{1}{f} \tag{5.17}$$

L'unité de puissance est la **dioptrie** (D). Une lentille convergente a une puissance positive, alors qu'une lentille divergente a une puissance négative.

L'œil, traité comme une lentille, se voit assigner une puissance. Comme la distance focale de l'œil varie selon l'effort d'accommodation qu'il doit effectuer, il est intéressant d'évaluer les puissances maximale et minimale. L'œil est à sa puissance maximale lorsque la distance focale est minimale, ce qui se produit lorsqu'on a une image nette d'un objet situé au punctum proximum. Soit d_{PP}, la distance du punctum proximum, et ℓ, la longueur de l'œil (la distance entre la lentille équivalente et la rétine). La distance objet correspond

Puissance d'une lentille

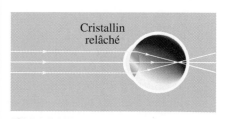

Figure 5.34

Myopie : les rayons lumineux venant de l'infini convergent en un point situé devant la rétine.

à d_{PP}, et la distance image correspond à ℓ. Par la définition de la puissance et la formule des lentilles, on peut écrire

$$P_{max} = \frac{1}{f_{min}} = \frac{1}{d_{PP}} + \frac{1}{\ell} \qquad (5.18)$$

L'œil est à sa puissance minimale lorsque la distance focale est maximale, ce qui se produit lorsqu'on a une image nette d'un objet situé au punctum remotum. On peut alors écrire

$$P_{min} = \frac{1}{f_{max}} = \frac{1}{d_{PR}} + \frac{1}{\ell} \qquad (5.19)$$

où d_{PR} est la distance du punctum remotum.

La **puissance d'accommodation** est définie comme la différence entre la puissance minimale et la puissance maximale de la lentille équivalente. En utilisant les résultats précédents, on trouve

$$P_{acc} = P_{max} - P_{min} = \frac{1}{d_{PP}} - \frac{1}{d_{PR}} \qquad (5.20)$$

Exemple 5.12

Soit un œil dont le punctum proximum est à 1 m. Quelle lentille doit-on utiliser pour le ramener à 25 cm?

Solution :

L'œil sans lentille correctrice est capable de distinguer clairement un objet à partir d'une distance de 100 cm. Avec la lentille correctrice, on veut pouvoir distinguer clairement un objet placé à 25 cm. Ainsi, le rôle de la lentille correctrice est de *former une image à 100 cm d'un objet situé à 25 cm* (figure 5.35). L'image formée à 100 cm devient l'objet pour l'œil, et le tour est joué. L'image formée par la lentille est virtuelle, puisqu'elle se situe du même côté que l'objet $q = -100$ cm. D'après la formule des lentilles, $1/p + 1/q = 1/f$, on a

$$\frac{1}{25 \text{ cm}} - \frac{1}{100 \text{ cm}} = \frac{1}{f}$$

Donc $f = 100/3 = 33,3$ cm. Il s'agit donc d'une lentille convergente.

Exemple 5.13

(a) Soit un œil dont le punctum remotum est à 2 m. Quelle lentille doit-on utiliser pour le placer à l'infini? (b) Si le punctum proximum est à 25 cm avec ces lunettes, où est-il sans les lunettes?

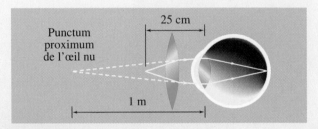

Figure 5.35

Les rayons qui forment l'image virtuelle de l'objet à 25 cm semblent diverger à partir du punctum proximum.

Solution :

(a) L'œil sans lentille correctrice est capable de distinguer clairement un objet jusqu'à une distance de 2 m. Avec la lentille correctrice, on veut pouvoir distinguer clairement un objet placé à l'infini. Ainsi, le rôle de la lentille correctrice est de *former une image à 2 m d'un objet situé à l'infini* (figure 5.36a). L'image formée à 2 m devient l'objet pour l'œil, et le tour est joué. L'image formée par la lentille est virtuelle, puisqu'elle se situe du même côté que l'objet: $q = -2$ m. D'après la formule des lentilles, $1/p + 1/q = 1/f$, pour $p = \infty$, $f = q = -2$ m. Il s'agit donc d'une lentille divergente.

(b) Le punctum proximum est à 25 cm avec les lunettes: cela signifie que lorsque l'objet est placé à 25 cm devant la lentille correctrice, l'image formée par la lentille est située au punctum proximum de l'œil. Par la formule des lentilles, avec $p = 25$ cm et

$f = -2$ m, on obtient $q = -22$ cm. Ainsi, le punctum proximum de l'œil sans lentille correctrice est à 22 cm, donc plus rapproché qu'avec la lentille correctrice (figure 5.36b). Pour voir de près, il vaut mieux enlever les lunettes.

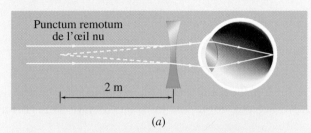

Punctum remotum
de l'œil nu

2 m

(a)

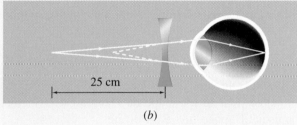

25 cm

(b)

Figure 5.36

(a) Les rayons lumineux provenant de l'infini semblent diverger à partir du punctum remotum. (b) La lentille divergente d'une lunette éloigne le punctum proximum de l'œil. Notez que l'échelle n'est pas la même sur les deux dessins.

Exemple 5.14

Un œil peut accommoder de 25 cm à l'infini. Son diamètre est de 2 cm. Calculer (a) sa puissance minimale, (b) sa puissance maximale et (c) sa puissance d'accommodation.

Solution :

(a) Lorsque la puissance est minimale, l'image d'un objet au punctum remotum (ici, $p = \infty$) se forme sur la rétine (figure 5.37a). L'image est réelle et à une distance de la lentille égale au diamètre de l'œil : $q = 2$ cm. Ainsi, la puissance minimale est $P = 1/f = 1/p + 1/q = 1/(0,02$ m$) = 50$ D.

(b) Lorsque la puissance est maximale, l'image d'un objet au punctum proximum (ici, $p = 25$ cm) se forme sur la rétine (figure 5.37b). L'image est réelle et à une distance de la lentille égale au diamètre de l'œil : $q = 2$ cm. Ainsi, la puissance minimale est $P = 1/f = 1/p + 1/q = 1/(0,25$ m$) + 1/(0,02$ m$) = 54$ D.

(c) La puissance d'accommodation est de 54 D − 50 D = 4 D. (On peut aussi utiliser directement l'équation 5.20.)

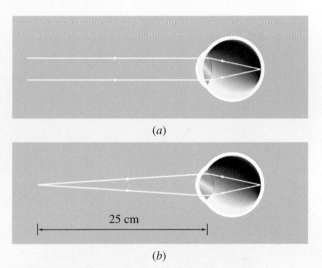

(a)

25 cm

(b)

Figure 5.37

Un œil normal peut focaliser sur la rétine les rayons lumineux provenant (a) de l'infini ; (b) du punctum proximum à 25 cm.

Résumé

Dans l'approximation paraxiale, les distances objet p et image q mesurées à partir d'une lentille mince de distance focale f sont liées par la formule des lentilles minces

$$\frac{1}{p} + \frac{1}{q} = \frac{1}{f}$$

Le grandissement transversal (linéaire) d'une lentille mince est

$$m = -\frac{q}{p}$$

Le grossissement d'une loupe est

$$G = \frac{\beta}{\alpha_{25}} = \frac{0{,}25}{p}$$

où α_{25} est l'angle interceptant l'objet à 0,25 m de l'œil et β est l'angle interceptant l'image virtuelle dans la lentille. La grandeur p est la distance objet en mètres.

Le grossissement d'un microscope composé s'écrit :

$$G = -\frac{q_{ob}}{p_{ob}} \cdot \frac{0{,}25}{p_{oc}}$$

où p_{ob} est la distance entre l'objet et l'objectif, q_{ob} est la distance entre l'image formée par l'objectif et l'objectif et p_{oc} est la distance entre l'image formée par l'objectif et l'oculaire.

Si l'image finale est à l'infini, le grossissement d'une lunette astronomique est

$$G_\infty = -\frac{f_{ob}}{f_{oc}}$$

où f_{ob} et f_{oc} sont les distances focales de l'objectif et de l'oculaire, respectivement. L'expression valable pour le télescope de Galilée est la même, mais sans le signe négatif, puisque l'image finale est droite.

La puissance d'une lunette correctrice (exprimée en dioptries) est définie comme l'inverse de la distance focale en mètres :

$$P = \frac{1}{f}$$

Termes importants

aberration chromatique

aberration de sphéricité

accommodation

cornée

cristallin

dioptrie

formule des lentilles minces

foyer image

foyer objet

grossissement (angulaire)

hypermétropie

lentille convergente

lentille divergente

lentille mince

loupe

lunette astronomique

lunette de Galilée

microscope composé

myopie

presbytie

objectif

oculaire

puissance (d'une lentille)

puissance d'accommodation

punctum proximum

punctum remotum

rétine

télescope

télescope à miroirs

R1. Quelle est la différence entre le foyer objet et le foyer image ?

R2. Expliquez pourquoi un rayon qui passe par le centre d'une lentille n'est pas dévié.

R3. Énoncez les règles du tracé des rayons principaux pour les lentilles minces.

R4. À quelle distance doit-on placer l'objet par rapport au foyer d'une lentille convergente pour que la lentille agisse (a) comme une loupe ; (b) comme un projecteur ?

R5. Quelle est la différence entre le grandissement transversal et le grossissement ?

R6. Vrai ou faux ? Plus la distance focale d'une loupe est grande, plus le grossissement est important.

R7. D'après l'équation 5.10, le grossissement tend vers l'infini lorsque p tend vers zéro. Pourquoi ne peut-on pas affirmer que le grossissement maximal d'une loupe est infini ?

R8. Quel scientifique, pionnier de l'utilisation du pouvoir grossissant des lentilles, est considéré comme le père fondateur de la microbiologie ?

R9. Quel scientifique a utilisé le premier un télescope en astronomie ? Énoncez deux de ses découvertes.

R10. Quelle est la différence entre la lunette astronomique et la lunette de Galilée ? Pourquoi vaut-il mieux utiliser une lunette de Galilée pour regarder une pièce de théâtre ?

R11. Pourquoi utilise-t-on les miroirs de préférence aux lentilles dans les grands télescopes modernes ?

R12. Quel mécanisme rend possible l'accommodation de l'œil ?

R13. Doit-on utiliser une lentille convergente ou une lentille divergente pour corriger (a) l'hypermétropie ; (b) la myopie ; (c) la presbytie ?

R14. Dessinez un œil avec sa lentille équivalente ; dessiner le trajet des rayons en provenance de l'infini pour (a) un œil normal ; (b) un œil hypermétrope ; (c) un œil myope.

uestions

Q1. Lorsqu'on tient une loupe près de l'œil, l'angle sous-tendu par l'objet et celui sous-tendu par l'image sont à peu près le même à partir de l'œil. À quoi sert la lentille ?

Q2. Comment peut-on déterminer la distance focale d'une lentille divergente ?

Q3. Pourquoi les yeux ont-ils de la difficulté à former une image nette sous l'eau ? Pourquoi est-ce plus facile avec des lunettes de nageur ?

Q4. La distance focale d'un télescope a-t-elle un effet sur la taille de l'image d'un objet ?

Q5. Citez tous les cas que vous connaissez où le diamètre d'une lentille modifie l'image qu'elle produit.

Q6. En quoi l'accommodation d'une lentille d'appareil photographique diffère-t-elle de celle du cristallin de l'œil ?

Q7. Que devient la distance focale d'une lentille lorsqu'on la plonge dans l'eau ? Examinez le cas des lentilles convergentes et des lentilles divergentes.

Q8. Une image virtuelle peut-elle être photographiée ?

Q9. Une lentille divergente peut-elle produire une image réelle ? Si oui, expliquez comment.

Q10. Une lentille convergente peut-elle produire une image virtuelle renversée ? Si oui, expliquez comment.

Q11. Deux lentilles minces plan-convexes sont mises en contact. Comparez les distances focales totales lorsque les surfaces planes se touchent et lorsque les surfaces courbées se touchent (figure 5.38).

Figure 5.38

Question 11.

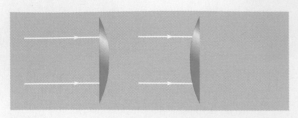

Figure 5.39

Question 12 et exercice 6.

Q12. Parmi les deux dispositions de lentilles plan-convexes représentées à la figure 5.39, laquelle devrait produire une image plus nette d'un objet à l'infini ? Expliquez pourquoi.

Q13. Pour une lentille convergente, indiquez dans quelles conditions l'image est (si possible) : (a) réelle ; (b) virtuelle ; (c) droite ; (d) renversée ; (e) agrandie ; (f) réduite.

Q14. Reprenez la question précédente pour une lentille divergente.

Q15. Un objet virtuel peut-il produire une image réelle ? Si oui, faites un tracé des rayons principaux pour montrer comment.

Q16. (a) Étant donné une lentille convergente, où doit-on placer un objet pour obtenir une image de même taille ? (b) Peut-on obtenir ce résultat avec une lentille divergente ? Si oui, comment ?

Q17. Pourquoi est-il déconseillé de laisser des gouttelettes d'eau sur la carrosserie d'une voiture en plein soleil ?

Q18. Comment faire pour fabriquer une lentille focalisant les ondes sonores ? Considérez les ondes dans l'air et dans l'eau.

Q19. Un sac de plastique transparent et mince a la forme d'une lentille convergente lorsqu'on le gonfle d'air. Quel est son comportement optique lorsqu'on le place dans l'eau ?

Q20. Lorsqu'un télescope servant à observer la Lune est réglé pour l'œil normal au repos, l'objet et l'image sont tous deux à l'infini. Pourquoi la Lune apparaît-elle plus grande lorsqu'on l'observe à l'aide de l'instrument ?

Q21. Soit un élément optique ayant deux surfaces de rayons de courbure égaux (figure 5.40). Dessinez un tracé des rayons principaux montrant le trajet des rayons parallèles incidents issus de la gauche.

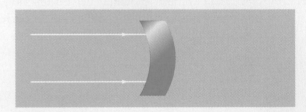

Figure 5.40

Question 21.

xercices

5.1 Dioptres sphériques

E1. (I) Un chat regarde un poisson dans un bocal sphérique de 20 cm de rayon rempli d'eau ($n = 1,33$). (a) Où voit-il l'image du poisson si celui-ci se déplace à 10 cm derrière la paroi ? (b) Si le poisson a 2 cm de hauteur, quelle taille a l'image du poisson pour le chat ? (c) Où le poisson voit-il l'image du chat, qui est situé à 15 cm du bocal ? (d) De quel facteur la tête du chat est-elle grossie dans cette situation ? Répondez à ces questions en supposant l'approximation paraxiale.

E2. (I) Un ours est penché au-dessus d'une rivière et observe un saumon. Si le saumon lui semble se trouver à 0,5 m sous la surface de l'eau, à quelle profondeur se trouve réellement le saumon ? Supposez que l'ours est directement au-dessus du saumon.

E3. (II) Une plaque de verre de 10 cm d'épaisseur ($n = 1,5$) repose au fond d'un bassin de 0,4 m de profondeur rempli d'eau. Une mouche est coincée sous la plaque de verre. À quelle profondeur apparente se trouve-t-elle pour un observateur situé directement au-dessus du bassin ?

E4. (II) Trouvez la position de l'image d'un petit objet donnée par une sphère en verre ($n = 1,5$) de rayon 4 cm, sachant que l'objet est situé dans l'air (a) à l'infini ; (b) à 20 cm du centre de la sphère.

E5. (II) Une tige de verre ($n = 1,5$) de longueur $3R = 24$ cm a une surface convexe de rayon de courbure $R = 8$ cm et une surface plane (figure 5.41). Trouvez la position de l'image finale d'un petit objet placé aux distances suivantes à partir de la surface convexe : (a) 24 cm ; (b) 6 cm.

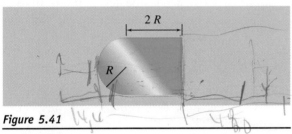

Figure 5.41

Exercice 5.

5.2 Formule des opticiens

E6. (I) La surface courbe d'une lentille mince plan-convexe ($n = 1,5$) a un rayon de courbure de 12 cm (figure 5.39). Trouvez la position de l'image d'un objet dans l'air à l'infini sachant que la surface faisant face de l'objet est (a) courbée ; (b) plane.

E7. (I) Une lentille mince en verre ($n = 1,5$) a une surface convexe de rayon de courbure 12 cm. Quel doit être le rayon de l'autre surface pour que la distance focale soit (a) de +16 cm ; (b) de −40 cm ?

5.3 Propriétés des lentilles

E8. (I) Un objet de 2 m de hauteur est situé à 4 m d'une lentille convergente. Quelle est la dimension de l'image sur un écran sachant que la distance focale vaut (a) 5 cm ; (b) 20 cm ?

E9. (I) Quelle est la dimension de l'image produite par une lentille convergente de distance focale 2 m servant à observer (a) la Lune ; (b) le Soleil ?

E10. (I) Un objet d'une taille de 1 cm est projeté sur un écran situé à 2 m d'une lentille mince et forme une image de 5 cm. (a) Quelle est la position de l'objet ; (b) quelle est la distance focale de la lentille ?

E11. (I) Une lentille donne une image virtuelle agrandie quatre fois et située à 16 cm devant la lentille du même côté que l'objet. (a) Où se trouve l'objet ? (b) Quelle est la distance focale de la lentille ?

E12. (I) Une lentille donne une image réelle, de taille égale au tiers de la taille de l'objet et située à 6 cm derrière la lentille (du côté opposé à l'objet). (a) Où se trouve l'objet ? (b) Quelle est la distance focale de la lentille ?

E13. (I) On veut projeter une diapositive de 35 mm (de largeur 36 mm) de manière à couvrir la totalité d'un écran. Décrivez la lentille du projecteur si l'écran est large de 2 m et qu'il se trouve à 7 m de la lentille ?

E14. (I) Un appareil photographique simple a une seule lentille convergente de distance focale 50 mm. À quelle distance de la pellicule se trouve la lentille si l'objet photographié est (a) à 2 m de la lentille ; (b) à 0,5 m de la lentille ?

E15. (II) Une lentille convergente a une distance focale de 15 cm. Quelles sont les deux positions de l'objet pour lesquelles la dimension de l'image est le double de celle de l'objet ?

E16. (I) L'image d'un objet situé à 12 cm d'une lentille convergente a un grandissement linéaire de $-2/3$. (a) Où est située l'image ? (b) Quelle est la distance focale de la lentille ?

E17. (I) Une lentille convergente de distance focale 35 cm donne une image agrandie de dimension égale à 2,5 fois la dimension de l'objet. Quelle est la distance de l'objet si l'image est (a) réelle ; (b) virtuelle ?

E18. (I) Une lentille convergente de distance focale 20 cm donne une image réduite de dimension égale à 40 % de la dimension de l'objet. Trouvez la position de l'objet sachant que l'image est (a) réelle ; (b) virtuelle.

E19. (II) Une lentille mince biconvexe (figure 5.6a) en verre ($n = 1,5$) a des surfaces de rayons de courbure 12 cm et 16 cm. Un objet est situé à 20 cm de la lentille. Quels sont la position et le grandissement linéaire de l'image ?

E20. (II) Une lentille mince biconcave (figure 5.6*b*) en verre ($n = 1,5$) a deux surfaces de rayons de courbure 12 cm et 16 cm. Un objet est situé à 20 cm de la lentille. Quels sont la position et le grandissement linéaire de l'image ?

E21. (II) La distance focale d'une lentille divergente est de -20 cm. Trouvez la position de l'objet sachant que l'image est (a) virtuelle, droite et de dimension égale à 20 % de la dimension de l'objet ; (b) réelle, droite et de dimension égale à 150 % de la dimension de l'objet.

E22. (II) Une lentille convergente ($f_1 = 10$ cm) est à 10 cm d'une lentille divergente ($f_2 = -15$ cm). Un objet se trouve à 20 cm devant la première lentille. Trouvez la position de l'image finale.

E23. (II) Deux lentilles convergentes de distances focales 10 cm et 20 cm sont éloignées de 15 cm. Un objet est situé à 12 cm devant la lentille de 10 cm. Où est l'image finale ?

E24. (II) Un objet se trouve à 40 cm devant une lentille convergente de distance focale 8 cm. Une autre lentille convergente de distance focale 12 cm est située à 20 cm derrière la première lentille. Trouvez la position et le grandissement transversal de l'image finale. Faites un tracé des rayons principaux.

E25. (II) On met en contact deux lentilles minces de distances focales f_1 et f_2. Montrez que la distance focale associée à l'effet combiné des deux lentilles est $f \approx f_1 f_2 / (f_1 + f_2)$.

E26. (I) Une lentille convergente de distance focale $f_1 = 10$ cm est mise en contact avec une lentille divergente de distance focale f_2. Sachant que la distance focale de l'ensemble vaut 14 cm, trouvez f_2.

Grossissement, loupes et microscopes

E27. (I) Une pierre précieuse est située à 5,7 cm d'une loupe de distance focale 6 cm (on suppose que la lentille est proche de l'œil). Trouvez : (a) le grossissement angulaire ; (b) la position de l'image.

E28. (I) Sur un timbre, un détail a une largeur de 1 mm. On utilise une lentille convergente de distance focale 4 cm pour obtenir une image virtuelle à 40 cm de la lentille (qui est proche de l'œil). Trouvez : (a) la dimension de l'image donnée par la lentille ; (b) le grossissement angulaire.

E29. (II) (a) Montrez que, si l'image donnée par une loupe se trouve au punctum proximum normal (0,25 m), alors l'équation 5.10 devient

$$G = 1 + \frac{0,25}{f}$$

où f est en mètres. On suppose que la lentille est proche de l'œil. (b) Quelle est la distance focale maximale pouvant produire un grossissement de 2,4 pour un œil normal ?

E30. (II) La distance focale d'une loupe est de 10 cm. (a) Où doit être placé un objet pour que le grossissement soit maximal (on suppose l'œil normal) ? (b) Avec la condition décrite en (a), si la taille de l'objet vaut 2 mm, quelle est la taille de l'image ?

E31. (I) Le grossissement d'un microscope est de 400 lorsque l'image finale est à l'infini. La longueur optique vaut 16 cm et la distance focale de l'objectif est de 5 mm. Quelle est la distance focale de l'oculaire ?

E32. (II) La distance focale de l'objectif d'un microscope est de 8 mm et celle de l'oculaire est de 3 cm. La distance entre les lentilles est de 17,5 cm. Trouvez le grossissement angulaire si l'image finale est à 40 cm de l'oculaire.

E33. (II) Dans un microscope, les distances focales de l'objectif et de l'oculaire sont respectivement de 6 mm et de 2,4 cm. L'objet est situé à 6,25 mm de l'objectif. Trouvez le grossissement angulaire si l'image finale est à l'infini.

5.7   Télescope

E34. (I) L'objectif d'une lunette astronomique a une distance focale de 60 cm. La distance entre les lentilles est de 65 cm. Quel est le grossissement si l'instrument est réglé pour un œil normal au repos ?

E35. (I) Un télescope à miroirs a un miroir de distance focale 180 cm et un oculaire de distance focale 5 cm. Quel est le grossissement si l'image finale est à l'infini ?

E36. (I) Utilisé avec un œil au repos, le grossissement d'une lunette de Galilée est de 8. Quelle est la distance focale de l'oculaire si la distance focale de l'objectif est de 36 cm ?

E37. (I) Une lunette astronomique a un objectif de distance focale égale à 5 m et un oculaire de distance focale égale à 10 cm. Quel est le grossissement si l'image finale est (a) à l'infini ; (b) à 40 cm de l'oculaire ?

E38. (I) Les lentilles d'une lunette astronomique sont distantes de 65 cm. L'image finale étant à l'infini et le grossissement étant de 25, trouvez les distances focales des lentilles.

E39. (I) Une lunette de Galilée est longue de 15 cm et a un objectif de distance focale 20 cm. Si l'image finale est à l'infini, quel est son grossissement ?

E40. (I) Le miroir de 200 po (5,1 m) de diamètre du télescope du mont Palomar a une distance focale de 16,8 m. Sachant que l'image est observée avec un oculaire de distance focale 3,5 cm, quel est le grossissement si l'image finale est à l'infini ?

E41. (II) Une lunette astronomique servant à observer la Lune a un objectif de distance focale 1,8 m et un oculaire de distance focale 11 cm. Quel est le grossissement si l'image finale est à 40 cm de l'œil ?

E42. (II) Une lunette de Galilée est constituée d'une lentille convergente de distance focale 24 cm et d'une lentille divergente de distance focale −8 cm, les deux lentilles étant distantes de 16 cm. L'objet est situé à 12 m. (a) Où se trouve l'image finale ? (b) Quelle doit être la distance entre les deux lentilles pour que l'image finale soit à l'infini ?

5.8 L'œil

E43. (I) Où se trouve le punctum proximum d'une personne qui a une prescription corrective de +2,8 D ?

E44. (I) Soit une personne dont les yeux ont un pouvoir d'accommodation lui permettant de voir avec netteté les objets se situant entre 15 cm et 40 cm. Quelles lunettes doit-on lui prescrire ?

E45. (I) Soit une personne dont les yeux ont un pouvoir d'accommodation lui permettant de voir avec netteté les objets se situant entre 40 cm et 4,0 m. Quelles lunettes doit-on lui prescrire ?

E46. (I) Quelles lunettes doit-on prescrire aux personnes ayant : (a) un punctum proximum de 34 cm ; (b) un punctum remotum de 34 cm ?

E47. (II) Un œil nu a un punctum remotum de 2 m. Si le punctum proximum est de 28 cm avec des lunettes, où est-il sans lunettes ?

E48. (II) Une personne a besoin d'une lentille de +1,5 D pour pouvoir lire le journal à 25 cm. Quelques années plus tard, avec les mêmes lunettes, elle doit tenir son journal à 40 cm. Quelles lunettes doit-on lui prescrire pour lui permettre de lire normalement ?

E49. (II) Une personne myope a des lunettes de prescription −2D. (a) Où est situé le punctum remotum sans lunettes ? (b) Si le punctum proximum est de 20 cm sans lunettes, où est-il avec les lunettes ?

Exercices supplémentaires

5.3 Propriétés des lentilles

E50. (I) Un objet est placé à 50 cm à gauche d'une lentille mince. Trouvez la distance focale de cette lentille si l'image est (a) à 20 cm à gauche de la lentille ; (b) à 20 cm à droite de la lentille.

E51. (I) Une source ponctuelle est à $x = 0$ et l'écran à $x = 100$ cm. Une lentille de 20 cm de distance focale produit une image nette de cette source sur l'écran. Quelles sont les deux positions possibles de la lentille ?

E52. (I) Une lentille convergente de distance focale 12 cm produit une image 50 % plus grande que son objet. Quelle est la position de cet objet si l'image est (a) droite ou (b) inversée ?

E53. (I) Une caméra ayant une lentille de distance focale 55 mm est utilisée pour photographier une personne de 1,8 m de hauteur. Quelle est la distance entre la caméra et cette personne pour que son image entre complètement sur la pellicule de 24 mm de hauteur ?

E54. (II) Un objet de 1,2 cm est situé à 10 cm à gauche d'une lentille convergente de distance focale 12 cm. Une lentille divergente de distance focale −30 cm est située à 15 cm à droite de la première lentille. Quelle est la position et la taille de l'image finale ?

E55. (II) Un objet est placé à 40 cm à gauche d'une lentille convergente de distance focale 15 cm. Une lentille divergente de distance focale −10 cm est placée à 10 cm à droite de la première lentille. (a) Où est située l'image finale ? (b) Quel est le grandissement transversal de cette image finale ?

E56. (II) Une lentille convergente ($f_1 = 10$ cm) est placée à 30 cm à gauche d'une lentille divergente ($f_2 = −15$ cm). Un objet est placé à 18 cm à gauche de la première lentille. Trouvez la position et le grandissement transversal de l'image finale.

5.4, 5.5 et 5.7 Grossissement, loupe et télescope

E57. (I) Une personne jouissant d'une vision normale utilise une lentille convergente de distance focale 10 cm comme loupe. (a) Où doit être placé un objet pour que le grossissement soit maximal ? (b) Quelle est la valeur de ce grossissement maximal ?

E58. (I) La Lune, vue de la Terre, sous-tend un angle de 0,52°. Quelle est la taille de son image formée par une lentille convergente de 2 m de distance focale ?

E59. (II) La Lune sous-tend un angle de 0,52° lorsqu'on l'observe de la terre. On la regarde à l'aide d'une lunette astronomique dont les distances focales de l'objectif et de l'oculaire sont respectivement de 2,4 m et 12 cm. Quel est l'angle sous-tendu pour l'œil, si ce dernier est près de l'oculaire, lorsque l'image finale est (a) à l'infini, (b) à 25 cm de l'œil ?

5.8 L'œil

E60. (I) Une personne myope ne peut voir clairement au-delà de 75 cm. Quelle lentille lui prescririez-vous ?

E61. (I) Une personne hypermétrope ne peut focaliser correctement les objets situés plus près que 80 cm. De quelles lentilles a-t-elle besoin ?

Problèmes

P1. (I) Une lentille convergente ($f = 4$ cm) est à 12 cm devant une deuxième lentille convergente ($f = 7$ cm). Trouvez la position de l'image finale et le grandissement transversal pour les distances objets suivantes à partir de la première lentille : (a) 5 cm ; (b) 12 cm. Faites un tracé des rayons principaux dans chaque cas.

P2. (I) Une lentille convergente ($f = 10$ cm) est à 30 cm devant une lentille divergente ($f = -5$ cm). Trouvez l'image finale et le grandissement transversal lorsque la distance objet à partir de la première lentille est de 20 cm. Faites un tracé des rayons principaux.

P3. (I) Un objet de hauteur 2 cm est à 20 cm d'une lentille convergente ($f = 10$ cm), qui est située à une distance de 12 cm devant une lentille divergente ($f = -15$ cm). Trouvez la position de l'image finale et son grandissement transversal. Tracez les rayons principaux.

P4. (I) Une lentille divergente de distance focale -15 cm est située à 12 cm devant une lentille convergente de distance focale 14 cm. Un objet est situé à 25 cm devant la lentille divergente. (a) Trouvez la position de l'image finale. (b) Quel est le grandissement transversal de l'image finale ? Faites un tracé des rayons principaux.

P5. (II) Une source ponctuelle et un écran sont séparés par une distance fixe égale à D. Une lentille convergente de distance focale f est placée entre eux. (a) Montrez qu'il existe deux positions de la lentille pour lesquelles on obtient une image nette. (b) Montrez que la distance entre les deux positions possibles de la lentille est donnée par $d = \sqrt{D(D - 4f)}$.

P6. (I) La forme newtonienne de la formule des lentilles minces est

$$xx' = f^2$$

où x et x' sont les distances de l'objet et de l'image mesurées respectivement par rapport au foyer objet et au foyer image. Démontrez cette relation.

P7. (II) On utilise une lunette astronomique pour observer un objet de taille 4 cm à une distance de 20 m. Les distances focales de l'objectif et de l'oculaire sont de 80 cm et 5 cm, respectivement. L'image finale est à 25 cm de l'oculaire. (a) Quelle est la dimension de l'image finale ? (b) Quel est le grossissement ? (Remplacez f_{ob} par q_{ob} dans l'équation 5.15. Tracez les rayons principaux afin de voir pourquoi.)

P8. (I) Une source ponctuelle est à 15 cm d'une lentille convergente de distance focale 10 cm. Un miroir plan est à 10 cm derrière la lentille. Trouvez la position de l'image finale.

P9. (I) Un bloc de verre hémisphérique ($n = 1,5$) de rayon 3 cm a une tache circulaire en son centre (figure 5.42). Où est située l'image de la tache lorsqu'on l'observe verticalement d'au-dessus ?

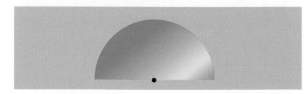

Figure 5.42

Problème 9.

P10. (I) On vous donne une lentille convergente de distance focale f. Comment pouvez-vous doubler la largeur d'un faisceau parallèle en utilisant une deuxième lentille qui est (a) convergente ; (b) divergente ? Précisez la distance focale de la deuxième lentille et la distance séparant les lentilles. Faites un tracé des rayons principaux.

P11. (I) Pour un certain type de verre, les indices de réfraction de la lumière bleue et de la lumière rouge sont $n_B = 1,62$ et $n_R = 1,58$. Quelle est la différence des distances focales pour ces couleurs dans une lentille convergente symétrique dont les surfaces ont un rayon de courbure de 10 cm ?

P12. (I) Le *facteur f* d'une lentille d'appareil photographique est le rapport de la distance focale au diamètre de l'ouverture. Les valeurs courantes de f sont : 1,4 ; 2,0 ; 2,8 ; 4,0 ; 5,6 ; 8 ; 11 ; 16. De quel facteur varie la quantité de lumière traversant la lentille (a) lorsqu'on passe de $f/2,0$ à $f/2,8$; (b) de $f/5,6$ à $f/8$?

P13. (I) Une lentille remplie d'air a des parois minces en plastique de rayons de courbure 12 cm et −16 cm. Quelle est la distance focale de la « lentille d'air » dans l'eau ($n = 1,33$). On néglige l'effet du plastique.

P14. (I) Montrez que le grandissement transversal linéaire d'un dioptre sphérique est donné, dans l'approximation paraxiale, par

$$m = \frac{y_I}{y_O} = -\frac{n_1}{n_2}\frac{q}{p}$$

Indice : Prenez un point-objet qui n'est pas sur l'axe optique ; utilisez un rayon qui frappe le dioptre sur l'axe optique et un autre qui passe par le centre de courbure du dioptre.

L'optique physique (I)

1. Quand deux ondes se superposent, il y a **interférence constructive** lorsque les crêtes de chacune des ondes se superposent, et **interférence destructive** lorsque la crête d'une onde se superpose au creux de l'autre onde.

2. La **diffraction** est la déviation de la direction de propagation d'une onde due à un obstacle.

3. Dans l'**expérience des fentes de Young**, la lumière issue de deux sources se superpose, ce qui révèle sa nature ondulatoire.

4. Pour produire un diagramme d'interférence, on doit utiliser des **sources cohérentes**.

5. La réflexion de la lumière par les deux faces d'une **pellicule mince** peut donner lieu, selon le cas, à une interférence constructive ou destructive.

6. L'**interféromètre de Michelson** utilise les franges d'interférence pour mesurer les distances avec une grande précision.

Les couleurs des bulles de savon sont produites par l'interférence de la lumière.

Dans les deux chapitres qui précèdent, nous n'avons pas tenu compte de la nature ondulatoire de la lumière. Il existe pourtant de nombreux phénomènes optiques pour lesquels il faut prendre cet aspect en considération. Nous allons d'abord revoir les caractéristiques fondamentales de l'*interférence*, présentées aux chapitres 2 et 3. La figure 6.1 représente deux impulsions, de même forme et de même amplitude, se dirigeant l'une vers l'autre le long d'une corde. Lorsqu'une crête et un creux se superposent, ils s'annulent momentanément pour produire un déplacement nul (figure 6.1*a*). On parle alors d'**interférence destructive**, la corde étant sous l'influence simultanée de deux perturbations égales et opposées. Lorsque deux crêtes se superposent (figure 6.1*b*), leurs effets se renforcent mutuellement, de sorte que l'amplitude de la résultante est le double de celle de chaque impulsion. On parle alors d'**interférence constructive**.

Figure 6.1

(*a*) Interférence destructive entre deux impulsions. (*b*) Interférence constructive entre deux impulsions.

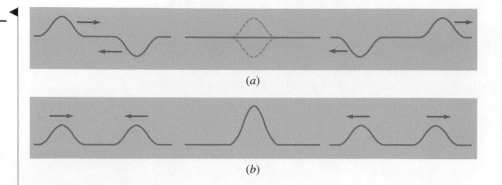

(*a*)

(*b*)

Les ondes sonores produisent toujours des interférences lorsqu'elles sont superposées parce qu'elles sont représentées par une fonction d'onde scalaire (la variation de pression). Par contre, la déformation d'une corde et le champ électrique dans une onde électromagnétique sont des exemples de fonctions d'onde vectorielles. Pour que de telles ondes produisent des interférences, les oscillations doivent être toutes orientées dans la même direction. Considérons par exemple une corde orientée selon l'axe des x (horizontal). Les déplacements verticaux selon l'axe des y ne peuvent produire d'interférence destructive avec les déplacements horizontaux selon l'axe des z. Nous reviendrons sur l'orientation des ondes électromagnétiques (ce qu'on appelle la *polarisation*) à la section 7.9.

Nous pouvons entendre le son d'une cloche éloignée ou d'un coup de fusil, même si une colline nous empêche de voir la source. De même, deux personnes qui se tiennent à proximité des murs adjacents formant le coin d'un bâtiment peuvent se parler alors qu'elles sont séparées par un obstacle. De tels phénomènes nous montrent qu'en général les ondes ne se propagent pas en ligne droite. La déviation des rayons ou des fronts d'onde sur les bords d'une ouverture ou d'un obstacle est appelée *diffraction*. Il y a diffraction lorsque les limites physiques imposées à la largeur d'un front d'onde sont soit diminuées, soit augmentées. Par exemple, un objet comportant une ouverture laisse passer une partie seulement des fronts d'onde incidents qui suivent leur chemin et se propagent au-delà de l'obstacle (figure 4.3). Par ailleurs, les ondes sonores dans un tuyau se propagent dans toutes les directions à partir d'une extrémité ouverte parce qu'elles n'ont plus alors aucun obstacle.

6.1 L'interférence

Nous pouvons étendre notre étude de l'interférence à deux dimensions en examinant les ondes produites à la surface de l'eau dans un bac à ondes. À la figure 6.2, les sources S_1 et S_2 consistent en deux tiges qui frappent en phase la surface de l'eau. Elles produisent chacune des fronts d'onde circulaires de même amplitude. Sur la figure, les crêtes ont été dessinées en lignes continues et les creux en pointillés. Pour simplifier, on suppose que l'amplitude des ondes ne diminue pas avec la distance. Lorsqu'une crête provenant d'une des deux sources rencontre un creux provenant de l'autre, la surface de l'eau a un déplacement nul. Ces points d'interférence destructive permanente sont représentés par des cercles blancs sur la figure 6.2. En d'autres points, deux crêtes ou deux creux peuvent se superposer pour produire des oscillations dont l'amplitude est le double de l'amplitude de chaque onde. Ces points d'interférence constructive permanente sont représentés par des cercles rouges sur la figure.

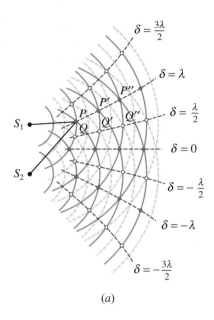

(a)   (b)

▶ **Figure 6.2**

(a) Fronts d'onde circulaires émis par deux sources en phase. Les arcs en lignes continues sont des crêtes et les arcs en pointillés sont des creux. Les cercles rouges désignent les points d'interférence constructive, où la différence de marche est $\delta = m\lambda$. Les cercles blancs désignent des points d'interférence destructive, où $\delta = (m + 1/2)\,\lambda$. (b) Une figure d'interférence dans un bac à ondes. On remarque les courbes le long desquelles l'eau est calme (le lieu des points d'interférence destructive).

Les positions des points d'interférence constructive ou destructive sont faciles à déterminer. La différence des distances entre un point donné et les sources S_1 et S_2 est appelée **différence de marche** et elle est représentée par la lettre δ (figure 6.3):

$$\delta = r_2 - r_1 \qquad (6.1)$$

En tout point de la médiatrice (en pointillé sur la figure 6.3), la différence de marche est nulle puisque les ondes ont parcouru des distances égales. Les ondes sont en phase et donnent donc lieu à une interférence constructive. Au point P de la figure 6.2a, par exemple, où une crête rencontre une crête, l'onde issue de S_2 a parcouru une distance supplémentaire égale à une longueur d'onde λ; par conséquent, $\delta = S_2P - S_1P = \lambda$. Les ondes sont également en phase en ce point. On retrouve la même différence de marche aux points P' et P''. (En joignant tous ces points successifs, on obtient une courbe qui a la forme d'une hyperbole.) En général, il y a interférence constructive lorsque la différence de marche est un multiple entier de la longueur d'onde:

$$\delta = m\lambda \quad m = 0, \pm 1, \pm 2, \ldots \qquad (6.2)$$

Au point où une crête rencontre un creux, comme au point Q de la figure 6.2a, une onde a parcouru une demi-longueur d'onde de plus que l'autre, autrement dit $\delta = S_2Q - S_1Q = \lambda/2$. Les ondes sont déphasées de 180° et donnent lieu à une interférence destructive. On retrouve la même différence de marche aux points Q' et Q''. En joignant tous ces points successifs, on obtient une courbe (hyperbole) de points immobiles. En général, il y a interférence destructive lorsque la différence de marche est égale à un nombre impair de demi-longueurs d'onde:

$$\delta = \left(m + \frac{1}{2}\right)\lambda; \quad m = 0, \pm 1, \pm 2, \ldots \qquad (6.3)$$

Soulignons que les ondes se déplacent en permanence vers l'avant, alors que le diagramme d'interférence est stationnaire.

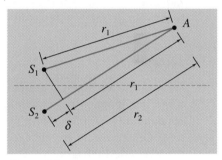

Figure 6.3

Au point A, la différence de marche entre les trajets S_1A et S_2A équivaut à $\delta = r_2 - r_1$.

Interférence constructive

Interférence destructive

Si les sources sont des haut-parleurs reliés au même générateur de signaux, on peut facilement détecter à l'oreille le diagramme d'interférence à basse fréquence. En marchant parallèlement à la droite joignant les haut-parleurs, on remarque que l'intensité du son augmente et diminue par intermittence. (Il vaut mieux faire cette expérience à l'extérieur pour éviter les réflexions sur les murs.) La mauvaise acoustique de certaines salles de concert provient également des effets d'interférence entre le son direct et le son réfléchi sur les murs et le plafond. De même, les interférences entre des signaux radio qui ont suivi des chemins différents peuvent compromettre la qualité de la réception. Il se peut en effet qu'un des signaux se propage en ligne droite jusqu'à l'antenne réceptrice et qu'un autre soit réfléchi sur un bâtiment ou un avion, et que la différence de marche ait la valeur correspondant aux interférences destructives.

Exemple 6.1

Deux haut-parleurs S_1 et S_2 distants de 6 m émettent des ondes sonores en phase. Le point P de la figure 6.4 est à 8 m de S_1. Quelle est la fréquence minimale à laquelle l'intensité en P est (a) minimale ; (b) maximale ? On donne la vitesse du son égale à 340 m/s.

Solution :

Déterminer les fréquences minimales revient à déterminer les longueurs d'onde maximales qui vérifient les conditions d'interférence constructive ou destructive. On trouve la distance de S_2 à P à l'aide du théorème de Pythagore : $S_2P = (6^2 + 8^2)^{1/2} = 10$ m. La différence de marche entre les ondes issues de S_1 et S_2 en P est $\delta = S_2P - S_1P = 10$ m $- 8$ m $= 2$ m et a une valeur fixe. (a) D'après l'équation 6.3, on voit que la longueur d'onde maximale correspond à $m = 0$ et $\lambda = 2\delta = 4$ m. La fréquence correspondante est $f = v/\lambda = (340$ m/s$)/(4$ m$) = 85$ Hz.

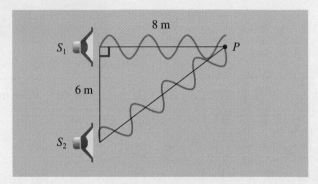

Figure 6.4

Deux haut-parleurs émettent des ondes sonores en phase. La différence de marche au point P est fixe. Selon la longueur d'onde, les ondes peuvent donner lieu à une interférence constructive ou destructive.

(b) Dans l'équation 6.2, la valeur $m = 0$ n'est pas acceptable. (Pourquoi ?) Par conséquent, $m = 1$ pour la longueur d'onde maximale, de sorte que $\lambda = \delta = 2$ m. La fréquence correspondante est $f = v/\lambda = (340$ m/s$)/(2$ m$) = 170$ Hz.

6.2 La diffraction

Comme on l'a dit, la **diffraction** se produit lorsqu'une onde passe par une ouverture ou rencontre un obstacle. Nous ferons une étude approfondie de la diffraction au chapitre suivant. Dans cette section, nous allons nous contenter d'une description qualitative ; pour ce faire, nous allons considérer la diffraction des ondes dans un bac à onde. Selon la dimension relative de la longueur d'onde et de l'ouverture (ou de l'obstacle), la diffraction modifie plus ou moins la propagation rectiligne des ondes. Lorsque la largeur a de l'ouverture ou de l'obstacle est très supérieure à la longueur d'onde ($a \gg \lambda$), comme à la figure 6.5, les parties des fronts d'onde qui se heurtent à l'obstacle sont arrêtées mais les autres parties continuent de se propager dans la direction initiale. C'est d'ailleurs dans ces conditions que s'appliquent les règles de l'optique géométrique. Au fur et à mesure que a diminue, les ondes commencent à se propager dans les régions situées derrière l'obstacle (figure 6.6). Dans les régions situées

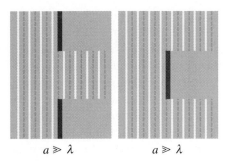

$a \gg \lambda$ $a \gg \lambda$

Figure 6.5

Des fronts d'onde rectilignes passant par une ouverture ou rencontrant un obstacle. Si la dimension *a* de l'ouverture ou de l'obstacle est très supérieure à la longueur d'onde *λ*, les fronts d'onde restent rectilignes.

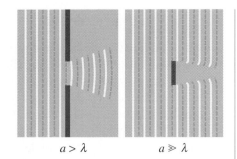

$a > \lambda$ $a \gg \lambda$

Figure 6.6

Si la dimension de l'ouverture ou de l'obstacle est comparable à la longueur d'onde, les fronts d'onde se propagent dans la région située derrière l'ouverture ou l'obstacle. Ce phénomène est appelé diffraction.

derrière l'obstacle, les fronts d'onde sont des arcs de cercle. Lorsque la dimension de l'ouverture devient comparable à la longueur d'onde ($a \approx \lambda$), comme à la figure 6.7, les fronts d'onde diffractés sont circulaires. Pour des ondes planes (à trois dimensions), les fronts d'onde diffractés sont sphériques. Un petit obstacle donne également lieu au phénomène de diffraction, mais il n'est pas facile à observer.

La diffraction s'explique facilement en vertu du principe de Huygens (section 4.3). Chaque point des fronts d'onde incidents agit comme une source de petites ondes secondaires. Lorsque les fronts atteignent l'ouverture ou l'obstacle, seules les petites ondes de la région sans obstacle peuvent contribuer aux fronts d'onde de la région de droite. Si la taille de l'ouverture est comparable à la longueur d'onde, il n'y a essentiellement qu'une seule petite onde secondaire dans l'ouverture (figure 6.7). Si *a* est très supérieure à *λ*, l'enveloppe de la plupart des petites ondes secondaires produit des fronts d'onde presque rectilignes ou plans (figure 6.8).

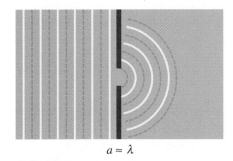

$a \approx \lambda$

Figure 6.7

Si la dimension de l'ouverture est pratiquement égale à la longueur d'onde, les fronts d'onde diffractés sont pratiquement circulaires (ou sphériques).

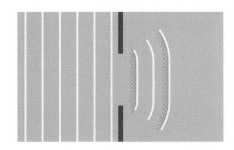

Figure 6.8

La diffraction s'explique facilement à l'aide du principe de Huygens. Chaque point de l'ouverture agit comme une source de petites ondes secondaires. Si l'ouverture est large, l'enveloppe des petites ondes est presque rectiligne.

Thomas Young (1773-1829).

6.3 L'expérience de Young

La nature ondulatoire de la lumière fut démontrée par Thomas Young en 1802 (figure 6.9). Puisqu'il n'est pas possible d'avoir deux sources lumineuses ordinaires émettant en phase, Young utilisa la lumière du Soleil pénétrant dans une pièce par un trou d'aiguille et plaça à une certaine distance du trou deux fentes étroites assez proches l'une de l'autre. Dans cette **expérience des fentes de Young**, les ondes émergeant des fentes sont en phase, puisqu'elles proviennent toujours des mêmes fronts d'onde plans (figure 6.10). Young observa sur un écran des bandes brillantes et sombres appelées *franges* d'interférence (figure 6.11). On ne peut expliquer ces franges à partir du modèle corpusculaire de la lumière qui était préconisé par Newton et couramment accepté au XVIIIe siècle.

Pour trouver l'expression donnant la position des franges, supposons que la lumière ait une seule longueur d'onde λ et que la distance entre les fentes soit égale à d. Un point arbitraire P sur l'écran de la figure 6.12 sera soit brillant, soit sombre, selon la différence de marche entre les ondes provenant des fentes S_1 et S_2. Si l'écran est très éloigné, les rayons sortants sont presque parallèles et la différence de marche $\delta = S_2A = r_2 - r_1$ est donnée approximativement par

$$\delta \approx d \sin \theta \qquad (6.4)$$

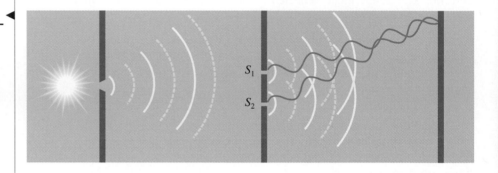

Figure 6.10

Dans l'expérience de Young, une mince fente laisse passer une partie de la lumière émise par une source. Les fronts d'onde progressifs sont pratiquement plans lorsqu'ils atteignent les deux fentes S_1 et S_2. La phase de la source peut varier, mais les variations se produisent simultanément aux deux fentes, qui restent donc en phase.

Il s'agit d'une égalité approximative, car pour avoir $\delta = d \sin \theta$, il faudrait que r_2 et r_1 soient parfaitement parallèles. En combinant cette équation avec les équations 6.2 et 6.3, on peut déterminer les angles θ qui correspondent aux franges brillantes et aux franges sombres : $d \sin \theta = m\lambda$ pour les franges brillantes (interférence constructive), et $d \sin \theta = (m + 1/2)\lambda$ pour les franges sombres (interférence destructive). L'entier m correspond à l'**ordre de la frange**.

Figure 6.11

Un ensemble de franges produites par une paire de fentes.

On s'intéresse souvent à la distance y sur l'écran entre une frange donnée et le maximum central. On voit sur la figure 6.12 que

$$\tan \theta = \frac{y}{L} \qquad (6.5)$$

où L est la distance entre les sources et l'écran. Lorsque $L \gg y$ (ce qui est presque toujours le cas dans les situations que nous allons étudier), l'angle θ est petit par rapport à 1 radian, et on peut utiliser l'approximation des petits angles $\sin \theta \approx \tan \theta \approx \theta$, à condition que l'angle θ soit exprimé en radians.

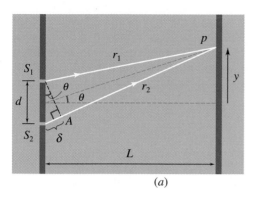
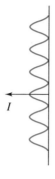
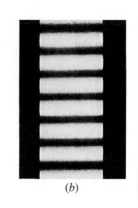

Figure 6.12

(a) Si l'écran est très éloigné des fentes, la différence de marche au point P est $\delta \approx d \sin \theta$, où d est la distance entre les fentes. (b) Diagramme de l'intensité de la lumière en fonction de la position sur l'écran.

Exemple 6.2

Calculer l'espacement entre les franges brillantes produites sur l'écran par deux sources de lumière jaune-orange de longueur d'onde égalc à 600 nm. La distance séparant les fentes est de 0,8 mm et l'écran est à 2 m des fentes.

Solution:

Puisque la distance L à l'écran est grande par rapport à d (figure 6.12), on peut écrire sin θ = tan θ; en utilisant les équations 6.4 et 6.5, cette égalité devient $\delta/d = y/L$. D'après l'équation 6.2, les franges brillantes correspondent à $\delta = m\lambda$. Ainsi, $m\lambda/d = y/L$; la position de la frange brillante d'ordre m est donc donnée par

$$y_m = \frac{m\lambda L}{d}$$

L'espacement entre ces franges est

$$\Delta y = y_{m+1} - y_m = \frac{(m+1)\lambda L}{d} - \frac{m\lambda L}{d} = \frac{\lambda L}{d}$$

$$= \frac{(6 \times 10^{-7} \text{ m})(2\text{m})}{8 \times 10^{-4} \text{ m}}$$

$$= 1,5 \times 10^{-3} \text{ m} = 1,5 \text{ mm}$$

L'espacement entre les franges sombres est le même.

Exemple 6.3

Une paire de fentes séparées de 0,8 mm est éclairée par de la lumière contenant deux longueurs d'onde, dc 450 nm ct 680 nm. Quelle est la distance séparant les franges brillantes de sixième ordre sur un écran situé à 3,2 m des fentes ?

Solution:

D'après l'équation de départ de la solution de l'exemple 6.2, on voit que

$$\Delta y = \frac{m\Delta\lambda L}{d}$$

$$= \frac{(6)(2,3 \times 10^{-7} \text{ m})(3,2 \text{ m})}{8 \times 10^{-4} \text{ m}}$$

$$= 5,52 \text{ mm}$$

Dans quelles conditions peut-on observer un diagramme d'interférence ? Dans la section précédente, nous avons vu que les sources devaient être en phase. En réalité, elles ont seulement besoin d'avoir une différence de phase constante. La position de la crête centrale ($m = 0$) du diagramme d'interférence dépend de la différence de phase entre les sources. De même, les fréquences des sources doivent être les mêmes, sinon la relation de phase en un point donné va fluctuer dans le temps et l'on ne pourra observer d'interférence stable.

Des **sources cohérentes** sont des sources qui émettent des ondes de même fréquence et qui ont un déphasage constant. Dans le cas des ondes sonores ou des ondes radio, il est facile d'obtenir des sources cohérentes en reliant les haut-parleurs ou les émetteurs au même oscillateur. Dans le montage de Young, la lumière qui atteint les deux fentes provient d'une même source ponctuelle. Toute variation de phase à la source se produit simultanément aux deux fentes, qui restent donc en phase. Nous étudierons de manière plus détaillée la cohérence des ondes lumineuses à la section 6.7.

6.4 L'intensité lumineuse dans l'expérience de Young

Dans l'étude précédente des interférences produites par deux sources, seules les positions des minima et maxima ont été déterminées. Nous allons maintenant établir l'expression donnant la distribution d'intensité lumineuse à partir de deux sources cohérentes en phase. Le raisonnement est valable pour n'importe quel type d'ondes, mais nous nous intéressons avant tout aux ondes lumineuses, qui peuvent être décrites à l'aide de champs électriques oscillants $E = E_0 \sin(\omega t)$. Nous supposons que les fentes sont suffisamment étroites pour que la lumière diffractée par chaque fente se propage uniformément sur l'écran. Par conséquent, les amplitudes des champs en un point quelconque de l'écran sont égales. En un point donné de l'écran, les champs dus à S_1 et S_2 sont

$$E_1 = E_0 \sin(\omega t); \quad E_2 = E_0 \sin(\omega t + \phi)$$

où la différence de phase ϕ dépend de la différence de marche $\delta = r_2 - r_1$. Puisqu'une longueur d'onde λ correspond à un déphasage de 2π, une distance δ correspond à un déphasage ϕ donné par

$$\frac{\phi}{2\pi} = \frac{\delta}{\lambda} \qquad (6.6)$$

Si l'écran est éloigné des fentes, $\delta \approx d \sin \theta$ (équation 6.4) et l'on a donc

$$\phi = \frac{2\pi\delta}{\lambda} = \frac{2\pi d \sin \theta}{\lambda} \qquad (6.7)$$

On trouve le champ résultant à partir du principe de superposition :

$$E = E_1 + E_2 = E_0 \sin(\omega t) + E_0 \sin(\omega t + \phi)$$

En utilisant l'identité trigonométrique $\sin A + \sin B = 2 \sin[(A + B)/2] \cos[(A - B)/2]$ et en sachant que $\cos \theta = \cos -\theta$, on obtient

$$E = 2E_0 \cos\left(\frac{\phi}{2}\right) \sin\left(\omega t + \frac{\phi}{2}\right) \qquad (6.8)$$

L'amplitude de l'onde résultante est $2E_0 \cos(\phi/2)$. L'intensité d'une onde étant proportionnelle au carré de l'amplitude (voir le chapitre 2), on a, d'après l'équation 6.8,

$$I = 4I_0 \cos^2\left(\frac{\phi}{2}\right) \qquad (6.9)$$

où $I_0 \propto E_0^2$ est l'intensité due à une source *unique*. Cette fonction est représentée à la figure 6.13. Les maxima se produisent pour $\phi = 0, 2\pi, 4\pi, \ldots$

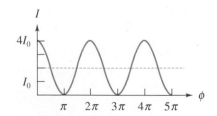

Figure 6.13

L'intensité lumineuse dans l'expérience de Young en fonction de la différence de phase ϕ. On suppose que les fentes sont si fines que la diffraction due à chaque fente éclaire uniformément l'écran.

$= 2m\pi$. En ces points, $I = 4I_0$; autrement dit, l'intensité est égale à quatre fois l'intensité d'une source unique. Les minima ($I = 0$) se produisent pour $\phi = \pi$, 3π, 5π, ... $= (2m + 1)\pi$.

(maxima) $\phi = 2m\pi$, $d \sin \theta = m\lambda$

$$m = 0, \pm 1, \pm 2, ...$$

(minima) $\phi = (2m + 1)\pi$, $d \sin \theta = \left(m + \dfrac{1}{2}\right)\lambda$

6.5   Les pellicules minces

Les couleurs des bulles de savon, des taches d'huile sur la route et des plumes de paon sont dues à l'interférence des ondes lumineuses qui ont été réfléchies sur les deux surfaces d'une pellicule mince. Avant d'étudier l'interférence dans les pellicules minces, nous allons examiner un aspect de la réflexion des ondes lumineuses. Nous avons vu à la section 2.4 que, lorsqu'une impulsion se propageant sur une corde légère rencontre une corde plus lourde, l'impulsion réfléchie subit un déphasage de 180°. Dans le cas des ondes lumineuses, c'est l'indice de réfraction qui détermine s'il y a ou non inversion de phase au passage d'une surface de séparation.

> Lorsqu'une onde lumineuse rencontre un milieu d'indice de réfraction plus élevé, l'onde réfléchie subit un déphasage de π radians ou 180°. Lorsqu'une onde lumineuse rencontre un milieu d'indice de réfraction moins élevé, l'onde réfléchie n'est pas déphasée.

Notons que l'onde *transmise* n'est jamais déphasée, quelle que soit la valeur de l'indice de réfraction.

Considérons la réflexion d'un rayon de lumière par une **pellicule mince**, c'est-à-dire une pellicule dont l'épaisseur e est égale tout au plus à quelques fois la longueur d'onde de la lumière (figure 6.14). À chaque interface entre deux milieux, une partie de la lumière (habituellement, une petite fraction) est réfléchie. Par exemple, pour de la lumière frappant perpendiculairement sur une pellicule en verre, la fraction réfléchie est de 4 %.

Le processus de réflexion peut se poursuivre indéfiniment, mais les réflexions successives donnent lieu à des rayons de moins en moins intenses. Si on s'intéresse à la lumière réfléchie, seuls les rayons 1 et 2 illustrés à la figure 6.14 ont vraiment de l'importance. Les deux rayons ont à peu près la même amplitude, puisque chacun a été réfléchi une seule fois (au point A pour le rayon 1 et au point B pour le rayon 2 ; voir la figure 6.14*b*). Les deux rayons sont cohérents, puisqu'ils proviennent du même rayon incident. L'intensité de la lumière réfléchie sera maximale si les deux rayons réfléchis sont en situation d'interférence constructive ; elle sera minimale s'ils sont en situation d'interférence destructive.

Comparons les trajets des deux rayons. Avant le contact avec la pellicule, il n'y a aucune différence entre la trajectoire 1 et la trajectoire 2. Le rayon 1 subit une réflexion au point A, ce qui peut entraîner, selon les indices de réfraction en présence, un déphasage ϕ_A de 0 ou de π. Le rayon 2 subit une réflexion au point B, ce qui peut aussi entraîner un déphasage ϕ_B de 0 ou de π. De plus, le

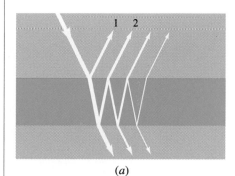

(a)

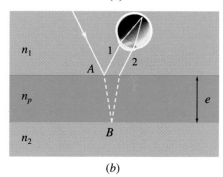

(b)

Figure 6.14

(*a*) La réflexion d'un rayon lumineux par les deux faces d'une pellicule mince donne naissance à toute une série de rayons réfléchis. Les rayons réfléchis 1 et 2 ont une intensité comparable, et ce sont les seuls dont l'intensité n'est pas négligeable. (*b*) Le rayon 1 subit une réflexion au point A. Le rayon 2 subit une réflexion au point B et voyage le long d'un parcours supplémentaire (en pointillé). Les lentilles de l'œil recombinent les deux rayons sur la rétine, ce qui peut donner lieu, selon le cas, à une interférence constructive ou à une interférence destructive.

rayon 2 effectue un parcours supplémentaire δ (en pointillé sur la figure 6.14*b*), ce qui engendre, d'après l'équation 6.6, un déphasage

$$\phi_{PS} = \frac{2\pi\delta}{\lambda_p} \qquad (6.10)$$

Notons que, puisque le parcours supplémentaire se produit dans la pellicule, il faut utiliser λ_p, la longueur d'onde *dans la pellicule*; par l'équation 4.4,

$$\lambda_p = \frac{\lambda_0}{n_p} \qquad (6.11)$$

où λ_0 est la longueur d'onde de la lumière dans le vide et n_p est l'indice de réfraction de la pellicule. Il n'y a pas de déphasage lorsque le rayon 2 ressort de la plaque, car les rayons transmis ne sont jamais déphasés. Finalement, entre la pellicule et l'œil, les trajectoires des deux rayons sont équivalentes, puisque elles sont de même longueur.

Pour déterminer s'il y a interférence constructive ou destructive, il faut comparer la *différence* $\Delta\phi$ entre les déphasages des deux rayons:

$$\Delta\phi = \phi_2 - \phi_1 = (\phi_B + \phi_{PS}) - \phi_A \qquad (6.12)$$

Si $\Delta\phi$ vaut 0 (ou n'importe quel multiple de 2π), les deux rayons sont en phase et il y aura interférence constructive. Si $\Delta\phi$ vaut π (ou n'importe quel multiple impair de π: 3π, 5π, 7π, ...), les deux rayons sont déphasés d'une demi-longueur d'onde, et il y aura interférence destructive. Sauf indication contraire, nous allons supposer que le rayon incident frappe la pellicule perpendiculairement (avec un angle d'incidence de 0°). Le parcours supplémentaire est alors de

$$\delta = 2e \qquad (6.13)$$

où e est l'épaisseur de la pellicule.

Exemple 6.4

Un rayon de lumière de longueur d'onde λ frappe perpendiculairement une pellicule d'épaisseur e et d'indice de réfraction n_p entourée d'air ($n = 1$). Déterminer les épaisseurs de la pellicule qui correspondent à l'interférence constructive et à l'interférence destructive.

Solution:

Dans cette situation, $n_1 = n_2 = 1$ (figure 6.14*b*). On a $\phi_A = \pi$ (car $n_p > n_1$) et $\phi_B = 0$ (car $n_2 < n_p$). Le parcours supplémentaire du rayon 2 égale $\delta = 2e$, ce qui correspond, par l'équation 6.10, à un déphasage supplémentaire $\phi_{PS} = 2\pi(2e)/\lambda_p = 4\pi e/\lambda_p$. Par l'équation 6.12, on trouve ainsi $\Delta\phi = (4\pi e/\lambda_p) - \pi$.

Il y aura interférence constructive lorsque $\Delta\phi = 2m\pi$, où m est un entier. On a donc $2m\pi = (4\pi e/\lambda_p) - \pi$, ce qui donne l'épaisseur de pellicule

$$e = \frac{(2m + 1)\lambda_p}{4} = \tfrac{1}{4}\lambda_p, \tfrac{3}{4}\lambda_p, \tfrac{5}{4}\lambda_p, \ldots \quad (6.14a)$$

avec $\lambda_p = \lambda_0/n_p$. À ces épaisseurs, la pellicule semble plus brillante que la normale dans la lumière réfléchie.

La pellicule apparaîtra sombre en réflexion lorsque l'interférence est destructive, ce qui se produit lorsque $\Delta\phi$ est un multiple impair de π: $\Delta\phi = (2m + 1)\pi$. On a donc $(2m + 1)\pi = (4\pi e/\lambda_p) - \pi$, ce qui donne l'épaisseur de pellicule

$$e = \frac{m + 1}{2}\lambda_p = \tfrac{1}{2}\lambda_p, \lambda_p, \tfrac{3}{2}\lambda_p, \ldots \quad (6.14b)$$

Les expressions que nous venons de trouver ne sont valables que dans ce cas particulier (une pellicule entourée de chaque côté par un milieu d'indice de réfraction plus faible). Dans chaque cas particulier, il faut refaire le raisonnement depuis le début en tenant compte des déphasages introduits par les réflexions et par la différence de marche égale à $2e$.

La nature de la couleur dans les pellicules minces

Considérons des rayons de lumière blanche tombant perpendiculairement à une pellicule mince uniforme (figure 6.15*a*). Pour simplifier, on suppose que les intensités de toutes les couleurs sont les mêmes et on les représente par des traits de même longueur. Supposons que l'épaisseur de la pellicule soit telle que la composante jaune-verte (≈ 550 nm) donne lieu à une interférence destructive complète dans la lumière réfléchie (figure 6.15*b*). Les autres longueurs d'onde pénétrant dans la pellicule subissent des déphasages divers en traversant la pellicule. Lorsqu'elles se recombinent avec les ondes réfléchies sur la surface supérieure, la différence de phase entre chaque paire d'ondes est $\Delta\phi = 2\pi\delta/\lambda_{\mathrm{p}} - \pi$, où $\delta = 2e$ et le terme π tient compte de l'inversion de phase sur la surface supérieure. On peut déterminer les intensités des autres longueurs d'onde à partir de l'équation 6.9 pour une interférence produite par deux sources et l'on obtient une répartition semblable à celle de la figure 6.15*b*.

En l'absence du vert, la couleur apparente de la pellicule est magenta; en l'absence du rouge, la couleur apparente est cyan; et en l'absence du bleu, la couleur apparente est jaune. Lorsqu'une interférence constructive renforce le jaune-vert dans la lumière réfléchie, les intensités réfléchies des longueurs d'onde voisines ne sont pas nettement plus faibles (figure 6.15*c*). Les couleurs observées dans les pellicules minces ne sont donc pas les couleurs pures (monochromatiques) d'un spectre créé par un prisme. On dit qu'il s'agit de couleurs *soustractives*, puisque la couleur apparente est principalement déterminée par les longueurs d'onde *absentes* de la lumière réfléchie (voir la photographie au début du chapitre).

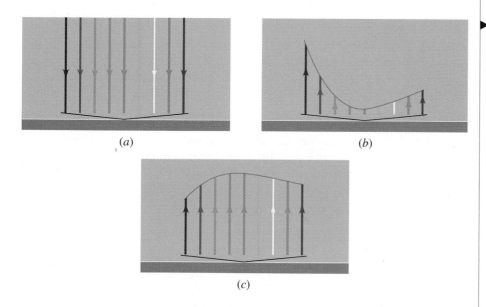

(*a*)

(*b*)

(*c*)

(*a*) On suppose que la lumière blanche tombant en un point d'une pellicule est un mélange dans lequel toutes les couleurs sont également représentées. (*b*) L'épaisseur de la pellicule est telle qu'il y a interférence destructive pour le jaune-vert. (*c*) L'épaisseur de la pellicule est telle que le jaune-vert est renforcé dans la réflexion.

L'enduit antireflet sur les lentilles

Lorsque la lumière tombe suivant la normale sur la surface de séparation entre l'air ($n = 1,0$) et le verre ($n = 1,5$), près de 4 % de l'énergie est réfléchie et 96 % est transmise. Par conséquent, dans un appareil photographique comportant 6 lentilles, donc 12 interfaces air-verre, seulement $(0,96)^{12} = 0,61$ ou 61 % de l'énergie incidente est transmise. On peut réduire ces pertes par réflexion en recouvrant chaque surface des lentilles d'une pellicule mince. On choisit l'épaisseur de la pellicule de sorte que, dans la lumière réfléchie, il ait interférence destructive pour le jaune-vert (550 nm), qui correspond au milieu du spectre visible. On peut montrer que si l'indice de réfraction de la pellicule est égal à la moyenne géométrique des indices de l'air et du verre, c'est-à-dire $n_p = (n_{air} n_v)^{1/2}$, les amplitudes des deux ondes réfléchies à la figure 6.14 sont égales et cette longueur d'onde est donc complètement supprimée. Dans la pratique, on utilise souvent du fluorure de magnésium (MgF_2), d'indice $n = 1,38$, à cause de sa durabilité, bien qu'il ne vérifie pas ce critère.

Exemple 6.5

Un faisceau de lumière blanche tombe suivant la normale sur une lentille ($n = 1,52$) qui est recouverte d'une pellicule de fluorure de magnésium ($n = 1,38$). (a) Quelle est l'épaisseur minimale de la pellicule pour laquelle la lumière jaune-vert de longueur d'onde égale à 550 nm (dans l'air) sera absente de la lumière réfléchie ? (b) Pour quelle épaisseur minimale (autre que zéro) y a-t-il interférence constructive dans la lumière réfléchie ?

Solution :

(a) Dans cette situation, $n_1 = 1$, $n_p = 1,38$ et $n_2 = 1,52$ (figure 6.16). On a $\phi_A = \pi$ (car $n_p > n_1$) et $\phi_B = \pi$ (car $n_2 > n_p$). Ici, le seul déphasage est

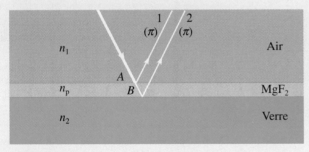

Figure 6.16

Une pellicule mince de MgF_2 ($n_p = 1,38$) sur une lentille de verre ($n = 1,5$). Les deux rayons réfléchis subissent une inversion de phase. Pour qu'il y ait interférence destructive dans la lumière réfléchie, l'épaisseur minimale de la pellicule est $\lambda_p/4$ (la différence de marche est ainsi égale à une demi-longueur d'onde dans la pellicule).

produit par le parcours supplémentaire $\delta = 2e$ du rayon 2 : $\Delta\phi = \phi_{PS} = 2\pi(2e)/\lambda_p = 4\pi e/\lambda_p$.

On veut que l'interférence soit destructive, donc que $\Delta\phi = (2m + 1)\pi$. On a donc $(2m + 1)\pi = 4\pi e/\lambda_p$, ce qui donne une épaisseur de pellicule

$$e = \frac{(2m + 1)\lambda_p}{4}$$

avec $\lambda_p = \lambda_0/n_p$. On remarque que cette expression est différente de l'expression trouvée à l'exemple précédent pour l'interférence destructive (équation 6.14b). L'épaisseur minimale correspond à $m = 0$; donc

$$e_{min} = \frac{\lambda_0}{4n_p} = \frac{5,5 \times 10^{-7}\ m}{(4)(1,38)} = 99,6\ nm$$

La condition d'interférence destructive n'est valable que pour une seule longueur d'onde, mais la réflexion des autres longueurs d'onde est également réduite. La combinaison des lumières réfléchies rouge et violette donne à ce genre de lentille une teinte pourpre. Une seule pellicule a pour effet net de réduire de 4 % à 1 % environ l'énergie totale de la lumière blanche réfléchie. On utilise parfois des enduits multiples d'épaisseurs différentes pour éliminer la réflexion de plusieurs longueurs d'onde.

(b) Dans ce cas, la condition d'interférence constructive s'écrit $e = m\lambda_p/2$. (Vérifiez-le.) Puisque $\lambda_p = \lambda_0/n_p$, on trouve $e = \lambda_0/2n_p = 199$ nm (pour $m = 1$). On a écarté la solution pour $m = 0$, car elle donne une épaisseur nulle.

Les pellicules d'épaisseurs variables

Les bulles de savon et les taches d'huile sur une route n'ont pas une épaisseur uniforme. C'est l'épaisseur de la pellicule en un point donné qui détermine si la lumière réfléchie a une intensité maximale ou minimale. Lorsqu'on utilise de la lumière blanche, chaque longueur d'onde a sa propre configuration de franges. En un point donné de la pellicule, une longueur d'onde peut être renforcée et une autre supprimée. Cet effet est à l'origine des couleurs visibles dans les bulles de savon et les pellicules d'huile sur la route.

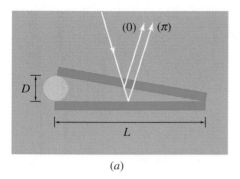

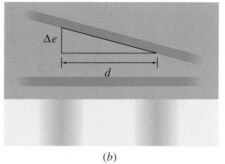

(a)   (b)

▶ Figure 6.17

(a) Un coin d'air formé par deux lames séparées à une extrémité par un cheveu ou un fil fin. (b) La différence d'épaisseur Δe entre deux franges sombres successives est égale à la moitié de la longueur d'onde de la lumière dans la pellicule, ce qui augmente le parcours supplémentaire du deuxième rayon par une longueur d'onde.

On peut produire un coin d'air en plaçant une feuille de papier ou un cheveu entre les extrémités de deux lames de verre (figure 6.17). Si les lames sont planes, on observe une série de bandes brillantes et sombres dont chacune représente une épaisseur particulière (figure 6.18a). Si les lames ne sont pas planes, les franges ne sont pas rectilignes et chacune d'elles est le lieu des points de même épaisseur. Si l'une des lames est plane, les franges observées révèlent les irrégularités de l'autre lame (figure 6.18b). La configuration obtenue montre où la lame a besoin d'être polie pour devenir « plane au sens optique ».

(a)   (b)

▶ Figure 6.18

(a) Lorsque les deux lames formant une pellicule d'air sont planes, les franges sont rectilignes et uniformément espacées. (b) Si l'une ou l'autre des lames n'est pas « optiquement plane », les franges sont les lieux des points d'égale épaisseur de la pellicule d'air.

Supposons que l'on veuille déterminer la distance entre deux franges sombres successives (figure 6.17b). La différence d'épaisseur Δe dans la pellicule d'épaisseur variable ne modifie pas les conditions d'interférence parce qu'elle augmente le parcours supplémentaire par exactement une longueur d'onde. Le déphasage supplémentaire vaut alors 2π, ce qui revient au même que pas de déphasage du tout. Puisque le parcours supplémentaire est un aller-retour dans la pellicule, on trouve

$$\Delta e = \frac{\lambda_p}{2} \qquad (6.15)$$

où λ_p est la longueur d'onde dans la pellicule. Dans le cas du coin d'air (figure 6.17a), $\lambda_p = \lambda_0$, car le parcours s'effectue dans l'air. Cette condition s'applique également si on considère deux franges brillantes successives. (Que vaut Δe si on compare une frange brillante et une frange sombre adjacentes ?)

Exemple 6.6

On produit un coin d'air en plaçant un fil mince de diamètre D entre les extrémités de deux lames de verre planes de longueur $L = 20$ cm (figure 6.17). Lorsqu'on éclaire cette pellicule d'air avec une lumière de longueur d'onde $\lambda = 550$ nm, on observe douze franges sombres par centimètre. Trouver D.

Solution :

La variation d'épaisseur entre les franges successives est $\Delta e = \lambda/2$. Puisqu'il s'agit d'une pellicule d'air, $n = 1$ et $\lambda_p = \lambda$. L'espacement horizontal entre les franges est $d = 1$ cm/12 $= 8,33 \times 10^{-4}$ m. D'après la figure 6.17, on voit que $D/L = \Delta e/d$ (triangles semblables), donc

$$D = \frac{\lambda L}{2d}$$

$$= \frac{(5,5 \times 10^{-7}\ \text{m})(0,2\ \text{m})}{16,7 \times 10^{-4}\ \text{m}}$$

On obtient ainsi $D = 6,6 \times 10^{-5}$ m.

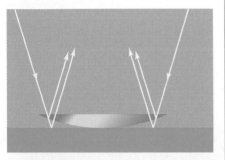

Figure 6.19

On produit une pellicule d'air en plaçant une lentille plan-convexe sur une lame plane. Ce montage fut utilisé par Newton.

Figure 6.20

Les anneaux de Newton. Les franges ne sont pas également espacées. On remarque la tache sombre au centre.

Les anneaux de Newton

Lorsqu'on pose une lentille de grand rayon de courbure sur une plaque plane en verre (figure 6.19), on forme une mince pellicule d'air. En éclairant la pellicule avec une lumière monochromatique, on peut observer à l'œil nu ou avec un microscope de faible puissance (figure 6.20) des franges circulaires appelées *anneaux de Newton*. Un élément important de cette figure est la tache sombre au centre. Newton essaya de la faire disparaître en polissant les surfaces. Elle intriguait également Young, puisqu'elle impliquait que l'onde lumineuse subit une inversion de phase à la réflexion sur un milieu d'indice de réfraction plus élevé. En fait, il en va ainsi de tous les rayons lumineux qui interfèrent dans ce montage. On a un premier rayon qui est réfléchi sans inversion à l'interface verre-air dans la lentille. Mais le second rayon, qui doit faire l'aller-retour dans l'air entre la lentille et la plaque, subit en plus une inversion de phase lors de sa réflexion sur la plaque. Ainsi, tout près du centre, là où l'épaisseur de la couche d'air est négligeable, les rayons qui interfèrent se détruisent à cause de cette inversion de phase. Young mit cette idée à l'épreuve en plaçant de l'huile de sassafras entre une lentille achromatique et une plaque de verre flint. L'huile a un indice de réfraction qui se situe entre les valeurs des indices de ces deux verres. Dans ces conditions, les franges loin du centre sont produites selon un schéma identique au précédent, alors que la tache centrale subit une

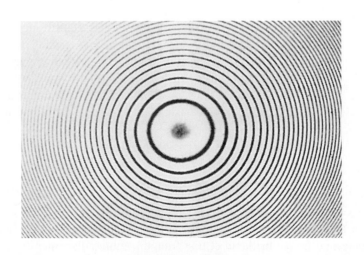

interférence constructive. En effet, les rayons qui interfèrent là où la couche d'air entre la lentille et la plaque est mince subissent une inversion de phase. Dans le cas du premier rayon, qui provient de la lentille, elle se produit à l'interface verre-huile, et dans le cas du second rayon, à l'interface huile-verre. Lorsque Young tenta cette expérience, c'est précisément ce qu'il obtint : à sa grande satisfaction, la tache centrale devint brillante.

Exemple 6.7

Lors d'une expérience sur les anneaux de Newton, la lumière a une longueur d'onde de 600 nm. La lentille a un indice de réfraction de 1,5 et un rayon de courbure de 2,5 m. Trouver le rayon de la 5e frange brillante.

Solution :

Si R est le rayon de courbure de la lentille, on voit d'après la figure 6.21 que $r^2 = R^2 - (R - e)^2$, où r est le rayon d'une frange et e est l'épaisseur de la

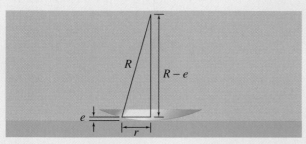

Figure 6.21

On peut établir une relation entre le rayon r d'une frange, le rayon de courbure R de la lentille et l'épaisseur e de la pellicule d'air.

pellicule. Puisque e est très petit, on peut négliger les termes en e^2 et l'on obtient

$$r^2 \approx 2Re \qquad \text{(i)}$$

Pour trouver r, on doit d'abord déterminer e. Ici, l'interférence se produit entre les rayons réfléchis de part et d'autre de la pellicule d'air entre la lentille et la lame qui la soutient. On a donc $\phi_A = 0$ et $\phi_B = \pi$ (vérifiez-le). La condition pour obtenir une frange brillante s'écrit

$$\Delta\phi = 2m\pi = \pi + \frac{4\pi e}{\lambda_p} \qquad \text{(ii)}$$

d'où

$$e = \frac{(2m - 1)\lambda_p}{4}$$

On remarque que $n = 1$ pour la pellicule d'air (l'indice du verre n'a pas d'importance) et que $m = 5$ pour la cinquième frange brillante. D'après l'équation (ii), on a donc

$$e = \frac{(9)(6 \times 10^{-7})}{4} = 1,35 \times 10^{-6} \text{ m}$$

En remplaçant cette valeur dans (i), on trouve

$$r = \sqrt{2Re} = 2,60 \times 10^{-3} \text{ m}$$

Les lames épaisses

Les effets que nous venons de décrire s'observent lorsque la pellicule est mince, c'est-à-dire d'épaisseur égale tout au plus à quelques fois la longueur d'onde de la lumière. Si on éclaire une lame épaisse (comme une vitre) avec de la lumière monochromatique (d'une seule longueur d'onde), l'interférence constructive et destructive sera quand même observable. Mais si on utilise de la lumière blanche, qui contient toutes les longueurs d'onde entre 400 et 700 nm, les effets de l'interférence ne seront plus observables : il y a un mélange de renforcements et de destructions à travers tout le spectre des couleurs, ce qui donne un effet global uniformément blanc, et ce peu importe l'épaisseur de la lame.

Exemple 6.8

Deux plaques de verre parallèles entourent une pellicule d'air d'épaisseur e. Déterminer les longueurs d'onde de la lumière visible (entre 400 et 700 nm) qui subissent l'interférence destructive et constructive en réflexion, (a) lorsque $e = 300$ nm et (b) lorsque $e = 3000$ nm.

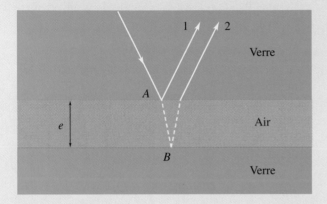

Solution :

Puisqu'il s'agit d'une pellicule d'air, $n_p = 1$ et $\lambda_p = \lambda$, tout simplement. On a $\phi_A = 0$ (car $n_{\text{air}} < n_{\text{verre}}$) et $\phi_B = \pi$. Le parcours supplémentaire $\delta = 2e$ du rayon 2 correspond à un déphasage supplémentaire $\phi_{\text{PS}} = 4\pi e/\lambda$. Par l'équation 6.12, on trouve ainsi $\Delta\phi = \pi + 4\pi e/\lambda_p$. Il y aura interférence constructive lorsque $\Delta\phi = 2m\pi$, d'où

$$\text{interférence constructive :} \qquad e = \frac{(2m - 1)\lambda}{4}$$

Il y aura interférence destructive lorsque $\Delta\phi = (2m + 1)\pi$, d'où

$$\text{interférence destructive :} \qquad e = \tfrac{1}{2}m\lambda$$

(a) Avec $e = 300$ nm, il se produit de l'interférence constructive en lumière visible à $\lambda = 400$ nm (violet) pour $m = 2$ et de l'interférence destructive à $\lambda = 600$ nm (orange) pour $m = 1$. Les autres valeurs de m ne correspondent pas à des longueurs d'onde dans le spectre visible. La lumière réfléchie sera dominée par le bleu-violet et contiendra peu d'orange, ce qui donnera une résultante bleue marquée.

(b) Avec $e = 3000$ nm, il se produit de l'interférence constructive en lumière visible à 631 nm (rouge) pour $m = 10$, à 571 nm (jaune) pour $m = 11$, à 522 nm (vert) pour $m = 12$, à 480 nm (bleu-vert) pour $m = 13$, à 444 nm (indigo) pour $m = 14$ et à 414 nm (violet) pour $m = 15$. Il se produit de l'interférence destructive à 667 nm (rouge) pour $m = 9$, à 600 nm (orange) pour $m = 10$, à 545 nm (jaune) pour $m = 11$, à 500 nm (turquoise) pour $m = 12$, à 439 nm (bleu) pour $m = 13$ et à 400 nm (violet) pour $m = 14$. Puisqu'il y a des couleurs renforcées et des couleurs détruites dans l'ensemble du spectre visible, la lumière réfléchie résultante apparaîtra tout simplement blanche à l'œil.

6.6 L'interféromètre de Michelson

Un *interféromètre* est un dispositif qui utilise les interférences pour mesurer avec précision les distances en fonction de la longueur d'onde de la lumière. Vers 1880, A. A. Michelson (figure 6.22a) inventa l'instrument élégant et fort utile qui est représenté à la figure 6.22b. Dans l'**interféromètre de Michelson**, la lumière issue d'une source monochromatique étendue S est partiellement réfléchie et partiellement transmise par une plaque de verre P qui est « semi-argentée » sur une face. Environ la moitié de la lumière incidente se dirige vers un miroir M_1, où elle est réfléchie puis traverse à nouveau P pour atteindre l'observateur en O. La lumière issue de S qui est transmise par P est réfléchie par le miroir M_2 puis atteint l'observateur après avoir été réfléchie par P. PM_1 et PM_2 sont les « bras » de l'interféromètre. La plaque C est un compensateur qui sert à rendre identiques les distances parcourues dans le verre par les deux faisceaux. M_2' est l'image de M_2 dans la surface argentée de P.

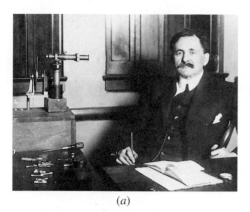

(a)

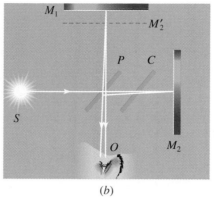

(b)

▶ Figure 6.22

(a) A. A. Michelson (1852-1931) et son interféromètre. (b) Le système est équivalent à une pellicule mince. Si les miroirs ne sont pas parfaitement perpendiculaires, on observe les franges rectilignes d'une pellicule en forme de coin (figure 6.18a).

Le système est équivalent à une pellicule d'air. Si les ondes lumineuses parcourent des distances légèrement différentes jusqu'aux miroirs, la différence de phase qui en résulte peut donner une interférence constructive ou destructive. Si les miroirs sont parfaitement perpendiculaires, la « pellicule » est d'épaisseur uniforme et l'on observe des franges circulaires*. Si les miroirs ne sont pas perpendiculaires, la pellicule est un coin et l'on observe des franges rectilignes.

L'interféromètre de Michelson présente l'avantage de permettre, à l'aide d'une vis à pas très fin, de déplacer l'un des miroirs, de sorte que l'épaisseur de la pellicule peut être constamment réglée. Si M_1 recule de $\lambda/4$, une différence de marche de $\lambda/2$ s'ajoute au trajet parcouru par la lumière dans ce bras. Ainsi, en un point donné du diagramme de franges, une frange brillante est remplacée par une frange sombre et vice versa. En comptant le nombre de franges qui défilent dans le champ de vision de l'observateur, on peut déterminer la distance parcourue par un miroir avec une incertitude égale à une fraction de la longueur d'onde de la lumière ! Michelson mesura la longueur de ce qui était à l'époque le mètre étalon en fonction de la longueur d'onde de la lumière quasi monochromatique du césium. Cette mesure fut utilisée par la suite pour formuler la définition actuelle du mètre étalon en fonction de la longueur d'onde (voir le chapitre 1, tome 1). On peut également utiliser un interféromètre pour déterminer l'indice de réfraction d'un gaz, comme nous allons le voir dans l'exemple qui suit.

Exemple 6.9

L'un des bras d'un interféromètre de Michelson contient un cylindre transparent de longueur $L = 1,5$ cm (figure 6.23). On fait le vide dans le cylindre et on centre le réticule du télescope sur une frange brillante particulière avec une lumière de longueur d'onde de 600 nm (dans le vide). Lorsqu'on introduit un gaz dans le cylindre, quatorze franges défilent devant l'observateur. Quel est l'indice de réfraction du gaz ?

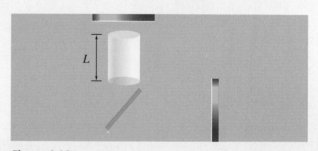

Figure 6.23

Lorsqu'on introduit un gaz dans un cylindre transparent dans l'un des bras de l'interféromètre, le nombre de franges qui défilent peut servir à calculer l'indice de réfraction du gaz.

---

* Pour calculer les différences de marche, on doit tenir compte du fait que la lumière de la source étendue atteint la pellicule selon des angles différents.

Solution :

La lumière parcourt deux fois le cylindre. Le nombre de longueurs d'onde comprises dans la distance $2L$ est $2L/\lambda_0$, où λ_0 est la longueur d'onde dans le vide. Lorsqu'on introduit le gaz, la longueur d'onde varie et devient $\lambda = \lambda_0/n$, où n est l'indice de réfraction. Le nombre de longueurs d'onde comprises dans la même distance est $2L/\lambda = 2nL/\lambda_0$. Le décalage d'une frange à la suivante implique que la différence de marche a varié d'une longueur d'onde. Par conséquent,

$$\frac{2nL}{\lambda_0} - \frac{2L}{\lambda_0} = \Delta m$$

où Δm est le nombre de franges qui a défilé devant le réticule. On obtient finalement

$$n = \frac{\lambda_0 \Delta m}{2L} + 1$$

$$= \frac{(14)(6 \times 10^{-7} \text{ m})}{0{,}03 \text{ m}} + 1 = 1{,}000\ 28$$

6.7 La cohérence

Pour mieux comprendre le phénomène de cohérence des ondes lumineuses, nous devons examiner le mécanisme qui régit l'émission de lumière. Un atome émet de la lumière lorsqu'il passe d'un état excité à un état d'énergie inférieure. Ce processus dure en général 10^{-8} s environ et il est aléatoire en ce sens que l'on ne peut pas prédire à quel moment un atome donné va rayonner. Puisque la fréquence de la lumière visible se situe autour de 5×10^{14} Hz, un *train d'ondes* comportant à peu près 5×10^6 longueurs d'onde (3 m) est émis durant ce temps.

Considérons l'interférence entre les trains d'ondes provenant de deux sources indépendantes (figure 6.24a). En un point quelconque de l'écran, la différence de phase correspondant à la différence de marche fixe est constante. À un instant donné quelconque, il y a une certaine différence de phase entre les sources elles-mêmes, mais elle ne dure que le temps du processus d'émission, c'est-à-dire 10^{-8} s. Une figure d'interférence correspondant à une valeur de ϕ va être remplacée par une figure décalée correspondant à une autre valeur de ϕ, 10^{-8} s plus tard. Pour un groupe d'atomes, ϕ fluctue de façon aléatoire. Par conséquent, il n'y a pas de déphasage fixe et donc pas de figure d'interférence stable. C'est pourquoi des régions différentes d'une même source étendue, comme un tube à décharges gazeuses ou le fil incandescent d'une ampoule, sont aussi incohérentes. L'intensité en un point quelconque de l'écran est la somme des intensités dues à chacune des sources.

La *cohérence spatiale* d'une source est indiquée par la taille de la région la plus étendue de la source qui produit une figure d'interférence. L'incohérence spatiale est due au caractère aléatoire des phases et des directions des événements qui constituent l'émission. Une source lumineuse ordinaire a une faible cohérence spatiale. Pour produire une figure d'interférence, il faut donc utiliser une petite ouverture de manière à prélever la lumière issue d'une très petite région, laquelle agit à peu près comme une source ponctuelle. Une source étendue très éloignée agit elle aussi comme une source ponctuelle. Imaginons deux fentes suffisamment éloignées (un grand nombre de longueurs d'onde) de la source (figure 6.24b). Les fronts d'onde sphériques provenant des points S_1 et S_2 deviennent des ondes presque planes qui se propagent à peu près dans la même direction lorsqu'elles atteignent les fentes. Les trains d'ondes issus d'atomes différents atteignent les fentes avec des phases différentes. Toutefois, même si la phase de l'onde plane varie rapidement, elle est toujours la même pour les deux fentes. Les fentes sont donc toujours en phase. Un laser (*cf.* Sujet connexe,

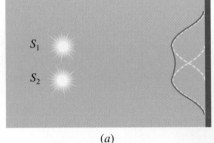

S_1

S_2

(a)

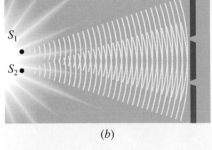

S_1

S_2

(b)

Figure 6.24

(a) Avec deux sources indépendantes, l'intensité est simplement égale à la somme des intensités. (b) Deux points séparés sur une source étendue agissent comme des sources indépendantes et ne maintiennent donc pas constante la relation de phase. Toutefois, sur un écran éloigné, les fronts d'onde provenant des deux points sont presque plans, ce qui signifie que les deux fentes sont en phase, même si cette phase fluctue.

chapitre 9) a une cohérence spatiale exceptionnelle. On obtient une figure d'interférence même si les fentes sont placées sur les deux bords extrêmes du faisceau. Bien qu'elles soient émises par des atomes différents, les ondes traversant les deux fentes sont en phase.

Puisque le processus d'émission pour un atome donné est de courte durée, les trains d'ondes ont une longueur finie ℓ_c, appelée *longueur de cohérence*. La *cohérence temporelle* des ondes est indiquée par la *durée de cohérence*, $\tau_c = \ell_c/c$. La figure 6.25 illustre la différence entre la cohérence spatiale et la cohérence temporelle.

On ne peut observer de figure d'interférence stable que si un même train d'ondes est divisé en deux parties qui parcourent des distances différentes avant d'être superposées. Supposons que nous utilisions des miroirs pour allonger les parcours des ondes passant par l'une des fentes (figure 6.26). Si la distance supplémentaire est supérieure à ℓ_c ou si le temps supplémentaire est supérieur à τ_c, il ne peut pas y avoir de chevauchement entre les deux parties W_1 et W_2 et l'on n'observe aucune interférence. La longueur de cohérence de la lumière issue d'une source ordinaire, comme une lampe à sodium ($\lambda = 590$ nm), est de 3 mm environ. Cette valeur est très inférieure à 3 m, la valeur mentionnée plus haut pour un atome isolé, à cause du mouvement aléatoire des atomes et des collisions entre eux. Les meilleures sources sont les tubes à décharges de césium ou de potassium gazeux de faible densité, pour lesquelles ℓ_c est comprise entre 20 cm et 30 cm. Le laser à gaz hélium-néon a une longueur de cohérence voisine de 20 cm. Mais certains lasers peuvent avoir une longueur de cohérence de 30 km!

Dans l'étude des interférences produites par deux sources ponctuelles *cohérentes* de la section 6.4, nous avons d'abord utilisé le principe de superposition pour trouver la fonction d'onde résultante

(source cohérente) $\qquad\qquad E = E_1 + E_2$

puis nous avons trouvé l'intensité à partir de l'amplitude de la résultante. Considérons maintenant l'intensité sur l'écran produite par deux sources *incohérentes*. La différence de phase ϕ en un point donné quelconque de l'écran n'est pas constante mais fluctue de manière aléatoire dans le temps. Par conséquent, il n'y a pas de figure d'interférence stable. On obtient encore ici l'intensité résultante en prenant le carré de l'amplitude donnée par l'équation 6.8. Il faut toutefois noter que ϕ est une fonction aléatoire du temps. En utilisant l'identité trigonométrique $\cos(A/2) = \sqrt{(1 + \cos A)/2}$, on trouve $I = 2I_0(1 + \cos \phi)$. On remarque que la moyenne de $\cos \phi$ dans le temps est nulle et qu'il ne reste que le premier terme, $I = 2I_0$. En général, l'intensité résultante en un point

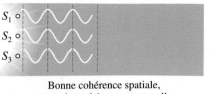

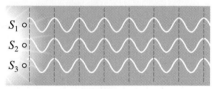

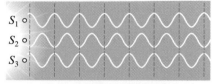

Bonne cohérence spatiale, mauvaise cohérence temporelle

Bonne cohérence temporelle, mauvaise cohérence spatiale

Bonne cohérence spatiale, bonne cohérence temporelle

Figure 6.25

Une bonne cohérence spatiale (ou latérale) signifie que des points différents d'une source étendue sont cohérents. Une bonne cohérence temporelle (ou longitudinale) signifie que les trains d'ondes provenant de chaque source ponctuelle sont longs.

▶ **Figure 6.26**

On utilise des miroirs pour allonger le chemin parcouru par les ondes passant par une des fentes. Si la distance supplémentaire est supérieure à la longueur de cohérence, il n'y a pas de figure d'interférence.

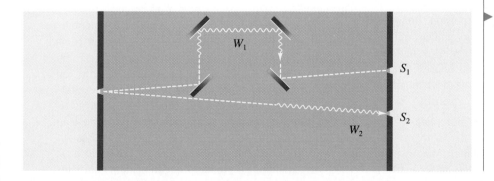

quelconque de l'écran est simplement égale à la somme des intensités des deux sources indépendantes :

(source incohérente) $$I = I_1 + I_2$$

Soulignons qu'à la figure 6.13 la grandeur $2I_0$ correspond à la valeur moyenne de l'intensité calculée sur un grand nombre de franges provenant de l'interférence de deux sources cohérentes. L'énergie totale arrivant sur l'écran est la même pour les deux types de source, mais elle est redistribuée par interférence lorsque les sources sont cohérentes.

Aperçu historique

Les deux théories de la lumière

La nature de la lumière fit l'objet d'un vif débat au cours du XVIIe siècle. Pour Descartes, la lumière était un flux de particules, ou « corpuscules », auxquels on pouvait appliquer les principes de la mécanique. Il considérait la réflexion d'un faisceau de lumière comme étant analogue à la collision élastique d'une balle de tennis sur une surface plane. Pour expliquer la réfraction de la lumière au passage de l'air au verre, il supposait que la vitesse des particules avait une composante perpendiculaire à la surface qui était plus grande dans le verre. Newton appuyait l'hypothèse corpusculaire, mais estimait néanmoins que la description de la réflexion était un peu simpliste. Il fit remarquer qu'un faisceau de lumière initialement dans le verre est aussi partiellement réfléchi lorsqu'il rencontre le vide. Dans ce cas, que pouvaient bien rencontrer les particules ?

Christiaan Huygens écarta l'hypothèse corpusculaire (*cf.* introduction du chapitre 4). Il proposa plutôt de considérer la lumière comme une impulsion (longitudinale) ou une perturbation dans un milieu appelé « éther ». Sa théorie n'était pas une théorie ondulatoire au sens contemporain du terme : Huygens refusait d'associer à la lumière une forme quelconque de périodicité (comme une longueur d'onde ou une fréquence).

Les phénomènes de réflexion et de réfraction de la lumière pouvaient être expliqués soit par la théorie de Huygens, soit par la théorie corpusculaire. Mais les phénomènes d'interférence et de diffraction relancèrent le

débat. En 1665, Robert Hooke donna une description des couleurs qu'il avait observées dans de fines couches de mica et dans des pellicules minces de liquide placées entre deux plaques de verre. En exerçant une pression sur les plaques avec ses mains, il s'aperçut que la couleur d'une région donnée dépend de l'épaisseur de la pellicule. Hooke fit appel à une sorte de théorie ondulatoire pour donner une explication qualitative des couleurs faisant intervenir l'interférence des impulsions réfléchies sur les surfaces supérieure et inférieure de la pellicule. Comme Huygens, il n'associait aucun caractère périodique (fréquence ou longueur d'onde) aux impulsions lumineuses. Il ne put poursuivre son analyse du phénomène parce qu'il ne savait pas comment déterminer les épaisseurs de pellicules aussi minces. C'est Newton qui s'en chargea.

Les contributions de Newton et Grimaldi

Entre 1666 et 1672, Newton étudia les couleurs dans les pellicules minces. Dans l'un des montages expérimentaux utilisés par Hooke, une lentille de grand rayon de courbure était placée sur une plaque plane pour former un coin d'air (figure 6.19). Lorsqu'on éclairait le coin, on pouvait observer une série d'anneaux concentriques alternativement brillants et sombres (figure 6.20). En éclairant le montage avec diverses couleurs du spectre d'un prisme, Newton remarqua que les anneaux s'élargissaient ou se contractaient. Il s'aperçut que, si l'épaisseur e du coin correspondait au premier anneau brillant, alors les autres anneaux brillants étaient situés à 3*e*, 5*e*, 7*e*, etc. Les anneaux sombres étaient situés à 2*e*, 4*e*, 6*e*, etc. Constatant que les anneaux de lumière rouge étaient plus grands que les anneaux de lumière bleue, il conclut que les corpuscules de lumière rouge étaient plus gros que les bleus. La présence de ces anneaux démontrait que la lumière fait intervenir un phénomène périodique. Mais ni Hooke ni Newton n'eurent l'idée de faire correspondre la « grosseur » des corpuscules à la longueur d'onde.

Un autre phénomène lumineux intéressant fut découvert par le jésuite italien F. M. Grimaldi. Dans ses travaux publiés à titre posthume en 1665, il décrivait plusieurs expériences montrant que la lumière ne se propage pas en ligne droite. Ayant placé une fine bande opaque à une certaine distance d'une source ponctuelle, il s'était aperçu que l'ombre était bordée de bandes colorées. En remplaçant la bande par une ouverture, il avait à nouveau observé des bandes autour de la région d'ombre géométrique. Il appela diffraction cette déviation des rayons lumineux dans la région de l'ombre géométrique.

Malgré les résultats de ses propres expériences (la périodicité des anneaux) et des expériences de Grimaldi, qui semblaient tous favorables à la théorie ondulatoire de la lumière, Newton préféra appuyer la théorie corpusculaire. Sa principale objection envers la théorie ondulatoire était que la lumière semble se propager en ligne droite, alors que les ondes, par exemple celles se déplaçant dans l'air et dans l'eau, se propagent dans toute la région située derrière un obstacle. Il considérait la diffraction de la lumière comme étant un effet trop insignifiant pour justifier une théorie ondulatoire. Selon lui, un rayon lumineux était *réfracté* légèrement en passant au voisinage d'un objet parce que la densité de l'éther y est plus faible. Newton « expliquait » ainsi le changement de direction des rayons mais ne répondait absolument pas à la question soulevée par les bandes colorées. Il est intéressant de noter que Huygens, qui est souvent considéré comme l'un des premiers défenseurs de la théorie ondulatoire de la lumière, n'avait même pas mentionné la diffraction dans son traité d'optique datant de 1690, bien qu'elle soit clairement expliquée par cette théorie. Il tenait principalement à déterminer que sa théorie « ondulatoire » pouvait expliquer la propagation *rectiligne* de la lumière ! Lui non plus n'avait pas cherché à étudier les couleurs dans les pellicules minces.

L'émergence de la théorie ondulatoire

Puisque Newton et Huygens avaient décidé tous les deux de passer sous silence les données expérimentales qui les gênaient, la théorie ondulatoire de la lumière avait bien peu d'espoir de s'imposer. Newton reconnaissait bien que cette théorie n'était pas tout à fait sans fondement, mais il hésitait parce qu'il ne se rendait pas compte à quel point les longueurs d'onde de la lumière sont petites. Malheureusement, son ardeur à défendre le modèle corpusculaire freina les études sur la nature de la lumière pendant plus d'un siècle.

Le premier défi sérieux à la théorie corpusculaire fut posé par Thomas Young, qui énonça clairement le principe de superposition des ondes. Young pensait que les anneaux sombres observés dans l'expérience de Newton étaient produits par un processus analogue au phénomène des battements : lorsque deux ondes sonores de fréquences voisines sont superposées, elles peuvent s'annuler momentanément pour produire une intensité nulle. Comme Huygens, il ne pouvait pas imaginer que des particules aient un tel comportement. Young utilisa les résultats obtenus par Newton sur les anneaux pour calculer les longueurs d'onde de la lumière visible. Il est surtout connu pour son expérience de la double fente (*cf.* section 6.3), qu'il réalisa en 1802 et qui démontra clairement la nature ondulatoire de la lumière.

Résumé

Les conditions d'interférence constructive et destructive des ondes issues de deux sources peuvent s'exprimer en fonction de la différence de marche δ:

(constructive) $$\delta = m\lambda$$

$$m = 0, \pm 1, \pm 2, \ldots$$

(destructive) $$\delta = \left(m + \frac{1}{2}\right)\lambda$$

Dans l'expérience des fentes de Young, la distance entre les deux fentes (d), la distance entre les fentes et l'écran (L), la distance entre le centre de l'écran et le point $P(y)$, l'angle que sous-tend cette distance vu des fentes (θ) et la différence de marche (δ) sont déterminés par les relations suivantes :

$$\tan \theta = \frac{y}{L}$$

$$\delta \simeq d \sin \theta$$

La différence de phase ϕ associée à une différence de marche δ s'écrit

$$\frac{\phi}{2\pi} = \frac{\delta}{\lambda}$$

L'intensité dans la figure d'interférence produites par deux fentes est

$$I = 4I_0 \cos^2\left(\frac{\phi}{2}\right)$$

où I_0 est l'intensité (supposée uniforme sur l'écran) due à une seule source.

La condition d'interférence constructive ou destructive dans les pellicules minces doit être établie dans chaque cas particulier en tenant compte des points suivants :

1. La lumière subit un déphasage de π lorsqu'elle est réfléchie sur un milieu d'indice de réfraction plus élevé.

2. La longueur d'onde λ dans le milieu d'indice de réfraction n est $\lambda = \lambda_0/n$, où λ_0 est la longueur d'onde dans l'air.

Termes importants

différence de marche
diffraction
expérience des fentes de Young
interférence constructive
interférence destructive

interféromètre de Michelson
ordre de la frange
pellicule mince
sources cohérentes

R1. Dessinez ce qui se produit lorsqu'une série de fronts d'ondes parallèles rencontre (i) un écran avec un trou beaucoup plus large que la longueur d'onde ; (ii) un écran avec un trou de la même largeur que la longueur d'onde ; (iii) un obstacle beaucoup plus large que la longueur d'onde ; (iv) un obstacle de la même largeur que la longueur d'onde.

R2. L'équation 6.4 est-elle toujours valable ? Si non, dans quelles conditions peut-on l'utiliser ?

R3. L'équation 6.5 est-elle toujours valable ? Si non, dans quelles conditions peut-on l'utiliser ?

R4. Vrai ou faux ? Si on diminue la distance entre les fentes dans l'expérience de Young, la distance entre les franges sur l'écran diminue aussi.

R5. Dessinez le graphique de l'intensité en fonction du déphasage pour l'expérience de Young.

R6. Un rayon de lumière frappe la surface d'un lac. Quel est le déphasage du rayon réfléchi ? du rayon réfracté ?

R7. Soit les deux pellicules minces suivantes : (a) une portion d'une bulle de savon dans l'air et (b) une couche d'huile légère flottant sur l'eau (l'indice de réfraction de l'huile est plus petit que celui de l'eau). Pour chaque cas, représentez le tracé d'un rayon lumineux réfléchi par les deux faces de la pellicule mince en précisant à chaque fois s'il y a déphasage.

R8. Exprimez les conditions donnant lieu à une interférence constructive et à une interférence destructive entre les rayons réfléchis par les deux pellicules minces traitées de la question R7.

R9. On éclaire une lame de verre entourée d'air. Si l'épaisseur de la lame tend vers zéro, observera-t-on un maximum ou un minimum de réflexion ?

R10. À la figure 6.22, de combien doit-on reculer le miroir M_1 pour qu'une frange brillante soit remplacée par la frange brillante suivante ?

Q1. Lorsqu'un émetteur est masqué par une montagne, il est possible de recevoir un signal de radio AM mais pas un signal FM. Pourquoi ?

Q2. On suppose que l'expérience des deux fentes de Young est réalisée sous l'eau. La figure obtenue change-t-elle ? Si oui, comment ?

Q3. Les interférences sont-elles plus faciles à observer dans les pellicules *minces* que dans les pellicules épaisses ? (Considérez la séparation latérale des rayons réfléchis par les deux surfaces.)

Q4. Pourquoi l'espace entre les anneaux de Newton n'est-il pas constant ?

Q5. Une pellicule d'huile sur l'eau a un périmètre blanchâtre où l'épaisseur est très inférieure à la longueur d'onde de la lumière dans la pellicule. Que pouvez-vous déduire de cette observation en ce qui concerne l'huile ?

Q6. Vrai ou faux ? Pour que deux ondes soient cohérentes, elles doivent avoir la même (a) phase ; (b) longueur d'onde ; (c) direction de propagation.

Q7. Dans l'expérience des deux fentes de Young, on recouvre l'une des fentes avec une lame mince qui introduit un retard de phase de 90°. Quel est l'effet produit sur la figure obtenue sur l'écran ?

Q8. Peut-on obtenir une figure d'interférence à l'aide de deux ampoules de lampe de poche si elles sont suffisamment petites ? Expliquez.

Q9. Au fur et à mesure que la région supérieure d'une pellicule de savon verticale s'amincit, elle apparaît sombre dans la lumière réfléchie, comme le montre la figure 6.27. Expliquez pourquoi.

Q10. À quoi sert la première fente dans le montage des deux fentes de Young (à gauche sur la figure 6.10) ?

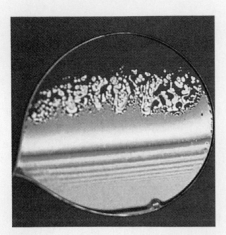

Figure 6.27

Question 9

Q11. Dans l'expérience des deux fentes de Young, on suppose que l'une des fentes est deux fois plus large que l'autre. Quel est l'effet produit sur la figure obtenue sur l'écran ?

Q12. Lorsque la lumière pénètre dans un milieu différent, sa longueur d'onde varie. Sa couleur varie-t-elle également ? Justifiez votre réponse.

Q13. Pourquoi le passage d'un avion produit-il une perturbation dans la réception d'un signal FM ou de télévision ?

xercices

6.1 et 6.3   Interférence et expérience de Young

E1. (I) Dans l'expérience des deux fentes de Young utilisant de la lumière de longueur d'onde 490 nm, la frange brillante de 6e ordre ($m = 6$) est à 38 mm de la frange centrale sur un écran situé à 2,2 m des fentes. Quelle est la distance séparant les fentes ?

E2. (I) Deux fentes étroites séparées de 0,4 mm sont éclairées par de la lumière contenant deux longueurs d'onde, de 480 nm et 650 nm. Quel est l'espace entre les franges brillantes de 2e ordre de chaque type de lumière si l'écran est situé à 2,0 m des fentes ?

E3. (I) Dans l'expérience des deux fentes de Young, on observe la figure d'interférence sur un écran situé à 2 m des fentes. Sachant que la lumière incidente est normale et a une longueur d'onde de 450 nm, quelle doit être la distance minimale entre les fentes pour qu'un point situé à 3,2 mm du centre sur l'écran soit (a) un minimum ; (b) un maximum ?

E4. (I) De la lumière de longueur d'onde 546 nm émise par une source au mercure éclaire deux fentes distantes de 0,32 mm. Quelle est la distance entre les franges sombres de 2e et de 3e ordre si l'écran est placé à 1,8 m des fentes ?

E5. (I) Dans la figure d'interférence obtenue avec deux fentes, la distance entre les quatrièmes franges brillantes ($m = 4$) de chaque côté du maximum central est de 7 cm. Si les fentes sont distantes de 0,2 mm et si l'écran est à 3,0 m des fentes, quelle est la longueur d'onde de la lumière ?

E6. (I) Dans l'expérience des deux fentes, la frange brillante de 3e ordre est à 16 mm du centre sur un écran situé à 2 m des fentes. Si la longueur d'onde est de 590 nm, déterminez (a) la distance entre les fentes ; (b) la distance entre les franges brillantes.

E7. (I) Deux fentes étroites sont distantes de 0,2 mm. La cinquième frange sombre est à 0,7° de la frange brillante centrale. Quelle est la longueur d'onde de la lumière ?

E8. (I) On éclaire un montage d'interférence de Young avec de la lumière contenant deux longueurs d'ondes distinctes. La frange brillante de 10e ordre pour la lumière de longueur d'onde 560 nm chevauche la frange sombre de 9e ordre de l'autre longueur d'onde. Trouvez l'autre longueur d'onde.

E9. (I) Deux fentes distantes de 0,24 mm sont éclairées par de la lumière contenant deux longueurs d'onde, de 480 nm et 560 nm. On observe la double figure d'interférence obtenue sur un écran situé à 1,2 m des fentes. Quelle est la première position par rapport au pic central pour laquelle les maxima des deux longueurs d'onde se superposent exactement ?

E10. (I) Une double fente est éclairée par de la lumière jaune (589,0 nm) émise par une vapeur de sodium. La huitième frange sombre est à 6,5 mm du maximum central. L'écran est situé à 1,2 m des fentes. Quelle est la distance entre les fentes ?

E11. (II) Deux sources émettent des micro-ondes de longueur d'onde $\lambda = 3$ cm en phase. À quelle distance doivent-elles se trouver l'une de l'autre pour que la première et la deuxième frange brillante du même côté du pic central soient séparées par un angle de 10° ?

E12. (I) Dans un montage d'interférence de Young, il y a 1 cm entre la première et la huitième frange sombre sur un écran situé à 2 m des fentes. Quelle est la distance entre les fentes si $\lambda = 510$ nm ?

E13. (II) Une lame mince en verre placée devant la fente supérieure de l'expérience de Young (figure 6.12) introduit un retard de phase de 270° entre les deux sources de lumière. On suppose que la lumière de longueur d'onde 600 nm éclaire les fentes, qui sont distantes de 0,5 mm, et que l'écran est situé à 2,4 m des fentes. De combien est décalée la frange centrale et dans quelle direction ?

E14. (II) Un haut-parleur qui émet un signal sonore de 200 Hz est à 8 m d'un microphone. Ils sont à égale distance d'un mur. Quelle doit être la distance minimale au mur pour qu'il y ait interférence constructive entre le son qui atteint le microphone directement et celui qui est réfléchi par le mur ? On donne la vitesse du son égale à 340 m/s. (Il n'y a pas de changement de phase à la réflexion.)

E15. (II) Deux haut-parleurs sont distants de 1 m et émettent un son de fréquence 1000 Hz en phase. Un auditeur O marche le long d'une droite parallèle à la droite joignant les haut-parleurs et distante de 8 m de celle-ci (figure 6.28). À partir du point A, quelle distance doit-il franchir pour ne plus entendre le signal ? On donne la vitesse du son égale à 340 m/s.

E16. (II) Deux haut-parleurs S_1 et S_2 sont à une distance d l'un de l'autre (figure 6.29). Ils émettent un son de fréquence $f = 95$ Hz en phase. Quelle est la valeur minimale de d pour laquelle l'intensité est nulle à chacun des points suivants : (a) P ; (b) Q ? On suppose que l'intensité ne diminue pas avec la distance à partir des haut-parleurs. On donne la vitesse du son égale à 340 m/s.

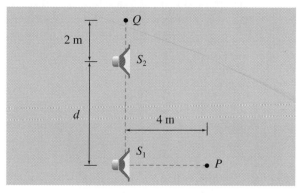

Figure 6.29

Exercices 16 à 18.

E17. (II) Les deux haut-parleurs de la figure 6.29 émettent le même signal sonore. On suppose que le signal émis par S_1 est déphasé de π rad par rapport à S_2. La fréquence est de 500 Hz. Quelle est la valeur minimale de d pour laquelle l'intensité en P est maximale ? On donne la vitesse du son égale à 340 m/s.

E18. (II) Étant donné les haut-parleurs de la figure 6.29, on donne $d = 2$ m. Quelle est la fréquence la plus basse pour laquelle l'intensité en P est (a) maximale ; (b) minimale ? La vitesse du son est de 340 m/s et les haut-parleurs émettent en phase.

E19. (II) Deux sources ponctuelles S_1 et S_2 séparées par une distance d (figure 6.30) émettent des ondes sonores

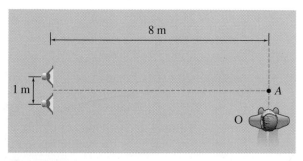

Figure 6.28

Exercice 15.

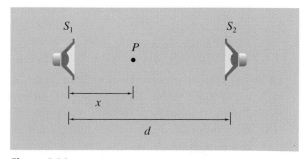

Figure 6.30

Exercice 19.

de même longueur d'onde ($\lambda \ll d$). Quelle est la condition que doit vérifier la distance x pour que le point P soit un point d'interférence destructive, sachant que (a) S_1 et S_2 sont en phase ; (b) S_1 et S_2 sont déphasés de π rad ?

E20. (II) Les signaux reçus par deux antennes micro-ondes distantes de 80 cm alimentent le même amplificateur situé à mi-chemin entre les antennes. Les deux antennes et l'amplificateur s'alignent dans la direction nord-sud. Pour assurer une bonne réception du signal à une longueur d'onde de 3 cm, on doit retarder de 5 rad le signal provenant de l'antenne la plus au nord. Dans quelle direction se trouve la source, en supposant qu'elle est très éloignée ?

E21. (II) Soit des ondes tombant selon un angle α sur une paire de fentes (figure 6.31). (a) Quelle est la différence de marche entre les rayons sortant suivant l'angle θ ? (L'écran est très éloigné.) (b) À quelle valeur de θ correspond la position du pic central ? (c) Quelle est la valeur minimale de α pour laquelle l'intensité au centre de l'écran est minimale ?

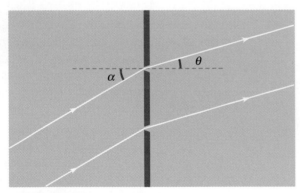

Figure 6.31

Exercice 21.

E22. (II) Une lentille de distance focale f sert à focaliser la lumière émergeant de deux fentes sur un écran distant qui est situé dans le plan focal de la lentille (figure 6.32). Montrez que les positions des minima sont données par $y_m = (2m + 1)\, f\lambda/2d$.

E23. (II) Dans l'expérience des deux fentes de Young, une frange brillante est à 1,47 cm du centre de la figure. La lumière a une longueur d'onde de 600 nm et atteint un écran situé à 1,4 m des fentes, qui sont distantes de 0,4 mm. Combien y a-t-il de franges sombres entre le centre et la frange brillante située à 1,5 cm ?

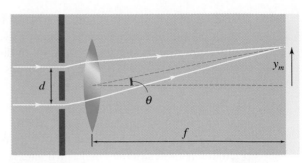

Figure 6.32

Exercice 22.

E24. (II) En utilisant la lumière réfléchie par un miroir (figure 6.33), on peut produire des franges à l'aide d'une seule source. Dans quel intervalle sur l'écran les franges sont-elles visibles ? On donne $d = 0{,}4$ mm, $L = 3$ cm et $\lambda = 600$ nm.

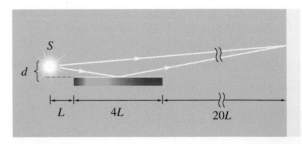

Figure 6.33

Exercice 24.

6.4 Intensité lumineuse dans l'expérience de Young

E25. (I) Montrez que l'intensité de la figure d'interférence produite par deux fentes (équation 6.9) peut s'écrire sous la forme

$$I = 4I_0 \cos^2\left(\frac{\pi dy}{\lambda L}\right)$$

où y est la distance au centre de la figure et I_0 l'intensité due à une source unique.

E26. (I) À quelle distance du centre d'une figure d'interférence produite par deux fentes l'intensité est-elle égale à 50 % de l'intensité maximale au centre, pour la première fois ? On suppose que les fentes sont distantes de 0,2 mm, que la longueur d'onde est de 560 nm et que l'écran est à 1,6 m des fentes. (Voir E25.)

E27. (I) Deux fentes étroites distantes de 0,6 mm sont éclairées par de la lumière de longueur d'onde égale à 480 nm. On observe la figure d'interférence sur un écran situé à 1,25 m des fentes. Quelle est l'intensité de la figure en un point situé à 0,45 mm du centre, par rapport à celle que produirait une seule fente ? (Voir E25.)

E28. (I) Quelle serait l'intensité (par rapport à celle d'une seule fente) au centre d'une figure obtenue dans l'expérience de Young si une feuille de plastique placée devant une des fentes introduisait un déphasage de $\pi/2$ rad entre les deux sources lumineuses ?

E29. (II) De la lumière de longueur d'onde égale à 627 nm éclaire deux fentes. Quelle doit être la différence de marche minimale entre les ondes issues des fentes pour que l'intensité résultante soit égale à 25 % de l'intensité du maximum central ?

E30. (II) L'intensité lumineuse dans l'expérience des deux fentes de Young est donnée par l'équation 6.9 pour deux sources lumineuses en phase. Tracez $I(\theta)$ en fonction de θ jusqu'à 1,5 rad par intervalles de 0,1 rad. On donne $d = 2\lambda$.

6.5 Pellicules minces

E31. (I) Soit une pellicule de MgF_2 ($n = 1,38$) ayant une épaisseur de $8,3 \times 10^{-5}$ cm déposée sur du verre ($n = 1,6$). Si de la lumière blanche tombe perpendiculairement à la surface, quelles sont les longueurs d'onde qui sont absentes de la lumière réfléchie ? (*Indice* : Ne retenez que les longueurs d'onde correspondant à la lumière visible, entre 400 nm et 700 nm.)

E32. (I) De la lumière blanche tombe suivant la normale sur une pellicule ($n = 1,4$) d'une épaisseur de 90 nm déposée sur du verre ($n = 1,5$). Quelle est la différence de phase entre des rayons réfléchis par les surfaces supérieure et inférieure pour chacune des longueurs d'onde suivantes : (a) 400 nm ; (b) 550 nm ; (c) 700 nm ?

E33. (I) De la lumière de longueur d'onde 600 nm éclaire un coin en verre ($n = 1,5$) plongé dans l'eau ($n = 1,33$). Si la distance séparant deux franges

brillantes successives est égale à 2 mm, déterminez (a) la variation d'épaisseur du verre entre ces franges ; (b) l'angle du coin (voir la figure 6.17).

E34. (I) Un coin d'air est formé par deux lames de verre de longueur 12 cm séparées par un fil fin placé à une extrémité. De la lumière de longueur d'onde 480 nm tombe suivant la normale sur le coin. Trouvez le rayon du fil, sachant que l'on observe six franges sombres par centimètre.

E35. (I) De la lumière blanche tombe suivant la normale sur une pellicule d'eau uniforme ($n = 1,33$) recouvrant une plaque de verre ($n = 1,6$). Trouvez l'épaisseur minimale que peut avoir la pellicule, sachant que dans la lumière réfléchie : (a) la longueur d'onde de 550 nm est renforcée ; (b) la longueur d'onde de 550 nm est absente.

E36. (II) Dans l'expérience des anneaux de Newton, on observe un nombre total de 42 franges sombres (sans compter la tache centrale). La longueur d'onde utilisée est de 640 nm et l'anneau le plus large a un diamètre de 2,2 cm. Déterminez : (a) l'épaisseur de la pellicule d'air à l'emplacement de la dernière frange ; (b) le rayon de courbure de la lentille.

E37. (II) Lorsqu'on remplit d'huile l'espace entre la lentille et la plaque dans le montage de Newton, le rayon du 8e anneau sombre diminue et passe de 1,8 cm à 1,64 cm. Quel est l'indice de réfraction de l'huile ? On suppose que l'indice de réfraction du verre est supérieur à celui de l'huile.

6.6 Interféromètre de Michelson

E38. (I) Lorsqu'un des miroirs de l'interféromètre de Michelson se déplace de 0,08 mm, 240 franges défilent dans le champ de vision de l'observateur. Quelle est la longueur d'onde de la lumière ?

E39. (I) Lorsqu'on introduit une feuille transparente ayant une épaisseur de 2 μm dans l'un des bras d'un interféromètre de Michelson-Morley, on observe un décalage de 5 franges. Si la longueur d'onde utilisée est de 600 nm, quel est l'indice de réfraction de la feuille ?

6.1, 6.3 et 6.4 Interférence et expérience de Young, intensité lumineuse dans l'expérience de Young

E40. (I) (a) Dans un système d'interférence de Young, quelle est la plus petite différence de marche nécessaire pour produire un déphasage de $2\pi/3$ rad à une longueur d'onde de 600 nm ? (b) Quelle est le déphasage associé à une différence de marche de 25 µm pour de la lumière de 480 nm ?

E41. (I) On éclaire, avec de la lumière cohérente à 600 nm, deux fentes parallèles recouvertes de pellicules différentes de 4 µm d'épaisseur. L'indice de réfraction des pellicules est respectivement 1,52 et 1,61. Quel est le déphasage entre les deux faisceaux émergents ?

E42. (I) Dans l'expérience de Young, les deux fentes sont distantes de 0,9 mm et éclairées par un laser He-Ne dont la longueur d'onde est 632,8 nm. L'écran est situé à une distance de 3,2 m des fentes. Quel est le nombre de franges sombres dans le premier centimètre à partir du maximum central ?

E43. (I) De la lumière monochromatique éclaire deux fentes distantes de 0,7 mm. Sur un écran situé à 3,7 m des fentes, on observe que la 8e frange brillante d'un côté du maximum central est à 2,2 cm du centre. Quelle est la longueur d'onde de la lumière ?

E44. (I) On éclaire les deux fentes de l'expérience de Young à l'aide d'une source lumineuse de 575 nm de longueur d'onde. Quelle doit être la distance entre les fentes pour que la frange brillante d'ordre 4 soit à un centimètre du maximum central sur un écran situé à 3 m ?

E45. (I) De la lumière de 589 nm éclaire deux fentes séparées de 0,8 mm. Les franges sont observées sur un écran situé à 3,6 m des fentes. Quelle est la distance entre les 3e et 5e franges sombres ?

E46. (I) On observe 5 franges sombres par centimètre lorsqu'on éclaire deux fentes séparées de 0,5 mm avec de la lumière de longueur d'onde 513 nm. Quelle est la distance entre l'écran et les fentes ?

E47. (I) On éclaire deux fentes séparées de 0,4 mm avec de la lumière de 620 nm. Quel est le nombre de franges brillantes complètes entre le maximum central et un point faisant un angle de 1° avec le centre des deux sources (figure 6.12) ?

E48. (I) On éclaire deux fentes séparées de 0,4 mm avec de la lumière de 648 nm. On observe les franges d'interférence sur un écran situé à 1,2 m des fentes. Quelle est le déphasage entre les deux faisceaux (a) à $\theta = 0,4°$, (b) à une distance de 6 mm du maximum central ?

E49. (I) On éclaire deux fentes séparées de 0,5 mm avec de la lumière de 548 nm. À quel angle θ dans la figure 6.12 trouvera-t-on (a) un déphasage de 4 rad, (b) une différence de marche de 0,8 λ ?

E50. (II) On éclaire deux fentes séparées de 0,6 mm avec de la lumière de 486 nm. On observe les franges sur un écran situé à 1,6 m des fentes. (a) Quel est le déphasage entre les deux sources à une distance de 3,7 mm du maximum central ? (b) Quelle est l'intensité relative à cet endroit par rapport au maximum central ?

E51. (II) La lumière qui éclaire deux fentes distantes de 0,8 mm contient deux longueurs d'onde de 500 nm et 600 nm. Si l'écran est situé loin des fentes, quel est le plus petit angle θ dans la figure 6.12 (>0°) pour lequel les franges brillantes des deux couleurs se superposent ?

E52. (II) Deux haut-parleurs situés à (0 ; 1,2 m) et (0 ; −1,2 m) dans un plan cartésien émettent un signal sonore de 60 Hz en phase. Quel est le déphasage entre les deux signaux à (5 m ; 0,8 m) ? La vitesse du son est de 330 m/s.

E53. (II) Deux haut-parleurs situés à (0 ; 1 m) et (0 ; −1 m) dans un plan cartésien émettent un signal sonore en phase. Un auditeur situé initialement à (5 m ; 0 m) se déplace parallèlement à l'axe des y. Il détecte un premier minimum d'interférence à (5 m ; 1,5 m). Quelle est la longueur d'onde de ce signal ?

E54. (I) La distance entre les 3e et 5e franges sombres dans l'expérience des deux fentes de Young est 0,4 cm. Si la distance entre les fentes est 0,75 mm et si l'écran est situé à 2,4 m, quelle est la longueur d'onde de la lumière utilisée ?

E55. (I) Deux sources sonores, situées sur l'axe des x à $x = 5$ m et $x = −5$ m, émettent des signaux en phase de 6 m de longueur d'onde. Pour des points situés sur l'axe des x, où sont (a) les minima, et (b) les maxima ?

E56. (II) Deux sources sonores, situées à l'origine et à $(0\,;-2\text{ m})$, émettent des signaux en phase de 1 m de longueur d'onde. Pour des points situés sur l'axe des x, où sont (a) les minima, et (b) les maxima ?

6.5 Pellicules minces

E57. (I) De la lumière de longueur d'onde 602 nm arrive à incidence normale sur une mince pellicule ($n = 1{,}4$) flottant sur de l'eau ($n = 1{,}33$). La pellicule a une épaisseur de 1,2 μm. (a) Quelle est la longueur d'onde de la lumière dans la pellicule ? (b) Combien de longueurs d'onde complètes peut-on insérer dans l'épaisseur de la pellicule ? (c) Quel est le déphasage entre le rayon réfléchi sur la face supérieure de la pellicule et celui réfléchi sur la face inférieure ?

E58. (I) Deux lames de verre ($n = 1{,}5$) de 15 cm de long se touchent à une extrémité et sont séparées par une feuille de papier de 32 μm d'épaisseur à l'autre extrémité. Si ce coin d'air est éclairé par de la lumière de 589 nm, combien y aura-t-il de franges brillantes par centimètre dans la lumière réfléchie ?

E59. (I) Une pellicule mince de pétrole ($n = 1{,}22$) flottant sur de l'eau ($n = 1{,}33$) a une épaisseur uniforme de 450 nm. De la lumière blanche l'éclaire suivant la normale. Quelles sont les longueurs d'onde (a) renforcées, et (b) atténuées, de la lumière réfléchie ?

E60. (I) Soit une pellicule d'air d'épaisseur uniforme e entre deux blocs de verre comme représenté à la figure 6.34. Dans quelle condition se produit l'interférence destructive entre les deux rayons illustrés ? La lumière est à incidence normale.

E61. (I) Une lentille de verre ($n = 1{,}5$) est recouverte d'une pellicule mince ($n = 1{,}38$) de 540 nm

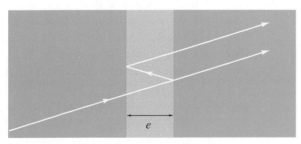

Figure 6.34

Exercice 60.

d'épaisseur. Quelle sont les longueurs d'onde atténuées dans la lumière visible réfléchie ?

E62. (I) Une pellicule d'huile ($n = 1{,}22$) flottant sur de l'eau ($n = 1{,}33$) réfléchit en la renforçant la longueur d'onde de 566 nm lorsqu'elle est éclairée par de la lumière blanche. Quelle est l'épaisseur minimale de cette pellicule ?

E63. (I) Un coin d'air est formé par deux lames de verre. L'angle au sommet est de 0,04°. Quelle est la distance entre les franges sombres d'ordre 60 pour les longueurs d'onde 460 nm et 660 nm ?

E64. (I) De la lumière de 546 nm éclaire suivant la normale un coin d'air formé par deux lames de verre (figure 6.17). Il y a 6 franges sombres par centimètre dans la lumière réfléchie. Quel est l'angle de ce coin ?

E65. (II) De la lumière constituée des longueurs d'onde de 420 nm et 425 nm est réfléchie par un coin de verre ($n = 1{,}5$) d'angle au sommet de 0,08°. À quelle distance du sommet se superposeront pour la première fois les franges sombres des deux couleurs ?

E66. (II) De la lumière éclaire suivant la normale une mince feuille de plastique entourée d'air, (figure 6.35). Quelles sont les conditions pour que l'interférence entre les deux rayons illustrés donne (a) un maximum, et (b) un minimum ?

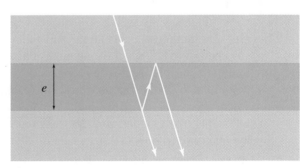

Figure 6.35

Exercice 66.

E67. (II) Une mince pellicule de plastique ($n = 1{,}56$) de 1,25 μm d'épaisseur est comprise entre deux lames de verre d'indice de réfraction 1,58 et 1,52. De la lumière blanche éclaire suivant la normale la lame d'indice de réfraction 1,58. Quelles sont les longueurs d'onde du domaine visible qui seront atténuées dans la lumière réfléchie ?

E68. (II) La lumière du soleil éclaire une pellicule d'huile ($n = 1,25$) flottant sur de l'eau ($n = 1,33$). Parmi les longueurs d'onde comprises entre 400 et 700 nm, seulement celles de 483 nm et de 621 nm sont atténuées dans la lumière réfléchie. Quelle épaisseur minimale possède cette pellicule ?

E69. (II) De la lumière blanche éclaire une pellicule mince ($n = 1,31$) d'épaisseur uniforme entourée d'air. Dans la lumière réfléchie, la longueur d'onde de 620 nm est renforcée et celle de 465 nm est atténuée. Quelle épaisseur minimale possède cette pellicule ?

E70. (II) De la lumière blanche éclaire suivant la normale une mince pellicule d'huile ($n = 1,4$) de 1,2 µm d'épaisseur comprise entre deux lamelles de verre ($n = 1,5$). Quelles sont les longueurs d'onde (a) atténuées, et (b) renforcées, de la lumière réfléchie ?

E71. (II) Une pellicule d'eau ($n = 1,33$) en forme de coin est éclairée suivant la normale par de la lumière blanche. La première frange brillante associée à $\lambda = 425$ nm est à 1,2 cm de l'extrémité épaisse du coin. Où est (a) la première frange brillante à 680 nm, et (b) la seconde frange brillante à 425 nm ? Les faces de la pellicule sont considérées comme planes.

E72. (II) Lorsqu'une pellicule de plastique ($n = 1,4$) d'épaisseur uniforme est éclairée par de la lumière blanche, les longueurs d'onde de 411 nm et de 685 nm sont renforcées dans la lumière réfléchie. (a) Quelle est l'épaisseur minimale de cette pellicule ? (b) À cette épaisseur, quelles sont les longueurs d'onde de la lumière réfléchie pour lesquelles il y a atténuation ?

6.6 Interféromètre de Michelson

E73. (I) L'un des bras d'un interféromètre de Michelson contient un cylindre de 2,1 cm de long, initialement rempli d'air. Ainsi, l'un des faisceaux passe dans ce cylindre et l'autre passe dans l'air ($n = 1,00029$). Si la longueur d'onde de la lumière utilisée est de 624,6 nm, combien de franges défileront dans le champ de vision de l'observateur si on fait le vide dans le cylindre ?

Problèmes

P1. (I) De la lumière blanche tombe suivant la normale sur une pellicule ($n = 1,6$) entourée d'air. Dans la lumière réfléchie, seules les longueurs d'onde de 504 nm et 672 nm sont absentes. (a) Quelle est la valeur minimale possible pour l'épaisseur de la pellicule ? (b) Quelles sont les longueurs d'onde les mieux réfléchies ?

P2. (I) De la lumière blanche tombe perpendiculairement à une pellicule d'huile ($n = 1,2$) sur la surface de l'eau. Dans la lumière réfléchie, la longueur d'onde de 544 nm est absente et celle de 680 nm est particulièrement brillante. (a) Quelle est la valeur minimale possible pour l'épaisseur de la pellicule ? (b) Quelles autres longueurs d'onde (entre 400 et 700 nm) donnent lieu à une interférence constructive ou destructive ?

P3. (I) Une source monochromatique ($\lambda = 600$ nm) éclaire deux fentes étroites distantes de 0,3 mm. Lorsqu'on place une feuille de plastique devant la fente supérieure, elle introduit un retard de phase de 4π rad. Si l'on observe la figure d'interférence sur un écran situé à 4 m, de combien est décalée la figure et dans quelle direction ?

P4. (I) Soit une pellicule d'huile ($n = 1,2$) sur une plaque de verre ($n = 1,5$). Lorsque de la lumière blanche tombe suivant la normale sur la surface, les longueurs d'onde de 406 nm et de 522 nm sont atténuées dans la lumière réfléchie. (a) Quelle est la valeur minimale possible pour l'épaisseur de la pellicule ? (b) Quelles sont les longueurs d'onde qui sont renforcées dans la lumière réfléchie ?

P5. (I) De la lumière blanche tombe suivant la normale sur une pellicule d'épaisseur 900 nm et d'indice de réfraction 1,5, entourée d'air. Dans la lumière réfléchie, quelles sont les longueurs d'onde (a) atténuées ; (b) renforcées ?

P6. (I) Une pellicule en forme de coin de longueur L = 12 cm et de hauteur h = 20 µm a un indice de réfraction de 1,5 (figure 6.36). Le coin est dans l'air et il est éclairé par de la lumière de longueur d'onde 490 nm. À quelle distance du bord mince se trouve la 20ᵉ frange brillante ?

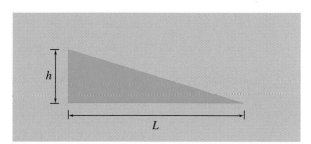

Figure 6.36

Problème 6.

P7. (I) Dans l'expérience des anneaux de Newton, la lentille plan-convexe a un rayon de courbure de 3 m. On utilise de la lumière de longueur d'onde 600 nm. Quel est le nombre de franges brillantes observées dans un rayon de 0,8 cm ?

P8. (I) En un certain point d'un côté du pic central obtenu dans l'expérience de Young, l'intensité correspond à 50 % de l'intensité maximale au centre lorsqu'on utilise de la lumière de longueur d'onde 400 nm. Pour quelle longueur d'onde l'intensité au même point serait-elle égale à 64 % de l'intensité maximale ?

P9. (I) Deux sources ponctuelles sont distantes de 2 m et émettent des ondes sonores en phase à 300 Hz. Une personne marche le long d'une droite parallèle à celle joignant les sources et à une distance de 10 m de son milieu. À quelles distances du maximum central l'intensité sonore est-elle (a) maximale ; (b) minimale ? On donne la vitesse du son égale à 340 m/s.

P10. (II) Le doublet jaune émis par le sodium a pour longueurs d'onde 589,0 nm et 589,6 nm. Lorsqu'on déplace l'un des miroirs dans l'interféromètre de

Michelson, les franges apparaissent et disparaissent périodiquement. (a) Pourquoi cela se produit-il ? (b) De quelle distance doit-on déplacer le miroir pour passer du maximum au minimum d'intensité au centre de la figure d'interférence ?

P11. (I) Une mince feuille de plastique (n = 1,6) placée devant l'une des fentes de l'expérience de Young provoque un décalage de la frange brillante centrale qui se place à l'endroit où se trouvait auparavant la 12ᵉ frange brillante. Sachant que la lumière a une longueur d'onde de 650 nm, quelle est l'épaisseur minimale de la feuille ?

P12. (II) Deux sources ponctuelles S_1 et S_2 sont en phase. Elles sont séparées par une distance d sur une droite perpendiculaire à un écran (figure 6.37). (a) Qu'observe-t-on sur l'écran ? (b) En supposant que $d \ll L$, trouvez la position y_m du $m^{\text{ième}}$ maximum par rapport au centre O.

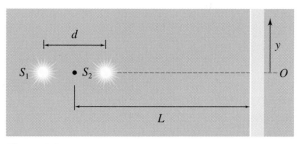

Figure 6.37

Problème 12.

P13. (I) On place, dans l'un des bras d'un interféromètre de Michelson, un cylindre de longueur L = 4,0 cm dans lequel on a fait le vide. Si on laisse entrer de l'air dans le cylindre, on observe un décalage de quarante franges avec de la lumière de longueur d'onde de 600 nm. Trouvez l'indice de réfraction de l'air.

P14. (II) Soit un faisceau de lumière oblique tombant sur une pellicule mince d'épaisseur e dans l'air (figure 6.38). Une partie de la lumière est réfléchie sur la première surface (rayon 1) et une partie est réfléchie sur la deuxième surface (rayon 2). Montrez que la condition d'interférence destructive est $2ne \cos \theta = m\lambda$. (*Indice* : Considérez la différence de phase entre les deux rayons.)

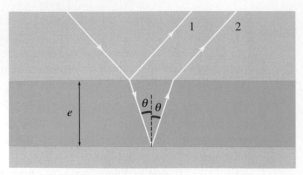

Figure 6.38

Problème 14.

P15. (II) Lorsque de la lumière blanche tombe selon la normale sur une pellicule mince dans l'air, la longueur d'onde 550 nm est atténuée dans la lumière réfléchie. En supposant que la pellicule ait une épaisseur minimale, déterminez les différences de phase entre deux faisceaux qui interfèrent pour (a) 400 nm ; (b) 700 nm. Évaluez les facteurs de réduction des intensités réfléchies de (c) 400 nm ; (d) 700 nm par rapport à l'interférence constructive.

CHAPITRE 7

L'optique physique (II)

POINTS ESSENTIELS

1. On peut analyser la diffraction produite par une fente simple en assimilant la fente à une série de sources ponctuelles.

2. On peut tenir compte de la largeur des fentes dans l'expérience de Young en superposant un patron de diffraction au patron d'interférence.

3. Le **critère de Rayleigh** permet de déterminer la résolution des images produites par divers dispositifs optiques.

4. Les positions des maxima principaux d'un **réseau** s'obtiennent grâce à une analyse semblable à celle de l'expérience de Young.

5. Une feuille **polaroïd** laisse passer la lumière polarisée selon un certain **axe de transmission**.

6. La portion réfléchie d'un rayon de lumière qui frappe une surface selon l'**angle de polarisation** est polarisée linéairement.

L'opale est composée de couches de sphères de silice très serrées (100 nm de diamètre). Le cristal se comporte comme un réseau tridimensionnel. La couleur observée dans une région donnée de la surface (non uniforme) dépend de son orientation.

Malgré son caractère novateur et révolutionnaire, la théorie de Thomas Young sur la nature de la lumière n'avait pas la rigueur mathématique souhaitée par les scientifiques de l'époque. De plus, Young avait une attitude arrogante. Il est donc compréhensible qu'il ait eu si peu de succès à convaincre les milieux scientifiques britanniques de la validité de sa théorie ondulatoire. Quelques années plus tard, un jeune Français nommé J. A. Fresnel (figure 7.1) réalisa indépendamment les expériences de Young et élabora une théorie mathématique des interférences, de la diffraction et d'autres phénomènes. Il démontra que c'est la dimension de l'ouverture ou de l'obstacle par rapport à la longueur d'onde qui détermine l'importance du phénomène de diffraction. Newton ayant objecté que le changement de direction des rayons lumineux était trop faible pour qu'il s'agisse d'une onde, Fresnel expliqua que cet effet n'était qu'une conséquence de la courte longueur d'onde de la lumière.

À cause des travaux de Fresnel, l'Académie des sciences de Paris décida de choisir la diffraction comme sujet pour l'attribution de son prix en 1818 ; Fresnel présenta alors un article. Mais S. Poisson, qui faisait partie du comité

Figure 7.1

Jean Augustin Fresnel (1788-1827).

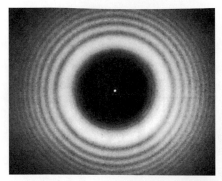

Figure 7.2

La tache de Poisson permit de démontrer que la théorie ondulatoire de la lumière avancée par Fresnel était correcte.

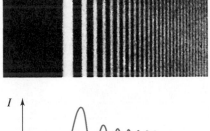

Figure 7.3

La figure de diffraction près d'un obstacle est appelée diffraction de Fresnel.

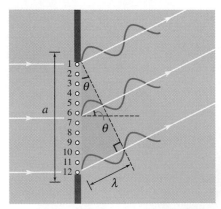

Figure 7.4

Une fente simple est assimilée à une série de sources ponctuelles. Lorsque la différence de marche entre la première source (1) et la dernière (12) est égale à une longueur d'onde, il y a interférence destructive entre les paires 1 et 7, 2 et 8, etc.

de sélection et qui était hostile à la théorie ondulatoire, essaya de mettre en évidence une conséquence « absurde » de la théorie de Fresnel : puisque toutes les ondes diffractées sur les bords d'un obstacle circulaire sont censées arriver en phase au centre de la région d'ombre sur l'écran, on devrait observer une tache brillante en ce point. Peu après, Fresnel et Arago démontrèrent l'existence de cette tache, qu'on appela « tache de Poisson » (figure 7.2). À son grand regret, Poisson venait malgré lui de fournir une preuve confirmant avec élégance la théorie de Fresnel ! À la suite de ces événements, la nature ondulatoire de la lumière fut généralement acceptée. Elle préparait la voie pour la théorie électro-magnétique de la lumière de Maxwell.

7.1 La diffraction de Fraunhofer et la diffraction de Fresnel

On classe en général les figures de diffraction en deux catégories selon les endroits où se trouvent la source et l'écran. Si la source ou l'écran se trouve près de l'ouverture ou de l'obstacle, les fronts d'onde sont sphériques et la figure est assez complexe. C'est ce que l'on appelle la **diffraction de Fresnel** (figure 7.3). Une partie de la lumière pénètre dans la région d'ombre géomé-trique et l'on observe des franges près des bords de l'obstacle. Étant donné la complexité de cette figure, nous n'allons pas l'étudier en détail. Si la source et l'écran sont tous deux éloignés de l'ouverture ou de l'obstacle, la figure obtenue est plus simple à analyser. La lumière incidente a la forme d'une onde plane et les rayons sortant de l'ouverture sont parallèles. C'est ce que l'on appelle la **diffraction de Fraunhofer**, que nous allons étudier dans la section qui suit.

7.2 La diffraction produite par une fente simple

La figure 7.4 représente des fronts d'onde plans (rayons parallèles) incidents éclairant une fente de largeur a. Selon le principe de Huygens, la lumière qui sort de la fente se comporte comme si elle était émise par un grand nombre de sources ponctuelles. Pour des raisons de commodité, on divise la fente en un nombre pair (12, dans ce cas-ci) de sources ponctuelles. Dans la direction de propagation initiale des rayons parallèles qui éclairent la fente, les petites sources ponctuelles sont en phase et l'on observe une région brillante au centre pour $\theta = 0$. En général, si la différence de marche entre deux rayons est de $\lambda/2$, il y a interférence destructive. Dans le cas décrit sur la figure, ce type d'interfé-rence se produit pour les paires (1) et (7), (2) et (8), (3) et (9), et ainsi de suite. Ainsi, pour

$$a \sin \theta = \lambda$$

il y a interférence destructive complète. Supposons maintenant que l'on divise la fente en quatre régions, dont chacune comprend un grand nombre de sources (figure 7.5). Les sources correspondantes dans AB et BC s'annulent deux à deux lorsque

$$a \sin \theta = 2\lambda$$

La même chose est vraie pour CD et DE. En continuant de diviser l'ouverture, on trouve qu'il y a interférence destructive complète pour

$$(\text{minima}) \qquad a \sin \theta = m\lambda \qquad m = \pm 1, \pm 2, \pm 3, \ldots \qquad (7.1)$$

Cette équation ressemble à l'équation de la page 173 donnant les maxima des interférences produites par deux sources, mais il faut bien comprendre les différences qui existent entre elles. Remarquons que la valeur $m = 0$ n'est pas comprise dans l'équation 7.1, puisque $\theta = 0$ correspond au *maximum* central, et non à un minimum. Les positions des maxima secondaires sont données de façon approximative par $a \sin \theta \approx (m + \frac{1}{2})\lambda$, avec $m = \pm 1, \pm 2, \pm 3, \ldots$ (*cf.* section 7.6).

Si $a \gg \lambda$, on observe l'image habituelle de la fente éclairée. Lorsqu'on réduit la largeur de la fente, la partie éclairée commence à s'élargir et des bandes sombres deviennent visibles (figure 7.6). Lorsque la largeur de la fente est comparable à la longueur d'onde, le maximum central devient très large et l'écran éloigné est éclairé de manière uniforme (voir l'exemple 7.1c).

Les figures produites par des obstacles, comme un cheveu ou des globules sanguins, sont similaires et peuvent servir à déterminer les dimensions de ces corps minuscules. La diffraction joue également un rôle dans les diagrammes de rayonnement d'une source de dimensions finies. Par exemple, un grand haut-parleur a tendance à focaliser les hautes fréquences vers l'avant, alors que les basses fréquences sont rayonnées uniformément. On obtient une meilleure dispersion des hautes fréquences en utilisant un petit haut-parleur aigu, ou *tweeter*.

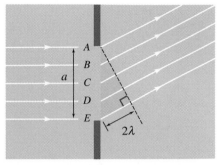

Figure 7.5

La fente est divisée en quatre segments. Si la différence de marche entre les ondes issues du haut et du bas est égale à 2λ, il y a interférence destructive entre les sources des régions AB et BC et entre celles des régions CD et DE.

▶ **Figure 7.6**

Une fente large produit une figure de diffraction étroite, alors qu'une fente étroite produit une figure de diffraction large.

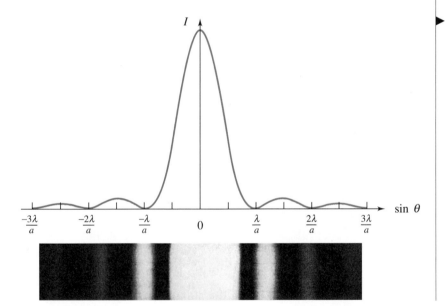

Exemple 7.1

De la lumière de longueur d'onde 600 nm éclaire suivant la normale une fente de largeur 0,1 mm. (a) Quelle est la position angulaire du premier minimum ? (b) Quelle est la position du minimum de deuxième ordre sur un écran situé à trois mètres de la fente ? (c) Pour quelle valeur de a n'observe-t-on pas de minimum de diffraction ?

Solution :

D'après l'équation 7.1, la position angulaire du minimum de premier ordre ($m = 1$) est donnée par

$$\sin \theta_1 = \frac{\lambda}{a}$$

$$= \frac{6 \times 10^{-7} \text{ m}}{10^{-4} \text{ m}} = 6 \times 10^{-3}$$

Ainsi, $\theta_1 = 0,344°$.

(b) Si y est la distance à partir du centre de l'écran, alors $\sin \theta \approx \tan \theta = y/L$, où L est la distance de la fente à l'écran. On a donc, pour le deuxième ordre ($m = 2$),

$$y \approx L \sin \theta = L\left(\frac{2\lambda}{a}\right)$$

$$= \frac{(3 \text{ m})(2)(6 \times 10^{-7} \text{ m})}{10^{-4} \text{ m}} = 3,6 \text{ cm}$$

(c) Si l'angle auquel se trouve le premier minimum est 90°, ce dernier n'est pas observable. Ainsi, d'après

$$\sin \theta = \frac{\lambda}{a} = 1$$

on trouve $a = \lambda$. Notons que si $a < \lambda$, $\sin \theta > 1$ et aucun minimum n'est observé non plus.

Interférence et diffraction combinées

Dans notre description de l'expérience des fentes de Young, nous n'avons pas tenu compte de la figure de diffraction produite par chaque fente. Si l'écran est très éloigné, les fentes produisent des figures de diffraction qui se chevauchent à peu près. On observe donc la figure de diffraction d'une fente simple, mais avec des maxima d'intensité plus élevée. La figure de diffraction représente la distribution globale de la lumière sur l'écran. Si l'équation d'interférence prédit un maximum à un angle correspondant à un minimum de la figure de diffraction, l'écran est sombre. De même, un minimum d'interférence élimine la partie d'une crête de diffraction à laquelle elle se superpose. On dit que la figure d'interférence a pour enveloppe la figure de diffraction produite par une fente simple.

Exemple 7.2

(a) Dans l'expérience des deux fentes, les fentes ont une largeur de 0,25 mm et leurs centres sont distants de 1 mm. Quels maxima d'interférence sont absents de la figure obtenue ? (b) Combien de maxima d'interférence sont visibles dans le maximum central de diffraction ?

Solution :

(a) Un ordre est absent de la figure d'interférence lorsqu'un maximum d'interférence, donné par

$$d \sin \theta = m\lambda ; \quad m = 0, \pm 1, \pm 2, \qquad \text{(i)}$$

coïncide avec un minimum de diffraction, donné par (avec un changement de notation temporaire)

$$a \sin \theta = M\lambda ; \quad M = \pm 1, \pm 2, \pm 3, \qquad \text{(ii)}$$

Notons que a est la largeur de chaque fente et d est la distance entre les fentes. En divisant (i) par (ii), on obtient $d/a = m/M$. Si le rapport $d/a = k$ est un nombre entier, alors les pics d'interférence donnés par $m = kM$ sont absents de la figure. Dans l'exemple présent, $d = 4a$, donc les ordres d'interférence $m = 4, 8, 12, \ldots$ sont absents (figure 7.7).

(b) Sept maxima d'interférence entre $m = -3$ et $m = 3$ sont visibles à l'intérieur du maximum central de diffraction (figure 7.7). On remarquera qu'en général seuls les maxima d'interférence se trouvant à l'intérieur du maximum central de diffraction sont facilement observables au moyen de l'équipement de laboratoire couramment utilisé pour faire une démonstration de l'interférence à deux fentes (un laser, un écran opaque comportant deux fentes et un mur de classe servant d'écran).

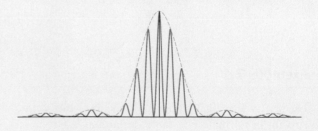

Figure 7.7

La figure produite par une paire de fentes est une figure d'interférence de Young avec une enveloppe de diffraction correspondant à la figure de diffraction produite par une fente simple.

7.3 Le critère de Rayleigh

En passant par une ouverture, par exemple une lentille, les fronts d'onde plane subissent une diffraction. L'image d'une source ponctuelle n'est donc pas un point mais une figure de diffraction. Le *pouvoir de résolution* d'un système optique quelconque, c'est-à-dire sa capacité à produire des images nettes, est limité par la diffraction. La figure 7.8 représente la lumière issue de deux sources ponctuelles non cohérentes, S_1 et S_2, passant par une lentille. Chaque source produit sa propre figure de diffraction. Pour une ouverture circulaire, on peut montrer que la position du premier minimum de chaque figure de diffraction est donnée par

$$a \sin \theta = 1{,}22\lambda \qquad (7.2)$$

Cette équation et l'équation 7.1 obtenue pour une fente rectangulaire diffèrent d'un facteur 1,22.

Si la séparation angulaire entre les sources est grande, les figures de diffraction sont éloignées l'une de l'autre sur l'écran ou sur une plaque photographique. Chaque image apparaît comme le montre la figure 7.9a. Si l'on rapproche les sources l'une de l'autre, les figures de diffraction commencent à se chevaucher. Lord Rayleigh (figure 7.10) proposa un critère permettant de déterminer si les images sont séparées. Selon le **critère de Rayleigh**, deux images sont tout juste séparées lorsque le maximum central d'une figure coïncide avec le premier minimum de l'autre. L'aspect des images et des figures de diffraction correspondantes est représenté à la figure 7.9b. Pour de petits angles, $\sin \theta \approx \theta$, de sorte que la séparation angulaire critique entre les sources, correspondant au critère de Rayleigh, s'écrit

$$\theta_c = \frac{1{,}22\lambda}{a} \qquad (7.3)$$

où a est le diamètre de l'ouverture circulaire ; puisqu'on a utilisé l'approximation $\sin \theta_c = \theta_c$, l'angle θ_c est exprimé en radians. Si l'on diminue encore la séparation angulaire, il n'est plus possible de distinguer les deux sources (figure 7.9c).

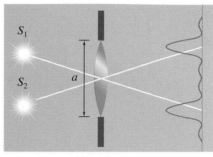

Figure 7.8

Deux sources ponctuelles non cohérentes peuvent être séparées si leurs figures de diffraction ne se chevauchent pas.

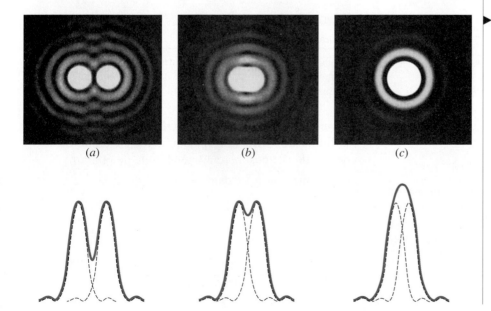

(a)   (b)   (c)

▶ **Figure 7.9**

(a) La figure de diffraction de deux sources ponctuelles passant par une ouverture circulaire. (b) Selon le critère de Rayleigh, deux sources sont tout juste séparées lorsque le maximum central d'une figure de diffraction coïncide avec le premier minimum de l'autre. (c) Si l'on réduit encore la distance entre les sources, il n'est plus possible de les séparer.

Figure 7.10

Lord Rayleigh (1842-1919).

Exemple 7.3

(a) Le télescope optique du mont Palomar a un diamètre de 200 po (5,08 m). Si on désire distinguer deux objets situés sur la Lune au moyen de lumière de 550 nm de longueur d'onde, quelle distance minimale doit séparer les deux objets ? La Lune est à une distance de $3,84 \times 10^8$ m. (b) Un satellite espion en orbite à une altitude de 200 km est équipé d'un miroir de 50 cm de diamètre. En supposant que le pouvoir de résolution soit limité uniquement par la diffraction, quelle doit être la plus petite distance entre deux objets à la surface de la Terre pour qu'ils soient séparés lorsqu'on les observe à partir du satellite ? On donne $\lambda = 400$ nm.

Solution :

(a) Selon l'équation 7.3, l'angle critique est de

$$\theta_c = \frac{(1,22)(5,5 \times 10^{-7} \text{ m})}{5,08 \text{ m}} = 1,32 \times 10^{-7} \text{ rad}$$

Cette valeur correspond à peu près à 0,3 s d'arc.* Avec cet angle, la distance entre deux points distincts sur la Lune est $s = L\theta_c$, L étant la distance de la Terre à la Lune. Par conséquent,

$$s = L\theta_c = (3,84 \times 10^8 \text{ m})(1,3 \times 10^{-7}) = 50 \text{ m}$$

Dans la pratique, le pouvoir de résolution est limité à 1 s d'arc environ par la turbulence atmosphérique et les aberrations optiques dans le miroir. Le miroir de 2,4 m de diamètre du télescope spatial Hubble

---

* Une seconde d'arc correspond à 1/3600 degré.

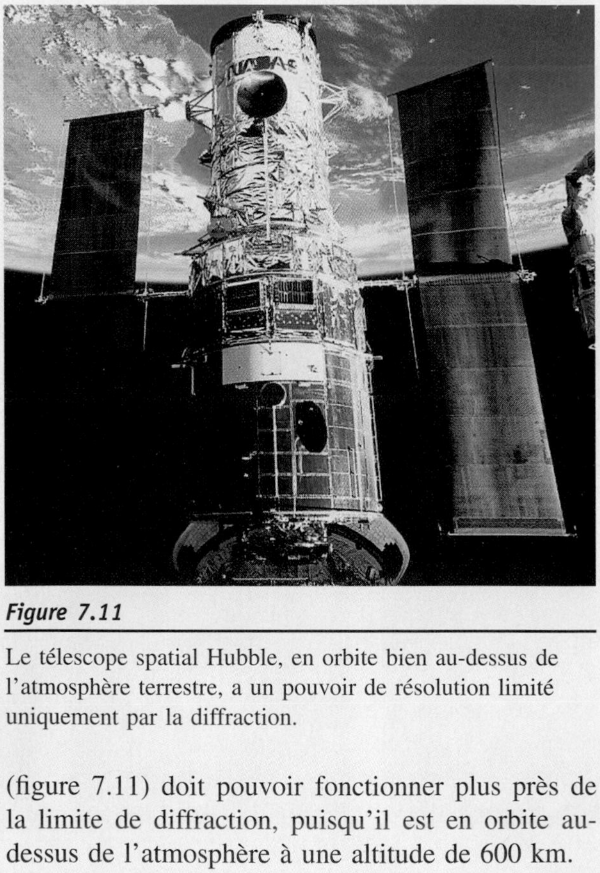

Figure 7.11

Le télescope spatial Hubble, en orbite bien au-dessus de l'atmosphère terrestre, a un pouvoir de résolution limité uniquement par la diffraction.

(figure 7.11) doit pouvoir fonctionner plus près de la limite de diffraction, puisqu'il est en orbite au-dessus de l'atmosphère à une altitude de 600 km.

(b) Comme on a vu dans la partie (a), on a

$$s = L\theta_c = \frac{1,22L\lambda}{a}$$

donc

$$s = \frac{(1,22)(2 \times 10^5 \text{ m})(4 \times 10^{-7} \text{ m})}{(0,5 \text{ m})} = 0,2 \text{ m}$$

Un **réseau** est composé de milliers de fentes très fines ou de sillons découpés dans une plaque de verre (dans ce cas, les parties intactes jouent le rôle de fentes). On suppose que les fentes sont si fines que la figure de diffraction produite par une fente simple éclaire l'écran uniformément. Dans la description de la diffraction produite par une fente simple, nous avons imaginé que l'ouverture était constituée d'un grand nombre (indéfini) de sources ponctuelles, en accord avec le principe de Huygens. Les sources ponctuelles du réseau sont séparées par une distance d, petite, mais finie, appelée **pas** du réseau.

Si la différence de marche entre les rayons 1 et 2 (figure 7.12a) est égale à λ, il y a interférence constructive entre ces deux rayons. La même chose est vraie pour les rayons 2 et 3, et ainsi de suite. Toute différence de marche égale à un nombre entier de longueurs d'onde donne également une interférence constructive. Les différences de marche qui correspondent aux *maxima principaux* sont données par

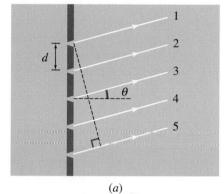

(a)

$$\text{(maxima principaux)} \quad \delta = m\lambda \quad m = 0, \pm 1, \pm 2, \pm 3 \qquad (7.4)$$

On les appelle maxima principaux parce que les ondes issues de *toutes* les fentes sont en phase. La différence de marche entre les rayons provenant de fentes adjacentes est $\delta = d \sin \theta$, on remarque que c'est la même relation que dans l'expérience de Young.

La figure 7.12b montre comment varie la figure d'interférence au fur et à mesure que le nombre de fentes augmente. Huit fentes donnent des maxima principaux situés aux mêmes endroits que dans la figure produite par deux fentes, mais avec six pics secondaires (figure 7.15) ; la section suivante explique comment on obtient un tel résultat. Pour un réseau comprenant des milliers de fentes, les maxima principaux sont nets et les pics secondaires ne sont pas visibles.

Cette plus grande netteté peut s'expliquer qualitativement de la manière suivante. Une petite variation de θ s'écartant de la condition de l'équation 7.4 correspond à une petite différence de marche entre des fentes adjacentes. Pour deux fentes, l'amplitude résultante ne varie que lentement avec θ. Dans le cas d'un réseau où d a la même valeur, la différence de marche entre des fentes adjacentes est la même, mais, au fur et à mesure que θ varie, la différence de marche entre la première et la dernière fente atteint rapidement λ. Conformément au raisonnement appliqué à la diffraction produite par une fente simple, les contributions de la première fente et de celle du milieu vont alors s'annuler, et ainsi de suite pour chaque paire de fentes. C'est pourquoi les maxima principaux sont étroits. (La variation d'intensité due à des fentes multiples est calculée à la section 7.5.)

Les réseaux jouent un rôle extrêmement important dans l'analyse de la lumière émise par les atomes et les molécules. Contrairement au spectre continu d'un corps chaud, comme un filament chauffé ou le Soleil, la lumière émise par un gaz de faible densité traversé par une décharge électrique est composée d'une série de longueurs d'onde discrètes. En traversant un réseau, ces longueurs d'onde forment un spectre de raies. Un réseau agit un peu comme un prisme, mais son pouvoir de résolution est bien meilleur. En revanche, l'intensité d'une couleur donnée est bien plus faible qu'avec un prisme parce que chaque longueur d'onde est étalée sur un grand nombre d'ordres. L'utilisation d'un réseau

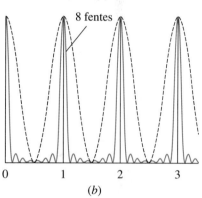

(b)

Figure 7.12

(a) Interférence due à des fentes multiples. (b) Changements subis par la figure d'interférence lorsqu'on augmente le nombre des fentes. Dans un réseau comportant des milliers de fentes, les maxima principaux sont très étroits et les maxima secondaires ne sont pas visibles (*cf.* aussi figure 7.15).

présente un grand avantage en ce sens qu'elle permet de déterminer les longueurs d'onde de la lumière à l'origine du spectre. C'est seulement après que J. von Fraunhofer ait appris à réaliser des réseaux assez fins, vers 1823, que l'on a pu déterminer avec précision les longueurs d'onde de la lumière émise par diverses sources.

Exemple 7.4

De la lumière de longueur d'onde 550 nm éclaire selon la normale un réseau comprenant 400 traits par mm. (a) Calculer l'angle auquel on observe les maxima pour les ordres 2, 3 et 4. (b) Quel est le nombre total de maxima observés ?

Solution :

(a) Le pas d du réseau correspond à l'intervalle entre les traits :

$$d = \frac{1 \text{ mm}}{400} = 2,5 \times 10^{-6} \text{ m}$$

Pour le deuxième ordre, $m = 2$ et l'équation 7.4 donne

$$\delta = 2\lambda = 1100 \text{ nm}$$

Puisque $\delta = d \sin \theta_2$, on trouve

$$\sin \theta_2 = \frac{\delta}{d} = \frac{1100 \times 10^{-9} \text{ m}}{2,5 \times 10^{-6} \text{ m}} = 0,44$$

d'où $\theta_2 = 26,1°$. De même, on trouve $\theta_3 = 41,3°$ pour le 3ᵉ ordre et $\theta_4 = 61,6°$ pour le 4ᵉ ordre.

(b) Si on reprend le calcul précédent pour le 5ᵉ ordre, on trouve $\sin \theta > 1$, ce qui est impossible : les maxima d'ordre 5 n'existent pas. On observe donc 9 maxima : le maximum central flanqué de 4 maxima de chaque côté.

7.5 Les fentes multiples

À la section 6.4, nous avons déterminé la distribution d'intensité dans la figure d'interférence produite par deux fentes étroites en combinant les formes trigonométriques des fonctions d'onde. Cette méthode n'est toutefois pas commode dans le cas de trois sources ou plus. Nous allons donc faire appel aux vecteurs de Fresnel, qui ont été utilisés dans l'étude des circuits en courant alternatif (*cf.* chapitre 12, tome 2). Rappelons qu'un **vecteur de Fresnel** est un vecteur qui représente une grandeur physique variant sinusoïdalement dans le temps. Ici, la grandeur physique est le champ électrique de l'onde lumineuse, $E = E_0 \sin(\omega t)$. Le vecteur de Fresnel $\vec{E}_0$ tourne avec la fréquence angulaire de l'onde et son module est égal au module du champ. La projection d'un vecteur de Fresnel sur l'axe vertical représente la variation de la grandeur physique en fonction du temps. Dans le cas de plusieurs ondes superposées, nous devons d'abord déterminer la somme vectorielle des vecteurs de Fresnel. La valeur instantanée du champ total est la composante verticale du vecteur de Fresnel résultant.

On suppose que les fentes sont si étroites que la diffraction répartit la lumière sur la totalité de l'écran. Autrement dit, la contribution de chaque fente est une onde d'amplitude E_0 sur l'écran. Si l'écran est éloigné des sources, les rayons sortants sont pratiquement parallèles. La différence de phase ϕ entre les champs issus de fentes adjacentes est liée à la différence de marche $\delta \approx d \sin \theta$:

$$\phi = \frac{2\pi\delta}{\lambda} = \frac{2\pi d \sin \theta}{\lambda} \tag{7.5}$$

où d est la distance entre les fentes.

Vecteurs de Fresnel

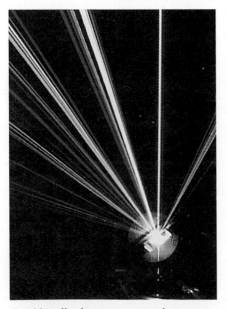

Combien d'ordres voyez-vous dans ce spectre de réseau ?

Cas de trois fentes

Considérons la figure d'interférence obtenue avec trois fentes cohérentes et identiques. En un point donné de l'écran, les champs provenant de fentes adjacentes ont une différence de phase ϕ :

$$E_1 = E_{01} \sin(\omega t)$$
$$E_2 = E_{02} \sin(\omega t + \phi)$$
$$E_3 = E_{03} \sin(\omega t + 2\phi)$$

où $E_{01} = E_{02} = E_{03} = E_0$. Pour déterminer le module du champ total (résultant), on représente les champs par des vecteurs de Fresnel. À un instant t quelconque, le premier vecteur de Fresnel $\vec{E}_{01}$ fait un angle ωt avec l'axe horizontal, $\vec{E}_{02}$ fait un angle ϕ avec $\vec{E}_{01}$ et $\vec{E}_{03}$ fait un angle ϕ avec $\vec{E}_{02}$ (figure 7.13). Le vecteur résultant s'écrit $\vec{E}_{0T} = \vec{E}_{01} + \vec{E}_{02} + \vec{E}_{03}$. Soulignons que les angles entre les vecteurs de Fresnel correspondent au *déphasage* entre les champs ; les vecteurs champ eux-mêmes sont censés avoir tous la même direction dans l'*espace*.

Pour construire la figure de distribution d'intensité, on trace les diagrammes pour diverses différences de phase (figure 7.14). Les *maxima principaux* se produisent lorsque toutes les ondes sur l'écran sont en phase, c'est-à-dire lorsque $\phi = 0$, 2π, 4π, et ainsi de suite. Le module du vecteur de Fresnel résultant dans ces cas est $E_{0T} = 3E_0$ et l'intensité est $I_T = 9I_0$, où $I_0 \propto E_0^2$ est l'intensité due à une fente simple. Pour $\phi = 2\pi/3$, $4\pi/3$, $8\pi/3$, et ainsi de suite, le diagramme de Fresnel se referme sur lui-même et l'intensité est donc nulle. Notons que $\phi = 6\pi/3 = 2\pi$ correspond à un maximum principal. Pour résumer :

Maxima principaux : $\phi = 2m\pi$ $m = 0, 1, 2, 3,$

Minima : $\phi = \dfrac{2p\pi}{3}$ $p = 1, 2, 4, 5,$ $(p \neq 3, 6, 9, \ldots)$

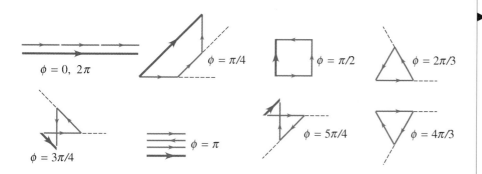

$\phi = 0, 2\pi$ $\phi = \pi/4$ $\phi = \pi/2$ $\phi = 2\pi/3$

$\phi = 3\pi/4$ $\phi = \pi$ $\phi = 5\pi/4$ $\phi = 4\pi/3$

Le diagramme de distribution d'intensité dans le cas de trois fentes est représenté à la figure 7.15. À titre de comparaison, on a également représenté les diagrammes obtenus pour deux et quatre fentes, avec la même valeur de d. On remarque qu'entre chaque paire de minima sur le diagramme obtenu avec trois sources, les *maxima secondaires* apparaissent pour $\phi = \pi$, 3π, 5π, et ainsi de suite. À l'emplacement d'un maximum secondaire, deux vecteurs de Fresnel sont de sens opposés, de sorte que l'intensité résultante est simplement I_0 pour une seule source. Notons que les maxima principaux deviennent plus nets et plus intenses au fur et à mesure que le nombre de fentes augmente.

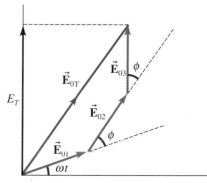

Figure 7.13

Un diagramme de Fresnel pour trois fentes. La différence de phase entre des vecteurs de Fresnel adjacents est ϕ, mais les vecteurs champ sont orientés dans la même direction dans l'*espace*.

▶ **Figure 7.14**

Plusieurs combinaisons de vecteurs de Fresnel pour trois fentes.

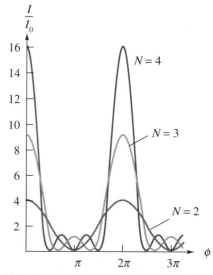

Figure 7.15

La figure d'interférence produite par trois fentes comparée aux figures produites par deux fentes et par quatre fentes.

Cas de N fentes

Considérons maintenant N fentes étroites, cohérentes et régulièrement espacées. Si la distance entre les fentes est d, la différence de phase entre des fentes *adjacentes* est encore donnée par l'équation 7.5. Le diagramme de Fresnel est représenté à la figure 7.16. Les *maxima principaux* se produisent lorsque les ondes sur l'écran sont en phase, c'est-à-dire lorsque $\phi = 0$, 2π, 4π, et ainsi de suite. Le module du vecteur de Fresnel résultant dans ce cas est $E_{0T} = NE_0$ et l'intensité des maxima principaux est $I_T = N^2 I_0$, où $I_0 \propto E_0^2$ est l'intensité due à une fente simple. Pour $N\phi = 2\pi$, 4π, et ainsi de suite, ce qui équivaut à $\phi = 2\pi/N$, $4\pi/N$, et ainsi de suite, le diagramme se referme sur lui-même et l'intensité est nulle. Pour résumer :

Maxima principaux : $\phi = 2m\pi$ $m = 0, 1, 2, 3,$

Minima : $\phi = \dfrac{2p\pi}{N}$ $p = 1, 2, 3, 4, 5,$
$(p \neq N, 2N, 3N, \ldots)$

$$(7.6)$$

Notons que pour les minima p prend toutes les valeurs entières, sauf N, $2N$, $3N$, et ainsi de suite, puisque les valeurs $\phi = 2\pi$, 4π, et ainsi de suite correspondent aux maxima principaux. Le premier minimum ($p = 1$) situé à côté du maximum principal du centre ($\theta = 0$) se produit pour $\phi = 2\pi/N$, ou, d'après l'équation 7.5, lorsque

(premier minimum) $\sin\theta = \dfrac{\lambda}{Nd}$ (7.7)

Cela montre bien qu'au fur et à mesure que le nombre de fentes N augmente, les maxima principaux deviennent de plus en plus étroits, bien que leurs positions ne varient pas par rapport à la figure produite par deux sources. Pour déterminer précisément l'intensité à l'aide des diagrammes de distribution, il est nécessaire d'en tracer un grand nombre, ce qui est parfois fastidieux. On peut toutefois établir une expression analytique de l'intensité correspondant à des fentes multiples (*cf.* problème 11).

La figure 7.17 représente le radar *Pave Paws* à Cape Cod, capable de surveiller des centaines de cibles simultanément. Il comporte 1800 antennes sur chacune des deux faces de sa structure pyramidale. Les antennes sont fixes, mais le

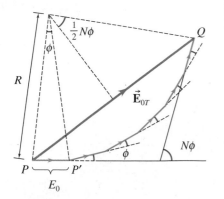

Figure 7.16

Un diagramme de Fresnel pour N fentes. Il peut servir à déterminer l'intensité en fonction de ϕ (*cf.* problème 11).

La figure animée III-4, **Diagramme de Fresnel**, permet de tracer les diagrammes de Fresnel pour N allant de 2 à 10 fentes.

Figure 7.17

Dans le radar *Pave Paws*, un réseau à deux dimensions d'antennes micro-ondes permet de surveiller simultanément des centaines de cibles. En faisant varier électroniquement la phase entre les antennes, on peut balayer en quelques microsecondes un angle de 120°.

déphasage entre des antennes adjacentes varie électroniquement, de sorte que le faisceau émis (qui est composé d'impulsions de 5 ms) balaye une plage de 120° en quelques micro-secondes. Les relations entre la phase et la séparation des sources s'appliquent également aux ondes *reçues* par un réseau d'antennes. On peut donc utiliser l'équation 7.7 pour évaluer le pouvoir de résolution d'un tel réseau d'antennes.

Exemple 7.5

À Socorro, au Nouveau-Mexique, se trouve un réseau d'antennes appelé *Very Large Array* composé de plusieurs radiotélescopes pouvant se déplacer sur des rails (figure 7.18). On suppose qu'un segment de droite de 10,8 km de long porte 9 télescopes régulièrement espacés et que le signal provenant de l'espace a une longueur d'onde de 21 cm. Quelle est la séparation angulaire minimale entre deux sources que ce réseau d'antennes est capable de distinguer ?

Solution :

Appliquons le critère de Rayleigh : le maximum central d'une figure doit coïncider avec le premier minimum de l'autre. L'écart angulaire entre un pic de sensibilité de réception et le minimum voisin est donné par l'équation 7.7. Dans le cas présent, $d = 1,2$ km et $N = 9$, de sorte que

$$\sin \theta = \frac{\lambda}{Nd} = \frac{0,21 \text{ m}}{9 \times 1,2 \times 10^3 \text{ m}} = 1,94 \times 10^{-5}$$

Pour un angle aussi petit, $\sin \theta \approx \theta$, d'où $\theta = 1,94 \times 10^{-5}$ rad = 4 s d'arc. Comparons maintenant l'équation 7.7 avec l'équation 7.3, qui correspond à une simple ouverture circulaire.

Figure 7.18

Le réseau appelé *Very Large Array*, situé à Socorro au Nouveau-Mexique, est constitué de radiotélescopes mobiles disposés en Y. Les signaux des antennes sont envoyés à une station centrale de traitement. Le système a un pouvoir de résolution équivalent à celui d'un seul radiotélescope de 37 km de diamètre.

Si l'on ne tient pas compte du facteur 1,22, on voit que le réseau de N petites antennes espacées de d a à peu près le même pouvoir de résolution qu'une antenne simple de diamètre $a = Nd$. En combinant les signaux reçus par les radiotélescopes de différents pays, on peut obtenir un pouvoir de résolution encore meilleur que celui du *VLA*.

7.6 L'intensité de la figure de diffraction produite par une fente simple

À la section 7.2, nous nous sommes contenté de déterminer les positions des minima sur la figure de diffraction produite par une fente simple. Nous allons maintenant calculer la variation d'intensité sur l'ensemble de la figure et déterminer les positions des maxima secondaires. L'analyse précédente pour N fentes peut être appliquée au cas d'une fente simple de largeur a. On divise la fente en un grand nombre indéfini de sources linéaires cohérentes, dont chacune produit une petite onde secondaire de faible amplitude. La seule différence de phase que nous pouvons calculer est celle des ondes issues des bords supérieur et inférieur de la fente. Si l'écran est éloigné, on peut considérer les rayons

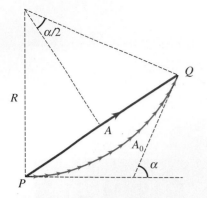

Figure 7.19

Le diagramme de Fresnel pour une fente simple. Les contributions des sources infinitésimales dans la fente forment un arc continu de longueur A_0. La résultante est la sécante A.

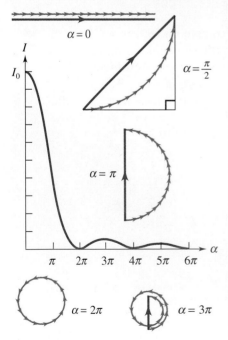

Figure 7.20

La distribution d'intensité et quelques diagrammes de Fresnel pour la diffraction produite par une fente simple.

sortants comme étant parallèles, de sorte que la différence de marche entre les deux rayons extrêmes est $\delta = a \sin \theta$ et la différence de phase est

$$\alpha = \frac{2\pi a \sin \theta}{\lambda} \tag{7.8}$$

Dans la direction de propagation des ondes ($\theta = 0$, $\alpha = 0$), tous les vecteurs de Fresnel sont alignés. Supposons que l'amplitude de la résultante dans ce cas soit égale à A_0. Pour une certaine valeur arbitraire de l'angle θ, l'ensemble discret de segments de la figure 7.16 est remplacé à la figure 7.19 par un arc continu de longueur A_0. Le segment PQ correspond à l'amplitude résultante A. On voit, d'après la figure, que

$$A = 2R \sin\left(\frac{\alpha}{2}\right)$$

et que

$$A_0 = R\alpha$$

En éliminant R, on obtient

$$A = \frac{A_0 \sin\left(\frac{\alpha}{2}\right)}{\frac{\alpha}{2}} \tag{7.9}$$

L'intensité ($I \propto A^2$) s'écrit

$$I = I_0 \frac{\sin^2\left(\frac{\alpha}{2}\right)}{\left(\frac{\alpha}{2}\right)^2} \tag{7.10}$$

où I_0 est l'intensité pour $\theta = 0$. La figure 7.20 représente la distribution d'intensité et quelques diagrammes de Fresnel. Notons que la longueur des parties courbes de tous les diagrammes est fixe et égale A_0. Le diagramme se referme sur lui-même si $\alpha = 2\pi$, 4π, 6π, et ainsi de suite. Ainsi, d'après l'équation 7.10, l'intensité est nulle si $\alpha = 2m\pi$ ou

(minima) $\qquad a \sin \theta = m\lambda \qquad m = \pm 1, \pm 2, \pm 3, \ldots$ (7.11)

Cela concorde bien avec l'analyse faite à la section 7.2. Examinons maintenant les intensités.

Pour $\alpha = \pi$, la résultante est le diamètre du demi-cercle de longueur A_0, donc $\pi A/2 = A_0$ ou $A = 2A_0/\pi$. L'intensité pour $\alpha = \pi$ est donc $I \propto A^2 = (4/\pi^2)I_0 \approx 0,4I_0$.

Pour $\alpha = 3\pi$, le diagramme effectue 1,5 cercles de diamètre A, la longueur totale de l'arc étant A_0; par conséquent, $(3\pi/2)A = A_0$, ou $A = (2/3\pi)A_0$. L'intensité en ce point est $I = (4/9\pi^2)I_0 \approx 0,045I_0$. Cette valeur est presque égale, mais pas exactement, à l'intensité du premier maximum secondaire.

Les positions des maxima secondaires sont (*cf.* problème 9)

(maxima secondaires) $\quad a = 2,86\pi, \quad 4,92\pi, \quad 6,94\pi, \ldots$

On remarque que ces valeurs sont presque égales, mais pas tout à fait, à 3π, 5π, 7π, et ainsi de suite. Les intensités correspondant à ces valeurs de α sont déterminées à partir de l'équation 7.10 :

$$I = 0,047I_0; \quad 0,017I_0; \quad 0,008I_0, \ldots$$

Le premier pic secondaire a une intensité correspondant à 4,7 % seulement du pic central.

Exemple 7.6

Une lumière de longueur d'onde 600 nm éclaire selon la normale sur une fente de largeur 0,1 mm. Quelle est l'intensité pour $\theta = 0,2°$?

Solution :

D'après l'équation 7.8,

$$\alpha = \frac{2\pi a \sin \theta}{\lambda}$$

$$= \frac{(2\pi)(10^{-4}\ \text{m})(3,5 \times 10^{-3})}{6 \times 10^{-7}\ \text{m}}$$

$$= 3,67\ \text{rad}$$

En remplaçant dans l'équation 7.10, on trouve l'intensité

$$I = I_0 \frac{\sin^2(1,84)}{(1,84)^2} = 0,277 I_0$$

Exemple 7.7

À l'aide d'un diagramme de Fresnel, calculer l'intensité en $\alpha = 5\pi$. Confirmer votre résultat en remplaçant dans l'équation 7.10.

Solution :

Le diagramme de phase effectue 2,5 cercles. Le diamètre est A et la circonférence est A_0 ; par conséquent,

$$\left(\frac{5\pi}{2}\right)(A) = A_0$$

ce qui signifie que $A = 2A_0/5\pi$. En élevant au carré, on trouve

$$I = \frac{4I_0}{25\pi^2} = 0,016 I_0$$

Cela concorde avec l'équation 7.10.

7.7 Le pouvoir de résolution d'un réseau

Un réseau a la propriété importante de pouvoir séparer des longueurs d'onde pratiquement égales. Cette propriété dépend de la largeur de chaque maximum principal et de la différence entre les longueurs d'onde. Considérons une lumière composée de deux longueurs d'onde, λ et $\lambda + \Delta\lambda$, tombant suivant la normale sur un réseau. Selon le critère de Rayleigh, deux maxima principaux apparaîtront séparés si le maximum principal de $m^{\text{ième}}$ ordre de $\lambda + \Delta\lambda$ coïncide avec le premier minimum d'un côté du maximum principal de même ordre pour λ (figure 7.21).

D'après l'équation 7.4, la position du maximum principal de $m^{\text{ième}}$ ordre est

(maxima principaux) $\delta = m(\lambda + \Delta\lambda)$ (7.12)

Pour trouver le premier minimum juste en dessous du maximum principal de $m^{\text{ième}}$ ordre pour λ, on utilise l'équation 7.6, avec $p = mN + 1$, ce qui donne $\phi = 2(mN + 1)\pi/N$. Or, $\phi = 2\pi\delta/\lambda$, d'après l'équation 7.5 ; on a donc

(minimum) $\delta = (mN + 1)\dfrac{\lambda}{N}$ (7.13)

Puisqu'un minimum et un maximum coïncident selon le critère de Rayleigh, on peut écrire que les conditions des équations 7.12 et 7.13 sont égales :

$$m(\lambda + \Delta\lambda) = (mN + 1)\frac{\lambda}{N}$$

De cette équation, on déduit l'expression du *pouvoir de résolution* $R = \lambda/\Delta\lambda$ du réseau :

$$R = \frac{\lambda}{\Delta\lambda} = Nm$$ (7.14)

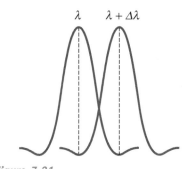

Figure 7.21

Selon le critère de Rayleigh, deux raies produites par un réseau sont à peine séparées lorsqu'un maximum principal d'une longueur d'onde coïncide avec le premier minimum de l'autre longueur d'onde.

Exemple 7.8

(a) Quel est le pouvoir de résolution requis pour séparer les deux raies du sodium de longueurs d'onde 589,0 nm et 589,6 nm ? (b) Si un réseau a une largeur de 2 cm, combien doit-il avoir de traits par millimètre pour séparer ces longueurs d'onde au troisième ordre ?

Solution :

(a) La différence des longueurs d'onde est $\Delta\lambda = 0,6$ nm et l'on prend λ égal à la longueur d'onde moyenne. Le pouvoir de résolution nécessaire est donc

$$R = \frac{\lambda}{\Delta\lambda} = \frac{589,3 \text{ nm}}{0,6 \text{ nm}}$$
$$= 982$$

(b) Le nombre de fentes N est lié à la largeur ℓ du réseau par la relation $\ell = Nd$, où d est la distance entre les fentes. On a donc $R = Nm = \ell m/d$, ou

$$d = \frac{\ell m}{R} = \frac{(2 \text{ cm})(3)}{982}$$
$$= 0,0061 \text{ cm}$$

Le nombre de traits par millimètre est égal à $1/(0,061 \text{ mm}) = 16,4$ traits/mm.

7.8 La diffraction des rayons X

En 1895, comme il étudiait les rayons cathodiques (on sait maintenant qu'ils sont formés d'électrons) dans un tube à gaz, W. C. Röntgen observa qu'un morceau de papier enduit de platinocyanure de baryum et posé à côté du tube devenait fluorescent (comme les cadrans de montre qui deviennent lumineux après avoir été exposés à la lumière). L'effet de fluorescence se produisait même lorsque le tube et le papier étaient séparés par un écran de papier noir. Röntgen pensa que cet effet était causé par des *rayons X* inconnus jusqu'alors. Il s'aperçut bientôt qu'ils émanaient de l'endroit où les électrons entraient en collision avec le verre. William Crookes, qui avait mis au point le type de tube à décharge dont se servait Röntgen, avait également remarqué qu'une pellicule photographique placée près du tube se voilait. Mais, au lieu d'en rechercher la cause, il préféra envoyer une réclamation à la compagnie Ilford qui fabriquait les pellicules. Les découvertes dues au hasard ne sont faites que par les esprits réceptifs.

La nature des rayons X est longtemps restée un mystère, même si l'on avait réduit les possibilités envisagées à une alternative : il devait s'agir de particules neutres ou d'ondes électromagnétiques de très courte longueur d'onde ($\approx 0,1$ nm). En 1912, Max von Laue suggéra que l'on pouvait établir la nature ondulatoire des rayons X en vérifiant s'ils donnaient lieu à une diffraction. Les réseaux optiques étant bien trop grossiers, il proposa de faire jouer au réseau régulier des atomes d'un cristal le rôle d'un réseau à trois dimensions. Suite à cette suggestion, Friedrich et Knipping firent passer un faisceau étroit de rayons X sur de fines lames de cristaux divers, notamment du NaCl et du ZnS (figure 7.22). Le faisceau transmis était enregistré sur une plaque photographique. Ils obtinrent un ensemble de taches disposées de façon symétrique, ce qui indiquait clairement que certaines directions étaient privilégiées, tout comme pour la lumière traversant un réseau ordinaire. Cela permit d'établir la nature ondulatoire des rayons X.

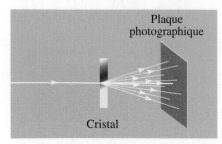

Figure 7.22

Au passage à travers un cristal, les rayons X produisent une figure caractéristique de la structure cristalline.

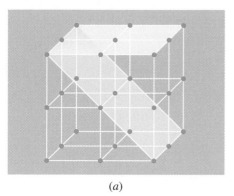

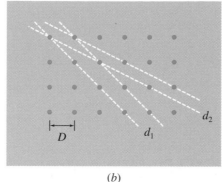

(a)

(b)

► Figure 7.23

(a) Un faisceau de rayons X réfléchi à la surface d'un cristal. (b) Les atomes forment des plans d'espacements variables.

En 1913, W. H. Bragg et son fils W. L. Bragg firent le raisonnement qui suit. Chaque atome dans un cristal absorbe le rayonnement incident et réémet dans toutes les directions. En général, les ondes diffusées donnent lieu à une interférence destructive. On peut supposer que les atomes sont situés dans des plans différents, dont chacun agit comme un miroir (figure 7.23a). À un ensemble donné de plans parallèles correspondrait une densité particulière d'atomes et un intervalle d entre les plans (figure 7.23b). Considérons les rayons réfléchis par deux plans adjacents (figure 7.24a). Si la différence de marche $ABC = 2d \sin \theta$ est égale à un nombre entier de longueurs d'onde, les rayons sont en phase et donnent donc lieu à une interférence constructive:

$$2d \sin \theta = m\lambda \qquad (7.15)$$

où θ est l'angle par rapport aux plans. Cette *condition de Bragg* est valable pour *tous* les plans parallèles aux deux plans représentés sur la figure. On peut donc s'attendre à des réflexions particulièrement intenses lorsque cette condition est satisfaite. La figure 7.24b représente une figure de diffraction des rayons X par un cristal. À partir de telles figures, on peut déduire la disposition des atomes dans un cristal. Soulignons que la condition de Bragg ressemble beaucoup à l'équation 7.4 pour un réseau de diffraction. Toutefois, l'équation 7.15 fait intervenir un facteur 2 et l'angle θ est défini différemment.

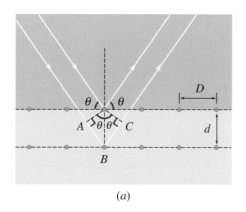

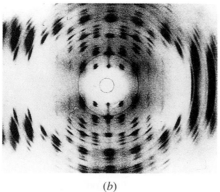

(a)

(b)

► Figure 7.24

(a) Lorsque l'espacement entre les plans atomiques et l'angle d'incidence satisfont la relation de Bragg $2d \sin \theta = m\lambda$, les ondes réfléchies sont intenses. (b) Une figure de diffraction des rayons X par un cristal.

7.9 La polarisation

Les phénomènes d'interférence et de diffraction montrent que la lumière a des caractéristiques ondulatoires. Initialement, Young et Fresnel pensaient qu'il s'agissait d'une onde longitudinale, comme le son. C'est l'étude de la polarisation de la lumière qui permet de conclure qu'il s'agit en fait d'une onde

Figure 7.25

Une onde polarisée linéairement.

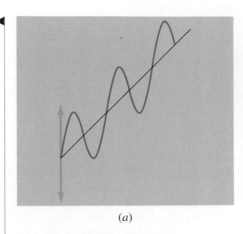 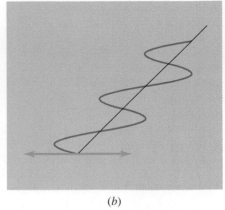

(a) (b)

Figure 7.26

Le champ électrique d'une onde polarisée linéairement.

Figure 7.27

(a) Dans une onde non polarisée, la direction du champ électrique fluctue. Le champ électrique d'une onde non polarisée peut être décomposé en deux composantes perpendiculaires. En (b), le faisceau est normal à la page, alors qu'en (c), il se propage vers la droite.

transversale. Pour expliquer en quoi consiste la **polarisation**, nous allons prendre un exemple mécanique. La figure 7.25a représente une corde vibrant dans un plan vertical ; à la figure 7.25b, elle vibre dans un plan horizontal. Dans chaque cas, on dit que l'onde est *polarisée linéairement* dans la direction d'oscillation. La polarisation ne peut se manifester qu'avec des ondes transversales. Pour les ondes électromagnétiques, comme la lumière visible, la direction du champ électrique est définie comme étant la direction de polarisation. On représente l'onde polarisée linéairement comme à la figure 7.26.

Un atome émet un rayonnement électromagnétique pendant un laps de temps très court, en général 10^{-8} s. Le champ électrique associé à l'onde a une direction définie dans l'espace. Toutefois, l'émission d'un autre atome est complètement indépendante et son vecteur $\vec{E}$ est donc orienté dans une autre direction. L'effet net produit est une fluctuation aléatoire dans le temps de la direction de $\vec{E}$ (figure 7.27a). Les flèches représentent les directions de $\vec{E}$ à des instants différents lorsqu'on regarde le faisceau. Le faisceau est alors *non polarisé*. Puisqu'un champ électrique quelconque peut être projeté sur deux axes mutuellement perpendiculaires, on peut également représenter un faisceau non polarisé par deux flèches perpendiculaires (figure 7.27b ou figure 7.27c). Il ne faut pas oublier que ces deux composantes ne sont pas cohérentes ; elles n'ont pas de relation de phase fixe.

 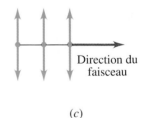

Faisceau sortant de la page

(a) (b) (c)

En 1852, W. B. Herapath découvrit qu'un cristal de periode de sulfate-quinine absorbait complètement la lumière polarisée s'il était orienté correctement. Cette substance étant extrêmement fragile, elle ne fut pas exploitée avant 1928, lorsque E. H. Land, étudiant à Harvard, trouva un moyen d'imbriquer des cristaux microscopiques de cette substance dans des feuilles de plastique. Il réussit à aligner les cristaux en étirant le plastique et en le chauffant.

De nos jours, on utilise de longues chaînes de molécules d'alcool polyvinylique à la place du cristal de Herapath. Lorsqu'on plonge les feuilles dans l'iode, les chaînes conduisent l'électricité. Un faisceau non polarisé qui passe dans une telle feuille, dite **polaroïd** ou **polariseur**, ressort sous la forme d'un faisceau polarisé linéairement parallèle à l'**axe de transmission**, lequel est normal à l'axe d'alignement des molécules (figure 7.28). Si l'on place un deuxième polariseur dans le faisceau polarisé, son axe étant incliné par rapport au premier, seule la composante du champ le long de l'axe de transmission, $E \cos \theta$, est transmise. L'intensité étant proportionnelle au carré de l'amplitude (voir le chapitre 2), l'intensité de la lumière transmise est donnée par

$$I = I_0 \cos^2 \theta \qquad (7.16)$$

où I_0 est l'intensité transmise pour $\theta = 0$. C'est ce que l'on appelle la **loi de Malus**. Dans les verres polaroïd des lunettes de soleil, l'axe de transmission est vertical. Ces verres absorbent la composante horizontale de la réflexion sur les surfaces horizontales, comme les routes et l'eau, et réduisent donc considérablement les reflets.

Si de la lumière non polarisée frappe une feuille polaroïd, tous les angles θ sont également représentés. Pour connaître la fraction de la lumière transmise, il faut faire la moyenne du terme $\cos^2 \theta$ dans la loi de Malus entre 0° et 90°, ce qui donne 1/2. Ainsi, pour de la lumière non polarisée, l'intensité de la lumière transmise est donnée par $I = I_0/2$, et ce peu importe l'orientation de l'axe de transmission.

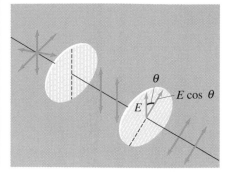

Figure 7.28

De la lumière non polarisée devient polarisée linéairement en traversant un polariseur. Un deuxième polariseur transmet uniquement la composante du champ électrique qui est parallèle à son axe de transmission.

Exemple 7.9

De la lumière non polarisée d'intensité I_0 rencontre successivement deux polariseurs. Le premier a un axe de transmission incliné à 30° par rapport à la verticale ; le deuxième a un axe de transmission incliné à 80° par rapport à la verticale. Quelle est l'intensité de la lumière à la sortie du deuxième filtre ?

Solution :

Pour le premier filtre, la lumière est non polarisée, donc l'intensité de la lumière transmise vaut $I_1 = I_0/2$. Cette lumière est polarisée linéairement selon l'axe de transmission du filtre, donc à 30°. Elle rencontre un filtre dont l'axe de transmission est à 80°, donc $\theta = 80° - 30° = 50°$ et $I_2 = I_1 \cos^2 \theta = (I_0/2) \cos^2 50° = 0,207 I_0$.

La polarisation par réflexion

En 1808, un jour qu'il observait par hasard à travers un cristal de calcite les rayons solaires réfléchis sur une vitre du Palais du Luxembourg, l'ingénieur français E. Malus vit une image au lieu des deux images habituelles. Il s'aperçut bientôt que la lumière pouvait être polarisée par réflexion. Pour un certain angle d'incidence, qui est l'**angle de polarisation** θ_p, le rayon réfléchi est linéairement polarisé. En 1815, David Brewster s'aperçut que, si l'angle d'incidence est égal à l'angle de polarisation, le rayon réfléchi et le rayon réfracté sont perpendiculaires, c'est-à-dire $i + r = 90°$ (figure 7.29).

Dans le cadre de la théorie des ondes électromagnétiques, on peut décomposer les champs du faisceau non polarisé en composantes parallèle et perpendiculaire au plan d'incidence, qui est défini par le rayon incident et la normale à la surface. Le phénomène de réflexion ne se produit pas exactement à la surface, mais seulement après qu'une onde ait pénétré dans le matériau sur une petite distance. L'onde réfléchie et l'onde réfractée sont produites par les oscillations des charges du matériau alors qu'elles sont soumises à l'action de l'onde incidente. En général,

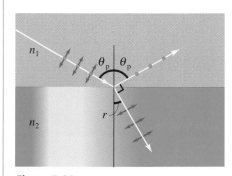

Figure 7.29

Si l'angle d'incidence est égal à l'angle de polarisation θ_p, le rayon réfléchi et le rayon réfracté sont tous les deux polarisés.

le rayon réfléchi a les deux composantes de $\vec{E}$. Supposons toutefois que la composante dans le plan d'incidence soit perpendiculaire au rayon réfracté. Cette composante serait orientée dans la direction du rayon réfléchi. Mais une telle oscillation longitudinale étant contraire à la théorie électromagnétique, seule la composante normale au plan d'incidence est observée. La polarisation par réflexion n'est pas une méthode efficace, puisque seulement environ 8 % de l'énergie lumineuse incidente est réfléchie à l'angle de polarisation θ_p.

On peut déterminer l'angle de polarisation en faisant le raisonnement qui suit. D'après la loi de Snell-Descartes,

$$n_1 \sin \theta_p = n_2 \sin r$$

où r est l'angle de réfraction. On sait qu'à l'angle de polarisation θ_p les rayons réfléchi et réfracté sont perpendiculaires. Puisque $\theta_p + r = 90°$, on a sin r = cos θ_p. En remplaçant par cette valeur dans la loi de Snell-Descartes, on trouve

$$\tan \theta_p = \frac{n_2}{n_1} \qquad (7.17)$$

C'est ce que l'on appelle la **loi de Brewster**. Pour l'air, $n_1 = 1$ et pour le verre, $n_2 = 1,5$, de sorte que tan $\theta_p = 1,5$, d'où $\theta_p = 57°$.

Polarisation et biréfringence

La polarisation de la lumière fut découverte lors de l'étude de la double réfraction. En 1669, en examinant un petit objet à travers un cristal de spath d'Islande (calcite), E. Bartholinius découvrit deux images réfractées (figure 7.30). Les rayons *ordinaires* (*O*) qui forment la première image obéissent à la loi de Snell-Descartes, alors que les rayons *extraordinaires* (*E*) qui forment l'autre image ne vérifient pas la loi de Snell-Descartes. Par exemple, si la lumière incidente est normale à la surface, le rayon *O* continue sans être dévié mais le rayon *E* fait un certain angle avec la surface (figure 7.31). Le quartz, le sucre en solution et la glace donnent également lieu à ce phénomène de *double réfraction*, ou *biréfringence*.

Le plastique devient biréfringent lorsqu'il est soumis à des contraintes. Ici, une voûte sous contrainte est placée entre des feuilles polarisantes. Les bandes sont très rapprochées là où les contraintes sont fortes. (*Cf.* D. Falk, D. Brill et D. Stork, *Seeing the Light*, New York, Wiley, 1988, p. 358.)

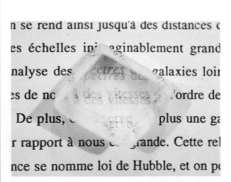

Figure 7.30

Les deux images produites par un cristal à double réfraction, ou biréfringent.

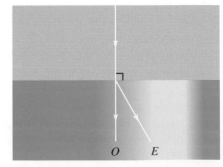

Figure 7.31

Lorsque la lumière tombe suivant la normale sur un cristal biréfringent, le rayon ordinaire (*O*) se comporte comme d'habitude, mais le rayon extraordinaire (*E*) n'obéit pas à la loi de Snell-Descartes.

Huygens fit passer les rayons O et E issus d'un cristal à travers un autre cristal et s'aperçut qu'en faisant tourner le deuxième cristal par rapport au premier, il pouvait transformer un rayon O en un rayon E et vice-versa. Il remarqua que les deux ondes doivent se propager à des vitesses différentes mais fut incapable d'offrir une quelconque explication dans le cadre de sa théorie ondulatoire (longitudinale). Newton suggéra que les rayons lumineux avaient des « côtés », tout comme les pôles d'un aimant. Selon leur orientation par rapport à la structure du cristal, la lumière pouvait se propager sous forme d'un rayon O ou d'un rayon E. Cet effet de « latéralisation » de la lumière fut appelé par la suite *polarisation*, à cause de la comparaison avec les aimants suggérée par Newton.

Polarisation et antennes dipolaires

Dans une onde électromagnétique, les champs électrique et magnétique oscillent perpendiculairement à la direction de propagation. De telles ondes peuvent être produites par une antenne dipolaire reliée à une source de radio-fréquences (figure 7.32). Les électrons dans le fil oscillent et rayonnent comme nous l'avons vu au chapitre 13 du tome 2. L'intensité du rayonnement est nulle le long de l'axe du dipôle et elle est maximum perpendiculairement à cet axe. De plus, en un point de réception donné, le vecteur champ électrique oscille dans une seule direction. On peut facilement détecter la polarisation en reliant une deuxième antenne à un récepteur. Lorsque les dipôles sont parallèles, le champ électrique du premier induit des courants dans le deuxième et un signal est enregistré. Lorsque les dipôles sont perpendiculaires, il n'y a pas de signal. La polarisation des émissions de télévision et de radio nécessite d'orienter correctement les antennes réceptrices.

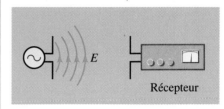

Figure 7.32

Le rayonnement émis par un dipôle (deux tiges reliées à un oscillateur) est polarisé.

La polarisation par double réfraction

Nous allons voir maintenant diverses façons de produire une lumière polarisée. Les liquides et les solides amorphes (comme le verre) sont dit isotropes parce que leurs propriétés ne dépendent pas de la direction. En particulier, la vitesse de la lumière est la même dans toutes les directions. La double réfraction se produit dans les cristaux *anisotropes*. Dans un cristal anisotrope, la disposition des atomes est telle que la vitesse de la lumière dans une direction donnée dépend de son état de polarisation. Il existe généralement, au sein du cristal, une direction privilégiée, appelée axe optique, pour laquelle l'indice de réfraction ne dépend pas de l'état de polarisation. En éclairant le cristal avec une lumière non polarisée (qu'on peut représenter par ses deux composantes de polarisation), on a deux effets possibles. Soit que la lumière se déplace le long de l'axe optique. Il n'y a alors qu'une seule réfraction, qui obéit à la loi de Snell-Descartes. Soit que, au contraire, le faisceau lumineux n'est pas dirigé selon l'axe optique. Dans ce cas, chaque composante de polarisation a son propre indice de réfraction et deux rayons de lumière polarisée distincts émergent du cristal. La composante orientée selon l'axe optique produit le rayon réfracté ordinaire, tandis que l'autre composante produit le rayon réfracté extraordinaire, comme le montre la figure 7.33.

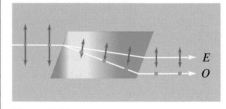

Figure 7.33

Les rayons ordinaire et extraordinaire sortant d'un cristal biréfringent sont polarisés.

La polarisation par absorption sélective

Considérons un faisceau non polarisé de micro-ondes tombant sur un réseau de fils verticaux ou de bandes métalliques. La composante du champ électrique dans la direction des fils établit des courants oscillants macroscopiques. Ces courants entraînent un chauffage par effet Joule et, par conséquent, une absorption d'énergie transportée par l'onde. Les courants oscillants produisent également un rayonnement dans des directions autres que la direction initiale. On dit que l'onde incidente est *diffusée*. Puisque les courants macroscopiques ne peuvent pas circuler perpendiculairement aux fils, la composante du champ normale aux fils est essentiellement transmise. Par conséquent, le faisceau qui émerge du réseau est polarisé perpendiculairement aux fils.

La polarisation par diffusion

Lorsqu'une onde électromagnétique non polarisée se propageant selon l'axe des *z* tombe sur un gaz (figure 7.34), les électrons de chaque atome sont soumis à une oscillation dans le plan *xy*. Les atomes absorbent l'énergie, puis réémettent un rayonnement dipolaire dans toutes les directions, sauf selon l'axe de chaque dipôle. On dit que l'onde a été diffusée. Un observateur qui reçoit le rayonnement dans une direction perpendiculaire au faisceau incident (figure 7.34) ne va pas voir un champ *E* le long de l'axe des *x*, car cela impliquerait la présence d'une composante longitudinale de l'onde. L'onde diffusée est donc linéairement polarisée. (Il n'y a pas d'oscillation dans la direction de propagation de l'onde initiale, qui est l'axe des *z*). Les rayons du Soleil diffusés sur des molécules de l'atmosphère peuvent également être polarisés ; c'est la raison pour laquelle, par temps clair, les verres polaroïd font paraître noires certaines régions du ciel. On pense que les abeilles se servent de cette polarisation de la lumière du ciel pour s'orienter.

Figure 7.34

Une lumière diffusée perpendiculairement à sa direction initiale devient polarisée.

Sujet connexe

L'holographie

L'holographie est un procédé en deux étapes permettant d'enregistrer et de visualiser des images sans utiliser de lentilles. Les principes du procédé furent établis en 1948 par D. Gabor. Une photographie ordinaire enregistre seulement les intensités des ondes émanant des différentes régions de la scène photographiée. Autrement dit, l'information concernant l'amplitude des ondes est gardée, mais l'information concernant les phases relatives des ondes provenant des différentes régions est perdue. Gabor imagina une technique, qui lui valut le prix Nobel en 1971, permettant de préserver à la fois les amplitudes et les phases des fronts d'onde sur une plaque photographique appelée *hologramme* (qui signifie « enregistrement total »). Alors qu'une photographie « projette » un objet tridimensionnel sur un plan, l'hologramme préserve l'information correspondant à la nature tridimensionnelle de l'objet.

Le principe de l'hologramme

La figure 7.35*a* représente deux ondes planes monochromatiques qui se chevauchent et donnent lieu à une interférence. À titre de référence, nous appellerons *AA* l'onde *de référence* et *BB* l'onde *objet*, dont la direction de propagation fait un angle *θ* avec *AA*. Les points d'interférence constructive et destructive forment des droites perpendiculaires au plan de la page. Ainsi, une mince plaque photographique placée en *P* enregistre une succession de franges rectilignes brillantes et sombres (figure 7.35*b*). La figure d'interférence préserve l'information concernant les amplitudes et la phase relative des deux fronts d'onde.

Lorsqu'elle est éclairée par l'onde cohérente monochromatique de référence *AA*, la plaque exposée *P* se comporte comme un réseau. Dans un réseau normal (figure 7.35*c*),

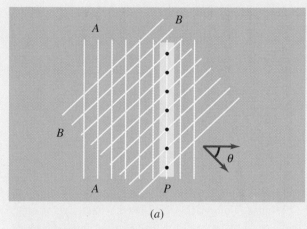

(a)

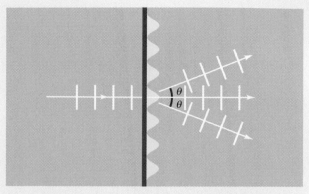

Figure 7.36

Lorsque la plaque exposée est éclairée par un faisceau cohérent, on observe deux faisceaux diffractés.

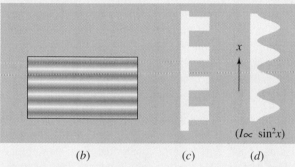

(b)   (c)   (d)

$(I \propto \sin^2 x)$

Figure 7.35

(a) Deux ondes planes, dont les directions de propagation forment un angle θ, (b) produisent une figure d'interférence sur la plaque P. Dans un réseau normal, la lumière est soit transmise, soit arrêtée (c). La distribution d'intensité sur la plaque est sinusoïdale (d).

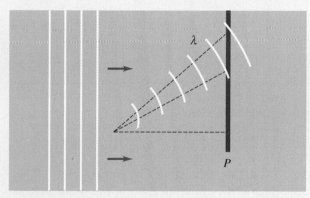

Figure 7.37

Interférence entre une onde de référence plane et une onde sphérique émise par une source ponctuelle.

les ondes incidentes sont soit transmises, soit arrêtées, et l'on observe plusieurs ordres dans les ondes diffractées. Les franges enregistrées sur la plaque ont un profil sinusoïdal (figure 7.35d). On constate donc une variation graduelle de l'intensité transmise, ce qui signifie qu'il n'y a qu'*une seule* onde diffractée (de premier ordre) de chaque côté de l'onde avant (d'ordre zéro) (figure 7.36). De plus, les ondes diffractées font avec l'onde de référence le même angle θ que l'onde objet initiale *BB*. L'un des fronts d'onde diffractés de premier ordre est donc une reconstitution exacte du front d'onde initial *BB*. Si la plaque avait été éclairée par le front d'onde *BB*, c'est le front d'onde *AA* qui aurait été reconstitué. Dans ce cas, l'une ou l'autre onde peut servir d'« onde de référence ».

Considérons maintenant l'interférence produite entre une onde de référence plane et des fronts d'onde sphériques qui sont soit émis par une source ponctuelle ou diffusés par un objet ponctuel (figure 7.37). Les franges d'interférence sont enregistrées par une fine plaque P parallèle aux fronts d'onde de référence. La figure d'interférence

ne ressemble pas à une tache, car il ne s'agit pas d'une image photographique. Les franges, semblables aux anneaux de Newton (figure 6.20), forment des arcs dont le centre est situé au pied de la normale abaissée du point sur la plaque (figure 7.38a). La plaque exposée porte le nom de *plaque de Gabor*. Lorsqu'elle est éclairée par les fronts d'onde plans cohérents de l'onde de référence, la plaque se comporte comme un réseau (de pas variable). Alors qu'un réseau rectiligne diffracte les ondes planes incidentes vers le haut ou vers le bas, les lignes circulaires de la plaque de Gabor diffractent le faisceau incident soit vers l'intérieur (vers l'axe central), soit vers l'extérieur (en s'éloignant de l'axe) (figure 7.38b). En ce sens, la plaque se comporte à la fois comme une lentille convergente et une lentille divergente. Comme l'intensité transmise varie graduellement le long du réseau, il n'y a, là encore, qu'un seul front d'onde de premier ordre de chaque côté de l'onde avant. Une onde de premier ordre semble diverger de l'endroit où se trouve le point objet initial. Par conséquent, les ondes sphériques initiales émanant

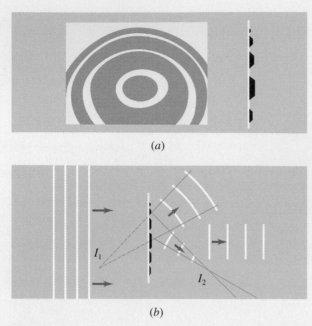

(a)

(b)

Figure 7.38

Les franges obtenues à l'aide de ce montage ressemblent aux anneaux de Newton (a). Lorsque la plaque exposée est éclairée par le faisceau plan de référence, il y a deux faisceaux diffractés. L'un produit l'image virtuelle I_1 et l'autre produit l'image réelle I_2 (b).

de l'objet ont été reconstituées par le passage du faisceau de référence à travers l'hologramme. On observe une image virtuelle I_1, située à l'endroit exact où se trouvait le point objet, mais longtemps après qu'il en soit parti ! L'autre onde diffractée converge pour former une image réelle I_2.

Deux sources ponctuelles, plus un faisceau de référence, produisent sur la plaque deux configurations de franges qui se chevauchent. La reconstitution avec l'onde de référence permet d'observer deux points images virtuels. Tout objet de dimensions finies est un ensemble de sources ponctuelles qui émettent ou diffusent des ondes sphériques. Lorsque l'hologramme est éclairé par des ondes de référence cohérentes, chaque point de l'objet est reproduit à sa position initiale exacte. Comme les ondes reconstituées sont une réplique exacte des ondes initiales provenant de l'objet, on observe une image virtuelle avec toute la perspective tridimensionnelle de l'objet original ! (L'image réelle peut être visualisée ou photographiée, mais elle a une propriété géométrique particulière qui la rend difficile à utiliser.)

Les propriétés d'un hologramme

Regarder à travers un hologramme produit le même effet que regarder l'intérieur d'une pièce à travers une fenêtre. En déplaçant la tête, l'observateur voit les objets sous une perspective différente. Par exemple, l'hologramme reproduit l'effet de parallaxe : un objet masqué par un obstacle placé devant lui peut devenir visible lorsque l'observateur bouge la tête. Même dans un stéréoscope, l'effet de relief créé par la perspective tridimensionnelle n'est observable que dans une direction. En revanche, l'hologramme peut être observé à partir d'une multitude de points. Comme dans la réalité, pour que les images d'objets proches ou lointains soient nettement visibles, les yeux ou l'appareil photo doivent accommoder.

Lorsqu'on utilise une lentille pour former une image, chaque point objet correspond à un seul point image. Dans un hologramme, l'information concernant chaque point objet (sa figure d'interférence) est répandue sur la *totalité* de la plaque. Par conséquent, même une partie de l'hologramme va reproduire l'objet au complet, mais avec une intensité et une résolution un peu moins bonnes. On observe alors une perspective différente à partir de points différents de l'hologramme et le champ est quelque peu réduit (comme si l'on regardait à travers une fenêtre plus étroite).

Pour produire un hologramme d'un objet à trois dimensions, les ondes lumineuses émanant des différentes parties de l'objet doivent être cohérentes. Cela signifie que l'objet doit être plus petit que la longueur de cohérence. À cause de la mauvaise cohérence de sa source lumineuse (un tube à décharge au mercure), Gabor fut obligé d'utiliser une acétate transparente pour illustrer l'holographie. De plus, étant donné l'alignement géométrique (figure 7.36), l'image réelle et le faisceau de référence non dévié font qu'il est difficile de voir l'image virtuelle. Il fallut attendre l'invention du laser, qui offre une cohérence exceptionnelle, pour que l'holographie puisse avoir des applications pratiques. Même le laser He-Ne, pourtant commun, a une longueur de cohérence de 15 à 20 cm.

En 1962, E. Leith et J. Upatnieks mirent au point une technique de « décentrage » pour produire des hologrammes (figure 7.39). Le faisceau du laser est divisé en deux au moyen d'une plaque de verre semi-réfléchissant (appelée séparateur de faisceaux). Les faisceaux sont ensuite élargis à l'aide d'une paire de lentilles. Le faisceau de référence atteint directement la plaque P et le faisceau objet est réfléchi sur l'objet avant d'atteindre la plaque. Une fois la plaque développée, lorsqu'on l'éclaire avec le faisceau de référence, l'image virtuelle n'est plus masquée par l'image réelle.

Les franges sur un hologramme sont si fines qu'elles ne sont pas visibles à l'œil nu. La plaque photographique doit pouvoir séparer 2000 traits/mm (les pellicules courantes peuvent séparer 100 traits/mm). Ce type de plaque n'est pas sensible et nécessite un temps d'exposition de 10 s avec un laser He-Ne peu puissant. Durant ce temps,

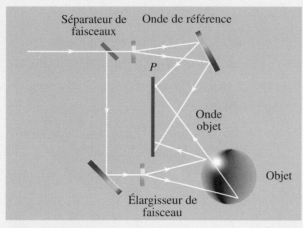

Figure 7.39

La méthode de décentrage utilisée pour produire un hologramme.

l'ensemble du montage ne doit pas bouger de plus d'une fraction de longueur d'onde ($\lambda/10$ environ). Pour réduire au maximum les temps d'exposition, on peut utiliser un laser pulsé très puissant.

Les hologrammes produits par simple développement de la plaque comportent des parties transparentes qui transmettent la lumière et des parties sombres qui l'arrêtent. On les appelle hologrammes d'absorption. Il est possible de décolorer l'hologramme de manière à remplacer les parties sombres par un sel d'argent transparent dont l'indice de réfraction diffère de celui des régions initialement transparentes. Lorsque le faisceau de référence traverse l'hologramme, son amplitude n'est pas modifiée, mais la phase varie différemment selon les points du front d'onde. Cette plaque, appelée hologramme de phase, produit des images plus vives, puisqu'une fraction beaucoup plus importante de lumière est déviée dans les ondes diffractées.

Leith et Upatnieks faisaient partie d'une équipe qui travaillait à la mise au point d'un « radar cohérent ». Dans un radar moderne à balayage latéral, un faisceau cohérent de micro-ondes ($\lambda \approx 1$ cm) est transmis vers le sol par un avion qui suit une trajectoire parfaitement rectiligne. Les signaux réfléchis par diverses parties du terrain sont mélangés à un signal de référence dans l'avion et affichés à l'oscilloscope. Une caméra enregistre la figure d'interférence (variable dans le temps) produite. La pellicule étant ensuite éclairée par un faisceau laser, elle produit une image très détaillée du terrain. Cette technique a des applications évidentes pour la prospection géophysique et la reconnaissance.

Les hologrammes en lumière blanche

Les plaques dont nous avons parlé dans les descriptions précédentes sont relativement minces. En 1962, Y. N. Denisyuk réussit à produire des hologrammes avec d'épaisses émulsions photographiques. Il utilisa une méthode par laquelle l'onde de référence et l'onde objet atteignent l'émulsion dans des directions opposées. Les lieux des points d'interférence constructive et destructive forment des surfaces pratiquement planes parallèles à la surface de la plaque (figure 7.40). Les plans sont distants de $\lambda/2$ (comme dans le cas d'une onde stationnaire) et il y a près de 50 plans dans une émulsion de 20 μm d'épaisseur. L'hologramme en volume est donc constitué d'un ensemble de plans réfléchissants comme dans un cristal. Il n'y a une onde diffractée intense que lorsque la condition de Bragg est satisfaite ($2d \sin \theta = n\lambda$). La longueur d'onde de l'onde de référence utilisée pour éclairer l'hologramme n'a pas besoin d'être égale à la longueur d'onde de l'onde de référence utilisée pour former l'hologramme. L'image produite par une longueur d'onde donnée apparaît à un angle unique. On se rendit compte plus tard que l'hologramme en volume pouvait être observé même avec une lumière blanche incohérente, comme la lumière naturelle ! Pour un angle d'observation donné, une seule longueur d'onde satisfait la condition de Bragg et, lorsqu'on fait varier l'angle, la couleur de l'image change.

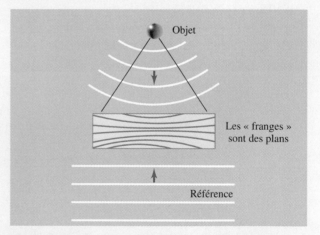

Figure 7.40

La production d'un hologramme en lumière blanche crée un ensemble de plans de réflexion comme dans un cristal.

L'interférométrie holographique

Imaginons que l'on enregistre l'hologramme d'une tige. Plaçons ensuite un petit poids sur la tige et enregistrons un deuxième hologramme sur la même plaque. La tige ayant subi une légère déformation, le deuxième hologramme est légèrement différent du premier. Lorsqu'on éclaire l'holo-gramme composé, les deux images interfèrent l'une avec l'autre et produisent une figure d'interférence montrant l'endroit où l'objet a été déformé. Cette technique permet de déceler un déplacement ou une déformation corres-pondant à peine à une fraction de la longueur d'onde du laser utilisé. On peut ainsi détecter des déformations, la croissance des végétaux ou des défauts dans les pneus. L'interférométrie holographique sert également à l'étude de l'écoulement aérodynamique, par exemple pour exami-ner le sillage d'une balle de fusil. On réalise d'abord un hologramme dans l'air non perturbé. Ensuite, lorsque la balle traverse la région, une courte impulsion laser de haute puissance produit un deuxième hologramme sur la même plaque. À cause de la variation de la densité de l'air, cet hologramme est différent du premier. Lorsque la plaque est éclairée, on voit nettement l'onde de choc et les effets de turbulence (figure 7.41). La même technique peut servir à étudier les modes de vibration d'une struc-ture quelconque, comme une barre, un instrument de musique ou un haut-parleur, pourvu que le temps d'expo-sition soit assez long pour couvrir plusieurs cycles de vibration. Comme l'objet passe une grande fraction du temps aux positions extrêmes de vibration, ces points correspondent à une plus grande intensité réfléchie. L'interférence entre les ondes provenant des positions extrêmes déterminent la configuration des vibrations.

Les hologrammes de 360°

On peut aussi utiliser les hologrammes pour obtenir la vue complète d'un objet. On photographie d'abord l'objet sous

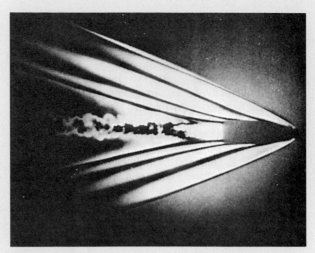

Figure 7.41

Ondes de choc rendues visibles par interférométrie holographique.

tous les angles à l'aide d'un appareil photo ordinaire (on peut faire tourner l'objet en gardant l'appareil immobile). Les images obtenues servent ensuite d'objets pour le pro-cédé holographique. Pour chaque image, seule une fine bande (1 mm) de l'hologramme est exposée. L'hologramme final, qui contient de nombreuses images de l'objet, est mis sous forme de cylindre et une source linéaire est placée en son centre. En marchant autour du cylindre, on peut voir l'objet sous toutes ses perspectives, de l'avant, des côtés et de l'arrière. Cette approche peut servir à réaliser un hologramme « mobile ». Dans l'exemple représenté à la figure 7.42, en marchant autour de l'hologramme, on voit

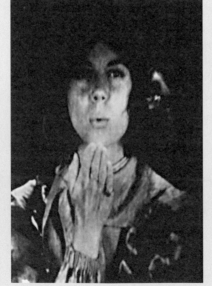

Figure 7.42

« Le baiser ».

une jeune femme en train de faire un clin d'œil avant de souffler un baiser. Il ne s'agit pas de vrais hologrammes, puisqu'ils ne reproduisent que le parallaxe horizontal et qu'ils ne donnent pas la perspective par le haut ou par le bas.

La figure 7.43 représente un autre exemple de perspective de 360°. Un petit objet est placé à l'intérieur d'un cylindre dont le fond est muni d'un miroir concave. Le faisceau de référence légèrement divergent pénètre par l'autre extrémité. Le faisceau de référence et la lumière réfléchie par l'objet impressionnent une pellicule recouvrant la paroi interne du cylindre.

Les hologrammes ont de nombreuses autres applications : stockage de l'information, guichets de sortie, formes multiples d'essais non destructifs (sur les pneus par exemple), détermination des tailles des particules dans l'air et dans les liquides ou identification de configuration. Le rêve de Gabor était d'utiliser l'holographie pour améliorer la résolution du microscope électronique. En réalisant un hologramme avec des rayons X de 0,1 nm et en le reconsti-

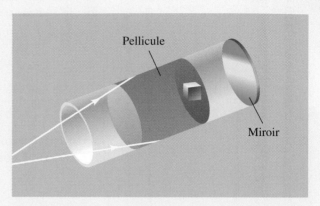

Figure 7.43

Production d'un hologramme de 360°.

tuant avec de la lumière visible, on peut en effet obtenir un grossissement supérieur à 10^6. On pourrait atteindre une résolution proche de 0,1 nm, mais la chose n'a pas encore été réalisée.

Résumé

On appelle diffraction la courbure des rayons ou le changement de direction de propagation des fronts d'onde sur les bords d'une ouverture ou d'un obstacle. Les positions des minima d'une figure de diffraction produite par une fente simple sont données par

(minima) $\qquad a \sin \theta = m\lambda \qquad m = \pm 1, \pm 2, \ldots$

où a est la largeur de la fente. Notons que $m \neq 0$.

Étant donné une *ouverture circulaire* de diamètre a, le critère de Rayleigh donnant la condition de résolution des figures de diffraction produites par des sources ponctuelles s'écrit

$$\theta_c = \frac{1,22\lambda}{a}$$

Les positions des maxima principaux d'un réseau sont données par

$$\delta = m\lambda \qquad m = 0, \pm 1, \pm 2, \ldots$$

où d est le pas du réseau et $\delta = d \sin \theta$, comme dans l'expérience de Young.

La variation d'intensité dans une figure d'interférence produite par plusieurs sources peut être déterminée à l'aide des vecteurs de Fresnel représentant le champ électrique. La différence de phase entre des vecteurs de Fresnel adjacents est déterminée par la différence de marche entre des sources adjacentes et l'écran. L'intensité en un point donné est proportionnelle au carré de l'amplitude du vecteur de Fresnel résultant.

L'intensité de la lumière transmise par une feuille polaroïd est donnée par

$$I = I_0 \cos^2 \theta$$

où I_0 est l'intensité de la lumière incidente et θ, l'angle entre l'axe de transmission et la direction de polarisation de la lumière. Pour de la lumière non polarisée, $I = I_0/2$.

La portion réfléchie d'un rayon de lumière qui frappe une surface selon l'angle de polarisation donné par la loi de Brewster

$$\tan \theta_p = \frac{n_2}{n_1}$$

est polarisée linéairement.

Termes importants

angle de polarisation
axe de transmission
critère de Rayleigh
diffraction de Fraunhofer
diffraction de Fresnel
loi de Brewster
loi de Malus

pas
polarisation
polariseur
polaroïd
réseau
vecteur de Fresnel

Révision

R1. Dessinez le graphique de l'intensité en fonction de $\sin \theta$ pour la diffraction à travers une fente étroite.

R2. Vrai ou faux ? Si on diminue la largeur de la fente, on diminue la largeur du pic central de diffraction sur l'écran.

R3. Vrai ou faux ? Dans la lumière qui sort d'un réseau, la distance entre deux raies spectrales données augmente lorsque le numéro de l'ordre m augmente.

R4. Vrai ou faux ? Dans la lumière qui sort d'un réseau, la distance entre deux raies spectrales données augmente si le pas d du réseau augmente.

R5. Pour quelles valeurs du déphasage ϕ entre 0 et 2π obtient-on un minimum d'intensité dans le patron d'interférence produit par 4 fentes ? Pour chacun des déphasages obtenus, représentez la situation à l'aide d'un diagramme de Fresnel (comme à la figure 7.14).

R6. Reprenez la question R5 avec 5 fentes.

Q1. Expliquez pourquoi l'on observe des franges lorsqu'on regarde la nuit un lampadaire éloigné en entr'ouvrant les yeux de manière que les paupières se touchent presque.

Q2. Expliquez pourquoi l'ordre des couleurs produites par un prisme est inversé par rapport à celui des couleurs produites par un réseau.

Q3. Un sténoscope est un appareil photographique qui n'a pour objectif qu'une ouverture minuscule. Cette ouverture, ou sténopé, doit avoir une taille optimale. Pourquoi la netteté de l'image diminue-t-elle lorsqu'on (a) agrandit ; (b) réduit l'ouverture ?

Q4. À quoi sont dues les couleurs observées à la surface des disques compacts ou des microsillons ?

Un disque compact.

Q5. Est-il possible de n'enregistrer aucun minimum sur une figure de diffraction produite par une fente simple ? Si oui, dans quelle condition ?

Q6. En tenant compte à la fois de l'interférence et de la diffraction dans l'expérience des fentes de Young, quel effet obtient-on lorsqu'on fait varier (a) la longueur d'onde ; (b) la distance séparant les fentes ; (c) la largeur des fentes ?

Q7. Expliquez la différence entre l'interférence et la diffraction. (a) Peut-il y avoir diffraction sans interférence ? (b) Peut-il y avoir interférence sans diffraction ? Donnez des exemples appuyant vos réponses.

Q8. Pourquoi la poussière sur un objectif d'appareil photographique diminue-t-elle la netteté de l'image sur la pellicule ?

Q9. En principe, peut-on construire un microscope pour examiner la structure des atomes à la lumière visible ?

Q10. Un filtre ne laissant passer qu'une seule couleur permettrait-il d'améliorer le pouvoir de résolution d'un microscope ? Si oui, pour quelle(s) raison(s) ? Quelle couleur donnerait le meilleur pouvoir de résolution ?

Q11. Dans un réseau, quel est l'effet produit si l'on change (a) le nombre total de fentes ; (b) le nombre de fentes par centimètre ; (c) la largeur du réseau ?

Q12. Quelles sont la forme et l'orientation de l'ouverture qui produit la figure de diffraction représentée à la figure 7.44 ?

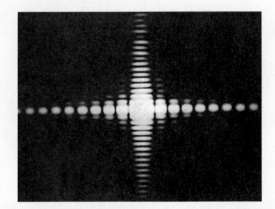

Figure 7.44

Question 12.

Q13. Comment peut-on vérifier si une paire de lunettes de soleil a des verres polaroïd ?

Q14. Lorsque de la lumière non polarisée traverse deux polariseurs dont l'axe de polarisation est perpendiculaire, l'intensité transmise est nulle. Est-il possible d'augmenter l'intensité transmise au moyen d'un troisième polariseur ? Si oui, comment ?

Q15. Pourquoi pensez-vous qu'il soit nécessaire d'ajuster l'orientation d'une antenne en « oreilles de lapin » pour obtenir une bonne réception des signaux de radio FM ou de télévision ?

Q16. Deux faisceaux lumineux de polarisations perpendiculaires peuvent-ils donner lieu à une interférence ?

7.2 Diffraction produite par une fente simple

E1. (I) De la lumière de longueur d'onde 680 nm tombe suivant la normale sur une fente de largeur 0,06 mm. On observe la figure produite sur un écran situé à 1,8 m. (a) Quelle est la largeur du pic central ? (b) Quelle est la distance sur l'écran entre les minima de premier et de deuxième ordre ?

E2. (I) Lorsque la lumière de longueur d'onde 589 nm émise par des vapeurs de sodium éclaire une fente simple, le pic central de diffraction sur l'écran a une largeur de 3 cm. Quelle serait la largeur du pic avec la raie de 436 nm émise par les vapeurs de mercure ?

E3. (I) Soit une fente simple éclairée par la lumière verte émise par les vapeurs de mercure, de 546 nm de longueur d'onde. Le pic central de diffraction a une largeur de 8 mm sur un écran situé à 2 m de la fente. Quelle est la largeur de la fente ?

E4. (I) Dans une figure de diffraction produite par une fente simple, le premier et le deuxième minimum sont distants de 3 cm sur un écran situé à 2,80 m de la fente. Déterminez la largeur de la fente, sachant que la lumière a une longueur d'onde de 480 nm.

E5. (I) Soit un encadrement de porte de 76 cm de large. (a) Pour quelle fréquence sonore cette largeur est-elle égale à quatre longueurs d'onde ? (b) En supposant que l'incidence est normale, quel est l'angle du premier minimum de diffraction de cette onde sonore ? La vitesse du son est de 340 m/s.

E6. (I) Dans l'expérience des fentes de Young, la largeur des fentes est de 0,15 mm et la distance entre les fentes est de 0,6 mm. Combien de franges brillantes complètes observe-t-on dans le maximum central de diffraction ?

7.3 Critère de Rayleigh

E7. (I) Un signal de 10 kHz alimente un haut-parleur circulaire. Quelle est la largeur angulaire du pic central de diffraction de l'onde sonore si le diamètre du haut-parleur est de (a) 8 cm ; (b) 30 cm ? La vitesse du son est de 340 m/s.

E8. (I) On utilise un sténoscope (voir la question Q3) dont l'ouverture circulaire a un rayon de 0,5 mm pour photographier une source ponctuelle éloignée qui émet à une longueur d'onde de 500 nm. Quelle est la largeur du pic de diffraction central sur la pellicule, qui est située à 22 cm de l'ouverture ?

E9. (I) Soit un sténoscope (voir la question Q3) dont l'ouverture a un diamètre de 0,8 mm. La pellicule est située à 20 cm de l'ouverture. Deux sources ponctuelles se trouvent à 16 m de l'ouverture. En supposant que la lumière ait une longueur d'onde de 600 nm, quelle distance minimale faut-il entre les sources pour que leurs images soient séparées sur la pellicule, selon le critère de Rayleigh ?

E10. (I) Pour recevoir des hyperfréquences de longueur d'onde 3 cm, on utilise une antenne parabolique de diamètre égal à 1 m. À une distance de 20 km, quel est l'écart minimal entre deux sources ponctuelles pour qu'elles apparaissent distinctes ?

E11. (I) Quelle distance minimale faut-il entre deux sources ponctuelles sur la Lune pour qu'elles soient séparées selon le critère de Rayleigh (a) par un œil dont la pupille a un diamètre de 5 mm ; (b) par un télescope de diamètre 4,5 m ? On donne $\lambda = 550$ nm.

E12. (I) Un satellite en orbite à une altitude de 180 km est doté d'un télescope de 30 cm de diamètre. Quelle est la dimension du plus petit détail qu'il est capable de distinguer à la surface de la Terre avec une longueur d'onde ultraviolette de 280 nm ? On néglige la présence de l'atmosphère.

E13. (I) Soit deux petits objets situés à 25 cm d'un œil. Quelle est la plus petite distance entre les objets que l'œil est capable de séparer si on suppose que la pupille a un diamètre de 3 mm ? La lumière a une longueur d'onde de 500 nm.

E14. (I) L'objectif d'un appareil photographique a une ouverture de 1,5 cm de diamètre. À quelle distance peut-il séparer les phares d'une automobile qui sont à 2 m l'un de l'autre ? On donne $\lambda = 550$ nm.

E15. (I) Un amas d'étoiles se trouve à une distance de 10^{16} m. Quelle est la plus petite distance entre deux sources que peut séparer chacun des appareils suivants : (a) le télescope optique du mont Palomar, qui a un diamètre de 200 po (5,08 m) et fonctionne à une longueur d'onde de 500 nm ; (b) le radiotélescope de Arecibo, au Porto Rico (figure 7.45), qui a un diamètre de 1000 pieds (305 m) et fonctionne à une longueur d'onde de 21 cm ? On suppose qu'ils sont tous les deux limités uniquement par la diffraction.

Figure 7.45

Exercice 15.

E16. (I) Les feux arrière d'une automobile sont écartés de 1,8 m et émettent de la lumière de longueur d'onde 650 nm. Quelle est la distance maximale à laquelle ils peuvent être séparés par (a) un œil dont la pupille a un diamètre de 5 mm ; (b) un télescope de 2,8 m de diamètre ? Dans les deux cas, on suppose que les seules limites imposées sont dues à la diffraction.

7.4 Réseaux

E17. (I) On utilise un réseau comportant 300 traits/mm pour analyser la lumière d'un tube à décharge dans l'hydrogène qui émet à des longueurs d'onde de 410,1 nm et 656,2 nm. Quelle est la séparation angulaire entre les maxima principaux d'interférence constructive pour ces deux longueurs d'onde (a) au premier ordre ; (b) au deuxième ordre ? (c) Y a-t-il chevauchement des deuxième et troisième ordres ?

E18. (II) Une lumière incidente éclairant un réseau de transmission fait un angle ϕ avec la normale. Montrez que l'équation 7.4 donnant les maxima principaux prend la forme

$$d(\sin \phi \pm \sin \theta) = m\lambda$$

Comment expliquez-vous la présence du signe $\pm$?

E19. (I) Combien d'ordres complets sont formés par un réseau de 6000 traits/cm pour la gamme visible de 400 à 700 nm ? Un ordre complet est caractérisé par la présence des raies associées à toutes les longueurs d'onde que comporte le faisceau lumineux.

E20. (I) Quelle est la séparation angulaire au deuxième ordre des raies du doublet du sodium, de 589,0 nm et 589,6 nm, produites par un réseau de 5000 traits/cm ?

E21. (I) De la lumière de longueur d'onde 640 nm traversant un réseau donne une raie spectrale à 11° pour le premier ordre. À quel angle est observée la raie de deuxième ordre pour la longueur d'onde de 490 nm ?

E22. (I) Soit un réseau de 2,8 cm de largeur. La raie associée à la longueur d'onde 468 nm est observée à 21° au deuxième ordre. Combien de traits comporte le réseau ?

7.5 Fentes multiples

E23. (I) Les champs électriques créés en un point par trois sources sont donnés par $E_1 = E_0 \sin(\omega t)$, $E_2 = E_0 \sin(\omega t + \phi)$ et $E_3 = E_0 \sin(\omega t + 2\phi)$. À l'aide des vecteurs de Fresnel, trouvez l'amplitude et la phase du champ résultant (par rapport à E_1) pour les valeurs suivantes de la différence de phase ϕ : (a) $\pi/6$ rad ; (b) $\pi/3$ rad ; (c) $\pi/2$ rad ; (d) $2\pi/3$ rad.

E24. (I) La résultante de deux vecteurs de Fresnel de même amplitude est donnée par $E_T = 16 \sin(\omega t + 50°)$, où 50° est l'angle entre la résultante et un vecteur. Quelles sont les amplitudes de chaque vecteur de Fresnel et leur différence de phase ? *Indice* : adapter la figure 7.13 à ce cas de 2 fentes.

E25. (I) Soit cinq sources cohérentes ponctuelles placées sur une ligne droite à intervalles de 25 m (figure 7.46). Elles émettent des ondes radio de fréquence 100 MHz et de même amplitude. Quelle doit être la différence de phase minimale entre deux sources adjacentes pour que l'amplitude résultante soit nulle en un point éloigné des sources et dans une direction proche de l'axe médian (θ proche de 0° dans la figure).

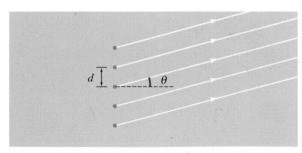

Figure 7.46

Exercices 25 et 26.

E26. (II) Soit une série de sources ponctuelles régulièrement espacées de d sur une ligne droite (figure 7.46). Chaque source est en avance de phase de α radians sur la source située juste au-dessus. À quelle position angulaire θ trouve-t-on le premier pic d'interférence constructive ?

7.6 Intensité de la figure de diffraction produite par une fente simple

E27. (I) L'hydrogène contenu dans un tube à décharge émet une raie rouge de longueur d'onde 656,2 nm. La lumière passe par une fente simple de largeur 0,08 mm. (a) À quel angle se trouve le premier minimum ? (b) Quelle est l'intensité (par rapport au pic central) à un angle valant la moitié de celui trouvé en (a) ?

E28. (I) Une fente simple de largeur égale à 0,06 mm diffracte de la lumière de longueur d'onde 523 nm sur un écran situé à une distance de 3,4 m. Quelle est l'intensité (par rapport au pic central) en un point situé à 2 cm du milieu du pic central ?

E29. (I) Si l'on double la largeur d'une fente simple, montrez que l'intensité au milieu du pic de diffraction augmente d'un facteur quatre.

7.7 Pouvoir de résolution d'un réseau

E30. (I) Deux des raies du sodium ont des longueurs d'onde de 589,0 nm et 589,6 nm. Quelle est la largeur d'un réseau de 300 traits/mm, capable de séparer ces raies au premier ordre ?

E31. (I) Un réseau de 2,8 cm de largeur comporte 4200 traits/cm. Quelle différence minimale de longueur d'onde peut-il séparer au deuxième ordre à 550 nm ?

E32. (I) Pour séparer deux raies spectrales de longueurs d'onde 586,32 nm et 586,85 nm, on dispose d'un réseau de 3,2 cm de large. (a) Quel est le pouvoir de résolution requis ? (b) Combien de traits doit comporter le réseau pour séparer ces raies au deuxième ordre ?

7.8 Diffraction des rayons X

E33. (I) Des rayons X de longueur d'onde 0,14 nm tombent sur les plans atomiques d'un cristal qui sont distants de 0,32 nm. Quel est l'angle du faisceau diffracté de premier ordre par rapport aux plans ?

E34. (I) Certains plans atomiques d'un cristal sont espacés de 0,28 nm. Le maximum de premier ordre pour la diffraction de Bragg forme un angle de 15° par rapport aux plans. Trouvez : (a) la longueur d'onde des rayons X ; (b) l'angle du maximum de Bragg de deuxième ordre.

E35. (I) Des rayons X monochromatiques tombent sur certains plans atomiques d'un cristal qui sont espacés de 0,28 nm. On observe le maximum de Bragg de deuxième ordre à 19,5°. Quelle est la longueur d'onde du rayonnement ?

E36. (I) Lorsqu'on dirige sur un cristal des rayons X de longueur d'onde 0,13 nm, le maximum de diffraction de Bragg de premier ordre forme un angle de 9° avec certains plans atomiques. De quelle distance sont espacés les plans ?

7.9 Polarisation

E37. (I) De la lumière non polarisée d'intensité I_0 atteint deux polariseurs, placés l'un après l'autre dans la direction de transmission. L'axe de polarisation du second fait un angle de 60° avec le premier. Quelle est l'intensité transmise ?

E38. (I) De la lumière non polarisée d'intensité I_0 tombe sur deux polariseurs croisés, dont les axes de transmission sont perpendiculaires. On place un troisième polariseur entre les deux premiers, son axe étant orienté à 45°. Quelle est l'intensité finale transmise ?

E39. (I) Montrez que l'angle critique θ_c de réflexion totale interne et l'angle de polarisation θ_p sont liés par la relation

$$\cotan \theta_p = \sin \theta_c$$

E40. (I) De la lumière se propageant dans un milieu est réfléchie sur la surface de séparation avec l'air et l'angle critique de réflexion totale interne est égal à 38°. Quel est l'angle de polarisation ?

E41. (I) La lumière du Soleil est réfléchie à la surface d'un étang. Quel doit être l'angle d'élévation du Soleil au-dessus de l'horizon pour que la lumière réfléchie soit linéairement polarisée ?

E42. (I) Soit deux polarisateurs réglés de manière à donner une transmission maximale de la lumière non polarisée. De quel angle doit-on faire tourner l'un des polariseurs pour que l'intensité transmise tombe à 40 % de la valeur transmise initialement ?

E43. (I) Une plaque de verre flint ($n = 1,6$) est immergée dans l'eau ($n = 1,33$). Quel est l'angle de polarisation pour la réflexion sur la surface de séparation entre l'eau et le verre ?

E44. (II) Une source lumineuse est immergée dans l'eau ($n = 1,33$). Existe-t-il un angle d'incidence pour lequel la lumière soumise à une réflexion interne sur la surface de séparation eau-air est linéairement polarisée ?

E45. (I) Un faisceau de lumière tombe selon un angle d'incidence égal à l'angle de polarisation sur une plaque de verre flint ($n = 1,6$). Quel est l'angle de réfraction ?

Exercices supplémentaires

7.2 Diffraction produite par une fente simple

E46. (I) Une fente de 0,08 mm de largeur est éclairée par de la lumière de longueur d'onde 620 nm. Quelle est la largeur du maximum central de diffraction sur un écran situé à 2,4 m de cette fente ?

E47. (I) Une onde sonore plane de 600 Hz traverse une porte de 0,8 m de largeur. À quel angle, par rapport à la direction initiale de propagation, trouve-t-on le premier minimum de diffraction ? La vitesse du son est de 330 m/s.

E48. (I) Les deux fentes d'un montage d'interférence de Young ont une largeur de 0,15 mm. On observe sept franges brillantes d'interférence à l'intérieur du maximum central de diffraction. Quelle est la distance entre les fentes ?

E49. (I) De la lumière de longueur d'onde 580 nm traverse une fente de 0,8 mm de largeur. Quelle est la distance entre le premier et le second minimum d'un côté du maximum central, observés sur un écran situé à 3,2 m de la fente ?

E50. (II) Dans l'expérience de Young, on observe neuf franges brillantes d'interférence dans le maximum central de diffraction. Combien de franges brillantes trouve-t-on dans le premier maximum secondaire de diffraction ? (Voir la figure 7.7.)

7.3 Critère de Rayleigh

E51. (I) Un satellite espion évoluant à 200 km au-dessus de la surface de la terre doit pouvoir distinguer deux points distants de 0,2 m sur la surface de terre. Dans des conditions idéales, quel est le diamètre minimal du miroir de son télescope, si les observations sont effectuées pour de la lumière à 400 nm ?

E52. (I) Le miroir du télescope Hubble a un rayon de 1,2 m. (a) Quelle séparation angulaire critique possède-t-il pour de la lumière à 550 nm ? (b) Quelle est la distance minimale entre deux étoiles situées à 50 000 années-lumière de nous, pour que le télescope puisse les distinguer ?

E53. (I) Un astronaute en orbite est à une altitude de 280 km au-dessus de la surface de la terre. Dans des conditions idéales, quelle distance doit-il y avoir entre deux points à la surface de la terre si l'astronaute veut les distinguer ? Supposez que le diamètre de sa pupille est de 0,5 mm et que la longueur d'onde de la lumière est 550 nm.

7.4 Réseaux

E54. (I) Une raie spectrale du mercure à 546 nm est observée au deuxième ordre à 18,5°, à l'aide d'un réseau de 1,8 cm de largeur. (a) Combien de traits comporte ce réseau ? (b) À quel angle observera-t-on cette raie au troisième ordre ?

E55. (I) Quelle est la séparation angulaire au deuxième ordre des raies spectrales de l'hydrogène à 434 nm et 486 nm, si elles sont produites par un réseau de 650 traits/mm ?

P1. (I) Dans un réseau par réflexion, la transmission de la lumière par de nombreuses fentes est remplacée par la réflexion sur un grand nombre de petites surfaces équidistantes. Son fonctionnement fait intervenir la possibilité pour la lumière de se réfléchir dans toutes les directions, comme cela se produit avec les marques indiquant les graduations sur une règle en métal (figure 7.47). Comme pour les réseaux de diffraction, la figure d'interférence vient d'une différence de marche et de la superposition des rayons réfléchis en provenance des marques dans la même direction θ. Si la lumière incidente fait un angle α avec le plan de la règle, à quelle condition observe-t-on un maximum principal à l'angle θ pour de la lumière de longueur d'onde λ ?

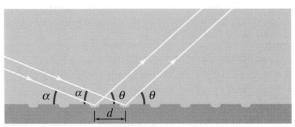

Figure 7.47

Problème 1.

P2. (I) De la lumière de longueur d'onde 450 nm tombe suivant la normale sur trois fentes étroites espacées de 0,5 mm. On observe la figure d'interférence sur un écran situé à 3,6 m. Trouvez les positions : (a) du premier maximum principal après celui du centre ; (b) des premier et deuxième maxima secondaires ; (c) des deux premiers minima.

P3. (I) Quatre fentes étroites sont éclairées par de la lumière de longueur d'onde 450 nm. Les fentes sont distantes de 0,08 mm et on observe la figure d'interférence sur un écran situé à 3,6 m des fentes. Trouvez les positions : (a) du premier maximum principal après celui du centre ; (b) des deux premiers minima.

P4. (I) Montrez que la séparation angulaire entre les maxima principaux de $n^{\text{ième}}$ ordre sur un réseau pour les longueurs d'onde λ et λ + Δλ est

$$\Delta \theta = \frac{n \Delta \lambda}{d \cos \theta}$$

où d est la période du réseau (distance entre deux traits voisins).

P5. (II) Soit un réseau de N sources cohérentes disposées en ligne droite (figure 7.46). Montrez que la demi-largeur angulaire Δθ du maximum principal en θ s'écrit (pour Δθ petit)

$$\Delta \theta \approx \frac{\lambda}{Nd \cos \theta}$$

où d est l'intervalle entre les sources. Calculez cette expression à θ = 0 pour $N = 32$, $d = 70$ m et λ = 21 cm. (Indice : Considérez un maximum en θ et un minimum en θ + Δθ. (Cf. équation 7.13.)

P6. (I) Par définition, la dispersion d'un réseau correspond à $d\theta/d\lambda$. Utilisez l'équation 7.4 pour montrer que la dispersion peut s'exprimer sous la forme

$$\frac{d\theta}{d\lambda} = \frac{\tan \theta}{\lambda}$$

P7. (I) Une lumière non polarisée d'intensité I_0 frappe trois polariseurs initialement alignés pour donner une transmission maximale. On fait tourner de 30° l'axe de transmission du deuxième par rapport au premier et de 60° (dans le même sens) l'axe du troisième par rapport au premier. Quelle est l'intensité transmise ?

P8. (I) Quatre émetteurs radio distants de 100 m et alignés dans la direction nord-sud émettent des ondes de longueur d'onde 600 m. À quelle condition le pic central peut-il être orienté dans la direction 11° nord par rapport à l'est ?

P9. (II) Les positions angulaires des maxima secondaires dans une figure de diffraction produite par une fente simple sont données par

$$\tan\left(\frac{\alpha}{2}\right) = \frac{\alpha}{2}$$

(a) Démontrez cette équation. (Indice : Annulez la dérivée de l'équation 7.10.) (b) Tracez $\tan(\alpha/2)$ et $\alpha/2$ en fonction de α (α en radians). Les points d'intersection des fonctions sont les solutions de l'équation donnée ci-dessus. Quelle est la première valeur de α ?

P10. (II) De la lumière de longueur d'onde 600 nm tombe suivant la normale sur une fente simple de largeur 0,5 mm. À quel angle sur la figure de diffraction l'intensité chute-t-elle à 25 % de sa valeur au milieu du pic central ? (Indice : Trouvez d'abord α à partir de l'équation 7.10. Vous pouvez obtenir une solution graphique ou procéder par essai et erreur.)

P11. (II) Pour trouver l'expression de la distribution d'intensité produite par N sources, examinez la figure 7.16 pour obtenir les expressions des vecteurs de Fresnel $\vec{E}_0$ et $\vec{E}_{0T}$ en fonction de ϕ et R. Exprimez E_{0T} en fonction de E_0, puis utilisez le fait que l'intensité est proportionnelle au carré du champ pour démontrer que

$$I = I_0 \frac{\sin^2\left(\dfrac{N\phi}{2}\right)}{\sin^2\left(\dfrac{\phi}{2}\right)}$$

où $I_0 \propto E_0^2$ est l'intensité due à une seule source.

La relativité restreinte

Lorsque deux noyaux s'unissent pour former un seul noyau (ce qu'on appelle le processus de fusion), il y a libération d'énergie. Ce processus est une illustration de l'équivalence entre la masse et énergie. Le plasma luminescent (gaz chaud ionisé) fait partie d'une expérience visant à domestiquer cette énergie.

8.1 L'hypothèse de l'éther

Les travaux de Young et de Fresnel du début des années 1800 ont permis d'établir que la lumière est une onde transversale. Puisque les ondes mécaniques ont besoin d'un milieu pour se propager, on admettait que la lumière avait elle aussi besoin d'un milieu de propagation, que l'on appelait **éther**. On supposait que toute la matière et tout l'espace de l'univers étaient remplis de ce milieu.

Dans les années 1850, un premier lien entre la lumière et l'électromagnétisme avait été découvert (voir l'introduction du chapitre 4) : on avait remarqué que la vitesse de la lumière était égale à $1/(\varepsilon_0 \mu_0)^{1/2}$, où ε_0 et μ_0 sont deux constantes de proportionnalité qui apparaissent dans les équations de l'électromagnétisme. Maxwell devait justifier cette correspondance en montrant que l'on pouvait obtenir, en combinant les équations de l'électromagnétisme, une équation* qui décrivait une onde électromagnétique se déplaçant à la vitesse $c = 1/(\varepsilon_0 \mu_0)^{1/2}$. Dans l'hypothèse de l'éther, cette valeur c découlant des lois de l'électromagnétisme devait correspondre à la vitesse de la

---

* Il s'agit de l'équation :

$$\frac{\partial^2 E}{\partial x^2} = \frac{1}{c^2} \frac{\partial^2 E}{\partial t^2}$$

(Voir le chapitre 13 du tome 2.)

lumière par rapport à l'éther. Les lois de l'électromagnétisme définissaient ainsi un référentiel « privilégié » ou « absolu », le référentiel dans lequel une mesure de la vitesse de la lumière donnait exactement c. Une particule au repos dans ce référentiel était au repos « absolu », et tout mouvement par rapport à l'éther était un mouvement « absolu ».

L'éther avait d'étranges propriétés. Par exemple, pour que la lumière puisse s'y propager à une vitesse aussi considérable, il fallait qu'il soit extrêmement rigide ; pourtant, il ne devait pas gêner le mouvement des corps. Cette contradiction inexplicable était quelque peu embarrassante, étant donné l'importance de cette substance pour l'optique et l'électromagnétisme. De plus, malgré les propriétés particulières qu'on lui avait attribuées, personne n'avait réussi à déceler sa présence.

En 1879, la lecture d'un article de Maxwell mentionnant la difficulté de détecter la présence de l'éther décida A. A. Michelson à relever le défi. Il mit au point l'interféromètre (*cf.* section 6.6) dont il se servit en 1881 pour essayer de détecter le mouvement de la Terre par rapport à l'éther. N'ayant pas obtenu de résultats concluants, il fit l'essai d'une version améliorée de son montage en 1887 avec l'aide de E. W. Morley.

8.2 L'expérience de Michelson-Morley

Michelson et Morley cherchaient à mettre en évidence la vitesse v de la Terre par rapport à l'éther. Si la Terre était en mouvement par rapport à l'éther, on devrait observer un « vent » soufflant à la même vitesse v par rapport à la Terre, mais dans la direction opposée. Il fallait comparer les durées de propagation de faisceaux lumineux parallèle et perpendiculaire à la direction du mouvement de la Terre par rapport à l'éther. Puisque la durée de propagation détermine la phase de l'onde, Michelson et Morley décidèrent de comparer les phases des faisceaux en examinant les franges d'interférence observées dans la lunette de l'interféromètre.

Supposons que les bras PM_1 et PM_2 de l'interféromètre (figure 8.1) soient de même longueur L_0 et qu'ils soient orientés l'un parallèlement et l'autre perpendiculairement au mouvement de la Terre. Le bras PM_1 étant parallèle à la direction du mouvement de la Terre, la vitesse de la lumière par rapport à l'appareil est égale soit à $c - v$, soit à $c + v$. La durée de l'aller-retour entre P et M_1 est donc

$$T_1 = \frac{L_0}{(c - v)} + \frac{L_0}{(c + v)} = \frac{(2L_0/c)}{(1 - v^2/c^2)} \tag{8.1}$$

D'autre part, si la direction résultante de la lumière est dirigée selon PM_2, perpendiculairement au mouvement, la vitesse de la lumière par rapport à l'appareil est $(c^2 - v^2)^{1/2}$, comme le montre la figure 8.2. La durée de l'aller-retour de P à M_2 est

$$T_2 = \frac{2L_0}{(c^2 - v^2)^{1/2}} = \frac{(2L_0/c)}{(1 - v^2/c^2)^{1/2}} \tag{8.2}$$

Pour obtenir une expression simple donnant la différence entre ces deux durées, on utilise le développement binômial $(1 + x)^n \approx 1 + nx + \dots$, pour les petites valeurs de x. Si v est de l'ordre de la vitesse orbitale de la Terre (≈ 30 km/s), alors $v \ll c$. Avec $x = (v/c)^2$, on trouve (*cf.* exemple 8.1 ci-dessous) :

$$\Delta T = T_1 - T_2 = \left(\frac{L_0}{c}\right)\left(\frac{v}{c}\right)^2$$

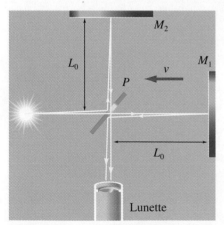

Figure 8.1

L'interféromètre de Michelson. Les bras PM_1 et PM_2 sont respectivement parallèle et perpendiculaire au mouvement de la Terre. Si la Terre est en mouvement vers la droite, un « vent d'éther » souffle vers la gauche avec la vitesse v par rapport à la Terre.

Cette différence de durée entraîne une différence de phase qui donne lieu à une interférence constructive ou destructive au réticule de la lunette.

Si l'on fait tourner l'appareil de 90°, les rôles des miroirs sont intervertis, de sorte que

$$\Delta T' = T'_1 - T'_2 = -\left(\frac{L_0}{c}\right)\left(\frac{v}{c}\right)^2$$

La rotation devrait entraîner un décalage des franges qui dépend de la variation

$$\Delta T - \Delta T' = \frac{2L_0}{c}\left(\frac{v}{c}\right)^2 \tag{8.3}$$

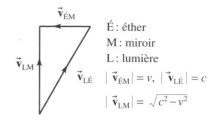

Figure 8.2

La vitesse de la lumière $\vec{v}_{LM}$ par rapport au miroir est la somme de $\vec{v}_{LÉ}$, la vitesse de la lumière par rapport à l'éther, et de $\vec{v}_{ÉM}$, la vitesse de l'éther par rapport au miroir: $\vec{v}_{LM} = \vec{v}_{LÉ} + \vec{v}_{ÉM}$. Ainsi, $|\vec{v}_{LM}| = (c^2 - v^2)^{1/2}$, si les 3 vecteurs forment un triangle rectangle.

Exemple 8.1

Utiliser le développement binômial dans les équations 8.1 et 8.2 pour obtenir l'expression $\Delta T = (L_0/c)(v/c)^2$.

Solution:

Puisque $v \ll c$, $(1 - v^2/c^2)^{-1} \approx 1 + v^2/c^2$ et $(1 - v^2/c^2)^{-1/2} = 1 + v^2/2c^2$. La différence entre ces expressions est $v^2/2c^2$. On multiplie par $(2L_0/c)$ et on obtient l'expression recherchée.

La vitesse de la Terre autour du Soleil (30 km/s) devait produire un décalage facilement observable dans l'interféromètre (environ 0,4 frange). Mais Michelson et Morley, qui étaient pourtant capables de détecter des décalages inférieurs à 1/20 de frange, ne trouvèrent aucun décalage. Ils en conclurent que la vitesse de la Terre par rapport à l'éther devait être inférieure à 5 km/s. Depuis, des expériences semblables ont été réalisées bien souvent. La valeur la plus récente trouvée pour la limite supérieure de v est de 5 cm/s.

Comment interpréter l'absence de décalage des franges? Une possibilité était de considérer que la Terre emportait avec elle une « atmosphère » d'éther et que l'interféromètre était ainsi au repos par rapport à l'éther. Mais cette solution était gênante, car l'entraînement de l'éther par les planètes aurait dû produire des remous affectant la propagation de la lumière, ce qui n'avait pas été observé.

L'hypothèse de la contraction

Le résultat obtenu par Michelson et Morley laissa les scientifiques perplexes. On ne pouvait l'utiliser pour mettre en évidence le mouvement de la Terre par rapport à l'éther, et donc indirectement l'éther lui-même. En 1889, G. F. Fitzgerald suggéra que le bras parallèle au mouvement de la Terre se contractait de manière à « annuler » l'effet produit par la vitesse de l'interféromètre par rapport à l'éther. Pour ce faire, la longueur « contractée » L du bras parallèle au mouvement de la Terre devait valoir

$$L = L_0(1 - v^2/c^2)^{1/2} \tag{8.4}$$

où L_0 est la longueur « naturelle » du bras.

H. A. Lorentz eut la même idée en 1892. Il expliquait le résultat en supposant qu'il y avait contraction parce que les forces électriques à l'intérieur d'un corps étaient modifiées dans la direction du mouvement dans l'éther.

8.3 La covariance

Au début du XXᵉ siècle, la question de l'éther n'était pas le seul problème théorique irrésolu en électromagnétisme. Des complications survenaient lorsqu'on essayait d'appliquer les lois de l'électromagnétisme à des référentiels en mouvement les uns par rapport aux autres. Les lois de la mécanique de Newton ne faisaient pas problème : elles gardent la même forme dans tous les **référentiels d'inertie**, c'est-à-dire les référentiels en mouvement uniforme (voir le chapitre 4 du tome 1). Soit S, un référentiel d'inertie caractérisé par le système de coordonnées (x, y, z, t) ; alors un référentiel S' se déplaçant à la vitesse constante v par rapport à S selon l'axe des x aura un système de coordonnées (x', y', z', t') tel que

$$x' = x - vt \quad y' = y \quad z' = z \quad t' = t$$

(on a supposé que l'origine des deux systèmes de coordonnées coïncidait à $t = t' = 0$). Ces relations constituent la **transformation de Galilée** (voir le chapitre 4 du tome 1). Les lois de la mécanique sont **covariantes**, c'est-à-dire qu'elles gardent la même forme sous la transformation de Galilée. Par exemple, la deuxième loi de Newton a la même forme dans le référentiel S ($\vec{F} = m\vec{a}$) que dans le référentiel S' ($\vec{F}' = m\vec{a}'$) : si on dérive deux fois par rapport au temps les transformations $x' = x - vt$, $y' = y$ et $z' = z$, on obtient $\vec{a} = \vec{a}'$, ce qui entraîne $\vec{F} = \vec{F}'$. Des grandeurs qui ont la même valeur dans deux référentiels en mouvement l'un par rapport à l'autre sont dites **invariantes**. Pour donner un autre exemple de covariance, notons que la loi de la conservation de la quantité de mouvement dans un référentiel, $m_1 u_1 + m_2 u_2 = m_1 v_1 + m_2 v_2$, a la même forme, $m_1 u'_1 + m_2 u'_2 = m_1 v'_1 + m_2 v'_2$, dans un autre, bien que les vitesses aient des valeurs différentes dans les deux référentiels. Cette constatation semble tout à fait vraisemblable : les lois de la mécanique sur un navire en mouvement à vitesse constante sont en effet les mêmes que sur la terre ferme. En revanche, on rencontre certaines difficultés lorsqu'on applique le même raisonnement aux lois de l'électromagnétisme.

1. Considérons deux charges ponctuelles égales q se déplaçant à la même vitesse. Dans un référentiel qui se déplace avec elles, les charges sont au repos (figure 8.3a) et elles ne sont soumises qu'à la répulsion électrostatique $F' = F_E$. Dans un référentiel lié au laboratoire, où les charges ont une vitesse v (figure 8.3b), chacune des charges crée un champ magnétique. La force exercée entre les charges est ainsi réduite par l'attraction magnétique F_B, ce qui donne $F = F_E - F_B$. La force entre les charges dépend donc du référentiel utilisé. Cela est évidemment en contradiction avec l'invariance classique de la force dans la mécanique newtonienne.

2. Lorsqu'on applique la transformation de Galilée à l'équation d'onde de Maxwell, elle change complètement de forme. Par conséquent, si les équations de la transformation de Galilée sont correctes, les équations de Maxwell ne doivent être valables que dans un référentiel particulier : celui de l'éther. Or, on ne dispose d'aucune preuve indiquant une telle limitation des équations de Maxwell.

3. Considérons un court fil de fer se déplaçant à vitesse constante par rapport à la surface d'un pôle d'aimant. Dans le référentiel lié à l'aimant (figure 8.4a), l'aimant est au repos et le fil se déplace à la vitesse $+v$. Pour un observateur situé dans ce référentiel, une charge q dans le fil est soumise à une force magnétique. Dans le référentiel lié au fil (figure 8.4b), le fil est au repos et l'aimant a une vitesse $-v$. Puisque les charges sont au repos dans le référentiel

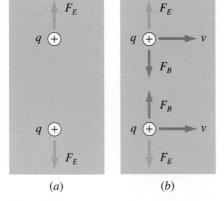

Figure 8.3

(a) Dans un référentiel où elles sont au repos, deux charges égales sont soumises uniquement à une répulsion électrique. (b) Dans un référentiel où les deux charges ont la même vitesse, elles sont aussi soumises à une attraction magnétique.

lié au fil, la charge q est soumise à un champ électrique pour un observateur situé dans ce référentiel. On sait par l'expérience que c'est seulement le mouvement *relatif* du fil et de la source du champ magnétique qui compte. Pourtant, le simple fait de passer d'un référentiel à un autre demande de changer le champ magnétique en un champ électrique. Tout en s'accordant sur le phénomène observé, les deux observateurs font appel à des lois différentes pour le décrire.

Lorsqu'il était étudiant, Albert Einstein (figure 8.5) avait connaissance de plusieurs cas problématiques concernant les lois de l'électromagnétisme. En fait, à 16 ans, il était intrigué par la question suivante : que verrait un observateur voyageant sur un faisceau lumineux ? Il devrait voir une variation sinusoïdale *stationnaire* dans l'espace des champs magnétique et électrique qui constituent l'onde. Mais ce n'est pas une solution acceptable de l'équation d'onde de Maxwell, car elle demande que l'onde se déplace à la vitesse c. Se pourrait-il que les lois soient différentes pour un observateur qui se déplace et pour un observateur au repos ?

En 1904, Einstein avait probablement entendu parler de l'expérience de Michelson-Morley par l'intermédiaire des travaux de Lorentz, bien qu'il devait le nier par la suite. De toute façon, cette expérience *ne joua aucun rôle* dans la formulation de sa théorie. Les résultats d'expériences d'optique antérieures ainsi que les problèmes portant sur la covariance des lois de l'électromagnétisme suffirent à Einstein pour élaborer sa théorie.

Einstein dut faire un choix. Si la transformation de Galilée et les lois de la mécanique étaient correctes, les équations de Maxwell devaient être reformulées. Si les équations de Maxwell étaient correctes, les lois de la mécanique ne pouvaient pas être tout à fait correctes, bien qu'aucune exception n'eût encore été rencontrée. Étant donné le succès remarquable de la théorie de Maxwell, il apparaissait fort peu probable qu'elle soit fausse ; il décida donc qu'il fallait modifier les lois de la mécanique et la transformation de Galilée. Einstein croyait en l'existence d'un « principe universel » puissant, et cela lui servit de guide dans sa quête des « vraies » lois de la physique. Il présenta sa théorie de la relativité restreinte en juin 1905 dans un article intitulé « Sur l'électrodynamique des corps en mouvement », qui commence ainsi :

> On sait que l'électrodynamique de Maxwell, telle qu'elle est conçue aujourd'hui, conduit, quand elle est appliquée aux corps en mouvement, à des asymétries qui ne semblent pas être inhérentes aux phénomènes. Rappelons, par exemple, l'action mutuelle électrodynamique s'exerçant entre un aimant et un conducteur. Le phénomène observé dépend ici uniquement du mouvement relatif du conducteur et de l'aimant, tandis que, d'après la conception habituelle, il faudrait établir une distinction rigoureuse entre le cas où le premier de ces corps serait en mouvement et le second au repos, et le cas inverse. (…) Des exemples du même genre, ainsi que les expériences entreprises pour démontrer le mouvement de la Terre par rapport au « milieu où se propage la lumière » et dont les résultats furent négatifs, font naître la conjecture que ce n'est pas seulement dans la mécanique qu'aucune propriété des phénomènes ne correspond à la notion de mouvement absolu, mais aussi dans l'électrodynamique. (Trad. française de M. Solovine.)

Il énonça ensuite les deux postulats sur lesquels s'appuie sa théorie. Ce sont les « principes universels » qu'il cherchait à obtenir.

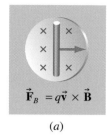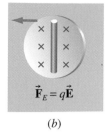

$$\vec{F}_B = q\vec{v} \times \vec{B} \qquad \vec{F}_E = q\vec{E}$$

(a) (b)

Figure 8.4

(a) Les charges dans une tige en mouvement près du pôle d'un aimant sont soumises à une force magnétique. (b) Si la tige est au repos et que l'on déplace l'aimant dans la direction opposée, les charges dans la tige sont soumises uniquement à une force électrique.

Figure 8.5

Albert Einstein (1879-1955).

8.4 Les deux postulats d'Einstein

Partant des problèmes décrits plus haut, Einstein fit deux hypothèses qui constituent les points de départ de sa théorie. Les supposant vraies, il en étudia les conséquences logiques. Les résultats ou prévisions pourraient éventuellement être vérifiés par l'expérience. Les deux postulats de la théorie de la **relativité restreinte** sont les suivants :

> 1. Le **principe de la relativité** : Toutes les lois de la physique ont la même forme dans tous les référentiels d'inertie.
> 2. Le **principe de la constance de la vitesse de la lumière** : La vitesse de la lumière dans le vide est la même dans tous les référentiels d'inertie. Elle ne dépend pas du mouvement de la source ou de l'observateur.

Les deux postulats ne sont valables que dans les référentiels d'inertie. C'est pourquoi on parle de relativité *restreinte*. (En 1916, Einstein élabora la *théorie de la relativité générale*, qui inclut les référentiels accélérés.)

Le principe de la relativité étend la notion de covariance de la mécanique à *toutes* les lois de la physique. Comme tous les référentiels d'inertie conviennent pour la formulation des lois de la physique, on ne peut pas parler de référentiel « absolu » ou « privilégié », ce qui fait donc disparaître la notion d'éther. Ce postulat permet immédiatement d'expliquer le résultat de Michelson-Morley, puisque la vitesse « absolue » d'un référentiel d'inertie ne pourra jamais être donnée par une expérience quelconque. Le premier postulat est à la fois une limitation et un guide dans la formulation de n'importe quelle théorie physique.

On peut déduire le deuxième postulat du premier si on inclut l'équation d'onde de Maxwell (voir la note au bas de la page 231) et sa solution unique d'une onde électromagnétique voyageant à la vitesse c dans la liste des lois de la physique. Ce deuxième postulat constitue également une façon d'interpréter le résultat de Michelson-Morley. Lorentz était parvenu à cet énoncé de manière théorique par un raisonnement complexe à partir d'hypothèses arbitraires. Par contre, Einstein se contenta d'*affirmer* que les choses se passent de cette manière, sans offrir d'« explication ». (Cette approche rappelle celle de Newton pour la loi de la gravitation.)

L'idée selon laquelle la vitesse de la lumière ne dépend pas du mouvement de la source ou de l'observateur est difficile à admettre. Si la lumière est une onde, on s'attend à ce que sa vitesse soit mesurée par rapport à un certain milieu, mais on vient de voir que l'éther n'existe pas. Si la lumière est constituée par des particules (comme certains l'avaient suggéré), sa vitesse devrait être mesurée par rapport à la source. L'expérience montre qu'il n'en est pas ainsi. Il est important de se rendre compte que la théorie de la relativité restreinte ne fait pas de supposition sur la nature de la lumière ni sur la façon dont elle se propage dans l'espace. Ces deux modèles de la lumière, le modèle ondulatoire et le modèle corpusculaire, bien qu'extrêmement utiles, ne peuvent être considérés comme des descriptions de la « réalité ». Nous n'avons simplement pas réussi à trouver mieux. C'est pourquoi il ne faut pas essayer de « comprendre » le deuxième postulat en visualisant un processus physique. Il importe simplement de garder à l'esprit que *sa validité est confirmée par toutes les conséquences expérimentales*.

8.5 Définitions

En relativité restreinte, un **événement** est un phénomène qui se produit en un *point* unique dans l'espace et à un *instant* unique dans le temps. Imaginons un poteau situé à côté d'une voie ferrée sur laquelle roule un train (figure 8.6). On ne peut pas affirmer que « le train est passé devant le poteau à midi », puisque l'action proprement dite a duré un certain temps. On peut préciser deux événements : l'avant du train coïncide avec le poteau à l'instant t_1 et l'arrière coïncide avec le poteau à l'instant t_2. Ces coïncidences constituent les événements.

1er événement

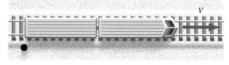

2e événement

En relativité restreinte, un **observateur** est une personne ou un dispositif automatique pourvu d'une horloge et d'une règle. Chaque observateur ne peut relever que les événements *de son voisinage immédiat* et doit s'en remettre à des collègues en d'autres endroits pour relever les instants correspondant à des événements distants. Un observateur peut voir ou photographier un événement distant, mais ces observations ne sont pas considérées comme des relevés fidèles de l'événement, ne serait-ce que parce que la lumière a dû voyager un certain temps, même bref, pour atteindre l'observateur.

Un **référentiel** est un ensemble d'observateurs uniformément répartis dans l'espace (figure 8.7). Tous les observateurs d'un référentiel donné sont d'accord sur la position et l'instant d'un événement. Un seul observateur est en fait assez proche de l'événement pour l'enregistrer, mais les données sont communiquées aux autres à un instant ultérieur. Nous allons utiliser la notation S, S', S'', … pour désigner les différents référentiels d'inertie. Le référentiel dans lequel un objet, une horloge ou une tige par exemple, est au repos est appelé **référentiel propre**. Nous utiliserons les notations indiquées dans le tableau 8.1.

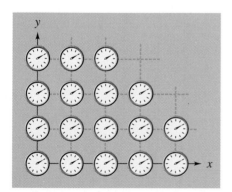

Figure 8.7

On suppose qu'un référentiel est un ensemble d'observateurs uniformément répartis dans l'espace. Chaque observateur est muni d'une règle et d'une horloge pour faire des mesures dans son voisinage immédiat.

▶ *Figure 8.6*

Un train passant devant un poteau à côté d'une voie ferrée. Premier événement : l'avant du train coïncide avec le poteau. Second événement : l'arrière du train coïncide avec le poteau.

Tableau 8.1

Paramètres de l'espace et du temps

x	Coordonnée de position d'un événement, *un point* de l'espace.
$\Delta x = x_2 - x_1$ $= L$	*Intervalle* d'espace, une longueur.
t	Coordonnée de temps d'un événement, *un instant*.
$\Delta t = t_2 - t_1$ $= T$	*Intervalle* de temps, un délai entre deux événements.

Synchronisation des horloges

Si on veut définir avec précision la signification attribuée au temps en relativité restreinte, on doit procéder à une synchronisation minutieuse des horloges dans un référentiel donné. Supposons que l'on doive placer des horloges synchronisées en différents points le long d'une droite. On peut d'abord les regrouper, les synchroniser, puis les placer aux endroits voulus. Mais, en raison des travaux de Lorentz, on soupçonne que l'heure indiquée par une horloge peut dépendre de son mouvement. Einstein proposa de placer les horloges en des points équidistants (figure 8.8). En chaque point se trouve une antenne permettant de recevoir et d'émettre des signaux. Pour vérifier l'égalité des distances, B émet un éclair lumineux et reçoit les signaux réfléchis par A et C au même instant, 2 s plus tard. On peut faire la même chose en C avec les signaux réfléchis par B et D, et ainsi de suite. La lumière met donc 1 s pour passer d'un point au suivant. Une fois ce fait établi, tous les observateurs sont prévenus que A émettra un éclair lorsque son horloge indique midi. L'horloge B est réglée sur 1 s après midi, celle de C sur 2 s après midi, et ainsi de suite. À l'instant choisi, l'éclair émis par A déclenche chacune des autres horloges à tour de rôle. Toutes les horloges sont maintenant synchronisées*.

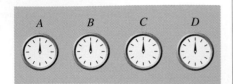

Figure 8.8

Pour synchroniser quatre horloges régulièrement espacées, l'horloge A envoie un signal pour déclencher les autres horloges, chacune ayant été avancée selon le temps nécessaire à la lumière pour se rendre de A à l'horloge en question.

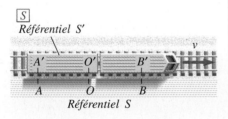

Figure 8.9

Un train (référentiel S') se déplace par rapport à un quai (référentiel S). À un instant donné dans S, des explosions se produisent en A et B et font des traces en A' et B' sur le train. L'observateur O est à mi-chemin entre A et B et l'observateur O' est à mi-chemin entre A' et B'.

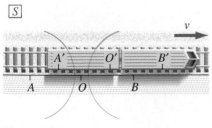

Figure 8.10

L'éclair émis par l'explosion en B atteint O' avant l'éclair provenant de l'explosion en A. Bien que les explosions soient simultanées pour l'observateur O, elles ne sont pas simultanées pour l'observateur O'.

8.6 La relativité de la simultanéité

Si deux événements se produisent au même instant en des points très voisins, il est évident qu'ils sont simultanés. Mais comment peut-on savoir si deux événements qui se produisent en des points éloignés sont simultanés ? Imaginons un observateur O, équidistant des points A et B sur un quai (référentiel S), comme à la figure 8.9. Si deux pétards explosent simultanément en A et B (par rapport au référentiel S), l'observateur O reçoit les éclairs au même instant. C'est notre définition de la simultanéité : *Deux événements en des points différents sont simultanés si un observateur situé à mi-chemin entre les deux reçoit les éclairs au même instant.*

Les explosions laissent également des traces en A' et B' sur un train (référentiel S') qui roule à vitesse constante le long du quai. En examinant la figure 8.10, on voit qu'un observateur O' qui se trouve à mi-chemin entre A' et B' reçoit l'éclair issu de B avant l'éclair issu de A. Pour un observateur dans S', les deux explosions ne sont donc pas simultanées :

Des événements distincts dans l'espace qui sont simultanés dans un référentiel ne sont pas simultanés dans un autre référentiel en mouvement par rapport au premier.

Cet effet, appelé *relativité de la simultanéité*, est parfaitement réciproque : des événements simultanés pour O' ne sont pas simultanés pour O. Puisque des événements qui sont simultanés mais situés en des points différents du référentiel S ne sont pas simultanés dans le référentiel S', l'*intervalle* de temps entre les événements sera différent dans les deux référentiels. Comme nous allons le voir, la relativité de la simultanéité a aussi un effet sur les mesures des longueurs.

---

* Dans la description précédente, on a choisi un intervalle de 1 s pour simplifier la discussion : il ne s'agit pas d'un intervalle de temps réaliste, puisqu'en une seconde la lumière se rend presque jusqu'à la Lune !

Pour mesurer la longueur d'une tige immobile, on la place sur une règle et on repère les positions de ses extrémités. Comment fait-on si la tige est en mouvement ? On ne peut évidemment pas relever la position de l'avant à un instant et celle de l'arrière un peu plus tard ! Il est en effet impératif de relever les positions simultanément. La figure 8.11 représente une tige $A'B'$ dont la longueur mesurée au repos est L'. Elle se déplace à la vitesse v par rapport au référentiel S. Pour mesurer la longueur de la tige dans le référentiel S, on a besoin de *deux* observateurs A et B séparés dans l'espace. Ils vont s'efforcer de relever les positions des extrémités au même instant. (Dans la pratique, tous les observateurs du référentiel S peuvent relever les positions à $t = 0$. Il se trouve que deux d'entre eux seulement, A et B, relèvent les positions des extrémités A' et B'.) Mais les observateurs du référentiel S', qui se déplacent avec la tige, vont prétendre que les mesures effectuées par A et B n'ont pas été relevées au même instant. Par conséquent, les observateurs des référentiels S et S' ne seront pas d'accord sur la longueur de la tige.

De la relativité de la simultanéité découle la contraction des longueurs, qui avait été envisagée par Fitzgerald et Lorentz. Toutefois, ceux-ci pensaient qu'il y avait contraction physique provoquée par la modification des forces électriques entre les atomes. La théorie de la relativité restreinte aboutit au même résultat en adoptant un point de vue très différent, soit celui d'une analyse en profondeur du processus de la mesure.

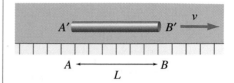

Figure 8.11

Pour mesurer la longueur d'une tige en mouvement, des observateurs en A et B repèrent simultanément ses extrémités. Pourtant, les deux mesures ne sont pas simultanées pour des observateurs dans le référentiel de la tige.

8.7 La dilatation du temps

Afin de déterminer l'effet du mouvement relatif de deux référentiels sur l'intervalle de temps mesuré entre deux événements, considérons l'« horloge à lumière » de la figure 8.12. Une impulsion lumineuse est émise par une source A, réfléchie par un miroir M situé à une distance L_0 et détectée par B', qui est voisin de A'. L'intervalle de temps entre l'émission et la détection dans le référentiel S' lié à l'horloge (référentiel propre) est

$$T_0 = \Delta t' = \frac{2L_0}{c} \qquad (8.5)$$

Le **temps propre** T_0 est l'*intervalle* de temps entre deux événements mesurés dans le référentiel propre d'une horloge, c'est-à-dire le référentiel où l'horloge est au repos. Dans ce référentiel, les deux événements se produisent au *même point*.

Nous allons maintenant déterminer l'intervalle de temps relevé dans le référentiel S, dans lequel l'horloge a une vitesse v. L'intervalle de temps Δt dans le référentiel S est mesuré par *deux* observateurs A et B situés en des points différents. À la figure 8.13, on voit que

$$\left(c\frac{\Delta t}{2}\right)^2 = L_0^2 + \left(v\frac{\Delta t}{2}\right)^2$$

ce qui donne

$$T = \Delta t = \frac{2L_0}{c}\left(\frac{1}{\sqrt{1 - v^2/c^2}}\right) \qquad (8.6)$$

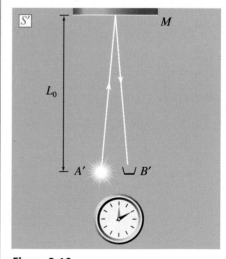

Figure 8.12

Une « horloge à lumière ». Le temps mis par la lumière pour aller de la source A' au détecteur B' est $2L_0/c$ *dans le référentiel où l'horloge est au repos*. L'émission et la détection ont lieu au même endroit dans ce référentiel.

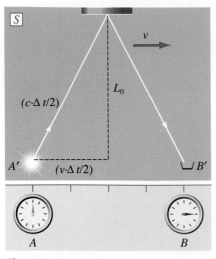

Figure 8.13

Dans un référentiel où l'horloge est en mouvement, l'émission et la détection ont lieu en *deux* points différents. L'intervalle de temps enregistré est supérieur à celui qui est enregistré dans le référentiel propre de l'horloge.

Tableau 8.2*

Quelques valeurs de γ

v/c	γ
0,6	5/4
0,8	5/3
0,98	5
0,995	10
0,9965	12
0,9992	25

* Certaines valeurs de γ ont été arrondies.

Soulignons que nous avons pris la vitesse de la lumière égale à c dans les deux référentiels, ce qui concorde avec le deuxième postulat*. On attribue à l'expression entre parenthèses le symbole γ:

$$\gamma = \frac{1}{\sqrt{1 - v^2/c^2}} \tag{8.7}$$

Le tableau 8.2 donne les valeurs de γ correspondant à certaines valeurs de v/c. En comparant les équations 8.5 et 8.6, on voit que

$$T = \gamma T_0 \tag{8.8}$$

Puisque $\gamma > 1$, l'intervalle de temps T mesuré dans le référentiel S (par deux horloges) est plus grand que le temps propre T_0 enregistré par l'horloge dans son référentiel propre, S'. Cet effet porte le nom de **dilatation du temps**:

Deux horloges, A et B, séparées dans l'espace enregistrent entre deux événements un intervalle de temps plus grand que l'intervalle enregistré par une *seule* horloge se déplaçant de A vers B et qui est présente aux deux événements.

La dilatation du temps est un effet entièrement réciproque. Si Δt est le temps propre (un intervalle) pour une horloge dans S, alors deux observateurs dans S' vont mesurer $\Delta t' = \gamma \Delta t$. Si cet effet n'était pas réciproque, il permettrait de faire une distinction entre les référentiels d'inertie, ce qui est en contradiction avec le premier postulat. Notons que la dilatation du temps s'applique à tout phénomène physique, qu'il soit électronique, mécanique ou biologique.

Exemple 8.2

Pour quelle vitesse la dilatation du temps produit-elle une augmentation de 10 % d'un intervalle de temps, par rapport au temps propre ?

Solution :

Une augmentation de 10 % correspond à $\gamma = 1,1$. D'après l'expression donnant γ, on trouve $(v/c)^2 = 1 - 1/\gamma^2 = 1 - (1/1,1)^2 = 0,173$. Ainsi, $v = 0,416c$.

Exemple 8.3

Soit deux horloges A et B au repos à 180 m l'une de l'autre dans le référentiel S (figure 8.14). L'horloge A', au repos dans le référentiel S', se déplace avec une vitesse de $0,6c$ sur la droite joignant A et B. Combien de temps lui faut-il pour se rendre de A à B selon un observateur dans S et selon un observateur dans S' ?

---

* On a aussi considéré que la « hauteur » L_0 de l'horloge à lumière demeurait la même dans les deux référentiels : en effet, les longueurs perpendiculaires à la vitesse v ne sont pas affectées par la contraction relativiste des longueurs (voir la section suivante).

Solution:

La vitesse v étant constante, la distance parcourue d et l'intervalle de temps T sont reliés par l'équation $d = vT$; lorsqu'on utilise cette relation en relativité restreinte, il faut bien s'assurer que l'on mesure la distance d et l'intervalle de temps T dans le *même* référentiel.

Dans le référentiel S, la distance entre A et B est de 180 m, et la vitesse équivaut à $0,6c = 1,8 \times 10^8$ m/s. Ainsi,

$$T = \frac{d}{v} = \frac{180 \text{ m}}{1,8 \times 10^8 \text{ m/s}} = 1 \times 10^{-6} \text{ s} = 1 \text{ }\mu\text{s}$$

L'horloge A' indique le temps propre T_0 correspondant au trajet: en effet, dans le référentiel S', les événements qui définissent l'intervalle («croisement de A et A'» et «croisement de B et A'») se produisent au même point, soit à l'endroit où se trouve A'. D'après l'équation 8.7, $\gamma = 1,25$ pour $v = 0,6c$. L'équation 8.8 donne donc

$$T_0 = \frac{T}{\gamma} = \frac{1 \text{ }\mu\text{s}}{1,25} = 0,8 \text{ }\mu\text{s}$$

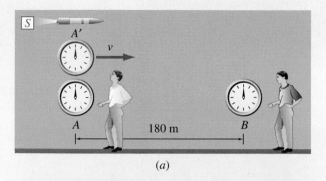

(a)

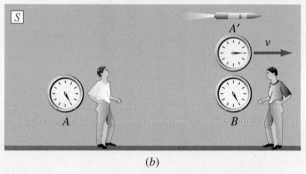

(b)

Figure 8.14

(a) Les horloges A et A' sont synchronisées lorsqu'elles coïncident. (b) Lorsque l'horloge A' coïncide avec l'horloge B, elles n'indiquent pas la même heure. L'horloge B est en avance.

La dilatation du temps fut vérifiée lors d'une expérience réalisée par B. Rossi et D. B. Hall en 1941, laquelle fut reprise et simplifiée en 1963 par D. H. Firsch et J. H. Smith. Une particule élémentaire, le muon (μ), se désintègre pour donner d'autres particules. Si l'on a N_0 muons à $t = 0$, on observe que le nombre de muons restants à un instant ultérieur t est

$$N = N_0 e^{-t/\tau}$$

où $\tau = 2,2$ μs est la durée de vie moyenne. Les muons sont produits dans la haute atmosphère par bombardement de protons à haute vitesse en provenance de l'espace. (Ces protons font partie de ce que l'on appelle les «rayons cosmiques».) L'expérience consistait à comparer le nombre (N_1) de muons détectés au sommet d'une montagne d'altitude 2000 m avec le nombre (N_2) de muons détectés au niveau de la mer (figure 8.15). Sachant que les muons ont une vitesse $v = 0,995c$, on en déduit qu'il leur faut 6,7 μs pour se rendre de l'altitude du sommet de la montagne au niveau de la mer. D'après l'équation précédente, le rapport des deux nombres devrait être égal à

$$\frac{N_2}{N_1} = e^{-6,7/2,2} = 0,048$$

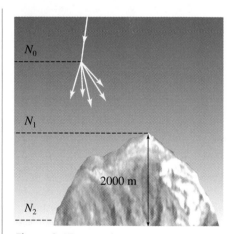

Figure 8.15

N_0 muons sont produits à une certaine altitude. À l'altitude du sommet de la montagne, il en reste N_1, alors qu'il en reste N_2 au niveau de la mer. Le nombre de muons restants au niveau de la mer est de loin supérieur au nombre prédit par la physique classique.

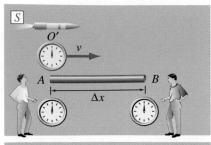

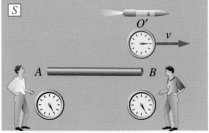

Figure 8.16

Dans le référentiel S, l'observateur O, au repos, peut déterminer la longueur propre de la tige, au repos, en mesurant le temps mis, par l'observateur O', pour aller de A à B. L'observateur O' mesure une longueur contractée, c'est-à-dire inférieure à la longueur propre de la tige.

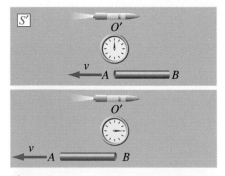

Figure 8.17

Dans le référentiel S', où l'observateur O' est au repos, la tige se déplace dans la direction opposée. Sa longueur, mesurée par l'observateur O', est contractée, c'est-à-dire inférieure à sa longueur propre dans le référentiel S où elle est au repos.

Au lieu de cette valeur, l'expérience a donné pour N_2/N_1 une valeur égale à 0,74 ; autrement dit, au lieu de détecter 4,8 % des muons au niveau de la mer, on s'aperçut que 74 % d'entre eux avaient survécu ! Comme cette valeur correspond à $0,74 = \exp(-6,7/\tau')$, on a $\tau' = 22$ µs. Cela signifie que les muons en mouvement avaient une durée de vie moyenne dix fois plus longue que leurs cousins au repos qui se désintègrent dans le laboratoire. C'est exactement ce que prévoit la dilatation du temps (*cf.* équation 8.8 et tableau 8.2). Pour la vitesse donnée, $\gamma = 10$ et τ est le temps propre. Dans le référentiel lié au laboratoire, la durée de vie est $\tau' = \gamma\tau = 10\,\tau$.

8.8 La contraction des longueurs

Soit une tige AB au repos dans le référentiel S (figure 8.16). La distance entre ses extrémités correspond à sa longueur propre L_0 :

> La **longueur propre** L_0 d'un objet est l'intervalle séparant ses extrémités dans l'espace, mesuré dans le référentiel au repos par rapport à l'objet (référentiel propre).

Un observateur O' dans le référentiel S', qui se déplace à la vitesse v par rapport au référentiel S, peut mesurer la longueur de la tige en relevant l'intervalle entre les instants où O' passe devant A et B. La figure 8.16 et la figure 8.17 représentent les deux événements dans les référentiels S et S', respectivement. Les mesures effectuées dans les deux référentiels sont :

$$\text{Référentiel } S : L_0 = \Delta x = v\Delta t$$
$$\text{Référentiel } S' : L = \Delta x' = v\Delta t'$$

où Δt est l'intervalle de temps entre les mesures des extrémités (dans le référentiel S) et $\Delta t'$, l'intervalle de temps propre mesuré par O'. D'après l'équation 8.8, on a $\Delta t = \gamma\Delta t'$; par conséquent,

$$L = \frac{1}{\gamma} L_0 \tag{8.9}$$

Puisque $\gamma > 1$, on voit que $L < L_0$. Autrement dit, la longueur d'une tige mesurée dans un référentiel en mouvement par rapport à la tige est inférieure à sa longueur propre. Cet effet de **contraction des longueurs** est réciproque : une tige au repos dans le référentiel S' aura une longueur contractée dans le référentiel S. *Soulignons que cet effet ne concerne que les longueurs parallèles à la direction du mouvement ; les longueurs perpendiculaires à $\vec{v}$ ne sont pas modifiées.*

Exemple 8.4

Interpréter les résultats de l'exemple 8.3 en considérant la contraction des longueurs du point de vue d'un observateur dans le référentiel S'.

Solution :

Les observateurs A et B dans le référentiel S sont au repos par rapport à la distance de 180 m qui les sépare : ils mesurent donc la longueur propre L_0 = 180 m. Dans le référentiel S', cette longueur apparaîtra contractée ; d'après l'équation 8.9,

$$L = \frac{L_0}{\gamma} = \frac{180 \text{ m}}{1,25} = 144 \text{ m}$$

Dans le référentiel S', les observateurs A et B se déplacent à la vitesse de $0,6c$. Ainsi, la distance de 144 m qui les sépare défilera devant l'observateur A' en un temps

$$T = \frac{L}{v} = \frac{144 \text{ m}}{1,8 \times 10^8 \text{ m/s}} = 0,8 \text{ } \mu\text{s}$$

On obtient le même résultat qu'à l'exemple 8.3. On remarque que, dans ce cas particulier, le temps propre est mesuré dans le référentiel S', tandis que la longueur propre est mesurée dans le référentiel S.

Il est correct de dire qu'un observateur en mouvement par rapport à un objet mesurera une longueur contractée ; toutefois, l'apparence de l'objet (ce que l'observateur pourrait photographier) ne subit pas qu'une simple contraction. Pour que l'observateur puisse voir l'objet, de la lumière doit lui parvenir de ses diverses parties. La lumière qui provient du côté éloigné de l'objet met plus de temps à lui parvenir que la lumière provenant du côté rapproché. Habituellement, cette différence de temps est négligeable ; mais si l'objet se déplace assez vite pour que les effets relativistes soient importants, tout se passe très rapidement et cette différence produit une distorsion comparable à celle de la contraction relativiste des longueurs. On peut montrer que l'effet combiné correspond à une déformation et à une rotation de l'objet (figure 8.18). Par exemple, si la photographie d'un train au repos ressemble à la figure 8.19a, la photographie du même train roulant à la vitesse de $0,9c$ ressemble à la figure 8.19b.

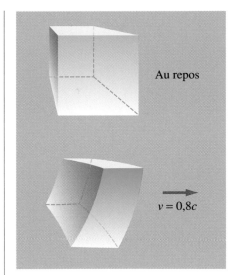

Figure 8.18

Vue d'une boîte au repos ; la même boîte photographiée par un observateur se déplaçant à $0,8c$ paraît déformée.

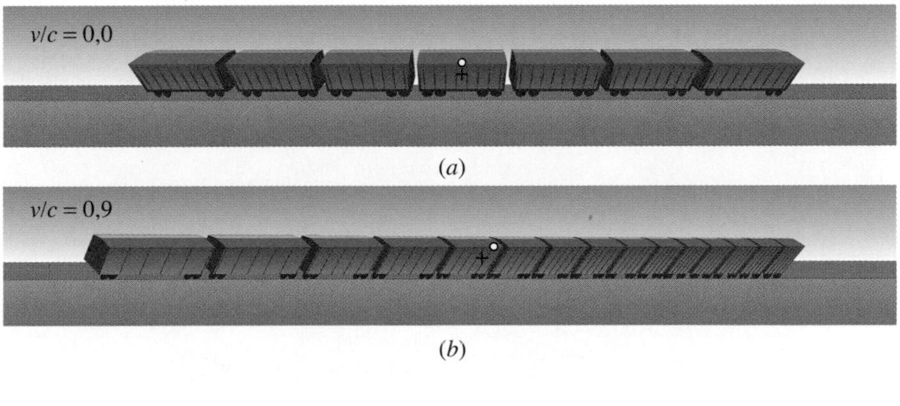

▶ **Figure 8.19**

(a) L'aspect d'un train au repos sur une photographie. (b) L'aspect de ce train lorsqu'il passe à la vitesse de $0,9c$ devant l'appareil photographique.

$v/c = 0,0$

(a)

$v/c = 0,9$

(b)

Ces images créés par ordinateur montrent l'aspect d'un réseau tridimensionnel de tiges et de balles s'approchant de l'observateur avec des vitesses diverses. (*a*) La vue normale au repos. (*b*) Même à 0,5*c*, les tiges paraissent droites. (*c*) À 0,95*c*, les tiges paraissent courbées. (*d*) À 0,99*c*, le résultat apparaît très déformé.

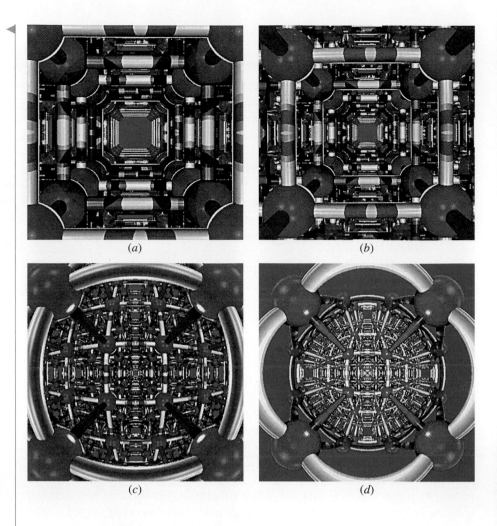

(a)   (b)

(c)   (d)

L'expérience portant sur la désintégration des muons peut également être interprétée à l'aide de la contraction des longueurs. Dans le référentiel S lié au sol, la montagne a une hauteur de 2000 m, sa longueur propre. Dans le référentiel S' lié au muon, la montagne s'approche à la vitesse $v = 0,995c$. Dans le référentiel S', la longueur contractée de la montagne est $L' = L_0/\gamma = 200$ m (figure 8.20). Cette distance serait parcourue en $\Delta t' = L'/v = 0,67$ µs, qui correspond au tiers seulement de la durée de vie moyenne. Dans le référentiel lié aux muons, le taux de désintégration n'est donc pas modifié, car ceux-ci parcourent une distance plus courte !

Figure 8.20

(*a*) Dans le référentiel lié au sol, la montagne a une hauteur de 2000 m et les muons se déplacent vers le bas. (*b*) Dans le référentiel des muons, la montagne a seulement 200 m de hauteur et elle se dirige vers le haut.

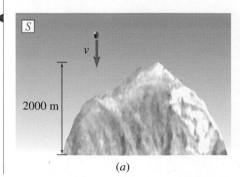

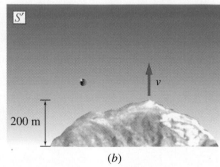

(a)   (b)

Exemple 8.5

Un quai a une longueur propre de 200 m. Une locomotive met 0,5 μs (durée mesurée par le conducteur du train) pour se déplacer d'une extrémité à l'autre du quai. Quelle est la vitesse de la locomotive par rapport au quai ?

Solution :

On nous donne la longueur propre du quai, $L_0 = 200$ m, et le temps propre, $T_0 = 0{,}5$ μs, mesuré par le conducteur du train. Dans le référentiel lié au train, le quai a une longueur contractée

$$L = \frac{L_0}{\gamma} \tag{i}$$

Si v est la vitesse relative, on peut aussi écrire

$$L = vT_0 \tag{ii}$$

puisque L et T_0 sont mesurés dans le même référentiel, celui qui est lié au train.

En égalant (i) et (ii) et en élevant les deux membres au carré, on obtient

$$L_0^2(1 - v^2/c^2) = v^2 T_0^2$$

En arrangeant l'expression différemment, on trouve

$$v^2 = \frac{c^2}{1 + c^2 T_0^2/L_0^2}$$

Avec les valeurs données pour T_0 et L_0, on trouve $v = 2{,}4 \times 10^8$ m/s $= 0{,}8c$.

8.9 L'effet Doppler en relativité

Dans l'effet Doppler classique pour les ondes sonores (*cf.* section 3.3), la fréquence observée dépend d'une part de la vitesse de la source et d'autre part de celle de l'observateur. Cela peut s'expliquer par le fait que le son se propage dans un « milieu » (l'air) qui tient lieu de référentiel « absolu ». Mais dans le cas de la lumière, il n'existe pas de référentiel absolu : l'effet Doppler relativiste dépend uniquement de la vitesse *relative* entre la source et l'observateur. La figure 8.21 représente une source située en O', l'origine du référentiel S', qui émet des éclairs à la période $\Delta t' = T_0$ et se déplace à la vitesse v par rapport au référentiel S. Si un éclair est émis à l'instant où O' coïncide avec l'origine O du repère S, à quel instant l'éclair suivant atteint-il le *même* point ? L'observateur B lié au référentiel S, qui coïncide avec O' lorsque le deuxième éclair est émis, enregistre un intervalle de temps dilaté $\Delta t = \gamma \Delta t' = \gamma T_0$ entre les éclairs. Pendant cet intervalle de temps, O' s'est déplacé d'une distance $d = v\Delta t = v\gamma T_0$ et cet éclair met donc un temps égal à d/c pour atteindre O. Ainsi, il arrive en O à l'instant

$$T = \Delta t + \frac{d}{c} = \gamma\left(1 + \frac{v}{c}\right)T_0$$

Puisque $\gamma = (1 - v/c)^{-1/2}(1 + v/c)^{-1/2}$, on obtient

$$T = \sqrt{\frac{c+v}{c-v}}\, T_0 \tag{8.10}$$

La fréquence observée, $f = 1/T$, est égale à

(longitudinal) $$f = \sqrt{\frac{c-v}{c+v}}\, f_0 \tag{8.11}$$

On utilise cette équation lorsque la source et l'observateur *s'éloignent* l'un de l'autre. Lorsqu'ils se rapprochent, v change de signe. Comme le signal se propage parallèlement à la direction du mouvement, on parle d'effet Doppler

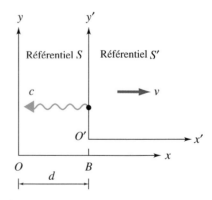

Figure 8.21

Une source à l'origine du référentiel S' émet un éclair vers l'origine du référentiel S.

longitudinal. Lorsque les signaux sont détectés perpendiculairement à la direction du mouvement, on obtient un effet Doppler *transversal*, qui tient compte uniquement de la dilatation du temps, $T = \gamma T_0$, d'où

$$(\text{transversal}) \qquad\qquad f = \frac{1}{\gamma} f_0 \qquad\qquad\qquad (8.12)$$

8.10 Le paradoxe des jumeaux

Rien ne frappe autant l'imagination, dans la théorie de la relativité, que le paradoxe des jumeaux. Soit deux jumeaux, *A* et *B*. Le jumeau *A* reste sur Terre pendant que le jumeau *B* voyage à très grande vitesse jusqu'à une étoile voisine. Au retour de *B*, ils s'aperçoivent que *A* a plus vieilli que *B*. Il y a paradoxe à cause de la symétrie apparente de la situation : dans le référentiel lié à *B*, c'est *A* qui part et qui revient, et l'on devrait donc trouver que *B* a plus vieilli que *A*. Comment les deux points de vue peuvent-ils être tous deux corrects ? Au début, les adversaires de la relativité pensaient que ce paradoxe indiquait un défaut inhérent à la théorie. Nous allons suivre le raisonnement qui fut présenté par P. Langevin en 1911.

Le jumeau *A* est à l'origine dans le référentiel *S*, alors que *B* est à l'origine dans le référentiel *S'*. On suppose pour simplifier que *B* a déjà atteint sa vitesse de croisière *v* lorsqu'il passe vis-à-vis *A* à $t = t' = 0$. Au retour, ils relèvent tous les deux l'instant auquel *B* repasse vis-à-vis *A*. De cette façon, nous n'avons pas à tenir compte des phases initiale et finale d'accélération. Nous devons calculer la durée du voyage telle que la déterminent séparément *A* et *B*. Pour ce faire, le jumeau *B* émet *N* impulsions de période T_0 pendant l'aller et le même nombre pendant le trajet du retour. Selon *B*, la durée de chaque partie du voyage à vitesse constante est donc NT_0. Pour *A*, qui fait ses observations en un même point, nous devons appliquer la formule de l'effet Doppler (équation 8.10). Les valeurs sont indiquées ci-dessous pour chaque partie du voyage de *B*. Pour effectuer le calcul, nous avons pris $N = 20$, $T_0 = 5$ min, $v = 0,6c$, et donc $\gamma = 5/4$.

	(B)	(A)
Aller :	$\Delta t'_1 = NT_0 = 100$ min	$\Delta t_1 = NT_0 \sqrt{\dfrac{c + v}{c - v}} = 200$ min
Retour :	$\Delta t'_2 = NT_0 = 100$ min	$\Delta t_2 = NT_0 \sqrt{\dfrac{c - v}{c + v}} = 50$ min
Total :	$T' = 2NT_0 = 200$ min	$T = \gamma(2NT_0) = 250$ min

Durant l'aller, *A* reçoit *N* impulsions de période dilatée, alors qu'il reçoit *N* impulsions de période raccourcie durant le trajet du retour. Les temps *T* et *T'* enregistrés respectivement par *A* et *B* pour la totalité du voyage sont liés par l'équation de la dilatation du temps $T = \gamma T'$. *A* a donc plus vieilli que *B*.

Le paradoxe est en partie résolu une fois que l'on se rend compte que la situation *n'est pas* symétrique. Le changement de direction du jumeau *B* fait intervenir une accélération (ou le passage d'un référentiel d'inertie à un autre, ce qui est équivalent). C'est *B* qui est soumis aux forces créées par la mise à feu des fusées, alors qu'il ne se passe rien pour *A*. Le calcul fait par *A* dans son propre référentiel pendant la phase d'accélération entraîne une correction du temps calculé plus haut, mais ne modifie pas la conclusion générale selon laquelle *A* a plus vieilli que *B*. Pour résoudre complètement le paradoxe, il faudrait démontrer que *B* est d'accord avec le calcul de A pendant la période d'accélération. Cela fait appel à la théorie de la relativité générale, qui porte sur les référentiels accélérés. Un calcul détaillé confirme le raisonnement qui précède.

Bien que les prévisions de la relativité restreinte soient complètement vérifiées, il importait de lever tout doute concernant le paradoxe des jumeaux en utilisant de vraies horloges. En 1971, J. C. Hafele et R. E. Keating firent tous deux le tour de la Terre en avion à réaction, l'un vers l'est et l'autre vers l'ouest. Ils comparèrent les temps relevés dans chaque avion par quatre horloges atomiques au césium (capables de mesurer le temps à 10^{-9} s près) avec le temps relevé par des horloges identiques restées au sol. Bien que leurs résultats étaient affectés par la gravitation, ils étaient en accord avec la théorie de la relativité restreinte : le ralentissement du temps observé était de l'ordre de quelques dizaines de nasosecondes*.

Exemple 8.6

Montrer que le temps total $(\Delta t_1 + \Delta t_2)$ enregistré par le jumeau A du texte précédent est égal à $\gamma(2NT_0)$.

Solution :

On remarque ci-dessus que

$$\Delta t_1 + \Delta t_2 = NT_0 \left[\left[\frac{(c+v)}{(c-v)} \right]^{1/2} + \left[\frac{(c-v)}{(c+v)} \right]^{1/2} \right]$$

$$= NT_0 \left[\frac{2c}{(c^2-v^2)^{1/2}} \right] = \gamma(2T_0)$$

Exemple 8.7

On suppose que le jumeau A émet des impulsions de période T_0, le voyage du jumeau B étant encore divisé en deux parties égales de 100 min selon sa *propre* horloge. Montrer que B reçoit (a) 10 impulsions pendant l'aller ; (b) 40 impulsions pendant le trajet du retour.

Solution :

(a) À l'aller, la période reçue est

$$\Delta t' = \left[\frac{(c+v)}{(c-v)} \right]^{1/2} T_0 = 10 \text{ min}$$

En 100 min, il y a donc 10 impulsions.

(b) Au retour,

$$\Delta t' = \left[\frac{(c-v)}{(c+v)} \right]^{1/2} T_0 = 2,5 \text{ min}$$

En 100 min, il y a donc 40 impulsions.

8.11 La transformation de Lorentz

Les lois de l'électromagnétisme ne sont pas covariantes par rapport à la transformation de Galilée, $x' = x - vt$, $t' = t$. Cette transformation est également en contradiction avec le principe de la constance de la vitesse de la lumière. Les équations de transformation des coordonnées qui sont en accord avec la théorie de la relativité se nomment *transformation de Lorentz* ; elles sont établies à la section 8.15. Pour l'instant, nous allons nous contenter de les admettre et d'examiner certaines de leurs conséquences. Supposons que le référentiel S' se déplace à la vitesse v le long de l'axe des x du référentiel S (figure 8.22). Les coordonnées y et z d'un événement sont alors les mêmes dans les deux référentiels, c'est-à-dire $y' = y$ et $z' = z$. Les coordonnées x et t sont liées par la *transformation de Lorentz* :

$$x' = \gamma(x - vt) \tag{8.13}$$

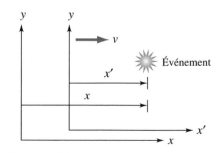

Figure 8.22

Les coordonnées en x d'un événement mesuré dans les référentiels S et S' (en mouvement à la vitesse v par rapport à S) sont liées entre elles par la transformation de Lorentz : $x' = \gamma(x - vt)$.

---

* J. C. Hafele et Richard E. Keating, « Around the World Atomic Clocks : Observed Relativistic Time Gains », *Science*, juillet 1972, vol. 177, n° 4044, p. 168-170.

$$t' = \gamma\left(t - \frac{vx}{c^2}\right) \tag{8.14}$$

Ces équations lient les coordonnées de position et de temps d'événements *isolés*, comme des éclairs ou des coïncidences, mesurés dans deux référentiels d'inertie. Soulignons qu'à la limite, lorsque v tend vers zéro, la grandeur γ tend vers un, et ces équations se réduisent à la transformation de Galilée, qui demeure ainsi valable pour des vitesses faibles. L'équation 8.14 montre que le temps t' mesuré dans le référentiel S' dépend *à la fois* de t et de x. L'espace et le temps sont ainsi devenus inséparables et forment une entité appelée *espace-temps*. Cela découle du fait que la vitesse de la lumière, égale au rapport d'un intervalle d'espace à un intervalle de temps, est une constante *universelle*, qui reste la même dans tous les référentiels d'inertie.

Les coordonnées d'un événement dans l'espace-temps sont souvent écrites sous la forme

$$x_1 = x; \quad x_2 = y; \quad x_3 = z; \quad x_4 = ct$$

La quatrième coordonnée, x_4, a maintenant la même unité que les trois premières, qui sont des coordonnées spatiales. Avec la définition $\beta = v/c$, les équations de la transformation de Lorentz deviennent

$$x'_1 = \gamma(x_1 - \beta x_4) \tag{8.15}$$

$$x'_4 = \gamma(x_4 - \beta x_1) \tag{8.16}$$

Ces équations sont de forme identique. Elles illustrent bien la symétrie de la transformation de Lorentz dans l'espace-temps. Comme x_4 a maintenant le même statut que x_1, on l'appelle souvent la « quatrième » dimension.

Puisque seule la vitesse relative a de l'importance, un simple changement de signe donne la transformation inverse

$$x = \gamma(x' + vt') \tag{8.17}$$

$$t = \gamma\left(t' + \frac{vx'}{c^2}\right) \tag{8.18}$$

La dilatation du temps et la contraction des longueurs découlent directement des équations de la transformation de Lorentz, comme nous allons le voir dans l'exemple qui suit.

Exemple 8.8

À partir de la transformation de Lorentz, établir les équations (a) de dilatation du temps ; (b) de contraction des longueurs.

Solution :

(a) Considérons une horloge au repos dans le référentiel S'. Soit $\Delta t'$ l'intervalle de temps entre deux événements, que nous appellerons « tic » et « tac ». Puisque les événements se produisent au même endroit dans S', on a $\Delta x' = 0$. D'après l'équation 8.18, on obtient

$$\Delta t = \gamma \Delta t'$$

(b) Considérons une tige de longueur $\Delta x'$ dans son référentiel propre S'. Des observateurs liés à S relèvent les positions de ses extrémités au même instant, donc $\Delta t = 0$. L'équation 8.13 nous donne

$$\Delta x = \frac{1}{\gamma} \Delta x'$$

On remarque que ni la dilatation du temps, ni la concentration des longueurs ne dépendent du signe de v.

Exemple 8.9

La figure 8.23a représente un train (référentiel S'), de longueur propre $L_0 = 9$ km, se déplaçant à la vitesse $v = 0,8c$ par rapport à un quai (référentiel S). À $t' = 0$, les observateurs A' et B' aux extrémités du train tirent chacun un coup de pistolet et leurs balles font des traces d'impact en A et B sur le quai. Pour les observateurs liés à S, quel est (a) l'intervalle de temps entre les deux coups de pistolet; (b) la distance entre les traces d'impact?

Solution:

(a) Avec $\Delta t' = 0$ et $\Delta x' = x'_B - x'_A = L_0$, l'intervalle entre les deux coups de pistolet dans le référentiel S est donné par l'équation 8.18, où $\gamma = 5/3$:

$$t_B - t_A = +\frac{\gamma v L_0}{c^2}$$

$$= \frac{(5/3)(2,4 \times 10^8 \text{ m/s})(9 \times 10^3 \text{ m})}{9 \times 10^{16} \text{ m}^2/\text{s}^2}$$

$$= 40 \ \mu\text{s}$$

Supposons que les horloges situées en A et A' indiquent toutes deux zéro lorsque ces deux points coïncident; alors $t_A = t'_A = 0$. Dans le référentiel S, l'horloge en B indique $t_B = \gamma v L_0/c^2$, ce qui signifie que les deux coups ne sont pas tirés en même temps: la balle tirée à l'*arrière* du train a été tirée *la première*. Pour les observateurs liés au référentiel S', les horloges situées dans S sont *désynchronisées*. Comme le référentiel S est en mouvement vers la gauche par rapport au référentiel S', l'horloge située à l'arrière est en avance. Autrement dit, l'horloge en B est réglée en avance par rapport à l'horloge située en A.

(b) La figure 8.23b représente la version des événements dans le référentiel S, dans lequel le train a une longueur contractée $L_0/\gamma = 5,4$ km. À $t = 0$, l'impact fait une trace en A et l'avant du train n'a pas encore atteint B. À $t = \gamma v L_0/c^2$, l'avant arrive en B après avoir parcouru une distance égale à vt_B. La distance entre A et B est

$$L = \frac{L_0}{\gamma} + v\left(\frac{\gamma v L_0}{c^2}\right) = \gamma L_0$$

La distance entre les traces d'impact est *supérieure* à la longueur propre L_0. Cela n'est pas en contradiction avec les résultats concernant la contraction des longueurs parce que les extrémités du train n'ont pas produit simultanément des traces sur le quai dans le référentiel S.

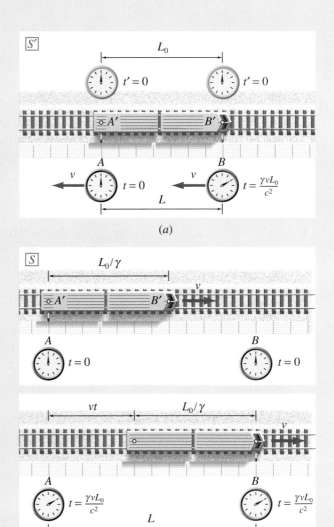

Figure 8.23

Un train (S') se déplace à la vitesse v par rapport à un quai (S). Deux balles de pistolet sont tirées simultanément d'après des observateurs situés dans le train. (a) Les observateurs dans le train trouvent que les horloges dans S ne sont pas synchronisées. (b) Dans le référentiel lié au quai, le train a une longueur contractée et la balle tirée de l'arrière part la première.

Exemple 8.10

Dans le référentiel S, les événements A et B se produisent en des points différents et l'événement B a lieu après l'événement A. Est-il possible que l'événement B précède l'événement A dans un autre référentiel S' en mouvement à vitesse constante par rapport au référentiel S? Si oui, cela signifie-t-il qu'un effet peut précéder sa cause?

Solution:

Dans le référentiel S, l'*intervalle d'espace* entre les événements est $\Delta x = x_B - x_A$ et l'*intervalle de temps* qui les sépare est $\Delta t = t_B - t_A$. D'après l'équation 8.14, l'intervalle de temps dans le référentiel S' est donné par

$$\Delta t' = \gamma\left(\Delta t - \frac{v\Delta x}{c^2}\right)$$

On voit que si $\Delta t < v\Delta x/c^2$, alors $\Delta t' < 0$, ce qui signifie que l'ordre d'événements *indépendants* peut être inversé.

Supposons maintenant que les événements sont reliés entre eux, c'est-à-dire que l'un est causé par l'autre ou en est une conséquence. Il faut dans ce cas qu'un objet ou un signal se déplace de A vers B. Puisque $\Delta x/\Delta t = v$, on peut récrire l'expression ci-dessus sous la forme $\Delta t' = \gamma\Delta t(1 - v^2/c^2)$. La condition $\Delta t' < 0$ implique alors $v^2 > c^2$. Nous verrons plus loin que la vitesse d'une particule ne peut pas dépasser la valeur c et qu'il est de la sorte impossible que l'ordre de deux événements reliés entre eux soit inversé: un effet ne peut donc pas précéder sa cause.

8.12 L'addition relativiste des vitesses

Supposons qu'une particule ait une vitesse u'_x par rapport au référentiel S', qui est lui-même en mouvement à la vitesse v parallèlement à l'axe des x du référentiel S (figure 8.24). En physique classique, la vitesse de la particule dans le référentiel S serait $u_x = u'_x + v$. Dans le cadre de la théorie relativiste, les vitesses de la particule sont données par $u_x = dx/dt$ et $u'_x = dx'/dt'$. Des équations 8.17 et 8.18, on tire

$$dx = \gamma(dx' + vdt') = \gamma dt'(u'_x + v) \tag{8.19}$$

$$dt = \gamma\left(dt' + \frac{vdx'}{c^2}\right) = \gamma dt'\left(1 + \frac{vu'_x}{c^2}\right) \tag{8.20}$$

Le rapport de ces deux équations donne

$$u_x = \frac{u'_x + v}{1 + vu'_x/c^2} \tag{8.21}$$

Lorsque u'_x et v sont toutes deux très petites par rapport à c, cette expression se réduit au résultat classique $u_x = u'_x + v$. Si la particule est une impulsion lumineuse, alors $u'_x = c$. La vitesse de l'impulsion par rapport à S est donc

$$u_x = \frac{c + v}{1 + cv/c^2} = c$$

En ajoutant une vitesse quelconque à la vitesse de la lumière, on obtient encore la vitesse de la lumière, conformément au deuxième postulat. La vitesse de la lumière est une limite absolue. Comme nous le verrons par la suite, la vitesse d'un objet matériel peut s'approcher de la vitesse de la lumière, mais ne peut jamais lui être égale.

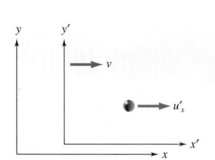

Figure 8.24

Une particule se déplace avec une vitesse u'_x par rapport au référentiel S' qui se déplace avec la vitesse v par rapport au référentiel S. La vitesse de la particule par rapport à S *n'est pas* simplement égale à la somme des vitesses v et u'.

Exemple 8.11

Deux fusées, A et B, s'approchent l'une de l'autre à des vitesses de $0,995c$ par rapport au référentiel de la Terre (T), comme le montre la figure 8.25. Quelle est la vitesse de A par rapport à B ?

Figure 8.25

Deux fusées se dirigent l'une vers l'autre à la même vitesse par rapport à la Terre.

Solution :

Pour ne pas se tromper dans les signes, il est plus facile d'exprimer la loi d'addition des vitesses en utilisant une notation semblable à celle que nous avons utilisée au chapitre 4 du tome 1. Autrement dit, v_{AB} est la vitesse de A par rapport à B. L'équation 8.21 prend alors la forme

$$v_{AB} = \frac{v_{AT} + v_{TB}}{1 + v_{AT}v_{TB}/c^2} \qquad (8.22)$$

$$= \frac{0,995c + 0,995c}{1 + 0,995^2}$$

On trouve $v_{AB} = 0,999\ 987c$. La vitesse d'une particule par rapport à l'autre est inférieure à c et non pas égale à $1,99c$, comme le prévoit la théorie classique.

8.13 La quantité de mouvement et l'énergie

Selon le principe de la relativité, les lois physiques sont les mêmes dans tous les référentiels d'inertie. Les principes de conservation de la quantité de mouvement et de l'énergie demeurent valides, mais certaines relations doivent être modifiées pour tenir compte des effets de la relativité restreinte.

La quantité de mouvement

La définition relativiste de la quantité de mouvement demeure

$$p = mv \qquad (8.23)$$

Toutefois, la masse relativiste m est donnée par

$$m = \gamma m_0 = \frac{m_0}{\sqrt{1 - v^2/c^2}} \qquad (8.24)$$

où m_0 est la **masse au repos** de la particule, c'est-à-dire sa masse mesurée dans son référentiel propre. Si $v \ll c$, γ s'approche de 1 et $p \approx m_0 v$, ce qui correspond à l'expression classique. On interprète parfois l'équation 8.24 en disant que la masse d'une particule augmente avec la vitesse. Ce genre d'interprétation peut porter à confusion parce que la forme relativiste de la deuxième loi de Newton n'est pas $F = ma$ et l'équation relativiste de l'énergie cinétique n'est pas $K = \frac{1}{2}mv^2$.

Nous discutons dans les pages qui suivent de la forme plus adéquate de ces deux expressions dans le cadre relativiste. Mentionnons que la masse m décrite par l'équation 8.24 peut être interprétée comme la mesure de la masse d'un objet en mouvement d'après un observateur au repos.

Exemple 8.12

Dans certains accélérateurs de particules, comme celui du Fermilab, on procure à des protons une vitesse pouvant atteindre $0,999\,997c$. Calculer la masse d'un proton voyageant à cette vitesse, pour un observateur immobile dans le laboratoire. Exprimer le résultat par rapport à la masse au repos du proton.

Solution :

Il suffit de calculer le facteur γ associé à cette $v = 0,999\,997c$:

$$\gamma = \frac{1}{\sqrt{1 - v^2/c^2}} = \frac{1}{1 - (0,999\,997c)^2/c^2} \approx 400$$

La mesure de la masse du proton en mouvement correspond donc à $m = \gamma m_0 = 400m_0$. Ce résultat étonnant a amené l'invention du synchroton, un accélérateur de particules dans lequel on synchronise la valeur du champ magnétique déviateur avec l'augmentation de la masse des particules (voir le chapitre 8 du tome 2).

L'équivalence masse-énergie

La dilatation du temps et la contraction des longueurs sont deux effets spectaculaires de la théorie de la relativité restreinte. Mais l'aspect le plus célèbre de cette théorie est sans aucun doute la conclusion remarquable à laquelle parvient Einstein :

> *Si un corps libère la quantité d'énergie E sous forme de rayonnement, sa masse diminue de E/c² (…) La masse d'un corps est une mesure de l'énergie qu'il contient.*

Puisqu'un rayonnement peut être transformé en énergie thermique, électrique, chimique ou en d'autres formes d'énergie, il s'ensuit que *la masse inertielle d'un corps varie lorsqu'il perd ou lorsqu'il gagne de l'énergie*. Ainsi, dans toute réaction chimique libérant de la chaleur ou de la lumière, la masse totale des constituants n'est pas constante. La conservation de la masse est remplacée par la conservation de l'ensemble *masse-énergie*. L'**équivalence masse-énergie**

$$E = mc^2 \qquad (8.25)$$

est probablement la plus célèbre des équations de la physique. Einstein lui-même la considérait comme la conséquence la plus importante de la relativité restreinte.

Imaginons une boîte isolée de longueur L (figure 8.26) ayant une source lumineuse S à l'une de ses extrémités et un détecteur D à l'autre. Soit M la masse de la boîte et du détecteur. Nous avons vu au chapitre 13 du tome 2 que, lorsque des ondes lumineuses transportent une énergie E, elles transportent également une quantité de mouvement $p = E/c$. Donc, si la source émet une impulsion lumineuse, la boîte va reculer avec une vitesse v. D'après la loi de conservation de la quantité de mouvement,

$$\frac{E}{c} = Mv$$

Si $v \ll c$, l'impulsion met un temps $\Delta t = L/c$ pour atteindre D. Lorsque la lumière est absorbée, la boîte s'immobilise. Durant cet intervalle de temps, la boîte s'est déplacée d'une petite distance

$$\Delta x = v\Delta t = \frac{EL}{Mc^2}$$

Équivalence masse-énergie

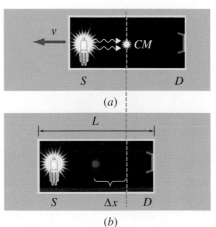

Figure 8.26

(*a*) Une impulsion de lumière est émise par une lampe à une extrémité de la boîte, qui recule dans la direction opposée. (*b*) Une fois l'impulsion absorbée par le détecteur situé à l'autre extrémité, la boîte s'immobilise en un point différent.

Le résultat net de l'émission suivie de l'absorption est un déplacement de la boîte sur une distance Δx.

Cela est intriguant, car aucun processus *interne* ne peut déplacer le centre de masse d'un système. Il faut donc supposer que l'impulsion transmet une masse m sur la distance L entre la source et le détecteur. Si le centre de masse est fixe, alors

$$-M\Delta x + mL = 0$$

En comparant cette équation avec l'expression de Δx obtenue plus haut, on voit que $m = E/c^2$.

La quantité $m_0 c^2$ est l'*énergie au repos* de la particule. Par définition, l'*énergie cinétique* relativiste d'une particule est la différence entre l'*énergie totale* $E = mc^2$ et l'énergie au repos :

Énergie du repos : $m_0 c^2$

$$K = E - m_0 c^2 = m_0 c^2 (\gamma - 1) \qquad (8.26)$$

Énergie cinétique relativiste

Lorsque v tend vers c, le facteur γ, et par conséquent l'énergie cinétique, tendent vers l'infini. Mais comme cette valeur impliquerait une quantité infinie de travail, *il est impossible d'accélérer jusqu'à la vitesse de la lumière une particule dont la masse au repos est finie*. Pour les faibles valeurs de la vitesse ($v/c \ll 1$), on peut utiliser le développement en série binômial $\gamma \approx 1 + \frac{1}{2}(v/c)^2 + 3/8\,(v/c)^3 + \dots$, et l'énergie cinétique prend alors la forme

$$K = m_0 c^2 \left[\frac{1}{2}\left(\frac{v}{c}\right)^2 + \frac{3}{8}\left(\frac{v}{c}\right)^4 + \dots \right]$$
$$\approx \tfrac{1}{2} m_0 v^2$$

Pour les faibles modules de la vitesse, l'énergie cinétique est pratiquement égale au premier terme, $\frac{1}{2} m_0 v^2$, qui est l'énergie cinétique classique de la particule. Les autres termes peuvent être considérés comme des corrections à cette expression.

L'énergie au repos $m_0 c^2$ représente la somme de toutes les énergies « internes », c'est-à-dire l'énergie électrique, l'énergie nucléaire, l'énergie thermique et ainsi de suite. Lorsqu'on parle de la masse d'un corps, on pourrait tout aussi bien parler de l'énergie qu'il possède. Autrement dit, *la masse et l'énergie sont équivalentes*. Nous avons l'habitude de concevoir la masse comme une mesure de l'inertie d'un corps, indépendante de sa température, de son énergie potentielle, etc. Pourtant, selon la relativité restreinte, la masse d'un corps varie avec sa température. De même, lorsqu'on comprime un ressort, le supplément d'énergie élastique accroît aussi sa masse. La quantité $E = mc^2$ a été appelée à juste titre énergie *totale* parce qu'elle comprend *toutes* les formes d'énergie d'un corps. Une diminution Δm de la masse d'un système correspond à une libération d'énergie $\Delta E = \Delta mc^2$. C'est ce qui se produit lors de la fission et de la fusion nucléaires (figure 8.27).

En éliminant v, on obtient la relation suivante entre la quantité de mouvement relativiste $p = \gamma m_0 v$ d'une particule et son énergie $E = \gamma m_0 c^2$ (*cf.* problème 1) :

$$E^2 = p^2 c^2 + m_0^2 c^4 \qquad (8.27)$$

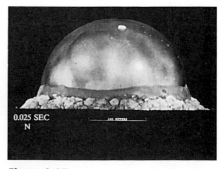

Figure 8.27

Une explosion nucléaire fournit une preuve convaincante de l'équivalence entre la masse et l'énergie.

Pour les particules dont la masse au repos est nulle, le second terme disparaît. Il reste alors $E = pc$, relation valable pour la lumière. Si $E \gg m_0 c^2$, alors $E \approx pc$ pour une particule dont la vitesse est voisine de la vitesse de la lumière.

Exemple 8.13

Un électron a une énergie cinétique de 2 MeV. Trouver (a) son énergie totale; (b) sa quantité de mouvement; (c) le module de sa vitesse.

Solution :

(a) L'énergie au repos de l'électron est

$$E_0 = m_0 c^2 = (9,11 \times 10^{-31} \text{ kg})(3 \times 10^8 \text{ m/s})^2$$
$$= 8,20 \times 10^{-14} \text{ J} = 0,511 \text{ MeV}$$

L'énergie totale est

$$E = K + m_0 c^2 = 2,51 \text{ MeV} = 4,02 \times 10^{-13} \text{ J}$$

(b) La quantité de mouvement est donnée par l'équation 8.27 :

$$p^2 c^2 = E^2 - m_0^2 c^4 = (1,61 \times 10^{-25} \text{ J}^2)$$
$$- (6,72 \times 10^{-27} \text{ J}^2)$$
$$= 1,54 \times 10^{-25} \text{ J}^2$$

Donc $p = 2,27 \times 10^{-21}$ kg·m/s.

(c) En comparant $E = \gamma m_0 c^2 = 2,51$ MeV avec $m_0 c^2 = 0,511$ MeV, on voit que $\gamma = 4,91$. On récrit $1/\gamma^2 = 1 - v^2/c^2$ sous la forme

$$\frac{v^2}{c^2} = 1 - \frac{1}{\gamma^2}$$

pour trouver $v/c = 0,98$, ou $v = 0,98c$.

Il est intéressant de noter que l'équation 8.26 peut aussi être déduite à l'aide de l'expression par laquelle on définit le travail mécanique (*cf.* chapitre 7, tome 1) :

$$W = \int \vec{\mathbf{F}} \cdot d\vec{\mathbf{s}}$$

Dans le cas particulier où $\vec{\mathbf{F}}$ représente la force totale, le terme de droite de cette expression devient, si on utilise l'énoncé classique de la deuxième loi de Newton $\vec{\mathbf{F}} = m_0 \vec{\mathbf{a}}$ (voir le problème 18) :

$$W = \frac{m_0 v^2}{2} - \frac{m_0 v_0^2}{2} = K - K_0 = \Delta K$$

soit l'énoncé du théorème de l'énergie cinétique reliant le travail total à la variation de l'énergie cinétique dans sa forme classique.

Dans le cadre de la théorie de la relativité restreinte, il est plus pratique d'utiliser la deuxième loi de Newton sous la forme qui fait intervenir directement la quantité de mouvement :

$$\vec{\mathbf{F}} = \frac{d\vec{\mathbf{p}}}{dt}$$

Cette relation établit que la force résultante correspond au taux de changement de la quantité de mouvement d'un corps. On peut montrer (voir le problème 18) qu'en remplaçant $\vec{\mathbf{F}}$ par cette relation dans l'expression du travail et en prenant appui sur les équations 8.23 et 8.24 qui définissent la quantité de mouvement relativiste, on arrive à l'équation 8.26. Ce résultat constitue l'énoncé relativiste du théorème de l'énergie cinétique.

8.14 La relativité et l'électromagnétisme

Le fait que c soit une vitesse impossible à atteindre pour une particule matérielle apportait la réponse à la question que se posait Einstein lorsqu'il était adolescent : qu'observerait-on en voyageant sur une onde électromagnétique ? On ne pourrait pas observer une variation sinusoïdale stationnaire des champs électrique et magnétique parce qu'on ne pourrait *jamais* atteindre la vitesse d'une onde lumineuse. Nous allons examiner brièvement la situation décrite dans la citation tirée de l'article publié en 1905. Rappelons qu'Einstein n'était pas entièrement satisfait du fait qu'on utilise un champ électrique ou un champ magnétique selon le référentiel choisi.

La figure 8.28*a* représente une charge positive q animée d'une vitesse u par rapport à un fil immobile dans lequel circule un courant I. Pour simplifier, nous supposons que le courant traversant le fil est dû à des charges positives et négatives ayant des vitesses opposées $\pm v$. Dans le référentiel lié au fil, la charge q est soumise à une force magnétique dirigée vers le fil, mais aucune force électrique nette ne s'exerce sur elle. Dans le référentiel lié à la charge q (figure 8.28*b*), elle n'est soumise à aucune force magnétique. Dans ce référentiel, les charges positives dans le fil se déplacent à une vitesse inférieure à v, alors que les charges négatives ont une vitesse supérieure à v. La charge électrique est un invariant en relativité restreinte. Ainsi, à cause de la contraction des longueurs, la densité de charge négative est supérieure à la densité de charge positive et la charge nette du fil est négative dans le référentiel lié à la charge q. Par conséquent, la charge q est soumise à une force électrique dirigée vers le fil. On voit donc qu'un champ électrostatique dans le référentiel lié à la charge q se transforme en un champ magnétique dans un autre référentiel.

8.15 La formulation de la transformation de Lorentz

On peut établir les équations de la transformation de Lorentz en partant de l'un ou l'autre des postulats. Nous allons partir du principe de la constance de la vitesse de la lumière. À la figure 8.29, le référentiel S' se déplace à la vitesse v parallèlement à l'axe des x du référentiel S. Lorsque les origines coïncident, une impulsion lumineuse est émise. D'après le deuxième postulat, la vitesse de la lumière est la même dans les deux référentiels et la position de l'impulsion à un instant ultérieur est donnée par

$$x = ct ; \quad x' = ct' \tag{8.28}$$

Nous supposons que la coordonnée de position se transforme suivant

$$x' = Ax + Bt$$

(On peut justifier l'emploi de termes uniquement du premier ordre en x et t si on suppose que tous les points de l'espace sont équivalents. Nous ne donnons pas les détails ici.) La position de O' est $x' = 0$ dans le référentiel S' et $x = vt$ dans le référentiel S. On a donc $0 = A(vt) + Bt$, ce qui donne $B = -Av$. L'équation donnant x' devient alors

$$x' = A(x - vt) \tag{8.29}$$

Par un raisonnement analogue appliqué à la position de O mais en inversant le signe de v, on trouve

$$x = A(x' + vt') \tag{8.30}$$

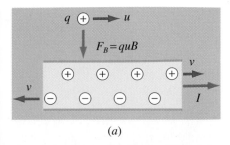

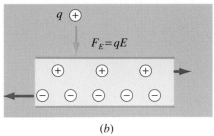

(a)

(b)

Figure 8.28

(a) Une charge en mouvement par rapport à un fil. Les charges positives et négatives dans le fil sont régulièrement espacées et ont des vitesses égales et opposées. *(b)* Dans le référentiel de la charge q, les charges positives et négatives dans le fil ont des vitesses différentes. Les différents facteurs de contraction des longueurs font en sorte que la densité de charge négative est supérieure à la densité de charge positive.

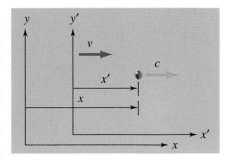

Figure 8.29

Selon le deuxième postulat, une impulsion de lumière se déplace à la vitesse c par rapport à S et à S', qui est en mouvement à la vitesse v par rapport à S.

Nous utilisons maintenant l'équation 8.28 et l'équation 8.29 pour obtenir

$$ct' = A(ct - vt)$$

$$ct = A(ct' + vt')$$

De ces deux équations, on déduit

$$A = \frac{1}{(1 - v^2/c^2)^{1/2}}$$

Pour obtenir l'équation de transformation pour la coordonnée de temps, on remplace dans l'équation 8.30 x' par sa valeur tirée de l'équation 8.29 :

$$x = A[A(x - vt) + vt']$$

La résolution de cette équation en t' donne

$$t' = A\left(t - \frac{vx}{c^2}\right) \tag{8.31}$$

La résolution en t est très semblable. Dans la notation conventionnelle, A est remplacé par γ.

8.16 **Le paradoxe de la perche et de la grange**

Un sauteur à la perche et un fermier ont un différend. La perche de l'athlète et la grange du fermier ont la même longueur au repos L_0. Ils conviennent que l'athlète (référentiel S') va courir en direction de la grange (référentiel S) avec une vitesse relative de $0{,}8c\,(\gamma = 5/3)$. Le fermier affirme que la perche pourra facilement entrer dans la grange, car sa longueur sera contractée. Mais l'athlète déclare que c'est la grange qui sera contractée et qu'il sera donc impossible d'y faire entrer la perche. La résolution de ce paradoxe réside dans la relativité de la simultanéité.

Le fermier ferme le portail avant (AV) et le portail arrière (AR) à $t_{AV} = t_{AR} = 0$. À cet instant, on suppose que la pointe B' de la perche coïncide avec le portail arrière (figure 8.30b). Dans le référentiel S, la perche a une longueur $3L_0/5$. L'extrémité arrière A' de la perche doit donc avoir coïncidé avec le portail avant à un instant antérieur $t = -(2L_0/5)/v = -L_0/2c$ (figure 8.30a). C'est pourquoi le fermier dit que la perche est à l'intérieur de la grange.

Dans le référentiel S', les portails ne se ferment pas simultanément. Les instants t'_{AV} et t'_{AR} correspondant à la fermeture des portails AV et AR sont liés par l'équation 8.14 :

$$t'_{AR} - t'_{AV} = \gamma\left[(t_{AR} - t_{AV}) - \frac{v(x_{AR} - x_{AV})}{c^2}\right]$$

Figure 8.30

(a) L'arrière de la perche contractée coïncide avec le portail avant de la grange. (b) L'avant de la perche coïncide avec le portail arrière de la grange.

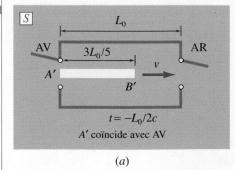

$t = -L_0/2c$

A' coïncide avec AV

(a)

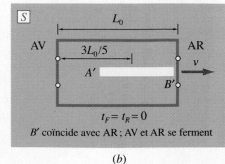

$t_F = t_R = 0$

B' coïncide avec AR ; AV et AR se ferment

(b)

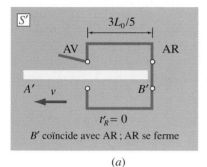

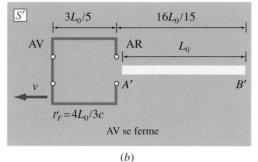

Figure 8.31

(a) L'avant de la perche coïncide avec le portail arrière de la grange contractée. (b) La perche a traversé le portail arrière lorsque le portail avant s'est fermé.

où $t_{AR} = t_{AV} = 0$ et $x_{AR} - x_{AV} = L_0$. Pour des raisons pratiques, nous allons supposer que le portail arrière se ferme à l'instant zéro ; on a donc $t'_{AR} = 0$ (figure 8.31a). L'équation précédente devient

$$t'_{AV} = \frac{\gamma v L_0}{c^2} = \frac{4L_0}{3c}$$

Ainsi, dans le référentiel S', le portail avant se ferme *après* le portail arrière (figure 8.31b).

À $t_{AR} = t'_{AR} = 0$, lorsque B' coïncide avec R, le fermier affirme que A est à l'intérieur de la grange et que le portail avant est fermé. L'athlète déclare que A' est à l'extérieur de la grange mais que le portail avant est encore ouvert. À l'instant t'_{AV} où le portail AV se ferme dans le référentiel S', la grange s'est déplacée d'une distance $v t'_{AV} = 16L_0/15$. C'est ici que réside la solution du paradoxe : les observateurs des deux référentiels voient tous les deux B' à gauche du portail AV lorsqu'il se ferme et A' à droite du portail AV lorsqu'il se ferme. Mais ils n'arrivent pas à se mettre d'accord sur l'endroit où se trouve A' à l'instant où AV se ferme.

Résumé

Les deux postulats de la relativité restreinte sont :

1. Toutes les lois physiques sont les mêmes dans tous les référentiels d'inertie.

2. La vitesse de la lumière dans le vide est la même dans tous les référentiels d'inertie. Elle est indépendante du mouvement de la source ou de l'observateur.

L'intervalle de temps T_0 enregistré par une horloge O' au repos dans le référentiel S' est appelé temps propre. L'intervalle de temps T enregistré par *deux* horloges A et B dans le référentiel S est supérieur au temps propre :

$$T = \gamma T_0$$

avec

$$\gamma = \frac{1}{\sqrt{1 - v^2/c^2}}$$

Cet effet porte le nom de dilatation du temps.

La longueur L_0 d'une tige dans le référentiel S' où elle est au repos est sa longueur propre. Sa longueur L mesurée par un observateur dans le référentiel S est plus petite :

$$L = \frac{L_0}{\gamma}$$

Cet effet porte le nom de contraction des longueurs.

La quantité de mouvement p d'une particule se déplaçant à la vitesse v est

$$p = mv$$

où la masse relativiste $m = \gamma m_0$ et m_0 est la masse au repos. L'énergie totale E de la particule est

$$E = mc^2$$

Cette équation exprime l'équivalence entre la masse et l'énergie. L'énergie cinétique d'une particule est

$$K = E - m_0c^2 = (\gamma - 1)m_0c^2$$

L'énergie totale et la quantité de mouvement sont liées par la relation

$$E^2 = p^2c^2 + m_0^2c^4$$

Termes importants

contraction des longueurs	observateur
covariant (adj.)	principe de la constance de la vitesse de la lumière
dilatation du temps	principe de la relativité
équivalence masse-énergie	référentiel
éther	référentiel d'inertie
événement	référentiel propre
invariant (adj.)	relativité restreinte
longueur propre	temps propre
masse au repos	transformation de Galilée

Révision

R1. Au XIXe siècle, quelles étaient les propriétés attribués à l'hypothétique éther ? En quoi étaient-elles contradictoires ?

R2. Qu'est-ce que Michelson et Morley cherchaient à mettre en évidence au moyen de leur expérience ? Quels résultats obtinrent-ils ?

R3. Comment Fitzgerald et plus tard Lorentz expliquèrent-ils les résultats de l'expérience de Michelson et Morley ?

R4. Énoncez les deux postulats de la théorie de la relativité restreinte.

R5. Quelle est la valeur du facteur γ lorsqu'il n'y a pas de dilatation du temps ?

R6. Vrai ou faux ? Dans une situation donnée, le temps propre et la longueur propre sont toujours mesurées dans le même référentiel.

R7. Pourquoi les effets de la dilatation du temps et de la contraction des longueurs ne sont-ils pas aisément observables dans la vie de tous les jours ?

R8. Expliquez l'expérience portant sur la désintégration des muons (i) du point de vue de la dilatation du temps ; (ii) du point de vue de la contraction des longueurs.

R9. Vrai ou faux ? La masse au repos d'un objet augmente avec sa vitesse.

R10. Expliquez pourquoi il est impossible qu'une particule de masse au repos non nulle atteigne la vitesse de la lumière.

R11. Que deviendrait l'écoulement du temps si on pouvait voyager à la vitesse de la lumière ?

Questions

Q1. Serait-il utile de refaire l'expérience de Michelson-Morley à des moments différents de l'année ? Si oui, expliquez pourquoi.

Q2. Certaines des relations de la transformation de Galilée demeurent-elles applicables dans le contexte de la relativité restreinte ?

Q3. Quel aspect du principe de la relativité d'Einstein est irréconciliable avec les transformations de Galilée ?

Q4. Deux événements se produisent au même point mais à des instants différents dans un référentiel d'inertie. Ces deux événements peuvent-ils être simultanés dans un autre référentiel en mouvement à vitesse constante par rapport au premier ?

Q5. Au cours d'une conversation téléphonique transatlantique, un des interlocuteurs déclare qu'il est quinze heures et l'autre lui répond qu'il est dix-neuf heures. Est-ce un exemple d'absence de synchronisation des horloges ?

Q6. Reformulez la phase « Des tiges en mouvement paraissent contractées » de manière à éviter tout malentendu.

Q7. On dit parfois que « des horloges en mouvement retardent ». Que leur arrive-t-il ?

Q8. Dans son livre intitulé *Monsieur Tompkins au pays des merveilles*, George Gamow explore les conséquences d'une réduction sensible, mais hypothétique, de la vitesse de la lumière. Énumérez quelques événements de tous les jours qui seraient modifiés si la vitesse de la lumière n'était que de 30 m/s.

Q9. Pourquoi n'est-il pas possible pour un électron ou un proton de voyager à la vitesse de la lumière ?

Q10. L'espérance moyenne de vie d'un être humain est de soixante-dix ans. Cela signifie-t-il qu'un être humain peut s'éloigner de la Terre jusqu'à une distance maximale voisine de soixante-dix années-lumière ? (L'année-lumière est la distance parcourue par la lumière en une année.)

Q11. En principe, serait-il possible qu'au retour d'un voyage intergalactique des parents soient plus jeunes que leurs enfants restés à la maison ?

Q12. À votre avis, la notion de corps parfaitement rigide est-elle valable en relativité restreinte ? Justifiez votre réponse.

Q13. En quoi l'effet Doppler pour les ondes sonores est-il similaire à l'effet Doppler pour la lumière ? En quoi sont-ils différents ?

Q14. Est-il possible pour une personne d'avancer de 200 a dans le futur ? Pourrait-elle revenir pour raconter à ses amis ce qui a été découvert entre-temps ?

Q15. Dans quelle condition l'équation $p = E/c$ est-elle valable pour un électron ou un proton ?

Q16. L'énergie cinétique d'une particule peut-elle s'écrire $K = \frac{1}{2} m_0 c^2$?

Q17. Vrai ou faux ? Selon la théorie de la relativité restreinte, la quantité de mouvement d'une particule peut tendre vers la valeur $p = m_0 c$, mais ne peut pas lui être égale.

Q18. Vous entendez vos amis dire que, selon la théorie d'Einstein, « tout est relatif ». Pour les convaincre du contraire, faites une liste de grandeurs qui, selon la relativité restreinte, sont (a) relatives, c'est-à-dire ont une valeur qui dépend du référentiel ; (b) invariantes, c'est-à-dire ont la même valeur dans tous les référentiels d'inertie.

8.7 et 8.8 Dilatation du temps et contraction des longueurs

E1. (I) Un mètre de couturière mesure 80 cm lorsqu'il est en mouvement. Quelle est sa vitesse ?

E2. (I) Utilisez le développement du binôme et son approximation $(1 + x)^n \approx 1 + nx$, pour $x \ll 1$, afin de démontrer que, lorsque $v \ll c$, (a) $\gamma \approx 1 + v^2/2c^2$; (b) $1/\gamma \approx 1 - v^2/2c^2$.

E3. (I) Une tige se déplaçant à la vitesse de $0,6c$ par rapport au référentiel du laboratoire a une longueur de 1,2 m lorsqu'on la mesure dans ce référentiel. Quelle est la longueur propre de la tige ?

E4. (I) Une étoile est à dix années-lumière (a.l.) de la Terre. Quelle doit être la vitesse d'une fusée par rapport à un référentiel d'inertie fixé à la Terre pour que la distance mesurée dans le référentiel lié à la fusée soit égale à 3 a.l. ? (L'année-lumière est égale à la distance parcourue par la lumière en une année : 1 a.l. = $9,4607 \times 10^{15}$ m.)

E5. (I) Utilisez les résultats de l'exercice 2 pour $v \ll c$ afin d'établir une expression pour (a) $(T - T_0)/T_0$, où $T = \gamma T_0$; (b) $(L - L_0)/L_0$, où $L = L_0/\gamma$.

E6. (I) Une horloge voyage à vitesse constante par rapport au référentiel d'inertie S pendant une année mesurée dans son référentiel propre. De combien retarde-t-elle par rapport aux horloges dans S si le module de sa vitesse est de (a) $0,1c$; (b) $0,998c$?

E7. (I) À quelle vitesse doit se déplacer une horloge par rapport au référentiel S pour retarder d'une seconde par an mesurée dans S ? (Utilisez le résultat de l'exercice 2.)

E8. (II) La durée de vie moyenne des muons au repos est de 2,2 µs. À quelle vitesse par rapport au référentiel S vont-ils parcourir 400 m (mesurée dans S) avant de se désintégrer ?

E9. (I) Un train roulant à $0,8c$ met 5 µs pour passer devant un observateur qui se tient sur le quai. (a) Quel est l'intervalle de temps mesuré dans le référentiel lié au train ? Quelle est la longueur du train mesurée par un observateur (b) dans le train ; (c) sur le quai ?

E10. (I) On fait voler une horloge atomique à 400 m/s entre deux points distants de 200 km à la surface de la Terre. Quel est l'écart entre l'heure qu'elle indique et l'heure indiquée par des horloges restées au sol, sachant qu'elles étaient initialement synchronisées ? (Utilisez le résultat de l'exercice 2.)

E11. (I) À quelle vitesse doit se déplacer une horloge pour que sa cadence mesurée par un observateur au repos corresponde à 50 % de la cadence mesurée dans le référentiel où elle est immobile ?

E12. (II) L'étoile Alpha du Centaure est située à 4,2 a.l. de la Terre. Si un vaisseau spatial voyage à la vitesse de $0,98c$, combien de temps dure le voyage pour (a) les astronautes ; (b) des observateurs liés au référentiel de la Terre ou de l'étoile ? (c) Quelle est la distance entre la Terre et l'étoile pour un observateur dans le référentiel du vaisseau spatial ?

E13. (II) Le vaisseau spatial B dépasse le vaisseau A à une vitesse relative de $0,2c$. Des observateurs dans A mesurent la longueur de B et trouvent 150 m. (a) Quelle est la longueur propre de B ? Calculez le temps que met B pour passer devant un point donné sur A en supposant qu'il est mesuré par un observateur (b) dans A ; (c) dans B ?

E14. (II) Soit une étoile à 80 a.l. de la Terre. À quelle vitesse doit voyager un vaisseau spatial pour effectuer le voyage durant les 70 a que dure la vie d'un astronaute ?

E15. (I) Un train roulant à $0,6c$ par rapport au sol a une longueur mesurée de 320 m dans le référentiel lié au sol. Calculez le temps qu'il met pour passer devant un arbre, le temps étant mesuré (a) dans le référentiel lié au sol ; (b) dans le référentiel lié au train ?

E16. (I) Un train roule à une vitesse de $0,6c$ par rapport à un quai. Les voyageurs mesurent la longueur du quai et trouvent 1,2 km. (a) Quelle est la longueur propre du quai ? Combien de temps faut-il à l'avant du train pour aller d'une extrémité à l'autre du quai (b) dans le référentiel lié au quai ; (c) dans le référentiel lié au train ?

E17. (I) Un vaisseau spatial passe devant une station spatiale à la vitesse de $0,98c$. Dans la station, des observateurs mesurent la longueur du vaisseau et trouvent 120 m. Combien de temps met le vaisseau pour passer devant un point donné de la station (a) dans le référentiel lié à la station ; (b) dans le référentiel lié au vaisseau spatial ?

E18. (II) Alpha du Centaure est à 4,2 a.l. de la Terre. (a) À quelle vitesse par rapport à un référentiel d'inertie fixé à la Terre des astronautes doivent-ils se déplacer pour que leur mesure de cette distance donne 3,6 a.l. ? (b) À quelle vitesse doivent-ils se déplacer pour que leur mesure de la durée du voyage donne 24 a ? (c) À la vitesse calculée en (b), quelle serait la durée du voyage dans le référentiel de la Terre ?

E19. (II) Un avion parcourt les 500 km séparant deux villes à 0,2c. (a) Quelle est la durée du trajet pour le pilote ? (b) Quelle est la distance parcourue selon le pilote ?

E20. (II) Les pions ont une durée de vie moyenne de 2,6 $\times 10^{-8}$ s au repos. S'ils ont une vitesse de 0,8c dans le référentiel lié au laboratoire, trouvez :
(a) la durée de vie moyenne mesurée dans le référentiel lié au laboratoire ;
(b) la distance parcourue pendant la durée de vie dans le référentiel lié au laboratoire ;
(c) la distance parcourue dans le laboratoire pendant la durée de vie moyenne, si elle est mesurée dans le référentiel propre de la particule.

E21. (II) Les muons ont une durée de vie moyenne de 2,2 $\times 10^{-6}$ s au repos. Ils sont créés à une altitude de 10 km et voyagent à 0,995c vers la Terre. Trouvez :
(a) la durée de vie moyenne mesurée sur la Terre ;
(b) le temps mis pour arriver au niveau du sol dans le référentiel lié à la Terre ;
(c) le temps mis pour arriver au niveau du sol dans le référentiel lié aux particules.

8.9 Effet Doppler

E22. (I) Un astronaute se déplaçant à 0,6c par rapport à la Terre émet un signal radio à la fréquence de 720 kHz, typique de la bande AM. À quelle fréquence un observateur terrestre captera-t-il ce signal si le vaisseau spatial (a) s'approche de la Terre ; (b) s'éloigne de la Terre ?

E23. (II) Un détecteur d'excès de vitesse fonctionne avec des ondes radio ayant une longueur d'onde de 3 cm. Quel décalage de fréquence par effet Doppler mesure le policier pour une voiture roulant à 108 km/h vers la source ?

E24. (I) Un automobiliste aimant la vitesse reçoit une contravention pour avoir grillé un feu rouge (700 nm). Il prétend que le feu lui est apparu vert (500 nm). À quelle vitesse roulait-il ?

E25. (I) Une galaxie s'éloigne de la Terre à la vitesse de 0,2c. Quelle est la longueur d'onde propre d'une raie du spectre de cette galaxie si sa mesure donne 600 nm pour un observateur sur Terre ?

E26. (II) Un observatoire suit au radar la trace d'un vaisseau spatial qui s'approche à la vitesse de 0,1c. Si le signal radar a une fréquence de 1000 MHz, quelle est la fréquence du signal réfléchi qui est mesurée par l'observatoire ?

E27. (II) Un signal radar de 2 cm de longueur d'onde est réfléchi par une automobile roulant à 40 m/s. Le signal réfléchi est combiné avec le signal incident. Quelle est la fréquence des battements si l'automobile (a) s'approche ; (b) s'éloigne ?

8.11 Transformation de Lorentz

E28. (I) Les origines des référentiels S et S' coïncident à $t = t' = 0$. Le référentiel S' a une vitesse de 0,6c dans la direction des x positifs par rapport à S. Une bombe explose en $x' = 400$ km à $t' = 0,01$ s. Où et quand a lieu l'explosion dans le référentiel S ?

E29. (I) Deux éclairs sont émis simultanément dans le référentiel S' mais à une distance de 480 km l'un de l'autre. Quels sont les intervalles d'espace et de temps dans le référentiel S si S' se déplace à 0,6c dans la direction des x positifs par rapport à S ?

E30. (I) Un train (référentiel S') de longueur propre 1,2 km se déplace à 0,98c le long d'un quai (référentiel S). Des observateurs situés aux extrémités du train tirent des coups de fusil en direction du quai au même instant dans le référentiel S'. Trouvez la distance entre les traces d'impact des balles sur le quai mesurée dans le référentiel S.

E31. (I) Un vaisseau spatial se déplaçant à 0,8c vers la Terre émet des éclairs lumineux séparés de 0,01 s. Quelle est la distance parcourue par le vaisseau entre deux éclairs mesurée dans le référentiel lié à la Terre ?

E32. (II) Un train (référentiel S') de longueur propre 3,2 km se déplace à 0,6c par rapport à un quai (référentiel S). À $t = t' = 0$, deux impulsions lumineuses sont émises dans des directions opposées à partir du centre du train (figure 8.32). À quels instants les impulsions atteignent-elles les extrémités A' et B' du train (a) dans le référentiel S' ; (b) dans le référentiel S ?

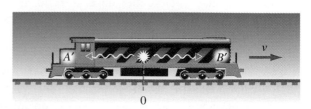

Figure 8.32

Exercice 32.

E33. (II) Lorsqu'elle se trouve à $x = 10^8$ m dans le référentiel S lié à la Terre, une fusée (référentiel S') voyageant à $0,8c$ vers la Terre émet un éclair. Dès sa réception, l'éclair est renvoyé vers la fusée. Combien de temps met-il pour rejoindre la fusée, le temps étant mesuré dans le référentiel lié à la Terre ?

E34. (II) Deux événements se produisent dans le référentiel d'inertie S : un éclair rouge est émis à $x = 0$ et $t = 0$ et un éclair vert se produit en $x = 6 \times 10^4$ m à $t = 0,16$ ms. Un vaisseau spatial (référentiel S') se déplace dans la direction des x positifs. (a) À quelle vitesse du vaisseau les éclairs se produisent-ils simultanément dans son référentiel ? (b) Quel serait l'effet produit si la vitesse était supérieure à celle trouvée en (a) ?

E35. (II) Un éclair rouge et un éclair vert ont lieu simultanément dans le référentiel S. L'éclair rouge est émis à l'origine et l'éclair vert à 240 m. Le référentiel S' se déplace à $0,995c$ dans la direction des x positifs. Trouvez l'intervalle de temps et d'espace entre les éclairs que l'on mesure dans S'.

E36. (II) L'*intervalle d'espace-temps* Δs entre deux événements est défini par l'équation

$$(\Delta s)^2 = c^2(\Delta t)^2 - (\Delta x)^2 - (\Delta y)^2 - (\Delta z)^2$$

Montrez que cet intervalle d'espace-temps est un invariant, c'est-à-dire que $(\Delta s')^2 = (\Delta s)^2$.

E37. (II) Un détecteur (référentiel S') s'éloigne de l'origine du référentiel S à la vitesse v dans la direction des x positifs. Lorsqu'il se trouve à une distance $x = L$ de l'origine de S, un éclair est émis à l'origine. Combien de temps met l'éclair pour arriver jusqu'au détecteur selon des observateurs (a) dans S ; (b) dans S' ?

8.12 Addition des vitesses

E38. (I) Deux protons ayant chacun une vitesse de $0,960c$ par rapport au laboratoire s'approchent l'un de l'autre. Quelle est leur vitesse relative ?

E39. (I) Dans le référentiel lié à la Terre, le vaisseau spatial A poursuit le vaisseau B à $0,8c$, alors que la vitesse de B est de $0,6c$. Quelle est la vitesse de A par rapport à B ?

E40. (I) Un vaisseau spatial se déplaçant à $0,7c$ par rapport à la Terre envoie un missile à $0,1c$ par rapport à lui-même. Quelle est la vitesse du missile par rapport à la Terre si le missile est lancé (a) vers l'avant ; (b) vers l'arrière ?

E41. (II) Par rapport à la Terre, le vaisseau spatial A se déplace à $0,6c$ et poursuit le vaisseau B, qui a une vitesse de $0,8c$. Le vaisseau A envoie un missile à $0,3c$ par rapport à lui-même. (a) Le missile touche-t-il B ? (b) Si la réponse à la question (a) est négative, quelle devrait être la vitesse minimale du missile par rapport au vaisseau A pour qu'il touche B ?

E42. (II) Deux fusées se dirigent l'une vers l'autre avec la même vitesse par rapport à la Terre. Quelle est cette vitesse si leur vitesse relative est de $0,5c$?

8.13 Quantité de mouvement et énergie

E43. (I) La puissance rayonnée par le Soleil correspond à $3,9 \times 10^{26}$ W. Sa masse est de 2×10^{30} kg. (a) De combien sa masse décroît-elle en une seconde ? (b) Si ce taux était constant, quelle serait la durée de vie du Soleil ?

E44. (I) Quelle est la quantité de mouvement d'un proton animé d'une vitesse de $0,998c$?

E45. (I) Que vaut v/c pour un électron dont l'énergie cinétique est de (a) 10^4 eV dans un tube de téléviseur ; (b) 10^7 eV dans le tube de l'accélérateur linéaire de Stanford ?

E46. (I) Un électron se déplace à $0,998c$. Trouvez (a) son énergie cinétique ; (b) sa quantité de mouvement.

E47. (I) Calculez l'énergie nécessaire pour accélérer un électron (a) de $0,6c$ à $0,8c$; (b) de $0,995c$ à $0,998c$.

E48. (I) Trouvez la vitesse d'une particule dont l'énergie cinétique est égale à (a) son énergie au repos ; (b) onze fois son énergie au repos.

E49. (I) La surface de la Terre reçoit 1 kW/m² d'énergie de rayonnement provenant du Soleil. Si la superficie de votre corps était de 0,5 m² et était orientée perpendiculairement aux rayons du Soleil, combien de poids prendriez-vous en vous exposant au Soleil pendant toute une année ? (On néglige tous les autres facteurs et on suppose que le rayonnement est absorbé en totalité.)

E50. (I) Démontrez que la quantité $E^2 - p^2c^2$ est un invariant, c'est-à-dire qu'elle a la même valeur dans tous les référentiels d'inertie.

E51. (I) L'énergie totale d'une particule dont la masse au repos est m_0 est égale au triple de son énergie au repos. Trouvez (a) sa quantité de mouvement ; (b) sa vitesse.

E52. (I) La consommation totale d'énergie par an au Québec est voisine de 1×10^{18} J. En supposant qu'il existe un appareil capable d'extraire cette énergie de la masse au repos avec un rendement de 0,1 %, quelle serait la masse nécessaire pour produire cette énergie ?

E53. (II) Dans le modèle de Bohr de l'atome d'hydrogène, l'électron voyage à $2,2 \times 10^6$ m/s. Quelle erreur relative fait-on en utilisant l'expression classique de l'énergie cinétique ? (*Indice* : Voyez le développement sous l'équation 8.26.)

E54. (II) À quelle vitesse la valeur relativiste de la quantité de mouvement d'une particule est-elle de 1 % plus élevée que la valeur classique ?

E55. (I) À quelle vitesse la valeur relativiste de la quantité de mouvement d'une particule est-elle le double de la valeur classique ?

E56. (II) L'énergie totale d'un électron est de 50 MeV. Que vaut $\beta = v/c$?

E57. (II) (a) En physique classique, quelle est la différence de potentiel nécessaire pour accélérer un électron jusqu'à $0,9c$ à partir du repos ? (b) Avec la différence de potentiel calculée en (a) et si on tient compte des effets relativistes, quelle vitesse atteindrait l'électron ?

E58. (II) À quelle vitesse l'énergie cinétique d'une particule est-elle supérieure de 1 % à la valeur classique ? (*Indice* : Voyez le développement sous l'équation 8.26.)

E59. (II) Un proton a une énergie cinétique de 40 GeV. Quelle est (a) sa vitesse ; (b) sa quantité de mouvement ?

E60. (II) Un électron ayant une énergie totale de 10 GeV parcourt 3,2 km le long du tube d'un accélérateur. (a) Quelle est la longueur du tube dans le référentiel de l'électron ? Combien de temps lui faut-il pour parcourir la distance (a) dans son référentiel ; (b) dans un référentiel fixé au tube ?

Exercices supplémentaires

8.7 et 8.8 Dilatation du temps et contraction des longueurs

E61. (I) Un train a une longueur propre de 1,2 km et une vitesse de $0,7c$ par rapport à un quai. (a) Quelle est la longueur du train pour un observateur sur le quai ? Combien de temps ce train prend-il à passer devant un point sur le quai (b) selon un observateur sur le quai ; (c) selon un observateur dans le train ?

E62. (II) Deux vaisseaux spatiaux, A et B, ont la même longueur propre de 240 m et voyagent l'un vers l'autre. Un observateur à bord de A mesure le temps que prend le vaisseau B à passer devant lui, soit 2,76 µs. Quelle est la vitesse relative des vaisseaux ?

E63. (II) Un train de 800 m de longueur au repos s'approche d'un quai de 1 km de long à une vitesse de $0,6c$. L'avant du train passe devant l'extrémité gauche du quai à $t = 0$ dans le référentiel du quai. À quel moment l'arrière du train atteint-il l'extrémité droite du quai dans le référentiel du quai ?

8.12 Addition des vitesses

E64. (II) Deux trains ayant chacun une longueur propre de 1 km, voyagent l'un vers l'autre à la même vitesse de $0,65c$ par rapport à un observateur immobile. (a) Quelle est la longueur d'un train pour un observateur situé dans l'autre train ? (b) Combien de temps prend un des trains, selon un observateur dans ce train, à passer devant un certain point de l'autre train ?

E65. (II) Un train a une vitesse de $0,4c$ par rapport au sol. Un observateur au sol observe qu'un projectile est lancé à $0,6c$ du train vers une cible située à 10 km à l'avant du train. Combien de temps le projectile prend-il à atteindre sa cible (a) selon un observateur au sol ; (b) dans le référentiel fixé au projectile ? Négligez la gravité.

E66. (II) Dans l'exercice précédent, combien de temps le projectile prend-il à atteindre sa cible selon un observateur dans le train ?

8.13 Quantité de mouvement et énergie

E67. (I) Exprimez la variation d'énergie d'un objet passant de $0,8c$ à $0,9c$ comme un multiple de l'énergie qu'il faut investir pour passer de (a) $0c$ à $0,1c$; (b) $0,5c$ à $0,6c$.

E68. (I) Les muons ont une durée de vie moyenne de 2,2 µs au repos. Si, en laboratoire, on mesure une durée de vie de 7,9 µs, trouvez (a) la vitesse, et (b) l'énergie cinétique des muons en électronvolts. La masse des muons est de 207 fois celle des électrons.

E69. (I) Sur sa plate-forme de lancement, une navette spatiale a une masse d'environ 10^5 kg au repos. Elle est accélérée du repos jusqu'à $0,1c$. (a) Quelle est son énergie cinétique à cette vitesse ? (b) À quelle augmentation de la masse correspond cette énergie cinétique ?

E70. (I) Quelle est la vitesse d'une particule ayant une quantité de mouvement égale à m_0c ?

E71. (II) Un électron a une énergie cinétique de 1,2 MeV. Trouvez (a) son énergie totale ; (b) sa vitesse ; (c) sa quantité de mouvement.

E72. (II) Les électrons que produit l'accélérateur de Standford ont une énergie cinétique de 20 GeV. Trouvez : (a) le facteur relativiste γ, (b) la quantité de mouvement de chaque électron. (*Indice* : Négligez le deuxième terme dans l'équation 8.27.)

Problèmes

P1. (I) Utilisez $p = \gamma m_0 v$ et $E = \gamma m_0 c^2$ pour démontrer que $E^2 = p^2 c^2 + m_0^2 c^4$.

P2. (I) Une particule est soumise à une force constante F dans le sens de son mouvement. En partant de l'expression $F = dp/dt$, montrez que son accélération est $dv/dt = F/\gamma^3 m_0$. On voit ainsi que l'accélération décroît au fur et à mesure que v augmente.

P3. (I) Démontrez l'expression suivante donnant la quantité de mouvement p en fonction de l'énoncé classique de l'énergie cinétique K pour une particule dont la masse au repos est m_0 :

$$p = 2m_0 K + \left(\frac{K}{c}\right)^2$$

P4. (I) La lumière se propage à la vitesse c/n dans un milieu d'indice de réfraction n. Montrez que si la lumière se propage vers l'aval dans un cours d'eau coulant à la vitesse v par rapport au laboratoire, la vitesse de la lumière par rapport au laboratoire est $(c/n)[(1 + nv/c)/(1 + v/nc)]$.

P5. (I) Un électron a une vitesse de $0,9995c$. À quelle vitesse un proton aurait-il (a) la même quantité de mouvement ; (b) la même énergie cinétique ?

P6. (I) Un vaisseau spatial (référentiel S') de 100 m de long se déplace à $0,995c$ dans la direction des x positifs du référentiel S. Il est muni d'une source lumineuse à son extrémité arrière et d'un miroir à l'avant. Un éclair est émis à $t = t' = 0$, lorsque l'arrière coïncide avec l'origine du référentiel S. À quel instant l'impulsion réfléchie atteint-elle l'arrière (a) dans le référentiel du vaisseau ; (b) dans le référentiel S ? (c) En quel point du référentiel S l'impulsion atteint-elle l'extrémité arrière ?

P7. (I) Un faisceau lumineux se propage en faisant un angle θ' avec l'axe x' du référentiel S', qui se déplace à la vitesse v dans la direction des x positifs du référentiel S. Si θ est l'angle mesuré par rapport à l'axe des x dans S, montrez que

$$\cos \theta = \frac{\cos \theta' + \beta}{1 + \beta \cos \theta'}$$

où $\beta = v/c$. (*Indice* : Utilisez la transformation de Lorentz et notez que $\cos \theta = dx/(c\,dt)$.) (b) Sachant que $\beta = 0,9$, calculez θ pour $\theta' = 30°$, $60°$ et $90°$. Pourquoi cet effet est-il appelé *effet projecteur* ?

P8. (I) Le référentiel S' se déplace à la vitesse v dans la direction des x positifs du référentiel S. La vitesse d'une particule est u dans le référentiel S et u' dans le référentiel S'. Montrez que les composantes en y de la vitesse sont liées par

$$u_y = \frac{u'_y}{\gamma(1 + vu'_x/c^2)}$$

Une relation similaire existe pour la composante en z.

P9. (I) Le nombre N de muons restants à l'instant t est donné par $N = N_0 e^{-t/\tau}$, où $\tau = 2,2$ µs est la durée de vie moyenne dans le référentiel propre et N_0 est le nombre à $t = 0$. On suppose que $N_0 = 1000$ et que les muons ont une vitesse $v = 0,98c$ par rapport à la Terre. Une fois qu'ils ont parcouru 3 km par rapport au référentiel lié à la Terre, quel est le nombre de muons restants (a) mesuré dans le référentiel des muons ; (b) mesuré dans le référentiel lié à la Terre.

P10. (I) Une onde dans un référentiel reste une onde dans un autre référentiel. Pour tous les observateurs, une crête est une crête, un creux est un creux, et ainsi de suite. Autrement dit, la *phase d'une onde est un invariant*. Supposons que la fonction d'onde s'écrit $y = A \sin(kx - \omega t)$ dans le référentiel S et $y' = A \sin(k'x' - \omega' t')$ dans le référentiel S'. Le référentiel S' se déplace à la vitesse v dans la direction des x positifs du référentiel S. Utilisez la transformation de Lorentz et l'invariance de phase pour démontrer que

$$k = \gamma(k' + v\omega'/c^2); \quad \omega = \gamma(\omega' + vk')$$

(*Indice*: On obtient une équation de la forme $Ax - Bt = 0$, qui doit être vraie pour toute valeur de x et de t.)

P11. (II) Le référentiel S' se déplace à la vitesse v dans la direction des x positifs du référentiel S. (a) Une tige au repos dans le référentiel S' fait un angle θ' avec l'axe des x' (figure 8.33). Utilisez la transformation de Lorentz pour montrer que l'angle θ avec l'axe des x est donné par $\tan \theta = \gamma \tan \theta'$. (b) Si une tige de longueur propre L_0 est à l'origine dans le référentiel S' et fait un angle $\theta' = \theta_0$ avec l'axe des x', montrez que sa longueur dans le référentiel S est

$$L = L_0\left(1 - \frac{v^2}{c^2}\cos^2\theta_0\right)^{1/2}$$

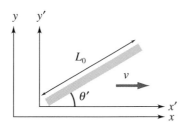

Figure 8.33

Problème 11.

P12. (I) On peut déterminer la vitesse à laquelle une étoile s'éloigne de la Terre à partir du décalage Doppler de la longueur d'onde émise par l'étoile. Montrez que si $v \ll c$, le décalage relatif de longueur d'onde est

$$\Delta\lambda/\lambda \approx v/c$$

La longueur d'onde perçue étant supérieure à la longueur d'onde émise, l'ensemble du spectre est décalé vers le rouge.

P13. (II) Deux trains roulent sur des voies parallèles. Chacun a une longueur propre de 1 km. Le train A roule à une vitesse de $0,6c$, tandis que le train B a une vitesse de $0,8c$ par rapport au sol. Combien faut-il de temps au train le plus rapide pour passer entièrement devant le train qui roule plus lentement (entre l'instant où l'avant de B coïncide avec l'arrière de A et l'instant où l'arrière de B coïncide avec l'avant de A) pour des observateurs situés dans (a) le référentiel lié au sol; (b) le référentiel lié au train le plus lent?

P14. (II) Une lampe située à l'avant d'un vaisseau spatial de longueur propre 1 km émet un éclair et une lampe située à l'arrière émet un éclair 4 µs plus tard dans le référentiel du vaisseau. Le vaisseau se déplace à une vitesse de $0,98c$ dans la direction des x positifs du référentiel S. (a) Quels sont les intervalles d'espace et de temps mesurés dans S entre les deux événements? (b) Quel est l'intervalle de temps entre la réception des deux éclairs mesuré par un observateur dans S qui voit le vaisseau s'approcher?

P15. (II) Deux trains qui ont chacun une longueur propre de 1 km s'approchent l'un de l'autre sur des voies parallèles à $\pm 0,6c$ par rapport au quai. Quel est l'intervalle de temps entre la rencontre de leurs extrémités avant et celle de leurs extrémités arrière (a) dans le référentiel lié au quai; (b) dans le référentiel lié à l'un des trains?

P16. (II) Une particule se déplace à la vitesse u selon un angle θ' avec l'axe des x' du référentiel S', lequel se déplace dans la direction des x positifs du référentiel S avec la vitesse v (figure 8.34). Montrez que l'angle entre la trajectoire de la particule et l'axe des x est donnée par

$$\tan \theta = \frac{\tan \theta'}{\gamma\left(1 + \dfrac{v}{u' \cos \theta'}\right)}$$

(*Indice*: Considérez les transformations de u_x et u_y. *Cf.* problème 8 et équation 8.12.)

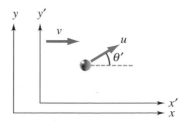

Figure 8.34

Problème 16.

P17. (II) Une particule ayant une masse au repos m_0 se déplace à la vitesse u dans la direction des x positifs du référentiel S. Sa quantité de mouvement est $p_x = \gamma_u m_0 u$ et son énergie est $E = \gamma_u m_0 C^2$, avec $\gamma_u = (1 - u^2/c^2)^{-1/2}$. Le référentiel S' se déplace à la vitesse v dans la direction des x positifs du référentiel S. Montrez que la quantité de mouvement et l'énergie dans le référentiel S' sont liées aux valeurs dans S par la relation

$$E' = \gamma(E - vp_x) \, ; \quad p'_x = \gamma\left(p_x - \frac{vE}{c^2}\right)$$

où $\gamma = (1 - v^2/c^2)^{-1/2}$. Par conséquent, E et p_x se transforment exactement comme x et t. (*Indice* : La vitesse de la particule dans le référentiel S' est $u' = (u - v)/(1 - uv/c^2)$.)

Problème supplémentaire

P18. (II) L'expression par laquelle on définit le travail mécanique est

$$W_{A \to B} = \int_A^B \vec{F} \cdot d\vec{s}$$

Si $\vec{F}$ correspond à la force totale agissant sur un corps, cette expression du « travail total » correspond à la variation de l'énergie cinétique pour un déplacement entre les points A et B (voir le chapitre 7 du tome 1). En supposant que les forces et les vitesses n'aient de composantes que dans la direction x ($\vec{F} = F_x\vec{i}$, $\vec{v} = v_x\vec{i}$), montrez (a) que dans le contexte classique où la masse conserve une valeur constante de m_0, le travail total correspond à :

$$W = \frac{m_0 v^2}{2} - \frac{m_0 v_0^2}{2}$$

où v correspond à la vitesse au point B et v_0 à la vitesse au point A.

(b) Dans le contexte relativiste, en supposant que la vitesse en A soit nulle, montrez que la même expression du travail total s'exprime plutôt comme

$$W = mc^2 - m_0 c^2$$

Pour arriver aux deux résultats, il faut considérer la composantes selon x de la deuxième loi de Newton :

$$\vec{F} = \frac{d\vec{p}}{dt}$$

En (b), il faut de plus utiliser l'énoncé relativiste de la quantité de mouvement :

$$p_x = \frac{m_0 v_x}{\sqrt{1 - \dfrac{v_x^2}{c^2}}}$$

Les deux résultats demeurent évidemment vrais, même si on retire la contrainte d'un mouvement dans une direction unique. La preuve suppose toutefois quelques étapes supplémentaires liées à la manipulation du produit scalaire.

CHAPITRE 9

Les débuts de
la théorie quantique

La mise au point du laser s'appuie sur
des idées propres à la théorie quantique.
Ici, un laser est utilisé pour un découpage
de précision.

POINTS ESSENTIELS

1. Le rayonnement émis par un **corps noir** se caractérise par une distribution d'énergic qui passe par un maximum. La longueur d'onde de ce maximum est inversement proportionnelle à la température du corps.

2. La **loi de Planck** permet d'expliquer le rayonnement du corps noir à partir de l'hypothèse de la quantification de l'énergie.

3. Einstein a utilisé l'hypothèse de la quantification de l'énergie de la lumière pour expliquer l'**effet photoélectrique**.

4. L'**effet Compton** décrit la diffusion d'un photon par un électron.

5. La **formule de Balmer** rend compte empiriquement des longueurs d'onde des raies spectrales de l'hydrogène.

6. Le modèle nucléaire de Rutherford introduit l'idée que les atomes possèdent un petit **noyau** positivement chargé contenant la majeure partie de la masse.

7. Le modèle de Bohr introduit l'idée d'une quantification des niveaux d'énergie des électrons dans un atome.

8. La lumière est caractérisée par la **dualité onde-particule**.

La théorie de la relativité restreinte est le premier volet de la révolution qui marque la physique du XXe siècle. Elle démontre que la mécanique classique n'est pas correcte pour des particules se déplaçant à grande vitesse. La physique classique ne permet pas non plus de résoudre de façon satisfaisante certaines questions concernant notamment le spectre de raies émis par des atomes dans un tube à gaz ou la structure de l'atome. La théorie de la mécanique quantique, formulée en gros entre 1900 et 1930, constitue le deuxième volet de cette révolution. Cette théorie trouve son origine dans l'étude du rayonnement émis par les corps et dans l'étude de l'effet photoélectrique, par lequel des électrons sont éjectés d'une surface illuminée. L'explication de ces phénomènes s'appuie sur l'hypothèse selon laquelle l'énergie existe uniquement en quantités discrètes ; on dit qu'elle est *quantifiée*. En 1911, E. Rutherford proposa un modèle de l'atome constitué d'un

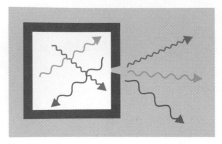

Figure 9.1

Une enceinte percée d'une petite ouverture absorbe tous les rayonnements qui y pénètrent et agit donc comme un corps noir. Le rayonnement émis par l'ouverture lorsque les parois de l'enceinte sont chaudes est caractéristique d'un corps noir.

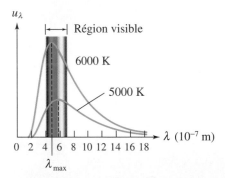

Figure 9.2

Le spectre de rayonnement du corps noir pour deux températures différentes. À la température la plus élevée, le rayonnement émis est plus abondant et le pic est décalé vers les longueurs d'onde plus courtes. La densité d'énergie spectrale $u_\lambda(T)$ est définie de telle sorte que $u_\lambda(T)d\lambda$ soit l'énergie par unité de volume de l'enceinte dans l'intervalle de longueurs d'onde comprises entre λ et $\lambda + d\lambda$. L'unité de $u_\lambda(T)$ est le $(J/m^3)/m$.

minuscule noyau entouré d'électrons. Deux ans plus tard, Niels Bohr combina le modèle de Rutherford avec l'idée de la quantification pour expliquer l'origine du spectre visible de l'atome d'hydrogène. D'autres développements de la théorie quantique sont décrits au chapitre suivant.

9.1 Le rayonnement du corps noir

Nous savons que les corps chauds émettent du rayonnement, que l'on perçoit comme de la chaleur. Au fur et à mesure que sa température s'élève, un objet émet d'abord une lueur rouge sombre, qui devient ensuite jaune-orange jusqu'à ce que l'objet soit enfin « chauffé à blanc ». Selon la théorie classique, un tel rayonnement thermique est produit par l'accélération des électrons et les oscillations des molécules. On avait remarqué à la fin du XVIIIᵉ siècle que divers objets placés dans un four chaud émettent tous une lueur de même couleur apparente. Autrement dit, à une température donnée, la distribution du rayonnement thermique entre les diverses longueurs d'ondes est pratiquement la même pour tous les corps.

Lorsqu'on place un objet dans un fourneau, il absorbe de l'énergie jusqu'à ce qu'il atteigne la température du fourneau. Comme il continue de recevoir un rayonnement incident, l'objet doit également émettre un rayonnement pour rester en équilibre thermique. Par définition, un **corps noir** est un corps idéal qui absorbe tout le rayonnement incident qu'il reçoit (le noir de carbone absorbe près de 97 % des radiations incidentes). Puisqu'un corps noir est un absorbant parfait, il doit également être un émetteur parfait (pourquoi ?). Dans la pratique, une enceinte percée d'une très petite ouverture (figure 9.1) joue le rôle d'un corps noir, puisque toute radiation qui pénètre dans l'enceinte n'a pratiquement aucune chance d'en ressortir et finira par être absorbée. Le rayonnement émis par l'ouverture est appelé **rayonnement du corps noir** ou encore *rayonnement de l'enceinte*. *Le spectre du rayonnement de l'enceinte ne dépend pas du matériau constituant les parois de l'enceinte.*

La figure 9.2 représente deux courbes caractéristiques de la distribution d'énergie en fonction de la longueur d'onde. Lorsqu'on élève la température, l'énergie totale par unité de volume augmente et le pic se déplace vers les longueurs d'onde plus courtes. La longueur d'onde correspondant à la densité d'énergie maximale est liée à la température par la **loi du déplacement spectral de Wien** :

$$\lambda_{max}T = 2{,}898 \times 10^{-3} \text{ m·K} \qquad (9.1)$$

Exemple 9.1

(a) Le pic du rayonnement solaire est situé à 500 nm environ. Quelle est la température à la surface du Soleil si l'on suppose qu'il rayonne comme un corps noir ? (b) La température de la peau d'une personne est de 34°C. Quelle est la longueur d'onde à laquelle le rayonnement est maximal ?

Solution :

(a) D'après la loi du déplacement de Wien (équation 9.1), on a

$$T = \frac{2{,}898 \times 10^{-3} \text{ m·K}}{500 \times 10^{-9} \text{ m}}$$

$$= 5{,}80 \times 10^3 \text{ K}$$

À titre de comparaison, la température du filament d'une ampoule à incandescence est voisine de 2000 K.

(b) D'après la loi du déplacement de Wien, avec $T = 307$ K, on trouve $\lambda_{max} = 9{,}4$ μm. Cette longueur d'onde est située dans la région infrarouge.

La loi de Stefan-Boltzmann

L'augmentation de la température d'un corps noir n'affecte pas seulement la longueur d'onde du pic. Comme on peut le voir à la figure 9.2, l'intensité totale de la lumière (correspondant à l'aire sous la courbe du spectre) augmente aussi. En 1879, Josef Stefan découvrit que l'intensité rayonnée par un corps noir varie comme la quatrième puissance de sa température. (Ludwig Boltzmann devait démontrer ce résultat à partir de principes plus fondamentaux quelques années plus tard.) Le corps absorbe aussi du rayonnement provenant de son environnement, qui est à une certaine température. Ainsi, d'après la **loi de Stefan-Boltzmann**, un corps noir à la température T se trouvant dans un environnement à la température T_0 émet une **intensité** nette donnée par

$$I = \sigma(T^4 - T_0^4) \qquad (9.2)$$

où $\sigma = 5,67 \times 10^{-8}$ W·m^{-2}·K^{-4} est la constante de Stefan-Boltzmann. Si on exprime T en Kelvins, I est en watts par mètre carré.

Si on veut calculer la **luminosité** L d'un corps noir (en watts), on doit multiplier l'intensité I par l'aire A du corps :

$$L = IA \qquad (9.3)$$

Exemple 9.2

(a) Calculer la luminosité du Soleil, sachant que sa température de surface est de 5800 K et que son rayon égale $6,96 \times 10^8$ m. La température de l'espace sidéral équivaut à 3 K. (b) Calculer la luminosité d'un corps humain à la température de 38 °C dans une pièce à 20°C, en supposant que la surface de la peau est de 2 m^2.

Solution :

(a) D'après l'équation 9.2, $I = \sigma[(5800\ \text{K})^4 - (3\ \text{K})^4]$ $= 6,4 \times 10^7$ W/m^2 : chaque mètre carré de la surface du Soleil brille comme l'équivalent de 640 000 ampoules de 100 W ! La surface du Soleil est de $4\pi r^2 = 6,09 \times 10^{18}$ m^2, et sa luminosité vaut donc $L = IA = 3,9 \times 10^{26}$ W.

(b) Il faut d'abord transformer les températures en Kelvins : $T(\text{K}) = T(\text{°C}) + 273$. On a donc $I = \sigma[(311\ \text{K})^4 - (293\ \text{K})^4] = 133$ W/m^2, ce qui donne une luminosité $L = IA = 226$ W. Cette luminosité est émise dans la partie infrarouge du spectre (voir l'exemple 9.1b).

La « catastrophe ultraviolette »

Une expression de la densité d'énergie spectrale fut proposée en 1896 par W. Wien et s'appelle maintenant **loi du rayonnement de Wien** :

$$u_\lambda(T) = A\lambda^{-5}e^{-\text{B}/\lambda T}$$

Dans cette expression, A et B sont des constantes qui doivent être déterminées par l'expérience. Cette expression concorde bien avec les données expérimentales pour les longueurs d'onde comprises entre 7×10^{-7} m et 60×10^{-7} m (figure 9.3).

Mais, en juin 1900, Lord Rayleigh fit remarquer que, selon la loi de Wien, pour les grandes longueurs d'onde, la densité d'énergie n'augmente pas avec la température comme elle le devrait. Il proposa une autre expression, que l'on appelle maintenant la **loi de Rayleigh-Jeans**, qui, à son avis, conviendrait pour les grandes longueurs d'onde :

$$u_\lambda(T) = CT\lambda^{-4}$$

Le spectre de rayonnement émis par un fourneau dépend de la température mais pas du matériau constituant les parois.

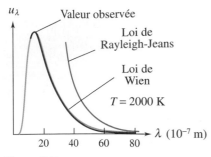

Figure 9.3

La loi du rayonnement de Wien concorde assez bien avec l'observation pour les courtes longueurs d'onde, mais pas pour les grandes longueurs d'onde. La loi de Rayleigh-Jeans convient pour les grandes longueurs d'onde ($\geq 150 \times 10^{-7}$ m – hors de l'échelle du graphique) mais elle est totalement inadéquate pour les courtes longueurs d'onde.

Figure 9.4

Max Planck (1856-1947).

Hypothèse quantique de Planck

où $C = 8\pi k$ et k est la constante de Boltzmann. (Rayleigh s'était trompé d'un facteur 2 dans la valeur de C, facteur qui fut ajouté plus tard par James Jeans.) En septembre 1900, des mesures de rayonnement pour des longueurs d'onde comprises entre 120×10^{-7} m et 180×10^{-7} m vinrent confirmer la prévision de Rayleigh. En fait, les valeurs mesurées s'écartaient de près de 50 % de la loi de Wien dans cet intervalle de longueurs d'onde. Toutefois, comme on le voit à la figure 9.3, la loi de Rayleigh-Jeans est totalement inutilisable pour des longueurs d'onde plus courtes. Cette conséquence inacceptable de la loi de Rayleigh-Jeans fut surnommée « catastrophe ultraviolette ».

La loi de Planck

Max Planck (figure 9.4), un spécialiste de la thermodynamique, travaillait depuis plusieurs années sur le rayonnement des enceintes. Il était impressionné par le fait que le spectre de rayonnement d'une enceinte est une *propriété universelle*, indépendante de la nature du matériau constituant les parois de l'enceinte, donc du type d'atome agissant comme oscillateur. Il remarqua que l'entropie d'un système quelconque, comme les oscillateurs rayonnant dans les parois d'une enceinte, doit être maximale lorsque le système atteint l'équilibre thermodynamique (*cf.* chapitre 19, tome 1). En mars 1900, il détermina une condition simple pour maximiser l'entropie et en déduisit la loi de Wien, valable pour les courtes longueurs d'onde. Par la suite, il dut utiliser une autre condition afin d'obtenir la loi de Rayleigh-Jeans, valable pour les grandes longueurs d'onde. Finalement, il combina ces deux conditions et obtint une nouvelle formule du rayonnement, qu'il présenta le 19 octobre 1900* :

$$u_\lambda = \frac{A\lambda^{-5}}{e^{B/\lambda T} - 1} \qquad (9.4)$$

où A et B sont des constantes. Pour les courtes longueurs d'onde, la quantité -1 peut être négligée devant l'exponentielle et l'on obtient la loi de Wien. Pour les grandes longueurs d'onde, on peut développer l'exponentielle, $\exp(B/\lambda T) \approx 1 + B/\lambda T + \ldots$ En remplaçant dans l'équation 9.4, on obtient la loi de Rayleigh-Jeans. Le jour même, on confirma que cette équation concordait parfaitement avec toutes les données expérimentales !

Se sentant obligé de justifier la façon dont il avait traité l'entropie pour parvenir à l'équation 9.4, Planck adopta l'approche statistique élaborée par L. Boltzmann (*cf.* chapitre 19, tome 1). Pour calculer l'entropie, il devait déterminer le nombre de manières dont une énergie totale donnée pouvait être distribuée sur un nombre fixe d'oscillateurs dans les parois de l'enceinte. Si l'on traitait l'énergie comme une variable continue, il devrait y avoir un nombre infini de manières de la distribuer. Pour faciliter le processus de dénombrement, Planck divisa l'énergie *totale* des oscillateurs en « éléments » d'énergie de grandeur ε. Il vit qu'il pouvait obtenir la forme de l'équation 9.4, à condition de poser $\varepsilon = hf$, f étant la fréquence de l'oscillateur et h une constante. La valeur de la constante de Planck est

$$h = 6{,}626 \times 10^{-34} \text{ J·s}$$

---

* Considérant l'entropie S comme une fonction de l'énergie U et remarquant que S est maximale si $dS/dU = 0$ et $d^2S/dU^2 < 0$, Planck montra que la condition $d^2S/dU^2 \propto (-1/fU)$, où f est la fréquence, menait à la loi de Wien. Mais pour obtenir la loi de Rayleigh-Jeans, il fallait que $d^2S/dU^2 \propto (-1/U^2)$. Il combina ces deux conditions en $d^2S/dU^2 = -a/[U(bf + U)]$, où a et b sont des constantes, et il obtint l'équation 9.4.

La **loi de Planck** s'écrit

$$u_\lambda = \frac{8\pi h c \lambda^{-5}}{e^{hc/\lambda kT} - 1}$$

(9.5)

Loi du rayonnement de Planck

Cette fonction permet de représenter correctement le spectre de rayonnement d'une enceinte dans sa totalité.

À ce stade, personne, pas même Planck, ne se rendit compte de l'importance de cette loi. Pour lui, les « éléments d'énergie » discrets n'étaient qu'un moyen de faciliter le calcul pour déterminer l'entropie des oscillateurs. En fait, il essaya pendant de nombreuses années de faire entrer la constante h dans le cadre de la physique classique.

L'hypothèse quantique d'Einstein

En physique classique, il n'existe pas de limite à la quantité d'énergie que peut émettre ou absorber un oscillateur. En 1906, Einstein démontra que la loi de Planck n'était vraie que si l'énergie de *chaque* oscillateur (au lieu de l'énergie *totale* de tous les oscillateurs) était quantifiée en multiples de hf. Ainsi, selon l'**hypothèse quantique d'Einstein**, l'énergie d'un oscillateur ne peut prendre que les valeurs qui sont des multiples entiers de hf. Au $n^{\text{ième}}$ « niveau », l'énergie est

$$E_n = nhf \qquad n = 0, 1, 2, 3, \dots$$

(9.6)

Hypothèse quantique d'Einstein

Selon l'hypothèse d'Einstein, un oscillateur ne peut émettre ou absorber un rayonnement que par multiples de hf. L'écart entre les niveaux d'énergie dépend de la fréquence.

Exemple 9.3

Un bloc de masse 0,2 kg oscille à l'extrémité d'un ressort ($k = 5$ N/m) avec une amplitude de 10 cm. Quel est son « nombre de quanta » n ?

Solution :

Pour appliquer l'hypothèse d'Einstein, $E_n = nhf$, on doit d'abord calculer l'énergie. L'énergie d'un oscillateur harmonique simple est

$$E = \tfrac{1}{2}kA^2 = \tfrac{1}{2}(5 \text{ N/m})(0,1 \text{ m})^2$$

$$= 0,025 \text{ J}$$

Au chapitre 1, on a vu que la fréquence de l'oscillation est

$$f = \frac{1}{2\pi}\sqrt{\frac{k}{m}} = 0,80 \text{ Hz}$$

Sachant que $E_n = nhf$, on trouve

$$n = \frac{1}{2}\frac{kA^2}{hf} = \frac{(0,025 \text{ J})}{(6,63 \times 10^{-34} \text{ J·s})(0,80 \text{ Hz})}$$

$$\approx 10^{32}$$

La variation d'énergie ($\Delta E = hf$) entre les niveaux n et $n-1$ est négligeable par rapport à l'énergie totale. Dans un tel système macroscopique, on ne peut donc pas s'attendre à ce que la quantification de l'énergie ait une influence mesurable. Par contre, pour les systèmes atomiques, la quantification joue un rôle important.

Soulignons que l'énergie en tant que grandeur physique demeure une variable continue, c'est-à-dire qu'elle peut prendre une valeur quelconque sur un intervalle continu. C'est l'énergie des états possibles d'un *système* lié qui est quantifiée.

L'hypothèse quantique d'Einstein resta négligée pendant plusieurs années, car peu nombreux étaient les scientifiques qui s'intéressaient au problème « secondaire » posé par le rayonnement d'une enceinte. Ils avaient plutôt tendance à porter leur attention sur la relativité et les modèles atomiques. C'est donc presqu'à l'insu de tous que venait de s'amorcer la plus profonde révolution de l'histoire de la physique ! Alors que Planck avait introduit la constante *h* en 1900, c'est Einstein qui lança l'idée selon laquelle l'énergie d'un oscillateur est *réellement* quantifiée. Planck lui-même n'admit cette idée que vers 1910.

9.2 L'effet photoélectrique

Les travaux de Young et de Fresnel du début du XIXe siècle avaient convaincu les scientifiques de passer de la théorie corpusculaire à la théorie ondulatoire de la lumière. La puissante théorie présentée par Maxwell en 1865, qui prédisait que la lumière était une onde électromagnétique, avait été couronnée par l'expérience de Hertz en 1887 (*cf.* chapitre 13, tome 2). Fait ironique, cette même expérience démontrant la nature électromagnétique de la lumière apporta aussi la première preuve de sa nature corpusculaire ! Hertz remarqua que les étincelles jaillissaient plus facilement lorsque les électrodes de la boucle réceptrice étaient éclairées par la lumière des électrodes émettrices. En 1888, Hallwachs s'aperçut qu'une plaque de zinc éclairée par de la lumière ultraviolette se chargeait positivement ; en 1899, J. J. Thomson montra que des électrons étaient éjectés de la plaque. Pour certains métaux alcalins, comme le Na, le K et le Cs, la lumière visible peut produire cette émission d'électrons que l'on appelle maintenant **effet photoélectrique**.

En 1902, P. Lenard réalisa l'expérience décrite à la figure 9.5. De la lumière monochromatique éclaire une plaque *P* dans un tube en verre dans lequel on a fait le vide. Une pile maintient une différence de potentiel entre *P* et un cylindre métallique *C* qui recueille les photoélectrons. Lorsque le cylindre collecteur est positif par rapport à la plaque, il attire les électrons et l'ampèremètre enregistre un courant. Pour une certaine valeur de la différence de potentiel, tous les électrons émis sont collectés. Le fait d'augmenter la différence de potentiel d'accélération n'a pas d'effet sur le courant (figure 9.6). Si l'on inverse la polarité, les électrons sont repoussés et seuls les plus énergétiques atteignent le collecteur, de sorte que le courant diminue. Lorsque la différence de potentiel de freinage atteint une valeur critique, le courant devient nul. À ce **potentiel d'arrêt** V_0, seuls les électrons qui ont une énergie cinétique maximale atteignent le collecteur*. Soit K_{max}, l'énergie cinétique maximale des électrons émise par la plaque *P* : pour les arrêter, il faut faire un travail négatif qui annule cette énergie cinétique. Pour un potentiel d'arrêt V_0, ce travail vaut $-eV_0$, et ainsi

$$K_{max} - eV_0 = 0 \qquad (9.7)$$

Lenard montra que le nombre de photoélectrons (déduit du courant maximal à la figure 9.6) est proportionnel à l'intensité lumineuse, même pour de très faibles intensités. Pourtant, on pourrait s'attendre à ce que, lorsque la lumière est très faible, un temps assez long doive s'écouler avant que les électrons absorbent une énergie suffisante pour s'échapper du matériau. En réalité, ce

---

* Une correction doit être apportée à cette équation si l'émetteur et le collecteur sont faits de métaux différents.

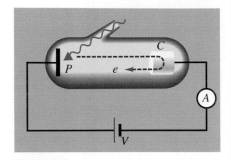

Figure 9.5

De la lumière éclaire une plaque *P* dans un tube à vide. Les photoélectrons émis sont recueillis dans le cylindre *C* dont on peut rendre le potentiel positif ou négatif par rapport à *P*. Lorsque le potentiel de freinage atteint une valeur critique, nommée potentiel d'arrêt, même les électrons qui ont le plus d'énergie sont repoussés. Le courant traversant l'ampèremètre *A* devient nul.

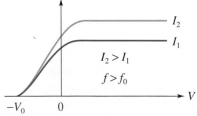

Figure 9.6

Pour des différences de potentiel d'accélération positives, le courant maximal est déterminé par l'intensité du rayonnement. Toutefois, le potentiel d'arrêt ne varie pas avec l'intensité.

délai est inférieur à 3×10^{-9} s. Cette absence d'intensité minimale requise est un fait intrigant. De plus, l'énergie cinétique maximale des électrons dépend de la source lumineuse et du matériau constituant la plaque mais *ne dépend pas* de l'intensité de la source. Certaines combinaisons de sources lumineuses et de matériaux pour la plaque ne donnent pas lieu à un effet photoélectrique. Selon la théorie ondulatoire de Maxwell, la photoémission devait se produire à n'importe quelle fréquence, pourvu que l'intensité soit suffisamment élevée. Ainsi, *une seule* caractéristique du phénomène, l'augmentation du nombre de photoélectrons avec l'intensité, s'expliquait par la physique classique.

Le photon

En mars 1905, Einstein publia un article sur le rayonnement du corps noir. Il y relevait une incohérence fondamentale dans l'approche de Planck. Planck avait en effet traité l'énergie totale des oscillateurs comme constituée d'éléments *discrets* mais il avait supposé que l'énergie de rayonnement était *continue*. Tout en admettant que la théorie ondulatoire de Maxwell parvenait extrêmement bien à expliquer l'interférence, la diffraction et d'autres propriétés du rayonnement électromagnétique, Einstein souligna que les observations optiques ne se rapportent pas à des valeurs instantanées mais à des moyennes dans le temps et qu'il est donc possible que la théorie ondulatoire ne s'applique pas aux événements individuels de l'absorption et de l'émission. Il obtint une expression de l'entropie du rayonnement en fonction du volume de l'enceinte et remarqua que la *forme* de cette fonction était semblable à celle de l'entropie d'un système de particules de gaz (*cf.* chapitre 19, tome 1). Cela le conduisit à supposer que le rayonnement se comporte comme s'il était composé d'un ensemble de *quanta d'énergie* discrets de valeurs

$$E = hf \qquad (9.8)$$

Énergie d'un photon

où f est la fréquence du rayonnement. Le nom de **photon** fut attribué à ces quanta de lumière par G. N. Lewis en 1926. Einstein envisageait un front d'onde comme étant constitué de milliards de photons. Il supposait que l'énergie n'était pas répartie uniformément sur un front d'onde, mais concentrée en grappes localisées dans l'espace. (La notion moderne de photon est passablement plus complexe.)

L'équation photoélectrique

Einstein appliqua immédiatement l'idée des quanta de lumière à l'effet photoélectrique. Dans le processus de photoémission, *un seul photon cède toute son énergie à un seul électron.* L'électron est donc éjecté instantanément. L'intensité lumineuse à une fréquence donnée est déterminée par le nombre de photons incidents. En augmentant l'intensité, on augmente le nombre d'électrons éjectés. L'énergie cinétique *maximale* possible, K_{max}, des photoélectrons est déterminée par l'énergie de chaque photon, hf :

$$K_{max} = hf - \phi \qquad (9.9)$$

où le **travail d'extraction** ϕ est l'énergie *minimale* nécessaire pour extraire un électron de la surface du matériau. Les électrons plus fortement liés vont être émis avec une énergie cinétique inférieure à l'énergie maximale. D'après l'équation 9.9, on voit qu'il existe une **fréquence de seuil** f_0 donnée par

$$hf_0 = \phi \qquad (9.10)$$

Il n'y a pas de photoémission pour les fréquences inférieures à f_0. En utilisant les équations 9.7 et 9.10 dans l'équation 9.9, on trouve l'*équation photoélectrique d'Einstein* :

$$eV_0 = h(f - f_0) \qquad (9.11)$$

Einstein a non seulement réussi à expliquer tous les faits observés, mais il a également prédit (1) l'existence de la fréquence de seuil et (2) le fait que la courbe représentant V_0 en fonction de f devrait être une droite de pente h/e indépendante de la nature du matériau.

R. A. Millikan (qui mesura la charge élémentaire e) avait du mal à accepter la notion de photon. En 1906, il débuta une série d'expériences dans le but de réfuter l'équation d'Einstein. Mais au bout de presque dix années de travail, et contrairement à ses intentions premières, il prouva la validité de l'équation d'Einstein en 1914. La figure 9.7 représente une courbe caractéristique du potentiel d'arrêt en fonction de la fréquence de la lumière. La pente de la courbe est prévue correctement par l'équation 9.11.

Il faut noter ici que Einstein *ne s'est pas* basé directement sur l'idée du quantum de Planck, mais qu'il est parti de ses propres théories en thermodynamique statistique. Dans l'article qu'il écrivit en 1905, il établit l'équation $E = Cf$, C étant une constante, en utilisant la loi de Wien qui n'est exacte qu'aux fréquences élevées. C'est seulement l'année suivante qu'il fit le lien avec la théorie de Planck et qu'il trouva la relation $C = h$.

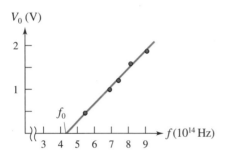

Figure 9.7

Les valeurs obtenues par Millikan vérifiaient l'équation d'Einstein pour l'effet photoélectrique.

Exemple 9.4

Considérons la photoémission provoquée par une lumière ultraviolette de longueur d'onde 207 nm sur une surface. Le potentiel d'arrêt est de 2 V. Déterminer : (a) le travail d'extraction en électronvolts ; (b) la vitesse maximale des photoélectrons. (c) la longueur d'onde de seuil ; (d) le potentiel d'arrêt pour $\lambda = 250$ nm.

Solution :

(a) D'après l'équation 9.7, l'énergie cinétique maximale des électrons donne

$$K_{max} = eV_0 = (1,6 \times 10^{-19} \text{ C})(2 \text{ V}) = 3,2 \times 10^{-19} \text{ J}$$

D'après l'équation $c = \lambda f$, la fréquence de la lumière ultraviolette est de

$$f = \frac{v}{\lambda} = \frac{c}{\lambda} = \frac{(3 \times 10^8 \text{ m/s})}{(207 \times 10^{-9} \text{ m})}$$

$$= 1,45 \times 10^{15} \text{ Hz}$$

En remplaçant dans l'équation 9.9, on trouve la valeur du travail d'extraction :

$$\phi = hf - K_{max}$$

$$= (6,63 \times 10^{-34} \text{ J·s})(1,45 \times 10^{15} \text{ Hz}) - 3,2 \times 10^{-19} \text{ J}$$

$$= 6,41 \times 10^{-19} \text{ J} = 4,01 \text{ eV}$$

(b) Par $K_{max} = \frac{1}{2}mv_{max}^2$, on trouve la vitesse maximale des électrons :

$$v_{max} = \sqrt{\frac{2K_{max}}{m}} = \sqrt{\frac{2(3,2 \times 10^{-19} \text{ J})}{9,11 \times 10^{-31} \text{ kg}}}$$

$$= 8,38 \times 10^5 \text{ m/s}$$

Puisque la vitesse est inférieure à $0,1c$, on peut utiliser l'équation classique de l'énergie cinétique $K_{max} = \frac{1}{2}mv_{max}^2$, sans tenir compte des effets de la relativité d'Einstein.

(c) D'après l'équation 9.10, la fréquence de seuil vaut $f_0 = \phi/h$. Cela correspond à une longueur d'onde de seuil

$$\lambda_0 = \frac{c}{f_0} = \frac{ch}{\phi} = \frac{(3 \times 10^8 \text{ m/s})(6,63 \times 10^{-34} \text{ J·s})}{6,41 \times 10^{-19} \text{ J}}$$

$$= 3,10 \times 10^{-7} \text{ m} = 310 \text{ nm}.$$

(d) Une longueur d'onde $\lambda = 250$ nm correspond à une fréquence

$$f = \frac{c}{\lambda} = \frac{(3 \times 10^8 \text{ m/s})}{(250 \times 10^{-9} \text{ m})}$$

$$= 1,2 \times 10^{15} \text{ Hz}$$

D'après l'équation 9.9, l'énergie cinétique maximale des électrons est donc

$$K_{max} = hf - \phi$$

$$= (6,63 \times 10^{-34} \text{ J·s})(1,2 \times 10^{15} \text{ Hz})$$
$$- 6,41 \times 10^{-19} \text{ J}$$

$$= 1,55 \times 10^{-19} \text{ J}$$

D'après l'équation 9.7, on trouve la valeur du potentiel d'arrêt :

$$V_0 = \frac{K_{max}}{e} = \frac{(1,55 \times 10^{-19} \text{ C})}{(1,6 \times 10^{-19})} = 0,97 \text{ V}$$

9.3   L'effet Compton

L'idée que l'énergie d'un système est quantifiée venait sérieusement remettre en question la physique classique. Les résultats remarquables obtenus en appliquant cette idée au rayonnement du corps noir et à l'effet photoélectrique ne suffisaient pas encore pour convaincre certains scientifiques de la validité du concept de quantum. Vers 1910, alors qu'il avait déjà admis la quantification des niveaux d'énergie d'un oscillateur, Planck lui-même (avec d'autres) refusait catégoriquement d'admettre l'idée d'une quantification du rayonnement.

En 1923, A. H. Compton découvrit des preuves supplémentaires de l'existence du photon alors qu'il étudiait la diffusion des rayons X par le graphite. Selon la théorie classique, les particules chargées des atomes de graphite devraient osciller à la fréquence du rayonnement incident et réémettre à la même fréquence. Compton s'aperçut que le rayonnement diffusé comportait deux composantes : l'une ayant la longueur d'onde initiale (0,071 nm) et l'autre ayant une plus grande longueur d'onde. La valeur de l'écart entre les longueurs d'onde dépendait de l'angle de diffusion et non du matériau dont était constitué la cible.

Compton interpréta ces résultats en supposant qu'une collision se produisait entre un photon et un électron. Puisque l'énergie du photon de rayon X ($\approx$ 20 keV) est très supérieure à l'énergie de liaison d'un électron de l'atome, on peut traiter les électrons comme des électrons « libres » et « au repos ». Dans le cadre de la théorie classique, on sait qu'une onde électromagnétique transporte une quantité de mouvement donnée par $p = E/c$, où E est l'énergie (cf. chapitre 13, tome 2). Comme l'énergie d'un photon est hf, sa quantité de mouvement est

$$p = \frac{hf}{c} = \frac{h}{\lambda} \tag{9.12}$$

La collision est représentée à la figure 9.8a. Le photon incident est dévié d'un angle θ et l'électron, initialement au repos, est projeté selon un angle ϕ. D'après le principe de conservation de l'énergie,

$$\frac{hc}{\lambda} = \frac{hc}{\lambda'} + K \tag{9.13}$$

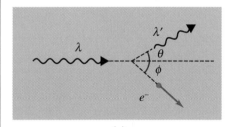

(a)

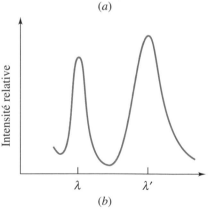

(b)

Figure 9.8

Diffusion de Compton. (a) Un photon de longueur d'onde λ est diffusé par un électron et est dévié d'un angle θ. Le photon diffusé a une longueur d'onde supérieure λ'. (b) Distribution des longueurs d'onde des photons diffusés pour $\theta = 135°$.

où $K = (\gamma - 1)m_0c^2$ est l'énergie cinétique relativiste de l'électron après la collision. (L'énergie de l'électron au repos a été omise des deux côtés.) Dans cette collision, on peut supposer qu'il y a conservation de la quantité de mouvement. Dès lors, si on compare la quantité de mouvement avant et après la collision selon chaque direction, on trouve :

$$\sum p_x = \frac{h}{\lambda} = \frac{h}{\lambda'} \cos \theta + p \cos \phi \qquad (9.14)$$

$$\sum p_y = 0 = \frac{h}{\lambda'} \sin \theta - p \sin \phi \qquad (9.15)$$

où $p = mv = \gamma m_0 v$. En manipulant les équations 9.13 à 9.15 (*cf.* problème 11), on obtient

Déplacement de Compton

$$\lambda' - \lambda = \left(\frac{h}{m_0c}\right)(1 - \cos \theta) \qquad (9.16)$$

où m_0 est la masse de l'électron au repos. La quantité $h/m_0c = 0{,}002\,43$ nm est appelée **longueur d'onde de Compton**. La figure 9.8*b* représente l'augmentation de longueur d'onde observée pour un angle θ particulier. Le pic non décalé est dû à un processus de diffusion faisant intervenir l'atome au complet et peut être expliqué par la théorie classique. L'**effet Compton** a permis de convaincre la plupart des physiciens de la validité de la notion de photon.

Exemple 9.5

Des rayons X de longueur d'onde valant exactement 0,24 nm sont diffusés selon un angle de 40° lorsqu'ils traversent un bloc de carbone. (a) Quelle est la longueur d'onde des photons diffusés ? (b) Quelle est l'énergie cinétique de l'électron après la collision ?

Solution :

(a) D'après l'équation 9.16, le déplacement de longueur d'onde est

$$\lambda' - \lambda = (0{,}002\,43 \text{ nm})(1 - \cos 40°)$$
$$= 0{,}000\,569 \text{ nm}$$

La longueur d'onde des rayons diffusés est $\lambda' = \lambda + \Delta\lambda = 0{,}240\,569$ nm. On peut obtenir une variation relative $\Delta\lambda/\lambda$ plus grande en utilisant des rayons X de longueur d'onde plus courte.

(b) D'après l'équation 9.13, l'énergie cinétique de l'électron est

$$K = hc\left(\frac{1}{\lambda} - \frac{1}{\lambda'}\right) = 1{,}96 \times 10^{-18} \text{ J} = 12{,}3 \text{ eV}$$

9.4 Le spectre de raies

Le spectre d'émission d'un gaz raréfié très chaud ou dans lequel on fait passer une décharge électrique est composé de raies nettes. Chaque élément est caractérisé par un ensemble de raies qui permet de l'identifier. Ainsi, le rubidium, le césium, l'hélium, le thorium et l'indium ont été découverts dans les années 1860 par l'étude de leur spectre. La physique classique ne permettait pas d'expliquer ces spectres de raies ni de les faire correspondre à un schéma quelconque.

Le spectre visible de l'hydrogène comprend quatre raies de longueurs d'onde 410,12 nm, 434,01 nm, 486,07 nm et 656,21 nm (figure 9.9). En 1884, J. J. Balmer,

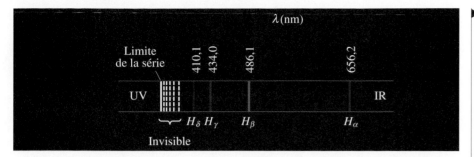

professeur de mathématique suisse, trouva que ces longueurs d'onde (en nm) pouvaient être représentées par une seule formule. La **formule de Balmer** s'écrit

$$\lambda_m = 364{,}56\,\frac{m^2}{m^2 - 4} \qquad m = 3, 4, 5, 6 \quad (9.17)$$

Formule de Balmer

Si l'on donne à m des valeurs entières, les longueurs d'onde sont reproduites avec une erreur qui ne dépasse pas 1 partie sur 40 000 ! Vers 1890, J. R. Rydberg avait établi des formules similaires pour les spectres des éléments alcalins Li, Na, K et Cs. Il avait également suggéré de récrire la formule sous forme d'une différence entre deux termes. Pour l'hydrogène, cela donnait

$$\frac{1}{\lambda} = R\left(\frac{1}{2^2} - \frac{1}{m^2}\right) \qquad\qquad (9.18)$$

Formule de Rydberg

où

$$R = 1{,}097\,37 \times 10^7 \text{ m}^{-1}$$

est une constante qui porte maintenant le nom de constante de Rydberg.

En 1908, un « principe de combinaison » fut découvert par Ritz : la fréquence d'une raie dans le spectre d'un élément donné pouvait être exprimée sous forme d'une combinaison simple (somme ou différence) des fréquences de deux autres raies du même spectre. L'idée des spectres de raies commençait enfin à avoir une certaine logique, mais il fallut attendre encore cinq ans avant de pouvoir leur attribuer un fondement théorique. Leur compréhension allait devoir attendre l'évolution des modèles atomiques.

▶ Les spectres de raies de divers éléments.

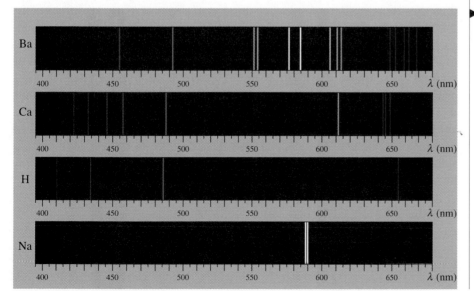

9.5 Les modèles atomiques

Au XIXᵉ siècle, on disposait de nombreuses preuves chimiques et physiques de l'existence des atomes, mais on ignorait tout de leur structure. En 1904, J. J. Thomson suggéra qu'un atome était composé d'une sphère chargée positivement dans laquelle étaient imbriqués des électrons (modèle « plum-pudding »). Il essaya sans succès de relier les fréquences des modes normaux d'oscillation de diverses configurations électroniques aux spectres de raies. Il fit plusieurs déductions formelles, mais il ne réussit pas à obtenir un modèle satisfaisant.

En 1909, Ernest Rutherford demanda à deux de ses assistants, Hans Geiger et Ernst Marsden, d'étudier la diffusion des particules alpha (atomes d'hélium ionisés deux fois) par une feuille d'or très mince (figure 9.10). Dans l'atome de Thomson, la charge positive étant répartie sur l'ensemble de l'atome, on s'attendait à ce que la plus grande partie du faisceau sorte de la feuille d'or avec une largeur voisine de 3°, avec peut-être quelques particules diffusées jusqu'à 20°. En réalité, Geiger et Marsden constatèrent qu'environ une particule α sur huit mille était diffusée selon un angle supérieur à 90°, à la grande surprise de Rutherford :

C'est bien la chose la plus incroyable qui me soit jamais arrivée. C'était presque aussi incroyable que si j'avais tiré un obus de quinze pouces sur un morceau de papier et qu'il avait rebondi sur moi.

Figure 9.10

Dans l'expérience de Geiger et Marsden, des particules alpha de haute énergie étaient diffusées par une mince feuille d'or. Les particules diffusées étaient détectées sous forme d'éclairs sur un écran de ZnS.

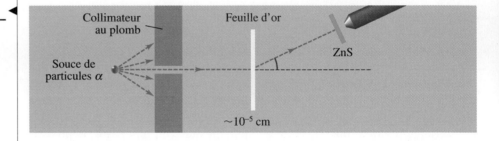

Puisque la masse d'une particule α est près de 7000 fois plus grande que celle d'un électron, les électrons jouent un rôle négligeable dans la diffusion. La masse de la partie positive de l'atome d'or est près de 50 fois celle d'une particule α. Si la charge de la partie positive était répartie uniformément sur la totalité de l'atome ($r \approx 10^{-10}$ m), comme l'avait suggéré Thomson, elle ne pourrait pas produire de déviation aussi importante. Rutherford en conclut que chaque déviation était causée par une interaction forte et *unique*. Cela voulait dire que la partie positive de l'atome devait être concentrée dans un volume extrêmement petit ($r \approx 10^{-14}$ m), que nous appelons maintenant le **noyau**. La déviation d'une particule α dépend alors de la distance minimale à laquelle elle s'approche du noyau (figure 9.11), la force de répulsion étant donnée par la loi de Coulomb. À l'occasion, on peut observer une collision frontale dans laquelle le sens du mouvement de la particule α s'inverse. Ce cas particulier nous permet d'obtenir une estimation de la taille du noyau.

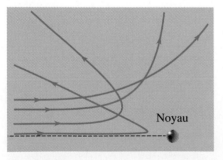

Figure 9.11

Selon le modèle nucléaire de Rutherford, les particules alpha étaient diffusées par la force de Coulomb d'une petite particule (le noyau) plutôt que par une grande sphère, comme le laissait supposer le modèle de l'atome de Thomson. Chaque particule alpha était soumise à une seule collision forte.

Exemple 9.6

Une particule alpha animée d'une vitesse de 2×10^7 m/s entre en collision frontale avec un noyau d'or, qui porte une charge de $79e$. Quelle est la distance minimale au noyau ? On donne $m_\alpha = 6{,}7 \times 10^{-27}$ kg, $q_\alpha = 2e$ et l'on suppose que le noyau d'or demeure au repos.

Solution :

Ce problème se résout facilement par la conservation de l'énergie. L'énergie initiale du système est simplement l'énergie cinétique de la particule α. (Puisque $v < 0{,}1c$, l'expression classique de l'énergie cinétique est pratiquement correcte.) À la distance d'approche la plus courte r_0, la particule α est momentanément au repos et le système a donc uniquement une énergie potentielle électrique. Les énergies initiale et finale sont

$$E_\text{i} = \tfrac{1}{2}m_\alpha v^2 ; \qquad E_\text{f} = \frac{kq_\alpha q_\text{Au}}{r_0}$$

En égalant ces deux expressions, on trouve $r_0 = 2{,}72 \times 10^{-14}$ m. Cette valeur correspond à une limite supérieure de la taille du noyau.

Rutherford était parvenu, grâce à ses travaux sur la diffusion de la particule α, à établir l'existence du noyau, mais il ne s'était pas préoccupé de la répartition des électrons dans l'atome. En 1904, H. Nagaoka avait proposé un modèle dans lequel des électrons formaient des anneaux (comme les anneaux de Saturne), mais il ne pouvait pas expliquer comment un tel système peut être stable. Un « modèle planétaire » dans lequel les électrons sont en orbite autour du noyau est mécaniquement stable mais, selon la théorie de Maxwell, un électron en accélération (même centripète) émet un rayonnement. À cause de la perte d'énergie correspondante, l'électron devrait donc tomber sur le noyau en 10^{-8} s environ, suivant une spirale. Il est évident que cela ne correspond pas à la réalité. De plus, le rayonnement couvrirait une plage continue de fréquences, ce qui est contraire au spectre de raies observé.

9.6 Le modèle de Bohr

Après avoir obtenu son doctorat en 1911, Niels Bohr travailla quelque temps sous la direction de Rutherford (figure 9.12). À son avis, la constante de Planck était la clé du modèle atomique et il fut encouragé par l'analyse dimensionnelle qui suit. Si m et e sont la masse et la charge de l'électron, et si k est la constante dans la loi de Coulomb, alors la quantité h^2/mke^2 a les dimensions d'une longueur et sa valeur numérique concorde à peu près avec la dimension connue des atomes. Bohr progressa toutefois très lentement dans ses travaux jusqu'à ce qu'il entende parler de la formule de Balmer-Rydberg, en juillet 1912. En 1913, il présenta un modèle théorique de l'atome d'hydrogène permettant de dériver directement le résultat de son analyse dimensionnelle. Pour expliquer l'atome le plus simple (l'hydrogène n'est constitué que d'un proton et d'un électron), il dut faire appel à deux postulats. Le premier postulat s'énonce comme suit :

1. L'électron se déplace uniquement sur certaines orbites circulaires, appelées *états stationnaires*. Ce mouvement peut être décrit par la physique classique.

Figure 9.12

Ernest Rutherford (1871-1937), à gauche, et Niels Bohr (1885-1962).

Figure 9.13

Dans le modèle de Bohr de l'atome d'hydrogène, un électron est en orbite circulaire autour d'un proton.

Bohr postule ainsi la stabilité de l'atome sans expliquer pourquoi il est stable. La figure 9.13 représente un électron de masse m et de charge $-e$ se déplaçant à la vitesse v sur une orbite circulaire stable de rayon r autour d'un noyau de charge $+e$. La force centripète est fournie par l'attraction de Coulomb entre l'électron et le noyau. D'après la deuxième loi de Newton,

$$\frac{mv^2}{r} = \frac{ke^2}{r^2} \tag{9.19}$$

L'énergie mécanique de l'électron est

$$E = K + U = \tfrac{1}{2}mv^2 - \frac{ke^2}{r}$$

D'après l'équation 9.19, on trouve $K = ke^2/2r$, donc

$$E = -\frac{ke^2}{2r} \tag{9.20}$$

Bohr savait que la théorie de Maxwell ne permettait pas d'expliquer le spectre de rayonnement du corps noir ni l'effet photoélectrique. Il abandonna donc l'idée selon laquelle un électron en accélération doit rayonner. De même, il ne se soucia pas du fait que, selon la théorie classique, une émission de lumière à une fréquence donnée nécessite qu'une charge électrique oscille à la même fréquence. Il énonça le deuxième postulat suivant :

2. Il y a émission d'un rayonnement seulement si un électron passe d'une orbite permise à une autre orbite d'énergie inférieure. La fréquence de rayonnement est donnée par

$$hf = E_{n'} - E_n \tag{9.21}$$

où $E_{n'}$ et E_n sont les énergies des deux états.

Nous allons maintenant nous écarter des premiers travaux de Bohr afin de présenter une approche simplifiée. Il n'existe pas de justification pour le premier postulat concernant les orbites stationnaires, un postulat que Bohr avait dû énoncer pour tenir compte du fait que les atomes ne s'effondrent pas spontanément. Pour en donner une expression formelle, nous avons besoin d'une condition quantique qui limite les valeurs que peuvent prendre les rayons des orbites. Vers la fin de son premier article, Bohr soulignait en passant que le moment cinétique (voir le chapitre 12 du tome 1) de l'orbite était quantifié, sans toutefois prendre cette idée très au sérieux. On ne se rendit compte que plus tard (vers 1915) qu'il s'agit là d'un aspect *fondamental* de la théorie quantique et nous allons donc en faire notre « troisième » postulat :

3. Le moment cinétique de l'électron ne peut prendre que des valeurs entières multiples de $h/2\pi$ $(= \hbar)$:

$$mvr = n\hbar \tag{9.22}$$

En égalant la relation $v = n\hbar/mr$ tirée de cette équation avec $v = \sqrt{ke^2/mr}$ tirée de l'équation 9.19, on trouve le rayon de la $n^{\text{ième}}$ orbite :

$$r_n = \frac{n^2\hbar^2}{mke^2} \qquad (9.23)$$

Ce résultat correspond précisément à l'intuition de Bohr qui, à la suite d'une analyse dimensionnelle simple, avait estimé que la taille d'un atome devait correspondre à peu près à h^2/mke^2. D'après l'équation 9.20, l'énergie totale de la $n^{\text{ième}}$ orbite est

$$E_n = -\frac{mk^2e^4}{2\hbar^2}\left(\frac{1}{n^2}\right) \qquad (9.24)$$

En combinant cette relation avec l'équation 9.21, on obtient immédiatement la formule de Rydberg qui donne la fréquence du photon émis lors d'un passage d'un niveau initial n' au niveau final n :

$$f = Rc\left(\frac{1}{n^2} - \frac{1}{n'^2}\right) \qquad (9.25)$$

où

$$R = \frac{mk^2e^4}{4\pi c\hbar^3} \qquad (9.26)$$

Bohr avait ainsi réussi à établir la forme correcte de l'équation de Rydberg (équation 9.25). Mais, ce qui est plus important, il avait exprimé le nombre empirique R en fonction de constantes fondamentales. En remplaçant ces constantes par leur valeur, il obtint une valeur de R s'écartant de 6 % de la valeur acceptée à l'époque.

La théorie de Bohr peut être appliquée à d'autres systèmes à un seul électron comme les ions He^+ ou Li^{++}, à condition de remplacer la charge nucléaire e par Ze, Z étant le numéro atomique. L'énergie du $n^{\text{ième}}$ niveau est donnée par l'équation 9.24, ou, en électronvolts :

$$E_n = \frac{-13{,}6Z^2}{n^2} \text{ eV} \qquad (9.27)$$

La figure 9.14 représente les niveaux d'énergie pour l'hydrogène ($Z = 1$). Chaque état est caractérisé par l'entier n, appelé nombre quantique principal. Lorsque $n = 1$, l'électron est dans l'état fondamental. Les énergies des différents niveaux sont $E_1 = -13{,}6$ eV, $E_2 = -13{,}6/2^2 = -3{,}4$ eV, $E_3 = -13{,}6 3^2 = -1{,}51$ eV et ainsi de suite. Comme nous avons supposé que l'énergie potentielle est nulle pour $r = \infty$, les énergies totales sont négatives, condition nécessaire pour que l'électron soit dans un état lié. L'électron peut être porté à un niveau d'énergie plus élevé s'il entre en collision avec un autre électron ou s'il absorbe un photon. On dit alors qu'il est dans un état excité. On parle d'**excitation radiative** lorsque c'est par l'absorption d'un photon que s'effectue le passage d'un niveau d'énergie inférieur à un niveau d'énergie supérieur. Dans ce cas, l'énergie du photon doit correspondre exactement à la différence d'énergie entre les deux niveaux. On parle d'**excitation collisionnelle** lorsque c'est par suite d'une

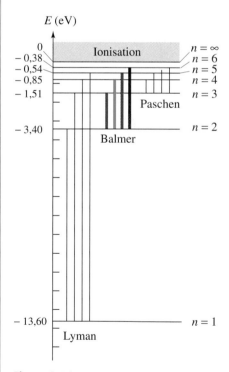

Figure 9.14

Le diagramme des niveaux d'énergie pour l'hydrogène. Il y a émission ou absorption de lumière lorsqu'un électron effectue une transition entre deux niveaux.

collision avec une particule (généralement un électron libre) que s'effectue le passage d'un niveau d'énergie inférieur vers un niveau d'énergie supérieur. Dans ce cas, cette particule doit avoir une énergie cinétique égale ou plus grande que la différence d'énergie entre les deux niveaux. Si l'énergie cinétique est plus grande, la particule garde l'excédent après la collision.

Si l'énergie du photon ou de la particule qui excite l'électron est assez grande, l'électron sera carrément éjecté de l'atome. Ce processus porte le nom d'**ionisation**. D'après la figure 9.14, on constate que l'énergie d'ionisation pour l'hydrogène est égale à 13,6 eV. La théorie de Bohr concorde remarquablement bien avec l'observation sur ce point.

Une fois excité (sans ionisation), un électron aura tendance à revenir vers le niveau fondamental. L'électron peut passer directement d'un état excité à l'état fondamental ou bien passer par des niveaux intermédiaires. Tout comme l'excitation, la désexcitation peut être soit collisionnelle, soit radiative. Dans le premier cas, l'électron excité se départit de la différence d'énergie entre les deux niveaux par suite d'une collision avec une particule libre dans le milieu ambiant. *Il n'y a alors pas d'émission de lumière.* La désexcitation radiative se produit lorsque l'électron se départit de la différence d'énergie entre les deux niveaux en émettant un photon qui possède exactement cette énergie. C'est dans ces conditions que sont émises les différentes raies qu'on observe dans le spectre. Notons qu'il existe deux types de désexcitations radiatives. L'*émission spontanée* est la plus fréquente, et elle se produit lorsque l'électron descend de niveau spontanément. L'*émission stimulée*, quant à elle, se produit lorsque le passage d'un photon extérieur déclenche le processus de désexcitation. C'est en exploitant ce processus qu'on a mis au point les lasers (voir le sujet connexe à la fin du chapitre). La série de Balmer correspond aux transitions des niveaux d'énergie plus élevés au niveau $n = 2$. Les transitions jusqu'au niveau $n = 1$ forment la série de Lyman; les transitions jusqu'à $n = 3$ forment la série de Paschen. Pour chaque série, il existe une fréquence maximale possible, appelée limite de la série. Elle correspond à une transition de $n = \infty$ jusqu'au niveau le plus bas de la série.

Si un atome excité émet une série de fréquences correspondant aux transitions entre ses niveaux, comment se fait-il qu'un corps noir (qui est composé d'atomes) émette un spectre continu en forme de cloche, comme nous avons vu à la section 9.1? C'est un phénomène appelé *thermalisation* qui est responsable de la création du spectre de type corps noir. Les photons qui sont émis à la surface d'un corps noir proviennent d'atomes situés partout dans le corps; avant d'en sortir, ils sont entrés en collision un nombre incalculable de fois avec les atomes de celui-ci. Quelle qu'ait pu être leur fréquence au moment de leur création, les photons sont thermalisés par la matière à l'intérieur du corps. La lumière ainsi thermalisée possède un spectre en forme de cloche dont le pic d'émissivité dépend de la température de la matière qui effectue la thermalisation – un spectre de type corps noir. On voit donc que, pour émettre un spectre de type corps noir, un objet doit être suffisamment opaque. Par exemple, un nuage ténu d'hydrogène chaud émet une série de raies spectrales caractéristiques; si ce nuage se condense pour former une étoile, il devient assez opaque pour produire à la place un spectre de corps noir. (L'atmosphère ténue d'une étoile peut produire des raies spectrales, ce qui fait en sorte que le spectre d'une étoile est en général une combinaison d'un spectre de corps noir et d'un spectre de raies.)

Exemple 9.7

Selon la théorie de Bohr, quel est le rayon de l'orbite de l'état fondamental de l'atome d'hydrogène ?

Solution :

D'après l'équation 9.23,

$$r_1 = \frac{\hbar^2}{mke^2}$$

$$= 5,29 \times 10^{-11} \text{ m}$$

Notons que le rayon de la $n^{\text{ième}}$ orbite s'exprime de manière simple en fonction de r_1 :

$$r_n = n^2 r_1$$

Exemple 9.8

Supposons l'électron de l'atome d'hydrogène dans un état excité pour lequel $n = 3$. (a) Quelle est la plus haute fréquence pouvant être émise ? (b) Quelles sont les autres fréquences d'émission possibles ?

Solution :

(a) D'après le deuxième postulat, $f = \Delta E/h$. La fréquence maximale sera émise lors d'une transition directe à l'état fondamental $n = 1$. D'après le diagramme des niveaux d'énergie, on voit que $E_1 = -13,6$ eV et $E_3 = -1,51$ eV. Par conséquent,

$$f_{31} = \frac{(E_3 - E_1)}{h}$$

$$= \frac{(+12,1 \text{ eV})}{(4,14 \times 10^{-15} \text{ eV·s})}$$

$$= 2,92 \times 10^{15} \text{ Hz}$$

Notez que l'on a exprimé la constante h en électronvolts-secondes.

(b) Au lieu de $f = \Delta E/h$, on peut aussi utiliser l'équation 9.25. Ainsi,

$$f_{32} = Rc\left(\frac{1}{2^2} - \frac{1}{3^2}\right)$$

$$= (1,1 \times 10^7 \text{ m}^{-1})(3,00 \times 10^8 \text{ m/s})\left(\frac{5}{36}\right)$$

$$= 4,58 \times 10^{14} \text{ Hz}$$

$$f_{21} = Rc\left(\frac{1}{1^2} - \frac{1}{2^2}\right)$$

$$= (1,1 \times 10^7 \text{ m}^{-1})(3,00 \times 10^8 \text{ m/s})\left(\frac{3}{4}\right)$$

$$= 2,48 \times 10^{14} \text{ Hz}$$

Exemple 9.9

Nous avons montré au chapitre 18 du tome 1 que l'énergie cinétique moyenne d'une particule dans un gaz à la température T est égale à $\frac{3}{2} kT$, k étant la constante de Boltzmann. À quelle température l'énergie cinétique moyenne serait-elle égale à l'énergie nécessaire pour faire passer un électron de l'atome d'hydrogène de l'état fondamental jusqu'à $n = 2$?

Solution :

L'énergie nécessaire est égale à $13,6 - 3,4 = 10,2$ eV $= (10,2 \text{ eV})(1,6 \times 10^{-19} \text{ J/eV}) = 1,63 \times 10^{-18}$ J. On pose cette énergie égale à l'énergie thermique :

$$\Delta E = \frac{3}{2} kT$$

d'où l'on tire

$$T = \frac{2\Delta E}{3k}$$

$$= \frac{2(1,63 \times 10^{-18} \text{ J})}{3(1,38 \times 10^{-23} \text{ J/K})}$$

$$= 7,87 \times 10^4 \text{ K}$$

Il serait assez difficile d'exciter l'atome d'hydrogène uniquement par des collisions thermiques. On utilise en général une décharge électrique dans le gaz.

Exemple 9.10

Quelle est la plus courte longueur d'onde possible dans la série de Balmer ?

Solution :

Dans ce cas, l'électron fait une transition de $n = \infty$ à $n = 2$. En modifiant l'équation 9.25, on a $1/\lambda = R(1/4 - 1/\infty)$, ce qui signifie que $\lambda = 4/R = 364$ nm.

Le modèle de Bohr permet de prédire correctement les fréquences du spectre de l'hydrogène et d'autres systèmes à un seul électron. Elle ne donne toutefois aucun renseignement concernant les intensités relatives des raies ou les spectres des atomes à plusieurs électrons. Comme nous le verrons au chapitre suivant, la théorie de Bohr a été remplacée par la mécanique quantique. Le deuxième et le troisième postulats restent valides, mais la représentation d'un électron sur des orbites bien définies n'est pas correcte. Néanmoins, l'approche de Bohr constitue un bon exemple de la manière dont un scientifique peut parvenir à élaborer une théorie remarquable en reliant divers éléments.

9.7 La dualité onde-particule de la lumière

Les faits présentés dans ce chapitre prouvent que la lumière se comporte comme une particule. Cependant, l'expérience des deux fentes de Young fournit une preuve évidente de la nature ondulatoire de la lumière. Comment allons-nous réconcilier ces deux aspects apparemment contradictoires ?

Si la lumière est composée de particules, il semble alors raisonnable de supposer que chaque photon doit passer par une fente ou par l'autre. Supposons que les fentes soient alternativement fermées et ouvertes, de sorte qu'à un instant donné, une fente est ouverte tandis que l'autre est fermée. On remarque dans ce cas que la figure d'interférence disparaît. D'ailleurs, toute tentative visant à déterminer par quelle fente passe chaque photon entraîne la disparition de la figure d'interférence.

On pourrait essayer d'expliquer le phénomène d'interférence en disant que chaque photon se divise d'une manière ou d'une autre en deux parties et passe donc par les deux fentes. Ainsi, chaque photon ne pourrait interférer qu'avec lui-même. Toutefois, si l'énergie du photon est divisée par deux, la relation $E = hf$ implique que sa longueur d'onde ($\lambda = c/f$) double. Cela donnerait un espacement entre les franges deux fois plus grand que celui observé en réalité.

Il semble donc que l'expérience des deux fentes de Young, qui fut si cruciale pour faire prévaloir le modèle ondulatoire de la lumière sur le modèle corpusculaire, ne soit finalement pas aussi concluante qu'on l'aurait cru. La démonstration faite par Hertz de la théorie ondulatoire de Maxwell donne le même résultat ambigu. Elle apporte une preuve concluante de la nature ondulatoire de la lumière mais, en mettant en évidence l'effet photoélectrique, elle constitue aussi une bonne démonstration de sa nature corpusculaire.

Nous l'avons vu plus haut, l'équation $E = hf$ (équation 9.8) pour un photon implique que $p = h/\lambda$ (équation 9.12). Ces deux équations font intervenir à la fois les notions de particule et d'onde. E est l'énergie d'un quantum de lumière, alors que f est la fréquence d'une onde. La grandeur p est normalement associée aux particules, tandis que λ est une propriété des ondes. La théorie ondulatoire semble appropriée pour expliquer la *propagation* de la lumière, mais la théorie quantique paraît nécessaire pour expliquer l'*interaction* de la lumière avec la matière. Peut-on considérer que la lumière sous forme ondulatoire se transforme soudainement en un quantum localisé lorsqu'elle rencontre la matière ? Pas tout à fait. Disons simplement que le langage courant convient mal à la description de nombreux événements subatomiques.

La lumière est caractérisée par une **dualité onde-particule**. Selon l'expérience réalisée, elle va se comporter soit comme une particule, soit comme une onde.

Cela ne veut pas dire que la lumière est «réellement» une particule ou une onde. Ce ne sont que des modèles simples de représentation, mais ils se sont avérés fort utiles. Aux basses fréquences, par exemple dans le cas des ondes radio, la représentation du rayonnement par une onde continue est adéquate, puisqu'on détecte des milliards de photons à la fois. Dans la région optique, des expériences différentes, par exemple sur l'interférence ou l'effet photoélectrique, font appel soit au modèle ondulatoire, soit au modèle corpusculaire. Aux fréquences élevées, comme dans le cas des rayons X, nous avons tendance à observer des événements ne faisant intervenir qu'un seul photon, bien qu'il soit encore possible de démontrer la nature ondulatoire des rayons X par la diffraction dans un cristal (section 7.8).

La notion de dualité onde-particule fut introduite par Einstein. Dans son article de 1905, où il parlait pour la première fois de l'existence du photon, Einstein avait seulement utilisé la loi de Wien pour démontrer qu'un rayonnement de courte longueur d'onde a des propriétés similaires à celles d'un gaz de particules. La loi de Rayleigh-Jeans, qui est valable pour les grandes longueurs d'ondes, s'appuie évidemment sur la nature ondulatoire du rayonnement. Dans une autre analyse du rayonnement d'une enceinte qu'il fit en 1909, Einstein prouva qu'il faut faire intervenir *les deux* modèles, corpusculaire et ondulatoire, pour expliquer le spectre complet du rayonnement d'une enceinte, donné par la loi de Planck.

On peut établir un lien entre notre incapacité à cerner la nature de la lumière et le principe de constance de la vitesse de la lumière. Si la lumière était une onde, sa vitesse serait mesurée par rapport à un milieu ; mais on sait que l'éther n'existe pas. Si elle était composée de particules, sa vitesse serait mesurée par rapport à la source ; mais ce n'est pas ce que l'on observe. Selon la relativité restreinte, le photon se déplace à la vitesse c pour la simple raison que sa masse au repos est nulle. On pourrait conclure que la lumière n'est *ni* une onde *ni* une particule ! En vérité, il est remarquable que ces modèles simples aient pu être aussi utiles.

9.8 Le principe de correspondance de Bohr

Comme la physique classique réussit très bien à expliquer de nombreux phénomènes, Bohr estimait que, lorsqu'une nouvelle théorie plus générale était proposée, ses prédictions devaient aboutir aux résultats classiques dans les cas limites appropriés. Cette condition selon laquelle les résultats d'une nouvelle théorie correspondent, à la limite, aux résultats de la physique classique est le *principe de correspondance*. Par exemple, la loi du rayonnement de Planck se réduit à la forme classique de la loi de Rayleigh-Jeans lorsque $h \to 0$. Dans la théorie de la relativité restreinte, la transformation de Lorentz se réduit à la transformation de Galilée lorsque $v \ll c$. Bohr utilisa ce principe de correspondance pour établir la constante de Rydberg.

Bohr compara le deuxième postulat avec la formule de Rydberg (équation 9.25) pour obtenir

$$E_n = \frac{-Rch}{n^2} \tag{9.28}$$

La fréquence (*mécanique*) du mouvement orbital est $f^* = v/2\pi r$, alors que la deuxième loi de Newton (équation 9.19) nous donne $v^2 = (ke^2)/mr - 2E/m$, où E correspond à l'énergie mécanique décrite à l'équation 9.20. Ainsi, pour la $n^{\text{ième}}$ orbite, on trouve

$$f_n^* = \frac{(2E_n^3/m)^{1/2}}{\pi k e^2 n^3} \qquad (9.29)$$

Pour poursuivre sa démonstration, Bohr invoqua son principe de correspondance, qui signifiait que, à la limite, pour les grands nombres quantiques n (disons $n = 10^4$), la fréquence *rayonnée f* devait être la même que la fréquence *mécanique f^**, comme le prévoit la théorie de Maxwell. D'après le deuxième postulat, $f = \Delta E/h$, et d'après l'équation 9.28, la fréquence rayonnée lors de la transition de n à $n-1$ est

$$f = Rc\left[\frac{1}{(n-1)^2} - \frac{1}{n^2}\right]$$

$$= Rc\left[\frac{2n-1}{n^2(n-1)^2}\right]$$

Lorsque $n \to \infty$, on trouve

$$f \approx \frac{2Rc}{n^3}$$

En posant cette valeur égale à f_n^* dans l'équation 9.29, on obtient l'équation 9.26 donnant R. Ce résultat marqua le succès de la théorie.

Sujet connexe

Les lasers

En 1917, Einstein publia un article portant sur l'équilibre thermodynamique entre le rayonnement d'une enceinte et la matière constituant les parois de l'enceinte. Il supposait que les atomes pouvaient occuper un ensemble discret de niveaux d'énergie. Considérons deux états atomiques d'énergies E_1 et E_2 (figure 9.15). Le rapport des nombres de particules occupant deux niveaux d'énergie à la température T est donné par le facteur de Boltzmann (*cf.* chapitre 18, tome 1) :

$$\frac{N_2}{N_1} = e^{-(E_2-E_1)/kT} \qquad (9.30)$$

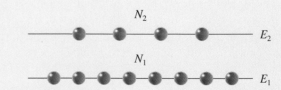

Figure 9.15

À l'équilibre thermique, le nombre relatif de particules aux deux niveaux d'énergie est donné par le facteur de Boltzmann : $N_2/N_1 = \exp[-(E_2-E_1)/kT]$.

À l'équilibre thermique, $N_2 < N_1$; autrement dit, l'état le plus élevé est moins peuplé.

Voyons maintenant comment intervient le rayonnement. Même à l'équilibre thermodynamique, il y a continuellement absorption et émission de rayonnements. Considérons tout d'abord un atome à l'état 1. Si un photon incident est à la bonne fréquence ($hf = E_2 - E_1$), il va être absorbé et faire passer l'atome au niveau 2 (figure 9.16a). Ce processus d'*absorption* dépend de la densité d'énergie ρ du rayonnement à cette fréquence et de N_1. Le nombre de ces transitions $1 \rightarrow 2$ par unité de temps est $N_1 B_{12} \rho$, où B_{12} est une mesure de la probabilité (par particule par unité de temps par unité de densité d'énergie disponible) que la transition ait lieu. La probabilité par particule par unité de temps qu'un atome au niveau supérieur retourne à E_1 (figure 9.16b) est notée A_{21}.

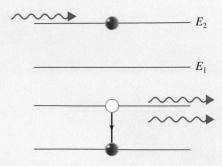

Figure 9.17

Dans le processus d'émission stimulée, un photon incident fait passer une particule du niveau supérieur au niveau inférieur. Le photon émis et le photon initial sont cohérents et repartent dans la même direction.

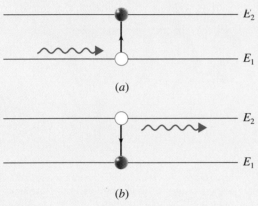

(a)

(b)

Figure 9.16

(a) Une particule à l'état inférieur absorbe un photon et passe à l'état supérieur. (b) La particule passe de l'état supérieur à l'état inférieur au cours du processus d'émission spontanée.

Le nombre de ces *émissions spontanées* dépend de N_2 mais pas de la présence de rayonnement externe. Le nombre de transitions $2 \rightarrow 1$ par unité de temps est $A_{21} N_2$.

À l'équilibre thermodynamique, on peut s'attendre à ce que le taux de transition vers le haut soit égal au taux de transition vers le bas, c'est-à-dire $N_2 A_{21} = N_1 B_{12} \rho$. Ainsi, la densité d'énergie du rayonnement a la forme $\rho = (A_{21}/B_{12})(N_2/N_1)$. La fonction obtenue en utilisant l'équation 9.30 ressemble à la loi du rayonnement de Wien plutôt qu'à la loi de Planck, qui décrit parfaitement la densité d'énergie de rayonnement d'une enceinte.

Cette difficulté poussa Einstein à proposer un autre mécanisme d'interaction de l'atome avec un rayonnement. À la figure 9.17, l'atome est à l'état 2. Un photon incident ayant la fréquence convenable met l'atome en « réso-

nance » par un mécanisme quelconque et le fait retomber au niveau 1. Dans ce cas, il y a *deux* photons sortants de même fréquence. Einstein montra également que le photon stimulé doit sortir dans la même direction que le photon incident. Ce processus d'*émission stimulée* correspond à une probabilité B_{21}, qui possède les mêmes dimensions que B_{12}. Le nombre de telles transitions par unité de temps, qui dépend de la densité de rayonnement et de N_2, est $N_2 B_{21} \rho$.

Si l'on inclut l'émission stimulée, la condition pour que le taux d'émission équilibre le taux d'absorption s'écrit maintenant

$$N_2 B_{12} \rho = N_2 (A_{21} + B_{21} \rho)$$

En utilisant le facteur de Boltzmann pour N_2/N_1, on trouve que ρ a exactement la forme de la loi de Planck, à condition que $B_{21} = B_{12}$ et qu'il existe une relation simple entre A_{21} et B. Cette dérivation incroyablement simple de la loi de Planck montre que le processus d'émission stimulée est nécessaire pour que le système puisse atteindre l'équilibre thermodynamique. Dans des conditions normales, le processus d'absorption domine parce que les atomes sont plus nombreux au niveau inférieur.

Au début des années 50, plusieurs scientifiques eurent l'idée d'utiliser l'émission stimulée pour amplifier un rayonnement micro-onde. Au printemps 1951, C. H. Townes imagina un dispositif permettant de réaliser cette amplification et, en 1953, il réussit avec l'aide de ses collègues à faire fonctionner le premier *maser* (*microwave amplification by stimulated emission of radiation* : amplification de micro-ondes par émission stimulée de rayonnement) à partir des niveaux d'énergie de la molécule d'ammoniaque. En 1958, Townes et A. Schawlow proposèrent un moyen de produire une émission stimulée aux fréquences optiques et, en 1960, T. H. Maiman fit fonctionner le premier *laser* à rubis (*light amplification by stimulated emission of radiation*: amplification lumineuse par émission stimulée de rayonnement).

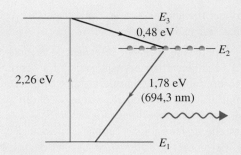

Figure 9.18

Les niveaux d'énergie pour le fonctionnement du laser à rubis. Le niveau E_2 est un état métastable. Pour que le laser puisse fonctionner, la population dans cet état doit être supérieure à celle de l'état fondamental E_1.

Maiman et son laser.

Le laser à rubis

La teinte rouge du rubis (Al_2O_3) est due à un petit nombre d'impuretés Cr^{3+}. Les niveaux d'énergie correspondant à cet ion sont représentés à la figure 9.18. E_1 est l'état fondamental et E_3 est un état excité de courte durée (10^{-8} s), alors que E_2 correspond à un état *métastable* de longue durée (3×10^{-3} s). L'atome passe facilement de E_3 à E_2 mais pas de E_2 à E_1. Maiman avait placé un cristal de rubis en forme de tige à l'intérieur d'un tube à décharge en serpentin (figure 9.19). Un éclair comprenant une gamme de longueurs d'onde aux alentours de 550 nm possède l'énergie requise pour faire monter les ions Cr^{3+} à l'état E_3. À partir de cet état, ils reviennent rapidement à l'état E_2. Si l'éclair est assez intense, il est possible d'avoir plus d'atomes dans l'état métastable que dans l'état fondamental. Ce processus de *pompage optique* crée un état de non-équilibre appelé *inversion de population* dans lequel $N_2 > N_1$.

Les deux conditions suivantes doivent être satisfaites pour permettre le fonctionnement du laser :

1. $B_{21} = B_{12}$; autrement dit, les propriétés d'absorption et d'émission stimulée doivent être égales. L'inversion de population ($N_2 > N_1$) rend l'émission stimulée plus fréquente que l'absorption.

2. Il doit y avoir un *état métastable* pour permettre à l'émission stimulée de se produire avant l'émission spontanée et rendre possible l'inversion de population.

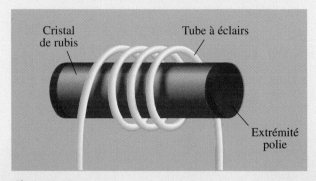

Figure 9.19

Dans le laser à rubis, le « pompage optique » est réalisé par un tube à éclairs enroulé autour du cristal. Ce dispositif permet d'obtenir l'inversion de population nécessaire pour le fonctionnement du laser.

Un photon produit par émission spontanée va stimuler un atome qui se trouve à l'état E_2 pour qu'il émette un photon. Les deux photons ont la *même fréquence* et voyagent dans la *même direction*. Ces deux photons peuvent alors stimuler deux autres atomes qui vont émettre deux photons supplémentaires, et ainsi de suite (figure 9.20). Ce processus se déroule simultanément dans plusieurs directions. Dans la pratique, on recouvre d'aluminium les extrémités de la tige qui tiennent ainsi lieu de miroir et on les rend parallèles avec une précision de une seconde d'arc ! L'une des extrémités légèrement transparente laisse passer 1 % de la lumière. Avec ce montage, seuls les photons qui se propagent parallèlement à l'axe de la tige sont réfléchis plusieurs fois vers l'avant et vers l'arrière. Le rayonnement stimulé augmente en intensité dans cette seule direction jusqu'à ce qu'une courte impulsion pratiquement unidirectionnelle et monochromatique soit enfin émise à la sortie du miroir semi-réfléchissant. Le laser à

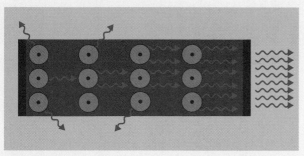

Figure 9.20

Les extrémités du laser sont des miroirs qui réfléchissent les photons effectuant un mouvement de va-et-vient à l'intérieur de l'enceinte. Initialement, les photons stimulés sont émis dans toutes les directions, mais ceux qui se déplacent parallèlement à l'axe deviennent de plus en plus nombreux. La lumière laser sort par l'un des miroirs qui est légèrement transparent.

rubis émet uniquement de courtes impulsions (plusieurs impulsions par éclair du tube à décharge). De plus, ce processus à trois niveaux se termine lorsque l'atome est à l'état fondamental et requiert donc une grande quantité d'énergie pour produire une inversion de population.

Le laser à gaz

En 1960, A. Javan et ses collègues firent fonctionner le premier laser à ondes entretenues en utilisant un mélange d'hélium (He) et de néon (Ne) gazeux dans un tube à décharge. Les collisions entre les électrons et les ions font passer les atomes d'hélium à un état métastable d'énergie, $E_1 = 20,61$ eV, au-dessus de l'état fondamental (figure 9.21). Il se trouve que le néon a un état stable presque au même niveau d'énergie, $E_2 = 20,66$ eV. Au lieu de revenir à leur propre état fondamental en émettant un

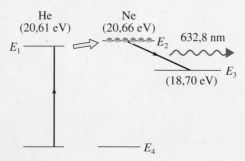

Figure 9.21

Les quatre niveaux d'énergie mis en jeu dans le laser He-Ne. L'état métastable E_2 des atomes de néon est peuplé par les collisions avec des électrons dans l'état E_1 des atomes d'hélium.

photon, les atomes He peuvent transférer leur énergie aux atomes Ne par les collisions. La petite différence de 0,05 eV est fournie par l'énergie cinétique des atomes. Les atomes Ne sont également portés au niveau E_2 par des collisions avec des électrons, mais les atomes He aident considérablement à peupler cet état. Ce processus à quatre niveaux offre un meilleur rendement (un apport de 15 W produit un faisceau de 1 mW à la sortie) que le schéma à trois niveaux parce que les atomes à l'état $E_3 = 18,70$ eV chutent très rapidement à l'état E_4. Il est donc plus facile de maintenir une inversion de population entre les états E_2 et E_3. Ce système émet une lumière laser de 632,8 nm. Nous allons maintenant examiner certaines propriétés de la lumière émise par un laser.

1. *Le faisceau est unidirectionnel*: Le faisceau qui sort d'un laser a une divergence typique de 1' d'arc environ. (La diffraction produit toujours une petite divergence.) Le diamètre du faisceau augmente donc de 1 mm environ par mètre parcouru. Cela implique également que la lumière est composée d'ondes pratiquement planes et que l'intensité décroît lentement avec la distance.

2. *L'intensité du faisceau est élevée*: Un projecteur puissant peut produire un rayonnement de 1 kW environ, alors qu'un laser au CO_2 en fonctionnement continu peut produire 10 kW. Un laser au néodinium-verre fonctionnant par impulsions de 10^{-12} s peut produire une puissance instantanée de 10^9 W! Un laser He-Ne continu à 632,8 nm a une faible puissance de sortie (1 mW) mais, selon la dimension du faisceau, son intensité est voisine de 100 W/m². Le rayonnement thermique d'un corps noir à une température de 4580 K aurait son pic à cette longueur d'onde. L'intensité rayonnée dans l'intervalle indiqué serait à peu près de 25 mW/m². Ainsi, dans sa partie du spectre, même le laser He-Ne de puissance relativement faible est 4000 fois plus intense que la lumière solaire. (C'est pourquoi il ne faut JAMAIS qu'un faisceau laser pénètre dans l'œil.)

3. *La lumière laser est presque monochromatique*: Bien qu'il n'existe pas de lumière parfaitement monochromatique, la lumière laser s'approche beaucoup de cet idéal. Chaque raie du spectre d'un atome correspond à un intervalle naturel de longueurs d'onde ou de fréquences. Les effets des collisions entre atomes et l'effet Doppler viennent encore élargir ces raies. Pour une fine raie produite par un tube ordinaire à décharge gazeuse, l'étalement des longueurs d'onde peut être de ±0,01 nm, alors que les meilleurs ont un étalement de ±0,0005 nm. Par contre, l'étalement d'un laser He-Ne peut descendre jusqu'à ±10^{-6} nm.

L'étroitesse de la gamme des fréquences émises par un laser est due à un effet de résonance. Le rayonnement réfléchi plusieurs fois entre les miroirs crée des modes résonants d'ondes stationnaires de fréquences nettement définies. Ainsi, dans l'intervalle de longueurs d'onde (élargi par l'effet Doppler et par les collisions), le faisceau laser est constitué de quelques fréquences très nettes ($\Delta f < 10^3$ MHz), comme le montre la figure 9.22. Il existe plusieurs moyens de faire fonctionner le laser sur une fréquence unique, mais nous n'allons pas les examiner ici.

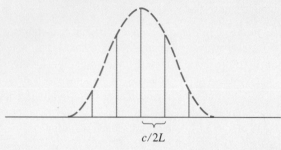

Figure 9.22

La fréquence nette de la lumière laser est associée aux modes résonants qui sont établis dans l'enceinte du laser.

4. *La lumière du laser est cohérente* : Nous avons souligné plus haut qu'un photon produit par émission stimulée voyage dans la même direction que le photon initial. Autre fait important, les deux photons sont parfaite-

ment *en phase* et ont la *même polarisation*. C'est ce qui donne à la lumière laser sa remarquable cohérence (*cf.* section 6.7). La *cohérence spatiale* de la lumière laser signifie que deux points opposés du faisceau sont cohérents. La lumière laser a également une grande *cohérence temporelle*.

Le temps de cohérence τ_c est le temps maximum pendant lequel deux points d'un train d'ondes ont une relation de phase fixe. Ce temps correspond également à la durée de vie du niveau supérieur intervenant dans une transition. On peut considérer qu'un train d'ondes quelconque de longueur finie résulte de la superposition d'ondes de longueur infinie (correspondant chacune à une seule fréquence) dont l'étalement en fréquence est Δf. L'étude montre que l'étalement en fréquence et le temps de cohérence sont liés par la relation

$$\Delta f = \frac{1}{\tau_c}$$

On voit donc que si l'étalement en fréquence est faible, la *durée de cohérence* du faisceau est grande. La *longueur de cohérence* $\ell_c = c\tau_c$ mesure la longueur d'un train d'ondes. En général, pour un seul atome, $\tau_c \approx 10^{-8}$ s et donc $\ell_c = c\tau_c = 3$ m. Dans une décharge gazeuse, l'effet Doppler et les collisions contribuent à élargir la largeur de raie mesurée. L'une des raies les plus nettes du cadmium a une largeur $\Delta\lambda = \pm 0,001$ nm, ce qui donne $\ell_c = 25$ cm si $\lambda = 500$ nm. Par contre, la longueur de cohérence d'une raie laser peut aller jusqu'à 30 km !

Un faisceau laser servant à déterminer les dimensions des particules et la concentration d'une flamme.

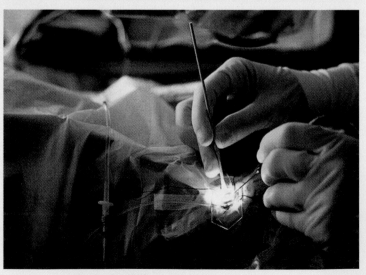

Chirurgie oculaire avec un laser.

Le spectre de rayonnement émis par une petite ouverture dans une enceinte est indépendant du matériau constituant les parois de l'enceinte. Le spectre est décrit par la loi du rayonnement de Planck.

Selon l'hypothèse quantique d'Einstein, l'énergie d'un oscillateur est quantifiée en multiples de hf, où f est la fréquence et h la constante de Planck. L'énergie du $n^{\text{ième}}$ niveau est

$$E = nhf$$

L'énergie d'un rayonnement électromagnétique de fréquence f est également quantifiée en multiples de hf. Chaque quantum d'énergie est appelé photon.

Dans l'effet photoélectrique, un seul photon de fréquence f interagit avec un seul électron et l'éjecte du matériau. On peut déterminer l'énergie cinétique maximale des électrons à partir du potentiel d'arrêt V_0 :

$$K_{\max} - eV_0 = 0$$

Selon l'équation photoélectrique d'Einstein,

$$K_{\max} = hf - \phi$$

où ϕ est le travail d'extraction, c'est-à-dire l'énergie minimale nécessaire pour extraire un électron de la surface. L'effet photoélectrique ne se produit pas aux fréquences inférieures à la fréquence de seuil f_0 :

$$hf_0 = \phi$$

Dans l'effet Compton, un photon est diffusé par suite d'une collision avec un électron libre. Le déplacement de longueur d'onde du photon est donné par

$$\lambda' - \lambda = \left(\frac{h}{m_0 c}\right)(1 - \cos \theta)$$

où θ est l'angle de déviation du photon.

Le modèle de Bohr de l'atome d'hydrogène permet de rendre compte des spectres de raies produits par l'atome d'hydrogène. Il s'applique également à d'autres systèmes à un seul électron. Les niveaux d'énergie peuvent être déterminés à l'aide des postulats suivants :

1. Les électrons ne se déplacent que sur certaines orbites circulaires stables appelées orbites stationnaires.

2. Il n'y a émission d'un rayonnement que lorsqu'un électron passe d'une orbite à une autre, la fréquence du rayonnement étant donnée par

$$hf = E_{n'} - E_n$$

3. Le moment cinétique d'un électron est quantifié selon

$$mvr = n\hbar$$

Les niveaux d'énergie de l'électron dans l'atome d'hydrogène sont donnés par

$$E_n = \frac{-13,6}{n^2}\,\text{eV}$$

Un électron peut être excité et passer à un état de niveau plus élevé soit par suite d'une collision avec un autre électron, soit par l'absorption d'un photon de fréquence convenable.

Termes importants

corps noir
dualité onde-particule
effet Compton
effet photoélectrique
excitation collisionnelle
excitation radiative
formule de Balmer
fréquence de seuil
hypothèse quantique d'Einstein
intensité
ionisation
loi de Planck

loi de Rayleigh-Jeans
loi de Stefan-Boltzmann
loi du déplacement spectral de Wien
loi du rayonnement de Wien
longueur d'onde de Compton
luminosité
noyau
photon
potentiel d'arrêt
rayonnement du corps noir
travail d'extraction

Révision

R1. En quoi la figure 9.2 illustre-t-elle la loi de Stefan-Boltzmann ?

R2. Quelles particularités de l'effet photoélectrique la mécanique classique peut-elle expliquer ? Lesquelles ne parvient-elle pas à expliquer ?

R3. Expliquez pourquoi l'arrivée successive de deux photons possédant chacun la moitié de la fréquence de seuil est incapable de produire l'effet photoélectrique.

R4. Comment l'effet Compton a-t-il permis de convaincre la plupart des physiciens de la validité de la notion de photon ?

R5. Décrivez l'apport de Rutherford et de Bohr dans l'évolution des modèles atomiques.

R6. Énoncez les trois postulats de Bohr.

R7. Expliquez la différence entre une excitation radiative et une excitation collisionnelle.

R8. Expliquez la différence entre une désexcitation radiative et une désexcitation collisionnelle.

R9. Expliquez comment on peut concilier le spectre en forme de cloche caractéristique du corps noir et le spectre de raies prédit par le modèle de Bohr.

R10. Quelle caractéristique du modèle atomique de Bohr était incompatible avec les lois de la physique connues à l'époque ?

R11. Précisez une expérience où la lumière se comporte surtout comme une onde, et une expérience où elle se comporte surtout comme une particule.

Q1. Un signal radio AM suffisamment puissant peut-il produire un effet photoélectrique ?

Q2. (a) Lorsqu'une surface est éclairée par de la lumière monochromatique, pourquoi y a-t-il une limite supérieure à l'énergie cinétique que peuvent posséder les photoélectrons ? (b) Pour une fréquence donnée supérieure au seuil photoélectrique, pourquoi existe-t-il un intervalle d'énergie cinétique pour les électrons émis ?

Q3. Lorsque de la lumière contenant un intervalle continu de fréquences traverse un échantillon de gaz hydrogène à température ambiante, seule la série de Lyman (figure 9.14) est observée dans le spectre d'absorption. Pourquoi ?

Q4. Si l'intensité de la lumière est fixe, le nombre de photoélectrons dépend-il de la fréquence ?

Q5. L'existence d'un travail d'extraction photoélectrique n'est pas contraire à la physique classique. Puisque le travail d'extraction est égal à hf_0, pourquoi l'existence d'une fréquence de coupure n'est-elle pas également acceptable dans le cadre de la physique classique ?

Q6. Quel phénomène facilement observable est décrit par : (a) la loi de Stefan-Boltzmann ? (b) la loi du déplacement de Wien ?

Q7. En quoi l'effet photoélectrique et l'effet Compton sont-ils (a) semblables ; (b) différents ?

Q8. Pourquoi l'effet Compton ne se produit-il pas avec la lumière visible ?

Q9. La température de la plaque métallique où se produit l'effet photoélectrique a-t-elle une importance ?

Q10. La lumière provenant des étoiles nous apparaît parfois rougeâtre ou bleuâtre. Quels renseignements peut-on tirer de cette observation ?

Q11. Pourquoi est-il difficile de produire une ampoule incandescente avec un spectre visible semblable à celui de la lumière solaire ?

Q12. Montrez que les unités de la constante de Planck sont les mêmes que celles du moment cinétique.

Q13. Les rayons ultraviolets provoquent le bronzage et les coups de soleil. Pourquoi la lumière visible n'a-t-elle pas les mêmes effets ?

Q14. Un filament plus chaud dans une ampoule serait-il plus efficace pour convertir l'énergie électrique en énergie lumineuse ? Justifiez votre réponse.

Q15. Selon le deuxième postulat de Bohr, la fréquence f de la lumière émise est donnée par $\Delta E = hf$, où ΔE est la différence d'énergie entre deux niveaux. Cette équation peut-elle être absolument vraie ? (Pensez à la conservation de la quantité de mouvement.)

Q16. Un électron dans un atome d'hydrogène est dans son état fondamental. (a) Que lui arrive-t-il en présence d'un rayonnement incident de fréquence supérieure à $(E_3 - E_1)/h$ mais inférieure à $(E_4 - E_1)/h$? (b) Que se passe-t-il si l'on utilise un faisceau d'électrons d'énergie cinétique supérieure à $(E_3 - E_1)$ mais inférieure à $(E_4 - E_1)$?

Q17. De quelle donnée expérimentale se servit Bohr pour formuler sa théorie ?

Q18. Dans son premier postulat, Bohr abandonne *deux* caractéristiques de la théorie classique du rayonnement. L'une d'entre elle a été mentionnée explicitement. Quelle est l'autre ?

Q19. Quels aspects du modèle de Bohr de l'atome d'hydrogène sont (a) classiques ; (b) non classiques ?

Q20. L'hydrogène a un seul électron mais il émet plusieurs raies spectrales. Expliquez pourquoi.

Q21. Soit une collision entre un électron libre et un atome d'hydrogène. Quelle énergie cinétique maximale peut posséder l'électron pour que la collision avec l'atome soit élastique ?

Q22. Montrez comment est modifiée la figure 9.6 si l'on maintient l'intensité fixe et que l'on fait varier la fréquence $(f > f_0)$.

Q23. Puisque l'équation 9.26 fait intervenir e^4, pourquoi le fait de remplacer e par Ze donne Z^2 dans l'équation 9.27 ? Indiquez les étapes suivies.

Q24. Expliquez le fondement physique du principe de combinaison de Ritz (section 9.4).

Q25. Supposons que l'électron dans l'atome d'hydrogène parte du niveau $n = 4$. Combien de raies peut-on observer ?

Q26. Dans l'effet Compton, pourquoi $\Delta\lambda$ est-il indépendant du matériau ? Pourquoi est-il indépendant de λ ?

Q27. Dans l'effet Compton, pourquoi est-il préférable d'utiliser de courtes longueurs d'onde pour le rayonnement incident ?

xercices

9.1 Rayonnement du corps noir

E1. (I) Quelle est la longueur d'onde du pic (λ_{max}) dans le rayonnement du corps noir aux températures suivantes : (a) le rayonnement cosmique de 3 K provenant du « big bang » qui créa l'univers ; (b) un filament de tungstène à 3000 K ; (c) une réaction de fusion à 10^7 K ?

E2. (I) (a) Le pic de rayonnement provenant du Soleil se situe à 500 nm. Quelle est la température à la surface du Soleil, en supposant qu'il s'agisse d'un corps noir ? (b) Quelle serait la température à la surface d'une étoile dont le pic de rayonnement serait situé à 350 nm ?

E3. (I) Pour quel intervalle de températures la longueur d'onde du pic de rayonnement du corps noir varie-t-elle de 400 nm à 700 nm, soit la gamme des longueurs d'onde de la lumière visible ?

E4. (II) En vous servant de la loi de Stefan-Boltzmann, estimez l'intensité du rayonnement émis par : (a) un poêle chaud à 2000°C dans une pièce à 20°C ; (b) une personne dont la température de la peau est à 34°C dans l'air à 10°C.

E5. (I) Sachant que la température à la surface de l'étoile Sirius A est de 8830 K, estimez sa luminosité. Le rayon de cette étoile est d'environ deux fois celui du Soleil. On suppose que l'espace est à 0 K.

E6. (I) Un filament chauffant a un rayon de 2 mm et une longueur de 20 cm. Si sa température est de 2000 K, quelle est sa luminosité ? (On donne $T_0 = 0$ K.)

E7. (I) Quelle est la longueur d'onde du pic du rayonnement du corps noir pour un objet à 300 K ?

E8. (I) Une molécule de CO_2 peut vibrer à des fréquences qui sont des multiples entiers de $5,1 \times 10^{13}$ Hz. Quelle est la séparation entre des niveaux d'énergie adjacents en électronvolts ?

9.2 Effet photoélectrique

E9. (I) Une station de radio a une puissance émettrice de 400 kW à 100 MHz. Combien de photons par seconde sont émis ?

E10. (I) (a) Montrez que l'énergie E d'un photon (en eV) peut s'écrire sous la forme

$$E = \frac{1240}{\lambda}$$

où la longueur d'onde λ est en nanomètres. (b) Quel est l'intervalle d'énergie des photons dans la région visible entre 400 nm et 700 nm ?

E11. (I) Le travail d'extraction d'un électron est de 2,25 eV pour le potassium. Soit un faisceau de longueur d'onde 400 nm qui a une intensité de 10^{-9} W/m². Déterminez (a) l'énergie cinétique maximale des photoélectrons ; (b) le nombre d'électrons émis par mètre carré par seconde à partir de la surface où se produit l'effet photoélectrique, en supposant que 3 % des photons incidents parviennent à éjecter des électrons.

E12. (I) L'intensité lumineuse minimale que peut détecter l'œil est de 5×10^{-13} W/m² environ. Si le diamètre de la pupille est de 5 mm, trouvez : (a) la puissance nécessaire ; (b) le nombre de photons/s requis à 500 nm.

E13. (I) Le seuil photoélectrique de longueur d'onde pour le césium est de 686 nm. Si de la lumière de longueur d'onde 470 nm éclaire la surface, quelle est la vitesse maximale des photoélectrons ?

E14. (I) Déterminez l'énergie (en eV) des photons pour les longueurs d'onde ou fréquences suivantes : (a) la lumière visible à 550 nm ; (b) une onde radio FM à 100 MHz ; (c) une onde radio AM à 940 kHz ; (d) un faisceau de rayons X à 0,071 nm.

E15. (I) (a) L'énergie de dissociation du CO est de 11 eV. Quelle est la fréquence minimale de rayonnement qui peut rompre cette liaison ? (b) La longueur d'onde maximale d'un rayonnement capable de dissocier la molécule O_2 est de 175 nm. Quelle est l'énergie de liaison de cette molécule en électronvolts ?

E16. (I) La liaison C-C a une énergie de dissociation de 2,8 eV. Quelle est la plus grande longueur d'onde pouvant rompre cette liaison ? À quelle partie du spectre appartient-elle ?

E17. (I) L'intensité du rayonnement solaire incident sur l'atmosphère terrestre est de 1,34 kW/m². En supposant qu'il est monochromatique à 550 nm (jaune), à combien de photons/(m²·s) correspond-il ?

E18. (I) Un laser hélium-néon produit 1 MW à une longueur d'onde de 632,8 nm. Combien de photons émet-il par seconde ?

E19. (I) Le travail d'extraction d'un des électrons du lithium est de 2,3 eV. (a) Quelle est l'énergie cinétique maximale des photoélectrons lorsqu'une surface constituée de cet atome est éclairée par de la lumière de longueur d'onde 400 nm ? (b) Si le potentiel d'arrêt est de 0,6 V, quelle est la longueur d'onde de rayonnement ?

E20. (I) Soit un rayonnement de longueur d'onde 200 nm tombant sur du mercure pour lequel le travail d'extraction photoélectrique est de 4,5 eV. Quelle est (a) l'énergie cinétique maximale des électrons éjectés ; (b) le potentiel d'arrêt ?

E21. (I) Lorsqu'un rayonnement de longueur d'onde 350 nm éclaire une surface, l'énergie cinétique maximale des photoélectrons est de 1,2 eV. Quel est le potentiel d'arrêt pour une longueur d'onde de 230 nm ?

E22. (I) Lorsque de la lumière violette de longueur d'onde 420 nm éclaire une surface, le potentiel d'arrêt des photoélectrons est de 2,4 V. Quelle est la fréquence de seuil pour cette surface ?

E23. (II) Une ampoule de 100 W convertit 5 % de l'énergie électrique consommée en lumière visible. On suppose que la lumière a une longueur d'onde de 600 nm et que l'ampoule est une source ponctuelle. (a) Quel est le nombre de photons émis par seconde ? (b) Si, pour détecter une source à cette longueur d'onde, l'œil a besoin au minimum de 20 photons/s, à quelle distance maximale l'ampoule est-elle visible ? On suppose le diamètre de la pupille égal à 3 mm.

E24. (II) Lorsqu'un métal est éclairé par de la lumière de fréquence f, l'énergie cinétique maximale des photoélectrons est de 1,3 eV. Lorsqu'on augmente la fréquence de 50 %, l'énergie cinétique maximale augmente jusqu'à 3,6 eV. Quelle est la fréquence de seuil pour ce métal ?

E25. (II) Avec une pupille de diamètre égal à 5 mm, l'œil peut détecter 8 photons/s à 500 nm. Pour que l'œil puisse la détecter, quelle doit être la luminosité d'une source ponctuelle à la distance de (a) la Lune ; (b) Alpha du Centaure, située à 4,2 années-lumière ?

E26. (II) Lors d'une expérience sur l'effet photoélectrique, on a recueilli les valeurs suivantes pour la longueur d'onde et le potentiel d'arrêt.

λ (nm) :	500	450	400	350	300
V_0 (V) :	0,37	0,65	1,0	1,37	2,0

Tracez un graphe et utilisez-le pour déterminer (a) h/e ; (b) la fréquence de seuil.

9.3 Effet Compton

E27. (II) (a) Quelle est la fréquence d'un photon dont l'énergie est égale à deux fois l'énergie au repos d'un électron ? (b) Quelle serait la quantité de mouvement de ce photon (*cf.* chapitre 3) ?

E28. (I) Un faisceau de rayons X dans lequel chaque photon a une énergie de 30 keV subit une diffusion Compton. Un photon diffusé émerge à 50° par rapport au faisceau incident. (a) Trouvez la longueur d'onde modifiée. (b) Quelle est l'énergie cinétique de l'électron diffusé ?

E29. (I) Un faisceau de rayons X dans lequel chaque photon a une énergie de 40 keV. Trouvez l'énergie cinétique maximale possible des électrons diffusés par effet Compton.

E30. (I) Un photon de la gamme des rayons X de longueur d'onde 0,071 nm est diffusé par une cible en carbone. Il subit un déplacement de longueur d'onde de 0,02 %. Selon quel angle émerge-t-il par rapport à sa direction initiale ?

E31. (I) La longueur d'onde d'un photon est égale à la longueur d'onde de Compton. Quelle est son énergie ?

E32. (I) Un faisceau de rayons X dans lequel chaque photon a une énergie de 30 keV est diffusé à 37° par effet Compton. (a) Quelle est la variation de longueur d'onde ? (b) Quelle est l'énergie des photons diffusés ?

E33. (II) La variation relative de longueur d'onde d'un faisceau soumis à une diffusion Compton est $\Delta\lambda/\lambda = 0,03$ %. Quelle est l'énergie des photons incidents si l'angle de diffusion est de 53° ?

E34. (I) Un photon de la gamme des rayons X de longueur d'onde 0,08 nm est diffusé à 70° par un bloc de graphite. (a) Quelle est la variation de longueur d'onde par effet Compton ? (b) Quelle est l'énergie cinétique de l'électron diffusé ?

E35. (I) Des rayons X dont l'énergie par photon est de 50 keV sont diffusés à 45°. Trouvez la fréquence des photons diffusés.

E36. (I) Un faisceau de rayons X de longueur d'onde 0,08 nm est soumis à une diffusion Compton par une cible. Calculez le déplacement de longueur d'onde si les photons diffusés sont déviés de (a) 30° ; (b) 90° ; (c) 150°.

9.6 Modèle de Bohr

E37. (I) (a) Un gaz d'atomes d'hydrogène à l'état fondamental est bombardé par des électrons d'énergie cinétique égale à 12,5 eV. Quelles longueurs d'onde émises peut-on s'attendre à observer ? (b) Que se passe-t-il si les électrons sont remplacés par des photons de même énergie ?

E38. (I) (a) Trouvez les trois plus grandes longueurs d'onde de la série de Paschen (figure 9.14) pour l'atome d'hydrogène. Dans quelle partie du spectre électromagnétique sont-elles situées? (b) Quelle est la plus courte longueur d'onde dans cette série?

E39. (I) Quelle est la longueur d'onde maximale capable d'ioniser un atome d'hydrogène à l'état fondamental? Dans quelle région du spectre électromagnétique est située cette longueur d'onde?

E40. (I) Calculez la fréquence de rotation de l'électron de l'atome d'hydrogène à l'état fondamental. Si l'électron rayonnait à cette fréquence, dans quelle partie du spectre électromagnétique ce rayonnement serait-il situé?

E41. (I) L'électron de l'atome d'hydrogène est à l'état $n = 2$. Quelle est (a) son énergie potentielle; (b) son énergie cinétique?

E42. (I) (a) Déterminez les quatre premiers niveaux d'énergie de l'ion Li^{++} ($Z = 3$). (b) Quelles sont les longueurs d'onde des trois transitions les plus énergétiques pour ces quatre niveaux?

E43. (I) Calculez le rayon de l'orbite de l'électron dans chacun des trois premiers états de l'atome d'hydrogène.

E44. (I) (a) Quels sont les trois premiers niveaux d'énergie de l'ion He^+ ($Z = 2$)? (b) Quelle est l'énergie requise pour libérer l'électron de cet ion?

E45. (I) On considère l'électron de l'atome d'hydrogène à l'état fondamental. Déterminez, selon le modèle de Bohr, (a) le module de sa vitesse; (b) sa quantité de mouvement; (c) son accélération.

E46. (II) Soit un électron en orbite autour d'un noyau de charge Ze. Montrez que le rayon de l'orbite du $n^{ième}$ niveau est donné par $r_n = n^2 r_1/Z$, avec $r_1 = \hbar^2/mke^2$.

E47. (II) Un électron est en orbite autour d'un noyau de charge Ze. Montrez que le module de la vitesse pour le $n^{ième}$ niveau est donné par $v_n = 2,2 \times 10^6 Z/n$ m/s.

E48. (II) Dans un atome muonique, l'électron est remplacé par une particule appelée muon qui possède la même charge que l'électron mais dont la masse est 207 fois plus grande. De quel facteur varie chacune des grandeurs suivantes par rapport à un atome ordinaire à un électron: (a) les niveaux d'énergie? (b) les rayons des orbites?

E49. (II) Un électron est en orbite autour d'un noyau de charge Ze. Montrez que l'énergie du $n^{ième}$ niveau est donnée par l'équation 9.27.

Exercices supplémentaires

9.2 Effet photoélectrique

E50. (I) Les ondes d'un four à micro-ondes ont une fréquence de 2450 MHz. Trouvez: (a) leur longueur d'onde; (b) l'énergie d'un photon en électronvolts.

E51. (I) Lorsque de la lumière de longueur d'onde 490 nm éclaire une surface photoélectrique, le potentiel d'arrêt est de 0,63 V. Quel est, en électronvolts, le travail d'extraction d'un électron?

E52. (I) Le travail d'extraction d'un photoélectron pour un métal est de 2,2 eV. (a) Quelle est la longueur d'onde de seuil photoélectrique? (b) Quelle est l'énergie cinétique maximale (en électronvolts) des électrons émis lorsqu'on utilise une longueur d'onde de 420 nm?

E53. (I) Lorsqu'on éclaire une surface avec de la lumière de longueur d'onde 428 nm, les photoélectrons ont une vitesse maximale de $5,2 \times 10^5$ m/s. Quelle est la fréquence de seuil de la photoémission?

E54. (I) Un photon de 4,8 eV frappe une surface pour laquelle le travail d'extraction est de 2,78 eV. Quelle est la vitesse maximale de l'électron émis?

E55. (I) La longueur d'onde de seuil photoélectrique d'un matériau métallique est de 360 nm. Quelle est la vitesse maximale des électrons émis si on utilise des photons de 280 nm de longueur d'onde?

9.3 Effet Compton

E56. (I) Un photon de la gamme des rayons X de 30 keV est diffusé à 60° par un électron libre. Quelle est l'énergie du photon diffusé?

E57. (I) Un photon de 120 keV est diffusé par un électron libre et perd 5 % de son énergie. Quel est l'angle de diffusion?

E58. (I) Un photon de 0,15 nm de longueur d'onde est diffusé par un électron libre dont la vitesse de recul est de $2,6 \times 10^6$ m/s. (a) Quelle est la nouvelle longueur d'onde du photon? (b) Quel est l'angle de diffusion?

9.6 Modèle de Bohr

E59. (I) Quelle est la plus petite longueur d'onde d'une raie spectrale (a) de la série de Balmer, et (b) de la série de Lyman?

E60. (I) L'électron de l'atome d'hydrogène passe de l'état $n = 2$ à l'état fondamental. Quelle est la longueur d'onde du photon émis ?

E61. (I) Un atome absorbe l'énergie d'un photon de 392 nm et la réémet en deux étapes. Si la longueur

d'onde d'un des photons émis est de 712 nm, quelle est la longueur d'onde de l'autre ?

E62. (II) Un atome d'hydrogène émet des photons dont la longueur d'onde est de 102,5 nm. Quels sont les deux niveaux d'énergie en cause ?

Problèmes

P1. (I) Dans une expérience sur l'effet Compton, le photon diffusé a une énergie de 130 keV et l'électron diffusé a une énergie cinétique de 45 keV. Trouvez (a) la longueur d'onde des photons incidents ; (b) l'angle θ de diffusion du photon ; (c) l'angle ϕ suivant lequel est éjecté l'électron.

P2. (I) Montrez que la loi du rayonnement de Wien (équation 9.2) mène à la loi du déplacement de Wien (équation 9.1). (*Indice* : Quelle est la condition pour obtenir λ_{max} ?)

P3. (I) En considérant le cas particulier d'une collision à une dimension, montrez qu'un électron libre ne peut pas absorber complètement un photon. (Montrez que la quantité de mouvement et l'énergie ne peuvent pas être conservées simultanément.)

P4. (I) Montrez que la perte d'énergie relative d'un photon soumis à une diffusion Compton est donnée approximativement par $\Delta E/E = -\Delta\lambda/\lambda$.

P5. (I) Les deux protons de la molécule d'hydrogène sont distants de 0,074 nm et tournent autour de leur centre de masse. Le moment cinétique total est quantifié en multiples de $nh/2\pi$. (a) Quel est le moment d'inertie I ? (b) Si le moment cinétique $I\omega_n$ est quantifié, trouvez ω_n. (c) Si f est la fréquence de rotation de chacun des protons autour du centre de masse, où est situé $f_{n+1} - f_n$ dans le spectre électromagnétique ?

P6. (I) L'électron dans un atome d'hydrogène fait une transition du niveau $n = 5$ au niveau $n = 1$. Trouvez le module de la vitesse de recul de l'atome.

P7. (II) Établissez l'équation 9.16 pour l'effet Compton. (*Indice* : Utilisez d'abord l'équation 9.14 et l'équation 9.15 pour éliminer ϕ et obtenir l'expression donnant p^2. Ensuite, utilisez $E^2 = p^2c^2 + m_0^2c^4 = (K + m_0c^2)^2$ et l'équation 9.13 pour obtenir une autre expression donnant p^2.

P8. (II) (a) Dans la loi du rayonnement de Planck, on pose $x = hc/\lambda kT$. En dérivant par rapport à x, montrez que la longueur d'onde correspondant au maximum est donnée par l'équation $5 - x = 5e^{-x}$. La solution de cette équation est $x = 4,965$. (b) Montrez que la loi du rayonnement de Planck mène à la loi du déplacement de Wien.

P9. (II) On détermine l'intensité totale I (*cf.* équation 9.2) rayonnée par la surface d'un corps noir en multipliant par $c/4$ l'intégrale de la densité d'énergie sur toutes les longueurs d'onde, $U = \int u_\lambda d\lambda$, autrement dit, $I = Uc/4$. Montrez que ce calcul conduit à $I = \sigma T^4$, où la constante $\sigma = 2\pi^5k^4/15c^2h^3$, soit la loi de Stefan-Boltzmann, où T_0 est négligeable devant T. Pour y arriver, faites un changement de variable du type $x = hc/\lambda kT$ et remarquez que

$$\int_0^\infty \frac{x^3}{(e^x - 1)}\, dx = \frac{\pi^4}{15}$$

P10. (II) Le positonium est composé d'un électron et d'un positon (électron positif) en orbite autour de leur centre de masse commun. Utilisez le modèle de Bohr pour montrer que les niveaux d'énergie sont donnés par $E_n = -6,8$ eV$/n^2$.

CHAPITRE 10

La mécanique ondulatoire

POINTS ESSENTIELS

1. D'après l'**hypothèse de Broglie**, les particules ont des propriétés ondulatoires.

2. L'**équation d'onde de Schrödinger** sert à prédire le comportement des ondes de matière.

3. La **fonction d'onde** indique la probabilité de trouver une particule à l'intérieur d'une région donnée.

4. Une particule peut pénétrer dans une région interdite selon la physique classique et traverser une barrière de potentiel par **effet tunnel**.

5. D'après le **principe d'incertitude de Heisenberg**, on ne peut connaître simultanément certaines paires de grandeurs avec une précision arbitrairement grande.

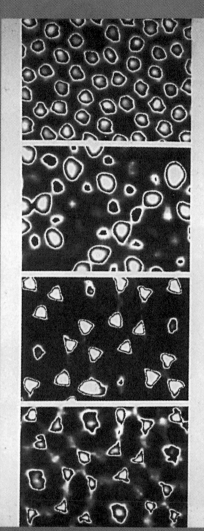

Images d'atomes de silicium produites par un microscope électronique à effet tunnel. Le grossissement est voisin de 10 millions. Image du haut : atomes de la couche supérieure. Deuxième image : liaisons qui « pendent » des atomes supérieurs. Troisième image : liaisons entre les atomes supérieurs et la deuxième couche. Image du bas : la deuxième couche (on voit également les liaisons latérales) à une profondeur de 0,9 nm.

La théorie de Bohr permet d'expliquer le spectre de l'hydrogène et donne un début d'explication de la stabilité des atomes, mais elle n'est valable que pour des systèmes à un seul électron. Elle ne peut pas prédire les intensités relatives des raies spectrales ni expliquer pourquoi, lorsqu'on augmente la résolution, on découvre que certaines raies sont composées de deux ou de plusieurs raies plus fines. En 1916, A. Sommerfeld améliora la théorie de Bohr en incorporant la relativité restreinte et la possibilité d'orbites elliptiques. Avec l'addition de deux nouveaux nombres quantiques, la théorie de Bohr-Sommerfeld permettait de rendre compte de nombreuses caractéristiques des spectres et montrait comment le tableau périodique est construit de façon systématique. Mais les règles utilisées ne reposaient pas sur un fondement satisfaisant et, au début des années vingt, la théorie avait épuisé son potentiel explicatif. Un remaniement radical de la théorie quantique s'imposait.

10.1 Les ondes de Broglie

Dans la thèse de doctorat qu'il présenta en 1924, Louis de Broglie (figure 10.1) émit une hypothèse révolutionnaire fondée sur la notion métaphysique de « symétrie de la nature ». La lumière, qui depuis un siècle était considérée comme une onde, venait de manifester des caractéristiques propres à une particule dans l'effet photoélectrique et dans l'effet Compton. De Broglie rappela qu'en 1909 Einstein avait montré qu'il faut tenir compte des *deux* aspects du rayonnement, ondulatoire et corpusculaire, pour décrire complètement le rayonnement d'un corps noir (loi de Planck). S'inspirant de ces découvertes, de Broglie supposa donc qu'on pouvait attribuer aux particules matérielles une dualité onde-particule similaire. Autrement dit, la matière pouvait également avoir un comportement ondulatoire. La relativité et la théorie quantique ayant montré que la physique classique est insuffisante dans plusieurs domaines, il était permis de douter de la fiabilité des notions classiques pour l'étude du monde sous-microscopique de l'atome.

Utilisant une combinaison de la théorie quantique et de la relativité restreinte, de Broglie supposa que la longueur d'onde λ associée à une particule est liée à sa quantité de mouvement $p = mv$ par la relation

$$\lambda = \frac{h}{p} \tag{10.1}$$

On remarque que cette équation est également valable pour un photon : $p = E/c = hf/c = h/\lambda$. La signification physique de l'« onde de matière » n'était pas claire, mais le raisonnement qui suit l'encouragea à poursuivre. Dans le modèle de Bohr, le moment cinétique de l'électron est quantifié :

$$mvr = \frac{nh}{2\pi} \tag{10.2}$$

Lorsqu'on utilise l'équation de Broglie $p = mv = h/\lambda$, l'équation 10.2 devient

$$2\pi r = n\lambda \tag{10.3}$$

Cette équation ressemble à la condition établie pour les ondes stationnaires ! De Broglie venait ainsi de donner aux postulats arbitraires de Bohr une interprétation limpide : les seules orbites autorisées sont celles dont la circonférence contient un nombre entier de longueurs d'ondes (figure 10.2). Einstein aida de Broglie à faire connaître son hypothèse qui fut d'abord rejetée par une majorité de scientifiques.

Figure 10.1

Louis de Broglie (né en 1892).

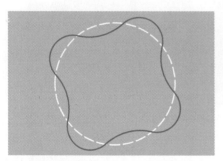

Figure 10.2

Une onde stationnaire sur la circonférence d'un cercle. De Broglie se servit de ce schéma pour expliquer la quantification du moment cinétique dans la théorie de Bohr.

Exemple 10.1

Quelle est la longueur d'onde de Broglie (a) d'un électron initialement au repos qui est accéléré par une différence de potentiel de 54 V ; (b) d'une balle de pistolet de 10 g ayant une vitesse de 400 m/s ?

Solution :

(a) D'après l'équation 10.1, la longueur d'onde de Broglie est

$$\lambda = \frac{h}{p} = \frac{h}{mv}$$

L'énergie cinétique acquise par l'électron de charge e accéléré par la différence de potentiel V équivaut à $\frac{1}{2}mv^2 = eV$, d'où

$$\lambda = \frac{h}{\sqrt{2meV}}$$

$$= \frac{(6{,}63 \times 10^{-34}\ \text{J·s})}{\sqrt{(2 \times 9{,}11 \times 10^{-31}\ \text{kg})(1{,}6 \times 10^{-19}\ \text{C})(54\ \text{V})}}$$

$$= 0{,}167\ \text{nm}$$

(b) La longueur d'onde de Broglie est

$$\lambda = \frac{h}{mv} = \frac{(6{,}63 \times 10^{-34}\ \text{J·s})}{(10^{-2}\ \text{kg})(400\ \text{m/s})}$$

$$= 1{,}66 \times 10^{-34}\ \text{m}$$

Cette valeur est très inférieure à la dimension d'un noyau unique, qui est voisine de 10^{-14} m. Il n'y a donc aucune chance d'observer un phénomène ondulatoire comme la diffraction avec des objets macroscopiques.

10.2 La diffraction des électrons

Même avant que de Broglie ne présente sa thèse, il existait des indications expérimentales de la nature ondulatoire des électrons, mais elles étaient passées inaperçues. C. L. Davisson, qui étudiait la diffusion des électrons par des surfaces de nickel, avait signalé le résultat curieux selon lequel l'intensité réfléchie dépend de l'orientation de l'échantillon. Une fois l'hypothèse de Broglie rendue publique, W. Elsasser suggéra que cette observation pouvait éventuellement faire intervenir la diffraction des ondes de Broglie, mais Davisson n'y porta pas grande attention. Heureusement, un incident survenu dans son système à vide obligea Davisson à chauffer la cible pour éliminer une couche d'oxyde. Durant ce processus, l'échantillon de polycristal (contenant plusieurs minéraux différents) qu'il avait à l'origine fut pratiquement transformé en un monocristal. Un monocristal est une structure atomique simple et répétitive, associée à un minéral unique.

L'expérience fut reprise en 1926 par Davisson et L. Germer. Des électrons produits par un filament chauffé étaient accélérés par une différence de potentiel V puis dirigés sur une cible de Ni (figure 10.3). On s'aperçut que les électrons étaient réfléchis principalement dans certaines directions en fonction de leur vitesse. Si les électrons avaient interagi un à un avec les atomes, on aurait observé une diffusion aléatoire. Mais les réflexions observées impliquaient que les électrons avaient interagi avec un *réseau* d'atomes, tout comme la réflexion des rayons X par des plans atomiques donne une figure de diffraction (*cf.* section 7.8). Les électrons avaient donc également un comportement ondulatoire !

Lorsqu'une particule de masse m et de charge q initialement au repos est accélérée par une différence de potentiel V, son énergie cinétique est donnée par $K = p^2/2m = qV$ (en supposant que le module de sa vitesse est très inférieur à la vitesse de la lumière). Puisque $p = \sqrt{2mqV}$, la relation de Broglie $\lambda = h/p$ prend la forme

$$\lambda = \frac{h}{\sqrt{2mqV}} \qquad (10.4)$$

Par exemple, si $V = 150$ V, la longueur d'onde de Broglie d'un électron est de 0,1 nm environ, ce qui correspond à peu près à l'espace interatomique dans un cristal. En faisant un raisonnement semblable à celui qui a été fait pour les rayons X (section 7.8), on s'aperçoit que les positions angulaires des maxima de diffraction sont données par

$$D \sin \phi = n\lambda \qquad (10.5)$$

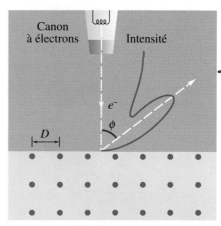

Figure 10.3

Des électrons bombardent un cristal de nickel. Le faisceau réfléchi montre une forte dépendance angulaire qui indique que les électrons sont diffractés par les plans atomiques.

Figure 10.4

(*a*) Figure de diffraction produite par des rayons X de longueur d'onde égale à 0,071 nm traversant une feuille d'aluminium. (*b*) Figure de diffraction produite par des électrons traversant une feuille d'aluminium. Les figures sont circulaires parce que la feuille est composée de nombreux petits cristaux orientés au hasard.

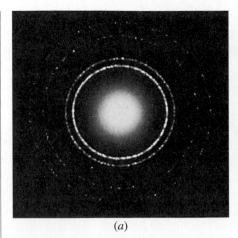 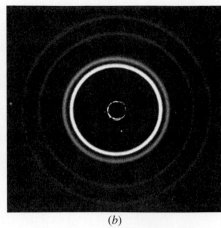

(*a*) (*b*)

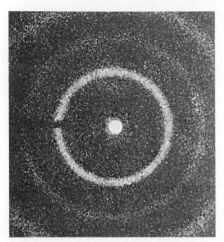

Figure 10.5

Figure de diffraction produite par des neutrons de 0,07 eV traversant un échantillon polycristallin de fer.

Figure 10.6

Erwin Schrödinger (1887-1961).

où D est la distance séparant les atomes, qui est égale à 0,215 nm dans le cas du nickel. L'un des couples de valeurs expérimentales obtenu était $V = 54V$ et $\phi = 50°$. L'équation 10.4 prédit $\lambda = 0,167$ nm, alors que l'équation 10.5 (avec $n = 1$) donne $\lambda = 0,165$ nm. L'**hypothèse de Broglie** était donc vérifiée de manière concluante !

En 1927, G. P. Thomson et A. Reid firent passer un faisceau d'électrons de 30 keV à travers de minces pellicules de celluloïd et d'or composées de petits cristaux orientés au hasard. Dans un tel montage, il se trouve toujours des cristaux orientés de telle sorte que l'équation 10.5 soit vérifiée. Ils réussirent donc à enregistrer des anneaux de diffraction sur une plaque photographique, confirmant ainsi le comportement ondulatoire des électrons. À la figure 10.4, on compare les anneaux de diffraction produits par des rayons X et les anneaux produits par des électrons. Toutes les particules élémentaires ont un comportement ondulatoire. Par exemple, la figure 10.5 représente la diffraction des neutrons par un échantillon polycristallin de fer.

10.3 L'équation d'onde de Schrödinger

Lorsque Erwin Schrödinger (figure 10.6) entendit parler de l'hypothèse de Broglie, il pensa tout d'abord qu'elle ne tenait pas debout. Mais, voyant qu'Einstein prenait cette idée au sérieux, il décida de chercher une équation permettant de décrire ces ondes de matière. Schrödinger partit du principe suivant : tout comme l'optique géométrique n'est qu'une approximation de l'optique ondulatoire, il se pourrait que la mécanique classique (des particules) soit simplement une approximation d'une mécanique ondulatoire plus exacte. Nous n'allons pas présenter ici l'analyse de Schrödinger, mais plutôt une version simplifiée, basée sur l'équation d'onde vue au chapitre 2 :

$$\frac{\partial^2 y}{\partial x^2} = \frac{1}{v^2} \frac{\partial^2 y}{\partial t^2} \qquad (10.6)$$

Dans le cadre de l'analyse de l'atome de Bohr faite par de Broglie, considérons uniquement les solutions d'ondes stationnaires à une dimension. Rappelons que, comme on l'a vu au chapitre 2, la forme d'une onde stationnaire est

$$y(x, t) = \psi(x) \cos(\omega t) \qquad (10.7)$$

En remplaçant y par cette expression dans l'équation d'onde, on obtient

$$\frac{d^2\psi}{dx^2} = -\frac{\omega^2}{v^2}\,\psi \qquad (10.8)$$

Nous utilisons la dérivée ordinaire, puisque $\psi(x)$ est fonction uniquement de x. Comme $\omega/v = k = 2\pi/\lambda$ et $p = h/\lambda$, on a

$$\frac{\omega^2}{v^2} = \frac{p^2}{\hbar^2}$$

D'après l'expression de l'énergie mécanique $E = p^2/2m + U$, où U est l'énergie potentielle, on voit que $p^2 = 2m(E - U)$. On a donc

$$\frac{\omega^2}{v^2} = \frac{2m(E - U)}{\hbar^2} \qquad (10.9)$$

L'équation 10.8 devient ainsi

$$\frac{d^2\psi}{dx^2} + \frac{2m}{\hbar^2}(E - U)\psi = 0 \qquad (10.10)$$

Équation d'onde de Schrödinger

Cette équation est l'**équation d'onde de Schrödinger** indépendante du temps à une dimension. La fonction d'onde $\psi(x)$ représente les états *stationnaires* d'un système atomique pour lequel E est constante dans le temps.

Comment une description *continue* comme celle qui est contenue par une onde peut-elle donner des quantités *discrètes* comme les niveaux d'énergie de l'atome d'hydrogène? Rappelons que le système continu d'une corde fixée à ses deux extrémités vibre uniquement à certaines fréquences propres. L'équation d'onde classique donne des modes discrets lorsqu'on applique les *conditions aux limites*, selon lesquelles le déplacement de la corde doit être nul aux extrémités fixes. En mécanique ondulatoire, ψ et $d\psi/dx$ doivent être toutes deux des fonctions *continues*. Si, par exemple, $d\psi/dx$ avait une discontinuité, alors $d^2\psi/dx^2$ serait infinie et les solutions de l'équation 10.10 n'auraient pas de sens physique.

Lorsque Schrödinger appliqua son équation à l'atome d'hydrogène (pour lequel $U = -ke^2/r$), il s'aperçut que les lois mathématiques et les conditions appropriées aux limites menaient naturellement aux niveaux d'énergie discrets du modèle de Bohr. À peu près en même temps (1925), W. Heisenberg élaborait une forme différente de la mécanique quantique qui s'avéra par la suite équivalente à celle de Schrödinger.

10.4 La fonction d'onde

Le fait que Schrödinger ait réussi à résoudre plusieurs problèmes venait confirmer que la nouvelle mécanique ondulatoire constituait un progrès important. Mais comment devait-on interpréter «l'onde associée à la particule»? De Broglie avait provisoirement suggéré que l'onde pouvait représenter la particule elle-même ou peut-être jouer le rôle de guide dans le mouvement de la particule. Schrödinger envisageait une particule comme un groupe d'ondes, un *paquet d'ondes*, d'aspect floconneux comme une houppette.

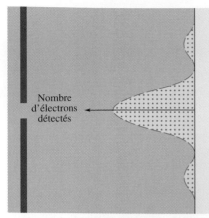

Figure 10.7

Lorsque des électrons passent par une fente étroite, les électrons détectés forment une figure de diffraction habituellement obtenue pour une fente simple.

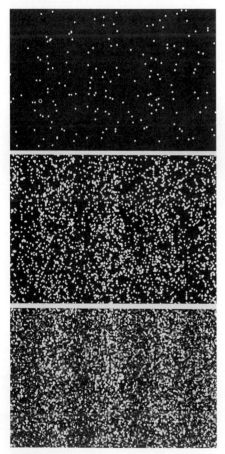

Figure 10.8

Figure d'interférence enregistrée sur un écran de télévision produite par des électrons passant par deux fentes. Initialement, les points semblent situés au hasard. Cependant, la figure devient plus nette lorsqu'un grand nombre d'électrons sont arrivés.

Peu après, Max Born proposa une interprétation de la fonction d'onde qui est généralement admise à l'heure actuelle. Born s'appuya sur l'idée d'Einstein selon laquelle l'intensité d'une onde lumineuse en un point donné (qui est proportionnelle au carré de l'amplitude de l'onde) est une mesure du nombre de photons arrivant en ce point. Cela veut dire que la fonction d'onde du champ électromagnétique détermine la *probabilité de trouver un photon*. Born suggéra par analogie que le carré de la fonction d'onde* indique la probabilité par unité de volume de trouver une particule.

$\psi^2 dV$ = probabilité de trouver la particule à l'intérieur d'un volume dV

La grandeur ψ^2 est appelée **densité de probabilité**. En une dimension, $\psi^2(x)$ dx est proportionnelle à la probabilité de trouver la particule à l'intérieur de l'intervalle compris entre x et $x + dx$. Nous avons plus ou moins de chances d'observer la particule selon que $\psi^2(x)$ est grande ou petite à un point donné. La fonction d'onde représente donc une *onde de probabilité* abstraite. Puisque la particule doit se trouver quelque part, la somme de toutes les probabilités sur l'axe des x doit être égale à 1 :

$$\int_{-\infty}^{\infty} \psi^2(x)\, dx = 1$$

Une **fonction d'onde** qui satisfait cette condition est dite *normalisée*.

On peut illustrer l'interprétation probabiliste de la fonction d'onde à l'aide d'une expérience simple dans laquelle un faisceau d'électrons passe par une seule fente (figure 10.7). Le faisceau est si faible qu'un seul électron à la fois passe par la fente. Des détecteurs nombreux et très rapprochés enregistrent exactement où va chaque électron. (Cela équivaut à compter le nombre d'électrons arrivant en chaque point dans un intervalle de temps donné.) La grandeur $\psi^2(x)$ nous indique quelle fraction du nombre total est enregistrée à la position x. La figure obtenue paraît initialement aléatoire, mais, lorsque le nombre atteint plusieurs milliers, on observe la figure de diffraction produite par une fente simple, ce qui constitue une fulgurante confirmation de l'interprétation de Max Born ! La figure 10.8 représente une figure d'interférence produite par des électrons passant par deux fentes.

La physique classique et la relativité restreinte partent du principe du *déterminisme* : connaissant la position initiale et la vitesse d'une particule ainsi que toutes les forces agissant sur elle, on peut prédire avec précision quelle sera sa trajectoire. La position exacte de la particule peut être déterminée, du moins en théorie. L'interprétation statistique de la fonction d'onde nous dit que l'on ne peut prédire que la *probabilité* d'observer une particule à une position donnée. Il n'est plus possible de prédire exactement où elle sera détectée. La mécanique quantique prédit correctement les valeurs *moyennes* des grandeurs physiques mais pas les résultats des mesures individuelles.

---

* Puisque ψ peut être un nombre complexe, l'expression correcte est $\psi\psi^*$, où * désigne le complexe conjugué.

Particule enfermée dans une boîte

Nous allons voir maintenant comment appliquer ces nouvelles idées au cas d'une particule de masse m qui rebondit d'un côté à l'autre d'une boîte à une dimension de côté L (figure 10.9). On suppose que la boîte est impénétrable : l'énergie potentielle est nulle à l'intérieur de la boîte et infinie sur les parois. Cet exemple est quelque peu artificiel, mais il permet d'illustrer quelques idées importantes. Il constitue un premier pas vers la résolution de certains problèmes comme le mouvement d'un électron de conduction dans un métal ou d'un proton emprisonné dans un noyau.

En physique classique, la probabilité de trouver la particule est la même n'importe où entre $x = 0$ et $x = L$. En mécanique ondulatoire, on doit lui attribuer une fonction d'onde. Puisque la particule ne peut pas traverser les parois, $\psi = 0$ pour $x < 0$ et $x > L$. La condition de continuité de la fonction d'onde donne la condition aux limites

$$\psi(x) = 0 \text{ pour } x = 0 \text{ et } x = L$$

Avec $U = 0$ à l'intérieur de la boîte, l'équation d'onde de Schrödinger devient

$$\frac{d^2\psi}{dx^2} + k^2\psi = 0$$

où $k = \sqrt{2mE}/\hbar$. La solution de cette équation est $\psi(x) = A \sin(kx + \phi)$. D'après la condition aux limites $\psi = 0$ en $x = 0$, il s'ensuit que $\phi = 0$. D'après la condition selon laquelle $\psi = 0$ en $x = L$, on trouve $\sin(kL) = 0$, ce qui signifie que $kL = n\pi$, où n est un entier. Ainsi, la fonction d'onde qui vérifie les conditions aux limites a la forme d'une onde stationnaire :

$$\psi(x) = A \sin\left(\frac{n\pi x}{L}\right); \quad n = 1, 2, 3, \dots \quad (10.11)$$

Puisque $k = 2\pi/\lambda = n\pi/L$, la longueur d'onde de la $n^{\text{ième}}$ onde stationnaire est $\lambda = 2L/n$. En égalant cette expression à l'équation de Broglie, $\lambda = h/mv$, on trouve $v = nh/2mL$. Puisque n ne prend que des valeurs entières, la vitesse est quantifiée. L'énergie de la particule, qui est purement cinétique, est $\frac{1}{2}mv^2$, et elle est également quantifiée :

$$E_n = \frac{n^2 h^2}{8mL^2}; \quad n = 1, 2, 3, \dots \quad (10.12)$$

Les conditions aux limites donnent lieu à un ensemble de niveaux d'énergie quantifiée qui sont décrits à la figure 10.10. On remarque que la particule ne peut pas avoir une énergie nulle. La valeur la plus basse, qui correspond à $n = 1$, est l'**énergie du niveau fondamental**. Elle est présente pour toute particule confinée dans une région de l'espace et existe même à 0 K, ce qui marque un contraste frappant avec la notion classique selon laquelle tout doit être au repos au zéro absolu.

Les fonctions d'ondes pour les premiers niveaux sont représentées à la figure 10.11a. Les densités de probabilité $\psi^2(x)$ représentées à la figure 10.11b sont nulles en certains points : la particule ne peut jamais être observée en ces points. Cela semble contredire l'observation courante, mais le problème est heureusement résolu par le principe de correspondance (section 9.8), comme nous le verrons à l'exemple 10.3

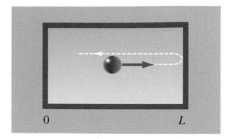

Figure 10.9

Une particule enfermée dans une boîte est animée d'un mouvement de va-et-vient. Les parois sont impénétrables : elles définissent une région d'énergie potentielle infinie.

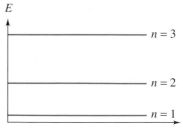

Figure 10.10

Les niveaux d'énergie quantifiés d'une particule dans un puits de potentiel infini.

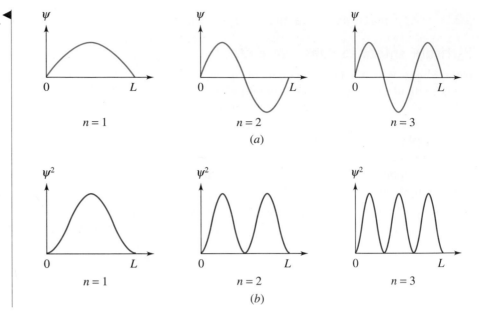

Figure 10.11

(a) Les trois premières fonctions d'onde d'une particule dans une boîte. (b) Les densités de probabilité pour ces trois premiers états.

Exemple 10.2

Un électron est enfermé dans un puits de potentiel infini de longueur 0,1 nm. (a) Quels sont les trois premiers niveaux d'énergie ? (b) Quelle est la longueur d'onde du photon émis lors de la transition de l'électron du niveau $n = 2$ à l'état fondamental ?

Solution :

(a) D'après l'équation 10.12, les niveaux d'énergie sont donnés par

$$E_n = \frac{n^2 h^2}{8mL^2}$$

$$= \frac{n^2 (6,63 \times 10^{-34} \text{ J·s})^2}{(8 \times 9,11 \times 10^{-31} \text{ kg})(10^{-10} \text{ m})^2}$$

$$= n^2 (6,03 \times 10^{-18}) \text{ J} = 37,7 n^2 \text{ eV}$$

Les trois premiers niveaux d'énergie sont donc $E_1 = 37,7$ eV, $E_2 = 151$ eV et $E_3 = 339$ eV.

(b) $hf = hc/\lambda = \Delta E = (151 - 37,7) \times 1,6 \times 10^{-19}$ J. On trouve $\lambda = 11$ nm.

Exemple 10.3

Soit une particule de poussière de 10^{-7} kg enfermée dans une boîte de 1 cm. (a) Quelle est la vitesse minimale possible ? (b) Quel est le nombre quan-

tique n si la vitesse de la particule a pour module 10^{-3} mm/s ?

Solution :

(a) D'après l'équation 10.12, l'énergie minimale permise est E_1. Donc, $\frac{1}{2} mv^2 = h^2/8mL^2$, d'où l'on tire

$$v = \frac{h}{2mL} = \frac{6,63 \times 10^{-34} \text{ J·s}}{2 \times 10^{-7} \text{ kg} \times 10^{-2} \text{ m}}$$

$$= 3,32 \times 10^{-25} \text{ m/s}$$

Même au niveau fondamental, la particule de poussière est essentiellement au repos, ce qui concorde avec les prévisions classiques. (b) Pour trouver le nombre quantique n, on écrit que l'énergie cinétique est égale à E_n :

$$\frac{n^2 h^2}{8mL^2} = \frac{1}{2} mv^2$$

Lorsqu'on remplace v par 10^{-6} m/s, on trouve $n \approx 10^{18}$! La quantification de l'énergie des transitions de n à $n \pm 1$ n'est pas observable à l'échelle macroscopique. De plus, la fonction d'onde subit de nombreuses oscillations entre $x = 0$ et $x = L$. Les pics et les creux de la fonction de probabilité sont si rapprochés que la probabilité devient uniforme. Cela correspond au résultat classique, comme le prédit le principe de correspondance.

Puits de potentiel fini

Considérons maintenant une particule à l'intérieur d'un puits de potentiel de profondeur finie U qui s'étend de $x = 0$ à $x = L$. On donne $U = 0$ au fond du puits (figure 10.12a). En mécanique classique, si l'énergie de la particule est inférieure à U (c'est-à-dire si $E < U$), la particule ne peut pas pénétrer dans les régions où $x < 0$ et $x > L$. Toutefois, en mécanique quantique, la fonction d'onde ne disparaît pas à l'extérieur des parois du puits. Dans la région II, où $U = 0$, l'équation d'onde de Schrödinger s'écrit

$$\frac{d^2\psi}{dx^2} + k^2\psi = 0$$

où $k = \sqrt{2mE}/\hbar$ et la fonction d'onde adopte la forme générale :

$$\psi_{\text{II}} = C\sin(kx) + D\cos(kx)$$

Mais ψ n'est pas nulle en $x = 0$ et en $x = L$. Dans les régions extérieures au puits, $U > E$, et l'équation d'onde peut donc s'écrire sous la forme

$$\frac{d^2\psi}{dx^2} = K^2\psi$$

où $K^2 = 2m(U - E)/\hbar^2$. La solution générale de cette équation est

$$\psi = Ae^{Kx} + Be^{-Kx}$$

Dans la région III, ψ doit tendre vers zéro lorsque $x \to \infty$, et la fonction correspondante s'écrit donc

$$\psi_{\text{III}} = Be^{-Kx}$$

Dans la région I, ψ doit tendre vers zéro lorsque $x \to -\infty$, et la fonction prend la forme

$$\psi_{\text{I}} = Ae^{Kx}$$

Pour compléter la solution, il faut faire coïncider les fonctions à l'intérieur du puits avec les fonctions à l'extérieur. Autrement dit, nous devons vérifier les conditions aux limites. Par exemple,

$$(x = 0) \qquad \psi_{\text{I}} = \psi_{\text{II}}, \quad \text{et} \quad \frac{d\psi_{\text{I}}}{dx} = \frac{d\psi_{\text{II}}}{dx}$$

Des conditions similaires doivent être vérifiées pour ψ_{II} et ψ_{III} en $x = L$.

Diverses fonctions d'onde sont représentées à la figure 10.12b. Le fait que les fonctions d'onde ne soient pas nulles à l'extérieur du puits signifie qu'il existe une probabilité finie de trouver la particule à l'extérieur du puits, dans la région interdite par la physique classique. Ce résultat surprenant se manifeste dans l'effet tunnel, phénomène que nous examinons ci-dessous.

Traversée d'une barrière, effet tunnel

Examinons ce qui se passe lorsqu'une particule d'énergie E rencontre une barrière d'énergie potentielle de hauteur U ($> E$) comme à la figure 10.13. La fonction d'onde de la particule est sinusoïdale dans la région où $U = 0$. En physique classique, la particule serait réfléchie. Mais, comme nous l'avons vu dans le cas d'un puits de potentiel fini, en mécanique ondulatoire, la fonction d'onde de la particule décroît exponentiellement à l'intérieur de la barrière de

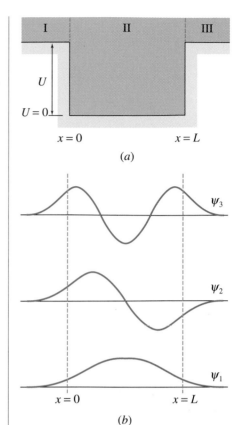

(a)

(b)

Figure 10.12

(a) Un puits de potentiel fini de profondeur U. (b) De bas en haut, les trois premières fonctions d'onde d'une particule dans un puits de potentiel fini. Les fonctions d'onde décroissent exponentiellement dans les régions interdites par la mécanique classique, où $U < E$.

Conditions aux limites

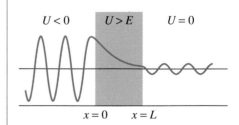

Figure 10.13

Une particule dont l'énergie est inférieure à la hauteur d'une barrière de potentiel a une certaine probabilité de traverser la barrière par effet tunnel.

potentiel. Si l'épaisseur de la barrière n'est pas trop grande, la fonction d'onde décroissante peut avoir encore une valeur supérieure à zéro de l'autre côté. Dans ce cas, il reste une fonction d'onde sinusoïdale de faible amplitude. Cela signifie qu'il existe une probabilité, petite mais finie, que la particule traverse la barrière par **effet tunnel** ! Ce phénomène est observé dans la diode à effet tunnel, dans l'émission de particules α par des noyaux radioactifs (section 12.3) et dans les jonctions supraconductrices de Josephson (*cf.* chapitre 11, Sujet connexe). Il est également utilisé dans le microscope électronique à effet tunnel.

Le microscope à effet tunnel inventé en 1981 par Gerd Binnig et Heinrich Rohrer (*cf.* p. 315).

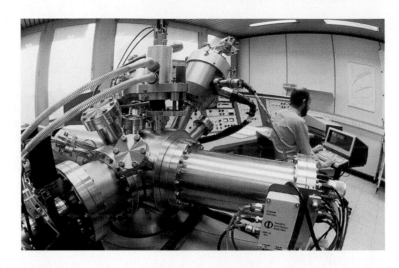

10.6   Le principe d'incertitude de Heisenberg

Le fait que les particules de matière aient des caractéristiques ondulatoires modifie fondamentalement notre façon de décrire leurs propriétés physiques. Des grandeurs physiques aussi simples que la position et la quantité de mouvement se retrouvent liées entre elles d'une façon étonnante. On a vu à la section 10.1 que chaque particule possède une onde associée. D'après l'équation $\lambda = h/p$, pour connaître la valeur de la quantité de mouvement de la particule avec précision, il faut déterminer la longueur d'onde de son onde associée avec précision. Or, pour calculer la longueur d'onde avec précision, il faut que l'onde soit définie et observable sur plusieurs cycles (figure 10.14a). Dans ce cas, le fait même d'avoir une onde étendue dans l'espace fait en sorte que la position de la particule décrite par cette onde devient incertaine. Par ailleurs, il existe une façon de contraindre une onde à n'occuper que très peu d'espace afin de former ce qu'on nomme un *paquet d'ondes*. Un tel paquet s'obtient en superposant un très grand nombre d'ondes possédant chacune une longueur d'onde différente de l'autre (figure 10.14b). Si ce paquet correspond à une particule de matière, il est assez facile de déterminer la position de la particule. Malheureusement, dans ce cas, on ne connaît plus la longueur d'onde de la particule (et donc sa quantité de mouvement), puisque le paquet est caractérisé par une multitude de longueurs d'ondes. Selon le **principe d'incertitude de Heisenberg**, les incertitudes sur la position et la quantité de mouvement sont liées par la relation

$$\Delta x \Delta p \geq h \tag{10.13}$$

Il est impossible de connaître simultanément la position d'une particule et sa quantité de mouvement avec une précision arbitrairement grande.

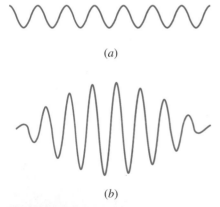

(a)

(b)

Figure 10.14

(a) La longueur d'onde d'une onde qui couvre plusieurs cycles est bien définie. La position de l'onde n'est pas bien définie. (b) Lorsque des ondes de longueurs d'onde différentes sont superposées, elles peuvent former un paquet d'ondes localisé mais la longueur d'onde n'est pas bien définie.

Cette impossibilité n'a rien à voir avec les conditions expérimentales ou la précision de l'équipement utilisé ; il s'agit d'une restriction fondamentale imposée par la nature. Pour un paquet d'ondes, la relation d'incertitude est une propriété intrinsèque qui ne dépend pas de l'appareil de mesure utilisé.

W. Heisenberg (figure 10.15) réussit à établir la relation précédente en 1927 en faisant une analyse du processus de mesure. En voici une version simplifiée. Supposons que l'on cherche à déterminer la position d'un électron en le bombardant avec un photon. On ne peut pas s'attendre à obtenir une précision supérieure à la longueur d'onde de la lumière utilisée pour l'observation. L'incertitude sur la position de l'électron est donc au moins $\Delta x = \lambda$. Le photon peut transmettre une proportion plus ou moins grande de sa quantité de mouvement à l'électron. L'incertitude sur la quantité de mouvement de l'électron est donc à peu près égale à la quantité de mouvement initiale du photon, $\Delta p = h/\lambda$. Le produit de ces incertitudes est $\Delta x \Delta p \approx h$, qui donne l'équation 10.13. Si l'on essaie de réduire Δx en employant une lumière de longueur d'onde plus courte, la quantité de mouvement du photon augmente et Δp, l'incertitude sur la quantité de mouvement de l'électron, augmente également. On peut mesurer *soit* la position, *soit* la quantité de mouvement avec précision, mais l'on ne peut pas mesurer les deux simultanément. Dans cet exemple, le processus même de la mesure perturbe le système étudié. On ne peut pas parler du système comme s'il s'agissait d'une entité isolée, puisqu'il y a toujours une interaction inévitable entre l'observateur et le phénomène observé.

La relation d'incertitude peut être obtenue d'une autre façon. Dans la diffraction des électrons par une fente simple (figure 10.16), on sait, d'après l'équation 7.1, que la position du premier minimum est donnée par

$$\sin \theta = \frac{\lambda}{a} = \frac{\lambda}{\Delta y}$$

Au passage de l'onde de l'électron à travers la fente, l'incertitude sur la position latérale correspond à la largeur Δy de la fente. L'incertitude sur la quantité de mouvement dans la direction y doit être au moins égale à $p \sin \theta$, où θ correspond au premier minimum. On peut dire que $\Delta p_y > p \sin \theta$. En combinant cette inéquation avec $p = h/\lambda$, on obtient

$$\Delta p_y \Delta y > h$$

Une fente plus fine permet de déterminer la position de la particule avec une plus grande précision mais donne une figure de diffraction plus large, c'est-à-dire une incertitude plus grande sur la quantité de mouvement transversale.

Figure 10.15

Werner Heisenberg (1901-1976).

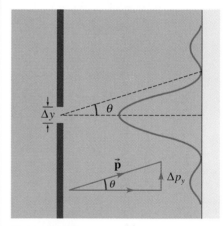

Figure 10.16

Lorsqu'un électron passe par une fente, l'incertitude sur sa coordonnée verticale est égale à la largeur de la fente et l'incertitude sur la composante en y de sa quantité de mouvement peut être estimée à partir de la position du premier minimum de diffraction.

Exemple 10.4

Quelle est l'incertitude minimale sur la position de chacune des particules suivantes si le module de la vitesse est mesuré avec une incertitude de 0,1 % (a) Un électron se déplaçant à la vitesse de 4×10^6 m/s. (b) Une balle de pistolet de 10 g se déplaçant à 400 m/s.

Solution :

(a) L'incertitude sur la quantité de mouvement est

$$\Delta p = m\Delta v = (9,11 \times 10^{-31} \text{ kg})(4 \times 10^3 \text{ m/s})$$
$$= 3,64 \times 10^{-27} \text{ kg·m/s}$$

D'après la relation d'incertitude de Heisenberg, l'incertitude sur la position est

$$\Delta x \approx \frac{h}{\Delta p}$$

$$= \frac{6{,}63 \times 10^{-34} \text{ J·s}}{3{,}64 \times 10^{-27} \text{ kg·m/s}} = 0{,}182 \text{ µm}$$

(b) Dans ce cas, $\Delta p = (0{,}01 \text{ kg})(0{,}4 \text{ m/s}) = 4 \times 10^{-3}$ kg·m/s. L'incertitude sur la position est $\Delta x \approx h/\Delta p = 1{,}66 \times 10^{-31}$ m. Cette valeur est inférieure au diamètre du proton. Le principe d'incertitude n'impose pas de limite pratique sur la détermination de la position de la balle.

Le principe d'incertitude de Heisenberg s'applique également à d'autres couples de variables, notamment à l'énergie et au temps :

$$\Delta E \Delta t \geq h \qquad (10.14)$$

Pour réduire au maximum l'incertitude affectant la mesure de l'énergie d'un système, on doit l'observer aussi longtemps que possible. Lorsqu'on applique cette version de la relation d'incertitude à l'émission de lumière par un électron excité, on peut réécrire le terme ΔE en partant de l'expression de l'énergie du photon à être émis, $E = hf$. On obtient alors : $\Delta E = h\Delta f$. On voit que si un électron reste dans un état atomique excité pendant un temps assez long avant d'effectuer une transition vers l'état fondamental, la fréquence du photon émis est nettement définie. Si la durée de vie de l'état supérieur est brève, la fréquence de l'émission est moins bien définie. Cette version du principe d'incertitude de Heisenberg nous permet également de déduire que l'*énergie d'un système peut fluctuer autour de la valeur fixée par la conservation de l'énergie* – à condition que la fluctuation ait lieu dans l'intervalle de temps précisé par l'équation 10.14.

10.7 La dualité onde-particule

Nous allons à nouveau considérer l'expérience des deux fentes de Young, mais avec des électrons qui peuvent être détectés par un réseau de compteurs. Le cliquetis du compteur semble indiquer que l'électron est une particule, mais comme nous l'avons vu à la figure 10.8, la figure que forme l'ensemble des points suggère que les électrons se comportent comme des ondes. Supposons que ψ_1 soit la fonction d'onde associée au passage d'un électron par la fente S_1, alors que ψ_2 est associée à la fente S_2. Si une seule fente, par exemple S_1, est ouverte, la distribution des électrons sur un écran détecteur est donnée par ψ_1^2. Si les deux fentes sont ouvertes, la distribution montre les franges d'interférence habituelles. Si l'on représente les fonctions d'onde sur l'écran par des vecteurs de Fresnel (section 7.5) déphasés de ϕ (figure 10.17), la fonction d'onde (amplitude de la probabilité) est $\vec{\psi} = \vec{\psi}_1 + \vec{\psi}_2$. Dans ce cas, la densité de probabilité, $\vec{\psi} \cdot \vec{\psi} = \psi_2^2$, est égale à

$$\psi^2 = \left| \vec{\psi}_1 + \vec{\psi}_2 \right|^2 = \psi_1^2 + \psi_2^2 + 2\psi_1\psi_2 \cos\phi$$

Le dernier terme représente l'interférence entre les deux ondes. Le fait que le carré de la *somme* des amplitudes de probabilité donne le résultat correct implique que, pendant sa propagation dans le montage, l'électron est représenté par une superposition des deux états.

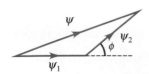

Figure 10.17

Si les fonctions d'onde sur l'écran sont représentées par des vecteurs tournants, la fonction d'onde résultante est donnée par $\vec{\psi} \cdot \vec{\psi}$, avec $\vec{\psi} = \vec{\psi}_1 + \vec{\psi}_2$.

Supposons que nous voulions déterminer par quelle fente passe chaque électron. Pour que nous puissions détecter un électron, il faut qu'il interagisse avec quelque chose. Par exemple, il faut qu'il soit frappé par un photon ou qu'il entre en collision avec un autre électron. Quel que soit le cas, on s'aperçoit que l'électron passe par l'une *ou* l'autre fente. Toutefois, notre intervention fait disparaître la figure d'interférence. À peine venons-nous de vérifier l'aspect corpusculaire, l'aspect ondulatoire disparaît !

Bohr avait noté qu'une expérience donnée pouvait mettre en évidence soit l'aspect ondulatoire, soit l'aspect corpusculaire. Selon son **principe de complémentarité**, une description complète de la matière et du rayonnement doit faire intervenir *les deux* aspects, corpusculaire et ondulatoire. Autrement dit, l'onde et la particule sont deux représentations complémentaires.

Principe de complémentarité

La mécanique quantique est venue bouleverser notre conception des phénomènes naturels. Il ne s'agit pas d'une théorie qui tombe sous le sens et on ne peut pas lui trouver d'analogies, aussi lointaines soient-elles, avec les phénomènes de la vie courante. Même ceux qui sont à l'origine de cette théorie, Planck, Einstein et Schrödinger, n'en ont jamais accepté les développements ultérieurs. Schrödinger a même regretté d'y avoir contribué. Bohr lui-même, alors qu'il devint plus tard un avocat de la mécanique quantique, refusa d'admettre l'existence des photons jusqu'en 1925. Comme l'a dit Einstein : « Je regarde la mécanique quantique avec admiration et suspicion. » Il proposa plusieurs expériences ingénieuses pour contourner les limites imposées par le principe d'incertitude, mais Bohr réussit toujours à trouver un défaut subtil dans les raisonnements d'Einstein. C'est la notion de hasard dans la nature que celui-ci refusait par-dessus tout. Il affirma un jour : « Dieu ne joue pas aux dés ! » Par ironie du sort, Einstein fut le premier à utiliser la notion de probabilité dans les transitions atomiques (*cf.* chapitre 9, Sujet connexe). L'interprétation probabiliste de la fonction d'onde est généralement acceptée à l'heure actuelle et la mécanique quantique est une pierre angulaire de la physique.

Sujet connexe

Les microscopes électroniques

Alors qu'on mettait au point l'oscilloscope à rayons cathodiques, pendant les années 20, on se rendit compte que les trajectoires des électrons passant à travers une courte bobine de déviation magnétique peuvent être décrites par une équation analogue à la formule des lentilles minces. La bobine peut donc jouer le rôle d'une lentille pour focaliser un faisceau d'électrons. La « distance focale »

d'une lentille magnétique dépend de l'intensité du champ magnétique, qui est déterminée par le courant circulant dans la bobine. Cette analogie entre l'optique « électronique » et l'optique géométrique poussa les ingénieurs Max Knoll et Ernst Ruska à construire le premier microscope électronique en 1931. L'année suivante, ayant entendu parler de l'hypothèse de Broglie (qui avait été publiée en 1925 !), ils se rendirent compte qu'en principe un tel instrument pouvait avoir un pouvoir de résolution supérieur à celui d'un microscope optique, qui est limité par la diffraction à 200 nm environ pour une longueur d'onde de 400 nm.

Pour un électron initialement au repos qui est accéléré par une différence de potentiel de 40 kV, la longueur d'onde de Broglie est voisine de 0,006 nm. On pourrait donc s'attendre à ce qu'un microscope électronique ait un pouvoir de résolution voisin de 0,003 nm, ce qui est beaucoup plus petit que la dimension type des atomes (0,1 à 0,3 nm). En réalité, on ne parvient pas à atteindre cette valeur. Les «lentilles électroniques» sont en général des aimants constitués d'enroulements à l'intérieur d'un enrobage en fer doux. Les pôles sont séparés par un entrefer de quelques millimètres (figure 10.18). Les champs non uniformes produits par ces aimants ne peuvent pas avoir une configuration aussi bien définie que la surface d'une lentille en verre et l'aberration de sphéricité qui en résulte constitue un problème majeur (figure 5.4). Néanmoins, nous allons voir que le microscope électronique atteint une résolution de l'ordre des dimensions atomiques. Il existe en fait trois types de microscopes électroniques, que nous allons étudier à tour de rôle.

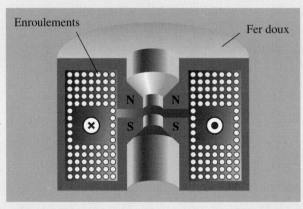

Figure 10.18

Une lentille magnétique. L'enroulement est encastré dans du fer doux et les pôles sont distants de quelques millimètres.

Les microscopes électroniques à transmission

Dans le microscope électronique à transmission (désigné ci-dessous par TEM pour *Transmission Electron Microscope*), dont le prototype fut réalisé dans les années 30 par Ernst Ruska, des électrons sont émis par un filament chaud en tungstène puis sont accélérés par une différence de potentiel de 50 à 100 kV. Le trajet du faisceau est contrôlé par trois lentilles (figure 10.19). Le *condenseur* est une lentille qui produit un faisceau pratiquement parallèle tombant sur le spécimen. L'*objectif* est une lentille qui produit une image grandie, laquelle joue le rôle d'objet pour la lentille appelée *projecteur*. Cette dernière lentille agrandit encore l'image et projette l'image finale sur un écran fluorescent ou sur une plaque photographique. Le système doit être maintenu dans un vide de « haut niveau » d'environ 10^{-5} mm Hg (10^{-7} atm) et la trajectoire du faisceau doit rester stable à 0,2 nm près pendant quelques secondes, le temps de prendre une photographie.

Puisque la longueur d'onde de Broglie d'un électron dépend du module de sa vitesse, la différence de potentiel accélératrice doit être stabilisée en deçà de 1 partie sur 10^5. Néanmoins, l'énergie des électrons émis par le canon à électrons s'étend sur une plage de 1 eV environ, impossible à éliminer. Ainsi, l'intervalle correspondant des longueurs d'onde des électrons entraîne une aberration chromatique (figure 5.3). On réduit les effets d'aberration en limitant l'étalement angulaire du faisceau au moyen de petites ouvertures circulaires et en gardant le faisceau proche de l'axe central. Malheureusement, cette méthode limite également le pouvoir de résolution de l'instrument et réduit le courant du faisceau qui, de 150 μA à la sortie du canon à électrons, passe à 10 μA environ lorsqu'il traverse le spécimen.

Dans un TEM, on obtient un contraste entre des régions voisines parce que la diffusion des électrons (leur déviation par rapport à leur direction initiale de propagation) diffère selon les régions. Le spécimen doit être très mince de sorte que les électrons ne perdent pas d'énergie en le traversant. Un étalement des énergies des électrons sortants entraînerait un étalement des longueurs d'onde et une aberration chromatique supplémentaire. Dans le cas d'échantillons biologiques, on les encastre d'abord dans du plastique, que l'on découpe ensuite en tranches d'épaisseur voisine de 20 nm. En général, le TEM a un pouvoir de résolution de 0,5 nm, les meilleurs d'entre eux pouvant atteindre 0,2 nm, ce qui correspond à un grossissement de 10^6x. La figure 10.20 représente l'image d'un réseau cristallin produite par un TEM.

Les microscopes électroniques à balayage

Le microscope électronique à balayage (désigné ci-dessous par SEM pour *Scanning Electron Microscope*) fut réalisé au milieu des années 30 par Max Knoll. Dans ce dispositif (figure 10.21), un faisceau d'électrons accélérés par une différence de potentiel de 10 à 40 kV balaie la surface du spécimen en suivant une trame (comme les lignes sur un écran de télévision). Lorsque le faisceau

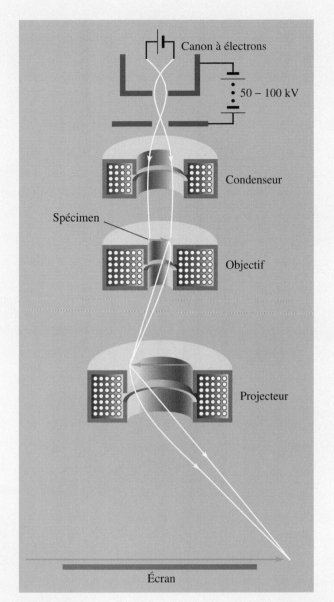

Figure 10.19

Les principaux composants d'un microscope électronique à transmission. Les diaphragmes limitant la largeur du faisceau ne sont pas représentés. Le microscope comporte souvent une autre lentille « intermédiaire » entre l'objectif et le projecteur. La trajectoire des électrons à l'intérieur des aimants est en réalité une spirale.

rencontre le spécimen, certains électrons sont rétrodiffusés, d'autres éjectent des électrons secondaires de basse énergie (≈ 50 eV) des couches supérieures des atomes, alors que d'autres produisent des rayons X. On peut détecter ces divers types d'électrons qui constituent le « signal ». On peut même mesurer le courant traversant le spécimen. Le courant du faisceau tombant sur le spécimen est de 10 pA environ et le courant électronique secondaire est de 1 pA, de sorte qu'une amplification considérable est nécessaire.

Un balayage ne produit pas une image au sens habituel mais dresse plutôt une carte de l'objet. Chaque position du faisceau correspond à un point sur l'écran d'un tube à rayons cathodiques. Le balayage du spécimen est synchronisé avec le balayage de l'écran et le signal sert à contrôler la luminosité de l'affichage. Le grossissement est déterminé par le rapport des dimensions des points de l'image aux points du faisceau. Puisque la dimension du faisceau peut varier de 10 nm à 1 μm, un SEM peut produire un très large éventail de grossissements allant de

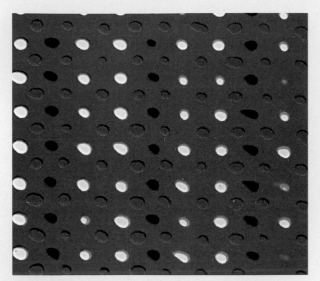

Figure 10.20

Image colorée produite par un TEM d'un supraconducteur à haute température, $Y_1Ba_2Cu_3O_{7-x}$. Les atomes d'yttrium sont noirs, les atomes de barium sont jaunes et les atomes de cuivre sont rouges. À cause de leur faible numéro atomique, les atomes d'oxygène ne sont pas visibles.

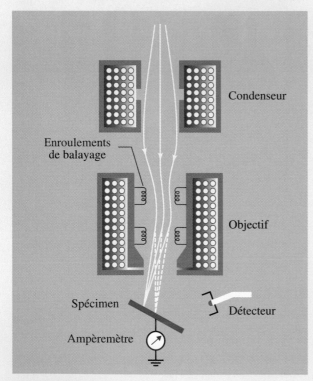

Figure 10.21

Dans le microscope électronique à balayage, la section transversale du faisceau est réduite par deux lentilles. Deux enroulements à l'intérieur de l'objectif servent à balayer la surface du spécimen.

15x à 10^5x environ. Le pouvoir de résolution est voisin de 10 nm dans le meilleur des cas (encore inférieur d'un facteur 10 à celui du TEM).

Bien que le SEM n'atteigne pas le pouvoir de résolution du TEM, l'image produite par un SEM a une grande profondeur de champ (intervalle des distances objets pour lesquelles l'image est assez bien focalisée). Par exemple, avec une dimension de faisceau de 50 nm (à 1000x), la profondeur de champ est de 50 μm, c'est-à-dire 100 fois plus grande que celle d'un microscope optique de même grossissement. Le SEM produit donc un effet pratiquement tridimensionnel (figure 10.22).

Pour comprendre comment est obtenu le contraste d'une image SEM, regardez la figure 10.23 qui représente le faisceau tombant sur une surface irrégulière. Les électrons de haute énergie qui sont rétrodiffusés sont orientés presque selon la normale à chaque face. Seuls ceux qui

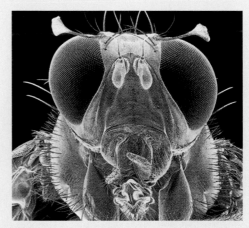

Figure 10.22

L'image d'une mouche produite par un microscope à balayage a une grande profondeur de champ.

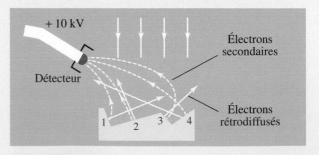

Figure 10.23

Si les électrons rétrodiffusés étaient les seuls détectés, les faces 1 et 3 paraîtraient sombres. Si le détecteur est porté à un potentiel de +10 kV par rapport à l'échantillon, il attire également les électrons secondaires de basse énergie. Lorsque le faisceau balaye la surface, les faces 1 et 3 contribuent donc également au signal.

sont diffusés dans la direction du détecteur sont enregistrés. Les faces 1 et 3 vont donc paraître sombres, la face 4 va paraître brillante et la face 2 aura une brillance intermédiaire. Bien que les électrons secondaires de basse énergie émergent dans toutes les directions, ils peuvent être attirés vers le détecteur si on maintient celui-ci à +10 kV environ. Dans ce cas, un signal est enregistré, même lorsque le faisceau balaye les faces 1 et 3. Si le courant du spécimen sert de signal, alors toutes les faces contribuent à l'image. En combinant ces divers signaux, on peut régler le contraste de l'image finale.

Le faisceau d'électrons dans un SEM peut servir à percer des trous sur une tête d'épingle avec une précision suffisante pour former des lettres. Le morceau de texte représenté à la figure 10.24 ne mesure que 1 μm de large. Les lettres sont si petites qu'on pourrait inscrire les 29 volumes de l'*Encyclopaedia Brittanica* sur une tête d'épingle !

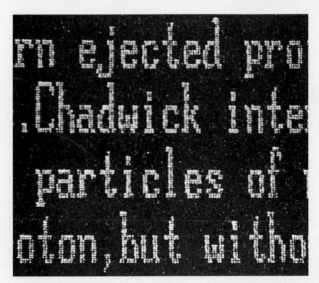

Figure 10.24

Un bloc de texte produit par le faisceau d'un microscope électronique à balayage. Les lettres sont si petites qu'une encyclopédie pourrait tenir au complet sur une tête d'épingle !

Le microscope électronique à effet tunnel

Dans les microscopes électroniques à transmission et à balayage, les trajectoires des électrons peuvent être calculées d'après la mécanique classique. La nature ondulatoire des électrons n'a d'effet que sur la résolution de l'image. Par contre, le principe du microscope à effet tunnel repose sur un phénomène de la mécanique quantique qui consiste à traverser une barrière de potentiel par effet tunnel (section 10.5). Ce dispositif fut inventé en 1981 par Gerd Binnig et Heinrich Rohrer, qui se sont partagé le prix Nobel avec Ruska en 1986. On fait passer une sonde de tungstène en forme de pointe très fine (pouvant être aussi fine qu'un atome) à une distance de 0,1 nm à 1 nm au-dessus d'une surface conductrice. Lorsqu'on applique une petite différence de potentiel entre la sonde et la surface, un courant d'électrons traverse par effet tunnel l'espace vide entre la pointe et la surface.

La position de la sonde est déterminée (à 10^{-5} nm près !) par trois tiges *piézoélectriques* perpendiculaires deux à deux (figure 10.25). (Les dimensions d'un cristal piézoélectrique varient lorsqu'on lui applique une différence de potentiel.) Lorsque la sonde balaye lentement la surface, sa position verticale est réglée de sorte que le courant d'effet tunnel, et par conséquent la hauteur au-dessus de la surface, restent constants. La sonde trace donc la topographie de la surface. L'« image » est formée soit sur un écran fluorescent, soit sur un rouleau enregistreur.

À la figure 10.13, on a vu que la fonction d'onde d'une particule décroît exponentiellement à l'intérieur d'une barrière de potentiel. L'amplitude de l'onde transmise (qui détermine le courant par effet tunnel) dépend de la largeur de la barrière. La variation exponentielle du courant par effet tunnel en fonction de la distance entre la sonde et la surface confère à l'instrument une haute sensibilité : lorsque la position verticale de la sonde varie à peine de 0,1 nm, le courant par effet tunnel varie d'un facteur 100.

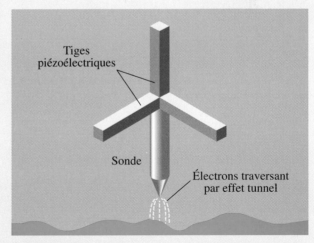

Figure 10.25

La sonde au tungstène d'un microscope à effet tunnel est placée à 0,1 nm environ au-dessus de la surface qu'elle balaye. Sa position est commandée par trois tiges piézoélectriques.

La résolution verticale atteint la valeur remarquable de 0,001 nm, ce qui est très inférieur à la dimension d'un atome ! La meilleure résolution horizontale obtenue jusqu'à présent est de 0,1 nm environ. Un déplacement de 0,1 nm sur un échantillon est représenté par 1 cm sur un écran ou sur un diagramme, de sorte que le grossissement global est de 10^8x. La figure 10.26 représente une image obtenue à l'aide d'un microscope à effet tunnel (cf. également p. 308).

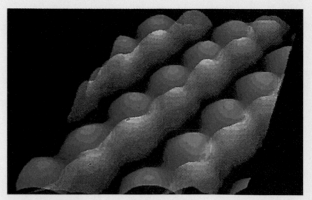

Figure 10.26

Image de GaAs produite par un microscope à effet tunnel : les atomes de Ga sont bleus ; les atomes de As sont rouges.

Résumé

Selon l'hypothèse de Broglie, les particules matérielles se comportent comme des ondes. La longueur d'onde de Broglie d'une particule, y compris du photon, de quantité de mouvement p, est donnée par

$$\lambda = \frac{h}{p}$$

Les ondes de matière sont régies par l'équation d'onde de Schrödinger indépendante du temps à une dimension, qui s'écrit

$$\frac{d^2\psi}{dx^2} + \frac{2m}{\hbar^2}(E - U)\psi = 0$$

où E est l'énergie totale et U est l'énergie potentielle. Les fonctions d'onde ψ qui sont solutions de cette équation indiquent la probabilité de trouver une particule à l'intérieur d'un volume dV :

$$\text{probabilité} = \psi^2\, dV$$

La fonction d'onde doit être normalisée : l'intégrale de la probabilité sur tout l'espace doit être égale à 1, $\int \psi^2\, dV = 1$. De même, la fonction d'onde doit remplir les *conditions aux limites* correspondant au cas envisagé. En particulier, ψ et $d\psi/dx$ doivent être continues.

Les niveaux d'énergie permis pour une particule de masse m confinée dans une boîte impénétrable à une dimension de longueur L sont

$$E_n = \frac{n^2 h^2}{8mL^2} \qquad\qquad n = 1, 2, 3, \dots$$

En mécanique ondulatoire, une particule peut pénétrer dans une région pour laquelle $U > E$, qui lui serait interdite en physique classique. Ainsi, une particule peut traverser une barrière de potentiel par effet tunnel.

Selon le principe d'incertitude d'Heisenberg, on ne peut pas déterminer simultanément la position et la quantité de mouvement d'une particule avec une précision arbitrairement grande. Les incertitudes sont liées par la relation

$$\Delta x \Delta p \geq h$$

Ces incertitudes sont inhérentes aux phénomènes et *ne sont pas* dues aux caractéristiques de l'équipement utilisé. Ce principe peut également être considéré comme la conséquence de l'interaction inévitable entre un observateur et le phénomène observé. Une autre version du principe d'incertitude met en relation l'énergie et le temps :

$$\Delta E \Delta t \geq h$$

Pour réduire au maximum l'incertitude sur l'énergie d'une particule, on doit prendre le plus de temps possible pour la mesurer. Cette version du principe d'incertitude admet la non-conservation de l'énergie, pourvu que la fluctuation de E ait lieu dans un intervalle $\Delta t \approx h/\Delta E$.

Termes importants

densité de probabilité
effet tunnel
énergie du niveau fondamental
équation d'onde de Schrödinger

fonction d'onde
hypothèse de Broglie
principe d'incertitude de Heisenberg
principe de complémentarité

évision

R1. Expliquez à partir de quelle *symétrie de la nature* s'est appuyé de Broglie pour postuler l'existence d'ondes de matière.

R2. Quel lien peut-on faire entre le modèle atomique de Bohr et les ondes de Broglie ?

R3. Expliquez les fondements du principe d'incertitude de Heisenberg en supposant que les particules sont décrites par des ondes.

R4. Expliquez comment le principe d'incertitude de Heisenberg peut s'expliquer par l'analyse du processus de la mesure.

R5. Expliquez comment le principe d'incertitude de Heisenberg permet à la nature de violer le principe de conservation de l'énergie.

Q1. Qu'est-ce que les ondes de Broglie et les ondes électromagnétiques ont en commun qui les distingue des autres types d'ondes ?

Q2. Peut-on s'attendre à ce que les ondes de Broglie donnent lieu à un effet Doppler ?

Q3. En quoi le modèle de Bohr de l'atome d'hydrogène n'est-il pas compatible avec la mécanique quantique ?

Q4. Comparez les longueurs d'onde de Broglie d'un électron et d'un proton qui ont (a) la même vitesse ; (b) la même énergie.

Q5. Quel fait pourriez-vous mentionner pour convaincre des amis sceptiques que la matière a des propriétés ondulatoires ?

Q6. La fonction d'onde nous renseigne seulement sur les probabilités, et pourtant, les prédictions de la mécanique ondulatoire sont assez précises. Réconciliez ces deux propositions.

Q7. Faites la distinction entre le principe de correspondance de Bohr et le principe de complémentarité de Bohr.

Q8. Si l'on utilise un thermomètre froid pour mesurer la température de l'eau chaude dans un verre, la lecture ne sera pas exacte. Est-ce un exemple du principe d'incertitude de Heisenberg ? Justifiez votre réponse.

Exercices

10.1 et 10.2 Ondes de Broglie, diffraction des électrons

E1. (I) Utilisez l'expression classique reliant la quantité de mouvement à l'énergie cinétique pour démontrer que la longueur d'onde de Broglie d'un électron en fonction de l'énergie cinétique K est donnée par

$$\lambda = \frac{1,23 \text{ nm}}{\sqrt{K}}$$

où K est en électronvolts.

E2. (I) Un électron initialement au repos est accéléré par une différence de potentiel ΔV. Montrez que sa longueur d'onde de Broglie, en nanomètres (nm), est donnée par

$$\lambda = \sqrt{\frac{1,5}{\Delta V}}$$

où ΔV est en volts. On suppose que l'énergie cinétique est donnée par l'expression classique.

E3. (I) Un électron initialement au repos est accéléré par une différence de potentiel de 120 V. Quelle est sa longueur d'onde de Broglie ? (*Cf.* exercice précédent.)

E4. (I) Calculez les longueurs d'onde de Broglie (a) d'un électron ; (b) d'un proton, sachant que l'énergie cinétique de l'électron et du proton sont égales à 2 eV.

E5. (I) Déterminez la longueur d'onde de Broglie d'un proton qui se déplace à (a) 10^3 m/s ; (b) 10^6 m/s.

E6. (I) Un neutron thermique (*cf.* chapitre 12), qui a une énergie cinétique de 0,04 eV à 330 K, joue un rôle important dans la fission de l'uranium dans un réacteur nucléaire. Quelle est la longueur d'onde de Broglie d'un tel neutron ?

E7. (II) Un objet de 1 g se déplace à 10 m/s et traverse une fente. Pour quelle largeur de fente observe-t-on le premier minimum de diffraction à 0,5° ? L'expérience est-elle réalisable pratiquement ?

E8. (I) Un photon et un électron ont chacun une longueur d'onde de Broglie de 5 nm. Comparez leurs énergies cinétiques en électronvolts.

E9. (I) Pour quelle énergie (en électronvolts) la longueur d'onde d'un photon est-elle de (a) 10^{-10} m ; (b) 10^{-15} m ?

E10. (I) Un électron se déplace de façon que sa longueur d'onde de Broglie correspond à celle de la lumière jaune à 600 nm. Quelle est sa vitesse ?

E11. (I) Par quelle différence de potentiel un proton doit-il être accéléré pour avoir une longueur d'onde de Broglie de 0,1 pm ?

E12. (I) Dans l'expérience de Davisson-Germer, les électrons sont accélérés par une différence de potentiel de 65 V. Quel est l'angle ϕ correspondant (pour le pic de premier ordre) à la figure 10.3 ?

E13. (I) Un électron possède une énergie mécanique de 80 eV. Il passe d'un endroit où il ne possède aucune énergie potentielle à une région où son énergie potentielle grimpe de 20 eV. Calculez sa longueur d'onde de Broglie (a) avant l'augmentation de l'énergie potentielle ; (b) après cette augmentation.

E14. (I) Dans un microscope, la dimension du plus petit détail observable correspond à la longueur d'onde du rayonnement utilisé. Ce paramètre correspond à la puissance de résolution. À quelle vitesse la longueur d'onde de Broglie d'un électron est-elle égale à 0,1 nm, qui est la taille approximative d'un atome ?

E15. (II) (a) À quelle vitesse la longueur d'onde de Broglie d'un électron est-elle égale au rayon de Bohr, qui est de 0,053 nm ? (b) Comparez le module de la vitesse trouvé à la question (a) avec le module de la vitesse de l'électron à l'état fondamental d'après le modèle de Bohr.

E16. (II) Un électron est attiré vers un proton maintenu au repos. En supposant que l'électron parte de l'infini à une vitesse initiale nulle, trouvez sa longueur d'onde de Broglie lorsqu'il se trouve à 0,1 nm du proton.

E17. (II) Des neutrons thermiques, dont l'énergie cinétique est de 0,04 eV, passent par deux fentes distantes de 0,1 mm. Quelle est la distance prévue entre des franges de même type dans la figure d'interférence apparaissant sur un écran situé à 2 m des fentes ?

10.5 Applications de la mécanique ondulatoire

E18. (I) Un proton est enfermé dans un puits de potentiel infini à une dimension de longueur 10^{-14} m. (a) Quels sont les deux premiers niveaux d'énergie ? (b) Quelle est la fréquence du photon émis lorsque le proton passe du 2e niveau au 1er niveau ? Dans quelle partie du spectre électromagnétique est-elle située ?

E19. (I) Un électron se déplace à l'intérieur d'un puits de potentiel infini à une dimension de longueur 0,1 nm. (a) Calculez les énergies de l'état fondamental et du premier état excité. (b) Quelle est la longueur d'onde du photon émis si l'électron passe de l'état excité à l'état fondamental ?

E20. (I) Un électron dans un puits de potentiel infini a une énergie de 5 eV au niveau $n = 4$. Quelle est la largeur du puits ?

E21. (I) Quelle valeur doit avoir l'énergie d'un photon pour faire passer un électron de l'état fondamental au niveau $n = 3$ dans un puits de potentiel infini de largeur 0,2 nm. Dans quelle partie du spectre électromagnétique est situé le photon ?

E22. (I) Quelle valeur minimale prend le module de la vitesse d'un électron dans un puits de potentiel infini de largeur 0,1 mm ?

E23. (II) L'énergie de l'état fondamental d'un électron dans un puits de potentiel infini est de 20 eV. (a) Quelle est l'énergie du premier niveau excité ? (b) Quelle est la largeur du puits ?

E24. (I) On suppose qu'un électron est enfermé dans un puits de potentiel infini de largeur 10^{-14} m, valeur qui correspond à la dimension approximative d'un noyau. (a) Calculez l'énergie de l'état fondamental de l'électron. (b) Sachant que les énergies nucléaires sont de l'ordre de quelques dizaines de MeV, que pouvez-vous dire quant à la possibilité pour les électrons d'être à l'intérieur du noyau ?

10.6 Principe d'incertitude de Heisenberg

E25. (I) La position de l'électron dans l'état fondamental de l'atome d'hydrogène a une incertitude de 0,1 nm. Quelle est l'incertitude sur sa quantité de mouvement ?

E26. (I) Un électron se trouve dans un puits de potentiel infini de largeur 0,2 nm. Quelle est l'incertitude sur sa quantité de mouvement ?

E27. (I) La durée de vie d'un état excité est de 10^{-8} s. Quelle est l'incertitude sur (a) l'énergie ; (b) la fréquence du photon émis au moment de la désexcitation ?

E28. (I) Un proton est enfermé dans un noyau de rayon 2×10^{-14} m. (a) Estimez l'incertitude sur sa quantité de mouvement. (b) Si la quantité de mouvement était égale à l'incertitude trouvée en (a), quelle serait l'énergie cinétique en MeV ?

10.1 et 10.2 Ondes de Broglie, diffraction des électrons

E29. (I) Quelle est la longueur d'onde de Broglie d'un proton dont l'énergie cinétique est de 50 keV ?

E30. (I) Dans un métal, un électron libre a une énergie cinétique de 3 eV. Quelle est sa longueur d'onde de Broglie ?

E31. (I) (a) Un électron a une longueur d'onde de Broglie de 0,1 nm, soit environ la taille d'un atome. Quelle est son énergie cinétique (non relativiste) en électronvolts ? (b) Quelle est l'énergie, en électronvolts, d'un photon ayant une longueur d'onde de 0,1 nm ?

E32. (I) Montrez que la longueur d'onde de Broglie d'un neutron non relativiste d'énergie cinétique K (en électronvolts) est donnée par

$$\lambda = 2{,}86 \times 10^{-11}/K^{1/2}$$

10.5 Applications de la mécanique ondulatoire

E33. (I) La fonction d'onde d'un électron libre est

$$\psi(x) = A \sin(4{,}72 \times 10^{10} x)$$

où x est en mètres et A en $m^{-1/2}$. Quelle est la quantité de mouvement de cet électron ?

E34. (I) Un électron enfermé dans un puits de potentiel infini a une énergie cinétique de 3,4 eV au niveau $n = 1$. Quelle est l'énergie cinétique au niveau $n = 2$?

E35. (I) Une particule α ($m = 4$ u) est enfermée dans un puits de potentiel infini de 2×10^{-14} m de largeur,

soit environ la taille d'un noyau. Quelle est l'énergie cinétique du premier niveau en eV ?

E36. (I) Un électron est enfermé dans un puits de potentiel infini de 0,1 nm de largeur, soit environ la taille d'un atome. Calculez les trois plus basses fréquences des photons pouvant être émis par cet électron.

E37. (I) Tracez, approximativement, le graphique de la densité de probabilité des trois états de la fonction d'onde illustrés à la figure 10.12.

10.6 Principe d'incertitude de Heisenberg

E38. (I) Un électron a une vitesse de 2×10^7 m/s. Si une incertitude de 50 nm est acceptable sur sa position, quel est le plus petit pourcentage possible d'incertitude sur sa quantité de mouvement ?

E39. (I) Soit un électron dans un état excité. La différence d'énergie entre cet état et l'état fondamental est de 2,25 eV et la durée de vie de cet état excité est de 0,13 µs. (a) Quelle est la fréquence du photon émis au moment de la désexcitation ? (b) Quelle est l'incertitude sur la fréquence de ce photon selon le principe d'incertitude de Heisenberg ?

E40. (II) Dans l'accélérateur de particules de Standford, les électrons atteignent une énergie de 20 GeV. Quelle est la longueur d'onde de Broglie de ces électrons ? (La vitesse des électrons étant presque celle de la lumière, vous aurez besoin de l'expression relativiste de l'énergie ; voir l'équation 8.27.)

Problèmes

P1. (II) Utilisez les expressions relativistes de l'énergie cinétique et de la quantité de mouvement pour démontrer : (a) $\lambda \approx h/\sqrt{2m_0 K}$, si $K \ll m_0 c^2$; (b) $\lambda \approx hc/K$, si $K \gg m_0 c^2$.

P2. (I) Quelle est la longueur d'onde de Broglie d'un électron ayant une énergie de 200 MeV ? Utilisez les expressions relativistes et négligez l'énergie au repos de l'électron ($m_0 c^2 = 0{,}511$ MeV).

P3. (I) (a) Calculez la quantité de mouvement de l'électron dans l'état fondamental du modèle de

Bohr de l'atome d'hydrogène. (b) Si l'incertitude sur la quantité de mouvement est $\Delta p = 2p$, trouvez l'incertitude sur la position et comparez-la au rayon de l'état fondamental de l'atome de Bohr.

P4. (I) Considérez la fonction d'onde $\psi = A \sin(n\pi x/L)$ pour une particule dans une boîte à une dimension de longueur L. Utilisez la condition de normalisation $\int \psi^2 dx = 1$ pour démontrer que $A = \sqrt{2/L}$.

P5. (II) Considérez la fonction d'onde de l'état fondamental pour une particule dans un puits de potentiel infini qui s'étend de $x = 0$ à $x = L$. Quelle est la probabilité de trouver la particule entre $x = L/4$ et $3L/4$?

P6. (I) Un puits de potentiel fini s'étend de $x = 0$ à $x = L$ (figure 10.12a). Démontrez que les conditions aux limites en $x = 0$ donnent la relation $C = AK/k$. (La notation est la même que celle du texte accompagnant la figure 10.12.)

P7. (I) Une boîte impénétrable s'étend de $x = -L/2$ à $x = L/2$. Quelles sont les fonctions d'onde normalisées pour les trois niveaux d'énergie les plus bas ?

P8. (I) Une particule d'énergie E s'approche d'une région où le potentiel monte subitement jusqu'à U (figure 10.27). La probabilité de réflexion est donnée par le coefficient de réflexion

$$R = \left[\frac{k_1 - k_2}{k_1 + k_2} \right]^2$$

où $k_1 = \sqrt{2mE}/\hbar$ et $k_2 = \sqrt{2m(E - U)}/\hbar$. Évaluez R pour $E = 1{,}5U$.

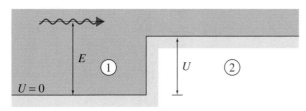

Figure 10.27

Problème 8.

P9. (II) L'énergie potentielle d'un oscillateur harmonique simple est donnée par $U = \frac{1}{2} m\omega^2 x^2$. Démontrez que $\psi = Ae^{-Bx^2}$ est une solution de l'équation d'onde de Schrödinger, où $E = \hbar\omega/2$ est l'énergie mécanique de cet oscillateur. Que représente B ?

P10. (II) Un électron de conduction dans un métal peut être considéré comme une particule enfermée dans une boîte à trois dimensions de côté L. L'énergie est déterminée par les trois nombres quantiques n_1, n_2 et n_3 :

$$E = \frac{h^2}{8mL^2} (n_1^2 + n_2^2 + n_3^2)$$

(a) Donnez le nombre de valeurs distinctes des nombres quantiques qui correspondraient à l'état fondamental. (b) Reprenez la question (a) pour le premier état excité.

P11. (II) Dans le contexte de la mécanique ondulatoire, la valeur moyenne d'une fonction $f(x)$ est donnée par

$$\langle f(x) \rangle = \int_{-\infty}^{\infty} f(x)\, \psi^2\, dx$$

Montrez que, pour une particule dans le $n^{\text{ième}}$ état d'une boîte impénétrable à une dimension de longueur L, la valeur moyenne du carré de la position horizontale est donnée par

$$\langle x^2 \rangle = \left(\frac{1}{3} - \frac{1}{2n^2\pi^2} \right) L^2$$

(*Cf.* problème 4.)

P12. (II) Un électron d'énergie E s'approche d'une barrière de hauteur U ($>E$) et de largeur L (figure 10.13). On détermine le coefficient de transmission T à partir du rapport des probabilités sur les deux faces de la barrière. Démontrez que

$$T \approx e^{-2KL}$$

où $K^2 = 2m(U - E)/\hbar^2$. (Cette expression est approximative parce que l'on néglige la réflexion « interne » sur la deuxième face de la barrière.) Évaluez T pour $L = 0{,}1$ nm, $U = 100$ eV et $E = 50$ eV.

CHAPITRE 11

Atomes et solides

Un modèle produit par ordinateur, représentant un supraconducteur à haute température. Les atomes d'yttrium sont gris argent, les atomes de baryum sont verts, les atomes de cuivre sont bleus et les atomes d'oxygène sont rouges.

POINTS ESSENTIELS

1. Il faut utiliser quatre nombres quantiques pour déterminer l'état d'un électron dans un atome.

2. Selon le **principe d'exclusion de Pauli**, deux électrons d'un même atome ne peuvent avoir les quatre mêmes nombres quantiques.

3. La construction du tableau périodique peut s'effectuer à partir des quatre nombres quantiques et du principe d'exclusion.

4. La **théorie des bandes des solides** permet d'expliquer la différence entre les conductivités électriques des métaux, des isolants et des semi-conducteurs.

La mécanique quantique s'applique remarquablement bien à un grand éventail de phénomènes. Elle nous renseigne sur la structure et sur le comportement des atomes, des molécules, des noyaux et des solides. Nous allons commencer ce chapitre par un examen rapide de son application au cas de l'atome d'hydrogène. La résolution de ce problème à trois dimensions demande trois nombres quantiques pour préciser les états de l'électron. Ce sont le *nombre quantique principal*, *n*, le *nombre quantique orbital*, ℓ, et le *nombre quantique magnétique orbital*, m_ℓ. De plus, les particules comme l'électron ont un moment cinétique intrinsèque appelé spin qui est caractérisé par un *nombre quantique magnétique du spin*, m_s. Ces quatre nombres quantiques permettent de préciser les états des électrons dans tous les atomes. Ils obéissent à une contrainte importante, le *principe d'exclusion de Pauli*, qui dit que deux électrons d'un même atome ne peuvent pas avoir les quatre mêmes nombres quantiques. Nous allons voir qu'à partir des quatre nombres quantiques et du principe d'exclusion, nous pouvons construire de façon systématique le tableau périodique et expliquer plusieurs de ses caractéristiques par les configurations électroniques des atomes. Enfin, nous allons examiner la formation des bandes d'énergie dans les solides et voir comment elles servent à expliquer la conductivité électrique différente des métaux, des isolants et des semi-conducteurs.

Lorsqu'on applique l'équation d'onde de Schrödinger à l'atome d'hydrogène, pour lequel $U = -ke^2/r$, l'analyse fait intervenir trois nombres quantiques. Nous allons nous contenter d'énoncer les résultats obtenus, sans les démontrer. Les niveaux d'énergie sont donnés par

$$E_n = -\frac{mk^2e^4}{2\hbar^2 n^2} = -\frac{13{,}6}{n^2}\ \text{eV} \qquad (11.1)$$

Nombre quantique principal, n

Les énergies dépendent uniquement du **nombre quantique principal**, n, qui varie de 1 à ∞. Les valeurs concordent avec le résultat de Bohr.

Le module du moment cinétique orbital $\vec{L}$ d'un état est déterminé par le **nombre quantique orbital** ℓ :

Moment cinétique orbital, L

$$L = \sqrt{\ell(\ell + 1)}\,\hbar \qquad (11.2)$$

où la valeur maximale de ℓ est limitée par la valeur de n :

Nombre quantique orbital, ℓ

$$\ell = 0,\ 1,\ 2,\ \dots,\ (n - 1)$$

On remarque que la plus faible valeur permise pour le moment cinétique est $L = 0$, et non pas $L = \hbar$, comme c'est le cas dans la théorie de Bohr. La valeur $L = 0$ correspond aux états pour lesquels la fonction d'onde est de symétrie sphérique et n'a pas d'axe de rotation unique.

Pour préciser la direction du vecteur moment cinétique $\vec{L}$, il nous faut choisir un axe privilégié. Pour ce faire, on applique un champ magnétique externe parallèle à l'axe des z. La composante du moment cinétique orbital sur cet axe est également quantifiée :

$$L_z = m_\ell \hbar \qquad (11.3)$$

Nombre quantique magnétique orbital, m_ℓ

où le **nombre quantique magnétique orbital** m_ℓ ne peut prendre que les valeurs

$$m_\ell = 0,\ \pm 1,\ \pm 2,\ \dots,\ \pm \ell$$

Le vecteur moment cinétique ne peut être orienté que dans des directions telles que sa composante en z prenne les valeurs données par l'équation 11.3. Ce phénomène est appelé *quantification spatiale*. Nous utilisons le terme « magnétique » car, lorsque l'atome est placé dans un champ magnétique externe, chaque valeur de m_ℓ correspond à une énergie différente. Une raie donnée du spectre peut alors être divisée en plusieurs raies, phénomène qui porte le nom d'effet Zeeman.

À chaque valeur de ℓ correspondent $2\ell + 1$ valeurs de m_ℓ. Par conséquent, si $\ell = 2$, alors $L = \sqrt{6}\,\hbar$ et les cinq valeurs permises de m_ℓ sont 0, ± 1 et ± 2. Les valeurs correspondantes de L_z sont représentées à la figure 11.1.

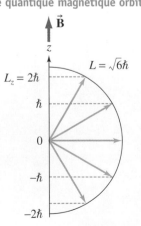

Figure 11.1

L'orientation du vecteur moment cinétique est quantifiée. La composante en z peut prendre les valeurs $L_z = 0$, $\pm \hbar$, $\pm 2\hbar$.

Tous les états correspondant à une valeur donnée de n forment une **couche**, alors que les états correspondant à une valeur donnée de ℓ forment une **sous-couche**. Le tableau 11.1 indique la nomenclature utilisée. Les quatre premières lettres des sous-couches proviennent historiquement de termes (*sharp*, *principal*, *diffuse* et *fondamental*) ayant servi à décrire les raies spectrales. Les états sont désignés par la couche et la sous-couche : $n\ell$. Par exemple, pour $n = 1$ et $\ell = 0$, l'état est $1s$; pour $n = 2$ et $\ell = 1$, on a $2p$, etc. Il n'est pas possible d'avoir un état comme $3f$, puisque avec $n = 3$, la valeur maximale de ℓ est 2.

En mécanique quantique, on peut déterminer les valeurs de L et de L_z, mais on ne peut pas déterminer L_x ni L_y. Pour le montrer, supposons que l'électron se déplace uniquement dans le plan xy, ce qui signifie que $z = 0$ et $p_z = 0$. Ces valeurs précises sont en contradiction avec la relation d'incertitude $\Delta p_z \Delta z > \hbar$ (*cf.* section 10.6). Une interprétation géométrique de cette restriction est représentée à la figure 11.2. Le vecteur $\vec{L}$ est en précession (il décrit un cône) autour de l'axe des z, alors que la composante L_z reste constante. Les moyennes dans le temps des composantes en x et y sont nulles.

L'angle formé par le vecteur $\vec{L}$ avec l'axe des z est donné par

$$\cos \theta = \frac{L_z}{L} = \frac{m_\ell}{\sqrt{\ell(\ell + 1)}} \qquad (11.4)$$

Notons que θ ne peut pas être nul (pourquoi ?). Lorsque ℓ devient grand, la variation de θ ou de L_z devient de plus en plus petite d'une valeur à la suivante. Dans la limite classique des nombres quantiques très grands, les valeurs permises pour L_z ou θ forment un intervalle pratiquement continu, ce qui concorde avec le principe de correspondance de Bohr.

Tableau 11.1

Tableau 11.1

Nomenclature des couches et des sous-couches

n	Couche	ℓ	Sous-couche
1	K	0	s
2	L	1	p
3	M	2	d
4	N	3	f
5	O	4	g
6	P	5	h

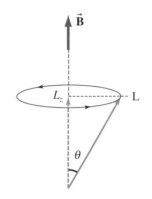

Figure 11.2

Durant la précession du vecteur moment cinétique, la composante en z reste constante. Les composantes en x et en y ne peuvent pas être déterminées.

Exemple 11.1

(a) Quelles sont les valeurs permises de θ pour $\ell = 2$? (b) Quelle est la valeur minimale de l'angle θ entre L_z et L pour $\ell = 100$?

Solution :

(a) Pour $\ell = 2$, on a $L = \sqrt{6}\hbar$ et $m_\ell = 0, \pm 1, \pm 2$. Donc, d'après l'équation 11.4,

$$\cos \theta = \frac{m_\ell}{\sqrt{6}} = 0 ; \quad \pm\frac{1}{\sqrt{6}} ; \quad \pm\frac{2}{\sqrt{6}}$$

d'où l'on tire $\theta = 90°$, $65,9°$, $35,3°$, $114,1°$ et $144,7°$.

(b) On obtient la valeur minimale de θ lorsque $m_\ell = +\ell$. Ainsi,

$$\cos \theta = \frac{\ell}{\sqrt{\ell(\ell + 1)}} = \frac{100}{\sqrt{100(101)}}$$

On en déduit $\theta = 5,71°$.

11.2 Le spin

Lorsqu'on examine à haute résolution la raie spectrale du sodium à 589,3 nm, on voit qu'elle est composée de deux raies plus fines de longueurs d'onde 589,0 nm et 589,6 nm. L'équation de Schrödinger ne permet pas de rendre compte de cette *structure fine*, présente dans de nombreuses raies spectrales. De plus, l'équation d'onde de Schrödinger ne prédit pas correctement le nombre

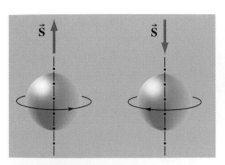

Figure 11.3

En mécanique classique, l'électron est représenté par une sphère en rotation sur elle-même dont le moment cinétique du spin peut être orienté vers le haut ou vers le bas.

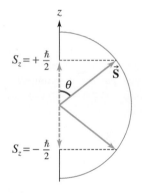

Figure 11.4

La composante en z du moment cinétique du spin $\vec{S}$ peut prendre les valeurs $S_z = \pm \hbar/2$.

des nouvelles raies qui apparaissent lorsque l'atome est placé dans un champ magnétique (effet Zeeman).

En 1924, Wolfgang Pauli suggéra que ces problèmes pourraient être résolus s'il existait un quatrième nombre quantique ne pouvant prendre que deux valeurs. Partant de cette idée, S. A. Goudsmit et E. Uhlenbeck émirent l'idée que chaque électron possède un *moment cinétique* intrinsèque, appelé spin, pouvant prendre les valeurs $\pm \frac{1}{2}\hbar$. Ils représentèrent l'électron comme une sphère chargée en rotation autour d'un axe interne (figure 11.3). Bien qu'elle soit commode, cette représentation (classique) n'est pas correcte. En 1929, lorsque Paul Dirac intégra la relativité à la mécanique quantique, il s'aperçut que le nombre quantique de spin découle naturellement de l'analyse. On peut seulement dire que l'électron a une propriété intrinsèque, appelée spin pour des raisons purement historiques, qui a les dimensions d'un moment cinétique et obéit aux règles suivantes. Le module du *moment cinétique* $\vec{S}$ du spin de l'électron est déterminé par le *nombre quantique du spin* $s* = \frac{1}{2}$ selon

$$S = \sqrt{s(s+1)}\hbar = \frac{\sqrt{3}}{2}\hbar \qquad (11.5)$$

Dans un champ magnétique, la composante en z peut prendre uniquement deux valeurs

$$S_z = m_s\hbar \qquad (11.6)$$

où le **nombre quantique magnétique du spin**, $m_s = \pm \frac{1}{2}$ (figure 11.4). L'introduction du spin double le nombre d'états permis pour chaque valeur de n.

La séparation des raies spectrales en doublets s'explique par un effet que l'on appelle *couplage spin-orbite*. Comme nous le verrons à la section 11.6, l'électron a un moment magnétique intrinsèque qui est proportionnel à son spin. Dans le référentiel d'un électron en orbite, le noyau positif semble se déplacer et donc produire un champ magnétique. Les deux orientations possibles du moment magnétique du spin par rapport à ce champ ont des énergies légèrement différentes. Par exemple, l'énergie correspondant à une des raies spectrales du sodium est de 2,1 eV, alors que la différence d'énergie entre les deux raies dans la structure fine est seulement de 2,1 meV.

Exemple 11.2

Quelles sont les valeurs permises de l'angle formé par $\vec{S}$ et l'axe des z?

Solution:

D'après la figure 11.4, on voit que

$$\cos \theta = \frac{S_z}{S} = \pm \frac{1}{2} \frac{1}{\sqrt{\left(\frac{1}{2}\right)\left(\frac{3}{2}\right)}} = \pm \frac{1}{\sqrt{3}}$$

---

* Il ne faut pas confondre le s utilisé ici avec celui qui désigne la sous-couche correspondant à $\ell = 0$.

11.3 Les fonctions d'onde de l'atome d'hydrogène

Nous allons considérer dans cette section les fonctions d'onde les plus simples obtenues à partir de l'équation d'onde de Schrödinger pour l'atome d'hydrogène. La fonction d'onde pour l'état fondamental, $n = 1$, $\ell = 0$, est

$$\psi_{1s}(r) = \sqrt{\frac{1}{\pi r_0^3}}\, e^{-r/r_0} \qquad (11.7)$$

Fonction d'onde à l'état fondamental

où $r_0 = \hbar^2/mke^2 = 0,0529$ nm est appelé *rayon de Bohr* (*cf.* exemple 9.7). La densité de probabilité, donnée par ψ^2, est maximale et décroît exponentiellement lorsque r augmente. On voit que le modèle de Bohr qui représente l'atome comme étant surtout constitué d'espace vide n'est pas correct. Au lieu de parler d'orbites bien définies, on parle parfois de « nuages », c'est-à-dire la distribution de ψ^2 dans l'espace.

La probabilité réelle de trouver l'électron à l'intérieur d'un volume dV est $\psi^2\, dV$. Il est commode de définir la **densité de probabilité radiale**, $P(r)$, de sorte que $P(r)dr$ soit la probabilité de trouver l'électron à l'intérieur de la mince coquille sphérique comprise entre r et $r + dr$. Le volume d'une telle coquille sphérique de rayon r et d'épaisseur dr est $dV = 4\pi r^2\, dr$. Par conséquent,

$$\text{probabilité} = \psi^2\, dV = \psi^2(4\pi r^2\, dr) = P(r)dr$$

La densité de probabilité radiale est donc

$$P(r) = 4\pi r^2 \psi^2$$

D'après l'équation 11.7, on trouve pour l'état 1s

$$P_{1s}(r) = \frac{4r^2}{r_0^3}\, e^{-2r/r_0} \qquad (11.8)$$

Cette fonction est représentée à la figure 11.5. On remarque que la valeur la plus probable de r est r_0, qui est égale au premier rayon permis dans le modèle de Bohr. Toutefois, contrairement à la représentation de Bohr, on peut trouver l'électron à des valeurs de r supérieures ou inférieures à r_0, l'atome n'ayant pas de limite nette.

La fonction d'onde pour le premier état excité, $n = 2$, $\ell = 0$, est

$$\psi_{2s}(r) = \sqrt{\frac{1}{32\pi r_0^3}}\left(2 - \frac{r}{r_0}\right)e^{-r/2r_0}$$

La densité de probabilité radiale correspondante,

$$P_{2s}(r) = \left(\frac{r^2}{8r_0^3}\right)\left(2 - \frac{r}{r_0}\right)^2 e^{-r/r_0} \qquad (11.9)$$

est également représentée à la figure 11.5. On remarque que $P_{2s}(r)$ admet deux pics et qu'il y a un chevauchement considérable entre les fonctions 1s et 2s. La valeur la plus probable de r pour l'état 2s est $r \approx 5r_0$, alors que le deuxième rayon permis par le modèle de Bohr vaut $4r_0$. Toutes les fonctions d'onde des états s ($\ell = 0$) dépendent uniquement de r; elles sont de symétrie sphérique. Les fonctions d'onde pour les états tels que $\ell \neq 0$ comprennent de plus des facteurs angulaires.

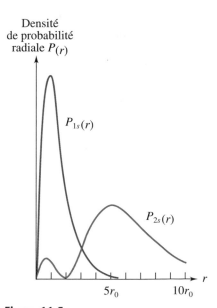

Figure 11.5

Les densités de probabilité radiale pour les états 1s et 2s de l'hydrogène.

Exemple 11.3

Calculer la valeur la plus probable de r pour l'électron dans l'état $1s$ de l'hydrogène.

Solution :

La valeur la plus probable de r correspond à la valeur maximale de $P(r)$ à la figure 11.5. On doit calculer dP/dr et le poser égal à zéro. D'après l'équation 11.8, on trouve

$$\frac{dP}{dr} = \frac{4}{r_0^3}\left[2re^{-2r/r_0} + r^2\left(-\frac{2}{r_0}\right)e^{-2r/r_0}\right]$$

$$= \frac{8r}{r_0^3}\left(1 - \frac{r}{r_0}\right)e^{-2r/r_0} = 0$$

Puisque l'exponentielle ne s'annule que pour $r = \infty$, on trouve $r = r_0$. Par conséquent, c'est à une distance radiale égale au rayon de Bohr qu'on a le plus de chances de trouver l'électron.

11.4 Les rayons X et la loi de Moseley

Vers le milieu du XIXe siècle, les chimistes avaient identifié plusieurs groupes ou familles d'éléments ayant des propriétés similaires, comme les alcalins, les halogènes et les gaz rares. En 1871, D. Mendeleïev dressa un tableau périodique comportant les 62 éléments connus à l'époque. Il les classa par ordre de poids atomique croissant en fonction des régularités de leurs propriétés physiques et chimiques. Il fut capable de prédire les propriétés des éléments manquants dans son classement (poids atomique, point d'ébullition, densité et couleur). Quelques années plus tard, les éléments comme le Ge, le Ga et le Sr furent découverts et vinrent occuper les places vacantes.

Certaines paires d'éléments étaient difficiles à placer correctement. Par exemple, les poids atomiques du cuivre et du nickel étaient trop proches l'un de l'autre pour que l'on puisse les classer avec certitude. Pour prendre un autre exemple, le potassium est fortement réactif (c'est un alcalin), alors que l'argon est inerte (c'est un gaz rare). Ils appartiennent clairement à des groupes différents, l'argon apparaissant avant le potassium. Toutefois, le poids atomique de l'argon est légèrement supérieur à celui du potassium. Ainsi, l'ordre dans lequel on doit les placer dans le tableau périodique est contraire à l'ordre habituel suivant le poids atomique. Il fallait donc trouver comment la théorie quantique pouvait expliquer la structure du tableau périodique. Mais on devait d'abord savoir sur quelle base établir le tableau. Les travaux de H. G. J. Moseley (figure 11.6) permirent de résoudre ce problème.

Figure 11.6

H. G. J. Moseley (1887-1915).

Nous avons vu à la section 7.8 qu'une cible en métal lourd bombardée avec des électrons de haute énergie (30-50 keV) émet des rayons X. Le rayonnement émis fait intervenir à la fois un spectre continu et un spectre de raies (figure 11.7). Le spectre *continu*, qui débute à une longueur d'onde minimale λ_0, provient de la décélération rapide des électrons qui rencontrent la cible : c'est le *bremsstrahlung*, ou « rayonnement de freinage ». L'existence d'une longueur d'onde minimale (ou d'une fréquence maximale) constitue une preuve supplémentaire en faveur du concept du photon : le photon de fréquence maximale est émis lorsqu'un électron perd toute son énergie d'un coup. En exprimant l'égalité entre l'énergie de l'électron E et l'énergie du photon $hf_0 = hc/\lambda_0$, on trouve

$$\lambda_0 = \frac{hc}{E} \tag{11.10}$$

La longueur d'onde minimale dépend de l'énergie de l'électron, mais pas du matériau dont est constituée la cible.

Le spectre de *raies* dépend de l'élément servant de cible. Ces rayons X *caractéristiques* sont produits lorsqu'un électron éjecte un électron atomique d'un des niveaux inférieurs. L'électron éjecté laisse un vide qui est comblé par un électron provenant d'un niveau plus élevé. Au cours du processus, un photon de haute énergie est émis. Si les transitions se font jusqu'au niveau $n = 1$, les rayons X sont désignés par K_α pour un passage de $n = 2$ à $n = 1$, K_β pour un passage de $n = 3$ à $n = 1$, etc. Si elles se font jusqu'au niveau $n = 2$, les rayons sont désignés par L_α pour un passage de $n = 3$ à $n = 2$, L_β pour un passage de $n = 4$ à $n = 2$, etc. (figure 11.8).

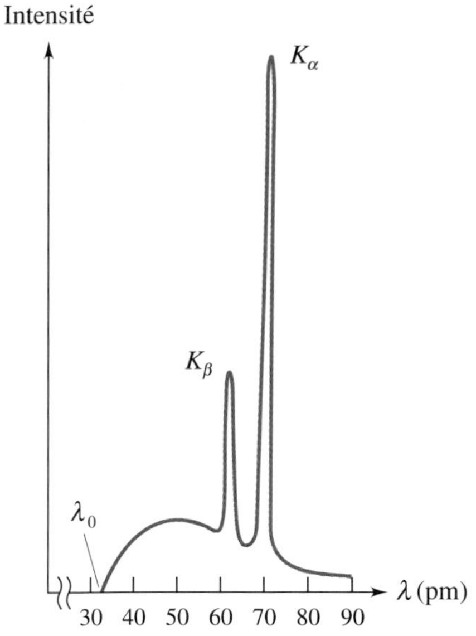

En 1913, Moseley remarqua que les raies caractéristiques se décalent de façon systématique lorsqu'on change le matériau de la cible. Il représenta graphiquement la racine carrée de la fréquence de la raie K_α en fonction du numéro atomique Z (la position dans le tableau périodique) pour un grand nombre d'éléments. Il obtint une droite, qui est représentée à la figure 11.9. Moseley en tira la conclusion suivante :

> *Nous avons ici la preuve qu'il existe dans l'atome une grandeur fondamentale, qui augmente par échelons réguliers lorsqu'on passe d'un élément au suivant. Cette grandeur ne peut être que la charge du noyau central.*

On devait donc se servir des numéros atomiques, et non des poids atomiques, pour établir systématiquement le tableau périodique*. La preuve était si flagrante qu'il proposa d'intervertir les positions du Ni et du Cu dans le tableau périodique, même si le poids atomique du Cu est légèrement supérieur à celui du Ni. Il identifia des places vacantes pour $Z = 43$, 61, 72 et 75. Ces éléments furent découverts par la suite.

Comme on le voit à la figure 11.9, la courbe tracée par Moseley ne passait pas par l'origine. Nous allons voir pourquoi. Une fois que l'un des deux électrons du niveau $n = 1$ est éjecté, un électron du niveau immédiatement supérieur va combler la place rendue vacante et émettre la fréquence K_α au cours du processus. Cet électron est partiellement protégé du champ électrique attractif du noyau par l'électron restant au niveau $n = 1$. Moseley estima la charge nucléaire « effective » pour la transition K_α égale à $(Z - 1)e$. (Cette valeur concorde avec

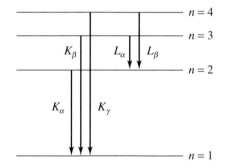

Figure 11.7

L'émission de rayons X produite lors du bombardement d'une cible de molybdène par des électrons de 35 keV.

Figure 11.8

Les raies caractéristiques des rayons X sont désignées d'après le niveau le plus bas (couche) dans la transition.

---

* Si l'on trace $\sqrt{f}$ en fonction du poids atomique, les points obtenus ne sont pas situés aussi nettement sur une droite.

Figure 11.9

Le graphe représentant la racine carrée de la fréquence des raies K_α en fonction du numéro atomique, tracé à partir des données de Moseley.

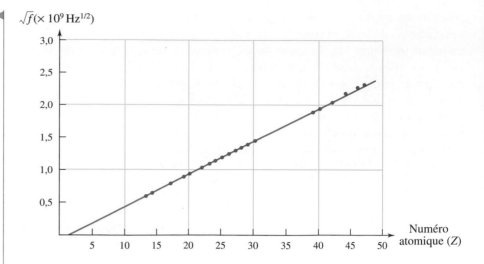

le point d'intersection de la droite avec l'axe à la figure 11.9.) La *loi de Moseley* pour la fréquence de la raie K_α s'écrit donc

$$\sqrt{f_{K_\alpha}} = a(Z - 1) \qquad (11.11)$$

où a est une constante que l'on peut relier à la théorie de Bohr. Après le décès de Moseley, un chimiste français, G. Urbain, qui travaillait au classement des terres rares, déclara que la loi de Moseley « permit d'établir en quelques jours les résultats de mes vingt années de travail assidu. »

11.5 Le principe d'exclusion de Pauli et le tableau périodique

Les quatre nombres quantiques n, ℓ, m_ℓ et m_s peuvent servir à classer les états des électrons dans tous les atomes, bien que l'énergie associée à un ensemble de valeurs données dépende de l'atome. La question qui se pose naturellement est de savoir pourquoi tous les électrons dans un atome ne descendent pas à l'état fondamental. Après avoir étudié la classification des raies spectrales, W. Pauli (figure 11.10) énonça en 1925 un principe important, que l'on appelle maintenant **principe d'exclusion de Pauli*** :

> Dans un atome, deux électrons ne peuvent avoir les quatre mêmes nombres quantiques n, ℓ, m_ℓ et m_s.

Le principe d'exclusion nous permet de voir comment s'effectue le remplissage des couches (n) et des sous-couches (ℓ) par les électrons. Pour chaque valeur de ℓ, il y a $(2\ell + 1)$ valeurs de m_ℓ. Comme $m_s = \pm\frac{1}{2}$, chaque sous-couche peut accepter $2(2\ell + 1)$ électrons. Au tableau 11.2 figurent les états possibles, qui, dans un atome quelconque, se remplissent dans l'ordre des énergies croissantes. En général, pour une valeur donnée de n, l'énergie des états augmente avec ℓ. Ainsi, l'énergie d'un état $4s$ est plus basse que celle d'un état $4p$, laquelle est

Figure 11.10

Wolfgang Pauli (1900-1958).

---

* Le principe d'exclusion de Pauli ne s'applique pas seulement aux électrons mais à tout système de particules qui ont un spin demi-entier, $\hbar/2$, $3\hbar/2$, $5\hbar/2$, etc. Les particules dont le spin a une valeur entière, $\hbar$, $2\hbar$, $3\hbar$, etc., n'obéissent pas à ce principe.

n	ℓ	m_ℓ	m_s	Couche	Sous-couche	Nombre dans la sous-couche	Nombre dans la couche	Nombre lors du remplissage
1	0	0	$\pm\frac{1}{2}$	K	$1s$	2	2	2
2	0	0	$\pm\frac{1}{2}$	L	$2s$	2		
	1	$0, \pm1$	$\pm\frac{1}{2}$		$2p$	6	8	8
3	0	0	$\pm\frac{1}{2}$	M	$3s$	2		
	1	$0, \pm1$	$\pm\frac{1}{2}$		$3p$	6		8
	2	$0, \pm1, \pm2$	$\pm\frac{1}{2}$		$3d$	10	18	
4	0	0	$\pm\frac{1}{2}$	N	$4s$	2		
	1	$0, \pm1$	$\pm\frac{1}{2}$		$4p$	6		18
	2	$0, \pm1, \pm2$	$\pm\frac{1}{2}$		$4d$	10		
	3	$0, \pm1, \pm2, \pm3$	$\pm\frac{1}{2}$		$4f$	14	32	

plus basse que celle d'un état $4d$. Toutefois, l'état $4s$ a une énergie inférieure à l'état $3d$ et l'état $5s$ a une énergie inférieure à l'état $4d$. Par conséquent, la sous-couche $4s$ se remplit avant la sous-couche $3d$ et la sous-couche $5s$ avant la sous-couche $4d$. La dernière colonne du tableau 11.2 indique le nombre d'électrons suivant l'ordre du remplissage. La figure 11.11 donne un moyen mnémonique pratique mais *approximatif* de savoir dans quel ordre se remplissent les sous-couches.

Le tableau périodique est divisé en groupes (les colonnes) et en périodes (les lignes). Les nombres d'éléments dans les six périodes complètes sont 2, 8, 8, 18, 18 et 32. Pour voir d'où proviennent ces nombres, regardez la dernière colonne du tableau 11.2. On remarque que chaque nombre correspond à une sous-couche complètement remplie (fermée). Pour obtenir ces nombres, on doit se souvenir de l'ordre de remplissage indiqué à la figure 11.11.

Les configurations électroniques de l'état fondamental sont indiquées dans le tableau périodique de l'annexe D. Le nombre d'électrons dans une sous-couche est indiqué par un indice. Par exemple, $2p^3$ signifie qu'il y a trois électrons dans cette sous-couche $\ell = 1$. Nous allons voir brièvement comment la configuration électronique dans un atome peut nous renseigner sur ses propriétés chimiques.

Chaque période commence par un élément alcalin chimiquement actif et se termine par un gaz rare chimiquement inerte. Dans la dernière colonne se trouvent les *gaz rares* : He, Ar, Ne, Kr et Xe. Ils ont tous leur dernière sous-couche complètement remplie et l'énergie nécessaire pour passer à la sous-couche ou au niveau suivant est considérable. Ces configurations sont extrêmement stables et ces éléments ne réagissent donc pas facilement avec d'autres éléments. À la figure 11.12, on voit que l'énergie d'ionisation de chaque gaz rare est plus élevée que celle des éléments voisins. Dans la première colonne se trouvent les *éléments alcalins* : Li, Na, K, Rb, Cs et Fr. Chacun de ces éléments a un seul électron faiblement lié, appelé électron de valence, qui est situé à l'extérieur d'une couche ou d'une sous-couche complète. Ces éléments sont fortement réactifs. On voit, à la figure 11.13, que leurs rayons atomiques sont toujours plus grands que ceux des éléments voisins. Les *halogènes*, F, Cl, Br, I et At, sont des éléments auxquels il manque un électron pour que la sous-couche p

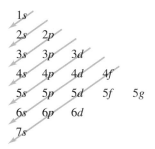

Figure 11.11

Procédé mnémonique simple mais approximatif pour effectuer le remplissage des sous-couches.

Figure 11.12

L'énergie d'ionisation des atomes en fonction du numéro atomique. Les valeurs correspondant aux gaz rares sont systématiquement élevées.

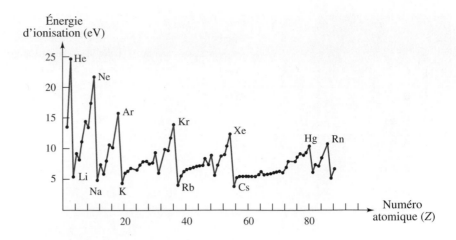

Figure 11.13

Les rayons des atomes en fonction du numéro atomique. Les rayons des éléments alcalins sont systématiquement supérieurs à ceux des éléments voisins.

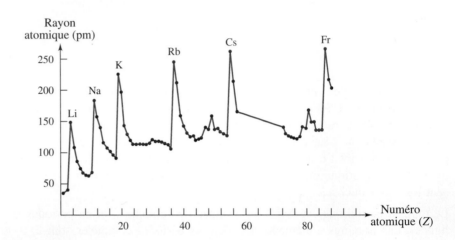

soit complète. Cette situation énergétique est favorable au transfert de l'électron de valence d'un élément alcalin vers un atome d'halogène pour compléter la couche. Le chlorure de sodium, NaCl, est l'exemple d'un tel composé. Les propriétés des *éléments de transition* et des *terres rares* peuvent également s'expliquer par leurs configurations électroniques, qui sont caractérisées par des sous-couches inférieures incomplètes.

11.6 Les moments magnétiques

En physique classique, un électron qui se déplace sur une orbite est équivalent à une boucle de courant. Le moment dipolaire magnétique orbital $\vec{\mu}_\ell$ est lié au moment cinétique orbital $\vec{L}$ (*cf.* chapitre 8, tome 2) :

Moment magnétique orbital

$$\vec{\mu}_\ell = -\frac{e\vec{L}}{2m} \tag{11.12}$$

La mécanique quantique prédit exactement la même relation. Dans un champ magnétique externe $\vec{B} = B_z\vec{k}$, l'énergie potentielle du dipôle s'écrit (chapitre 8, tome 2)

$$U = -\vec{\mu} \cdot \vec{B} = -\mu_{\ell z}B_z \tag{11.13}$$

En mécanique classique, le vecteur $\vec{\mu}$ peut avoir une orientation quelconque par rapport au champ. L'énergie de l'électron peut donc avoir n'importe quelle valeur entre les orientations parallèle et antiparallèle. Il y a par conséquent un élargissement de chaque niveau atomique et l'on devrait voir un étalement continu des raies spectrales. En réalité, chaque raie se divise en un nombre fini de raies discrètes. Ce phénomène (effet Zeeman) implique que les énergies des états dans le champ magnétique, et donc les orientations des moments atomiques, ne peuvent pas prendre une valeur arbitraire. D'après l'équation 11.13, la composante en z du moment cinétique est quantifiée, comme nous l'avons indiqué à l'équation 11.3. Ainsi, la composante en z du moment magnétique orbital est

$$\mu_{\ell z} = -\frac{e}{2m} L_z$$
$$= -\mu_B m_\ell$$

où la quantité

$$\mu_B = \frac{e\hbar}{2m} = 9{,}27 \times 10^{-24} \ \text{J/T}$$

est le *magnéton de Bohr*. C'est une unité commode pour exprimer les moments magnétiques atomiques.

L'expérience de Stern-Gerlach

En 1921, Otto Stern et Walter Gerlach réalisèrent une expérience qui démontra la quantification spatiale. Ils dirigèrent entre les pôles d'un aimant un faisceau d'atomes d'argent neutres qui se déposaient ensuite sur une plaque de verre (figure 11.14). En l'absence de champ, on observe un trait sur la plaque (figure 11.15a). Ils appliquèrent ensuite le champ extrêmement irrégulier d'un aimant. La force nette sur un dipôle dans un champ non uniforme est donnée par (chapitre 8, tome 1) :

$$F_z = -\frac{dU}{dz} = \mu_z \frac{dB}{dz}$$

En mécanique classique, μ_z peut prendre un ensemble continu de valeurs et l'on devrait observer simplement un étalement du faisceau. Or, Stern et Gerlach observèrent plutôt sur la plaque les deux traces distinctes représentées à la figure 11.15b. D'après leur interprétation, μ_z pouvait être orienté soit vers le haut (vers les z positifs), soit vers le bas (vers les z négatifs). Ils supposèrent que cet effet était lié à la quantification de L_z. On se rend compte par la suite que l'on ne peut pas attribuer ce phénomène à m_ℓ puisque ce nombre quantique peut prendre $2\ell + 1$ valeurs, qui est toujours un nombre *impair*. La quantification de l'espace était bien vérifiée, mais le nombre de traces ne fut correctement expliqué qu'en 1925, avec l'introduction du concept de spin.

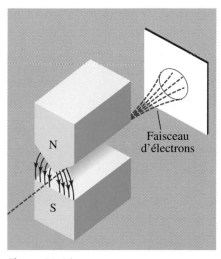

Figure 11.14

Dans l'expérience de Stern-Gerlach, on fait passer dans un champ magnétique très peu uniforme un faisceau d'atomes d'argent neutres sortant d'un four. La force nette qui s'exerce sur les atomes dépend de l'orientation du moment dipolaire.

▶ **Figure 11.15**

Les résultats obtenus par Stern et Gerlach. (a) Le tracé observé en l'absence d'un champ magnétique. (b) Les deux tracés distincts observés en présence d'un champ non homogène indiquent que le moment magnétique ne peut avoir que deux orientations. Ce phénomène porte le nom de quantification spatiale.

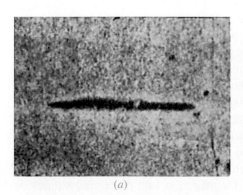

(a)

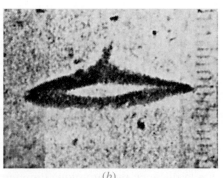

(b)

La relation entre le moment cinétique du spin $\vec{S}$ et le moment magnétique du spin $\vec{\mu}_s$ s'écrit

Moment magnétique du spin

$$\vec{\mu}_s = -\frac{e}{m}\vec{S} \qquad (11.14)$$

En comparant cette relation avec l'équation 11.12, $\vec{\mu}_\ell = -e\vec{L}/2m$, on voit que le moment cinétique du spin est deux fois plus efficace que le moment cinétique orbital pour créer un moment magnétique. Cette différence confirme bien que l'on ne doit pas représenter l'électron comme une charge en rotation sur elle-même. La composante du moment magnétique sur l'axe des z peut prendre deux valeurs, données par

$$\mu_{sz} = -2m_s\mu_B$$

et

$$m_s = \pm\frac{1}{2}$$

où μ_B est le magnéton de Bohr. Nous pouvons maintenant donner une explication correcte de l'expérience de Stern-Gerlach.

Dans un atome quelconque, le moment cinétique du spin et le moment cinétique orbital de chaque électron contribuent tous deux au moment magnétique total de l'atome. L'expérience de Stern-Gerlach dépend de ce moment magnétique net de l'atome. Sur les 47 électrons de l'atome d'argent, 46 forment des couches complètes avec un moment cinétique nul et un moment magnétique nul. C'est seulement le spin du dernier électron, dans l'état $\ell = 0$, qui contribue au moment cinétique et au moment magnétique de l'atome.

Exemple 11.4

Dans un champ magnétique externe $\vec{B} = 0,5\vec{k}$ T, quelle est la différence d'énergie entre des niveaux d'énergie voisins pour un atome dont le moment magnétique est égal au magnéton de Bohr?

Solution:

D'après l'équation 11.13, on voit que l'énergie est donnée par

$$U = \mu_{\ell z} = \mu_B m_\ell B_z$$

Entre des niveaux adjacents, $\Delta m_\ell = \pm 1$, de sorte que

$$|\Delta U| = \mu_B B_z |\Delta m_\ell|$$
$$= 4,64 \times 10^{-24} \text{ J} = 2,91 \times 10^{-5} \text{ eV}$$

Cette différence d'énergie doit être comparée avec les énergies de raies visibles, qui sont d'environ 2 eV.

11.7 La théorie des bandes des solides

La théorie des bandes des solides permet d'expliquer les différentes conductivités électriques des conducteurs, des isolants et des semi-conducteurs. Pour expliquer la formation des bandes d'énergie dans un solide, considérons l'atome de sodium. Celui-ci a dix électrons qui remplissent complètement les deux premières couches et un seul électron dans l'état $3s$. Dans les atomes isolés, les niveaux d'énergie sont nettement définis. Supposons maintenant que l'on approche l'un de l'autre deux atomes de sodium, de sorte que les fonctions d'onde de leurs électrons se chevauchent. Par suite de l'interaction entre les électrons, chaque état de l'atome isolé se divise en deux états d'énergies différentes. Comme on le voit à la figure 11.16a, cette séparation est d'autant plus marquée que la distance interatomique diminue. De même, si l'on place cinq atomes de

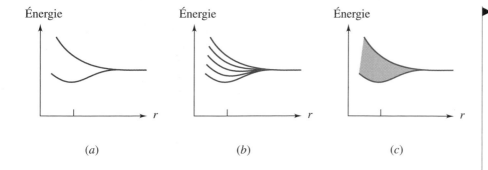

Énergie   Énergie   Énergie

(a)   (b)   (c)

(a) Lorsqu'on approche deux atomes l'un de l'autre, un même niveau atomique se sépare en deux états d'énergies différentes. (b) Un même niveau atomique se sépare en cinq niveaux lorsque cinq atomes sont assez rapprochés. (c) Dans un cristal, chaque niveau atomique se sépare pour donner une bande d'énergies pratiquement continue.

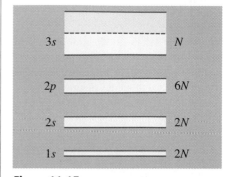

Figure 11.17

Les bandes d'énergie du sodium. Lorsque N atomes sont regroupés dans un solide, chaque niveau atomique se subdivise en N niveaux. Si une sous-couche est complètement occupée, la bande d'énergie associée aux N niveaux est complètement remplie. Comme la sous-couche 3s du sodium ne contient qu'un seul électron, la bande qui lui est associée n'est qu'à moitié remplie.

manière qu'ils soient très rapprochés les uns des autres, chaque niveau d'énergie initial va se diviser en cinq nouveaux niveaux (figure 11.16b). Le même processus se produit dans un solide, où il y a à peu près 10^{28} atomes/m³ : les niveaux d'énergie associés à chaque état de l'atome isolé s'étalent en des **bandes d'énergie** pratiquement continues et de niveaux différents (figure 11.17). Les bandes créées par les états atomiques ayant la plus basse énergie sont plus étroites parce que le chevauchement est moins important entre les fonctions d'onde correspondantes.

Dans un atome de sodium, les sous-couches 1s et 2s ont chacune deux électrons et la sous-couche 2p comporte six électrons. Elles sont toutes complètement remplies. Lorsque N atomes sont regroupés pour former un solide, chaque niveau de l'atome isolé se divise en N nouveaux niveaux, dont chacun peut avoir deux électrons de spins opposés. Les atomes forment un système dans lequel le principe d'exclusion de Pauli permet seulement à un électron d'occuper chaque état quantique. Par conséquent, dans le solide, les 2N niveaux de la bande 1s, les 2N niveaux de la bande 2s et les 6N niveaux de la bande 2p sont complètement remplis. Toutefois, le niveau 3s dans un atome de sodium a un seul électron au lieu des deux électrons permis. La bande 3s correspondante est donc seulement à moitié remplie (figure 11.17). On peut faire un raisonnement similaire pour prédire les propriétés électriques d'autres solides.

Conducteur

Dans un **conducteur**, la bande occupée la plus élevée n'est que partiellement remplie (figure 11.18a). En vertu du principe d'exclusion, les électrons ne peuvent pas passer à une bande inférieure. Par contre, ils remplissent les niveaux permis jusqu'à un niveau maximum, appelé **énergie de Fermi** E_F, qui possède de 3 à 8 eV de plus que le niveau inférieur de la bande. Les électrons dans cette bande de **conduction** partiellement remplie peuvent réagir à un champ électrique externe parce qu'il y a de nombreux niveaux voisins qui ne sont pas occupés. C'est pourquoi la conductivité électrique d'un métal est bonne. De même, à température ambiante ($kT \approx 0,025$ eV), les électrons proches du niveau de Fermi peuvent être thermiquement excités jusqu'aux niveaux non occupés.

Isolant

Dans un **isolant**, tous les états de la bande occupée la plus élevée sont remplis (figure 11.18b). Cette **bande de valence** complète est séparée de la **bande de conduction** plus élevée et non occupée par une énergie E_s de 5 à 8 eV environ. Ainsi, à température ambiante, les électrons ne peuvent pas être thermiquement excités jusqu'à la bande supérieure. La présence de cette différence d'énergie

Le premier transistor, fabriqué en 1947.

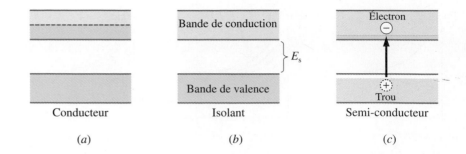

Conducteur	Isolant	Semi-conducteur
(a)	(b)	(c)

Figure 11.18

(a) Dans un conducteur, la bande occupée la plus élevée n'est que partiellement remplie. En absorbant de l'énergie électrique ou thermique, les électrons des couches les plus élevées peuvent faire des transitions vers des niveaux voisins dans la bande. (b) Dans un isolant, la bande occupée la plus élevée est complètement remplie. Il n'y a pas d'états voisins vers lesquels les électrons peuvent faire des transitions. (c) La structure des bandes d'un semi-conducteur est semblable à celle d'un isolant, mais la différence d'énergie entre les bandes est relativement faible. Un électron de la bande inférieure (de valence) peut être thermiquement ou électriquement excité et passser dans la bande supérieure (de conduction) en laissant un « trou » vacant.

signifie également que les électrons ne peuvent pas acquérir d'énergie à partir d'un champ électrique externe parce qu'il n'y a pas de niveaux voisins inoccupés vers lesquels ils pourraient être transférés. Par conséquent, le courant ne peut pas circuler dans un isolant. Si la différence d'énergie entre les bandes est supérieure à 3,2 eV, les photons dans la région visible (1,8 à 3,2 eV) ne seront pas absorbés. Le matériau, du chlorure de sodium par exemple, sera donc transparent à la lumière visible.

Semi-conducteur

La structure des bandes dans un **semi-conducteur** est semblable à celle d'un isolant, mais la différence d'énergie est beaucoup plus petite (figure 11.18c). Elle est de 0,7 eV dans le Ge et de 1,1 eV dans le Si. À température ambiante, quelques électrons peuvent être thermiquement excités et passer de la bande de valence à la bande de conduction. Le nombre d'électrons par unité de volume dans la bande de conduction est de 10^{15} m^{-3} environ, ce qui est très inférieur à la valeur de 10^{28} m^{-3} observée dans un conducteur. Lorsque la température s'élève, le nombre des électrons de conduction augmente et par conséquent la conductivité augmente également.

Lorsqu'un électron fait une transition de la bande de valence à la bande de conduction, il laisse une place vacante que l'on appelle un **trou** (figure 11.18c). Si l'on applique un champ externe, un autre électron de la bande de valence peut venir combler ce trou, laissant à son tour un trou là où il se trouvait. Ce nouveau trou peut être rempli par un troisième électron, et ainsi de suite. Au cours de ce processus, le trou se déplace donc dans le solide. Le courant total traversant le semi-conducteur provient du mouvement des électrons dans la bande de conduction et des trous dans la bande de valence. Un matériau pur dans lequel ces deux processus ont lieu est un **semi-conducteur intrinsèque**.

On peut augmenter la conductivité d'un semi-conducteur en le dopant, c'est-à-dire en lui incorporant des impuretés. Lorsque la conduction est due à des impuretés ajoutées à un semi-conducteur pur, le matériau porte le nom de **semi-conducteur extrinsèque**. Considérons par exemple un cristal de germanium (Ge). Chaque atome fournit quatre électrons de valence pour former des liaisons covalentes avec ses voisins (figure 11.19a). Lorsqu'on ajoute au cristal de Ge une impureté, comme de l'arsenic ou du phosphore, qui ont cinq électrons de valence, quatre de ces électrons forment des liaisons mais le cinquième est faiblement lié à l'ion positif P ou As restant. Les niveaux d'énergie très rapprochés de ces électrons sont à peine inférieurs à la bande de conduction (0,01 eV pour le Ge, 0,05 eV pour le Si), comme le montre la différence de niveau E_d à la figure 11.20. Les électrons de ces niveaux peuvent être facilement excités thermiquement jusqu'à la bande de conduction. Puisque l'atome d'arsenic fournit des électrons, on dit qu'il s'agit d'un **atome donneur**. Le nombre d'atomes

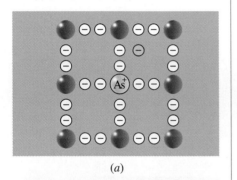

(a)

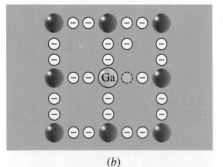

(b)

Figure 11.19

(a) Lorsqu'un élément avec cinq électrons de valence pénètre dans un cristal de Ge ou de Si, l'un de ses électrons n'est que faiblement lié à l'atome d'impureté, qui est un atome donneur. (b) Lorsque l'impureté est un atome trivalent, elle crée un « trou » qui peut accepter des électrons provenant d'autres sites. L'impureté est alors un atome accepteur.

d'impuretés par unité de volume est en général voisin de 10^{21} m^{-3}, de sorte que le nombre d'électrons de conduction par unité de volume augmente d'un facteur voisin de $10^{21}/10^{15} = 10^6$. Bien que les trous contribuent encore à la conduction, les électrons (négatifs) constituent la majorité des porteurs de charge et le matériau est appelé **semi-conducteur de type *n***.

Si l'impureté est du gallium, ses trois électrons de valence forment des liaisons avec les atomes Ge voisins, mais il reste un trou dans une liaison (figure 11.19*b*). Les atomes d'impureté produisent un ensemble de niveaux juste au-dessus de la bande de valence, comme le montre la différence de niveaux E_a à la figure 11.20. Puisque l'impureté trivalente accepte des électrons provenant d'autres sites, on dit qu'il s'agit d'un **atome accepteur** et les niveaux qu'il ajoute sont appelés niveaux accepteurs. Dans ce cas, la majorité des porteurs de charge sont des trous (positifs) et le matériau dopé est un **semi-conducteur de type *p***. Les électrons peuvent être thermiquement excités à partir de la bande de valence jusqu'à ces niveaux, mais, dans ce cas, ils sont porteurs minoritaires.

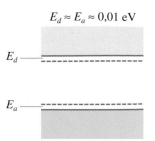

Figure 11.20

Les niveaux d'énergie dus à la contribution des atomes donneurs sont près de la partie inférieure de la bande de conduction, alors que les niveaux dus à la contribution des atomes accepteurs sont juste au-dessus de la bande de valence.

11.8 Les dispositifs semi-conducteurs

Nous allons examiner ici quelques dispositifs semi-conducteurs, comme les diodes, les transistors et les cellules solaires, obtenus par diverses combinaisons de semi-conducteurs de type *n* et de type *p*.

La diode à jonction

Dans une *diode à jonction pn*, un semi-conducteur de type *p* est séparé d'un semi-conducteur de type *n* par une région que l'on appelle jonction, d'épaisseur voisine de 1 μm (figure 11.21*a*). Le nombre de trous ou d'électrons par unité de volume à la jonction est faible et sa résistance électrique est élevée. Pour décrire le fonctionnement de la diode, nous allons uniquement considérer le mouvement des électrons, sachant que le raisonnement est similaire pour les trous.

Le nombre d'électrons de conduction par unité de volume est beaucoup plus élevé dans la région de type *n* que dans la région de type *p*. Les électrons diffusent donc du matériau de type *n* au matériau de type *p*, créant ainsi un *courant de diffusion* I_{diff}. Le courant de diffusion ne permet pas à tous les électrons de s'écouler de la région de type *n* parce qu'il se forme une charge positive de ce côté de la jonction et une charge négative sur le côté adjacent de la région de type *p*. Le champ électrique associé à ces charges crée une barrière d'énergie potentielle qui s'oppose au courant de diffusion. Seuls les électrons dont l'énergie est supérieure à celle de la barrière peuvent passer. Les électrons sont également thermiquement excités dans la région de type *p* et certains d'entre eux se dirigent vers la jonction où ils peuvent subir une chute d'énergie.

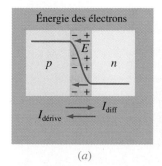
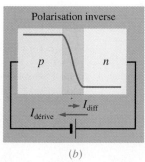
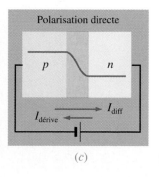

(a) *(b)* *(c)*

▶ **Figure 11.21**

Une diode à jonction *pn*. La diffusion des porteurs majoritaires crée un champ électrique interne dans la jonction. L'énergie potentielle des électrons est indiquée sur la figure. La hauteur de la barrière de potentiel diminue lorsque la diode est en polarisation directe et augmente lorsqu'elle est en polarisation inverse.

Cette chute donne lieu à un très faible *courant de dérive*, I_d, qui ne dépend pas de la hauteur de la barrière de potentiel. Lorsque l'équilibre est établi, le courant de diffusion (dû aux porteurs majoritaires qui traversent la barrière) est compensé par le courant de dérive (dû aux porteurs minoritaires qui sont thermiquement excités).

Examinons maintenant ce qui se produit lorsqu'on applique une différence de potentiel externe aux bornes de la diode. Si la région de type *p* est reliée à la borne négative de la pile et la région de type *n* à la borne positive, le champ électrique externe est de même sens que le champ interne. On dit que la diode est en *polarisation inverse* (figure 11.21*b*). L'énergie des électrons dans la région de type *p* s'élève par rapport à celle des électrons de la région de type *n*, de sorte que la barrière de potentiel devient plus élevée. Le courant de diffusion diminue puisque le nombre d'électrons de la région de type *n* qui sont capables de traverser la barrière diminue. Lorsque la polarisation est fortement négative, seul le faible courant de dérive, produit par les porteurs minoritaires, circule dans le circuit externe. Ce courant dû aux porteurs minoritaires ne dépend pas de la différence de potentiel appliquée, mais seulement du nombre d'électrons de conduction d'origine thermique et de leur débit vers la jonction.

Lorsque la polarité de la pile est telle que la région de type *p* est positive et la région de type *n* négative, le champ électrique externe est de sens opposé au champ interne et la barrière de potentiel est donc plus basse. La diode est alors en *polarisation directe* (figure 11.21*c*). Le courant de dérive ne change pas mais un nombre plus élevé d'électrons de la région de type *n* peut traverser cette barrière moins haute, de sorte que le courant de diffusion augmente. Si le champ externe est suffisant, le champ net sera dirigé de la région de type *p* vers la région de type *n*. Dans ce cas, les électrons sont accélérés au passage de la jonction et un courant intense circule dans le circuit externe.

La figure 11.22 représente la courbe caractéristique du courant en fonction de la tension pour une diode à jonction. On remarque qu'il s'agit d'un dispositif fortement non linéaire : il n'obéit pas à la loi d'Ohm. La diode a une résistance faible en polarisation directe et une résistance élevée en polarisation inverse. Nous allons voir à la section suivante que c'est justement pour cette propriété qu'est utilisée la diode à jonction.

Le transistor à jonction

Dans un *transistor à jonction npn*, deux diodes sont placées dos à dos (figure 11.23). Une région qui est faiblement de type *p*, appelée *base* (B), est prise en sandwich entre l'*émetteur* (E), qui est fortement de type *n*, et le *collecteur* (C),

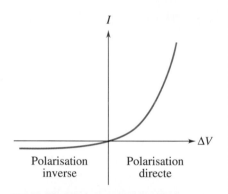

Figure 11.22

La courbe caractéristique du courant en fonction de la tension appliquée aux bornes d'une diode à jonction. Le faible courant qui circule lorsque la diode est en polarisation inverse est créé par le mouvement des porteurs minoritaires thermiquement excités dans la jonction. La partie négative du graphique correspond à une inversion du sens du courant.

Figure 11.23

Un transistor à jonction *npn*. La jonction émetteur-base est en polarisation directe (barrière de potentiel peu élevée), alors que la jonction base-collecteur est en polarisation inverse (barrière de potentiel élevée).

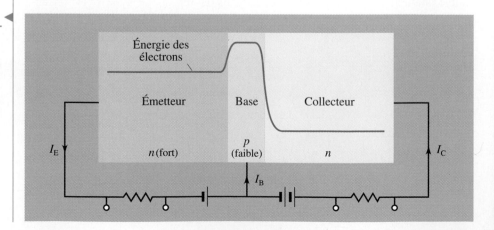

de type *n*. La jonction E-B a une faible polarisation directe (≈ 0,5 V), alors que la jonction B-C a une polarisation inverse de 20 V environ. Ces différences de potentiel appliquées apparaissent surtout aux bornes des jonctions. La jonction E-B a une résistance relativement faible, alors que la jonction B-C a une résistance élevée. La jonction B-C ne laisse passer que le faible courant de dérive (les quelques électrons thermiques de la base de type *p* qui subissent une chute d'énergie). L'épaisseur de la base (≈ 2×10^{-5} m) est inférieure à la distance moyenne que parcourent les électrons minoritaires ou les trous avant de se recombiner. Comme la base n'est que faiblement de type *p*, tout électron qui passe de l'émetteur à la base a de bonnes chances d'atteindre la jonction B-C, où il subira simplement une chute d'énergie. Une fois qu'ils sont du côté du collecteur, les électrons sont rapidement thermalisés et n'ont plus assez d'énergie pour diffuser vers l'arrière et traverser la barrière. Le courant émetteur circule donc presque totalement dans la connexion entre le collecteur et le circuit externe.

Le transistor est aussi employé comme amplificateur. Considérons la courbe de la figure 11.24. Lorsque la diode est en polarisation directe, une petite variation de courant entraîne une petite variation de différence de potentiel aux bornes de la diode.

Par contre, lorsque la diode est en polarisation inverse, une variation similaire de courant correspond à une très grande variation de différence de potentiel. Supposons que l'on applique une différence de potentiel variable en série avec la pile reliée à la jonction E-B. Une petite variation du courant émetteur ΔI_E n'entraîne qu'une petite variation de la différence de potentiel ΔV_{EB} entre l'émetteur et la base, puisque la résistance R_{EB} de la jonction émetteur-base est faible. Si la variation du courant collecteur est égale à la variation du courant émetteur, c'est-à-dire si $\Delta I_C \approx \Delta I_E$, alors la variation ΔV_{BC} de la différence de potentiel aux bornes de la jonction B-C sera grande parce que la résistance R_{BC} est grande. Le même courant circule dans une résistance plus grande mais la différence de potentiel est amplifiée, de même que la puissance. Naturellement, la puissance provient ultimement de la pile reliée à la jonction base-collecteur.

Les dispositifs photovoltaïques

Dans un *dispositif photovoltaïque*, l'énergie lumineuse sert à créer une f.é.m. Les dispositifs photovoltaïques servent de détecteur lumineux et on les utilise dans les *cellules solaires* pour produire la puissance électrique. Un dispositif photovoltaïque est composé d'une épaisse région de type *n* recouverte d'une mince couche de type *p* (figure 11.25). Les photons incidents ayant une énergie suffisante peuvent créer des paires électron-trou. Les trous en excès dans la région de type *n* et les électrons en excès dans la région de type *p* provoquent une forte augmentation du pourcentage de porteurs minoritaires dans les deux régions. Les porteurs minoritaires créés près de la jonction ont de bonnes chances d'atteindre la jonction, où ils subissent simplement une chute d'énergie. Pour renforcer cet effet, l'épaisseur de la région de type *p* (≈ 10^{-5} m) doit être inférieure à la distance moyenne (≈ 0,2 cm) que parcourent les porteurs minoritaires, trous ou électrons, avant de se recombiner. Lorsque le dispositif est éclairé, le courant de dérive dû aux porteurs minoritaires augmente, alors que le courant de diffusion (de sens opposé) dû aux porteurs majoritaires ne change pas.

La figure 11.26 représente la courbe caractéristique du courant en fonction de la tension *I-V* pour un dispositif photovoltaïque. La différence de potentiel ΔV est prise aux bornes de la résistance externe. Dans l'obscurité, on obtient la

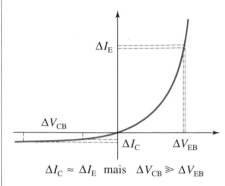

Figure 11.24

Le transistor peut servir d'amplificateur parce que la quasi-totalité du courant émetteur passe par le collecteur. Le courant est « transmis » d'une résistance faible à une résistance élevée. La même variation de courant entraîne donc une variation de différence de potentiel plus importante aux bornes de la jonction base-collecteur.

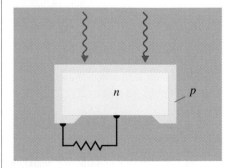

Figure 11.25

Un dispositif photovoltaïque avec un semi-conducteur de type *n* recouvert d'un semi-conducteur de type *p*. Le fonctionnement du dispositif repose sur la formation de paires de trou-électron près de la jonction.

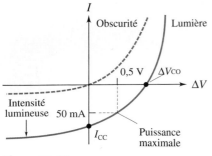

Figure 11.26

La courbe caractéristique I-ΔV d'un dispositif photovoltaïque. Lorsque l'intensité lumineuse augmente, la courbe se déplace vers le bas. I_{CC} est le courant en court-circuit et ΔV_{CO} est la tension en circuit ouvert.

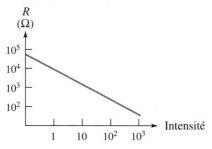

Figure 11.27

La résistance d'un dispositif photovoltaïque en fonction de l'intensité lumineuse.

caractéristique habituelle de la diode à jonction (courbe en pointillés). Lorsque la jonction est éclairée, la courbe se déplace vers le bas (courbe continue). La résistance du dispositif diminue au fur et à mesure que l'intensité lumineuse augmente (figure 11.27). Le courant de court-circuit I_{CC} (mesuré sans résistance externe) augmente avec l'intensité lumineuse. On mesure la différence de potentiel en circuit ouvert ΔV_{CO} pour $I = 0$. En un certain point du coude formé par la courbe, le produit de I par ΔV est maximal. Ce point correspond à la puissance maximale qui peut être obtenue. Les valeurs caractéristiques correspondantes sont de 50 mA pour le courant et de 0,5 V pour la tension, ce qui signifie que la puissance engendrée est alors de 25 mW. Pour une cellule au silicium, le rendement (puissance électrique produite/puisance optique consommée) est voisin de 12 %. Bien que les cellules solaires soient utilisées dans les satellites et les calculatrices électroniques, il faudra que leur rendement s'améliore pour que l'on songe à les utiliser pour l'alimentation en électricité des habitations.

La diode électroluminescente

Dans une diode électroluminescente (LED pour *Light-Emitting Diode*), les régions de type *n* et de type *p* sont toutes deux fortement dopées. À cause de la forte polarisation directe appliquée, le champ externe est supérieur au champ interne. Les électrons du côté *n* se dirigent vers le côté *p* et se recombinent avec des trous, produisant par le fait même des photons. La diode électroluminescente émet donc de la lumière lorsqu'elle est traversée par un courant. Certains semi-conducteurs, par exemple au GaAs, émettent une lumière dans la région visible du spectre. En rendant parallèles les faces opposées du dispositif (par clivage le long des plans atomiques), il est possible d'obtenir un effet laser.

Sujet connexe

La supraconductivité

LES PROPRIÉTÉS DES SUPRACONDUCTEURS

Résistance électrique nulle

La résistance électrique d'un métal est due aux interactions des électrons de conduction avec des impuretés, des défauts et avec les ions en vibration du réseau cristallin (*cf.* chapitre 6, tome 2). Lorsqu'on baisse la température, les amplitudes des vibrations du réseau diminuent et l'on peut donc s'attendre à ce que la résistivité diminue elle aussi progressivement vers une valeur, petite mais finie, déterminée par les impuretés et les défauts. De nombreux matériaux manifestent ce comportement. Mais en 1911, H. Kamerlingh Onnes s'aperçut que, lorsqu'on baisse la température d'un échantillon de mercure, sa résistance

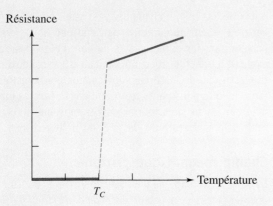

Figure 11.28

La résistivité d'un supraconducteur devient nulle à la température critique T_c.

chute subitement jusqu'à une valeur extrêmement faible à 4,15 K (figure 11.28). Cette brusque diminution de la résistance correspond à une transition du métal vers un nouvel état *supraconducteur*. La résistivité d'un supraconducteur étant au moins 10^{12} fois plus petite que celle d'un conducteur ordinaire, on peut la considérer égale à zéro. On a observé que, dans un supraconducteur, un courant électrique induit peut circuler durant plusieurs années en l'absence de différence de potentiel appliquée, à condition que la température soit maintenue sous la *température critique T_c*.

Plus de deux douzaines d'éléments et des milliers d'alliages et de composés peuvent devenir supraconducteurs. Les semi-conducteurs, comme le Ge et le Si, ne deviennent supraconducteurs que s'ils sont soumis à une pression très élevée. Il convient de noter que certains éléments qui sont parmi les meilleurs conducteurs, comme l'Ag, l'Au et le Cu, ne deviennent pas supraconducteurs. De même, les éléments qui ont des propriétés magnétiques, comme le Fe et le Co, ne sont pas supraconducteurs. L'élément qui a la température critique la plus élevée est le niobium, avec 9,26 K. Jusqu'en 1986, la plus haute température critique observée était celle du Nb_3Ge à 23,3 K.

Les supraconducteurs sont utilisés comme électro-aimants mais ont aussi d'autres applications. Les pertes résistives dans les lignes de transport de l'électricité représentent à peu près 10 % de la puissance fournie. En utilisant des lignes supraconductrices, on pourrait éliminer ces pertes par effet Joule. Les courants persistants autour d'un trou dans un supraconducteur peuvent servir de dispositif à mémoire. Et puisque la transition vers un état supraconducteur peut avoir lieu dans un intervalle de température très petit (10^{-3} K pour le Sn), un supraconducteur peut

servir de détecteur de rayonnement. Un tel dispositif, appelé bolomètre, peut avoir une sensibilité de 10^{-12} W.

L'effet Meissner-Ochsenfeld

Considérons un conducteur *parfait* placé dans un champ magnétique (figure 11.29a). Lorsqu'on supprime le champ externe, des courants induits s'établissent qui préservent la valeur initiale du flux traversant le spécimen (figure 11.29b). Autrement dit, dans un conducteur parfait, le flux est piégé, ou « gelé ». En 1993, W. Meissner et R. Ochsenfeld placèrent un échantillon de plomb dans un champ magnétique faible (figure 11.30a), puis ils commencèrent à le refroidir. Ils observèrent l'exclusion du flux magnétique hors du matériau alors que celui-ci devenait supraconducteur (figure 11.30b). (L'exclusion du flux se produit dans le cas d'une sphère ou d'un long cylindre étroit, mais pas dans le cas d'une plaque.) Cette exclusion du flux magnétique hors d'un supraconducteur porte le nom d'*effet Meissner-Ochsenfeld*. On voit donc qu'un supraconducteur n'est pas seulement caractérisé par une conductivité parfaite ; il est aussi parfaitement diamagnétique (*cf.* chapitre 11, tome 2). On peut mettre en évidence l'effet Meissner-Ochsenfeld en observant la lévitation d'un petit aimant placé sur un échantillon de

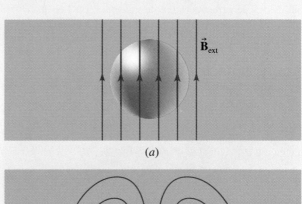

(a)

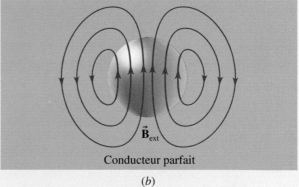

Conducteur parfait

(b)

Figure 11.29

(*a*) Un conducteur parfait dans un champ magnétique. (*b*) Lorsqu'on supprime le champ externe, les lignes de champ sont piégées ou « gelées » à l'intérieur du conducteur parfait.

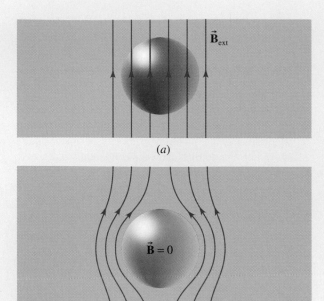

(a)

(b)

Figure 11.30

(a) Un champ magnétique appliqué à un supraconducteur au-dessus de sa température de transition. *(b)* Lorsqu'on refroidit le matériau à une température inférieure à T_c, le flux magnétique est exclu hors du matériau supraconducteur.

Figure 11.31

L'exclusion du flux magnétique hors d'un matériau supraconducteur fait léviter le petit aimant au-dessus du supraconducteur à « haute » température.

matériau : lorsque la température de l'échantillon devient inférieure à la température critique, on voit le petit aimant se soulever au-dessus de l'échantillon (figure 11.31).

On se sert de l'exclusion du flux et des courants persistants pour fabriquer des solénoïdes supraconducteurs. Le rendement d'un électro-aimant ordinaire est pratiquement nul ; une fois que le champ magnétique s'est établi, toute l'énergie électrique fournie est dissipée sous forme de chaleur dans les enroulements. Si l'on répète la procédure exposée ci-dessus avec un anneau supraconducteur, le flux est exclu du matériau supraconducteur, mais les courants induits persistants maintiennent le flux à l'intérieur du trou. On ne doit fournir de l'énergie que pour maintenir la température en dessous du point critique.

Champ magnétique critique

Lorsque le champ magnétique appliqué à un supraconducteur dépasse la valeur du *champ critique*, B_c, le flux pénètre dans le matériau. La figure 11.32 donne la courbe représentative du champ critique en fonction de la température. En dessous du champ critique, un supraconducteur de *première espèce* se divise en deux zones : normale et supraconductrice. Lorsque la température s'élève, les zones supraconductrices se rapetissent et finissent par disparaître en T_c. De même, lorsqu'on augmente le champ, les zones supraconductrices disparaissent au champ critique, qui vaut en général 0,04 T à 0 K. À 0 K, l'énergie magnétique nécessaire pour détruire l'état supraconducteur est à peu près de 10^{-7} eV/atome, alors que, pour un champ nul, l'énergie thermique nécessaire est à peu près de 5×10^{-4} eV/atome.

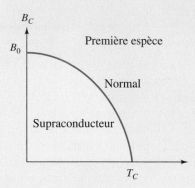

Figure 11.32

La variation du champ critique (pour lequel la supraconductivité disparaît) en fonction de la température. La courbe correspond à un supraconducteur de première espèce.

En 1962, on découvrit l'existence d'une autre catégorie de supraconducteurs, appelés supraconducteurs de *deuxième espèce*. Ces matériaux sont caractérisés par deux champs critiques (figure 11.33). Au-dessus du premier champ critique, B_{c1}, le flux pénètre dans le supraconducteur sous forme de minces filaments appelés *fluxoïdes* ou *vortex* (figure 11.34). Le *cœur* de chaque filament a une

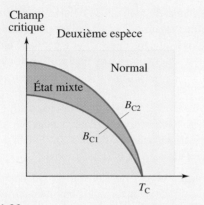

Figure 11.33

Un supraconducteur de deuxième espèce a deux champs critiques. Lorsque le champ est compris entre les valeurs B_{c1} et B_{c2}, le matériau est dans un état mixte.

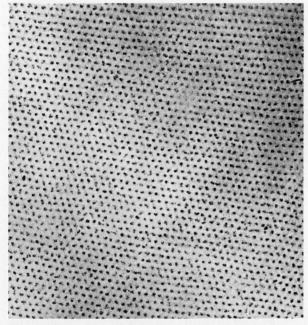

Figure 11.34

Un supraconducteur de deuxième espèce à l'état mixte. Le flux pénètre sous forme de minces filaments (non supraconducteurs) mais la résistivité de l'échantillon reste nulle. Les filaments sont mis en évidence par la limaille de fer qui s'accumule à leurs extrémités.

conductivité *normale* : le flux traversant chaque filament est maintenu par des courants persistants circulant sur la circonférence. Chaque filament est traversé par un *quantum de flux* :

$$\phi_0 = \frac{h}{2e} = 2,07 \times 10^{-15} \text{ Wb}$$

Lorsque le champ externe varie, le nombre de fluxoïdes varie également. On dit alors que le matériau est dans un *état mixte* (sa résistivité est encore nulle). Lorsque le champ atteint la deuxième valeur critique B_{c2}, le flux pénètre complètement dans le matériau et l'échantillon retourne à l'état normal. Pour le Nb_3Sn ($T_c = 18,1$ K), on a $B_{c1} = 0,02$ T et $B_{c2} = 22$ T.

La supraconductivité disparaît également lorsque la densité de courant dépasse une valeur critique. Seuls les matériaux de première espèce conviennent à la fabrication de solénoïdes supraconducteurs. On a pu atteindre des densités de courant de 10^6 A/m² avec des matériaux de deuxième espèce comme le NbTi ou le Nb_3Sn, qui sont utilisés pour fabriquer les aimants supraconducteurs dans les accélérateurs, les réacteurs à fusion, les appareils de visualisation médicale et la lévitation magnétique.

Propriétés à haute fréquence

Bien que la résistance d'un supraconducteur soit nulle, sa résistance c.a. augmente avec la fréquence. Elle atteint sa valeur normale à 5×10^{11} Hz environ, dans la zone des micro-ondes, ou hyperfréquences. Dans la zone visible (autour de 10^{15} Hz), les propriétés électromagnétiques du supraconducteur sont les mêmes qu'à l'état normal. Par exemple, le matériau ne change pas d'aspect lorsqu'il passe à l'état supraconducteur. Par ailleurs, l'absorption des rayonnements augmente de façon marquée dans la zone des micro-ondes, ou hyperfréquences. Un tel comportement fait penser à la différence d'énergie entre les bandes des isolants et des semi-conducteurs. Rappelons que des photons ne peuvent être absorbés que si leur énergie est supérieure à la différence d'énergie entre les bandes.

LA THÉORIE BCS DE LA SUPRACONDUCTIVITÉ

Alors qu'il existe plusieurs théories décrivant les propriétés électromagnétiques et thermodynamiques des supraconducteurs au niveau macroscopique, l'élaboration d'une théorie microscopique de la supraconductivité fut plus longue à venir. Un indice important pour cette théorie a été fourni par l'*effet isotope*. Lorsqu'on examine des isotopes différents d'un élément supraconducteur, on constate que la température critique varie selon $T_c \propto 1/M^{1/2}$, M étant la masse atomique. Remarquons qu'il s'agit d'une variation du même type que celle de la fréquence des oscillations d'un bloc à l'extrémité d'un ressort en fonction de la masse (équation 1.10). Cet effet isotope apportait donc la preuve que la supraconductivité a quelque chose à voir avec les vibrations des réseaux.

En 1950, H. Frohlich proposa un mécanisme de « couplage » entre les électrons de conduction et les ions positifs du réseau. À très basse température, les vibrations des ions ont une amplitude considérablement réduite par rapport aux amplitudes à température ambiante. Lorsqu'un électron passe entre les ions positifs, il les attire et provoque une déformation du réseau qui se propage sous forme d'une onde sonore. Un autre électron situé un peu plus loin est attiré par la densité accrue de charge positive au passage de l'onde. En réalité, les deux électrons agissent l'un sur l'autre par l'intermédiaire des ondes sonores. Frohlich suggéra que si les électrons sont suffisamment éloignés, l'attraction qu'ils exercent l'un sur l'autre peut devenir supérieure à leur répulsion coulombienne, qui est fortement masquée par la présence des autres électrons.

L. Cooper montra en 1956 que deux électrons de conduction à proximité du niveau de Fermi peuvent former un état lié, même si leur interaction n'est qu'une très faible attraction. C'est à partir de l'idée de Cooper que fut élaborée la première théorie microscopique de la supraconductivité en 1957 par J. Bardeen, L. Cooper et J. Schriefer (figure 11.35). Ils montrèrent qu'à 0 K, en l'absence de champ externe et de courant circulant dans le matériau, tous les électrons forment des *paires de Cooper*, constituées de deux électrons ayant des quantités de mouvement et des spins opposés. Autrement, en l'absence de ces conditions, certains électrons ne sont pas couplés. Dans une paire de Cooper, la distance entre les électrons est de 10^{-6} m, ce qui est près de 200 fois plus grande que la distance interatomique. Cela signifie que la fonction d'onde correspondant à chaque paire de Cooper s'étend sur un grand nombre de paires.

Figure 11.35

J. Bardeen (à gauche), L. Cooper, et J. Schriefer (à droite) reçurent le prix Nobel 1972 pour leur théorie de la supraconductivité. Bardeen avait reçu le prix Nobel en 1956 pour ses travaux sur le transistor.

Dans un conducteur normal, les électrons de conduction occupent tous les états jusqu'au niveau de Fermi. Lorsque deux électrons forment une paire de Cooper, l'énergie des électrons est inférieure d'une quantité égale à l'énergie de liaison, qui est voisine de 10^{-3} eV. Comme les électrons sont soit liés dans une paire, soit libres, il existe un intervalle d'énergies qui leur sont interdites. Il en résulte une *différence d'énergie* entre deux bandes près du niveau de Fermi. Cette différence est fonction de la température : à 0 K, elle vaut $E_d = 3{,}5kT_c$ et s'annule à T_c.

Lorsqu'un courant circule dans un conducteur normal, toute quantité de mouvement non nulle des électrons libres est transmise au réseau par le biais des collisions entre ions et électrons. Autrement dit, l'énergie fournie par le champ électrique est perdue dans les vibrations thermiques du réseau. La résistivité électrique d'un supraconducteur est nulle parce qu'une paire de Cooper ne cède pas d'énergie au réseau. Cela résulte du fait que l'énergie transmise par collisions avec les ions du réseau n'est pas suffisante pour rompre les paires ; l'apport d'énergie doit être de beaucoup supérieur à la différence entre les bandes. On peut obtenir l'énergie nécessaire pour séparer les paires en augmentant le courant électrique ou la température.

On peut faire une analogie entre les électrons libres circulant dans un conducteur normal et des jeunes en train de danser sur une musique rock dans une salle comble. Comme ils se déplacent de façon aléatoire, les collisions sont nombreuses. Par contre, lorsqu'un courant circule dans un supraconducteur, toutes les paires de Cooper ont la même quantité de mouvement nette : les paires d'électrons se déplacent comme des danseurs suivant une chorégraphie bien réglée et n'entrent pas en collision.

Nous avons vu plus haut que la fonction d'onde d'une paire de Cooper s'étend sur une distance considérable. Imaginons un trajet fermé dans un anneau supraconducteur. Pour que la fonction d'onde ait une valeur unique, sa phase ne peut varier que de $2\pi n$, n étant un nombre entier. On peut donc montrer que, lorsqu'un anneau supraconducteur est placé dans un champ magnétique, le flux traversant la boucle doit être égal à un multiple entier du quantum de flux mentionné plus haut, c'est-à-dire que $\phi = n\phi_0 = nh/2e$.

LES JONCTIONS DE JOSEPHSON

Considérons deux supraconducteurs séparés par une mince couche d'isolant (1 nm). B. D. Josephson a suggéré en 1962 que les paires de Cooper peuvent traverser cette couche d'isolant par effet tunnel. Puisque chaque paire porte une charge $-2e$, l'effet tunnel crée un *supracourant* en l'absence de différence de potentiel appliquée. Ce phénomène est l'*effet c.c. de Josephson*. Le supracourant circule de manière à rendre égales les densités des paires de Cooper et leurs quantités de mouvement de chaque côté de la couche isolante. Dès que le supracourant dépasse une certaine valeur critique, une différence de potentiel apparaît aux bornes de la jonction. Si l'on applique un champ magnétique perpendiculairement au supracourant, la valeur de ce dernier s'annule chaque fois que le flux traversant la jonction est égal à un multiple entier du quantum de flux, c'est-à-dire pour $n\phi_0$ (figure 11.36).

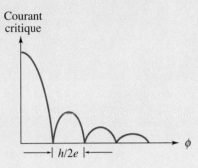

Figure 11.36

Le courant critique circulant dans une jonction de Josephson est une fonction périodique du flux traversant la jonction.

Josephson avait également prédit qu'une différence de potentiel c.c., V, appliquée aux bornes de la jonction produirait un supracourant c.a. de fréquence $f = 2eV/h$. On remarque que $2e/h = 483,6$ MHz/µV. On utilise cet *effet c.a. de Josephson* pour mesurer avec précision les différences de potentiel.

La figure 11.37 représente deux jonctions de Josephson reliées en parallèle. Le supracourant se sépare en deux à la jonction A et le courant à la jonction B est déterminé par l'interférence entre les fonctions d'onde des paires venant des deux branches. Comme le déphasage dépend

Figure 11.37

Un squid est un dispositif supraconducteur à interférence. Les fonctions d'onde des paires de Cooper qui circulent dans les deux branches du dispositif sont déphasées lorsque les courants se rejoignent au point B. Le déphasage dépend du champ magnétique externe.

à la fois de la différence de marche et du flux magnétique à travers la boucle, le courant circulant dans la boucle varie périodiquement avec le champ externe. Un tel dispositif porte le nom de *squid* (*Superconducting Quantum Interference Device* : dispositif supraconducteur à interférence); on peut l'utiliser pour détecter des champs magnétiques extrêmement faibles, comme ceux créés par l'activité cérébrale (figure 11.38).

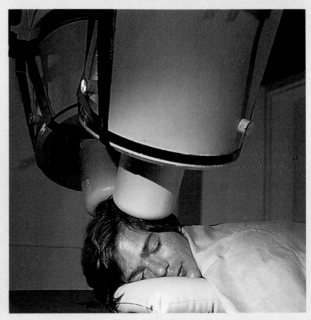

Figure 11.38

Les squids servent à détecter des champs magnétiques très faibles. Ici, on s'en sert pour étudier les champs produits par le cerveau humain.

LES SUPRACONDUCTEURS À HAUTE TEMPÉRATURE

Avant les années 80, les recherches sur la supraconductivité faisaient intervenir pour la plupart des alliages métalliques et quelques composés organiques. En 1983, K. A. Muller et J. G. Bednorz décidèrent d'essayer les oxydes métalliques, ou céramiques. En décembre 1985, ils trouvèrent qu'un composé de Ba-La-Cu-O devenait supraconducteur à 35 K, soit au moins 12 K de plus que la valeur établie en 1973. Leur résultat fut confirmé par P. Chu, qui remplaça ensuite le La par l'yttrium, Y. En février 1987, il s'aperçut que la température de transition du composé $YBa_2Cu_3O_{7-x}$ était supérieure à 90 K ! Non seulement s'agissait-il d'une augmentation considérable de la température critique T_c, mais elle était en plus supérieure à la température de l'azote liquide (77 K). Avant cette découverte, il fallait refroidir à l'hélium liquide, ce qui était onéreux, alors que l'azote liquide est plus simple à utiliser et ne revient pas plus cher que le lait ou la bière. On s'aperçut bientôt que l'yttrium pouvait être remplacé par certains éléments de transition ou des terres rares. En janvier 1988, Paul Grant découvrit une résistivité nulle dans le composé à cinq éléments Tl-Ca-Ba-Cu-O à 125 K.

Il est possible que la découverte de ces nouveaux supraconducteurs à haute température soit aussi révolutionnaire que celle du transistor. Mais ces céramiques sont trop fragiles pour qu'on puisse en faire des fils de transmission ou des électro-aimants; par contre, elles peuvent être déposées en couches minces pour la fabrication d'éléments de petites dimensions, comme les composants électroniques. Leurs densités critiques de courant n'atteignent que 1% de celles des matériaux de deuxième espèce, bien que l'on ait enregistré 10^5 A/cm² dans certaines directions du cristal dans une pellicule mince. Le champ critique a une valeur caractéristique de 0,01 T. Ces céramiques semblent très prometteuses, mais un énorme travail de recherche et de développement reste à faire avant de pouvoir envisager leur application commerciale. Il n'existe pas encore de théorie permettant d'expliquer la supraconductivité à haute température.

Ce fil de matériau supraconducteur à haute température a été produit en mai 1990 par le Argonne National Laboratory. Sa densité maximale de courant est de 100 A/cm².

Résumé

Lorsqu'on applique l'équation d'onde de Schrödinger à l'atome d'hydrogène, les calculs permettent d'obtenir trois nombres quantiques. Premièrement, les niveaux d'énergie sont déterminés par le nombre quantique principal n tel que :

$$E_n = -\frac{mk^2e^4}{2\hbar^2n^2}; \qquad n = 1, 2, 3, \dots$$

Deuxièmement, le module du moment cinétique $\vec{L}$ est donné par le nombre quantique orbital ℓ tel que :

$$L = \sqrt{\ell(\ell + 1)}\hbar; \qquad \ell = 0, 1, 2, \dots, (n - 1)$$

Troisièmement, la composante de $\vec{L}$ sur l'axe des z est donnée par le nombre quantique magnétique orbital tel que :

$$m_\ell = 0, \pm1, \pm2, \dots, \pm\ell$$

L'électron a un moment cinétique $\vec{S}$ appelé spin dont la valeur est déterminée par le nombre quantique du spin, $s = \frac{1}{2}$: $S = \frac{\sqrt{3}}{2}\hbar$. La composante en z de S peut prendre uniquement les valeurs

$$S_z = m_s\hbar$$

où $m_s = \pm\frac{1}{2}$ est le nombre quantique magnétique du spin.

Par définition, la densité de probabilité radiale $P(r)$ est telle que $P(r)dr$ est la probabilité de trouver un électron dans une mince coquille sphérique comprise entre r et $r + dr$. Elle est liée à la densité de probabilité ψ^2 par la relation $P(r) = 4\pi r^2 \psi^2$.

Selon le principe d'exclusion de Pauli, *deux électrons d'un même atome ne peuvent avoir les quatre mêmes nombres quantiques*. Le tableau périodique peut être construit de façon systématique à l'aide de ce principe. La configuration des électrons dans l'atome permet d'expliquer les propriétés chimiques d'un élément.

Lorsque des atomes sont regroupés pour former un solide, les niveaux d'énergie s'étalent selon des bandes d'énergie. Dans un isolant, la bande occupée la plus élevée (appelée bande de valence) est complètement remplie et elle est séparée de la bande suivante (bande de conduction) par une importante différence d'énergie. Dans un semi-conducteur, la différence d'énergie entre la bande de valence et la bande de conduction est faible par rapport à celle d'un isolant. Les électrons peuvent être excités thermiquement et passer de la bande de valence à la bande de conduction. Dans un métal, la bande la plus élevée n'est que partiellement remplie ; il y a donc de nombreux états disponibles pour les électrons.

On peut fortement modifier la conductivité d'un semi-conducteur comme le Si ou le Ge avec quatre électrons de valence en le dopant avec des impuretés. Lorsqu'on le dope avec des atomes donneurs qui ont cinq électrons de valence, on obtient un semi-conducteur de type *n*. Lorsqu'on le dope avec des atomes accepteurs, qui ont trois électrons de valence, on obtient un semi-conducteur de type *p*. En combinant ces deux types de semi-conducteurs, on obtient des diodes et des transistors.

Termes importants

atome accepteur	nombre quantique magnétique orbital
atome donneur	nombre quantique orbital
bande de conduction	nombre quantique principal
bandes d'énergie	principe d'exclusion de Pauli
bande de valence	semi-conducteur
conducteur	semi-conducteur de type *n*
conduction	semi-conducteur de type *p*
couche	semi-conducteur extrinsèque
densité de probabilité radiale	semi-conducteur intrinsèque
énergie de Fermi	sous-couche
isolant	théorie des bandes solides
nombre quantique magnétique du spin	trou

R1. Associez chacun des nombres quantiques n, ℓ, m_ℓ et m_s à la grandeur physique qu'il décrit.

R2. Nommez les couches associées aux 5 premières valeurs du nombre quantique n.

R3. Nommez les sous-couches associées aux 5 premières valeurs du nombre quantique ℓ.

R4. Expliquez le lien entre le tableau périodique et le remplissage des couches et sous-couches.

R5. Dites dans quel ordre les sous-couches d'un atome possédant 22 électrons se remplissent.

R6. Expliquez pourquoi la sous-couche $5s$ doit être remplie avant la sous-couche $4d$.

R7. Expliquez la grande stabilité chimique des gaz rares.

R8. Expliquez la grande réactivité chimique des éléments alcalins.

uestions

Q1. Pourquoi la solution de l'équation de Schrödinger pour l'atome d'hydrogène fait-elle intervenir *trois* nombres quantiques ?

Q2. Pouvez-vous citer certaines conséquences qui découleraient de l'invalidité du principe d'exclusion ?

Q3. Donnez des exemples illustrant la relation entre la configuration électronique d'un atome et ses propriétés chimiques.

Q4. Pourquoi utilise-t-on un champ magnétique non uniforme dans l'expérience de Stern-Gerlach ?

Q5. Pourquoi l'existence d'un seuil de longueur d'onde dans le spectre des rayons X confirme-t-elle la validité du concept de photon ?

Q6. D'après le résultat de l'expérience de Stern-Gerlach, peut-on déterminer si le moment cinétique d'un atome provient des contributions orbitales ou du spin ?

Q7. Le modèle de Bohr est totalement inadéquat pour des électrons dans les états d'énergie les plus élevés d'un atome complexe. Pourquoi permet-il de prédire relativement bien les longueurs d'onde des raies K_α ?

Q8. Les raies spectrales émises par un gaz dans un tube à décharge s'élargissent lorsqu'on augmente la pression du gaz. Suggérez une raison expliquant ce phénomène.

Q9. On observe un décalage systématique des raies caractéristiques des rayons X en fonction du numéro atomique. Le spectre visible des éléments donne-t-il un décalage similaire ? Si oui, expliquez ses caractéristiques.

Q10. La résistivité d'un métal augmente avec la température, contrairement à la résistivité d'un semi-conducteur intrinsèque, qui décroît. Expliquez cette différence.

Q11. Les atomes d'hydrogène peuvent-ils produire des rayons X ? Et les ions d'hélium ? Justifiez vos réponses.

Q12. Quels aspects du modèle de Bohr retrouve-t-on dans la solution de l'équation de Schrödinger de l'atome d'hydrogène ? Quels aspects ne retrouve-t-on pas ?

Q13. Comment peut-on déterminer si un atome donné a ou n'a pas de moment cinétique net ?

Q14. Pourquoi les terres rares ont-elles des propriétés chimiques semblables ? Comment peut-on déceler la présence d'une terre rare dans un échantillon ?

Q15. Quel rôle joue le principe d'exclusion de Pauli dans la conduction électrique des métaux ?

Q16. Existe-t-il une différence entre un électron « libre » et un électron « de conduction » ? Si oui, quelle est-elle ?

Q17. Pourquoi les niveaux d'énergie les plus bas dans un solide sont-ils moins larges que les niveaux élevés ?

Q18. Qu'est-ce qu'un « trou » ? Comment contribue-t-il à la conduction électrique dans un semi-conducteur ?

Q19. L'étude de l'absorption d'un rayonnement par un semi-conducteur peut-elle permettre de déterminer la différence d'énergie entre les bandes ? Si oui, comment ?

Q20. Qu'est-ce qu'un photoconducteur ? Expliquez son principe de fonctionnement.

Nombres quantiques de l'atome d'hydrogène, spin

E1. (I) Quel est le moment cinétique orbital d'un électron dans (a) l'état $3p$; (b) l'état $4f$?

E2. (I) Le moment cinétique orbital d'un électron est de $3{,}65 \times 10^{-34}$ J·s. Quel est son nombre quantique orbital ?

E3. (I) Dressez un tableau de tous les états correspondant à la sous-couche $4d$.

E4. (I) Quelles sont les valeurs possibles de L_z pour un électron dans une sous-couche p ?

E5. (I) L'électron dans un atome d'hydrogène est dans l'état $n = 2$. Quelles sont les valeurs possibles de (a) L_z ; (b) l'angle θ entre $\vec{L}$ et L_z ?

E6. (I) Énumérez toutes les valeurs possibles de m_ℓ pour l'état $n = 3$.

E7. (I) Dans un état donné, la valeur maximale possible du nombre quantique magnétique est $m_\ell = 4$. Que pouvez-vous dire de la valeur de (a) ℓ ; (b) n ?

E8. (II) (a) Énumérez les valeurs possibles des nombres quantiques ℓ et m_ℓ pour l'électron de He^+ dans l'état $n = 3$. (b) Quelle est l'énergie de l'électron ?

E9. (I) (a) Quelle est l'énergie de l'électron de Li^{++} dans l'état $n = 2$? (b) Quelles sont les valeurs possibles des nombres quantiques ℓ et m_ℓ ?

E10. (I) Un électron est dans un état pour lequel $\ell = 4$. Quelle est la valeur minimale possible de l'angle entre le vecteur $\vec{L}$ et L_z ?

E11. (I) Un électron a un moment cinétique orbital égal à $2{,}583 \times 10^{-34}$ J·s. Quelle est la valeur maximale possible de la composante en z, L_z, de son moment cinétique orbital ?

E12. (II) Comptez le nombre d'états possibles pour chaque valeur de n entre $n = 1$ et $n = 5$. Pouvez-vous trouver une relation simple entre le nombre d'états et n ?

E13. (II) Est-il possible de déterminer L et L_z avec exactitude mais pas L_x ni L_y ? Montrez que les composantes en x et en y vérifient la condition

$$\sqrt{L_x^2 + L_y^2} = \left(\sqrt{\ell(\ell + 1) - m_\ell^2} \right) \hbar$$

E14. (II) Une des versions du principe d'incertitude de Heisenberg établit une relation entre la composante en z du moment cinétique et la position angulaire ϕ de $\vec{L}$ dans le plan xy : $\Delta L_z \Delta \phi \approx \hbar$. (a) Si L_z est parfaitement connu, que peut-on en déduire pour $\Delta \phi$? (b) Quelle implication a votre réponse à la question (a) en ce qui concerne les composantes L_x et L_y ?

Fonctions d'onde de l'atome d'hydrogène

E15. (I) L'électron d'un atome d'hydrogène est dans l'état fondamental ψ_{1s}. Calculez la densité de probabilité radiale $P_{1s}(r_0)$, r_0 étant le rayon de Bohr.

E16. (I) Pour le premier état excité de l'atome d'hydrogène, calculez la densité de probabilité radiale $P_{2s}(r_0)$, r_0 étant le rayon de Bohr.

E17. (I) L'électron d'un atome d'hydrogène est dans l'état fondamental ψ_{1s}. Calculez la densité de probabilité radiale $P_{1s}(r)$ en (a) $r_0/2$; (b) $2r_0$, r_0 étant le rayon de Bohr.

E18. (I) Si l'électron dans l'atome d'hydrogène est dans l'état $2s$, quelle est la densité de probabilité radiale $P_{2s}(r)$ en (a) $r_0/2$; (b) r_0 ; (c) $2r_0$, r_0 étant le rayon de Bohr.

E19. (II) Démontrez que la fonction d'onde ψ_{1s} de l'état fondamental est normalisée, c'est-à-dire que

$$\int_0^\infty \psi^2 \, dV = 1$$

On rappelle que le volume d'une mince coquille sphérique de rayon r et d'épaisseur dr est $dV = 4\pi r^2 dr$. (Vous devez faire une intégration par parties).

E20. (II) Montrez que la probabilité de trouver un électron dans l'état $1s$ à l'intérieur d'une sphère de rayon r_0 centrée sur le noyau $(1 - 5e^{-2}) \approx 0{,}32$.

Rayons X et loi de Moseley

E21. (I) Lorsque des électrons bombardent une cible métallique, la plus courte longueur d'onde des rayons X émis est de 0,05 nm. Quelle est la différence de potentiel accélératrice ?

E22. (I) Des électrons accélérés par une différence de potentiel de 25 kV frappent une cible en métal. Quelle est la longueur d'onde minimale des rayons X émis ?

E23. (I) À l'aide de la figure 11.9, trouvez la constante a figurant dans la loi de Moseley (équation 11.11).

E24. (I) Montrez que la longueur d'onde minimale des rayons X émis lorsque des électrons accélérés par une différence de potentiel frappent une cible est donnée par

$$\lambda_0 = \frac{1240 \text{ nm}}{\Delta V}$$

où ΔV est en volts.

E25. (I) Pour le molybdène, la longueur d'onde de la raie K_α est de 0,71 nm et celle de la raie K_β est de 0,63 nm. Utilisez ces données pour trouver la longueur d'onde de la raie L_α.

E26. (I) La longueur d'onde de la raie K_α du molybdène ($Z = 42$) est de 0,71 nm. Utilisez cette donnée pour prédire la longueur d'onde de la raie K_α (a) de l'argent ($Z = 47$); (b) du fer ($Z = 26$).

E27. (I) L'énergie de l'état $n = 2$ pour le molybdène est $E_2 = -2780$ eV. Sachant que les longueurs d'onde des raies K_α et K_β sont respectivement de 0,71 nm et 0,63 nm, déterminez les énergies E_1 et E_3.

11.5 Principe d'exclusion de Pauli et tableau périodique

E28. (I) La configuration électronique d'un atome est $[Ar]3d^3 4s^2$, $[Ar]$ représentant la configuration de l'atome d'argon. Identifiez l'élément en question.

E29. (I) Énumérez les nombres quantiques d'un atome d'oxygène dans l'état fondamental.

E30. (II) En supposant que l'électron n'a pas de nombre quantique du spin mais que le principe d'exclusion de Pauli reste valable, construisez le tableau périodique pour les 15 premiers éléments. Quels éléments classez-vous dans la catégorie des gaz rares?

11.6 Moments magnétiques

E31. (I) Dans l'atome d'hydrogène, l'électron a un nombre quantique orbital $\ell = 3$. Quel est le moment magnétique orbital?

E32. (I) L'atome d'argent a un moment cinétique orbital nul. (a) En présence d'un champ magnétique uniforme de 0,4 T parallèle à l'axe des z, quelles sont les énergies correspondant aux deux orientations possibles du spin? (b) Quelle est la fréquence du photon qui permettrait une transition d'un niveau à un autre?

E33. (I) Le sodium, qui a un seul électron dans l'état $3s$, émet un doublet de raies à 589,0 nm et 589,6 nm lors d'une transition vers l'état fondamental (qui est constitué d'un seul niveau). (a) Quelle est la différence d'énergie entre les états excités? (b) Quel est le champ magnétique résultant agissant sur l'électron?

E34. (II) Un faisceau d'atomes neutres d'argent se propageant horizontalement à 400 m/s passe dans un champ vertical non uniforme tel que $dB/dz = 120$ T/m. La masse d'un atome est de $1,8 \times 10^{-25}$ kg. (a) Quelle est l'accélération d'un atome? (b) Si le champ s'étend sur 20 cm dans la direction horizontale, quelle est l'amplitude de déviation du faisceau à sa sortie du champ?

Problèmes

P1. (I) Montrez que la valeur la plus probable de r pour un électron dans l'état $2s$ de l'hydrogène est $r \approx 5,2 r_0$.

P2. (I) La portion radiale de la fonction d'onde pour l'état $2p$ dans l'hydrogène est

$$\psi_{2p}(r) = Cre^{-r/2r_0}$$

où C est une constante. Montrez que la valeur la plus probable de r est $4r_0$.

P3. (I) Montrez que la probabilité que l'électron de l'état $1s$ dans l'hydrogène se trouve à l'intérieur d'une sphère de rayon $2r_0$ est égale à $(1 - 13e^{-4})$ $\approx 0,76$.

P4. (I) En mécanique quantique, la valeur moyenne de la coordonnée radiale est donnée par

$$r_{\text{moy}} = \int_0^\infty r\psi^2 \, dV$$

Montrez que la valeur moyenne pour l'état $1s$ dans l'hydrogène est égale à $1,5 r_0$. On rappelle que le volume d'une mince coquille sphérique de rayon r et d'épaisseur dr est $dV = 4\pi r^2 \, dr$.

P5. (II) Des électrons initialement au repos sont accélérés par une différence de potentiel de 40 kV et bombardent une cible métallique. Calculez la longueur d'onde de Broglie. (Vous devrez utiliser les expressions relativistes de l'énergie cinétique et de la quantité de mouvement.)

CHAPITRE 12

La physique nucléaire

POINTS ESSENTIELS

1. L'**énergie de liaison** d'un noyau stable est l'énergie nécessaire pour séparer complètement les nucléons qui le constituent.

2. La **radioactivité** fait intervenir l'émission de particules α, de particules β, de neutrons et de rayons γ.

3. Le **taux de désintégration** d'un échantillon d'une substance radioactive est proportionnel au nombre de noyaux qui ne se sont pas encore désintégrés.

4. Au cours d'une **réaction nucléaire**, un noyau donné se transforme en un noyau d'un autre type.

5. La **fission** est un processus par lequel un noyau lourd se divise en noyaux plus légers.

6. La **fusion** est un processus par lequel des noyaux légers se combinent pour former un noyau plus lourd.

Lumière émise par fusion dans une petite pastille de combustible dans le système de confinement inertiel NOVA.

La physique nucléaire a vu le jour en février 1896 avec la découverte de la radioactivité, laquelle avait été préparée par la découverte des rayons X par Röntgen en 1895. Röntgen avait en effet remarqué qu'en frappant les parois en verre d'un tube à décharge, les électrons le rendaient fluorescent et provoquaient l'émission d'un nouveau type de radiation. Pour établir si ces « rayons X » accompagnaient toujours la fluorescence, plusieurs scientifiques firent l'expérience de placer un matériau fluorescent sur une plaque photographique enveloppée dans du papier noir. Après avoir exposé le matériau à la lumière solaire pendant plusieurs heures de manière à produire la fluorescence, ils développaient la plaque. Mais rien n'apparaissait.

H. Becquerel fit cette expérience avec des cristaux de sulfate d'uranyle de potassium. Le soleil n'ayant brillé que par intermittence les 26 et 27 février, il déposa les cristaux sur les plaques et rangea le tout dans un tiroir. Le jour suivant, le soleil ne se montra toujours pas. Il décida donc de développer les plaques le 1er mars, s'attendant à n'observer que de pâles images. Il fut surpris de constater que les contours des cristaux étaient nettement visibles. Il était évident qu'ils avaient continué d'agir dans l'obscurité. Puisque la fluorescence est de courte durée et que ces cristaux étaient restés longtemps dans l'obscurité, l'image obtenue était forcément due à une cause autre que les rayons X. Il découvrit bientôt que ces nouveaux rayons invisibles étaient aussi émis par des sels d'uranium non fluorescents, ce qui semblait désigner l'uranium comme étant l'agent actif.

Marie Curie nomma **radioactivité** le phénomène d'émission de rayons invisibles découvert par Becquerel. Vers la fin de l'année 1897, elle découvrit que le thorium était lui aussi radioactif. Avec son mari Pierre Curie (figure 12.1), elle réussit par des moyens chimiques à isoler deux nouveaux éléments radioactifs : le polonium (en juillet 1898) et le radium (en décembre 1898). Plusieurs autres éléments radioactifs furent découverts au cours des années qui suivirent.

On s'aperçut que la température, la pression ou l'état chimique n'avaient pas d'effet sur la radioactivité. La chaleur produite par un petit échantillon de radium placé dans un récipient en plomb (1 g de radium libère 0,1 cal/h) fut estimée être 10^5 fois supérieure par atome à la chaleur libérée lors de n'importe quelle réaction chimique. Il devenait clair que la radioactivité était due à un processus inconnu qui se produisait à l'intérieur des atomes et qui n'était pas lié à des interactions entre atomes. En 1911, lorsque Rutherford mit en évidence l'existence du noyau par son expérience sur la diffusion (chapitre 9), il supposa que le noyau était la source de la radioactivité. Nous allons examiner maintenant certains faits qui ont été découverts par la suite à propos du noyau.

Figure 12.1

Marie et Pierre Curie dans leur laboratoire.

12.1 La structure du noyau

Le noyau d'un atome est constitué de protons et de neutrons, qui portent tous le nom de **nucléons**. (Le noyau d'hydrogène est un cas particulier, puisqu'il ne comporte qu'un seul proton.) La lettre N représente le nombre de neutrons dans le noyau. Le **numéro atomique** Z, qui est égal au nombre de protons dans le noyau, est caractéristique de chaque élément. Les éléments naturels ont des numéros atomiques allant de $Z = 1$ (hydrogène) à $Z = 92$ (uranium), alors que les éléments dont les numéros atomiques dépassent 92 (jusqu'à $Z = 107$) sont obtenus par des moyens artificiels et n'ont qu'une brève durée de vie*. Le **nombre de masse**, $A = N + Z$, est le nombre total de nucléons dans un noyau. Un noyau qui a un nombre donné de protons et de neutrons est un **nuclide** ; on le désigne par le symbole

Numéro atomique, Z

Nombre de masse, A

$$^A_Z X$$

où X est le symbole chimique de l'élément correspondant. On peut omettre l'indice Z puisque l'élément est identifié de manière univoque par son symbole chimique, mais on le garde souvent pour des raisons pratiques, comme dans $^{16}_8 O$, $^{12}_6 C$ et $^{14}_7 N$.

Isotopes

Les **isotopes** d'un élément donné sont des atomes dont les noyaux ont le même nombre de protons, mais des nombres différents de neutrons. Par exemple, le carbone présent dans la nature contient 98,9 % de $^{12}_6 C$ et 1,1 % de $^{13}_6 C$, mais il existe d'autres isotopes du carbone, allant du $^{11}_6 C$ au $^{16}_6 C$. Le $^{14}_6 C$ existe aussi à l'état naturel, mais il se concentre dans l'atmosphère. Son origine est liée au rayonnement cosmique (voir la section 12.4). Puisque les propriétés chimiques d'un élément sont déterminées par le nombre de ses électrons, les isotopes sont

---

* Certains des éléments dont le numéro atomique est inférieur à 92, comme le technétium (43) et le prométhium (61), sont aussi obtenus par des moyens artificiels.

chimiquement identiques bien que leurs noyaux aient des masses différentes. Une liste des isotopes les plus abondants est donnée à l'annexe E.

Les masses des atomes sont presque des multiples entiers de la masse de l'atome d'hydrogène. En effet, la masse de l'électron est très petite par rapport à celle du proton et la masse du neutron est pratiquement égale à celle du proton. Le nombre de masse A est donc pratiquement égal à la masse d'un atome exprimée sous forme d'un multiple de la masse du proton.

La valeur précise de la masse d'un isotope s'exprime en fonction de l'**unité de masse atomique** (u). Par définition, la masse de l'atome neutre de l'isotope $^{12}_{6}C$ du carbone est égale *exactement* à 12 u. On choisit l'atome neutre parce que sa masse est plus facile à mesurer et qu'il est facile de tenir compte des contributions des électrons.

$$1 \text{ u} = 1{,}660\,54 \times 10^{-27} \text{ kg} = 931{,}5 \text{ MeV}/c^2$$

Unité de masse atomique

Le dernier terme de cette double égalité provient de la relation masse-énergie $E = mc^2$ (voir l'exemple 12.1b). L'identité 1 u = 931,5 MeV/c^2 est très utile en physique nucléaire. En effet, lorsqu'on calcule une énergie à partir de la relation masse-énergie $E = mc^2$, on peut obtenir directement la réponse en mégaélectronvolts en exprimant la masse en unités de masse atomiques et en utilisant l'équation sous la forme

$$c^2 = 931{,}5 \text{ MeV/u}$$

Exemple 12.1

(a) Trouver la valeur de l'unité de masse atomique à partir du nombre d'Avogadro. (b) Exprimer l'unité de masse atomique en fonction de son équivalent en énergie.

Solution :

(a) Une mole de $^{12}_{6}C$ a une masse de 12 g et contient un nombre d'atomes égal au nombre d'Avogadro N_A. Par définition, chaque atome de $^{12}_{6}C$ a une masse de 12 u. Par conséquent, 12 g correspondent à 12 N_A u, ce qui signifie que

$$1 \text{ u} = \frac{1 \text{ g}}{N_A} = \frac{1 \text{ g}}{6{,}022\,136 \times 10^{23}}$$
$$= 1{,}660\,54 \times 10^{-27} \text{ kg}$$

(b) D'après l'équation $E = mc^2$, l'énergie équivalente à 1 u est

$$E = (1{,}660\,54 \times 10^{-27} \text{ kg})(2{,}9979 \times 10^8 \text{ m/s})^2$$
$$= 1{,}4924 \times 10^{-10} \text{ J} = 931{,}5 \text{ MeV}$$

Ainsi, 1 u = 931,5 MeV/c^2.

Les masses du proton, du neutron et de l'électron sont

$$m_p = 1{,}672\,64 \times 10^{-27} \text{ kg} = 1{,}007\,276 \text{ u} = 938{,}28 \text{ MeV}/c^2$$
$$m_n = 1{,}6750 \times 10^{-27} \text{ kg} = 1{,}008\,665 \text{ u} = 939{,}57 \text{ MeV}/c^2$$
$$m_e = 9{,}109 \times 10^{-31} \text{ kg} = 0{,}000\,549 \text{ u} = 0{,}511 \text{ MeV}/c^2$$

Les **masses atomiques** qui apparaissent dans le tableau périodique sont les moyennes pondérées selon les divers isotopes de chaque élément. Par exemple, le Cl a deux isotopes de masses approximatives 34,968 852 u et 36,965 902 u, dont les abondances naturelles sont respectivement 75,77 et 24,23 (voir l'annexe E). La masse atomique indiquée est donc 34,968 852(0,7577) + 36,965 902(0,2423) = 35,4527 u. Le nombre de masse A d'un isotope est numériquement égal à sa masse atomique exprimée en unités de masse atomique et arrondie à la valeur entière la plus proche.

L'analyse donnée par Rutherford de la diffusion des particules α (*cf.* chapitre 9) avait permis d'établir que le noyau a un rayon voisin de 10^{-14} m. Des expériences plus récentes ont été faites sur la diffusion des électrons, des protons et des neutrons. Les électrons conviennent particulièrement bien à de telles expériences, puisque l'interaction nucléaire n'a pas d'effet sur eux. Si leur énergie est supérieure à 200 MeV, leur longueur d'onde de Broglie (*cf.* chapitre 10) est inférieure à la taille d'un noyau et ils peuvent donc permettre de déceler les détails de la distribution de charges. Ces expériences indiquent que de nombreux noyaux sont à peu près sphériques et qu'il existe entre leur rayon R et le nombre de masse la relation approximative suivante :

Rayon d'un noyau

$$R \approx 1{,}2A^{1/3} \text{ fm} \qquad (12.1)$$

où 1 fermi (fm) = 10^{-15} m. Comme le volume V d'une sphère est proportionnel à R^3, on voit d'après l'équation 12.1 que $V \propto A$, le nombre de nucléons. Il semble donc que les nucléons restent groupés ensemble comme les molécules dans une goutte de liquide.

Exemple 12.2

Quelle est la masse volumique d'un noyau type, par exemple $^{16}_{8}$O ?

Solution :

Le volume d'une sphère est

$$V = \frac{4}{3}\pi R^3 = \frac{4\pi}{3}(1{,}2 \times 10^{-15} \text{ m})^3$$

$$A = 1{,}16 \times 10^{-43} \text{ m}^3$$

La masse d'un atome d'oxygène ($A = 16$) est 16 u (y compris les électrons, mais leur masse a une contribution négligeable). La masse volumique est

$$\rho = \frac{m}{V} = \frac{(16 \text{ u})(1{,}660\,54 \times 10^{-27} \text{ kg/u})}{(1{,}16 \times 10^{-43} \text{ m}^3)}$$

$$= 2{,}29 \times 10^{17} \text{ kg/m}^3$$

Cette valeur est plus de 10^{14} fois supérieure à la masse volumique de l'eau ! Comme $m \propto A$ et $V \propto A$, la masse volumique $\rho = m/V$ ne dépend pas de A ; elle est à peu près la même pour tous les noyaux. De telles valeurs de masse volumique sont observées dans les étoiles à neutrons.

12.2 L'énergie de liaison et la stabilité du noyau

L'existence d'un noyau stable signifie que les nucléons sont dans un état lié. Puisque les protons dans un noyau sont soumis à une forte répulsion électrique, il doit exister une attraction encore plus forte qui les maintient ensemble et assure la cohésion du noyau. La **force nucléaire** est une interaction de courte portée qui ne s'étend que jusqu'à 2 fm environ (contrairement à l'interaction électromagnétique, qui est une interaction à longue portée). La force nucléaire a la caractéristique importante d'être essentiellement la même pour tous les nucléons, quelle que soit leur charge.

La masse d'un noyau stable est toujours inférieure à la somme des masses de ses nucléons d'une certaine quantité Δm, qu'on nomme **défaut de masse**. Si on veut séparer complètement les nucléons d'un noyau stable, il faut fournir au noyau une quantité minimale d'énergie, appelée **énergie de liaison** (E_ℓ). Il s'agit tout simplement de l'équivalent en énergie du défaut de masse; par la relation masse-énergie (voir le chapitre 8), on peut écrire

$$E_\ell = \Delta m c^2 \qquad (12.2a)$$

L'énergie de liaison d'un nuclide $_Z^A$X comprenant Z protons et N neutrons vaut donc

$$E_\ell = [(Zm_p + Nm_n) - m_{noyau\ X}]c^2$$

où $m_{noyau\ X}$ est la masse du noyau en question.

Toutefois, les tableaux des masses comme celui qui se trouve à l'annexe E donnent la masse de l'*atome neutre*, c'est-à-dire la masse du noyau plus celle d'un nombre Z d'électrons (puisqu'un atome neutre possède autant d'électrons que de protons). Si on dénote par m_X la masse de l'atome neutre, l'énergie de liaison s'exprime par

$$E_\ell = [(Zm_p + Nm_n) - (m_X - Zm_e)]c^2$$

Or, $m_p + m_e = m_H$, la masse de l'atome neutre d'hydrogène. Cette identité permet de simplifier l'expression pour l'énergie de liaison:

$$E_\ell = [Zm_H + Nm_n - m_X]c^2 \qquad (12.2b)$$

Dans cette expression, les masses des électrons dans Zm_H et m_X s'annulent mutuellement.

Afin de comparer les énergies de liaison de différents noyaux, il est commode de calculer l'*énergie de liaison moyenne par nucléon*, qu'on obtient simplement en divisant l'énergie de liaison E_ℓ par le nombre de masse A du noyau. La figure 12.2 représente la courbe donnant cette énergie moyenne pour l'ensemble

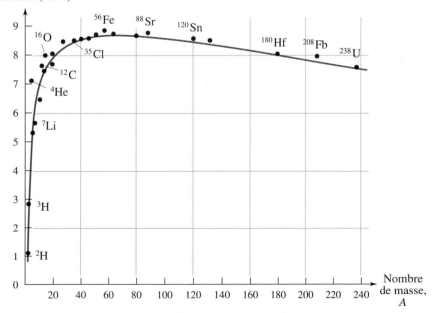

Énergie de liaison par nucléon (MeV)

Figure 12.2

L'énergie de liaison moyenne par nucléon en fonction du nombre de masse A. On remarque que les éléments $_2^4$He, $_6^{12}$C et $_8^{16}$O sont particulièrement stables. La valeur maximale correspond à $_{26}^{56}$Fe.

des noyaux stables. La courbe atteint un maximum de 8,75 MeV environ au voisinage du $_{26}^{56}$Fe puis décroît progressivement jusqu'à 7,6 MeV pour l'uranium $_{92}^{238}$U. Cela nous renseigne sur la façon dont les nucléons interagissent entre eux au sein d'un noyau donné. Si chacun des A nucléons d'un noyau devait interagir avec la totalité des $(A-1)$ nucléons restants, il y aurait $A(A-1)/2$ interactions distinctes de nucléons deux à deux. L'énergie de liaison augmenterait à peu près selon A^2 et le rapport E_ℓ/A serait proportionnel à A. Toutefois, on voit à la figure 12.2 que l'énergie de liaison par nucléon reste pratiquement constante au-dessus de $A=30$. On en déduit que chaque nucléon interagit seulement avec ses voisins les plus proches.

Cette courbe indique aussi que le fer est le plus stable de tous les noyaux atomiques. Cela nous donne de précieux indices sur la façon dont on pourrait tenter de transformer les noyaux pour en retirer de l'énergie. L'ajout de nucléons à un noyau plus petit que le fer de même que l'élimination de nucléons d'un noyau plus gros que le fer devrait donner un noyau plus stable que le noyau de départ et devrait donc, en principe, libérer de l'énergie. La réalité est un peu plus complexe (voir les sections 12.5 à 12.7) puisque, sur les 1500 nuclides connus, 260 seulement sont stables et les autres sont radioactifs. La figure 12.3 représente la courbe donnant N en fonction de Z pour les noyaux stables. Pour les nombres de masse allant environ jusqu'à $A=40$, on voit que $N \approx Z$. Pour les valeurs plus grandes de Z, la force nucléaire (de faible portée) ne parvient pas à maintenir la cohésion du noyau face à la répulsion électrique des protons (de longue portée), à moins que le nombre de neutrons soit supérieur au nombre de protons. Pour le Bi ($Z=83$, $A=209$), l'*excédent de neutrons* est $N-Z=43$. Il n'existe pas de nuclide stable pour $Z>83$.

Figure 12.3

Nombre de neutrons N en fonction du numéro atomique Z pour les nuclides stables. La courbure vers le haut signifie que les noyaux plus lourds ont besoin d'une proportion plus grande de neutrons pour compenser la répulsion électrique des protons.

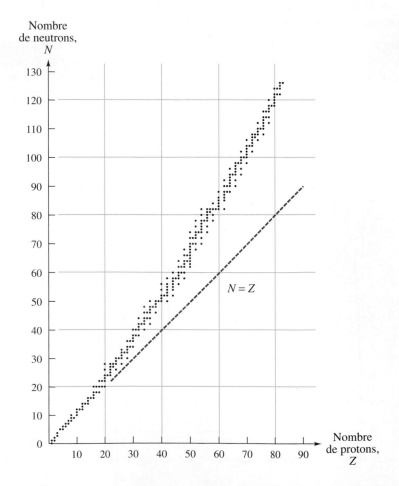

Exemple 12.3

(a) Quelle est l'énergie de liaison moyenne par nucléon de l'atome $^4_2$He ? (b) Calculer l'énergie de liaison moyenne par nucléon pour $^{12}_6$C.

Solution:

(a) La masse de l'atome neutre d'hélium vaut 4,002 604 u. On a donc

$$\Delta m = 2m_H + 2m_n - m_{He}$$
$$= (2 \times 1,007\ 825) + (2 \times 1,008\ 665) - 4,002\ 604$$
$$= 0,030\ 376\ u$$

Puisque 1 u = 931,5 MeV/c^2, l'énergie de liaison est

$$E_\ell = \Delta mc^2 = 28,3\ \text{MeV}$$

L'énergie de liaison moyenne par nucléon est E_ℓ/A = 28,3 MeV/4 = 7,1 MeV.

(b) E_ℓ = [(6 × 1,007 825 u) + (6 × 1,008 665 u) − 12 u)](931,5 MeV/u) = 92,163 MeV.

Donc E_ℓ/A = 7,68 MeV.

12.3 La radioactivité

En 1899, E. Rutherford décida de classer les émissions radioactives en fonction de leur charge et de leur puissance de pénétration. Les **particules α** positivement chargées sont arrêtées par une simple feuille de papier ou par une couche d'air de 5 cm. En 1908, Rutherford et Royds identifièrent les particules α comme étant des atomes d'hélium doublement ionisés ($^4_2$He). Les **particules β** négativement chargées peuvent parcourir plusieurs mètres dans l'air; elles furent identifiées par Becquerel en 1900 comme étant des électrons. (On devait découvrir en 1934 un autre type de radioactivité β faisant intervenir l'émission de particules chargées positivement, qu'on appelle positons ou antiélectrons. On distingue donc aujourd'hui la radioactivité β^- et la radioactivité β^+.) Toujours en 1900, les **rayons γ** furent découverts par P. Villard; ces rayons peuvent traverser plusieurs centimètres de plomb. Les rayons gamma furent identifiés par la suite comme étant des ondes électromagnétiques de longueur d'onde plus courte que les rayons X. Les neutrons, découverts par J. Chadwick en 1932, peuvent traverser plusieurs décimètres de plomb et ne possèdent aucune charge. La plupart des éléments radioactifs émettent soit des particules α, soit des particules β; quelques-uns seulement émettent les deux.

Pour bien comprendre la distinction entre les quatre types d'émission, imaginons que l'on place un échantillon radioactif dans un bloc de plomb et que les émissions soient soumises à un champ magnétique. Dans ce cas, les rayons γ et les neutrons ne seront pas déviés, les particules α ne seront que légèrement déviées, mais les particules β^- subiront une importante déviation dans la direction opposée et un étalement dans l'espace (figure 12.4).

Le fait de pouvoir expliquer le mécanisme de la radioactivité constitua une étape importante en physique nucléaire. En 1902, Rutherford et F. Soddy émirent l'idée selon laquelle la radioactivité fait intervenir la désintégration des atomes, c'est-à-dire la « transmutation » d'un élément en un autre. Enthousiasmés par cette hypothèse, ils furent néanmoins prudents, car elle semblait trop proche de l'alchimie; elle était en contradiction avec l'idée que les atomes gardent toujours leur identité, idée sur laquelle s'appuyait la chimie depuis près d'un siècle.

Un noyau X est théoriquement instable par rapport à la désintégration α ou β si sa masse est supérieure à la somme des masses des produits Y + α ou Y + β.

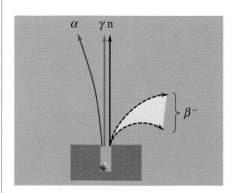

Figure 12.4

Quatre types d'émissions radioactives. Les particules alpha sont des noyaux d'hélium positifs, les particules bêta sont des électrons négatifs, les rayons gamma sont des photons de haute énergie et les neutrons ne possèdent aucune charge.

Quelques nuclides pour lesquels A est situé entre 140 et 190 subissent une désintégration α, mais la plupart des désintégrations α se produisent avec les nuclides pour lesquels A est supérieur à 200. Presque tous les nuclides tels que $Z < 83$ sont stables par rapport à la désintégration α.

La désintégration alpha

Lorsqu'un noyau émet une particule α ($^4_2$He), la charge du noyau résultant est inférieure de $2e$ et son nombre de masse est inférieur de quatre unités. Par exemple,

$$^{226}_{88}\text{Ra} \rightarrow {}^{222}_{86}\text{Rn} + {}^4_2\text{He}$$

L'énergie libérée au cours d'une désintégration quelconque est appelée **énergie de désintégration** et est désignée par la lettre Q.

$$Q = \Delta mc^2 \qquad (12.3)$$

Pour une désintégration α, elle est donnée par

(désintégration α) $\qquad Q = (m_X - m_Y - m_{He})c^2$

où X est le noyau de départ et Y le noyau résultant. Les masses sont celles des *atomes neutres*, puisque les masses des électrons s'annulent mutuellement. Pour la désintégration α du radium, $Q = 4{,}88$ MeV. Cette énergie apparaît sous forme d'énergie cinétique de la particule α (environ 4,8 MeV) et d'énergie cinétique de recul du noyau de radon (environ 0,1 MeV).

Les énergies des particules α ayant des valeurs discrètes caractéristiques du noyau, il s'ensuit que les niveaux d'énergie des noyaux sont discrets. Ainsi, le noyau X peut émettre une particule α et passer à l'état fondamental du noyau Y, ou bien il peut d'abord atteindre un état excité de Y puis tomber à l'état fondamental en émettant un rayon γ. La différence entre les énergies des particules α est précisément égale à l'énergie du rayonnement γ. Le calcul de Q indiqué plus haut part de l'hypothèse que les deux noyaux sont à l'état fondamental, de sorte qu'une seule particule α est émise. Les autres particules α émises par le radium ont des énergies de 4,6 MeV et 4,2 MeV (figure 12.5).

Il peut paraître étrange qu'un noyau émette une particule α, c'est-à-dire un ensemble de quatre nucléons, plutôt que des neutrons ou des protons. Une particule ne peut être émise que si la masse totale des produits est inférieure à celle du noyau de départ. L'émission d'un neutron ou d'un proton est un phénomène très rare (on l'observe avec le $^{17}_7$N et le $^{87}_{35}$Br) parce que la masse de (Y + n) ou de (Y + p) est presque toujours supérieure à la masse du noyau de départ X. La grande énergie de liaison (7,1 MeV par nucléon) du noyau $^4_2$He réduit la somme des masses des produits (Y + α) juste assez pour qu'une désintégration α soit possible.

Énergie de désintégration pour une désintégration α

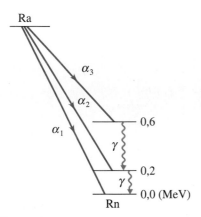

Figure 12.5

Les énergies des particules alpha sont bien définies et leurs valeurs varient selon que le noyau résultant est à l'état fondamental ou dans un état excité. Des rayons gamma sont émis par un noyau résultant lors de la transition d'un état excité vers un état inférieur.

Exemple 12.4

Montrer que l'énergie de désintégration α du $^{226}_{88}$Ra est de 4,87 MeV. Consulter l'annexe E.

Solution :

La réaction de désintégration est $^{226}_{88}\text{Ra} \rightarrow {}^{222}_{86}\text{Rn} + {}^4_2\text{He}$, d'où, par l'équation 12.3, $Q = \Delta mc^2 = (226{,}025\ 402\ u - 222{,}017\ 570\ u - 4{,}002\ 603\ u)(931{,}5\ \text{MeV/u}) = 4{,}87$ MeV.

L'effet tunnel pour les particules α

Puisque la désintégration α est possible sur le plan énergétique, pourquoi tous les noyaux qui peuvent émettre une particule α ne le font-ils pas ? Cela tient au fait qu'il existe une barrière de potentiel. Imaginons la particule α en train de rebondir d'un côté à l'autre du noyau. La force d'attraction nucléaire, de courte portée, est représentée par un puits de potentiel rectangulaire, alors que l'énergie potentielle associée à la répulsion électrique varie en $1/r$. La fonction énergie potentielle résultante appliquée à la particule α est représentée à la figure 12.6. La hauteur du pic est voisine de 30 MeV. Selon la théorie classique, la particule α serait emprisonnée, à moins que son énergie ne soit supérieure à 30 MeV. Or, les particules α émises par les noyaux ont des énergies de l'ordre de 4 à 9 MeV. Selon la mécanique quantique, la particule α traverse simplement la barrière de potentiel par effet tunnel (chapitre 10). La probabilité d'émission, qui détermine le taux de désintégration, dépend de la hauteur et de la largeur de la barrière ainsi que de la masse de la particule qui la traverse. Cette explication, qui fut donnée en 1928, fut l'un des plus grands succès de la mécanique quantique.

La désintégration bêta

La désintégration β fait intervenir l'émission d'électrons ou de positons. Un **positon** est une forme d'antimatière que nous allons traiter pour l'instant comme un électron positif. Nous reparlerons de l'antimatière au chapitre suivant. Puisque ni les électrons, ni les positons n'existent à l'intérieur du noyau, les particules β sont créées au moment de l'émission. Lorsqu'un noyau émet une particule β, la charge du noyau résultant vaut $(Z + 1)e$ ou $(Z - 1)e$, mais le nombre de masse ne change pas :

$$^{14}_{6}\text{C} \rightarrow {}^{14}_{7}\text{N} + \text{e}^- + ?$$

$$^{13}_{7}\text{N} \rightarrow {}^{13}_{6}\text{C} + \text{e}^+ + ?$$

Les points d'interrogation signalent une difficulté. Les énergies de désintégration β^- et β^+ (*cf.* problème 6) sont

(désintégration β^-) $\qquad Q = (m_\text{X} - m_\text{Y})c^2$

(désintégration β^+) $\qquad Q = (m_\text{X} - m_\text{Y} - 2m_\text{e})c^2$

où les masses sont celles des atomes neutres. Dans la désintégration β^- du ${}^{14}_{6}\text{C}$, l'énergie de désintégration est

$$Q = (14{,}003\,242\text{ u} - 14{,}003\,074\text{ u})(931{,}5\text{ MeV/u}) = 156\text{ keV}$$

Si l'on tient compte du recul du noyau ^{14}N, l'énergie de la particule β doit être voisine de 156 keV. Pourtant, lorsqu'on mesure les énergies des particules β, on obtient la courbe représentée à la figure 12.7. Une petite fraction seulement des particules β ont des énergies proches de l'énergie cinétique maximale ($= Q$). Dans les années 20, on était porté à croire que la loi de la conservation de l'énergie ne s'appliquait pas à la désintégration β. En 1930, W. Pauli suggéra l'existence d'une particule neutre très légère (peut-être sans masse) qui emporterait l'énergie manquante. Elle interagirait faiblement avec la matière et serait donc presque impossible à détecter. E. Fermi lui donna le nom de **neutrino** (ν) et proposa une théorie de la désintégration β qui expliquait assez bien le spectre d'énergie et d'autres aspects. Fermi démontra que l'interaction du neutrino fait intervenir un nouveau type de force appelé **interaction faible**. Son interaction avec la matière ordinaire est si faible qu'il peut traverser la Terre sans une seule interaction. Le neutrino fut détecté en 1956 par F. Reines et C. L. Cowan.

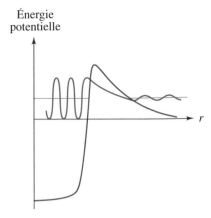

Figure 12.6

La fonction énergie potentielle d'une particule alpha dans un noyau. Le puits rectangulaire provient de la force nucléaire attractive, alors que la barrière provient de la répulsion coulombienne. Bien que son énergie soit inférieure à la hauteur de la barrière, la particule alpha est capable de traverser la barrière par effet tunnel.

Énergie de désintégration pour une désintégration β

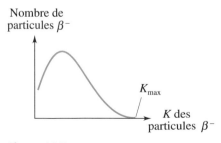

Figure 12.7

La distribution d'énergie des particules β^-.

Au cours d'une désintégration β^-, un neutron du noyau se transforme en un proton, un électron et un antineutrino ($\bar{\nu}$) :

$$n \rightarrow p + e^- + \bar{\nu}$$

On observe également ce processus pour les neutrons libres. Le point d'interrogation figurant dans l'équation de la désintégration β^+ correspond à un neutrino.

La désintégration gamma

Les rayons gamma, qui sont des photons de haute énergie, sont produits au cours des transitions des noyaux entre divers niveaux d'énergie. Les rayons gamma sont en général émis peu après une désintégration α ou β ou lorsqu'un noyau a été porté à un état excité à la suite d'une collision. On peut mesurer leurs énergies (allant de 1 keV à quelques MeV) par absorption, par diffraction sur des cristaux (jusqu'à 1 MeV) ou d'après l'énergie des électrons par la diffusion Compton. Puisqu'ils ont des énergies discrètes, les rayons gamma permettent de déterminer les niveaux d'énergie des noyaux stables.

12.4   La loi de désintégration radioactive

La désintégration radioactive est un phénomène aléatoire : chaque désintégration est un événement indépendant et l'on ne peut pas prévoir à quel moment un noyau donné va subir une désintégration. Lorsqu'un noyau se désintègre, il est transformé en un autre nuclide, qui peut être radioactif ou non. Si un échantillon contient un grand nombre de nuclides, le taux de désintégration est proportionnel au nombre de noyaux N présents :

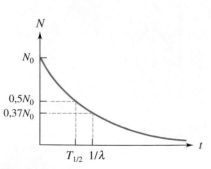

$$\frac{dN}{dt} = -\lambda N$$

Loi de désintégration radioactive

λ étant la **constante de désintégration**. En écrivant cette équation sous la forme $dN/N = -\lambda\, dt$ et en intégrant, on obtient

$$\int_{N_0}^{N} \frac{dN}{N} = -\lambda \int_{0}^{t} dt$$

d'où

$$\ln\left(\frac{N}{N_0}\right) = -\lambda t$$

N_0 étant le nombre initial de noyaux de départ à $t = 0$. Le nombre de noyaux restants à l'instant t est donc

$$N = N_0 e^{-\lambda t} \tag{12.4}$$

Cette fonction est représentée à la figure 12.8.

On appelle **demi-vie** le temps $T_{1/2}$ au bout duquel le nombre de noyaux de départ a chuté de 50 %. La demi-vie est reliée à la constante de désintégration λ ; en effet, puisque

$$0{,}5N_0 = N_0 e^{-\lambda T_{1/2}}$$

Figure 12.8

Le nombre de noyaux radioactifs dans un échantillon en fonction du temps.

on a $\lambda T_{1/2} = \ln 2 = 0{,}693$. Par conséquent,

$$T_{1/2} = \frac{0{,}693}{\lambda} \qquad (12.5)$$

Il faut une demi-vie pour que la moitié des noyaux de départ se désintègrent, et ce *quelle que soit* la valeur de départ. La demi-vie pour la désintégration du neutron libre est de 12,8 min. Les demi-vies peuvent avoir des valeurs très diverses, allant de 10^{-20} s à 10^{16} a. Quelques valeurs de demi-vies sont données dans l'annexe E.

Puisque le nombre d'atomes n'est pas directement mesurable, on mesure le **taux de désintégration**

$$R = -\frac{dN}{dt} \qquad (12.6)$$

Par l'équation 12.4, on obtient $R = -(-\lambda N_0 e^{-\lambda t})$, d'où

$$R = \lambda N = R_0 e^{-\lambda t} \qquad (12.7)$$

Taux de désintégration

où $R_0 = \lambda N_0$ est le taux de désintégration initial. Le taux de désintégration est caractérisé par la même demi-vie. Son unité dans le système SI est le becquerel (Bq), mais le curie (Ci) est souvent utilisé dans la pratique :

$$1 \text{ Bq} = 1 \text{ désintégration/s} ; \quad 1 \text{ Ci} = 3{,}7 \times 10^{10} \text{ Bq}$$

Le curie avait été défini à l'origine comme le taux de désintégration du radon à l'équilibre avec 1 g de radium.

Exemple 12.5

Quel est le taux de désintégration initial de 1 g de radium 226 ? Sa demi-vie est de 1620 a et sa masse molaire M est de 226 g/mol.

Solution :

Nous devons d'abord trouver le nombre initial d'atomes N_0 dans l'échantillon de masse m. Puisque le nombre de moles est $n = N_0/N_A$, N_A étant le nombre d'Avogadro, la masse de l'échantillon est $m = nM = (N_0/N_A)M$. Par conséquent,

$$N_0 = \frac{mN_A}{M} = \frac{(1 \text{ g})(6{,}02 \times 10^{23} \text{ atomes/mol})}{(226 \text{ g/mol})}$$
$$= 2{,}66 \times 10^{21} \text{ atomes}$$

De l'équation 12.5, on tire $\lambda = 0{,}693/T_{1/2}$, avec $T_{1/2} = 1620$ a $= 5{,}11 \times 10^{10}$ s. D'après l'équation 12.7, le taux de désintégration initial est donc

$$R_0 = \lambda N_0 = \frac{0{,}693 \, N_0}{T_{1/2}}$$
$$= 3{,}6 \times 10^{10} \text{ Bq} = 0{,}97 \text{ Ci}$$

La datation radioactive

La désintégration radioactive de l'isotope ^{14}C, qui a une demi-vie de 5730 a, représente un outil inestimable pour les archéologues qui cherchent à déterminer l'âge d'échantillons. L'abondance dans notre atmosphère de cet isotope par rapport à l'isotope ^{12}C, plus courant, est donnée par la proportion ^{14}C/^{12}C = 1,3 $\times 10^{-12}$. (Notez qu'il s'agit d'une abondance calculée selon le *nombre* de nuclides et non selon la masse.) Les organismes vivants, comme les animaux ou les plantes, échangent du CO_2 avec l'environnement, de sorte que le rapport des isotopes dans les organismes vivants est le même que dans l'atmosphère. Lorsqu'il meurt, l'organisme cesse d'échanger avec l'environnement et la quantité relative de ^{14}C diminue par désintégration. En déterminant la quantité de carbone contenue dans un échantillon et en mesurant son activité, on peut déterminer à quel moment l'organisme en question est mort.

L'atmosphère est constamment réapprovisionnée en ^{14}C par le bombardement des rayons cosmiques selon la réaction $^{14}N + n \rightarrow {}^{14}C + p$. Ainsi, même si la concentration en ^{14}C varie sur de longues périodes, on peut utiliser cette méthode sur 40 000 a environ. On a pu corroborer les résultats donnés par la datation au carbone à l'aide des anneaux de croissance observés sur des pins très anciens et de carottes de glace prélevées dans l'Antarctique. Pour les échelles de temps géologiques, on se sert de méthodes analogues basées sur la désintégration de noyaux ayant une demi-vie beaucoup plus longue, comme ^{238}U ou ^{40}K.

Exemple 12.6

(a) Quel est le taux de désintégration de 1 g de carbone dans un organisme vivant? (b) Un échantillon de 10 g de carbone a un taux de désintégration de 30 désintégrations/min. Quel âge a-t-il? (c) Au bout de combien de demi-vies le taux de désintégration chute-t-il à 15 % de sa valeur initiale?

Solution:

(a) Le nombre d'atomes de ^{12}C dans l'échantillon est

$$N = \frac{mN_A}{M} = \frac{(1 \text{ g})(6,02 \times 10^{23} \text{ atomes/mol})}{(12 \text{ g/mol})}$$

$$= 5,0 \times 10^{22} \text{ atomes}$$

À partir de l'abondance relative indiquée plus haut, on calcule le nombre d'atomes de ^{14}C, qui est égal à $N_0 = 1,3 \times 10^{-12} N = 6,5 \times 10^{10}$. D'après l'équation 12.7, et sachant que le temps de demi-vie vaut 5730 a $= 1,81 \times 10^{11}$ s, le taux initial de désintégration est

$$R_0 = \lambda N_0 = \left(\frac{0,693}{T_{1/2}}\right) N_0$$

$$= 0,25 \text{ Bq} = 15 \text{ désintégrations/min}$$

(b) Pour l'échantillon de 10 g, il y a 0,5 désintégrations/s, ce qui donne $R = 0,05$ Bq pour chaque gramme. On sait d'après la question (a) que $R_0 = 0,25$ Bq pour chaque gramme. D'après l'équation 12.7

$$\frac{R}{R_0} = e^{-\lambda t}$$

et on obtient (faites toutes les étapes du calcul)

$$t = \frac{1}{\lambda} \ln(R_0/R)$$

$$= T_{1/2} \frac{\ln(R_0/R)}{0,693}$$

où $T_{1/2} = 0,693/\lambda$ est la demi-vie. Avec $T_{1/2} = 5730$ a et $R_0/R = 0,25/0,05 = 5$, on trouve $t = 13\ 300$ a.

(c) Le taux de désintégration R au bout de n demi-vies est $R = R_0(0,5)^n$, où R_0 est la valeur intiale. On nous donne $R/R_0 = 0,15 = (0,5)^n$. Donc, $n = \log(0,15)/\log(0,5) = 2,74$ demi-vies. Dans le cas du $^{14}_6C$, cela donnerait $2,74 \times 5730$ a $= 15\ 700$ a.

12.5 Les réactions nucléaires

Rutherford et Soddy montrèrent en 1902 que la radioactivité fait intervenir une transmutation spontanée des atomes. Ils découvrirent en 1919 que les particules α peuvent se combiner avec des noyaux d'azote pour donner des protons et un isotope de l'oxygène:

$$^4_2\alpha + {}^{14}_7N \rightarrow {}^{17}_8O + p$$

Ce fut la première transmutation *induite artificiellement*. D'une certaine façon, le rêve des alchimistes venait de se réaliser. Depuis, on a pu obtenir beaucoup de renseignements sur les noyaux en les bombardant avec des particules comme des protons, des neutrons, des électrons ou des particules α. Une **réaction nucléaire**, dans laquelle une collision entre une particule a et un noyau X produit un noyau Y et une particule b, est représentée par l'équation

$$a + X \rightarrow Y + b + Q \qquad (12.8)$$

Cette réaction s'écrit parfois sous la forme abrégée X(a, b)Y. Ces réactions sont soumises aux restrictions imposées par la conservation de la charge, de l'énergie, de la quantité de mouvement et du moment cinétique. De plus, le nombre total de nucléons demeure constant.

L'énergie de la réaction Q est déterminée par la différence de masse entre l'ensemble initial de particules et l'ensemble final :

$$Q = \Delta mc^2 = (m_a + m_X - m_Y - m_b)c^2 \qquad (12.9)$$

Énergie de réaction

où les masses sont celles des atomes neutres. Si $Q > 0$, la réaction est dite *exothermique*. L'énergie libérée se transforme généralement en énergie cinétique des produits et en rayons γ dus aux transitions entre les états excités de Y. Si $Q < 0$, la réaction est *endothermique*. Dans ce cas, la particule incidente doit avoir une énergie supérieure à une certaine valeur appelée énergie de seuil, au-dessous de laquelle la réaction ne peut pas avoir lieu (*cf.* problème 10). Le cas particulier où $Q = 0$ correspond à une diffusion élastique, que l'on note X(a, a)X. Même si a et X peuvent échanger de l'énergie, l'énergie cinétique totale ne varie pas.

Le premier « désintégrateur d'atomes », réalisé en 1932 par J. Cockcroft et E. Walton, pouvait accélérer des protons jusqu'à 0,6 MeV (figure 12.9). Avec des protons de 0,125 MeV et une cible de lithium, ils observèrent la réaction

$$p + {}^7_3Li \rightarrow {}^4_2He + {}^4_2He$$

pour laquelle l'énergie de réaction est $Q = 17,3$ MeV. Ainsi, bien que l'énergie des protons incidents ne dépassait pas 0,125 MeV, les deux particules α émises avaient une énergie totale supérieure à 17 MeV. Cette réaction constitua la première vérification expérimentale directe de la relation masse-énergie $E = \Delta mc^2$. L'expérience de Cockcroft-Walton marqua une étape importante de la physique nucléaire parce que les énergies des particules incidentes étaient contrôlées. Elle fut suivie peu de temps après par la mise au point du cyclotron et de l'accélérateur de Van de Graaff.

Avant 1934, tous les isotopes radioactifs connus étaient plus lourds que le plomb ($Z = 82$). En 1934, F. Joliot et I. Joliot-Curie bombardèrent une cible d'aluminium avec des particules α et découvrirent que des positons étaient émis quelques minutes après la suppression de la source de particules α. L'isotope du phosphore produit au cours de la réaction

$${}^{27}_{13}Al + \alpha \rightarrow {}^{30}_{15}P + n$$

subit une désintégration β^+ :

$${}^{30}_{15}P \rightarrow {}^{30}_{14}Si + \beta^+ + \nu$$

Cette découverte de la *radioactivité artificielle* eut d'énormes conséquences pratiques. On peut produire divers isotopes radioactifs d'éléments importants

Figure 12.9

L'équipement utilisé par J. Cockcroft et E. Walton pour la première réaction nucléaire produite par des protons d'énergie contrôlée.

pour les processus biologiques et chimiques et les utiliser comme « indicateurs » pour analyser les séquences d'événements dans des réactions complexes. On peut transformer des nuclides stables en noyaux radioactifs si on les bombarde avec des neutrons. Chaque noyau activé par des neutrons subit une désintégration β dont on peut se servir dans l'analyse d'échantillons trop petits pour être analysés par d'autres méthodes. La découverte de la fission fut une conséquence importante de l'étude de la radioactivité artificielle.

12.6 La fission

Enrico Fermi (figure 12.10) se rendit compte que les neutrons, n'ayant pas de charge, pouvaient pénétrer le noyau, et donc induire la radioactivité artificielle, plus facilement que les protons ou les particules α. De plus, un neutron absorbé par un noyau de charge Ze le met dans un état excité à partir duquel il peut subir une désintégration β^- et produire un noyau de charge $(Z + 1)e$. Fermi décida donc de bombarder de l'uranium ($Z = 92$) avec des neutrons pour essayer de produire des éléments « transuraniens ». Son analyse chimique le portait à croire qu'il avait créé un élément radioactif avec $Z = 93$ (Np) ou $Z = 94$ (Pu).

Deux chimistes nucléaires, O. Hahn et F. Strassmann, poursuivirent les travaux de Fermi et réussirent en 1938 à isoler un élément radioactif qu'ils ne parvenaient pas à séparer chimiquement du baryum ($Z = 56$). Ils crurent qu'il s'agissait d'un isotope du radium ($Z = 88$). Comme le produit obtenu par désintégration β^- de cet élément était chimiquement similaire au lanthane ($Z = 57$), ils supposèrent qu'il s'agissait de l'actinium ($Z = 89$). Mais Irène Joliot-Curie et P. Savitch affirmèrent que leur propre méthode chimique (différente) montrait que le produit de la désintégration était en fait un isotope du lanthane. Hahn et Strassmann confirmèrent alors qu'ils pouvaient séparer le produit radioactif d'un autre isotope du radium, mais non du baryum. Ils hésitaient encore à déclarer que le produit radioactif était en fait un isotope du baryum. Puisque toutes les réactions nucléaires antérieures ne faisaient intervenir que de petites variations du nombre de masse, ils ne pouvaient pas imaginer qu'un noyau dont le nombre de masse est pratiquement la moitié de celui de l'uranium pouvait se trouver parmi les produits de la réaction.

Quelques semaines plus tard, Lise Meitner (figure 12.11), qui avait auparavant travaillé en collaboration avec Hahn et Strassmann, proposa avec son neveu Otto Frisch une explication qui s'inspirait du modèle de la « goutte liquide », suggéré par Niels Bohr en 1936 pour représenter le noyau. Dans ce modèle, on suppose que les nucléons se déplacent librement et de façon aléatoire à l'intérieur du noyau et qu'ils n'interagissent qu'avec leurs voisins immédiats, tout comme les molécules dans une goutte de liquide. À la surface, les nucléons sont soumis à une force nette dirigée vers l'intérieur. Lorsqu'un noyau sphérique d'uranium absorbe un neutron, il devient instable et effectue des oscillations. La « goutte » peut alors se déformer (figure 12.12*a*). S'il se forme un étranglement (figure 12.12*b*), la force nucléaire de courte portée entre les deux parties de l'haltère est fortement réduite. Par contre, la répulsion électrique (de longue portée) entre ces deux parties n'est que légèrement diminuée. Le noyau se sépare alors en deux fragments à peu près égaux (figure 12.12*c*). Ce processus de **fission** tire son nom du processus de division cellulaire en biologie.

Figure 12.10

Enrico Fermi (1901-1954).

Figure 12.11

Lise Meitner (1878-1968) et Otto Hahn (1879-1968) dans leur laboratoire à Berlin.

Lorsqu'un neutron est capturé par un noyau $^{235}_{92}$U, il crée un **noyau composé** $^{236}_{92}$U*, de courte durée de vie ($\approx 10^{-14}$ s), dans un état excité (indiqué par l'astérisque) ; ce noyau subit ensuite une fission. Par exemple,

$$n + {}^{235}_{92}U \rightarrow {}^{236}_{92}U^* \rightarrow {}^{140}_{54}Xe + {}^{94}_{38}Sr + 2n + Q$$

Les produits de fission primaires libèrent en moyenne 2,5 neutrons *instantanés*. D'autres neutrons, *retardés*, sont associés aux réactions de fission secondaires subséquentes. Les étapes finales sont constituées par plusieurs désintégrations β^- et γ donnant des produits stables. Par exemple,

$$^{140}_{54}Xe \rightarrow {}^{140}_{55}Cs \rightarrow {}^{140}_{56}Ba \rightarrow {}^{140}_{57}La \rightarrow {}^{140}_{58}Ce \text{ (stable)}$$

$$16 \text{ s} \qquad 66 \text{ s} \quad 300 \text{ h} \quad 40 \text{ h}$$

La demi-vie de chaque produit est également indiquée. La figure 12.13 représente la distribution des produits de fission du noyau $^{236}_{92}$U. Les pics (7 %) sont plus ou moins centrés sur $A = 95$ et $A = 140$. Il n'y a presque pas (0,01 %) de situations permettant d'obtenir deux produits ayant le même nombre de masse $A = 118$.

On peut évaluer l'énergie libérée au cours de chaque fission de la façon suivante. L'énergie de liaison par nucléon d'uranium est d'environ 7,6 MeV, alors qu'elle est voisine de 8,5 MeV entre $A = 90$ et 150. L'énergie libérée au cours de la fission est donc pratiquement égale à $236(8,5 - 7,6) \approx 200$ MeV, valeur supérieure de plusieurs ordres de grandeur à l'énergie libérée au cours des réactions chimiques. À peu près 170 MeV partent sous forme d'énergie cinétique des produits de fission, le reste étant partagé entre les neutrons émis par les produits de fission, les particules β, les rayons γ et les neutrinos.

Les neutrons libérés au cours d'une fission peuvent servir à induire des fissions dans d'autres noyaux. Pour les rendre plus efficaces, on doit les ralentir au moyen de collisions répétées. Leur état final, prédit par la théorie cinétique, dépend de la température du réacteur et d'un équilibre associé à ces collisions. Les neutrons *thermiques* ainsi produits entraînent plus facilement la fission des noyaux d'uranium. Si les conditions sont favorables, le processus de désintégration peut se répéter et donner lieu à une **réaction en chaîne**. L'énergie libérée n'est pas contrôlée dans le cas d'une bombe atomique, mais elle l'est dans le cas d'un réacteur nucléaire. La première réaction de fission contrôlée fut réalisée à l'Université de Chicago le 2 décembre 1942 dans un réacteur mis au point par Fermi (figure 12.14).

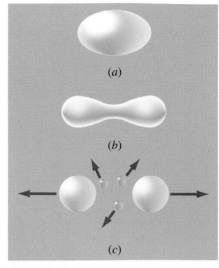

Figure 12.12

Lorsqu'un noyau sphérique $^{235}_{92}$U absorbe un neutron, il entre en oscillation. Lorsqu'il se déforme pour prendre la forme d'un haltère, la répulsion électrique devient supérieure à la force nucléaire et il y a fission du noyau.

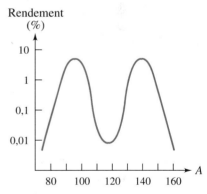

Figure 12.13

La distribution des produits de fission primaire de la réaction $n + {}^{235}_{92}U \rightarrow X + Y$. Seul un très faible pourcentage des produits ont une masse égale.

▶ **Figure 12.14**

Le premier réacteur nucléaire conçu par E. Fermi qui fonctionna pour la première fois le 2 décembre 1942.

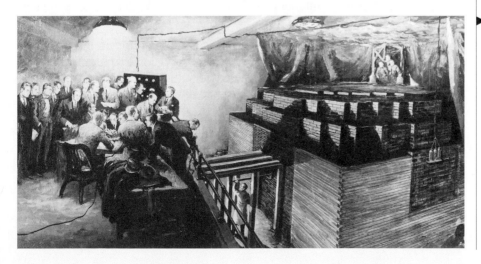

12.7 La fusion

La figure 12.2 montre que l'énergie de liaison des noyaux légers augmente avec le numéro atomique. Par conséquent, lorsque deux noyaux légers se combinent pour former un noyau plus lourd dans un processus appelé **fusion**, il y a libération d'énergie (tant que les produits de fusion sont moins lourds que le fer 56 – *cf.* figure 12.2). Par unité de masse, l'énergie libérée est plus grande dans une réaction de fusion que dans une réaction de fission. Pour fusionner, les noyaux doivent surmonter la forte barrière de potentiel créée par leur répulsion coulombienne. Considérons deux deutérons ($_1^2$H) séparés par une distance égale au double de leur rayon ($\approx 2 \times 10^{-15}$ m). Leur énergie potentielle électrique est

$$U = \frac{ke^2}{r} = \frac{(9 \times 10^9 \text{ N·m}^2/\text{C}^2)(1,6 \times 10^{-19} \text{ C})^2}{(4 \times 10^{-15} \text{ m})}$$

$$\approx 6 \times 10^{-14} \text{ J} \approx 400 \text{ keV}$$

Chaque deutéron a besoin d'une énergie cinétique de 200 keV pour s'approcher suffisamment de l'autre afin que la force nucléaire les fasse fusionner. Un des moyens de fournir autant d'énergie à des particules consiste à porter un gaz à des températures élevées. Si l'on pose $kT = 200$ keV, on trouve $T \approx 2 \times 10^9$ K.

L'énergie solaire provient de la fusion à l'intérieur du Soleil. En réalité, comme la température y est voisine de $1,5 \times 10^7$ K, on a $kT \approx 1,3$ keV, ce qui est nettement inférieur aux 200 keV mentionnés plus haut. Des réactions de fusion se produisent pourtant, et ce pour deux raisons. Premièrement, il se trouve toujours quelques particules qui ont des énergies bien supérieures à la moyenne. Deuxièmement, les particules peuvent également traverser la barrière de potentiel coulombien par effet tunnel. Un ensemble de réactions appelé **chaîne proton-proton** ont lieu à l'intérieur du Soleil :

Chaîne proton-proton

$$
\begin{array}{lll}
\text{p} + \text{p} \rightarrow {}^2\text{H} + \text{e}^+ + \nu & Q = 0,4 \text{ MeV} & \\
\text{p} + {}^2\text{H} \rightarrow {}^3\text{He} + \gamma & Q = 5,5 \text{ MeV} & (12.10) \\
{}^3\text{He} + {}^3\text{He} \rightarrow {}^4\text{He} + \text{p} + \text{p} & Q = 12,9 \text{ MeV} &
\end{array}
$$

Les deux premières réactions doivent se produire deux fois pour que la troisième puisse avoir lieu. L'énergie totale libérée (24,7 MeV) est répartie entre les produits de la réaction sous forme d'énergie cinétique. L'énergie libérée est plus grande lorsqu'un positon rencontre un électron : ils se détruisent mutuellement en émettant deux rayons γ ayant une énergie totale de 1,02 MeV. La probabilité de la première réaction (proton-proton) étant faible, la réaction est très lente. Elle a lieu à l'intérieur du Soleil parce que la densité de particules y est très élevée.

En 1952 explosa la première bombe à hydrogène. Il s'agit d'un dispositif utilisant la grande quantité d'énergie libérée dans la fusion et faisant intervenir une réaction de fusion thermonucléaire non contrôlée. L'énergie thermique nécessaire est fournie par la détonation d'une bombe à fission. Quant à l'utilisation pratique de la fusion thermonucléaire *contrôlée*, elle est plus difficile à développer, les recherches actuelles portant sur les réactions suivantes à partir du deutérium (D) ou du tritium (T) :

Réactions de fusion

$$
\begin{array}{llll}
(\text{D} - \text{D}) & {}^2\text{H} + {}^2\text{H} \rightarrow {}^3\text{He} + \text{n} & Q = 3,27 \text{MeV} & \\
(\text{D} - \text{D}) & {}^2\text{H} + {}^2\text{H} \rightarrow {}^3\text{H} + {}^1\text{H} & Q = 4,03 \text{ MeV} & (12.11) \\
(\text{D} - \text{T}) & {}^2\text{H} + {}^3\text{H} \rightarrow {}^4\text{He} + \text{n} & Q = 17,6 \text{ MeV} &
\end{array}
$$

Pour produire de l'énergie à partir de la fusion, trois critères doivent être vérifiés :

1. *Hautes températures.* La température doit être supérieure à 10^8 K pour que les particules soient suffisamment proches les unes des autres afin de pouvoir surmonter leur répulsion électrique. À de telles températures, les atomes perdent leurs électrons et l'on obtient un gaz complètement ionisé appelé **plasma**.

2. *Haute densité de particules.* Cette condition est nécessaire pour augmenter le taux de collisions et donc le taux de réaction.

3. *Longue durée de confinement.* Une fois que les particules ont été rapprochées à haute température, elles doivent rester proches suffisamment longtemps pour que la réaction puisse avoir lieu.

En 1957, J. D. Lawson énonça une condition nécessaire, mais non suffisante, pour la libération nette d'énergie dans un réacteur à fusion. Si n est la densité de particules et τ est la durée de confinement, le **critère de Lawson** s'écrit, selon les réactions,

$$D - D: n\tau > 10^{22} \text{ s/m}^3 ; \quad D - T: n\tau > 10^{20} \text{ s/m}^3 \quad (12.12)$$

Si cette condition est vérifiée, l'énergie cédée par le plasma est égale à l'énergie qui lui est fournie plus les pertes, notamment par rayons X. Dans le Sujet connexe qui suit, on décrit deux approches utilisées pour l'exploitation de l'énergie libérée par la fusion.

Une partie de la chambre torique utilisée pour confiner le plasma chaud dans le réacteur à fusion européen JET (pour *Joint European Torus* ; *cf.* p. 271).

Sujet connexe

Les réacteurs nucléaires

Nous avons vu que la fission et la fusion de noyaux libèrent toutes deux de l'énergie. Nous allons examiner ici certains des principes de fonctionnement des réacteurs nucléaires qui sont conçus pour domestiquer cette énergie.

LES RÉACTEURS À FISSION

Le réacteur à fission fonctionne à partir de la fission de noyaux lourds. Lorsqu'un noyau comme celui de l'uranium $^{235}_{92}$U subit une fission, il libère des neutrons qui peuvent servir à engendrer la fission d'autres noyaux et ainsi à créer une réaction en chaîne. Dans une bombe atomique, la réaction en chaîne n'est pas contrôlée, contrairement à ce qui se passe dans un réacteur à fission.

Le modérateur

L'uranium présent dans la nature est composé de 0,7 % d'uranium $^{235}_{92}$U et de 99,3 % d'uranium $^{238}_{92}$U. Lorsqu'un noyau $^{238}_{92}$U absorbe un neutron, il a tendance à émettre un rayon γ plutôt que de subir une fission. Par contre, l'uranium $^{235}_{92}$U présente une probabilité élevée de fission pour les neutrons lents (1 eV ou moins). Les neutrons de haute énergie ($\approx$ 2 MeV) produits dans la fission de l'uranium $^{235}_{92}$U doivent être ralentis avant de pouvoir induire d'autres fissions. Ce ralentissement est effectué dans un matériau appelé *modérateur*. Au passage dans le modérateur, l'énergie cinétique moyenne des neutrons est réduite à la valeur moyenne $(3/2)kT$ ($\approx$ 0,04 eV à 300 K), caractéristique de la température du modérateur. On a vu au chapitre 9 du tome 1 que, dans une collision élastique, l'énergie cinétique transmise par une particule incidente à une particule cible est maximale lorsqu'elles ont la même masse. Pour ralentir les neutrons, il faut donc les exposer à des particules dont la masse est proche de la leur. La présence de protons dans l'eau constitue donc un moyen idéal d'atteindre cet objectif. En passant dans l'eau, les neutrons sont *thermalisés* au bout d'environ vingt collisions survenant en 10^{-3}s. Les protons ont cependant tendance à se combiner avec les neutrons pour former des deutérons : l'eau « légère » ordinaire est alors convertie en *eau lourde*, D_2O. Si le combustible est de l'uranium naturel, on peut alors prendre du graphite ou de l'eau lourde comme modérateur. On peut aussi utiliser l'eau légère comme modérateur si l'uranium a été « enrichi » de manière à contenir 3 % ou 4 % de $^{235}_{92}U$ au lieu de 0,7 %.

On ne peut pas se contenter de mélanger le combustible d'uranium avec le modérateur, car la probabilité que les neutrons situés dans la gamme d'énergie de 5 eV à 100 eV soient absorbés par les noyaux $^{238}_{92}U$ (avec émission ultérieure de rayons γ) est élevée. Ils ne seraient alors plus disponibles pour la fission des noyaux $^{235}_{92}U$. L'uranium est donc disposé dans des crayons de zircaloy qui sont installés selon un arrangement bien défini et immergés dans le modérateur. Les neutrons rapides qui sont ralentis se trouvent à l'extérieur des crayons de combustible lorsqu'ils traversent l'intervalle compris entre 5eV et 100 eV. Une fois thermalisés, ils peuvent pénétrer dans d'autres crayons de combustible et engendrer la fission de noyaux $^{235}_{92}U$.

Taille critique et contrôle

Le *facteur de multiplication k* est un paramètre important dans une réaction en chaîne. C'est le rapport du nombre de neutrons d'une génération de la réaction en chaîne au nombre de la génération précédente. La production de neutrons est proportionnelle au volume du matériau fissile, alors que les pertes augmentent avec la superficie du matériau. Lorsque $k = 1$, le nombre de neutrons produits est égal au nombre de neutrons absorbés ou perdus. Dans ce cas, on dit que le système est *critique*.

Dans une bombe atomique, deux masses sous-critiques d'uranium (enrichi à 50 % de $^{235}_{92}U$) sont mises ensemble pour former une masse supercritique qui explose en 10^{-8} s. Comme l'enrichissement du combustible dans un réacteur est très inférieur (en dessous de 4 %), une explosion nucléaire ne peut pas avoir lieu. Toutefois, lorsque $k > 1$, l'énergie thermique produite par les fissions et la radioactivité des produits de fission peut rapidement faire fondre le cœur du réacteur, qui risque de faire fondre le béton sur lequel il repose (scénario du syndrome chinois). De plus, l'eau du modérateur se vaporiserait et exploserait, éparpillant ainsi les matériaux radioactifs.

Pour maintenir k proche de 1, on insère dans le cœur des *barres de contrôle* en cadmium, qui a une grande section efficace d'absorption pour les neutrons thermiques. En faisant monter ces barres, on peut alors atteindre la condition de criticité. Si $k = 1,01$, la constante de temps d'augmentation du flux neutronique est seulement de 0,1 s, ce qui est trop rapide par rapport au temps de réaction humaine. La possibilité de contrôler un réacteur dépend essentiellement d'une petite caractéristique du processus de fission. Bien que presque tous les neutrons soient *instantanés* (ils sont émis en 10^{-8} s), près de 0,7 % des neutrons sont *retardés* d'un temps compris entre 0,2 s et 55 s. Le cœur du réacteur est conçu de telle sorte qu'il ne peut être critique qu'avec la contribution de ces neutrons retardés. De cette façon, le temps permis pour le contrôle du réacteur devient supérieur au temps de réaction humaine. En cas d'urgence, les barres de contrôle sont jetées dans le cœur, qui devient sous-critique. Toutefois, même après un arrêt d'urgence, la désintégration radioactive des produits de fission continue de produire de la chaleur. Dans un grand réacteur, la production de chaleur peut diminuer d'environ 1 %, disons 20 MW en un jour, ce qui est encore beaucoup.

Dans le réacteur à eau pressurisée qui est représenté à la figure 12.15, le cœur du réacteur et l'eau du modérateur sont contenus dans la cuve du réacteur. L'eau du modérateur sert également de matériau de refroidissement dans le circuit de refroidissement primaire. Pour empêcher l'ébullition de l'eau ($T = 315°C$), la pression doit être très élevée (15 MPa ou 150 atm). Les conduites dans le circuit primaire de refroidissement passent dans un générateur de vapeur où l'eau du circuit de refroidissement secondaire est convertie en vapeur à haute pression (265°C, 0,5 MPa), puis acheminée vers une turbine qui est reliée à un alternateur. Les circuits de refroidissement primaire et secondaire sont fermés. Lorsque la valeur est passée par la turbine, elle est refroidie dans le condenseur par l'eau d'un réservoir, qui peut être une rivière ou un lac. L'eau chauffée est d'abord refroidie par évaporation dans des tours avant d'être renvoyée dans le réservoir.

Le fonctionnement d'un réacteur nucléaire exige la mise en place de nombreux systèmes de sûreté. Par exemple, la cuve du réacteur et les générateurs de vapeur sont dans une enceinte d'acier, qui est elle-même contenue dans un bâtiment en béton armé. Néanmoins, les accidents qui se sont produits à Three Mile Island (États-Unis) et à Chernobyl (U.R.S.S.) montrent bien ce qui risque d'arriver lorsque les consignes ne sont pas respectées.

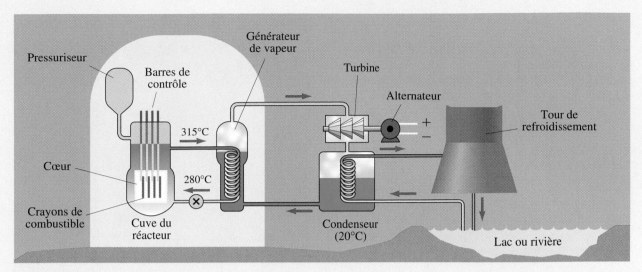

Figure 12.15

Quelques composants d'un réacteur à eau pressurisée.

Les produits de fission sont eux-mêmes radioactifs. Par conséquent, même lorsque le combustible est irradié, il faut encore résoudre le problème posé par ces déchets radioactifs. Une des possibilités envisagées est l'enfouissement des déchets dans des mines de sel en profondeur. À cause du bombardement neutronique intense auquel est soumise la structure à l'intérieur de la cuve du réacteur, de nombreux éléments sont « activés par des neutrons », c'est-à-dire qu'ils deviennent radioactifs. Cela limite la vie utile d'un réacteur nucléaire à trente ans environ.

LES RÉACTEURS À FUSION

Nous avons vu à la section 12.7 que, pour produire de l'énergie à partir de la fusion de noyaux, plusieurs conditions doivent être remplies. En particulier, la densité des particules et le temps de confinement doivent satisfaire le critère de Lawson (équation 12.12). Il existe deux approches fondamentales pour confiner un plasma conformément au critère de Lawson. Dans la technique de *confinement magnétique*, la faible densité des particules est compensée par une durée de confinement relativement longue (1 s). Dans la technique du *confinement inertiel*, la densité de particules est élevée mais le temps de confinement est court (1 ns).

Le confinement magnétique

Le *Tokamak* est un dispositif de confinement magnétique inventé en U.R.S.S. Un *champ magnétique toroïdal* intense B_t est créé au moyen d'une vingtaine de bobines enroulées sur la périphérie d'un tore (figure 12.16). Un *champ poloïdal* secondaire, moins intense, B_p, est créé par un courant intense (10^6 A) qui est induit dans le

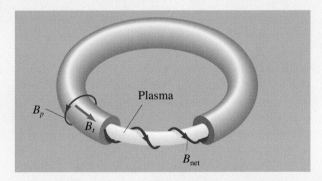

Figure 12.16

Dans un Tokamak, le plasma est confiné par la combinaison de champs magnétiques. Le champ toroïdal B_t et le champ poloïdal B_p produisent un champ résultant dont les lignes sont hélicoïdales.

plasma par un champ différent, variable dans le temps, créé par des bobines dans le même plan que le tore. Le champ magnétique résultant est hélicoïdal et sert à confiner le plasma. S'il entrait en contact avec les parois de l'enceinte de confinement, le plasma perdrait de l'énergie et se refroidirait. De plus, des impuretés seraient relâchées dans l'enceinte et gêneraient fortement le fonctionnement du réacteur.

Initialement, le plasma est chauffé par le courant induit mentionné plus haut. Ensuite, des faisceaux de particules neutres de haute énergie (accélérées sous forme d'ions puis neutralisées) sont injectées dans le plasma pour produire 20 MW environ, ce qui élève encore sa température. On se sert également de bobines de radio-fréquences pour chauffer le plasma.

Les neutrons de 14,1 MeV provenant de la réaction D – T (équation 12.11) sont absorbés par une « couverture » de lithium fondu autour de l'enceinte de confinement. L'énergie thermique libérée dans cette couverture peut alors servir à produire de la chaleur pour un alternateur classique. Le tritium produit dans les réactions

$$n + {}^7\text{Li} \rightarrow {}^3\text{H} + {}^4\text{He} + n$$

$$n + {}^6\text{Li} \rightarrow {}^3\text{H} + {}^4\text{He}$$

peut être extrait et réutilisé.

Le *réacteur à fusion expérimental Tokamak* (TFTR pour *Tokamak Fusion Test Reactor*) de Princeton (figure 12.17) a fonctionné avec une densité de particules $n = 3 \times 10^{19}$ m^{-3}, à une température telle que $kT = 1,5$ keV. Son temps de confinement était $\tau = 300$ ms. Le produit figurant dans le critère de Lawson est donc $n\tau \approx 10^{19}$ s/m^3. Pour qu'un tel réacteur produise une puissance électrique de 1000 MW, il faut que la température du plasma soit telle que $kT = 15$ keV et que le produit de Lawson soit $n\tau > 10^{20}$ s/m^3.

Dans une réaction de fusion *entretenue*, de l'énergie est fournie en permanence au plasma. Mais, dans une réaction D – T, 20 % de l'énergie cinétique est emportée par la particule α. Ces particules peuvent également servir à chauffer le plasma. Si le plasma atteint la température d'*ignition*, il devient auto-entretenu. Le mode d'ignition exige une valeur plus élevée de $n\tau$, que l'on pourra peut-être atteindre dans quelques décennies.

Figure 12.18

Les petites pastilles utilisées dans la technique de confinement inertiel contiennent un mélange de deutérium et de tritium.

Figure 12.17

Le réacteur à fusion expérimental Tokamak de Princeton.

Le confinement inertiel

Dans la technique du *confinement inertiel*, le combustible est constitué de minuscules pastilles de diamètre inférieur à 1 mm qui contiennent un mélange de deutérium et de tritium (figure 12.18). Dans le système NOVA de Livermore en Californie (figure 12.19), des impulsions de

Figure 12.19

Le réacteur à fusion laser NOVA au Lawrence Livermore Laboratory en Californie.

0,1 ns produites par dix lasers dopés au néodynium (fonctionnant à 1,05 µm) fournissent près de 200 kJ en 1 ns à chaque pastille. (Cela correspond à une puissance de 2×10^{14} W, ce qui est supérieur à la capacité de production de toutes les centrales des États-Unis !) La surface des pastilles se vaporise et, en se dilatant, envoie une onde de choc vers l'intérieur, ce qui augmente la densité du cœur d'un facteur 10^3 et élève sa température à plus de 10^8 K. Cela se produit en 1,5 ns, avant que les particules n'aient le temps de se disperser. Elles sont donc confinées par leur propre inertie. La densité de la pastille atteint 10^3 g/cm^3 et sa pression 10^{12} atm (10^{17} Pa), ce qui est supérieur à la pression à l'intérieur des étoiles. Ces pastilles sont en quelque sorte de minuscules bombes à hydrogène. On peut obtenir une source continue de puissance en faisant fondre 20 à 50 pastilles environ par seconde. Des particules chargées, ions ou électrons, peuvent également être utilisées à la place des faisceaux lasers.

La fusion présente plusieurs aspects intéressants. Le deutérium (D) est facile à extraire de l'eau de mer, où sa concentration est égale à 1/6500 de celle des atomes d'hydrogène normaux. Bien que le tritium (T) soit rare et coûteux (vingt millions de dollars US le kilogramme !), on peut le produire en bombardant du lithium (Li) avec des neutrons, comme nous l'avons vu plus haut. À cause de la faible quantité de combustible présent à un instant donné, l'« emballement » n'est pas possible. En cas de défectuosité des aimants ou d'autres systèmes, le plasma disparaît tout simplement. Les déchets radioactifs posent un problème moins sérieux que dans le cas des réacteurs à fission. Le tritium est certes toxique, mais il a une demi-vie relativement courte, de 12,3 a. Si les réacteurs à fusion deviennent viables, nous aurons réussi à exploiter la source d'énergie des étoiles !

Les pastilles de combustible sont bombardées par des ions dans l'accélérateur à fusion à faisceaux des particules des Sandia National Laboratories. Les décharges électriques ont lieu au cours de l'émission de l'impulsion qui produit 10^{14} W.

Un noyau est désigné par le symbole $_Z^A X$, A étant le nombre de masse et Z le numéro atomique, c'est-à-dire le nombre de protons. Le nombre de masse $A = N + Z$, N étant le nombre de neutrons. Les isotopes sont des noyaux pour lesquels Z est identique mais A est différent.

Les noyaux sont pratiquement sphériques et leur rayon est donné par

$$R = 1,2A^{1/3} \text{ fm}$$

où 1 fm $= 10^{-15}$ m.

L'énergie de liaison (E_ℓ) d'un noyau est déterminée par la différence de masse entre le noyau et les nucléons pris séparément. On peut la calculer à partir de l'équation

$$Q = \Delta mc^2 = (Zm_\text{H} + Nm_\text{n} - m_\text{X})c^2$$

où m_n est la masse du neutron et m_H et m_X sont les masses des atomes neutres, puisque les masses des électrons s'annulent mutuellement.

Il existe quatre types d'émissions radioactives : la désintégration α, la désintégration β, l'émission de neutrons et la désintégration γ. Les particules α sont des noyaux d'hélium ($_2^4$He), les particules β sont soit des électrons, soit des positons, et les rayons γ sont des photons de haute énergie.

Si un échantillon contient N_0 noyaux radioactifs à $t = 0$, le nombre de noyaux restants à l'instant t est donné par

$$N = N_0 e^{-\lambda t}$$

où λ est la constante de désintégration. Le taux de désintégration est

$$R = -\frac{dN}{dt} = \lambda N = R_0 e^{-\lambda t}$$

où $R_0 = \lambda N_0$ est le taux de désintégration à $t = 0$. La demi-vie $T_{1/2}$ correspond au temps nécessaire pour que le nombre de noyaux ou le taux de désintégration chute à 50 % de sa valeur à un instant initial *quelconque* (pas seulement à $t = 0$) :

$$T_{1/2} = \frac{0,693}{\lambda}$$

Une réaction nucléaire au cours de laquelle un noyau-cible X est bombardé par une particule a et qui donne un noyau Y et une particule b s'écrit

$$a + X \rightarrow Y + b \quad \text{ou} \quad X(a, b)Y$$

L'énergie de réaction est $Q = \Delta mc^2 = (m_\text{a} + m_\text{X} - m_\text{Y} - m_\text{b})c^2$.

ermes importants

chaîne proton-proton	noyau composé
constante de désintégration	nucléons
critère de Lawson	nuclide
défaut de masse	numéro atomique
demi-vie	particules α
énergie de désintégration	particules β
énergie de liaison	plasma
fission	positon
force nucléaire	radioactivité
fusion	rayons γ
interaction faible	réaction en chaîne
isotope	réaction nucléaire
masse atomique	taux de désintégration
neutrino	unité de masse atomique
nombre de masse	

Révision

R1. Le nom que l'on donne à un noyau (le carbone, par exemple) est-il déterminé par le nombre de neutrons, le nombre de protons ou le nombre de nucléons ?

R2. Faites une esquisse de la courbe de l'énergie de liaison par nucléon en fonction du nombre de masse pour les noyaux stables ; expliquez le statut particulier du noyau de fer à partir de la courbe.

R3. Faites une esquisse de la courbe du nombre de neutrons en fonction du nombre de protons pour les noyaux stables.

R4. Expliquez pourquoi les noyaux les plus lourds possèdent une proportion plus grande de neutrons que les plus légers.

R5. Vrai ou faux ? Lors d'une désintégration radio-active, la masse du noyau résultant est toujours plus petite que celle du noyau de départ.

Questions

Q1. En quoi les isotopes d'un élément donné sont-ils (a) semblables ; (b) différents ?

Q2. Les nuclides situés sous la « limite de stabilité » de la figure 12.3 ont-ils tendance à émettre des électrons ou des positons ? Pourquoi ?

Q3. Quel indice prouve que les électrons émis au cours d'une désintégration β^- proviennent du noyau et non des électrons atomiques ?

Q4. Le nuclide $^{226}_{88}$Ra a une demi-vie de 1604 a seulement ; or, on le trouve dans des roches datant de plusieurs milliards d'années. Comment est-ce possible ?

Q5. (a) Un proton libre peut-il se désintégrer et donner un neutron ? (b) Un proton dans un noyau peut-il donner un neutron ? Dans chaque cas, justifiez votre réponse.

Q6. Pourquoi les radionuclides lourds émettent-ils des particules α au lieu d'émettre des protons et des neutrons séparés ?

Q7. Est-il possible qu'un électron et un proton pratiquement au repos se combinent pour former un neutron ?

Q8. (a) Pourquoi les masses des nuclides sont-elles numériquement proches de leurs nombres de masse ? (b) Pourquoi certaines masses atomiques du tableau périodique ne sont-elles pas proches de valeurs entières ?

Q9. Une catégorie d'ampoules a une durée de vie moyenne de 1500 h. (a) En quoi cette « vie moyenne » est-elle semblable à la vie moyenne dans une désintégration radioactive ? (b) En quoi s'en distingue-t-elle ?

Q10. Expliquez pourquoi, au cours d'une désintégration radioactive, les énergies des particules α sont discrètes, mais les énergies des particules β couvrent une plage continue de valeurs.

Q11. Comment peut-on mesurer la demi-vie d'un radioisotope si elle est supérieure à 10^9 a ?

Q12. Pourquoi choisit-on le carbone $^{12}_{6}\text{C}$ plutôt que l'hydrogène $^{1}_{1}\text{H}$ comme référence pour définir l'unité de masse atomique u ?

Q13. Peut-on faire la distinction entre les isotopes d'un élément donné en examinant les spectres électroniques optiques ? Peut-on utiliser les spectres de vibrations infrarouges des molécules diatomiques, si de telles molécules existent ?

Q14. Les noyaux ont à peu près la même masse volumique. Que pouvez-vous en déduire quant à la force nucléaire ?

Q15. Quel est l'effet de la chaleur sur l'activité d'un échantillon radioactif ?

Q16. Pourquoi les produits de fission ont-ils tendance à émettre des particules β^- plutôt que des particules β^+ ?

Q17. La réaction de fusion nécessite une température élevée. Cela est-il vrai pour la fission ?

Q18. (a) Suggérez quelques moyens pour mesurer la masse d'un proton. (b) Comment pourrait-on mesurer la masse d'un neutron ?

Q19. Pourquoi la force coulombienne devient-elle plus importante par rapport à la force nucléaire au fur et à mesure que le nombre de masse augmente ?

Q20. Quel est le nuclide manquant dans les désintégrations suivantes : (a) $^{234}_{94}\text{Pu} \rightarrow ? + \alpha$; (b) $^{64}_{29}\text{Cu} \rightarrow ? + \beta^+$?

Q21. Pourquoi le plomb est-il un bon écran contre les rayons γ mais ne peut pas servir de milieu pour thermaliser les neutrons ?

Q22. Puisque les neutrons thermiques n'ont pratiquement pas d'énergie cinétique, d'où vient l'énergie nécessaire à la fission ?

Q23. La température du plasma dans un réacteur à fusion est supérieure à la température au centre du Soleil. Pourquoi n'est-on pas encore parvenu à réaliser une réaction de fusion auto-entretenue ?

Exercices

12.1 Structure du noyau

E1. (I) À l'aide de l'équation 12.1, calculez les rayons des nuclides suivants : (a) $^{16}_{8}\text{O}$; (b) $^{56}_{26}\text{Fe}$; (c) $^{238}_{92}\text{U}$.

E2. (I) Le rayon de la Terre est de 6400 km et sa masse volumique moyenne, de 5,5 g/cm³. Quel rayon aura une sphère de matière nucléaire ayant la masse de la Terre si la masse volumique de la matière nucléaire est de $2,3 \times 10^{17}$ kg/m³ ?

E3. (I) Quelle est la masse volumique d'une étoile à neutrons ayant un rayon de 10 km et une masse égale à celle du Soleil ?

E4. (I) La masse de l'univers est estimée à 10^{50} kg environ. Quel serait le rayon d'une sphère de même masse mais de masse volumique égale à celle de la matière nucléaire ($2,3 \times 10^{17}$ kg/m³) ?

E5. (I) De quel facteur doit changer le nombre de masse A pour doubler le rayon du noyau d'un atome ?

E6. (I) Quel serait le rayon du nuclide $^{235}_{92}\text{U}$ s'il avait la masse volumique moyenne de la Terre, qui est de 5,5 g/cm³ ?

E7. (I) Le cuivre a deux isotopes stables, $^{63}_{29}\text{Cu}$ et $^{65}_{29}\text{Cu}$. Leurs masses respectives sont de 62,95 u et 64,95 u. Quelle est l'abondance relative de chaque isotope ?

La masse atomique du cuivre dans le tableau périodique est de 63,55 u.

E8. (I) Le néon possède plusieurs isotopes. Parmi ceux-ci, les deux plus importants ont les abondances relatives suivantes : 91 % de $^{20}_{10}\text{Ne}$ et 9 % de $^{22}_{10}\text{Ne}$. Quelle masse atomique aurait le Ne s'il n'y avait que ces deux isotopes ? Vérifiez votre résultat en le comparant à la valeur figurant dans le tableau périodique.

E9. (II) Quel est le rayon de l'isotope $^{197}_{79}\text{Au}$ de l'or ? Si le rayon d'une particule α est de 1,8 fm, quelle doit être son énergie cinétique initiale, en eV, pour qu'elle « effleure » la surface du noyau d'or ? On suppose que le noyau d'or reste au repos.

E10. (II) En supposant qu'il est uniformément chargé, calculez la charge par unité de volume du nuclide $^{56}_{26}\text{Fe}$.

12.2 **Énergie de liaison et stabilité du noyau**

E11. (I) Calculez l'énergie de liaison moyenne par nucléon des noyaux suivants : (a) $^{40}_{20}\text{Ca}$; (b) $^{197}_{79}\text{Au}$.

E12. (I) Calculez l'énergie de liaison moyenne par nucléon des noyaux suivants : (a) $^{6}_{3}\text{Li}$; (b) $^{133}_{55}\text{Cs}$.

E13. (I) Des *noyaux miroirs* sont des noyaux dont le nombre de protons et le nombre de neutrons sont intervertis. Trouvez les énergies de liaison des noyaux miroirs suivants : (a) $^{13}_{6}\text{C}$; (b) $^{13}_{7}\text{N}$.

E14. (I) Des *isobares* sont des nuclides qui ont le même nombre de nucléons. Quelles sont les énergies de liaison des isobares : (a) $^{15}_{7}\text{N}$; (b) $^{15}_{8}\text{O}$?

E15. (II) (a) Quelle est l'énergie requise pour enlever un neutron au $^{7}_{3}\text{Li}$? (b) Comparez le résultat obtenu à la question (a) avec l'énergie de liaison moyenne par nucléon pour ce nuclide.

E16. (II) (a) Quelle est l'énergie requise pour enlever un proton au $^{12}_{6}\text{C}$? (b) Comparez le résultat obtenu à la question (a) avec l'énergie de liaison moyenne par nucléon pour ce nuclide.

12.3 et **12.4** **Radioactivité, loi de désintégration radioactive**

E17. (I) On utilise l'isotope radioactif $^{60}_{27}\text{Co}$ dans le traitement des tumeurs. Il subit une désintégration β^- avec une demi-vie de 5,25 a. Quel est le taux de désintégration initial d'un échantillon de 0,01 g ?

E18. (I) Le nuclide $^{32}_{15}\text{P}$ subit une désintégration β^- avec une demi-vie de 14,3 jours. On l'utilise comme indicateur radioactif dans les analyses biochimiques. Quel est le taux de désintégration initial d'un échantillon de 1 mg ?

E19. (I) Le radon $^{222}_{86}\text{Rn}$ est un gaz ayant une demi-vie de 3,82 jours. Si le taux initial est de 320 Bq dans un échantillon, combien reste-t-il de noyaux de radon au bout de 1 jour ?

E20. (I) Contrairement à d'autres nuclides légers, le $^{8}_{4}\text{Be}$ peut se désintégrer en émettant des particules α. (a) Quelle est l'énergie libérée lorsque le $^{8}_{4}\text{Be}$ se divise en deux particules α ? (b) Est-il possible pour le $^{12}_{6}\text{C}$ de se désintégrer en émettant trois particules α ?

E21. (I) Si le $^{11}_{6}\text{C}$ émettait un positon, quel serait le nuclide restant ? Cette désintégration est-elle possible ?

E22. (II) Par suite d'un accident dans un réacteur nucléaire, l'isotope radioactif $^{90}_{38}\text{Sr}$ (demi-vie de 29 a) est relâché dans l'atmosphère. Si les retombées au voisinage du réacteur sont de 1 µg/m², au bout de combien de temps le taux de désintégration par unité de surface va-t-il chuter à un niveau de 1 µCi/m² ?

E23. (I) Le taux de désintégration d'un échantillon fraîchement préparé est de 15 µCi et chute à 9 µCi au bout de 2,5 h. (a) Trouvez la demi-vie du nuclide. (b) Combien d'atomes radioactifs étaient initialement présents ?

E24. (I) L'isotope radioactif $^{239}_{94}\text{Pu}$ a une demi-vie de 24 000 a. Quel est le taux de désintégration initial en Ci d'un échantillon de 1 g ?

E25. (II) Un os ancien contient 80 g de carbone et a un taux de désintégration de 0,75 Bq. Quel est son âge ? On suppose que le rapport en nombre des isotopes dans l'atmosphère est $^{14}\text{C}/^{12}\text{C} = 1,3 \times 10^{-12}$ et qu'il est resté constant. La demi-vie du carbone est de 5730 a.

E26. (I) Lors des premiers travaux sur la radioactivité, trois séries radioactives furent découvertes et l'on attribua des noms variés aux différents produits avant même de les identifier correctement. Dans la série suivante de l'*uranium*, identifiez chaque élément :

$$^{238}_{92}\text{U} \xrightarrow{\alpha} \text{UX}_1 \xrightarrow{\beta^-} \text{UX}_2 \xrightarrow{\beta^-} \text{UII} \xrightarrow{\alpha} \text{Io} \rightarrow \dots$$

(Le mode de désintégration est signalé par les lettres grecques sous les flèches.)

E27. (I) Dans la série radioactive de l'*actinium*, qui commence par l'uranium $^{235}_{92}$U, le produit de désintégration final (stable) est le $^{207}_{82}$Pb. Combien de particules α et d'électrons sont émis pour atteindre cet état final ?

E28. (I) Le taux de désintégration initial d'un échantillon de $^{131}_{53}$I (demi-vie de 8,1 jours) est de 0,2 Ci. (a) Quelle est la masse initiale de l'échantillon ? (b) Quel est le nombre de noyaux présents au bout de 10 jours ?

E29. (I) Le compteur Geiger détecte les particules élémentaires, individuellement, par le déclenchement d'une avalanche électronique. Chaque avalanche provoque le déclenchement d'un *coup* clairement mesurable. Un échantillon de radionuclide produit initialement 500 coups/min dans un compteur Geiger. Deux heures plus tard, le taux chute à 320 coups/min. Quelle est la demi-vie du nuclide ?

E30. (I) Le tritium ($^{3}_{1}$H) est un isotope de l'hydrogène qui a une demi-vie de 12,3 a. Quel pourcentage d'un échantillon donné reste-t-il au bout de 10 a ?

E31. (I) Le rubidium subit la désintégration suivante : $^{87}_{37}$Rb $\rightarrow$ $^{87}_{38}$Sr $+ \beta^-$ avec une demi-vie de $4,9 \times 10^{10}$ a. On découvre un fossile dans une roche dans laquelle le rapport de Sr au Rb est de 1,2 %. En supposant qu'il n'y avait pas de Sr au moment de la formation de la roche, quel est l'âge du fossile ?

E32. (II) Quel est le taux de désintégration du $^{14}_{6}$C dans un objet vieux de 15 000 a ? Donnez votre réponse en fonction du nombre de désintégrations par gramme de ^{12}C par minute. On suppose que le rapport en nombre des isotopes dans l'atmosphère est ^{14}C/^{12}C $= 1,3 \times 10^{-12}$ et est resté constant.

E33. (II) Les isotopes $^{235}_{92}$U et $^{238}_{92}$U sont radioactifs avec des demi-vies respectives de $7,13 \times 10^8$ a et $4,47 \times 10^9$ a. L'abondance relative $^{235}_{92}$U/$^{238}_{92}$U est environ de 0,007 à l'heure actuelle. Quel était ce rapport il y a 10^9 a ?

E34. (I) L'isotope radioactif $^{40}_{19}$K, qui se désintègre en $^{40}_{18}$Ar avec une demi-vie de $2,4 \times 10^8$ a, est utilisé pour dater les roches. Quel est le taux de désintégration d'un échantillon de 1 µg ?

E35. (I) La *capture d'électrons* est un processus qui se produit simultanément à la désintégration β^+ et par lequel un noyau capture un électron atomique. Quelle est l'énergie libérée dans la réaction de capture d'électron $e^- + {}^{7}_{4}$Be $\rightarrow {}^{7}_{3}$Li $+ \bar{\nu}$.

E36. (I) Identifiez le noyau résultant et calculez l'énergie libérée lors d'une désintégration α du $^{210}_{84}$Po.

E37. (I) Combien de particules α et β^- interviennent dans la série radioactive qui débute avec le thorium $^{232}_{90}$Th et se termine par le produit stable $^{208}_{82}$Pb ?

E38. (I) Quelle est l'énergie libérée dans la désintégration du neutron libre n $\rightarrow$ p $+$ e$^-$ $+ \bar{\nu}$? On suppose que l'antineutrino ($\bar{\nu}$) n'a aucune masse au repos.

E39. (I) Quelle est l'énergie libérée dans la désintégration β^- du $^{40}_{19}$K ?

E40. (I) L'isotope $^{218}_{84}$Po peut se désintégrer soit en émettant une particule α, soit en émettant une particule β^-. Trouvez l'énergie libérée dans chaque cas.

12.5 Réactions nucléaires

E41. (I) Trouvez l'énergie de la réaction pour chacune des réactions suivantes : (a) la transmutation artificielle des noyaux découverte par Rutherford en 1919 :

$$^{14}_{7}\text{N}(\alpha, \text{p})^{17}_{8}\text{O}$$

(On traite de cette méthode abrégée de description d'une réaction nucléaire sous l'équation 12.8.)

(b) la première transmutation artificielle des noyaux par des protons accélérés réalisée en 1932 par J. Cockcroft et E. Walton :

$$^{7}_{3}\text{Li}(\text{p}, \alpha)^{4}_{2}\text{He}$$

E42. (I) Calculez l'énergie de la réaction de chacune des réactions suivantes : (a) la production du neutron découverte par J. Chadwick en 1932 :

$$^{9}_{4}\text{Be}(\alpha, \text{n})^{12}_{6}\text{C}$$

(b) la radioactivité artificielle découverte par F. Joliot et I. Joliot-Curie en 1934 :

$$^{27}_{13}\text{Al}(\alpha, \text{n})^{30}_{15}\text{P}$$

E43. (I) Calculez l'énergie de la réaction pour la réaction suivante :

$$^{9}_{4}\text{Be}(\text{p}, \alpha)^{6}_{3}\text{Li}$$

E44. (I) Identifiez la particule ou le nuclide manquant dans chacune des réactions suivantes : (a) $^{10}_{5}$B(n, ?)$^{7}_{3}$Li ; (b) $^{6}_{3}$Li(p, α)? ; (c) $^{18}_{8}$O(p, ?)$^{18}_{9}$F ; (d) $^{10}_{5}$B(?, α)$^{7}_{3}$Li.

E45. (I) Identifiez la particule ou le nuclide manquant dans chacune des réactions suivantes : (a) ?(n, p)$^{32}_{15}$P ; (b) ?(p, α)$^{16}_{8}$O ; (c) $^{9}_{4}$Be(n, γ)? ; (d) $^{14}_{7}$N(?, p)$^{14}_{6}$C.

E46. (I) La réaction $^{14}_{7}N(n, p)^{14}_{6}C$, qui a lieu dans la haute atmosphère à cause du bombardement des rayons cosmiques, assure le réapprovisionnement d'isotopes $^{14}_{6}C$ dans l'atmosphère. Quelle est l'énergie de la réaction ?

E47. (I) Sachant que l'énergie de la réaction $Q = -2,45$ MeV dans la réaction $^{18}_{8}O(p, n)^{18}_{9}F$, calculez la masse du $^{18}_{9}F$. La masse de l'isotope $^{18}_{8}O$ est de 17,999 16 u.

12.6 Fission

E48. (I) (a) Si la fission d'un noyau $^{235}_{92}U$ libère 190 MeV, quelle serait l'énergie libérée par la fission de 1 kg de ce nuclide ? (b) Pendant combien de temps cette énergie pourrait-elle alimenter une ville dont la consommation est de 500 MW, en supposant que le réacteur nucléaire opérant cette fission puisse récupérer et transformer 32 % de l'énergie ?

E49. (II) En supposant que toute l'énergie libérée par la fission de chaque noyau $^{235}_{92}U$ (190 MeV) est absorbée par l'eau, combien d'atomes $^{235}_{92}U$ doivent subir une fission pour élever de 1°C la température de 1 g d'eau ?

E50. (I) L'isotope $^{235}_{92}U$ peut subir une fission spontanée avec une demi-vie de 3×10^{17} a environ. À combien de fissions spontanées peut-on s'attendre par jour dans un échantillon d'un gramme ?

E51. (I) Calculez l'énergie libérée dans la réaction de fission suivante provoquée par un neutron thermique :

$$n + {}^{235}_{92}U \rightarrow {}^{236}_{92}U^* \rightarrow {}^{144}_{56}Ba + {}^{89}_{36}Kr + 3n$$

On néglige l'énergie cinétique du neutron thermique.

E52. (I) Trouvez la variation de masse au repos dans l'explosion d'une bombe à fission équivalent à vingt kilotonnes de TNT. La combustion d'une tonne de TNT libère $4,2 \times 10^9$ J.

E53. (II) Un neutron instantané libéré dans une réaction de fission a une énergie cinétique de 1 MeV. Il traverse un modérateur qui réduit son énergie cinétique à 0,025 eV. Si le neutron perd 50 % de son énergie cinétique à chaque collision, combien de collisions subit un neutron dans ce modérateur ?

E54. (I) Quelle est la longueur d'onde de Broglie d'un neutron thermique dont l'énergie cinétique est de 0,04 eV ?

12.7 Fusion

E55. (I) Montrez que l'énergie libérée dans la réaction D – D représentée par $^2H(^2H, n)^3He$ est de 3,27 MeV.

E56. (I) Montrez que l'énergie libérée dans la réaction D – T représentée par $^3H(^2H, n)^4He$ est de 17,6 MeV.

E57. (I) Montrez que l'énergie libérée dans la réaction D – D représentée par $^2H(^2H, {}^1H)p$ est de 4,03 MeV.

E58. (I) Quel est le nombre de fusions par seconde nécessaires pour produire dans un réacteur à fusion une puissance de 40 MW en vertu de la réaction D – T de l'équation 12.11.

E59. (II) Une réaction de fusion D – D libère 4,03 MeV. Le rapport de concentration du deutérium à l'hydrogène est de 1/6500 dans l'eau de mer. Quelle est l'énergie de fusion disponible dans 1 kg d'eau de mer ?

Exercices supplémentaires

12.2 Énergie de liaison, stabilité du noyau

E60. (I) Quelle est l'énergie de liaison du dernier neutron du ^{13}C ?

E61. (I) L'énergie de liaison moyenne par nucléon du ^{214}Po est de 7,7852 MeV/nucléon. Quelle est sa masse atomique ?

12.3 et 12.4 Radioactivité, loi de désintégration radioactive

E62. (I) L'énergie de désintégration β^+ du ^{12}N est de 16,316 MeV. Quelle est sa masse atomique ?

E63. (I) Le taux de désintégration initial d'un échantillon est de 79 μCi. Sa demi-vie est de 10 s. Combien de noyaux auront été désintégrés entre 20 s et 30 s après l'instant initial ?

E64. (II) Un fragment d'os vieux de 2500 ans contient 15 g de carbone. Trouvez (a) le taux de désintégration initial du ^{14}C ; (b) son taux de désintégration actuel. (Supposez que le rapport en nombre des isotopes dans l'atmosphère est $^{14}C/^{12}C = 1,3 \times 10^{-12}$ et qu'il est demeuré constant. La demi-vie du ^{14}C est de 5730 a).

E65. (I) L'émission de positons à partir du ^{15}O est la première étape du processus de fonctionnement d'un scanner médical appelé PET (tomodensitométrie à émission de positons). La demi-vie des isotopes d'oxygène est de 122 s. (a) Identifiez les noyaux résultants. (b) Si le taux de désintégration initial d'un échantillon est de 0,2 µCi, combien y a-t-il de noyaux de ^{15}O présents ?

E66. (I) Un archéologue obtient pour un morceau de bois qu'il a exhumé du sol un taux de désintégration correspondant à 9,7 % de celui d'un morceau de bois fraîchement coupé. Quel est l'âge de l'échantillon ? (La demi-vie du ^{14}C est de 5730 a).

E67. (I) Un accident nucléaire contamine un pâturage avec du ^{131}I, dont la demi-vie est de 8 jours. (a) Quelle est la masse de ^{131}I par litre de lait, si le taux de désintégration observé dans le liquide est de 2000 Bq/L à la suite de l'accident ? (b) Combien de temps sera nécessaire pour que le taux de désintégration passe à 500 Bq/L ?

E68. (I) Le ^{13}N subit une désintégration β^+ et sa demi-vie est de 9,9 min. Quelle est l'énergie libérée durant chaque désintégration ?

E69. (I) La désintégration radioactive du ^{40}K en ^{40}Ar a une demi-vie de $1,25 \times 10^9$ a. Si 80 % du potassium radioactif d'une roche s'est désintégré en argon, quel est son âge ?

E70. (I) Quelle est la masse de tritium (^{3}H) nécessaire pour produire un taux de désintégration de 2 µCi (demi-vie de 12,3 a) ?

E71. (I) Le ^{22}Na subit une désintégration β^+ et sa demi-vie est de 2,6 a. (a) Quel est le noyau résultant ? (b) Quelle est l'énergie de la réaction ?

E72. (I) (a) Quel est le nombre de désintégrations, par minute et par gramme de carbone, du ^{14}C dans la structure osseuse d'un être vivant ? (b) Un vieux fragment d'os contient 400 mg de carbone. En une heure, on mesure 81 désintégrations. Quel est l'âge de ce fragment ? Supposez que le rapport en nombre des isotopes dans l'atmosphère est ^{14}C/^{12}C = 1,3 $\times 10^{-12}$ et qu'il est demeuré constant.

E73. (I) Le radon gazeux, un émetteur de particules α, est détectable dans l'environnement et peut être nocif pour la santé. Sa demi-vie est de 3,825 jours. Le taux de désintégration initial d'un échantillon est de 65 Bq. (a) Quel est le nombre de noyaux initialement présents ? (b) Combien de temps est-il nécessaire pour que le taux de désintégration passe à 5 Bq ?

12.5 Réactions nucléaires

E74. (I) Quelle est l'énergie de la réaction pour ^{7}Li(p, n)^{7}Be ? Que pouvez-vous conclure de votre réponse ?

E75. (I) Quelle est l'énergie de la réaction des réactions suivantes : (a) ^{15}N(p, α)^{12}C ; (b) ^{13}C(p, γ)^{14}N ?

12.6 Fission

E76. (I) Trouvez le nuclide manquant dans la réaction de fission suivante n + ^{233}U $\rightarrow$ ^{134}Te + ? + 2n.

E77. (I) L'énergie libérée pendant la fission d'un noyau ^{235}U est à peu près de 200 MeV. (a) Combien de noyaux sont nécessaires pour produire une explosion équivalant à 20 kilotonnes de TNT ? L'énergie associée à l'explosion d'une tonne de TNT est de $4,18 \times 10^9$ J. (b) Quelle est la masse de ^{235}U nécessaire ?

Problèmes

P1. (I) Le radio-isotope $^{90}_{38}$Sr a une demi-vie de 29 a. Un échantillon a un taux initial de désintégration de 24 µCi. Combien de noyaux se désintègrent lors de la première année ?

P2. (II) Un nuclide radioactif ayant une constante de désintégration λ donne un nuclide résultant stable. Il y a initialement N_{01} noyaux de départ et aucun noyau résultant. Montrez que le nombre N_2 de nuclides résultants s'exprime en fonction du temps par

$$N_2 = N_{01}(1 - e^{-\lambda t})$$

P3. (I) Un échantillon d'un nuclide radioactif donne un nuclide résultant qui est également radioactif. Si les constantes de désintégration sont λ_1 et λ_2, donnez l'expression du taux d'accroissement du nombre N_2 des nuclides résultants. Quelle est la condition pour que le nombre de nuclides résultants cesse d'augmenter ?

P4. (I) La durée de vie moyenne τ d'un nuclide radioactif est donnée par

$$\tau = \frac{\int_{N_0}^{0} t\, dN}{\int_{N_0}^{0} dN}$$

où $dN/dt = -\lambda N$. Montrez que $\tau = 1/\lambda$. (*Indice*: Convertissez en une intégrale sur le temps et faites une intégration par parties.)

P5. (II) Utilisez la conservation de la quantité de mouvement pour montrer que, dans une désintégration α, l'énergie cinétique de la particule α est donnée par

$$K_\alpha = \frac{M_R Q}{(M_R + m_\alpha)}$$

où M_R est la masse du noyau résultant et Q est l'énergie de la réaction. Calculez cette énergie cinétique pour la désintégration $^{226}_{88}\text{Ra} \rightarrow ^{222}_{86}\text{Rn} + \alpha$.

P6. (I) (a) Montrez que, dans une désintégration avec émission de positons, l'énergie de la réaction est $Q = (m_D - m_R - 2m_e)c^2$, où m_D et m_R sont les masses atomiques des atomes de départ et résultants. Calculez cette énergie pour la désintégration $^{64}_{29}\text{Cu} \rightarrow ^{64}_{28}\text{Ni} + \beta^+ + \nu$.

P7. (I) Le taux de désintégration d'un échantillon radioactif chute de 40 % en 3,5 h. Quelle est la demi-vie du nuclide ?

P8. (II) L'énergie potentielle électrique d'une sphère uniformément chargée de rayon R et de charge Q est $3kQ^2/5R$. Quelle est la variation de l'énergie potentielle électrique totale lors de la fission suivante ?

$$^{236}_{92}\text{U} \rightarrow ^{141}_{56}\text{Ba} + ^{92}_{36}\text{Kr} + 3\text{n}$$

P9. (I) Utilisez la conservation de la quantité de mouvement pour démontrer que l'énergie cinétique de la particule α dans la désintégration d'un noyau de nombre de masse A initialement au repos est

$$K_\alpha \approx \frac{(A-4)Q}{A}$$

où Q est l'énergie de la réaction. Quelle est l'énergie de la particule α dans la désintégration $^{236}_{92}\text{U} \rightarrow ^{232}_{90}\text{Th} + \alpha$, en supposant que le noyau $^{236}_{92}\text{U}$ est initialement au repos ?

P10. (II) Utilisez la conservation de l'énergie et de la quantité de mouvement pour démontrer que l'énergie seuil d'une particule incidente nécessaire pour engendrer une réaction endothermique X(a, b)Y, mesurée dans le référentiel du laboratoire, est

$$E_S = \frac{-(M_X + m_a)Q}{M_X}$$

où m_a est la masse de la particule incidente et M_X est la masse du noyau initialement au repos. Calculez cette énergie pour $^{14}\text{N}(\alpha, \text{p})^{17}\text{O}$. (*Indice*: Calculez l'énergie cinétique par rapport au centre de masse.)

P11. (I) Montrez que l'énergie de seuil du proton incident dans la réaction $^{13}\text{C}(\text{p}, \text{n})^{13}\text{N}$ est de 3,23 MeV. (*Cf.* problème précédent.)

CHAPITRE 13*

Les particules élémentaires

Le détecteur OPAL fait partie du collisionneur LEP (*Large Electron-Positron Storage Ring*) du CERN (Centre européen pour la recherche nucléaire), dans lequel les particules sont accélérées jusqu'à 50 GeV dans un tunnel de 27 km de circonférence.

Depuis l'antiquité grecque, il s'est toujours trouvé des philosophes et des scientifiques pour penser que la matière est ultimement composée de particules *élémentaires* sans structure interne. Le philosophe Démocrite (vers 400 av. J.-C.) appelait ces particules indivisibles des *atomes*. En 1808, John Dalton émit l'hypothèse qu'un élément donné est formé d'atomes identiques et utilisa ce modèle pour expliquer comment se combinent les éléments pour former des corps composés. Un siècle plus tard, Rutherford montra que les atomes ont en fait une structure interne et sont constitués d'un petit noyau entouré d'électrons. En 1932, on savait que le noyau lui-même était composé de protons et de neutrons. Comme nous l'avons déjà vu, on parvint à résoudre les problèmes liés aux lois de la conservation dans la désintégration β en postulant l'existence du neutrino. Avec l'addition du photon, on comptait cinq particules élémentaires.

13.1 L'antimatière

En 1928, P. A. M. Dirac (figure 13.1) intégra la relativité à la mécanique quantique. Sa théorie semblait impliquer que les électrons libres peuvent avoir des énergies négatives aussi bien que positives, les niveaux étant séparés par la quantité $2m_0c^2$ (figure 13.2). Il suggéra que les états d'énergie négative n'étaient pas observés normalement parce qu'ils étaient déjà complètement remplis et qu'ainsi le principe d'exclusion de Pauli empêche toute transition vers le bas à partir des niveaux d'énergie positive habituels. On nota pourtant qu'un photon d'énergie suffisante ($> 2m_0c^2 = 1,02$ MeV) devait pouvoir faire passer un électron d'énergie négative à un niveau positif et créer un « trou ». Ce trou devait avoir le comportement d'une particule, aujourd'hui appelée *positon* (ou *positron*), de masse égale à celle de l'électron mais de charge égale à $+e$. Le positon fut détecté en 1932 par C. Anderson (figure 13.3).

Figure 13.1

P. A. M. Dirac (1902-1984).

---

* Ce chapitre est présenté à titre de Sujet connexe. Les rubriques habituelles n'y figurent donc pas.

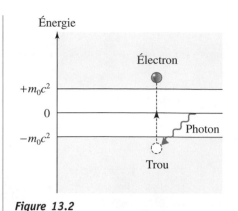

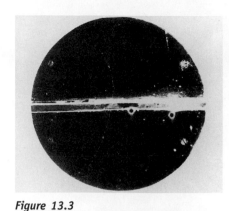

Figure 13.2

Un photon d'énergie suffisante peut exciter un électron d'énergie négative et le porter à un état d'énergie positive.

Figure 13.3

La photographie prise par C. Anderson qui a permis d'identifier le positon. La particule se dirigeait vers le haut et sa trajectoire s'est incurvée vers la gauche sous l'effet d'un champ magnétique.

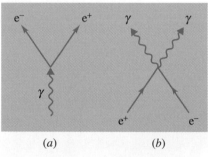

Figure 13.4

(a) Un photon d'énergie suffisante peut créer une paire électron-positon. (b) Un électron et un positon s'annihilent mutuellement en produisant deux photons de rayons gamma.

Figure 13.5

Paires d'électron-positon créées par des rayons gamma (non visibles). Dans l'événement visible à gauche, la trajectoire du centre est celle d'un électron éjecté d'un atome.

Le positon est un exemple d'*antimatière* ; c'est l'antiparticule de l'électron. Une particule et son antiparticule ont certains *nombres quantiques intrinsèques*, comme leurs charges, qui sont de même valeur mais de signes opposés. Nous savons maintenant que chaque particule possède une antiparticule, bien que certaines, comme le photon, soient leur propre antiparticule. Si l'on fournit une quantité d'énergie suffisante, à l'aide d'un photon par exemple, une paire particule-antiparticule peut être créée. Ce processus, appelé *création de paires*, est illustré à la figure 13.4*a*. Lorsqu'une particule rencontre son antiparticule, elle disparaissent toutes deux lors d'un processus appelé *annihilation de paires* (figure 13.4*b*). Leur masse-énergie sert à créer des photons ou d'autres particules. La création et l'annihilation sont les exemples les plus frappants de l'équivalence entre la masse et l'énergie (figure 13.5). Nous n'avons qu'une expérience très limitée de l'antimatière parce que l'univers semble être constitué surtout de matière ordinaire. En effet, toute antimatière créée naturellement ou artificiellement a une existence extrêmement courte parce qu'elle est annihilée lorsqu'elle entre en contact avec la matière ordinaire.

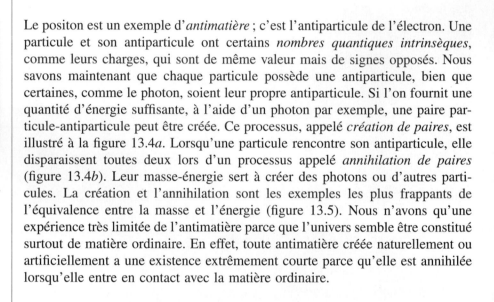

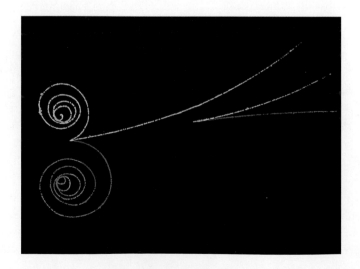

13.2 Les forces d'échange

La notion de champ fut introduite par Faraday et développée par Maxwell. Selon cette conception, deux particules chargées électriquement interagissent par l'intermédiaire du champ électromagnétique: chaque particule crée un champ qui agit sur l'autre. Par la suite, la *théorie quantique des champs* montra que l'énergie emmagasinée dans le champ est quantifiée. Deux particules chargées électriquement interagissent donc en échangeant des paquets d'énergie qu'elles émettent et absorbent. Ces paquets d'énergie, identiques aux photons, sont appelés *photons virtuels*, car ce processus est en général très bref et ne peut être détecté. Richard Feynmann (figure 13.6) proposa un moyen simple de représenter de telles interactions entre deux particules. À la figure 13.7, qui représente un *diagramme de Feynmann*, deux électrons s'approchent l'un de l'autre, échangent un photon virtuel, puis changent d'état.

Figure 13.6

Richard Feynmann (1918-1988).

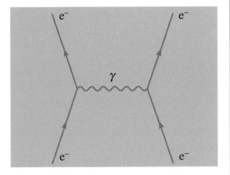

Figure 13.7

Un diagramme de Feynmann représentant la diffusion électron-électron.

Pour comprendre comment l'échange de particules donne lieu à des forces, imaginons deux patineurs A et B immobiles sur un lac gelé. Le patineur A lance une balle transparente en direction de B et ce geste le fait reculer (figure 13.8a). Lorsque la patineuse B attrape la balle, elle se déplace dans la même direction que la balle et ainsi s'éloigne de A. En transmettant de l'énergie et de la quantité de mouvement de A à B, la balle produit une force résultante de répulsion. On peut dire que A et B interagissent en échangeant des balles invisibles (virtuelles). S'ils étaient capables de se lancer et d'attraper un boomerang transparent (figure 13.8b), A et B pourraient produire entre eux une force résultante attractive. Naturellement, cette illustration ne doit pas être prise au pied de la lettre, la *force d'échange* étant simplement un effet de mécanique quantique. Un type similaire (mais non identique) de force d'échange apparaît lors du partage des électrons dans les liaisons covalentes (par exemple dans la molécule d'hydrogène).

L'échange virtuel de particules est possible en vertu du principe d'incertitude de Heisenberg, $\Delta E \Delta t > h$. Selon ce principe, l'énergie d'un système peut fluctuer d'une quantité ΔE, à condition que cette fluctuation ait lieu dans un intervalle $\Delta t < h/\Delta E$. En d'autres termes, un système peut « emprunter » une

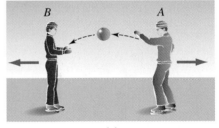

(*a*)

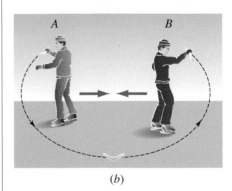

(*b*)

Figure 13.8

Deux patineurs sur un lac. (*a*) Ils peuvent produire une force de répulsion en se lançant une balle transparente (virtuelle). (*b*) Ils peuvent produire une force d'attraction en lançant et attrapant un boomerang transparent (virtuel).

énergie ΔE en plus de la quantité permise par la loi de conservation de l'énergie, pourvu qu'il la rende dans l'intervalle Δt. Dans cet intervalle, la violation du principe de conservation de l'énergie ne sera pas détectée. L'incertitude sur E est au moins égale à la masse de la particule virtuelle, c'est-à-dire $\Delta E \approx mc^2$. La distance parcourue par la particule avant d'être absorbée correspond à la portée P de l'interaction. Si la vitesse de la particule est presque égale à la vitesse de la lumière, l'intervalle de temps est $\Delta t \approx P/c$. D'après $\Delta E \Delta t > h$, on voit que

$$P \approx \frac{h}{mc}$$

Puisque la masse au repos du photon est nulle, la portée de l'interaction électromagnétique est infinie.

Les quanta de champ

Le photon est un exemple de *quantum de champ* qui *sert d'intermédiaire* dans l'interaction *électromagnétique*. Dans le cas de l'interaction *nucléaire*, qui lie les protons et les neutrons dans le noyau, c'est l'échange de pions (π^+, π^- et π^0) qui sert d'intermédiaire. Par exemple, un proton peut émettre un π^+ virtuel, qui est ensuite absorbé par un neutron. En fait, le proton et le neutron échangent leur identité (figure 13.9a). Deux protons ou deux neutrons échangent des pions neutres. Dans le cas de l'interaction *faible*, qui est à l'origine de la désintégration β, ce sont les particules W^+, W^- et Z^0 qui servent d'intermédiaires. Ce processus est représenté à la figure 13.9b, où un neutron émet un W^- puis est converti en un proton. Ensuite, le W^- se désintègre pour donner l'électron observé et un antineutrino. Enfin, dans le cas de l'interaction *gravitationnelle*, c'est le graviton qui sert d'intermédiaire. Les quanta de champ peuvent devenir *réels* si la quantité d'énergie fournie est suffisante, par exemple lors de collisions entre des particules. Ces quanta de champ, à l'exception du graviton, ont été détectés.

L'intensité d'une interaction peut être caractérisée par la durée d'une réaction ou d'une désintégration. Une interaction forte produit des réactions rapides, alors qu'une interaction faible produit des réactions lentes. Une interaction électromagnétique typique dure entre 10^{-16} et 10^{-20} s environ. L'échelle de temps correspondant à l'interaction nucléaire est de 10^{-23} s, alors qu'elle est voisine de 10^{-10} s pour l'interaction faible.

Les particules de résonance

Après la Deuxième Guerre mondiale, plusieurs nouvelles particules furent détectées dans des expériences menées à haute altitude. Ces particules étaient produites dans la haute atmosphère par le bombardement des rayons cosmiques provenant de l'espace. En même temps, un nouveau type de particules, les *particules de résonance*, de durée de vie très courte, apparurent dans les expériences réalisées dans les accélérateurs de particules. Pour comprendre comment elles sont détectées, nous allons considérer la diffusion des pions positifs par des protons. À faible énergie, un pion est diffusé de façon élastique par un proton. Au fur et à mesure que l'énergie cinétique du pion augmente, il peut traverser la barrière coulombienne du proton et interagir par l'intermédiaire de la force nucléaire. Pour une certaine énergie, le pion et le proton peuvent se combiner momentanément pour former une nouvelle particule qui se désintègre très rapidement. Le taux auquel sont détectés les produits de la désintégration reflète le taux de formation de la nouvelle particule. À des énergies encore plus

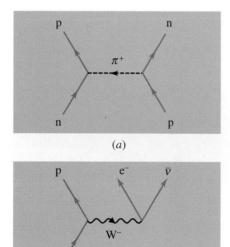

Figure 13.9

(a) L'interaction nucléaire : un neutron et un proton interagissent en échangeant un pion positif. (b) L'interaction faible : un neutron émet une particule W^- et se transforme en un proton. La particule W^- se désintègre ensuite pour donner un électron et un antineutrino.

élevées, le pion et le proton n'ont pas le temps de se combiner et le taux de réaction diminue. La variation du taux de réaction en fonction de la masse-énergie disponible prend la forme d'une résonance, ce qui met en évidence une énergie « privilégiée » ou « propre » du système. C'est pourquoi de telles particules sont appelées particules de résonance. La figure 13.10 représente la première particule de résonance, qui fut détectée en 1952 par E. Fermi.

Les particules de résonance ont des durées de vie si courtes qu'elles ne laissent pas de traces dans les détecteurs. Leur existence est simplement déduite de la présence du pic de la courbe du taux de réaction en fonction de l'énergie. La largeur du pic ΔE peut servir à déterminer la durée de vie de la particule de résonance au moyen du principe d'incertitude de Heisenberg, $\Delta E \Delta t \approx h$. Par exemple, si la largeur mesurée de la résonance est $\Delta E = 100$ MeV, la particule a une durée de vie $\Delta t \approx h/\Delta E \approx 10^{-23}$ s.

Au début des années 60, des centaines de résonances ont été observées en plus de plusieurs autres particules de durées de vie plus longues. La situation chaotique qui en résulta n'était pas sans rappeler ce qui s'était produit en chimie au XIXe siècle avant les travaux de Mendeleïev, alors qu'il n'existait pas de schéma de classement pour les soixante éléments connus à l'époque. Il semblait évident que la première étape pour mettre de l'ordre dans la multitude des données sur les particules élémentaires consistait à trouver un schéma de classification analogue au tableau périodique.

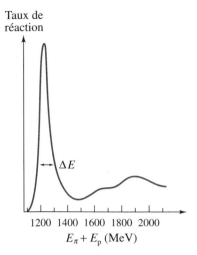

Figure 13.10

La première particule de résonance fut détectée par Fermi en 1952 au cours de la diffusion des pions par des protons. Le pic très net de la courbe du taux de réaction en fonction de l'énergie disponible indique la formation d'une particule de courte durée de vie.

13.3   La classification des particules

Les particules élémentaires sont classées selon plusieurs critères. Le tableau 13.1 (p. 386) donne une liste partielle des particules relativement stables dont les durées de vie sont supérieures à 10^{-20} s. Il indique également certains schémas de désintégration.

Interactions : Leptons et hadrons

Les particules qui prennent part aux interactions faible et électromagnétique, mais pas à l'interaction nucléaire, sont appelées *leptons*. L'électron (e^-), le muon (μ^-) et le neutrino (ν) sont des exemples de leptons. Il existe trois types de neutrino : ν_e associé à l'électron, ν_μ associé au muon et ν_τ associé à la particule τ. La famille des leptons comprend six membres plus leurs antiparticules.

Les réactions qui font intervenir des leptons obéissent à une loi de conservation de trois *nombres leptoniques* : $L_e = 1$ pour l'électron et son neutrino et $L_e = 0$ pour toutes les autres particules ; $L_\mu = 1$ pour le muon et son neutrino et $L_\mu = 0$ pour toutes les autres particules ; $L_\tau = 1$ pour la particule tau et son neutrino et $L_\tau = 0$ pour toutes les autres particules. Un nombre leptonique est un exemple de nombre quantique intrinsèque d'une particule. Aux antiparticules, on attribue le nombre $L = -1$. À titre d'exemple, considérons la désintégration du muon qui fait intervenir deux nombres leptoniques conservés :

$$
\begin{array}{lcccccc}
 & \mu^- & \to & e^- & + & \bar{\nu}_e & + & \nu_\mu \\
L_e: & (0) & & (+1) & + & (-1) & + & (0) \\
L_\mu: & (1) & & (0) & + & (0) & + & (1)
\end{array}
$$

Tableau 13.1

Quelques particules et leurs propriétés

		Symbole	Anti-particule	Énergie au repos (MeV)	L_e	L_μ	L_τ	B	$s\,(\hbar)$	s	Vie moyenne (s)	Modes de désintégration caractéristiques
Leptons	Électron	e^-	e^+	0,511	+1	0	0	0	1/2	0	stable	
	Muon	μ^-	μ^+	105,7	0	+1	0	0	1/2	0	$2,2 \times 10^{-6}$	$\mu^- \rightarrow e^- + \bar{\nu}_e + \nu_\mu$
	Tau	τ^-	τ^+	1784	0	0	−1	0	1/2	0	3×10^{-13}	$\tau^- \rightarrow e^- + \bar{\nu}_e + \nu_\tau$
	Neutrino	ν_e	$\bar{\nu}_e$	0 (?)	+1	0	0	0	1/2	0	stable	
		ν_μ	$\bar{\nu}_\mu$	0 (?)	0	+1	0	0	1/2	0	stable	
		ν_τ	$\bar{\nu}_\tau$	0 (?)	0	0	−1	0	1/2	0	stable	
Hadrons Mésons	Pion	π^+	π^-	139,6	0	0	0	0	0	0	$2,6 \times 10^{-8}$	$\pi^+ \rightarrow \mu^+ + \nu_\mu$
		π^0	elle-même	135,0	0	0	0	0	0	0	$0,83 \times 10^{-16}$	$\pi^0 \rightarrow \gamma + \gamma$
	Kaon	K^+	K^-	493,7	0	0	0	0	0	+1	$1,24 \times 10^{-8}$	$K^+ \rightarrow \pi^+ + \pi^0$
		K^0_S	$\bar{K}^0_S$	497,7	0	0	0	0	0	+1	$0,9 \times 10^{-10}$	$K^0_S \rightarrow \pi^0 + \pi^0$
		K^0_L	$\bar{K}^0_L$	497,7	0	0	0	0	0	+1	$5,2 \times 10^{-8}$	$K^0_L \rightarrow \pi^0 + \pi^0 + \pi^0$
	Êta	η^0	elle-même	548,8	0	0	0	0	0	0	7×10^{-19}	$\eta^0 \rightarrow \gamma + \gamma$
Baryons	Proton	p	$\bar{\text{p}}$	938,3	0	0	0	+1	1/2	0	stable	
	Neutron	n	$\bar{\text{n}}$	939,6	0	0	0	+1	1/2	0	900	$\text{n} \rightarrow \text{p} + \bar{\text{e}} + \bar{\nu}_e$
	Lambda	Λ^0	$\bar{\Lambda}^0$	1115	0	0	0	+1	1/2	−1	$2,6 \times 10^{-10}$	$\Lambda^0 \rightarrow \text{p}^+ + \pi^-$
	Sigma	Σ^+	$\bar{\Sigma}^-$	1189	0	0	0	+1	1/2	−1	$0,8 \times 10^{-10}$	$\Sigma^+ \rightarrow \text{n} + \pi^+$
		Σ^0	$\bar{\Sigma}^0$	1192	0	0	0	+1	1/2	−1	6×10^{-20}	$\Sigma^0 \rightarrow \Lambda^0 + \gamma$
		Σ^-	$\bar{\Sigma}^+$	1197	0	0	0	+1	1/2	−1	$1,5 \times 10^{-10}$	$\Sigma^- \rightarrow \text{n} + \pi^-$
	Xi	Ξ^0	$\bar{\Xi}^0$	1315	0	0	0	+1	3/2	−2	$2,9 \times 10^{-10}$	$\Xi^0 \rightarrow \Lambda^0 + \pi^0$
		Ξ^-	Ξ^+	1321	0	0	0	+1	3/2	−2	$1,6 \times 10^{-10}$	$\Xi^- \rightarrow \Lambda^0 + \pi^-$
	Oméga	Ω^-	Ω^+	1672	0	0	0	+1	3/2	−3	$0,8 \times 10^{-10}$	$\Omega^- \rightarrow \Xi^0 + \pi^-$

L'électron est une particule stable parce qu'il n'existe pas de particule plus légère en laquelle il peut se désintégrer tout en conservant une charge électrique. Tout semble indiquer que les leptons sont de vraies particules élémentaires.

Les particules qui prennent part à l'interaction nucléaire en plus des interactions faible et électromagnétique sont appelées *hadrons*. Les hadrons qui comprennent des protons dans leurs produits de désintégration finale sont appelés *baryons*. Les hadrons qui se désintègrent en photons et en leptons sont appelés *mésons*. La loi de *conservation du nombre baryonique B* rend compte du fait que le proton ne se désintègre pas en particules plus légères. On attribue aux mésons et aux leptons le nombre $B = 0$ et aux baryons, tels que le neutron et le proton, le nombre $B = +1$, alors que leurs antiparticules ont un nombre $B = -1$. Ainsi, bien qu'une désintégration telle que $\text{p} \rightarrow K^+ + \pi^0$ soit possible sur le plan énergétique, elle est interdite par la loi de conservation du nombre baryonique, puisqu'elle diminuerait ce nombre d'une unité.

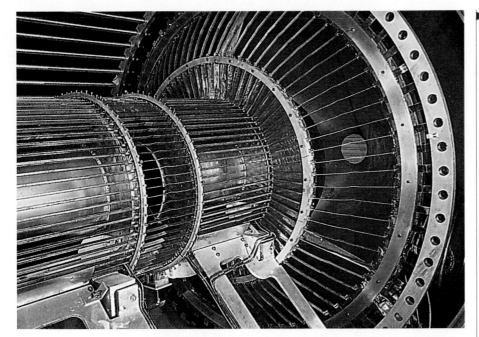

► À Los Alamos, ce spectromètre mesure les énergies des électrons dans la désintégration β^- du tritium, $^3_1$H → $^3_1$He + e^- + $\bar{\nu}_e$, en vue de déterminer si la masse au repos des neutrinos est finie ou non.

Le spin : Fermions et bosons

Les particules qui ont un spin demi-entier ($s = \frac{1}{2}\hbar, \frac{3}{2}\hbar, \frac{5}{2}\hbar, \ldots$) sont des *fermions* et obéissent au principe d'exclusion de Pauli (dans un système, deux fermions identiques ne peuvent pas avoir le même ensemble de nombres quantiques). Les particules qui ont un spin entier ($s = 0, 1\hbar, 2\hbar, \ldots$) sont des *bosons*. Les bosons peuvent avoir des nombres quantiques identiques et ont tendance à se regrouper au même niveau. Les leptons et les baryons sont des fermions, alors que les mésons et tous les quanta de champ sont des bosons.

L'étrangeté

Vers 1950, on commença à découvrir un nouvel ensemble de hadrons ayant des propriétés inhabituelles. Ces hadrons comprenaient notamment les mésons K, ou kaons, de masse inférieure à celle du proton. Les particules de masse supérieure à celle du proton, telles que Λ, Σ et Ξ, étaient toutes appelées *hypérons* (terme qui n'est plus utilisé maintenant). Considérons par exemple la désintégration d'un kaon en deux pions : $K^0 \rightarrow \pi^+ + \pi^-$. Puisque le kaon et le pion prennent part tous les deux à l'interaction nucléaire, on peut s'attendre à ce que la désintégration dure environ 10^{-23} s. Pourtant, dans la réalité, elle a lieu par l'intermédiaire de l'interaction faible en 10^{-10} s et dure mille milliards de fois plus longtemps !

En 1952, A. Pais suggéra que, pendant qu'il est produit par l'interaction nucléaire rapide, un hypéron est toujours accompagné d'un kaon. Pourtant, chaque particule ne peut se désintégrer que lentement par le biais de l'interaction faible. Des expériences ultérieures confirmèrent cette hypothèse de *production associée* d'hypérons et de kaons. Par exemple,

$$\pi^- + p \rightarrow K^+ + \Sigma^-$$
$$K^- + p \rightarrow K^0 + \Xi^0$$

Le phénomène de production associée et les durées de vie anormalement longues débouchèrent sur l'introduction d'un nouveau nombre quantique. Nous avons souligné plus haut que la stabilité du proton découle de la conservation

Figure 13.11

Murray Gell-Mann (né en 1929).

du nombre baryonique. En 1953, M. Gell-Mann (figure 13.11) et K. Nishijima émirent indépendamment l'hypothèse que la stabilité « étrange » (durée de vie anormalement longue) des nouveaux hadrons et le phénomène de production associée découlent de la conservation d'un *nombre quantique d'étrangeté* (*strangeness*), S. Ce nombre est conservé dans les interactions nucléaire et électromagnétique, mais il ne l'est pas dans l'interaction faible. Par conséquent, un hadron avec étrangeté ($S \neq 0$) ne peut pas se désintégrer en des particules sans étrangeté ($S = 0$) par le biais d'interactions fortes ou électromagnétiques ; la désintégration doit se faire par l'intermédiaire de l'interaction faible, beaucoup plus lente. La réaction qui suit montre comment l'étrangeté s'applique à la production associée :

$$\pi^- + p \rightarrow K^0 + \Lambda^0$$
$$S: \quad 0 \quad + \quad 0 \qquad (+1) \; + \; (-1)$$

Même si elle n'est pas conservée dans une interaction faible, l'étrangeté ne peut varier que d'une unité à la fois ($\Delta S = \pm 1$). Par exemple, Ξ ($S = -2$) ne se désintègre pas directement en un proton ($S = 0$) mais se convertit d'abord en un Λ^0 ($S = -1$) :

$$\Xi^- \rightarrow \Lambda^0 + \pi^- \qquad (\Delta S = +1)$$
$$\hookrightarrow p + \pi^- \qquad (\Delta S = +1)$$

L'isospin

Nous avons souligné au chapitre 12 que la force nucléaire est la même pour les neutrons et pour les protons. Comme ces particules ont à peu près la même masse, Heisenberg suggéra que si l'interaction électromagnétique était « supprimée », le neutron et le proton pourraient être considérés comme des états différents d'une même entité, le *nucléon*. Par analogie avec le spin intrinsèque d'une particule, il attribua un *isospin I* à chaque particule. Une particule ayant un isospin I a ($2I + 1$) valeurs possibles de la composante I_z sur l'axe des z dans l'espace abstrait d'isospin. Avec $I = \frac{1}{2}$ pour le nucléon, il y a $2I + 1$ = 2 valeurs possibles pour I_z. Comme l'indique la figure 13.12*a*, l'état d'isospin *up* (u) est attribué au proton ($I_z = \frac{1}{2}$) et l'état d'isospin *down* (d) ($I_z = -\frac{1}{2}$) est attribué au neutron. Le proton et le neutron forment un doublet d'isospin.

Gell-Mann utilisa la notion d'isospin pour identifier d'autres familles de hadrons ayant des propriétés similaires. En général, une famille de hadrons, appelée *multiplet*, peut dériver d'une seule particule de départ ayant une valeur appropriée d'isospin I. Chaque particule d'un multiplet est un état différent d'une même entité. Lorsque le vecteur isospin tourne dans l'espace d'isospin abstrait, il fait varier la charge des membres du multiplet, qui ne diffèrent que par la composante en z de ce vecteur. Par exemple, les trois pions (π^+, π^- et π^0) découlent d'un même pion d'isospin $I = 1$. Les pions forment un triplet d'isospins avec $I_z = 0$, ± 1 (figure 13.12*b*). La classification des isospins a permis de prédire l'existence de plusieurs particules.

L'introduction et l'attribution des nouveaux nombres quantiques peuvent paraître arbitraires. En réalité, le nombre d'isospin, le nombre d'étrangeté et le nombre baryonique sont liés à la charge d'une particule par une formule qui fut établie par Gell-Mann et Nishijima :

$$Q = I_z + \frac{B + S}{2} \tag{13.1}$$

Nous avons présenté plusieurs critères permettant de classer les particules. Pour passer à l'étape suivante, nous devons maintenant trouver des points communs aux particules élémentaires.

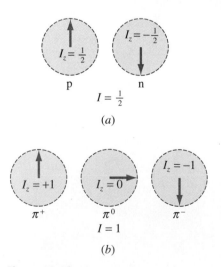

Figure 13.12

(*a*) Un doublet d'isospin $I = \frac{1}{2}$. Les deux valeurs de la composante en z, I_z, représentent respectivement le proton et le neutron. (*b*) Un triplet d'isospin $I = 1$. Les trois valeurs de I_z représentent les trois pions.

Puisque les théories dynamiques des interactions faibles et nucléaires sont complexes et difficiles à appliquer, les physiciens ont cherché d'autres moyens d'obtenir des renseignements sur ces interactions. Le plus puissant de ces moyens a été la recherche de symétries. On pense que la solution à un problème doit refléter la symétrie sous-jacente d'un système physique. Par exemple, nous avons utilisé des arguments fondés sur la symétrie spatiale des distributions de charges pour déterminer leur champ électrique à partir du théorème de Gauss. Nous allons voir maintenant que le fait de connaître la symétrie d'un système permet de l'étudier de façon plus approfondie.

La symétrie géométrique est une notion qui nous est assez familière. Par exemple, si l'on fait tourner de 90° ou d'un multiple de 90° le carré représenté à la figure 13.13, il nous semblera toujours identique. De même, le carré est inchangé par rapport aux réflexions aux droites AA' ou BB'. On dit que le carré est invariant par rapport à un ensemble de rotations et de réflexions. Un cercle est encore plus symétrique parce qu'il est invariant par rapport aux rotations d'angles quelconques. Le carré a une symétrie discrète, alors que le cercle a une symétrie continue. En général, *on dit qu'un système possède une symétrie s'il est invariant par rapport à un ensemble d'opérations.*

La symétrie ne se limite pas aux objets matériels. Une fonction mathématique peut en effet garder la même forme par rapport à un ensemble d'opérations mathématiques. Par exemple, si l'on remplace x par $-x$, la fonction $y = x^2$ ne change pas. En vertu du premier postulat de la relativité restreinte, toutes les lois physiques sont invariantes dans la transformation de Lorentz des coordonnées. Les opérations sur le carré et la transformation de Lorentz font intervenir des opérations de symétrie dans l'espace physique et dans le temps. Les théories physiques peuvent contenir des symétries plus abstraites fondées sur des types différents d'opérations mathématiques.

En 1918, Emmy Noether montra que les lois de conservation sont une conséquence des symétries caractérisant les lois de la physique. Par exemple, les lois de la physique sont invariantes par rapport à la translation dans l'espace. Autrement dit, l'emplacement particulier où l'on réalise une expérience n'a pas d'effet sur le résultat, en supposant bien sûr que les conditions physiques soient identiques. Noether montra que cette invariance par rapport à la translation mène à la conservation de la quantité de mouvement. De même, le moment cinétique est conservé parce qu'il n'y a pas de direction privilégiée dans l'espace. Autrement dit, la conservation du moment cinétique est une conséquence de l'invariance des lois physiques par rapport à la rotation. Enfin, on pense que les lois de la physique sont les mêmes aujourd'hui qu'autrefois et qu'elles resteront les mêmes dans un avenir lointain. Cette invariance des lois physiques par rapport à la translation dans le temps mène à la conservation de l'énergie.

Tout cela nous permet de faire une remarque importante : chaque fois qu'il y a invariance des lois physiques dans une opération de symétrie, une grandeur est conservée. Par exemple, la force nucléaire ne varie pas lorsque neutrons et protons sont interchangés. En termes techniques, la force nucléaire est invariante par rapport aux rotations du vecteur isospin. En conséquence, l'isospin est un nombre quantique conservé pour l'interaction nucléaire. Le fait de savoir que *toute loi de conservation est associée à une symétrie sous-jacente* s'est révélé extrêmement fructueux en physique. Nous allons voir maintenant comment la recherche des symétries a aidé à mettre de l'ordre dans la prolifération chaotique des *particules élémentaires.*

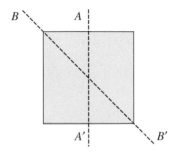

Figure 13.13

Un carré admet une symétrie axiale par rapport aux droites AA' et BB', entre autres.

13.5 Le groupe SU(3) et les quarks

La classification des mésons et des baryons en doublets ou triplets d'isospin a montré que chaque particule dans un multiplet donné peut être engendrée par rotation du vecteur isospin. Une rotation du vecteur isospin est une opération de symétrie qui fait varier la charge portée par les hadrons mais qui laisse invariante la force nucléaire.

Il existe en mathématiques une branche, appelée *théorie des groupes*, qui étudie les opérations de symétrie laissant un système inchangé. Cette théorie est particulièrement utile lorsqu'on étudie des systèmes physiques, comme celui des cristaux, ou lorsqu'on analyse des théories qui ont une symétrie sous-jacente. Les opérations dans un groupe sont effectuées sur des vecteurs (ou sur des produits de vecteurs) dont les composantes indiquent les états possibles d'un système. Les opérations changent l'ordre des composantes. Par exemple, (a, b, c) peut devenir (b, a, c), (a, c, b) ou (c, a, b) et ainsi de suite. Voyons maintenant en quoi cela touche les particules élémentaires.

Le doublet neutron-proton peut être représenté comme les composantes *up* et *down* d'un vecteur isospin : $(+\frac{1}{2}, -\frac{1}{2})$. Le groupe approprié pour un tel vecteur à deux composantes est appelé SU(2) et fait intervenir trois opérations de symétrie. Dans le contexte qui nous intéresse, les opérations font tourner le vecteur isospin et font ainsi varier la charge portée par le nucléon, mais laissent la force nucléaire inchangée.

En 1961, M. Gell-Mann et Y. Ne'eman essayèrent chacun de leur côté d'étendre la notion des multiplets d'isospin. Considérons par exemple les multiplets des baryons les plus légers de spin $\frac{1}{2}$ ou de mésons de spin 0 :

baryons : $(n \,; p)$; $(\Xi^0 \,; \Xi^-)$; $(\Sigma^+ \,; \Sigma^- \,; \Sigma^0)$; Λ^0

mésons : (K^+, K^0), (K^0, K^-), (π^+, π^-, π^0) ; η^0

Le graphe de la figure 13.14 représente les baryons en fonction de l'étrangeté S sur l'axe vertical et de I_z sur l'axe horizontal. Pourrait-on regrouper ces huit baryons (ou les mésons) en une seule famille élargie, qui serait un *supermultiplet* ? Les huit baryons seraient alors simplement des manifestations différentes d'un même baryon fondamental. Étant donné un membre d'un supermultiplet, une série d'opérations de symétrie nous permettrait d'engendrer tous les autres.

Gell-Mann et Ne'eman proposèrent un schéma à partir d'un groupe appelé SU(3), pour lequel le vecteur fondamental a trois composantes. Le Groupe SU(3) fait intervenir huit opérations de symétrie qui échangent les valeurs de la charge Q, du nombre baryonique B, de l'étrangeté S et de l'isospin I à l'intérieur d'un supermultiplet donné. Le Groupe SU(3) a l'avantage d'être assez restrictif : il autorise seulement un certain nombre de multiplets et des nombres déterminés de particules dans chaque multiplet. Le produit de deux vecteurs fondamentaux donne neuf combinaisons (aa, ab, bc, etc.) qui se répartissent selon leurs propriétés de symétrie en un octet et un singlet. Le produit de trois vecteurs donne 27 combinaisons (abc, cab, abb, etc.) qui se répartissent en multiplets de tailles 1, 8, 8 et 10. Le point intéressant est que l'octet peut encore être divisé en deux doublets, un triplet et un singlet, ce qui correspond exactement à la structure d'octet des baryons et des mésons mentionnée plus haut. Ainsi, les structures d'octet du méson et du baryon découlent naturellement des mathématiques. Cela aurait pu être une simple coïncidence. En effet, le schéma n'avait fourni aucune nouvelle information à ce sujet. Le véritable triomphe du Groupe SU(3) fut la prédiction de la particule Ω^-.

Figure 13.14

L'octet des hadrons de spin $\hbar/2$. Les attributs des quarks sont indiqués entre parenthèses.

L'examen des trajectoires de particules produites dans la chambre à bulles du Fermilab.

La particule Ω^-

Le décuplet (10 membres) de la théorie des groupes peut encore se diviser en un quartet, un triplet, un doublet et un singlet. Vers la fin de 1963, un ensemble de neuf particules de résonance de spin $\frac{3}{2}\hbar$ semblait entrer dans ce schéma. Il ne manquait plus qu'une particule ($Q = -1$, $S = -3$) (figure 13.15). On lui donna le nom de particule Ω^-. Puisque la masse moyenne de chaque multiplet d'isospin était différente de 150 MeV environ par rapport à celle de ses voisins, on put prédire que la masse de la particule Ω^- était voisine de 1680 MeV. La particule Ω^- fut découverte en février 1964 à Brookhaven lors de la diffusion des mésons K^- par des protons (figure 13.16):

$$
\begin{aligned}
K^- + p \to \ &\Omega^- + K^+ + K^0 \\
&\;\;\downarrow \Xi^0 + \pi^- \\
&\qquad\;\downarrow \Lambda^0 + \qquad\quad \pi^0 \\
&\qquad\qquad\;\downarrow p + \pi^- \quad\;\downarrow \gamma \;\; + \;\; \gamma \\
&\qquad\qquad\qquad\qquad\qquad\downarrow e^+ + e^- \;\downarrow e^+ + e^-
\end{aligned}
$$

Chose étonnante, non seulement avait-on réussi à identifier la particule Ω^-, mais aussi les deux derniers rayons γ, car ils produisaient tous les deux des paires électron-positon dans le détecteur. La masse mesurée de la particule Ω^-, 1675 ± 3 MeV, coïncidait étroitement avec la valeur prédite de 1680 MeV.

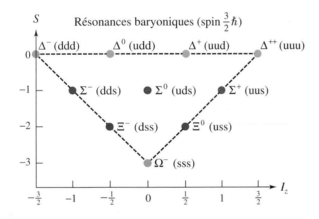

Résonances baryoniques (spin $\frac{3}{2}\hbar$)

► *Figure 13.15*

Le décuplet de particules de résonance baryonique de spin $\frac{3}{2}\hbar$.

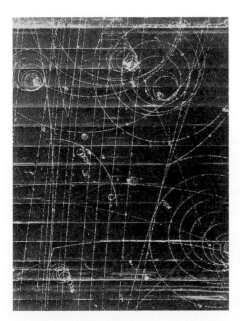

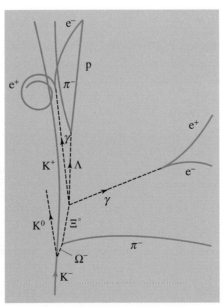

► *Figure 13.16*

La photographie de chambre à bulles sur laquelle fut détectée la particule Ω^-.

Les quarks

La question était de savoir si le Groupe SU(3) n'était qu'un schéma mathématique élégant et commode ou s'il reflétait une certaine réalité physique. On avait remarqué que les particules correspondaient à des vecteurs de 8 ou 10 composantes, mais aucune ne correspondait au vecteur fondamental à trois composantes de SU(3). En 1964, Gell-Mann et George Zweig suggérèrent chacun de leur côté que le vecteur fondamental représente bien trois particules à partir desquelles on peut construire toutes les autres: le *quark up* (u), le *quark down* (d) et le *quark* étrange (s pour *strange*), dont les nombres quantiques et la charge sont représentés à la figure 13.17. La relation de Gell-Mann-Nishijima (équation 13.1) aboutit à la conclusion imprévue selon laquelle les quarks portent des charges fractionnaires: $Q = -e/3$ et $+2e/3$. Les mésons sont des combinaisons quark-antiquark ($q\bar{q}$), alors que les baryons sont des combinaisons qqq (figure 13.14 et 13.15). Les particules de résonance sont maintenant considérées comme des états excités des combinaisons fondamentales de quarks.

La prédiction et la découverte de la particule Ω^- constituaient une preuve convaincante, quoique indirecte, de l'existence des quarks. Le modèle des quarks reçut un accueil très peu favorable en général, surtout à cause des charges fractionnaires. Les premières preuves expérimentales de l'existence des quarks furent obtenues au SLAC par la diffusion d'électrons de haute énergie sur des protons, lors d'une expérience semblable à la diffusion des particules α de Rutherford. Les électrons avaient une longueur d'onde de Broglie voisine de 5×10^{-17} m et pouvaient donc pénétrer profondément dans le proton. La distribution des électrons diffusés indiquait qu'ils interagissaient avec des concentrations quasi-ponctuelles dont on pensa qu'il s'agissait des quarks. Il était surprenant que, malgré la haute énergie des électrons, aucun quark n'ait jamais été éjecté. En fait, on n'a encore jamais pu détecter un quark isolé.

Bien que le schéma à trois quarks donnait une représentation satisfaisante des particules et résonances connues, les expériences et les travaux théoriques semblaient suggérer qu'il existait davantage de quarks.

13.6 La couleur

Malgré le succès du modèle des quarks, il se posait quelques problèmes lorsqu'il s'agissait d'attribuer des quarks aux baryons. Les structures de certains baryons contenaient deux ou trois quarks dans le même état. Par exemple, le baryon Δ^{++} de spin $\frac{3}{2}\hbar$ était identifié par u↑u↑u↑. Les trois quarks sont tous identiques et ils apparaissent dans le même état de spin *up*. Mais les quarks ont un spin de $\frac{1}{2}\hbar$, ce qui signifie qu'il s'agit de fermions. Ils doivent obéir au principe d'exclusion de Pauli et ne peuvent donc pas avoir les mêmes nombres quantiques.

Pour distinguer les quarks, O. W. Grennberg leur ajouta en 1965 un attribut supplémentaire appelé *couleur*. On attribue aux quarks les couleurs primaires, rouge, bleu, vert, et aux antiquarks les anticouleurs, antirouge, antibleu, antivert. Mais toutes ces couleurs ne peuvent pas se combiner de façon arbitraire. Le *nombre quantique de couleur* représente une nouvelle «charge de couleur» sur chaque particule et seules les particules «neutres» ou sans couleur (blanches) peuvent être détectées. Les mésons sont formés d'une couleur et de son anticouleur, alors que les baryons sont des combinaisons des trois couleurs primaires rouge-bleu-vert:

$$\text{mésons: } q_R\bar{q}_{\bar{R}} \text{ ou } q_B\bar{q}_{\bar{B}} \text{ ou } q_V\bar{q}_{\bar{V}} \; ; \quad \text{baryons: } q_R q_B q_V$$

	Q	I_z	S	
u	$2/3e$	$+\frac{1}{2}$	0	$B = 1/3$
d	$-1/3e$	$-\frac{1}{2}$	0	
s	$-1/3e$	0	-1	

Figure 13.17

Certains nombres quantiques pour les quarks u, d et s. Tous ont B = $\frac{1}{3}$.

Une chambre de dérivation au SLAC: elle contient des fils conducteurs baignant dans un gaz et sert à détecter des particules chargées. Les électrons résultant de l'ionisation causée par une particule chargée sont détectés par les fils. On peut reconstituer la trajectoire de la particule en mesurant le temps mis par les électrons pour dériver jusqu'aux fils.

Les mésons neutres sont des superpositions linéaires de configurations de quark-antiquark dans lesquelles les trois couleurs sont représentées. Alors qu'elle s'appuyait sur le principe d'exclusion de Pauli, l'introduction de la charge de couleur avait une profonde signification pour l'interaction nucléaire.

13.7 Les théories de jauge

Les théories de jauge constituent l'un des progrès les plus importants des dernières décennies. Dans une théorie de jauge, on se sert des notions de symétrie et d'invariance pour obtenir des renseignements sur les interactions entre particules.

On sait que les équations de Maxwell sont invariantes dans la transformation de Lorentz. La théorie électromagnétique possède d'autres symétries. Par exemple, si toutes les charges positives et négatives d'un système sont interverties, les forces restent les mêmes. Pour donner un autre exemple, rappelons que le champ électrique créé par une distribution de charges peut être déduit à partir du potentiel. On peut fixer le potentiel zéro à n'importe quelle valeur commode – à condition de le faire en tout point de l'espace – sans modifier le champ. Le choix du niveau zéro est ce que l'on appelle un choix de jauge. Une jauge est une référence de mesure permettant d'étalonner l'échelle qui va servir à mesurer une quantité. (Le terme vient des tablettes de jauge utilisées comme étalons de longueur dans les ateliers d'usinage.)

L'invariance locale

Les propriétés d'invariance de la théorie électromagnétique dont nous avons parlé plus haut sont des exemples de *symétrie globale*: *toutes* les charges doivent être interverties et le niveau zéro du potentiel doit être le même en *tout* point de l'espace. En réalité, la théorie électromagnétique possède une symétrie beaucoup plus restrictive dans laquelle le zéro du potentiel peut être fixé arbitrairement en divers points de l'espace et du temps. C'est ce que l'on appelle l'*invariance locale*.

On sait qu'un champ électrique statique peut être déduit du potentiel électrique, lequel dépend des positions des charges. De même, on peut déduire le champ magnétique d'un potentiel «magnétique» qui dépend du mouvement des charges. De plus, il existe une correspondance mutuelle entre un champ magnétique variable et un champ électrique. Il se trouve que si l'on déplace le zéro du potentiel électrique en un point donné, la variation correspondante du potentiel magnétique ne modifie pas les équations de Maxwell. Les champs électrique et magnétique sont donc invariants par rapport au choix de la jauge pour les potentiels électrique et magnétique. La théorie électromagnétique possède la forme la plus simple de symétrie locale de jauge, U(1). *Une théorie ayant la propriété d'invariance locale est appelée théorie de jauge.*

On peut envisager le problème sous un angle différent en se demandant quelle est la théorie qui satisfait les deux conditions d'invariance dans la transformation de Lorentz et de symétrie locale de jauge la plus simple, U(1). On peut calculer que ce sont les équations de la théorie électromagnétique. Par conséquent, sans rien connaître du comportement des charges électriques, on peut construire la théorie électromagnétique par des raisonnements s'appuyant uniquement sur la symétrie ! Ainsi, au lieu de se pencher en détail sur les interactions, il vaut mieux étudier les symétries et en déduire les interactions et les lois de conservation. On peut montrer par exemple que la conservation de la

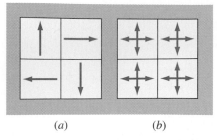

(a)   *(b)*

Figure 13.18

(a) Configuration à symétrie globale. Pour que la configuration reste la même, on doit faire tourner l'ensemble du réseau. *(b)* Configuration à symétrie locale. Chaque paire de flèches peut tourner de 90° ou de 180° indépendamment des autres.

charge électrique est une conséquence de l'invariance locale de jauge de la théorie électromagnétique.

Considérons une feuille de caoutchouc portant les flèches représentées à la figure 13.18*a*. La disposition des flèches ne va pas changer si l'on fait tourner la feuille de 90° ou d'un multiple de 90°. Il s'agit là d'une symétrie globale : *toutes* les flèches doivent tourner de 90° dans le même sens, horaire par exemple. Dans la configuration à double flèche de la figure 13.18*b*, on peut faire tourner une double flèche de 90° et maintenir la symétrie globale de la configuration. Cette configuration a une invariance locale, puisqu'on peut choisir des angles différents (90°, 180°, etc.) en des points et à des instants différents. La condition d'invariance locale introduit des restrictions sur les configurations possibles des flèches dans chaque carré. Mais il se produit quelque chose de plus important : la feuille se déforme et des forces apparaissent alors entre les flèches. De manière analogue, la condition d'invariance locale donne lieu à des interactions.

En mécanique quantique, une fonction d'onde est attribuée à chaque particule. Il s'agit d'un *champ de matière* qui n'a rien à voir avec les charges électriques. Considérons la feuille comme étant analogue au champ de matière d'une collection de particules libres. L'opération équivalente à la rotation des flèches dans chaque carré est le choix de phase pour la fonction d'onde de chaque particule. Le champ de matière des particules libres a une symétrie globale : la phase doit varier de la même quantité en tout point. La condition d'invariance locale de jauge pour la forme de l'équation qui décrit le champ de matière signifie que la phase de la fonction d'onde peut être choisie arbitrairement en chaque point de l'espace et du temps. L'analogie avec la feuille suggère que le prix à payer pour imposer l'invariance locale est l'apparition d'une interaction entre particules. Évidemment, cette interaction peut être décrite comme un champ. Ce *champ de jauge compense la variation de phase d'un point à l'autre et maintient la forme originelle de l'équation d'onde.*

Pour imposer l'invariance locale à la phase du champ électronique, il faut introduire un *boson de jauge*, sans masse, de spin 1, qui n'est rien d'autre que le photon ! Le champ électromagnétique est donc un champ de jauge. La théorie quantique des champs est appelée *électrodynamique quantique*. La théorie de la relativité générale, qui porte sur la gravitation, est aussi une théorie de jauge, dont le boson de jauge est le graviton. On peut faire la même analyse des interactions nucléaires et des interactions faibles.

Si tous les neutrons et les protons d'un système sont interchangés, les forces nucléaires restent les mêmes. Autrement dit, l'interaction nucléaire a une invariance globale par rapport aux rotations du vecteur isospin. En 1954, C. N. Yang et R. Mills élaborèrent une théorie de jauge en imposant l'invariance locale [à partir de la symétrie SU(2)] aux rotations du vecteur isospin, c'est-à-dire en permettant aux neutrons ou aux protons d'apparaître en n'importe quel point. Leur théorie demandait de faire intervenir trois bosons de jauge sans masse de spin 1 : un neutre et deux chargés. La théorie comportait une faille, car il n'y a aucune preuve qu'il existe des particules chargées sans masse. Malgré cette impasse apparente, certains théoriciens continuèrent de travailler sur la théorie de jauge pour ses qualités esthétiques.

L'interaction faible est à l'origine de la désintégration β du neutron, $n \rightarrow p + e^- + \bar{\nu}_e$, au cours de laquelle un neutron est transformé en un proton avec émission d'un électron et d'un antineutrino. Si l'on étend la notion d'isospin à l'interaction faible, on peut considérer que l'électron et son neutrino, ainsi que le muon et son neutrino, sont deux composantes d'un vecteur *isospin faible*. On peut imposer l'invariance locale [symétrie SU(2)] aux rotations de ce vecteur, ce qui signifie que l'électron et son neutrino peuvent être intervertis en n'importe quel point. En 1958, W. Weinberg d'une part, et A. Salam et J. Ward d'autre part, montrèrent qu'une telle théorie de jauge de l'interaction faible fait intervenir trois bosons de jauge sans masse et de spin 1 : un neutre et deux chargés.

13.8 L'interaction électrofaible

Les physiciens rêvent depuis longtemps de démontrer que les quatre interactions fondamentales – la gravitation, l'électromagnétisme, l'interaction faible et l'interaction nucléaire – ne sont que des manifestations différentes d'une même interaction fondamentale. S. Weinberg et A. Salam (figure 13.19) étudièrent la possibilité d'unifier l'interaction électromagnétique et l'interaction faible. Ils avaient remarqué le fait suivant : bien que ces interactions soient très différentes sur le plan de l'intensité, de la portée et sur d'autres plans, toutes les particules de jauge (le photon, W^+, W^- et Z^0) sont des bosons de spin 1. Cela ne voulait-il pas dire qu'elles appartiennent toutes à la même famille ?

L'interaction électromagnétique a une symétrie de jauge U(1), qui permet de choisir le potentiel en un point quelconque. L'interaction faible a une symétrie SU(2), qui permet d'intervertir l'électron et son neutrino en un point quelconque. On désigne par SU(2) × U(1) la symétrie globale de jauge qui caractérise les deux interactions et pour laquelle il a fallu introduire quatre bosons de jauge de spin 1 pour imposer l'invariance locale à l'échange entre électrons et neutrinos. Ces quatre bosons furent identifiés comme étant le photon, W^+, W^- et Z^0.

Si l'interaction électromagnétique et l'interaction faible sont réellement des aspects différents d'une même interaction, leur intensité intrinsèque devrait être la même. On observe pourtant que l'interaction faible a une portée extrêmement courte (moins de 10^{-19} m) et qu'elle est beaucoup moins intense que l'interaction électromagnétique. La symétrie entre ces interactions est cachée. On peut expliquer la faible intensité apparente et la portée extrêmement courte de l'interaction faible si les particules W et Z ont des masses importantes. Malheureusement, dans une théorie de type Yang-Mills, les bosons de jauge n'ont pas de masse. Il fallait donc trouver un moyen d'attribuer une masse aux particules W et Z sans détruire toute la théorie.

Figure 13.19

W. Weinberg (en haut) et A. Salam.

Rupture de la symétrie

Considérons la bille au milieu de la fonction énergie potentielle de la figure 13.20. La fonction ayant une symétrie de rotation par rapport à l'axe central, toutes les directions horizontales sont équivalentes. La bille est en équilibre instable parce qu'une légère perturbation l'écartant de sa position d'équilibre va la faire rouler d'un côté ou de l'autre. L'état final du système ne traduit pas la symétrie sous-jacente de la fonction d'énergie potentielle : on dit que la symétrie est *cachée*. C'est un exemple de *rupture de symétrie spontanée*.

On retrouve la notion de symétrie cachée dans d'autres contextes. Par exemple, l'équation qui décrit l'interaction magnétique entre les atomes d'un cristal n'a pas de direction privilégiée. À haute température, cette symétrie se manifeste par l'orientation aléatoire des moments magnétiques des atomes. Mais, en dessous du point de Curie, les moments magnétiques s'alignent et forment de vastes domaines magnétiques. Une petite instabilité met le système dans un état d'équilibre ayant moins de symétrie que les équations. L'état symétrique

Figure 13.20

Une particule en équilibre instable dans un puits de potentiel symétrique. Une petite perturbation va faire rouler la particule d'un côté ou de l'autre et l'état final du système ne reflétera pas la symétrie sous-jacente. C'est un exemple de symétrie cachée.

devient instable et la symétrie sous-jacente est cachée. La formation de l'état supraconducteur en dessous de la température de transition constitue un exemple analogue de rupture de symétrie.

P. Higgs montra que l'introduction d'une autre particule de spin 0, appelée *boson de Higgs*, pouvait rompre la symétrie entre le photon et les autres bosons de jauge et permettre aux particules W$^+$, W$^-$ et Z^0 d'avoir une masse.

L'interaction électromagnétique et l'interaction faible se comportent différemment à basse énergie et lorsque la distance entre les particules est grande. La symétrie qui existe entre elles est cachée. Toutefois, lorsque l'énergie disponible est supérieure à 100 GeV, le photon et les particules W$^+$, W$^-$ et Z^0 peuvent être produites avec la même facilité. Aux énergies élevées et à des distances inférieures à 10^{-19} m environ, l'interaction électromagnétique et l'interaction faible ont la même intensité ; leur symétrie est restaurée.

13.9 Les nouveaux quarks

En 1961, S. Glashow (figure 13.21) réussit à prédire certaines désintégrations des mésons *K*, gouvernées par l'interaction faible dans laquelle l'étrangeté varie. Mais il ne parvint pas à les observer. En 1970, S. Glashow, J. Iliopoulos et L. Maiani développèrent la théorie de Weinberg-Salam en tenant compte de cette difficulté.

Tous les indices dont ils disposaient indiquaient que les quarks et les leptons sont réellement des particules élémentaires. Il existait à l'époque quatre leptons et trois quarks. Les leptons apparaissaient sous forme de deux doublets (e, v_e) et (μ, v_μ), mais les quarks apparaissaient sous forme d'un doublet (u, d) et un singlet (s). Glashow et ses collègues s'aperçurent que certaines anomalies troublantes (expressions ayant des valeurs infinies) dans la théorie de Weinberg-Salam ne s'annulent que si la somme des charges de tous les fermions est nulle. La somme des charges de l'électron et du muon est égale à $-2e$, mais la somme des charges des quarks *up*, *down* et *étrange* est nulle. Ils aboutirent à une solution qui comportait deux innovations.

La première leur fut suggérée par l'élégance d'une structure parallèle des quarks et des leptons. Ils supposèrent qu'il existait un quatrième quark c, de charge $+2e/3$, qui formerait un doublet SU(2) avec le quark s : (c, s). La conservation d'un nouveau *nombre quantique de charme*, *C*, permettait de rendre compte de l'absence de désintégration *K* prédite par Glashow. Pour le *quark charmé* c (pour *charm*), $C = +1$, $s = \frac{1}{2}$, $Q = 2e/3$, $S = 0$ et $I = 0$. Tout comme l'étrangeté, le nombre quantique de charme n'est pas conservé dans l'interaction faible. La seconde innovation était rattachée au fait que le problème concernant les anomalies pouvait être résolu si les quatre quarks apparaissaient sous trois variétés, qui sont tout simplement les trois couleurs !

Glashow, Iliopoulos et Maiani venaient de montrer que l'extension de la théorie de jauge aux interactions faibles des hadrons *requiert* l'introduction à la fois du nombre quantique de charme et de la couleur. La théorie montrait une profonde symétrie entre les quarks et les leptons : non seulement les quarks et les leptons apparaissent sous forme de doublets, mais il doit aussi y avoir le même nombre de doublets.

En novembre 1974, Samuel Ting à Brookhaven et Burton Richter au SLAC (*S*tanford *L*inear *A*ccelerator *C*ollider) découvrirent chacun de leur côté (figure 13.22) une particule de résonance de durée de vie relativement longue (10^{-20} s),

Figure 13.21

S. Glashow.

(a)   (b)

▶ *Figure 13.22*

La particule J/ψ fut découverte indépendamment par (*a*) B. Richter et (*b*) S. Ting.

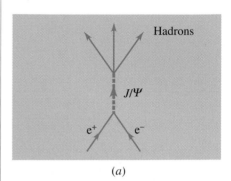

(a)

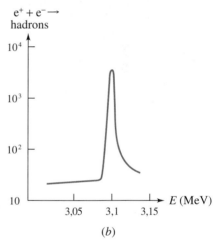

(b)

Figure 13.23

L'augmentation prononcée du nombre de hadrons produits lors des collisions électrons-positons observées par B. Richter indique la formation de la particule de résonance J/ψ.

	Q	C	B'	T
c	2/3*e*	1	0	0
b	1/3*e*	0	1	0
t	2/3*e*	0	0	1

B' : nombre quantique de type beauté
T : nombre quantique de type vérité
C : nombre quantique de type charme

Figure 13.24

Nombres quantiques des quarks c, b et t. Ils ont tous $S = 0$.

que l'on appelle maintenant J/ψ. Les données recueillies par Richter (figure 13.23) avaient été obtenues en observant les hadrons produits lors des collisions électron-électron. Il s'agissait d'un méson de spin 1, de masse 3,1 GeV, de nombres quantiques $B = 0$, $I = 0$ et $S = 0$, qui n'avait pas sa place dans le schéma à trois quarks. Il fut bientôt évident que la structure de quark J/ψ est c$\bar{\text{c}}$, ce qui signifie que $C = 0$ et que la nouvelle particule avait un charme « caché ». Par la suite, on trouva d'autres particules charmées ($C \neq 0$), comme les mésons D^0 (c$\bar{\text{u}}$), D^- ($\bar{\text{c}}$d) et D^+ (c$\bar{\text{d}}$). Les particules charmées sont toujours créées par paires, l'une avec un quark c et l'autre avec un antiquark $\bar{\text{c}}$.

Trois ans plus tard, en 1977, L. Lederman trouva au Fermilab une autre particule de résonance, de vie relativement longue, que l'on appelle maintenant la particule Y (upsilon), et qui a une masse de 8,5 GeV. Il fallut pour cette particule introduire encore un *quark*, appelé *beauté* b (pour *bottom*), et on le désigna par la combinaison b$\bar{\text{b}}$. Étant donné la symétrie, on supposa immédiatement qu'il devait y avoir un autre *quark*, nommé *vérité* t (pour *top* ou *truth*), et deux leptons supplémentaires ! Le tableau des quarks représenté à la figure 13.24 était alors complet. Le lepton lourd τ et son neutrino ont été détectés, mais le quark vérité ne l'a pas encore été.

La liste vertigineuse des particules élémentaires (sans compter les antiparticules) est maintenant réduite aux quarks et aux leptons. Il existe six leptons (e, ν_e, μ, ν_μ, τ, ν_τ) alors que les quarks se répartissent en six *saveurs* (u, d, s, c, b, t) et trois *couleurs* (R, B, V).

13.10   La chromodynamique quantique

Sachant que les hadrons sont composés de deux ou trois quarks, par quoi ces quarks sont-ils maintenus ensemble ? En 1973, S. Weinberg et d'autres scientifiques émirent l'hypothèse que l'interaction entre les quarks est gouvernée par des champs de jauge associés à la charge de couleur ou au nombre quantique. L'« ancienne » symétrie SU(3) interchangeait les charges de saveur sur les quarks u, d et s. Mais il s'agissait d'une symétrie rompue parce que la force n'était pas invariante par rapport à toutes les opérations.

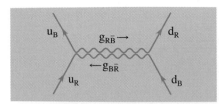

Figure 13.25

Interaction entre des quarks par l'intermédiaire d'un gluon.

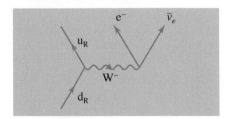

Figure 13.26

Désintégration β^- expliquée par la structure sous-jacente des quarks du neutron et du proton.

La *théorie de jauge de la couleur* comprend la nouvelle symétrie SU(3), exacte, de la force de couleur qui fait intervenir l'échange de huit bosons vecteurs, sans masse, appelés *gluons*, entre les trois couleurs. Rappelons que, pour qu'un baryon apparaisse sans couleur, il faut que les trois couleurs soient représentées à un instant donné. Le fait de soumettre l'interaction de couleur à l'invariance locale signifie que chaque quark peut avoir n'importe quelle couleur. Ainsi, pour que le baryon reste sans couleur dans son ensemble, les gluons de jauge doivent eux aussi porter des charges de couleur. En fait, les gluons portent des combinaisons couleur-anticouleur mais n'ont pas de saveur. Seuls les six premiers des gluons suivants produisent des changements de couleur :

$$g_{B\bar{R}} \, ; \, g_{B\bar{V}} \, ; \, g_{V\bar{R}} \, ; \, g_{V\bar{B}} \, ; \, g_{R\bar{V}} \, ; \, g_{R\bar{B}} \, ; \, g_{01} \, ; \, g_{02}$$

g_{01} et g_{02} étant des combinaisons de $g_{R\bar{R}}$, $g_{V\bar{V}}$, $g_{B\bar{B}}$. La figure 13.25 montre comment les quarks colorés u_R et d_B interagissent en échangeant un gluon $g_{R\bar{B}}$ allant de gauche à droite ou un gluon $g_{B\bar{R}}$ allant de droite à gauche.

L'interaction forte (couleur) ne tient pas compte de la saveur (elle n'a aucun goût !) et couple les quarks avec les quarks. Les quarks échangent des couleurs, mais non des saveurs, par l'intermédiaire des gluons. L'interaction faible ne tient pas compte de la couleur (elle est aveugle !) et, de plus, elle couple les quarks avec les leptons. Elle modifie la saveur des quarks par l'intermédiaire des bosons W et Z. La particule W porte la charge de « saveur » et intervertit e et ν_e. W modifie également la saveur des quarks sans modifier leur couleur. Dans la désintégration β d'un neutron, $n \rightarrow p + e + \bar{\nu}_e$, un neutron donne un proton avec émission de e et $\bar{\nu}_e$. On peut maintenant décrire cette réaction en disant qu'un quark d se transforme en un quark u avec émission d'une particule W qui se désintègre ensuite en e + $\bar{\nu}_e$ (figure 13.26). La particule W, qui a une masse de 81 GeV, fut découverte par C. Rubbia en 1982. La particule Z^0, qui a une masse de 93 GeV, fut détectée quelques mois plus tard, en 1983.

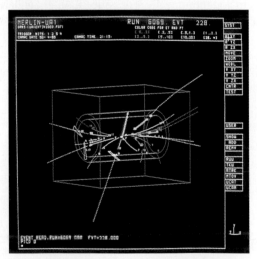

Désintégration d'une particule W en un électron (trace bleue dirigée vers le bas) et un neutrino (trace bleue plus épaisse dirigée vers le haut, qui a été reconstituée après l'événement). Les traces rouges et jaunes sont dues à d'autres particules. Les traits blancs indiquent l'endroit où l'électron a été enregistré par le calorimètre électromagnétique qui mesure les énergies des particules. La particule W a été créée lors d'une collision proton-antiproton.

Une paroi du détecteur géant UAI du CERN ayant servi à détecter les particules W et Z.

Il existe une différence importante entre le photon et les autres bosons de jauge. Le photon sert d'intermédiaire dans l'interaction entre charges électriques alors qu'il est neutre. D'autre part, le boson W porte la charge de saveur et les gluons portent la charge de couleur. Il y a donc interaction entre les gluons.

La force nucléaire, que nous avons appelée interaction « forte », n'est en réalité qu'un pâle résidu de la force de couleur entre quarks. On observe une situation similaire dans l'interaction électromagnétique. Les forces de Van der Waals entre deux molécules neutres proviennent de la polarisation induite des charges. Ce n'est qu'un effet résiduel, beaucoup plus faible que l'interaction entre charges nettes définie par la loi de Coulomb.

Les réactions du type $e^+ + e^- \rightarrow$ hadrons fournissent des preuves de l'existence des quarks et des gluons. Aux énergies moyennes, les hadrons produits sont distribués sur plusieurs directions ; aux énergies élevées, ils forment parfois deux cônes étroits appelés *jets*, qui émergent dans des directions opposées. Ce phénomène peut être interprété comme étant dû à la production d'une paire quark-antiquark, dont chaque particule se désintègre par la suite. En 1979, trois jets furent observés à très haute énergie ; on pourrait les interpréter comme étant produits par une paire quark-antiquark et un gluon.

13.11 La grande théorie unifiée

En 1974, H. Georgi et S. Glashow proposèrent une théorie pour unifier l'interaction électrofaible et l'interaction forte. Des travaux antérieurs ayant démontré la structure parallèle des quarks et des leptons, Georgi et Glashow allèrent un peu plus loin en décidant de mettre les quarks et les leptons sur un pied d'égalité, ce qui nécessitait une symétrie plus complexe englobant à la fois SU(3) de l'interaction de couleur et SU(2) × U(1) de l'interaction électrofaible. Dans le groupe de symétrie le plus simple, appelé SU(5), le vecteur fondamental a cinq composantes. Georgi et Glashow choisirent trois quarks et deux leptons : d_R, d_B, d_V, e^+ et v. La théorie de jauge nécessitait l'introduction de 24 particules de jauge, réparties en deux groupes de 12. Douze de ces particules nous sont déjà familières : quatre pour l'interaction électrofaible (γ, W^+, W^- et Z) et huit gluons pour l'interaction de couleur. Quant aux douze particules restantes, appelées particules X, elles échangent quarks et antiquarks, et surtout quarks et leptons. Si la symétrie SU(5) était exacte, l'interaction électrofaible et l'interaction de couleur auraient la même intensité. Mais comme ce n'est pas le cas, la symétrie est cachée.

Les masses des particules X sont estimées à près de 10^{15} GeV ! La portée des interactions entre quarks et leptons est donc étonnamment faible. Une particule X virtuelle ne peut parcourir que 10^{-31} m environ. Cette énergie, ou distance, définit l'*échelle d'unification*. Au fur et à mesure que l'énergie augmente, l'interaction faible reste pratiquement constante et la force électromagnétique augmente, mais l'interaction forte diminue. Les trois interactions deviennent de force égale à ces énergies élevées, ou petites distances, puisque la différence de masse entre les bosons de jauge (γ, les W et les X) n'est pas importante. Ils peuvent tous être produits avec la même aisance. Dans cette *grande théorie unifiée*, les quarks et les leptons sont équivalents et peuvent être librement interchangés à l'échelle d'unification.

La grande théorie unifiée a une conséquence intéressante : pour que les échanges associés aux opérations de symétrie soient en conformité avec la conservation de la charge, cette dernière doit être quantifiée en unités fondamentales de $e/3$.

Nous avons mentionné plus haut que l'invariance de jauge des équations de Maxwell entraîne la conservation de la charge. Nous constatons maintenant que l'invariance de jauge de la grande théorie unifiée explique sa quantification !

À cause de leur masse énorme, il nous est impossible de détecter les particules X. Il existe pourtant un moyen de vérifier indirectement la grande théorie unifiée. Puisqu'une particule X transforme un quark en un lepton, cela signifie qu'un proton peut se désintégrer et donc que le nombre baryonique et le nombre leptonique ne sont pas conservés. La masse importante des X implique qu'un proton produit par l'entremise d'une désintégration du type $p \rightarrow e^+ + \gamma$ doit avoir une durée de vie voisine de 10^{32} a, ce qui est terriblement long, beaucoup plus que l'âge de l'univers. Néanmoins, la limite expérimentale actuelle est de 10^{31} a, ce qui est assez proche. Si l'on parvient à détecter la désintégration du proton, on aura la confirmation de l'unité essentielle de l'interaction électro-faible et de l'interaction de couleur.

Des progrès énormes ont été réalisés vers l'unification des interactions et vers la recherche des vraies particules élémentaires. Nous venons de donner un aperçu de la puissance étonnante des théories de jauge ; les travaux réalisés ces dernières années ont permis d'établir que « la symétrie gouverne le monde ». Il reste pourtant des questions importantes à résoudre. Nous n'avons besoin que de deux quarks (u, d) et deux leptons (e, ν_e) pour construire la matière ordinaire. Pour reformuler un commentaire fait par I. I. Rabi dans un autre contexte : qui a commandé les autres quarks et leptons ? Et à quoi peuvent-ils servir ?

Unités SI

Les *unités de base* du Système international sont les suivantes*.

Le **mètre (m)** : Le mètre est la distance parcourue dans le vide par la lumière pendant un intervalle de temps égal à 1/299 792 458 s. (1983)

Le **kilogramme (kg)** : Égal à la masse du kilogramme étalon international. (1889)

La **seconde (s)** : La seconde est la durée de 9 192 631 770 périodes de la radiation correspondant à la transition entre les deux niveaux hyperfins de l'état fondamental de l'atome de césium 133. (1967)

L'**ampère (A)** : L'ampère est l'intensité d'un courant constant qui, passant dans deux conducteurs parallèles, rectilignes, de longueur infinie, de section circulaire négligeable, et placés à un mètre l'un de l'autre dans le vide, produit entre ces conducteurs une force égale à 2×10^{-7} N par mètre de longueur. (1948)

Le **kelvin (K)** : Unité de température thermodynamique, le kelvin est la fraction 1/273,16 de la température thermodynamique du point triple de l'eau. (1957)

Le **candela (cd)** : Le candela est l'intensité lumineuse, dans une direction donnée, d'une source qui émet un rayonnement monochromatique de fréquence 540×10^{12} Hz et dont l'intensité énergétique dans cette direction est 1/683 W par stéradian. (1979)

La **mole (mol)** : La mole est la quantité de matière qui contient un nombre d'entités élémentaires identiques entre elles (atomes, molécules, ions, électrons, particules) égal au nombre d'atomes de carbone dans 0,012 kg de carbone 12. (1971)

Unités SI dérivées portant des noms particuliers

Grandeur	Unité dérivée	Nom
Activité	1 désintégration/s	becquerel (Bq)
Capacité	C/V	farad (F)
Charge	A·s	coulomb (C)
Potentiel électrique, f.é.m.	J/C	volt (V)
Énergie, travail	N·m	joule (J)
Force	$kg·m/s^2$	newton (N)
Fréquence	1/s	hertz (Hz)
Inductance	V·s/A	henry (H)
Densité de flux magnétique	Wb/m^2	tesla (T)
Flux magnétique	V·s	weber (Wb)
Puissance	J/s	watt (W)
Pression	N/m^2	pascal (Pa)
Résistance	V/A	ohm (Ω)

* Nous indiquons entre parenthèses l'année où la définition est devenue officielle.

Rappels de mathématiques

ALGÈBRE

Exposants

$$x^m x^n = x^{m+n} \qquad x^{1/n} = \sqrt[n]{x}$$
$$\frac{x^m}{x^n} = x^{m-n} \qquad (x^m)^n = x^{mn}$$

Équation du second degré

Les racines de l'équation du second degré

$$ax^2 + bx + c = 0$$

sont données par

$$x = \frac{-b \pm \sqrt{b^2 - 4ac}}{2a}$$

Si $b^2 < 4ac$, les racines ne sont pas réelles.

Équation d'une droite

L'équation d'une droite est de la forme

$$y = mx + b$$

où b est l'*ordonnée à l'origine* et m est la *pente*, telle que

$$m = \frac{y_2 - y_1}{x_2 - x_1} = \frac{\Delta y}{\Delta x}$$

Logarithmes

Si

$$x = a^y$$

alors

$$y = \log_a x$$

La quantité y est le logarithme en *base a* de x. Si $a = 10$, le logarithme est dit *décimal* ou à base 10 et s'écrit $\log_{10} x$ ou simplement $\log x$. Si $a = e$ = 2,718 28…, le logarithme est dit *naturel* ou népérien et s'écrit $\log_e x$ ou $\ln x$ (noter que $\ln e = 1$).

$$\log(AB) = \log A + \log B \qquad \log(A/B) = \log A - \log B$$

$$\log(A^n) = n \log A$$

GÉOMÉTRIE

Triangle : Aire = $\frac{1}{2}$ base × hauteur, $A = \frac{1}{2} bh$

Cercle : Circonférence : $C = 2\pi r$

Aire : $A = \pi r^2$

Sphère : Aire de la surface : $A = 4\pi r^2$

Volume : $V = \frac{4}{3} \pi r^3$

Un cercle de rayon r ayant son centre à l'origine a pour équation

(cercle) $$x^2 + y^2 = r^2$$

L'ellipse de la figure A a pour équation

(ellipse) $$\frac{x^2}{a^2} + \frac{y^2}{b^2} = 1$$

où $2a$ est la longueur du *grand* axe et $2b$, la longueur du *petit* axe.

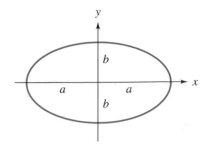

Figure A

TRIGONOMÉTRIE

Dans le triangle rectangle de la figure B, les fonctions trigonométriques fondamentales sont définies par :

$$\sin\theta = \frac{\text{côté opposé}}{\text{hypoténuse}} = \frac{a}{c}; \qquad \text{cosec } \theta = \frac{1}{\sin\theta}$$

$$\cos\theta = \frac{\text{côté adjacent}}{\text{hypoténuse}} = \frac{b}{c}; \qquad \sec\theta = \frac{1}{\cos\theta}$$

$$\tan\theta = \frac{\text{côté opposé}}{\text{côté adjacent}} = \frac{a}{b}; \qquad \text{cotan } \theta = \frac{1}{\tan\theta}$$

Selon le théorème de Pythagore, $c^2 = a^2 + b^2$, donc $\cos^2\theta + \sin^2\theta = 1$.

À partir du triangle quelconque de la figure C, on peut énoncer les deux relations suivantes :

(loi des cosinus) $$C^2 = A^2 + B^2 - 2\,AB\cos\gamma$$

(loi des sinus) $$\frac{\sin\alpha}{A} = \frac{\sin\beta}{B} = \frac{\sin\gamma}{C}$$

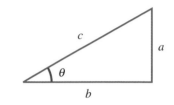

Figure B

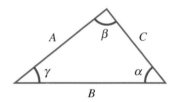

Figure C

Quelques identités trigonométriques

$$\sin^2\theta + \cos^2\theta = 1 \qquad\qquad \sec^2\theta = 1 + \tan^2\theta$$

$$\sin 2\theta = 2\sin\theta\cos\theta \qquad \cos 2\theta = \cos^2\theta - \sin^2\theta$$
$$= 2\cos^2\theta - 1$$
$$= 1 - 2\sin^2\theta$$

$$\tan 2\theta = \frac{2\tan\theta}{1 - \tan^2\theta}; \qquad \tan\theta = \pm\sqrt{\frac{1 - \cos 2\theta}{1 + \cos 2\theta}}$$

$$\sin(A \pm B) = \sin A\cos B \pm \cos A\sin B$$

$$\cos(A \pm B) = \cos A\cos B \mp \sin A\sin B$$

$$\sin A \pm \sin B = 2\sin\frac{(A \pm B)}{2}\cos\frac{(A \mp B)}{2}$$

$$\cos A + \cos B = 2\cos\frac{(A + B)}{2}\cos\frac{(A - B)}{2}$$

$$\cos A - \cos B = 2\sin\frac{(A + B)}{2}\sin\frac{(B - A)}{2}$$

$$\sin A\cos B = \frac{1}{2}[\sin(A - B) + \sin(A + B)]$$

$$\sin A\sin B = \frac{1}{2}[\cos(A - B) - \cos(A + B)]$$

$$\cos A\cos B = \frac{1}{2}[\cos(A - B) + \cos(A + B)]$$

DÉVELOPPEMENTS EN SÉRIE

$$(a + b)^n = a^n + \frac{n}{1!} a^{n-1}b + \frac{n(n-1)}{2!} a^{n-2}b^2 + \cdots$$

$$(1 + x)^n = 1 + nx + \frac{n(n-1)}{2!} x^2 + \cdots$$

$$e^x = 1 + x + \frac{x^2}{2!} + \frac{x^3}{3!} + \cdots$$

$$\ln(1 \pm x) = \pm x - \frac{x^2}{2} \pm \frac{x^3}{3} - \cdots \qquad \text{pour } |x| < 1$$

$$\sin x = x - \frac{x^3}{3!} + \frac{x^5}{5!} - \cdots$$

$$\cos x = 1 - \frac{x^2}{2!} + \frac{x^4}{4!} - \cdots \qquad\qquad\qquad\quad x \text{ en radians}$$

$$\tan x = x + \frac{x^3}{3} + \frac{2x^5}{15} + \cdots \qquad \text{pour } |x| < \pi/2$$

Rappels de calcul différentiel et intégral

CALCUL DIFFÉRENTIEL

Dérivée d'un produit :

$$\frac{d(uv)}{dx} = u\frac{dv}{dx} + v\frac{du}{dx}$$

Dérivée d'un quotient :

$$\frac{d}{dx}\left(\frac{u}{v}\right) = \frac{v\dfrac{du}{dx} - u\dfrac{dv}{dx}}{v^2}$$

Règle de dérivation des fonctions composées :

Étant donné une fonction $f(u)$ où u est elle-même une fonction de x, on a

$$\frac{df}{dx} = \frac{df}{du} \cdot \frac{du}{dx}$$

Par exemple,

$$\frac{d(\sin u)}{dx} = \cos u \cdot \frac{du}{dx}$$

Dérivées de quelques fonctions*

$$\frac{d}{dx}(ax^n) = nax^{n-1} ; \qquad\qquad \frac{d}{dx}(e^{ax}) = ae^{ax}$$

$$\frac{d}{dx}(\sin ax) = a\cos ax ; \qquad\qquad \frac{d}{dx}(\cos ax) = -a\sin ax$$

$$\frac{d}{dx}(\tan ax) = a\sec^2 ax ; \qquad\qquad \frac{d}{dx}(\cotan ax) = -a\cosec^2 ax$$

$$\frac{d}{dx}(\sec x) = \tan x \sec x ; \qquad\qquad \frac{d}{dx}(\cosec x) = -\cotan x \cosec x$$

$$\frac{d}{dx}(\ln ax) = \frac{1}{x}$$

---

* Pour les fonctions trigonométriques, x est en radians.

CALCUL DES INTÉGRALES

Intégration par parties :

$$\int u\left(\frac{dv}{dx}\right)dx = uv - \int v\left(\frac{du}{dx}\right)dx$$

Quelques intégrales

(Une constante arbitraire peut être ajoutée à chaque intégrale*)

$$\int x^n \, dx = \frac{x^{n+1}}{(n+1)} \quad (n \neq -1) \qquad \int e^{ax} \, dx = \frac{1}{a}e^{ax}$$

$$\int \frac{dx}{x} = \ln x \qquad \int xe^{ax} \, dx = (ax-1)\frac{e^{ax}}{a^2}$$

$$\int \frac{dx}{a+bx} = \frac{1}{b}\ln(a+bx) \qquad \int x^2 e^{-ax} \, dx = -\frac{1}{a^3}(a^2x^2+2ax+2)e^{-ax}$$

$$\int \frac{dx}{(a+bx)^2} = -\frac{1}{b(a+bx)} \qquad \int \ln(ax) \, dx = x\ln(ax) - x$$

$$\int \frac{dx}{a^2+x^2} = \frac{1}{a}\tan^{-1}\left(\frac{x}{a}\right) \qquad \int \sin(ax) \, dx = -\frac{1}{a}\cos(ax)$$

$$\int \frac{dx}{x^2-a^2} = \frac{1}{2a}\ln\left(\frac{x-a}{x+a}\right) \quad (x^2>a^2) \quad \int \cos(ax) \, dx = \frac{1}{a}\sin(ax)$$

$$\int \frac{dx}{a^2-x^2} = \frac{1}{2a}\ln\left(\frac{a+x}{a-x}\right) \quad (x^2<a^2) \quad \int \tan(ax) \, dx = \frac{1}{a}\ln[\sec(ax)]$$

$$\int \frac{x \, dx}{a^2 \pm x^2} = \pm\frac{1}{2}\ln(a^2 \pm x^2) \qquad \int \cot an(ax) \, dx = \frac{1}{a}\ln[\sin(ax)]$$

$$\int \frac{dx}{\sqrt{a^2-x^2}} = \sin^{-1}\left(\frac{x}{a}\right) \qquad \int \sec(ax) \, dx = \frac{1}{a}\ln[\sec(ax) + \tan(ax)]$$

$$= -\cos^{-1}\left(\frac{x}{a}\right) \quad (x^2<a^2) \quad \int \cos ec(ax) \, dx = \frac{1}{a}\ln[\cos ec(ax) + \cot an(ax)]$$

$$\int \frac{dx}{\sqrt{x^2 \pm a^2}} = \ln[x + \sqrt{x^2 \pm a^2}] \qquad \int \sin^2(ax) \, dx = \frac{x}{2} - \frac{\sin(2ax)}{4a}$$

$$\int \frac{x \, dx}{\sqrt{a^2-x^2}} = -\sqrt{a^2-x^2} \qquad \int \cos^2 ax \, dx = \frac{x}{2} + \frac{\sin(2ax)}{4a}$$

$$\int \frac{x \, dx}{\sqrt{x^2 \pm a^2}} = \sqrt{x^2 \pm a^2} \qquad \int \frac{1}{\sin^2(ax)} \, dx = -\frac{1}{a}\cot an(ax)$$

$$\int \frac{dx}{(x^2+a^2)^{3/2}} = \frac{x}{a^2(x^2+a^2)^{1/2}} \qquad \int \frac{1}{\cos^2(ax)} \, dx = \frac{1}{a}\tan(ax)$$

$$\int \frac{x \, dx}{(x^2+a^2)^{3/2}} = -\frac{1}{(x^2+a^2)^{1/2}} \qquad \int \tan^2(ax) \, dx = \frac{1}{a}\tan(ax) - x$$

$$\int x\sqrt{x^2 \pm a^2} \, dx = \frac{1}{3}(x^2 \pm a^2)^{3/2} \qquad \int \cot an^2(ax) \, dx = -\frac{1}{a}\cot an(ax) - x$$

---

* Pour les fonctions trigonométriques, x est en radians.

A N N E X E   D

Tableau périodique des éléments

Éléments de transition

Légende :

Symbole	**C** 6 — Numéro atomique
Masse atomique*	12,01
Configuration électronique	2p²

Tableau principal

Groupe I	Groupe II												Groupe III	Groupe IV	Groupe V	Groupe VI	Groupe VII	Groupe 0
H 1 1,01 $1s^1$																		**He** 2 4,00 $1s^2$
Li 3 6,94 $2s^1$	**Be** 4 9,01 $2s^2$												**B** 5 10,81 $2p^1$	**C** 6 12,01 $2p^2$	**N** 7 14,01 $2p^3$	**O** 8 16,00 $2p^4$	**F** 9 19,00 $2p^5$	**Ne** 10 20,18 $2p^6$
Na 11 22,99 $3s^1$	**Mg** 12 24,31 $3s^2$												**Al** 13 26,98 $3p^1$	**Si** 14 28,09 $3p^2$	**P** 15 30,97 $3p^3$	**S** 16 32,06 $3p^4$	**Cl** 17 35,45 $3p^5$	**Ar** 18 39,95 $3p^6$
K 19 39,10 $4s^1$	**Ca** 20 40,08 $4s^2$	**Sc** 21 44,96 $3d^14s^2$	**Ti** 22 47,90 $3d^24s^2$	**V** 23 50,94 $3d^34s^2$	**Cr** 24 52,00 $3d^54s^1$	**Mn** 25 54,938 $3d^54s^2$	**Fe** 26 55,85 $3d^64s^2$	**Co** 27 58,93 $3d^74s^2$	**Ni** 28 58,71 $3d^84s^2$	**Cu** 29 63,55 $3d^104s^2$	**Zn** 30 65,38 $3d^104s^2$		**Ga** 31 69,72 $4p^1$	**Ge** 32 72,59 $4p^2$	**As** 33 74,92 $4p^3$	**Se** 34 78,96 $4p^4$	**Br** 35 79,90 $4p^5$	**Kr** 36 83,80 $4p^6$
Rb 37 85,47 $5s^1$	**Sr** 38 87,62 $5s^2$	**Y** 39 88,91 $4d^15s^2$	**Zr** 40 91,22 $4d^25s^2$	**Nb** 41 92,91 $4d^45s^1$	**Mo** 42 95,94 $4d^55s^1$	**Tc** 43 98,9 $4d^55s^2$	**Ru** 44 101,07 $4d^75s^1$	**Rh** 45 102,91 $4d^85s^1$	**Pd** 46 106,4 $4d^{10}$	**Ag** 47 107,87 $4d^105s^1$	**Cd** 48 112,41 $4d^105s^2$		**In** 49 114,82 $5p^1$	**Sn** 50 118,69 $5p^2$	**Sb** 51 121,75 $5p^3$	**Te** 52 127,60 $5p^4$	**I** 53 126,90 $5p^5$	**Xe** 54 131,30 $5p^6$
Cs 55 132,91 $6s^1$	**Ba** 56 137,33 $6s^2$	57-71†	**Hf** 72 178,49 $5d^26s^2$	**Ta** 73 180,95 $5d^36s^2$	**W** 74 183,85 $5d^46s^2$	**Re** 75 186,21 $5d^56s^2$	**Os** 76 190,2 $5d^66s^2$	**Ir** 77 192,22 $5d^76s^2$	**Pt** 78 195,09 $5d^96s^1$	**Au** 79 196,97 $5d^106s^1$	**Hg** 80 200,59 $5d^106s^2$		**Tl** 81 204,37 $6p^1$	**Pb** 82 207,2 $6p^2$	**Bi** 83 208,98 $6p^3$	**Po** 84 (209) $6p^4$	**At** 85 (210) $6p^5$	**Rn** 86 (222) $6p^6$
Fr 87 (223) $7s^1$	**Ra** 88 226,03 $7s^2$	89-103‡	**Rf** 104 (261) $6d^27s^2$	**Ha** 105 (260) $6d^37s^2$	106 (263)	107 (262)	108 (265)	109 (266)										

† Lanthanides

La 57	Ce 58	Pr 59	Nd 60	Pm 61	Sm 62	Eu 63	Gd 64	Tb 65	Dy 66	Ho 67	Er 68	Tm 69	Yb 70	Lu 71
139,91 $5d^16s^2$	140,12 $4f^26s^2$	140,91 $4f^36s^2$	144,24 $4f^46s^2$	(145) $4f^56s^2$	150,4 $4f^66s^2$	151,96 $4f^76s^2$	157,25 $5d^14f^76s^2$	153,93 $4f^96s^2$	162,50 $4f^{10}6s^2$	164,93 $4f^{11}6s^2$	167,26 $4f^{12}6s^2$	168,93 $4f^{13}6s^2$	173,04 $4f^{14}6s^2$	174,97 $5d^14f^{14}6s^2$

‡ Actinides

Ac 89	Th 90	Pa 91	U 92	Np 93	Pu 94	Am 95	Cm 96	Bk 97	Cf 98	Es 99	Fm 100	Md 101	No 102	Lw 103
(227) $6d^17s^2$	232,04 $6d^27s^2$	231,04 $5f^26d^17s^2$	238,03 $5f^36d^17s^2$	237,05 $5f^46d^17s^2$	(244) $5f^67s^2$	(243) $5f^77s^2$	(247) $5f^76d^17s^2$	(247) $5f^86d^17s^2$	(251) $5f^{10}7s^2$	(253) $5f^{11}7s^2$	(257) $5f^{12}7s^2$	(258) $5f^{13}7s^2$	(259) $5f^{14}7s^2$	(260) $6d^17s^2$

* Valeur moyenne déterminée en fonction de l'abondance isotopique relative sur terre. L'annexe E indique le pourcentage d'abondance de certains isotopes. Pour les éléments instables, la masse de l'isotope le plus stable est indiquée entre parenthèses.

ANNEXE E

Table des isotopes les plus abondants*

Chaque masse atomique est celle de l'atome neutre et comprend les *Z* électrons.

La liste complète des isotopes, qu'ils soient d'origine naturelle ou qu'ils aient été produits artificiellement en laboratoire, compte plusieurs centaines d'éléments. Nous donnons ici la liste de ceux qui sont les plus abondants dans la nature. Lorsque plus de trois isotopes ont été répertoriés pour un même numéro atomique, nous indiquons les trois plus abondants (sauf exceptions). Lorsque aucun isotope stable n'existe pour un atome donné, nous décrivons un ou plusieurs des isotopes radioactifs; dans certains cas, l'abondance ne peut être précisée. La dernière colonne de la table indique la demi-vie des isotopes radioactifs. Entre parenthèses, nous mentionnons le ou les modes de désintégration s'ils sont connus : α = désintégration alpha ; β = désintégration bêta ; C.E. = capture d'un électron orbital. Les chiffres entre parenthèses indiquent l'incertitude sur les derniers chiffres de la donnée expérimentale.

Numéro atomique (Z)	Élément	Symbole	Nombre de masse (A)	Masse atomique (u)	Abondance (%)	Demi-vie (mode de désintégration)
0	(neutron)	n	1	1,008 665	–	10,3 min (β^-)
1	hydrogène	H	1	1,007 825 035(12)	99,985(1)	
1	deutérium	D	2	2,014 101 779(24)	0,015(1)	
1	tritium	T	3	3,016 049 27(4)	–	12,32 a (β^-)
2	hélium	He	3	3,016 029 31(4)	0,000 137(3)	
2			4	4,002 603 24(5)	99,999 863(3)	
3	lithium	Li	6	6,015 121 4(7)	7,5(2)	
3			7	7,016 003 0(9)	92,5(2)	
4	béryllium	Be	7	7,016 929	–	53,28 jours (C.E.)
4			9	9,012 182 2(4)	100	
5	bore	B	10	10,012 936 9(3)	19,9(2)	
5			11	11,009 305 4(4)	80,1(2)	
6	carbone	C	12	12 (par définition)	98,90(3)	
6			13	13,003 354 826(17)	1,10(3)	
6			14	14,003 241 982(27)	–	5730 a (β^-)
7	azote	N	13	13,005 738 6	–	9,97 min (β^+)
7			14	14,003 074 002(26)	99,634(9)	
7			15	15,000 108 97(4)	0,366(9)	
8	oxygène	O	16	15,994 914 63(5)	99,762(15)	
8			17	16,999 131 2(4)	0,038(3)	
8			18	17,999 160 3(9)	0,200(12)	

* Données tirées de David R. Lide (dir.), *CRC Handbook of Chemistry and Physics*, Boca Raton, CRC Press, 1994.

Numéro atomique (Z)	Élément	Symbole	Nombre de masse (A)	Masse atomique (u)	Abondance (%)	Demi-vie (mode de désintégration)
9	fluor	F	19	18,998 403 22(15)	100	
10	néon	Ne	20	19,992 435 6(22)	90,48(3)	
10			22	21,991 383 1(18)	9,25(3)	
11	sodium	Na	22	21,994 437	–	2,605 a (β^+, C.E.)
11			23	22,989 767 7(10)	100	
12	magnésium	Mg	24	23,985 042 3(3)	78,99(3)	
13	aluminium	Al	27	26,981 538 6(8)	100	
14	silicium	Si	28	27,976 927 1(7)	92,23(1)	
14			29	28,976 494 9(7)	4,67(1)	
14			30	29,973 770 7(7)	3,10(1)	
15	phosphore	P	30	29,978 314	–	2,50 min (β^+)
15			31	30,973 762 0(6)	100	
16	soufre	S	32	31,972 070 70(25)	95,02(9)	
16			33	32,971 458 54(23)	0,75(4)	
16			34	33,967 866 65(22)	4,21(8)	
17	chlore	Cl	35	34,968 852 721(69)	75,77(7)	
17			37	36,965 902 62(11)	24,23(7)	
18	argon	Ar	36	35,967 545 52(29)	0,337(3)	
18			38	37,962 732 5(9)	0,063(1)	
18			40	39,962 383 7(14)	99,600(3)	
19	potassium	K	39	38,963 707 4(12)	93,258 1(44)	
19			40	39,963 999 2(12)	0,011 7(1)	$1,26 \times 10^9$ a (β^-)
19			41	40,961 825 4(12)	6,730 2(44)	
20	calcium	Ca	40	39,962 590 6(13)	96,941(18)	
20			42	41,958 617 6(13)	0,647(9)	
20			44	43,955 480 6(14)	2,086(12)	
21	scandium	Sc	45	44,955 910 0(14)	100	
22	titane	Ti	46	45,952 629 4(14)	8,0(1)	
22			47	46,951 764 0(11)	7,3(1)	
22			48	47,947 947 3(11)	73,8(1)	
23	vanadium	V	50	49,947 160 9(17)	0,250(2)	$>1,4 \times 10^{17}$ a (C.E.)
23			51	50,943 961 7(17)	99,750(2)	
24	chrome	Cr	50	49,946 046 4(17)	4,345(13)	
24			52	51,940 509 8(17)	83,789(18)	
24			53	52,940 651 3(17)	9,501(17)	
25	manganèse	Mn	55	54,938 047 1(16)	100	
26	fer	Fe	54	53,939 612 7(15)	5,8(1)	
26			56	55,934 939 3(16)	91,72(30)	
26			57	56,935 395 8(16)	2,1(1)	
27	cobalt	Co	59	58,933 197 6(16)	100	

Numéro atomique (Z)	Élément	Symbole	Nombre de masse (A)	Masse atomique (u)	Abondance (%)	Demi-vie (mode de désintégration)
28	nickel	Ni	58	57,935 346 2(16)	68,077(9)	
28			60	59,930 788 4(16)	26,223(8)	
28			62	61,928 346 1(16)	3,634(2)	
28			64	63,927 969	0,926(1)	
29	cuivre	Cu	63	62,929 598 9(16)	69,17(3)	
29			64	63,929 768	–	12,701 h (β^-, β^+, C.E.)
29			65	64,927 792 9(20)	30,83(3)	
30	zinc	Zn	64	63,929 144 8(19)	48,6(3)	
30			66	65,926 034 7(17)	27,9(2)	
30			68	67,924 845 9(18)	18,8(4)	
31	gallium	Ga	69	68,925 580(3)	60,108(9)	
31			71	70,924 700 5(25)	39,892(9)	
32	germanium	Ge	70	69,924 249 7(16)	21,23(4)	
32			72	71,922 078 9(16)	27,66(3)	
32			74	73,921 177 4(15)	35,94(2)	
33	arsenic	As	75	74,921 594 2(17)	100	
34	sélénium	Se	76	75,919 212 0(16)	9,36(11)	
34			78	77,917 307 6(16)	23,78(9)	
34			80	79,916 519 6(19)	49,61(10)	
35	brome	Br	79	78,918 336 1(26)	50,69(7)	
35			81	80,916 289(6)	49,31(7)	
36	krypton	Kr	82	81,913 482(6)	11,6(1)	
36			84	83,911 507(4)	57,0(3)	
36			86	85,910 616(5)	17,3(2)	
36			89	88,917 64	–	3,15 min (β^-)
37	rubidium	Rb	85	84,911 794(3)	72,165(20)	
37			87	86,909 187(3)	27,835(20)	$4,88 \times 10^{10}$ a (β^-)
38	strontium	Sr	86	85,909 267 2(28)	9,86(1)	
38			87	86,908 884 1(28)	7,00(1)	
38			88	87,905 618 8(28)	82,58(1)	
39	yttrium	Y	89	88,905 849(3)	100	
40	zirconium	Zr	90	89,904 702 6(26)	51,45(3)	
40			92	91,905 038 6(26)	17,15(2)	
40			94	93,906 314 8(28)	17,38(4)	
41	niobium	Nb	93	92,906 377 2(27)	100	
42	molybdène	Mo	95	94,905 841 1(22)	15,92(5)	
42			96	95,904 678 5(22)	16,68(5)	
42			98	97,905 407 3(22)	24,13(7)	
43	technétium	Tc	98	97,907 215(4)	–	$4,2 \times 10^6$ a (β^-)
44	ruthénium	Ru	101	100,905 581 9(24)	17,0(1)	
44			102	101,904 348 5(25)	31,6(2)	

Numéro atomique (Z)	Élément	Symbole	Nombre de masse (A)	Masse atomique (u)	Abondance (%)	Demi-vie (mode de désintégration)
44			104	103,905 424(6)	18,7(2)	
45	rhodium	Rh	103	102,905 500(4)	100	
46	palladium	Pd	105	104,905 079(6)	22,33(8)	
46			106	105,903 478(6)	27,33(3)	
46			108	107,903 895(4)	26,46(9)	
47	argent	Ag	107	106,905 092(6)	51,839(7)	
47			109	108,904 757(4)	48,161(7)	
48	cadmium	Cd	111	110,904 182(3)	12,80(8)	
48			112	111,902 758(3)	24,13(14)	
48			114	113,903 357(3)	28,73(28)	
49	indium	In	113	112,904 061(4)	4,3(2)	
49			115	114,903 880(4)	95,7(2)	$4,4 \times 10^{14}$ a (β^-)
50	étain	Sn	116	115,901 747(3)	14,53(1)	
50			118	117,901 609(3)	24,23(11)	
50			120	119,902 199 1(29)	32,59(10)	
51	antimoine	Sb	121	120,903 821 2(29)	57,36(8)	
51			123	122,904 216 0(24)	42,64(8)	
52	tellure	Te	126	125,903 314(3)	18,95(1)	
52			128	127,904 463(4)	31,69(1)	
52			130	129,906 229(5)	33,80(1)	$2,5 \times 10^{21}$ a
53	iode	I	127	126,904 473(5)	100	
54	xénon	Xe	129	128,904 780 1(21)	26,4(6)	
54			131	130,905 072(5)	21,2(4)	
54			132	131,904 144(5)	26,9(5)	
55	césium	Cs	133	132,905 429(7)	100	
56	barium	Ba	136	135,904 553(7)	7,854(36)	
56			137	136,905 812(6)	11,23(4)	
56			138	137,905 232(6)	71,70(7)	
56			144	143,922 94	–	11,4 s (β^-)
57	lanthane	La	138	137,907 105(6)	0,090 2(2)	$1,06 \times 10^{11}$ a
57			139	138,906 347(5)	99,909 8(2)	
58	cérium	Ce	138	137,905 985(12)	0,25(1)	
58			140	139,905 433(4)	88,48(10)	
58			142	141,909 241(4)	11,08(10)	
59	praséodyme	Pr	141	140,907 647(4)	100	
60	néodyme	Nd	142	141,907 719(4)	27,13(12)	
60			144	143,910 083(4)	23,80(12)	$2,1 \times 10^{15}$ a
60			146	145,913 113(4)	17,19(9)	
61	prométhium	Pm	145	144,912 743(4)	–	17,7 a (C.E.)
62	samarium	Sm	147	146,914 895(4)	15,0(2)	$1,06 \times 10^{11}$ a (α)
62			152	151,919 729(4)	26,7(2)	

Numéro atomique (Z)	Élément	Symbole	Nombre de masse (A)	Masse atomique (u)	Abondance (%)	Demi-vie (mode de désintégration)
62			154	153,922 206(4)	22,7(2)	
63	europium	Eu	151	150,919 847(8)	47,8(15)	
63			153	152,921 225(4)	52,2(15)	
64	gadolinium	Gd	156	155,922 118(4)	20,47(4)	
64			158	157,924 019(4)	28,84(12)	
64			160	159,927 049(4)	21,86(4)	
65	terbium	Tb	159	158,925 342(4)	100	
66	dysprosium	Dy	162	161,926 795(4)	25,5(2)	
66			163	162,928 728(4)	24,9(2)	
66			164	163,929 171(4)	28,2(2)	
67	holmium	Ho	165	164,930 319(4)	100	
68	erbium	Er	166	165,930 290(4)	33,6(2)	
68			167	166,932 046(4)	22,95(15)	
68			168	167,932 368(4)	26,8(2)	
69	thulium	Tm	169	168,934 212(4)	100	
70	ytterbium	Yb	172	171,936 378(3)	21,9(3)	
70			173	172,938 208(3)	16,12(21)	
70			174	173,938 859(3)	31,8(4)	
71	lutécium	Lu	175	174,940 770(3)	97,41(2)	
71			176	175,942 679(3)	2,59(2)	$3,8 \times 10^{10}$ a (β^-)
72	hafnium	Hf	177	176,943 217(3)	18,606(4)	
72			178	177,943 696(3)	27,297(4)	
72			180	179,946 545 7(30)	35,100(7)	
73	tantale	Ta	180	179,947 462(4)	0,012(2)	$> 1,2 \times 10^{15}$ a
73			181	180,947 992(3)	99,988(2)	
74	tungstène	W	182	181,948 202(3)	26,3(2)	
74			184	183,950 928(3)	30,67(15)	
74			186	185,954 357(4)	28,6(2)	
75	rhénium	Re	185	184,952 951(3)	37,40(2)	
75			187	186,955 744(3)	62,60(2)	$4,2 \times 10^{10}$ a (β^-)
76	osmium	Os	189	188,958 137(4)	16,1(8)	
76			190	189,958 436(4)	26,4(12)	
76			192	191,961 467(4)	41,0(8)	
77	iridium	Ir	191	190,960 584(4)	37,3(5)	
77			193	192,962 917(4)	62,7(5)	
78	platine	Pt	194	193,962 655(4)	32,9(6)	
78			195	194,964 766(4)	33,8(6)	
78			196	195,964 926(4)	25,3(6)	
79	or	Au	197	196,966 543(4)	100	
80	mercure	Hg	199	198,968 254(4)	16,87(10)	
80			200	199,968 300(4)	23,10(16)	

Numéro atomique (Z)	Élément	Symbole	Nombre de masse (A)	Masse atomique (u)	Abondance (%)	Demi-vie (mode de désintégration)
80			202	201,970 617(4)	29,86(20)	
81	thallium	Tl	203	202,972 320(5)	29,524(14)	
81			205	204,974 401(5)	70,476(14)	
82	plomb	Pb	206	205,974 440(4)	24,1(1)	
82			207	206,975 872(4)	22,1(1)	
82			208	207,976 627(4)	52,4(1)	
83	bismuth	Bi	209	208,980 374(5)	100	
84	polonium	Po	209	208,982 404(5)	–	102 a (α)
84			210	209,982 857	–	$138,38$ jours (α)
85	astate	At	210	209,987 126(12)	–	$8,1$ h $(\alpha, \text{C.E.})$
86	radon	Rn	222	222,017 570(3)	–	$3,8235$ jours (α)
87	francium	Fr	223	223,019 733(4)	–	$21,8$ min (β^-)
88	radium	Ra	226	226,025 402(3)	–	1599 a (α)
89	actinium	Ac	227	227,027 750(3)	–	$21,77$ a (β^-, α)
90	thorium	Th	232	232,038 054(2)	100	$1,4 \times 10^{10}$ a (α)
91	protactinium	Pa	231	231,035 880(3)	–	$3,25 \times 10^4$ a (α)
92	uranium	U	234	234,040 946 8(24)	0,005 5(5)	$2,45 \times 10^5$ a (α)
92			235	235,043 924 2(24)	0,720 0(12)	$7,04 \times 10^8$ a (α)
92			236	236,045 561	–	$2,34 \times 10^7$ a (α)
92			238	238,050 784 7(23)	99,274 5(60)	$4,46 \times 10^9$ a (α)
93	neptunium	Np	237	237,048 167 8(23)	–	$2,14 \times 10^6$ a (α)
94	plutonium	Pu	239	239,052 157(2)	–	$2,411 \times 10^4$ a (α)
94			244	244,064 199(5)	–	$8,2 \times 10^7$ a (α)
95	américium	Am	243	243,061 375	–	$7,37 \times 10^3$ a (α)
96	curium	Cm	245	245,065 483	–	$8,5 \times 10^3$ a (α)
97	berkélium	Bk	247	247,070 300	–	$1,4 \times 10^3$ a (α)
98	californium	Cf	249	249,074 844	–	351 a (α)
99	einsteinium	Es	254	254,088 019	–	276 jours (α)
100	fermium	Fm	253	253,085 173	–	$3,0$ jours $(\alpha, \text{C.E.})$
101	mendélévium	Md	255	255,091 081	–	27 min $(\alpha, \text{C.E.})$
102	nobélium	No	255	255,093 260	–	$3,1$ min $(\alpha, \text{C.E.})$
103	lawrencium	Lw	257	257,099 480	–	$0,65$ s $(\alpha, \text{C.E.})$
104	rutherfordium	Rf	261	261,108 690	–	$1,1$ min (α)
105	hahnium	Ha	262	262,113 760	–	34 s (α)

Réponses aux exercices et problèmes de numéros impairs

Chapitre 1

Exercices

E1. (b) et (c)

E3. (a) $3,68 \times 10^4$ N/m ; (b) 0,655 s

E5. 0,284 s, 0,866 s, 1,16 s, 1,74 s

E7. (a) 0,206 m, $-2,33$ rad ;
(b) $0,206 \sin(10t - 2,33)$ m ; (c) 0,414 s

E9. (a) $x(t) = 0,0800 \cos(7,83t)$ m ;
(b) 0,414 m/s, $a_x = 3,68$ m/s^2
(L'axe x, positif vers le bas, a son origine à la position d'équilibre du bloc.)

E11. (a) $v_x = \pm 0,773$ m/s, $a_x = 1,87$ m/s^2
(b) $v_x = \pm 0,611$ m/s, $a_x = -3,73$ m/s^2

E13. $x = R \cos(\omega t)$ et $y = R \sin(\omega t)$, qui correspondent à un mouvement harmonique simple.

E15. 9,80 cm à 34,9 ms et 79,8 ms ; $-9,80$ cm à 150 ms et 194 ms

E17. (a) 0,750 kg ; (b) 0,240 J ; (c) 0,0455 s ;
(d) $a_x = -2,95$ m/s^2

E19. (a) 0,245 m ; (b) 0,351 s

E23. (a) 1,64 s ; (b) 1,94 s

E25. 20,1 Hz

E27. (a) 1,27 s ; (b) 0,691 m/s ; (c) 11,9 mJ

E29. 0,636 s

E31. (a) 1,80 s ; (b) $0,524 \cos(3,50t)$ rad ; (c) 21,5 mJ ;
(d) 1,27 m/s

E33. (a) 7,85 rad/s ; (b) 1,11 N ; (c) 0,942 m/s

E35. (a) $-0,177$ m ; (b) $v_x = -2,78$ m/s ;
(c) $a_x = 43,7$ m/s^2

E37. (a) 0,282 m ; (b) 0,531 m/s

E39. (a) 12,0 cm, 5,24 rad/s ; (b) 0,628 m/s ;
(c) 3,29 m/s^2

E41. (a) 0,314 m/s ; (b) 98,7 m/s^2

E43. (a) 0,113 m, $3\pi/2$ rad ;
(b) $x = 0,113 \sin(15,7 + 3\pi/2)$ m

E45. (a) La période ne change pas ; (b) 3,54 s ; (c) 1,77 s

E47. 0,200 kg

E49. 0,307 kg

E51. (a) $x = 0,100 \sin(6,00t + \pi/2)$ m ; (b) 0,262 s

E53. (a) 0,264 m ; (b) 0,606 rad

E55. 0,190 m

E57. (a) $\pi/2$; (b) $3\pi/2$; (c) π ; (d) $\pi/6$; (e) $5\pi/6$

E59. (a) 1,29 N/m ; (b) 0,0209 kg

E61. (a) $a_x = -1,97$ m/s^2 ; (b) $v_x = \pm 0,392$ m/s

E63. (a) $x = 0,150 \sin(4,33t)$ m ; (b) 0,183 s

E65. 4,79 cm

E67. (a) 15,8 mJ ; (b) 0,628 m/s ; (c) $v = 0,544$ m/s

E69. (a) 0,210 m ; (b) 2,93 m/s ; (c) $v = 2,58$ m/s

E71. (a) 93,0 g ; (b) 2,18 m/s ; (c) 0,185 J ; (d) 0,153 J

E73. (a) 13,7 rad/s ; (b) 0,192 kg ; (c) 46,1 mJ

E75. (a) 48,9 ms ; (b) 1,05 s

E77. (a) $\pm 17,3$ cm ; (b) $\pm 14,1$ cm

E79. 0,993 m

E81. 0,800 m

E83. 1,25 s

E85. 14,5 s

E87. 1,15 s

Problèmes

P1. $-0,250 \sin(8,00t)$ m

P5. (b) $2\pi\sqrt{R/g}$

P9. (b) $2\pi\sqrt{(M + m/3)/k}$

P11. (a) 1,004 30 s ; (b) 1,017 38 s ; (c) 1,039 63 s ;
(d) 1,071 29 s

P13. 84,4 min

P15. (a) 0,751 s ; (b) 7,99 % ; (c) 0,105 g

Chapitre 2

Exercices

E1. (a) De 188 m à 545 m ; (b) De 2,78 m à 3,41 m

E3. (a) 10,0 Hz ; (b) 3,93 rad ; (c) 0,0167 s ;
(d) $v_y = -1,26$ m/s

E5. $1,44 \times 10^6$ m

E7. 0,563 kg

E9. (a) 1,41 ; (b) 1,41

E11. (b) $v_y = -1,00$ cm/s

E13. $(2 \times 10^{-3})/[4 - (x + 12t)^2]$ m

E15. (a) $\partial y/\partial x = kA\cos(kx - \omega t)$
(b) $v_{y_{max}} = v(\partial y/\partial x)_{max}$

E17. (a) 15,1 cm/s ; (b) 15,0 cm/s ; (c) 94,7 cm/s^2 ;
(d) $a_y = -11,1$ cm/s^2

E19. a, b, d, e

E21. (a) 15,7 cm ; (b) 0,800 rad ; (c) 0,126 s ;
(d) 0,0200 cm ; (e) 125 cm/s ;
(f) $v_y = 0,483$ cm/s

E23. $0,0300 \sin(80,0\pi x + 200\pi t - 0,730)$ m

E25. (a) $A\sin[(2\pi/\lambda)(x - vt)]$; (b) $A\sin[2\pi f(x/v - t)]$;
(c) $A\sin[k(x - vt)]$; (d) $A\sin[2\pi(x/\lambda - ft)]$

E27. (a) $4,00\sin(0,400\pi x)\cos(16,0\pi t)$ cm ;
(b) 2,50 cm ; (c) 2,35 cm

E29. (a) 144 cm ; (b) 17,4 Hz

E31. (a) 2,30 cm ; (b) 6,89 cm

E33. $f_2/f_1 = 1,41$

E35. (a) 20,9 cm, 83,3 cm/s ; (b) 31,4 cm ;
(c) 0, 10,5 cm, 20,9 cm et 31,4 cm

E37. (a) et (b), le cas (b) uniquement pour $B(x - vt) > 0$

E39. 15,0 W

E41. (a) 6,63 mW ; (b) 50,4 N

E47. (a) 0,0400 m, 0,0500 s ; (b) 0,800 m/s ;
(c) 2,51 mm/s

E49. (a) 3,20 g/m ; (b) 0,648 m/s

E51. (a) $5,00 \times 10^{-3}\sin(30,0x)\cos(420t)$ m ;
(b) $4,63 \times 10^{-3}$ m ; (c) 0,261 m

E53. 118 N

E55. (a) 0,191 m ; (b) 3,77 rad

E57. (a) 480 m/s ; (b) 0,911 g

E59. 127 Hz

E61. 15,0 cm

E63. 1,61 g/m

E65. 59,3 Hz

E67. (a) $0,0600\sin(2\pi x)\cos(10\pi t)$ m ;
(b) 0,500 m, 1,00 m ; (c) 0,250 m, 0,750 m ;
(d) $4,24 \times 10^{-2}$ m

E69. 3,13

E71. 0,312 m, 0,686 m

E73. 5,68 mW

E75. 2,76 mm

Problèmes

P1. 160 m/s

P3. $g/4\pi^2 f_1^2$

P5. (b) $\frac{1}{2}\mu(\omega A)^2 v$

P15. (b) $\Delta t = \sqrt{m/k}$

P17. $7,04 \times 10^{-4}\sin(4,00\pi x + 100\pi t + 2,70)$

Chapitre 3

Exercices

E1. 3,40 mm

E3. 0,375 mm

E5. (a) 1,43 km/s ; (b) 1,43 m

E7. 5,06 km/s

E9. 3,04 km/s

E13. 19,3 cm, 58,0 cm

E15. 28,1 N

E17. 8,50 Hz, 17,0 Hz, 25,5 Hz

E19. (a) 283 Hz ; (b) 51,5 cm

E21. 15,0 Hz

E23. (a) 78,8 cm ; (b) 91,3 cm

E25. (a) 227 Hz, 1,50 m ; (b) 224 Hz, 1,70 m ;
(c) 225 Hz, 1,60 m

E27. (a) 59,6 Hz ; (b) 131 Hz

E29. 0 Hz, 24,5 Hz

E31. 565 Hz

E33. (a) $4,00 \times 10^{-5}$ W ; (b) $4,00 \times 10^{-17}$ W

E35. 86,2 dB

E37. (a) $1,99 \times 10^{-7}$ W/m^2 ; (b) $1,40 \times 10^{-2}$ W/m^2

E39. 1,41

E41. (a) 12,6 cm ; (b) 126 m

E43. (a) $1,04 \times 10^{-5}$ m ; (b) 0,169 W/m^2

E45. 6,35 kHz

E47. (a) fermé ; (b) 334 m/s

E49. $v_s = 35,0$ m/s, $v_o = 26,0$ m/s

E51. (a) 25,0 m/s ; (b) 440 Hz

E53. −310 Hz

E55. 589 N

E57. (a) $3,44 \times 10^{-2}$ N/m^2 ; (b) $2,18 \times 10^{-10}$ m

E59. 0,527 N/m^2

Problèmes

P1. (a) 4,97 µW/m^2 ; (b) 67,0 dB ;
(c) $6,60 \times 10^{-2}$ N/m^2 ; (d) $9,99 \times 10^{-8}$ m

P3. (b) 414 Hz ; (c) $\Delta f/f = 3,5\%$

P5. 22,3 m

P9. (a) 404 Hz ou 396 Hz ; (b) 346 N ; (c) 42,1 cm

Chapitre 4

Exercices

E7. 100°

E9. 2,62 m

E13. 2,28 m

E17. $1,94 \times 10^8$ m/s

E21. (a) 1,41 ; (b) 1,88

E23. 37,4°

E27. (a) −8,57 cm, 0,571 ; (b) −13,3 cm, 0,333

E29. 34,3 cm

E31. 45,0 cm

E33. (a) 16,0 cm ; (b) −5,33 cm

E35. 11,7 cm, 70,0 cm

E37. (b) 15,2 cm

E39. (a) $9,46 \times 10^{15}$ m ; (b) $1,59 \times 10^{-5}$ a.l.

E41. 536 tr/s

E43. 10,5°

E45. 66,1°

E47. 0,0443 cm

E49. 19,3°

E53. 48,0 cm

E55. $q = -46,7$ cm, $m = 2,34$, virtuelle

E57. 7,26 cm

Problèmes

P1. 7,51 cm

Chapitre 5

Exercices

E1. (a) à 8,58 cm derrière la paroi ; (b) 2,28 ;
(c) à 26,5 cm derrière la paroi ; (d) 1,33

E3. 29,2 cm

E5. (a) à 32,0 cm de la face plane, dans l'air
(b) à 1,60 cm de la face convexe, dans l'air

E7. (a) −24,0 cm ; (b) 7,50 cm

E9. (a) 18,1 mm ; (b) 18,6 mm

E11. (a) 4,00 cm ; (b) 5,33 cm

E13. $f = +0,124$ m

E15. 22,5 cm, 7,50 cm

E17. (a) 49,0 cm ; (b) 21,0 cm

E19. $q = 43,6$ cm, $m = -2,18$

E21. (a) $p = 80,0$ cm ; (b) $p = -6,67$ cm

E23. $q_2 = 13,8$ cm

E27. (a) 4,39 ; (b) $q = -114$ cm

E29. (b) 0,179 m

E31. 2,00 cm

E33. −250

E35. −36,0

E37. (a) −50,0 ; (b) −62,5

E39. −4,00

E41. −20,9

E43. À 83,3 cm de l'œil

E45. Des lunettes bifocales de puissance −0,250 D
et +1,50 D

E47. À 24,6 cm de l'œil

E49. (a) À 50,0 cm de l'œil ; (b) à 33,3 cm de l'œil

E51. $x = 27,6$ cm et $x = 72,4$ cm

E53. 4,18 m

E55. (a) $q_2 = -35,0$ cm ; (b) 1,50

E57. (a) $p = 7,14$ cm ; (b) 3,50

E59. (a) 10,4° ; (b) 15,4°

E61. 2,75 D

Problèmes

P1. (a) $q_2 = 3,73$ cm, $m = -1,87$;
(b) $q_2 = -42,0$ cm, $m = -3,50$

P3. $q_2 = 17,1$ cm, $m = -2,14$

P7. (a) 1,00 cm ; (b) 20,0

P9. Au centre

P11. $\Delta f - 0,556$ cm

P13. $f = -27,6$ cm

Chapitre 6

Exercices

E1. 0,170 mm

E3. (a) 0,141 mm ; (b) 0,281 mm

E5. 583 nm

E7. 543 nm

E9. 1,68 cm

E11. 17,8 cm

E13. De 2,16 mm, vers le haut

E15. 1,36 m

E17. 1,68 m

E19. (a) $x = [d - (m + 1/2)\lambda]/2$; (b) $x = (d - m\lambda)/2$

E21. (a) $d(\sin\theta - \sin\alpha)$; (b) $\theta = \alpha$; (c) arcsin $(\lambda/2d)$

E23. 7 franges

E27. $0,0979 I_0$

E29. 209 nm

E31. 417 nm, 509 nm, 655 nm

E33. (a) 200 nm ; (b) $1,00 \times 10^{-4}$ rad

E35. (a) 206 nm ; (b) 103 nm

E37. 1,20

E39. 1,75

E41. 3,77 rad

E43. 520 nm

E45. 5,30 mm

E47. 11 franges

E49. (a) $6,98 \times 10^{-4}$ rad ; (b) $8,77 \times 10^{-4}$ rad

E51. 0,215°

E53. 1,13 m

E55. (a) $x = \pm 1{,}5$ m, $\pm 4{,}5$ m ; (b) $x = 0$, ± 3 m

E57. (a) 430 nm ; (b) 2 ; (c) 32,0 rad

E59. (a) 549 nm ; (b) 439 nm

E61. 426 nm, 596 nm

E63. 8,59 mm

E65. 8,52 mm

E67. 411 nm, 459 nm, 520 nm, 600 nm

E69. 355 nm

E71. (a) 1,92 cm ; (b) 3,60 cm

E73. 195 franges

Problèmes

P1. (a) 630 nm ; (b) 448 nm, 576 nm

P3. De 1,60 cm, vers le haut

P5. (a) 450 nm, 540 nm, 675 nm ;
(b) 415 nm, 491 nm, 600 nm

P7. 36

P9. (a) 6,88 m ; (b) 2,95 m

P11. 13,0 µm

P13. 1,0003

P15. (a) 5,49 rad ; (b) 1,80 rad ; (c) 0,851 ; (d) 0,386

Chapitre 7

Exercices

E1. (a) 4,08 cm ; (b) 2,04 cm

E3. $2{,}73 \times 10^{-4}$ m

E5. (a) $1{,}79 \times 10^3$ Hz ; (b) 14,5°

E7. (a) 62,5° ; (b) 15,9°

E9. 1,46 cm

E11. (a) 51,5 km ; (b) 57,3 m

E13. 50,8 µm

E15. (a) $1{,}20 \times 10^9$ m ; (b) $8{,}40 \times 10^{12}$ m

E17. (a) 4,29° ; (b) 8,95° ; (c) oui

E19. Cinq

E21. 17,0°

E23. (a) $2{,}73 E_0$; (b) $2 E_0$; (c) E_0 ; (d) Zéro

E25. $2\pi/5$ rad

E27. (a) 0,470° ; (b) $0{,}405 I_0$

E31. 0,0234 nm

E33. 12,6°

E35. 93,5 pm

E37. $0{,}125 I_0$

E41. 36,9°

E43. 50,3°

E45. 32,0°

E47. 43,4°

E49. 2,32 cm

E51. 0,488 m

E53. 376 m

E55. 4,83°

Problèmes

P1. $d(\cos\alpha - \cos\theta) = m\lambda$

P3. (a) 20,3 mm ; (b) 5,06 mm, 10,1 mm

P7. $0{,}281 I_0$

Chapitre 8

Exercices

E1. $0{,}600 c$

E3. 1,50 m

E5. (a) $v^2/2c^2$; (b) $-v^2/2c^2$

E7. 75,5 km/s

E9. (a) 8,33 µs ; (b) $2{,}00 \times 10^3$ m ; (c) $1{,}20 \times 10^3$ m

E11. $0{,}866 c$

E13. (a) 153 m ; (b) 2,50 µs ; (c) 2,55 µs

E15. (a) 1,78 µs ; (b) 2,22 µs

E17. (a) 0,408 µs ; (b) 2,05 µs

E19. (a) 8,17 ms ; (b) 490 km

E21. (a) 22,0 µs ; (b) 33,5 µs ; (c) 3,35 µs

E23. 2,00 kHz

E25. 490 nm

E27. (a) 4,00 kHz ; (b) 4,00 kHz

E29. 600 km, 1,20 ms

E31. $4{,}00 \times 10^6$ m

E33. 37,0 ms

E35. 7,96 µs, le vert avant le rouge ; 2,40 km

E37. (a) $L/(c - v)$; (b) $\gamma L/c$

E39. $0{,}385 c$

E41. (a) Non ; (b) $0{,}385 c$

E43. (a) $4{,}33 \times 10^9$ kg ; (b) $1{,}46 \times 10^{13}$ a

E45. (a) 0,195 ; (b) 0,999

E47. (a) 0,213 MeV ; (b) 2,98 MeV

E49. 1,72 µN

E51. (a) $2{,}83\, m_0 c$; (b) $0{,}943 c$

E53. $\Delta K/K = 4{,}03 \times 10^{-5}$

E55. $0{,}866 c$

E57. (a) 208 kV ; (b) $0{,}703 c$

E59. (a) $0{,}9997 c$; (b) $2{,}18 \times 10^{-17}$ kg·m/s

E61. (a) 0,857 km ; (b) 4,08 µs ; (c) 5,71 µs

E63. 9,11 µs

E65. (a) 41,3 μs ; (b) 24,4 μs

E67. (a) 125 ; (b) 6,60

E69. (a) $4,53 \times 10^{19}$ J ; (b) 503 kg

E71. (a) 1,71 MeV ; (b) $2,86 \times 10^{8}$ m/s ;
(c) $8,72 \times 10^{-22}$ kg·m/s

Problèmes

P5. (a) $5,16 \times 10^{6}$ m/s ; (b) $5,43 \times 10^{7}$ m/s

P7. (b) 7,04°, 15,1°, 25,8°

P9. (a) 395 ; (b) 395

P13. (a) 0,233 μs ; (b) 16,7 μs

P15. (a) 4,44 μs ; (b) 5,56 μs

Chapitre 9

Exercices

E1. (a) 0,966 mm ; (b) 0,966 μm ; (c) 0,290 nm

E3. De $4,14 \times 10^{3}$ K à $7,25 \times 10^{3}$ K

E5. $8,29 \times 10^{27}$ W

E7. 9,66 μm

E9. $6,04 \times 10^{30}$ photons/s

E11. (a) 0,855 eV ; (b) $6,04 \times 10^{7}$ photons/(m²·s)

E13. $5,41 \times 10^{5}$ m/s

E15. (a) $2,66 \times 10^{15}$ Hz ; (b) 7,09 eV

E17. $3,71 \times 10^{21}$ photons/(m²·s)

E19. (a) 0,806 eV ; (b) 428 nm

E21. 3,05 V

E23. (a) $1,51 \times 10^{19}$ photons/s ; (b) 652 km

E25. (a) $2,47 \times 10^{20}$ Hz ; (b) $5,45 \times 10^{-22}$ kg·m/s

E27. (a) $4,03 \times 10^{15}$ V·s ; (b) $5,07 \times 10^{14}$ Hz

E29. 5,43 keV

E31. 0,510 MeV

E33. 384 eV

E35. $1,18 \times 10^{19}$ Hz

E37. (a) 103 nm, 122 nm, 656 nm ;
(b) Pas de raies d'émission

E39. 91,2 nm

E41. (a) −6,79 eV ; (b) 3,39 eV

E43. $5,30 \times 10^{-11}$ m, $2,12 \times 10^{-10}$ m, $4,77 \times 10^{-10}$ m

E45. (a) $2,19 \times 10^{6}$ m/s ;
(b) $1,99 \times 10^{-24}$ kg·m/s ;
(c) $9,05 \times 10^{22}$ m/s²

E51. 1,90 eV

E53. $5,15 \times 10^{14}$ Hz

E55. $5,89 \times 10^{5}$ m/s

E57. 39,1°

E59. (a) 365 nm ; (b) 91,4 nm

E61. 872 nm

Problèmes

P1. (a) $7,10 \times 10^{-12}$ m ; (b) 90,7° ; (c) 36,4°

P5. (a) $4,57 \times 10^{-48}$ kg·m² ;
(b) $2,31 \times 10^{13}$ n rad/s ;
(c) $3,67 \times 10^{12}$ Hz, infrarouge

Chapitre 10

Exercices

E3. 0,112 nm

E5. (a) 0,397 nm ; (b) 0,397 pm

E7. $7,59 \times 10^{-30}$ m, non

E9. (a) 12,4 keV ; (b) 1,24 GeV

E11. 82,2 kV

E13. (a) 0,138 nm ; (b) 0,123 nm

E15. (a) $1,37 \times 10^{7}$ m/s ; (b) $v_{(a)}/v_{Bohr} \approx 2\pi$

E17. 2,87 μm

E19. (a) 37,7 eV, 151 eV ; (b) 11,0 nm

E21. 75,6 eV, rayons X

E23. (a) 80,0 eV ; (b) 0,137 nm

E25. $\Delta p \geq 6,63 \times 10^{-24}$ kg·m/s

E27. (a) $\Delta E \geq 6,63 \times 10^{-26}$ J ; (b) $\Delta f \geq 1,00 \times 10^{8}$ Hz

E29. 0,128 pm

E31. (a) 151 eV ; (b) 12,4 keV

E33. $4,98 \times 10^{-24}$ kg·m/s

E35. 129 keV

E39. (a) $5,43 \times 10^{14}$ Hz ; (b) $\Delta f \geq 7,69 \times 10^{6}$ Hz

Problèmes

P3. (a) $1,99 \times 10^{-24}$ kg·m/s ;
(b) $\Delta x \geq 0,165$ nm $\approx \pi r_{Bohr}$

P5. 0,818

P7. $\sqrt{2/L} \cos(n\pi x/L)$, $n = 1, 2, 3$

E9. $B = m\omega/2\hbar$

Chapitre 11

Exercices

E1. (a) $\sqrt{2}\hbar$; (b) $\sqrt{12}\hbar$

E3. $n = 4$, $\ell = 2$, $m_\ell = 0, \pm 1, \pm 2$, $m_s = \pm 1/2$

E5. (a) 0, $\pm\hbar$; (b) ±90°, ±45°

E7. (a) $\ell = 4$; (b) $n \geq 5$

E9. (a) −30,6 eV ; (b) $\ell = 0, 1$; $m_\ell = 0, \pm 1$

E11. $2\hbar$

E15. $1,02 \times 10^{10}$ m⁻¹

E17. (a) $6,96 \times 10^{9}$ m⁻¹ ; (b) $5,54 \times 10^{9}$ m⁻¹

E21. 24,8 kV

E23. $\approx 5 \times 10^{7}$ Hz$^{1/2}$

E25. 5,59 nm

E27. $E_1 = -4{,}62$ keV, $E_3 = -2{,}65$ keV

E29. (n, ℓ, m_ℓ, m_s): $(1, 0, 0, \pm 1/2)$, $(2, 0, 0, \pm 1/2)$, $(2, 1, 1, \pm 1/2)$, $2, 1, 0, \pm 1/2$)

E31. $3{,}21 \times 10^{-23}$ J/T

E33. (a) 2,14 meV; (b) 18,5 T

Problèmes

P5. $\lambda_e = 6{,}02$ pm

Chapitre 12

Exercices

E1. (a) 3,02 fm; (b) 4,59 fm; (c) 7,44 fm

E3. $4{,}75 \times 10^{17}$ kg/m^3

E5. 8,00

E7. 70,0 % de $^{63}_{29}$Cu, 30,0 % de $^{65}_{29}$Cu

E9. (a) 6,98 fm; (b) 25,9 MeV

E11. (a) 8,55 MeV; (b) 7,92 MeV

E13. (a) 97,1 MeV; (b) 94,1 MeV

E15. (a) 7,25 MeV; (b) $E_{(a)}/E_{\text{liaison}} = 1{,}29$

E17. $4{,}20 \times 10^{11}$ Bq

E19. $1{,}27 \times 10^{8}$

E21. $^{11}_{5}$B, oui

E23. (a) $1{,}22 \times 10^{4}$ s; (b) $9{,}78 \times 10^{9}$

E25. $2{,}71 \times 10^{4}$ a

E27. 7 particules α et 4 électrons

E29. 3,11 h

E31. $8{,}54 \times 10^{8}$ a

E33. 0,0158

E35. 0,862 MeV

E37. 6 particules α et 4 électrons

E39. 1,31 MeV

E41. (a) $-1{,}19$ MeV; (b) 17,3 MeV

E43. 2,13 MeV

E45. (a) $^{32}_{16}$S; (b) $^{19}_{9}$F; (c) $^{10}_{4}$Be; (d) n

E47. 18,000 95 u

E49. $1{,}38 \times 10^{11}$

E51. 174 MeV

E53. 25,3

E55. 3,27 MeV

E59. $6{,}64 \times 10^{9}$ J

E61. 213,9952 u

E63. $5{,}27 \times 10^{6}$

E65. (a) $^{15}_{7}$N; (b) $1{,}30 \times 10^{6}$

E67. (a) $4{,}34 \times 10^{-10}$ kg; (b) 16,0 jours

E69. $2{,}90 \times 10^{9}$ a

E71. (a) $^{22}_{10}$Ne; (b) 1,82 MeV

E73. (a) $3{,}10 \times 10^{7}$; (b) $1{,}22 \times 10^{6}$ s

E75. (a) 4,97 MeV; (b) 7,55 MeV

E77. (a) $2{,}61 \times 10^{24}$; (b) 1,02 kg

Problèmes

P1. $2{,}78 \times 10^{13}$

P3. $dN_2/dt = \lambda_1 N_1 - \lambda_2 N_2$, $\lambda_1 N_1 = \lambda_2 N_2$

P5. 4,79 MeV

P7. 4,75 h

P9. 4,49 MeV

Sources des photographies

Chapitre 1

Page 1 : Paul Boyuton/University of Wisconsin.
Page 15 (a) et (b) : AP Wide World Photos/Canapress.
Page 19 : David Madison/Tony Stone Images.
Page 23 : Nasa.

Chapitre 2

Page 33 : J. M. Loubat/Agence Vandystadt/Photo Researchers, Inc. *Page 34* : Ian O'Leary/Tony Stone Images. *Page 36* : Warren Bolster/Tony Stone Images. *Page 46* : PSSC Physics, 2nd edition, ©1965 Education Development Center, Inc., and D.C. Heath & Company. *Page 47* : Thomas D. Rossing.

Chapitre 3

Page 63 : ©1973 Kim Vandiver & Harold Edgerton, courtesy of Palm Press, Inc. *Page 64* : *(a)* ©1985 Howard Sochurek/The Stock Market ; *(b)* Siemens Corporation ; *(c)* VG Semicon/Science Photo Library/ Photo Researchers, Inc. *Page 67* : Frank Orel/Tony Stone Images.

Chapitre 4

Page 87 : David Olsen/Tony Stone Images. *Page 88* : AIP Emilio Segrè Visual Archives. *Page 93 (b)* : NASA ; *(c)* ©Michael Freeman. *Page 95* : Harris Benson. *Page 100* : (en haut) ©Will & Deni McIntyre/Photo Researchers, Inc. *Page 103* : UPI/Corbis-Bettmann. *Page 105* : Raytheon Optical Systems, Inc. *Page 113* : (fig. 4.48 et 4.39) : Avec l'autorisation de la New York Public Library Picture Collection. *Page 114* : (en haut) ©PAR/NYC ; (en bas) AIP Emilio Segrè Visual Archives. *Page 120* : Leonard Lessin/Peter Arnold, Inc.

Chapitre 5

Page 129 : Lester Lefkowitz/Masterfile. *Page 145* : (en haut, à gauche) Volker Steger/Peter Arnold, Inc ; (en haut, à droite) : Michael Holford ; (en bas) Avec l'autorisation du Science Museum, Londres. *Page 147* : Nikon Inc., Instrument Group. *Page 148* : Scala/Art Resource, NY. *Page 149* : Michael Holford. *Page 150* : Bob Gomel/The Stock Market/First Light Associated. *Page 153* : Lennart Nilsson.

Chapitre 6

Page 165 : Michael Freeman. *Page 167* : Berenice Abbott/Photo Researchers, Inc. *Page 170* : (en haut) The Royal Society, Londres ; (en bas) : M. Cagnet, M. Francon et J. Thierr, *Atlas of Optical Phenomena*, Berlin, Springler-Verlag. *Page 177 et 178* : Bausch & Lomb. *Page 181* : AIP Emilio Segrè Visual Archives. *Page 188* : Martin Rogers.

Chapitre 7

Page 197 : (en haut) Manfred Kage/Peter Arnold, Inc. ; (en bas) AIP Emilio Segrè Visual Archives, Smithsonian Institution. *Page 198, 199 et 201* : M. Cagnet, M. Francon et J. Thierr, *Atlas of Optical Phenomena*, Berlin, Springler-Verlag. *Page 202* : (en haut) The Royal Society/AIP Emilio Segrè Visual Archives ; (en bas) NASA Dryden Flight Research Center. *Page 204* : ©PAR/NYC. *Page 206* : (à gauche) Raytheon Co ; (à droite) Diego Goldberg/Sygma. *Page 207* : National Radio Astronomy Observatory. *Page 211* : Science Source/Photo Researchers, Inc. *Page 214* : (à droite) Éditions du Renouveau Pédagogique Inc. *Page 220* : (en haut) E. S. Barrekette, W. S. Kock, T. Ose et coll., *Applications of Holography*, Plenum Press ; (en bas) Daniel Quat/Museum of Holography. *Page 223* : (à gauche) ©1992 Bruno/The Stock Market/First Light Associates ; (à droite) M. Cagnet, M. Francon et J. Thierr, *Atlas of Optical Phenomena*, Berlin, Springler-Verlag. *Page 225* : Cornell University.

Chapitre 8

Page 231 : LLNL/Science source/Photo Researchers, Inc. *Page 235* : J-L Charmet/Science Photo Library/Photo Researchers, Inc. *Page 244* : ©1989 Hsiung. *Page 253* : Los Alamos National Laboratory.

Chapitre 9

Page 267 : Larry Keenan Jr./Image Bank. *Page 269* : Ted Horowitz/The Stock Market/First Light Associates. *Page 270* : AIP Emilio Segrè Visual Archives/W. F. Meggers Collection. *Page 279* : Mark Oliphant/AIP Emilio Segrè Visual Archives. *Page 288* : Theodore Maiman. *Page 290* : (à gauche) Sandia National

Laboratories; (à droite) ©1989 Bob Abraham/The Stock Market/First Light Associates.

Index

FACTEURS DE CONVERSION

Longueur

1 po = 2,54 cm (exactement)

1 m = 39,37 po = 3,281 pi

1 mille (mi) = 5280 pi = 1,609 km

1 km = 0,6215 mille

1 fermi (fm) = 1×10^{-15} m

1 ångström (Å) = 1×10^{-10} m

1 mille marin = 6076 pi = 1,151 mille

1 unité astronomique (UA) = $1,4960 \times 10^{11}$ m

1 année-lumière = $9,4607 \times 10^{15}$ m

Aire

1 m^2 = 10^4 cm^2 = 10,76 pi^2

1 pi^2 = 0,0929 m^2

1 po^2 = 6,452 cm^2

1 $mille^2$ – 640 acres

1 hecatre (ha) = 10^4 m^2 = 2,471 acres

1 acre (ac) = 43 560 pi^2

Volume

1 m^3 = 10^6 cm^3 = $6,102 \times 10^4$ po^3

1 pi^3 = 1728 po^3 = $2,832 \times 10^{-2}$ m^3

1 L = 10^3 cm^3 = 0,0353 pi^3
  = 1,0576 pinte (É.-U.)

1 pi^3 = 28,32 L = 7,481 gallons É.-U. = $2,832 \times 10^{-2}$ m^3

1 gallon (gal) É.-U. = 3,786 L = 231 po^3

1 gallon (gal) impérial = 1,201 gallon É.-U. = 277,42 po^3

Masse

1 unité de masse atomique (u) = $1,6605 \times 10^{-27}$ kg

1 tonne (t) = 10^3 kg

1 slug = 14,59 kg

1 tonne É.-U. = 907,2 kg

Temps

1 jour = 24 h = $1,44 \times 10^3$ min = $8,64 \times 10^4$ s

1 a = 365,24 jours = $3,156 \times 10^7$ s

Force

1 N = 10^5 dynes = 0,2248 lb

1 lb = 4,448 N

Le poids de 1 kg correspond à 2,205 lb.

Énergie

1 J = 10^7 ergs = 0,7376 pi·lb

1 eV = $1,602 \times 10^{-19}$ J

1 cal = 4,186 J ; 1 Cal = 4186 J (1 Cal = 1 kcal)

1 kW·h = $3,600 \times 10^6$ J = 3412 Btu

1 Btu = 252,0 cal = 1055 J

1 u est équivalent à 931,5 MeV

Puissance

1 hp = 550 pi·lb/s = 745,7 W

1 cheval-vapeur métrique (ch) = 736 W

1 W = 1 J/s = 0,7376 pi·lb/s

1 Btu/h = 0,2931 W

Pression

1 Pa = 1 N/m^2 = $1,450 \times 10^{-4}$ lb/po^2

1 atm = 760 mm Hg = $1,013 \times 10^5$ N/m^2 = 14,70 lb/po^2

1 bar = 10^5 Pa = 0,9870 atm

1 torr = 1 mm Hg = 133,3 Pa

L'ALPHABET GREC

Alpha	A	α	Iota	I	ι	Rhô	P	ρ
Bêta	B	β	Kappa	K	κ	Sigma	Σ	σ
Gamma	Γ	γ	Lambda	Λ	λ	Tau	T	τ
Delta	Δ	δ	Mu	M	μ	Upsilon	Y	υ
Epsilon	E	ε	Nu	N	ν	Phi	Φ	ϕ
Zêta	Z	ζ	Xi	Ξ	ξ	Khi	X	χ
Êta	H	η	Omicron	O	o	Psi	Ψ	ψ
Thêta	Θ	θ	Pi	Π	π	Oméga	Ω	ω

FORMULES MATHÉMATIQUES*

Géométrie

Triangle de base b
et de hauteur h Aire $= \frac{1}{2}bh$

Cercle de rayon r Circonférence $= 2\pi r$ Aire $= \pi r^2$

Sphère de rayon r Aire de la surface $= 4\pi r^2$ Volume $= \frac{4}{3}\pi r^3$

Cylindre de rayon r
et de hauteur h Aire de la
surface courbe $= 2\pi rh$ Volume $= \pi r^2 h$

Algèbre

Si $ax^2 + bx + c = 0$, alors $x = \dfrac{-b \pm \sqrt{b^2 - 4ac}}{2a}$

Si $x = a^y$, alors $y = \log_a x$; $\log(AB) = \log A + \log B$

Trigonométrie

$\sin(90° - \theta) = \cos\theta$; $\cos(90° - \theta) = \sin\theta$

$\sin(-\theta) = -\sin\theta$; $\cos(-\theta) = \cos\theta$

$\sin^2\theta + \cos^2\theta = 1$; $\sin 2\theta = 2\sin\theta\cos\theta$

$\sin(A \pm B) = \sin A \cos B \pm \cos A \sin B$

$\cos(A \pm B) = \cos A \cos B \mp \sin A \sin B$

$\sin A \pm \sin B = 2 \sin\left(\dfrac{A \pm B}{2}\right)\cos\left(\dfrac{A \mp B}{2}\right)$

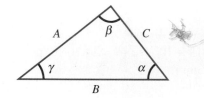

Loi des cosinus $C^2 = A^2 + B^2 - 2AB \cos\gamma$

Loi des sinus $\dfrac{\sin\alpha}{A} = \dfrac{\sin\beta}{B} = \dfrac{\sin\gamma}{C}$

Approximations du développement en série (pour $x \ll 1$)

$$(1 + x)^n \approx 1 + nx \qquad \sin x \approx x - \frac{x^3}{3!}$$

$$e^x \approx 1 + x \qquad \cos x \approx 1 - \frac{x^2}{2!} \qquad (x \text{ en radians})$$

$$\ln(1 \pm x) \approx \pm x \qquad \tan x \approx x - \frac{x^3}{3}$$

---

* Une liste plus complète est donnée à l'annexe B.